LA PRÉHISTOIRE FRANÇAISE

Tome I

LES CIVILISATIONS PALÉOLITHIQUES
ET MÉSOLITHIQUES DE LA FRANCE

LA PRÉHISTOIRE FRANÇAISE

Préface de Valéry GISCARD d'ESTAING
Président de la République Française

Tome I

LES CIVILISATIONS PALÉOLITHIQUES ET MÉSOLITHIQUES DE LA FRANCE

sous la direction de
Henry de LUMLEY

Publié à l'occasion du IXe Congrès de l'U.I.S.P.P., Nice, 1976

ÉDITIONS DU CENTRE NATIONAL DE LA RECHERCHE SCIENTIFIQUE
15, quai Anatole-France — 75700 PARIS
1976

ISBN 2-222-01968-0

Troisième partie

LA CULTURE MATÉRIELLE

I

LES PREMIÈRES INDUSTRIES HUMAINES

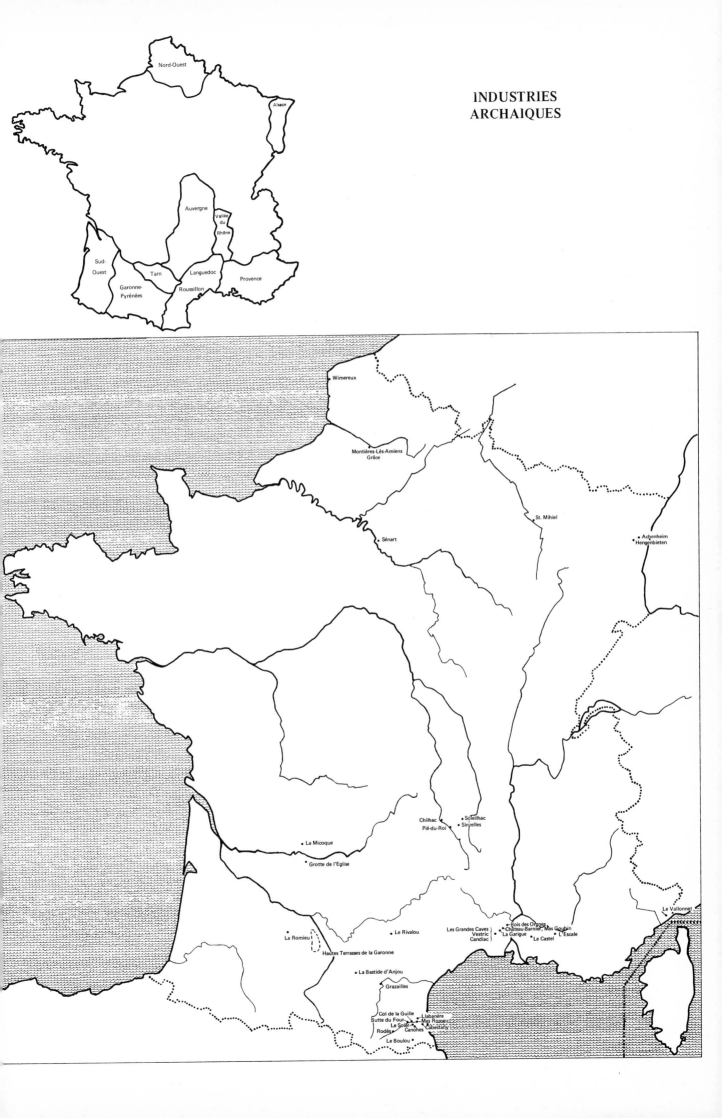

INDUSTRIES
ARCHAÏQUES

Les premières industries humaines en Provence

par

Henry de LUMLEY *

Résumé. La présence de l'Homme est attestée en Provence dès le Pléistocène inférieur final. Sa présence a été reconnue dans la grotte du Vallonnet (Roquebrune-Cap-Martin, Alpes Maritimes), dans un ensemble stratigraphique daté par des faunes du Villafranchien supérieur (faunes à *Allophaiomys*). Ce remplissage, plus récent que celui de Valros (> 1,6 MA), Sénèze (> 1,5 MA) et Malouteyre-Sinzelles (1,3 MA), plus ancien que Stranska Skala (0,7 MA), présente une aimantation positive qui pourrait correspondre à l'épisode de Jaramillo (0,9-0,95 MA). Outre quelques os taillés, l'outillage abandonné par l'Homme est essentiellement constitué par des galets aménagés et des éclats. Il n'y a aucune trace de feu.

Des industries archaïques sur galet, également très anciennes, ont été découvertes sur des terrasses du Pléistocène inférieur et moyen de la Moyenne Vallée de la Durance, de la Vallée de la Bléone, de la Basse Vallée du Rhône et en surface du Plateau de Riez-Valensole et de la Crau.

Abstract. The presence of Man is attepted in Provence from the end of the Lower Pleistocene. His presence is documented in the Grotte du Vallonnet (Roquebrune-Cap-Martin, Maritime Alps) in the stratigraphic sequence dated by the Upper Villafranchian fauna (*Allophaiomys*). This filling, more recent than that of Valros (> 1.6 million B.P.), Sénèze (> 1.5 million B.P.) and Malouteyre-Sinzelles (1.3 million B.P.), and older than Stranska Skala (0.7 million B.P.), presents a positive magnetization which may correspond to the Jaramillo (0.9-0.95 million B.P.) episode. Aside from several worked bones, the tools abandoned by man consist essentially of worked pebbles and flakes. There is no trace of fire.

The archaic pebble industries, equally very old, were discovered on the Lower and Middle Pleistocene terraces of the Middle Valley of the Durance River, of the Bléone River Valley, of the Lower Rhône Valley and on the Riez-Valensole Plateau and the Crau.

La grotte du Vallonnet.

La grotte du Vallonnet est située à Roquebrune-Cap-Martin, tout près de Menton, dans les Alpes Maritimes. Elle est constituée par un étroit couloir qui débouche à 5 mètres de l'entrée dans une salle exiguë.

Stratigraphie (fig. 1 et tableau I)

Remplissage du Pléistocène inférieur : Un premier remplissage continental (Donau ?) essentiellement attesté aujourd'hui par des gros blocs et des fragments de plancher stalagmitique (E), a comblé cette grotte, avant la transgression de la mer au Calabrien supérieur.

Transgression calabrienne : Une transgression glacio-eustatique (Donau-Günz ?), caractérise la mer du Calabrien supérieur. Celle-ci est montée jusqu'au niveau de la grotte, à l'altitude de 108 m ; le ressac a démantelé le remplissage continental antérieur et des fragments de plancher stalagmitique ont été brisés et roulés. Avant de se retirer la mer a abandonné dans les anfractuosités du rocher des sables marins riches en foraminifères, en débris de coquilles et en restes de poisson (couche D).

Remplissage du Pléistocène inférieur final (« Günz ») : La mer s'est retirée pendant une période de refroidissement et n'est plus jamais revenue au niveau de la grotte du Vallonnet (régression du Calabrien supérieur). La grotte a alors été comblée par un deuxième remplissage continental.
Trois ensembles de couches : C, B² et B¹, sont essentiellement constitués de sables argileux emballant un cailloutis anguleux et des galets issus du poudingue de Roquebrune. La présence de pierres gélives et de galets éclatés par le gel, dans les couches B² et B¹, permet de penser qu'au moins une partie de ce remplissage s'est déposée sous un climat froid.

Postérieurement à son dépôt, ce remplissage a été fortement altéré et en partie décalcifié en surface.

Remplissage post-villafranchien: Postérieurement au dépôt des couches du Pléistocène inférieur final, un violent ravinement a arraché le remplissage du couloir et de la région antérieure de la première salle. Une profonde rigole dirigée vers l'entrée de la grotte a été creusée en surface des couches restées en place au fond de la caverne. Elle est comblée par une argile rouge colluviée (couche A). Un épais plancher stalagmitique (s) a, par la suite, colmaté l'entrée de la salle et a ainsi protégé des érosions postérieures ce qui restait du remplissage. La composition isotopique $^{18}O/^{16}O$ des carbonates de ce plancher met en évidence qu'il s'est constitué pendant une période plus froide que l'actuelle, peut-être à la fin du Pléistocène inférieur final.

La faune.

La faune découverte dans les niveaux du Pléistocène inférieur final « Günz », extrêmement riche et relativement bien conservée, permet de dater le site avec précision. Elle comprend de nombreuses espèces :

Primates cynomorphes :
    Macacus sp.

* Laboratoire de Paléontologie Humaine et de Préhistoire, URA n° 13 du CRA. Université de Provence, Centre Saint-Charles, Place Victor-Hugo, F. 13331 Marseille Cedex 3 (France).

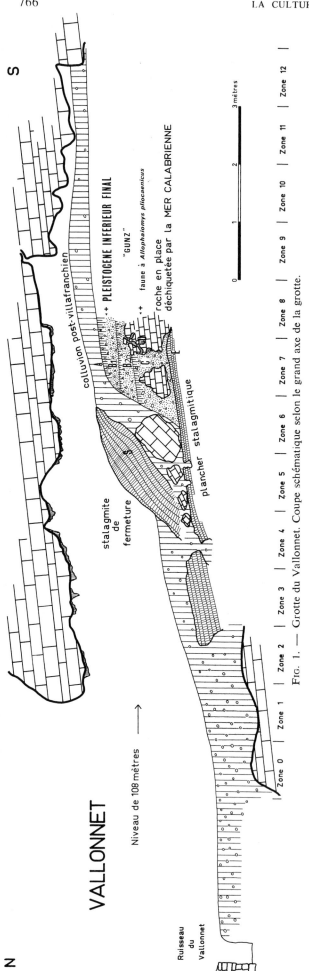

Fig. 1. — Grotte du Vallonnet. Coupe schématique selon le grand axe de la grotte.

Carnivores fissipèdes :
  Canidés :
    Canis sp.
  Félidés :
    Felis sp.
    Acinonyx pardinensis
  Ursidés :
    Ursus sp.
  Hyaenidés :
    Crocuta perrieri
Carnivores pinnipèdes
  Phocidae :
    Monachus albiventer
Artiodactyles
  Hippopotamidés :
    Hippopotamus sp.
  Suidés :
    Sus sp.
  Bovidés :
    Bos sp.
    Leptobos sp.
  Cervidés :
    plusieurs cervidés archaïques évoquant les formes du Villafranchien supérieur (*Cervus elaphoides*).
  Capridés :
    Capridé archaïque évoquant les formes du Villafranchien supérieur.
Périssodactyles
  Rhinocerotidés :
    Dicerorhinus etruscus
  Equidés :
    Equus stenonis
Proboscidiens
  Elephantidés :
    Elephas meridionalis
Cétacés :
    Balaena sp.
Rongeurs :
    Hystrix major
    Allophaiomys cf. pliocaenicus, morphotypes microto-nivaloïde et pitymyo-gregaloïde.
    Ungaromys nanus
    Glis minor
    Eliomys cf. quercinus helleri
    Apodemus mystacinus
    Mus sp. à affinités asiatiques
Insectivores :
    cf. *Asoriculus sp.*
Reptiles :
    Testudo sp.

La présence de l'Eléphant méridional et l'absence du Mastodonte permettent de penser que cette faune date de la fin du Villafranchien. Cependant un grand Canidé, un grand Félidé et un grand Bœuf annoncent déjà les faunes du Pléistocène moyen.

L'association des morphotypes microto-nivaloïde et pitymyo-gregaloïde *d'Allophaiomys pliocaenicus* se rencontre au sein de la population du site des Valerots à Nuits-Saint-Georges (Côte-d'Or) qui, selon J. Chaline, appartient au Pléistocène moyen très ancien (cf. « Günz »).

Ce même âge est confirmé par la présence de trois espèces communes aux deux remplissages de grotte: *Ungaromys nanus, Glis minor* et *Eliomys quercinus*. La situation du Vallonnet dans la zone biogéographique méditerranéenne se traduit par la présence du Mulot méditerranéen *Apodemus mystacinus* et d'un insectivore du genre *Asoriculus*.

Selon J. Chaline (1971, p. 68) les steppes froides peu boisées de la Bourgogne (Valerots) devaient passer dans la zone méditerranéenne (Vallonnet) à une steppe aride localement boisée.

TABLEAU I

Grotte du Vallonnet, Roquebrune - Cap-Martin, Alpes-Maritimes.

AGE ABSOLU	PALEO-MAGNETISME	Corrélations avec la chronologie glaciaire alpine	Variations du niveau de la mer	SEDIMENTATION ET LITHOLOGIE	FAUNES — Foraminifères	FAUNES — Mollusques et crustacés	FAUNES — Vertébrés	VEGETATION	¹⁸O/¹⁶O	Craquellement des galets	Décalcification	PALEOCLIMATS	INDUSTRIES
	−			S — Plancher stalagmitique				Cortège pollinique pauvre — Végétation de climat tempéré (AP=65%)				tempéré et humide	
			2° Remplissage continental	A — Argiles sableuses colluviées / Vidange du couloir d'entrée / Ravinement — discordance				Dominance des pins (Grands feuillus: Quercus sp., ulmus) / Quelques essences méditerranéennes — Végétation de climat tempéré (AP=65%)				frais et humide	
900 000		"GUNZ"		BI — Sable argileux à cailloux anguleux et galets — discordance			Macacus sp. / Canis sp. / Felis sp. / Ursus sp. / Acinonyx pardinensis / Crocuta perrieri / Monachus albiventer / Hippopotamus sp. / Sus sp. / Bos sp. / Leptobos sp. / Cervus sp. / Capra sp. / Dicerorhinus etruscus / Elephas meridionalis / Equus stenonis / Bulena sp. / Hystrix major / Allophaiomys / cf. pliocaenicus / Ungaromys nanus / Gilis minor / Eliomys / cf. quercinus mystacinus / Mus sp. / cf. Asoriculus sp. / Testudo sp.	Couvert arbustif pauvre — Quelques essences méditerranéennes / Graminées — Végétation de climat frais (AP=10%) / Chênaie mixte / Essences méditerranéennes / Installation d'une pinède — Pins, Grands feuillus (Betula, Alnus) et quelques rares essences méditerranéennes / Quelques fougères / Diminution des composées / Composées + graminées — Végétation de climat rigoureux (AP=5%)			⟶	tempéré et humide / assèchement / frais et peu humide	Outillage sur galet
	JARAMILLO			BII — Sable argileux à cailloux anguleux et galets				Couvert forestier très faible (Rares bouquets de pin) / Composées + graminées / Quelques fougères — Végétation de climat rigoureux (AP=5%)			⟶	frais et peu humide	
950 000			REGRESSION POST CALABRIENNE	C — Sable argileux à cailloux anguleux et galets — discordance									
		"DONAU-GUNZ"	TRANSGRESSION CALABRIENNE / Remplissage marin	D — Dépôts de sédiments marins / Fixation de gryphées sur les parois / Perforation des parois et des blocs par les organismes marins / Bris et roulage de fragments du plancher E / Erosion par les vagues des parois, du sol et des gros blocs / Vidange du premier remplissage continental — discordance	Asterigerina planorbis / Asterigerina mamilla / Elphidium cf. aculeatum / Elphidium complanatum / Elphidium crispum / Elphidium macellum / Ammonia beccarii / Rotalia granulata / Globigerina sp. / Anomalina cf. anomalinoides / Cibicides lobatulus / Cibicides refulgens / Reophax / Dorothia gibbosa / Ramulina globulifera / Bolivina amoriensis / Bolivina pseudoplicata / Planulina arminensis	Gryphaea virleti / Gryphaea cucullata / Patella caerulea / Patella lusitanica / Patella ferruginea / Vermetus arenarius / Cerithium vulgatum / Lithodomus lithophagus / Chlamys sp. / Erabia spinifrons / Balanus sp.	Diodon aff. acanthodes / Chrysophrys aurata / Odontaspis taurus / Myliobatis aquila		− 4			très chaud	
1 500 000		"DONAU" (?)	1° Remplissage continental / REGRESSION CALABRIENNE	E — Plancher stalagmitique				Pinède clairsemée / Grands feuillus rares / Graminées + cichoriées — Pins, et grands feuillus (Carpinus, Ulmus, Fraxinus, Acer, Quercus sp., Fagus) / Paquasaune et relictes tertiaires (Ptérocarya) / Essences méditerranéennes (Quercus - ilex, Celtis, Rhamnus, cf. Philirea) — Végétation de climat chaud (AP=80%)				refroidissement et humidification / tempéré chaud et assez humide	
				Chute de gros blocs / Remplissage continental								frais (?)	
				Corrosion des parois / Creusement de la grotte									

La flore.

Les analyses polliniques effectuées par J. Renault-Miskovsky et M. Girard mettent en évidence, dans les couches C et B II, une steppe à composées avec pinède clairsemée et rares taxons méditerranéens passant vers le haut (couche B I) à une pinède et chênaie mixte avec taxons méditerranéens (cf. J. Renault-Miskovsky et M. Girard, page 469).

Paléomagnétisme.

L'aimantation du remplissage effectuée par J. Poutiers et F. Fernex (1972) est assez « dure » et positive.

Datation.

Le site du Vallonnet peut être bien daté. La grande faune permet d'affirmer qu'il est postérieur à Senèze (> 1,5 MA), à Valros (> 1,4 MA) et à Malouteyre-Sinzelles (1,3 MA).

Par ses faunes de rongeur à *Allophaiomys,* il est contemporain des sites de Balaruc I et de Mas Rambault près de Montpellier, des Valerots à Nuits-Saint-Georges et de la haute terrasse de Grâce à Montières. Il peut être situé plus précisément dans la deuxième partie de la phase de Beftia du Biharien inférieur de D. Janossy en raison de l'évolution d'*Allophaiomys pliocaenicus* (morphotypes microto-nivaloïde et pitymyo-gregaloïde).

Il est donc très antérieur au site de Stranska Skala (près de Brno en Moravie) qui peut être rapporté à la phase de Tarko du Biharien supérieur et qui a pu être daté grâce aux travaux de J. Kukla de la limite Brunhes-Matuyama (0,7 M.A.).

Grâce à ses faunes, le site du Vallonnet peut donc être situé entre 1,3 et 0,7 MA (tableau II).

J. Poutiers et F. Fernex (1972) ayant démontré que le remplissage avait une aimantation assez dure et positive, il peut être placé soit dans Brunhes : < 0,7 M.A., soit dans le bref épisode positif de Jaramillo (0,9 — 0,95 M.A.), soit dans Olduvay (1,7 — 1,85 MA).

Grâce aux datations obtenues par les faunes, nous devons écarter les épisodes de Brunhes et Olduvay. Le remplissage du Vallonnet, qui présente une aimantation positive, pourrait donc dater de l'épisode de Jaramillo (0,9 — 0,95 MA).

TABLEAU II

Le remplissage de la Grotte du Vallonnet dans le cadre chronologique du Quaternaire. Corrélations avec les principaux sites à faunes de vertébrés et à restes végétaux.

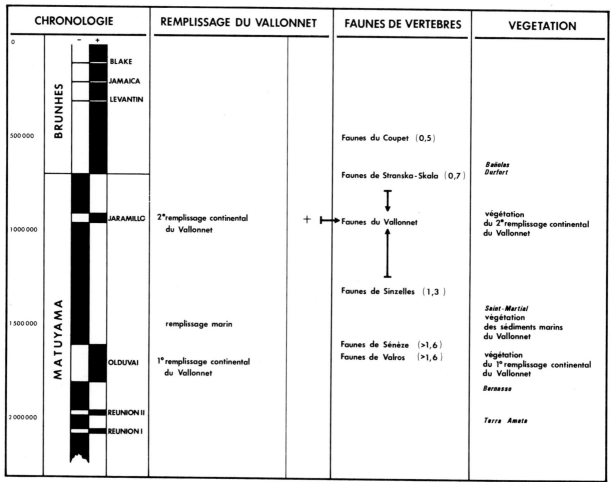

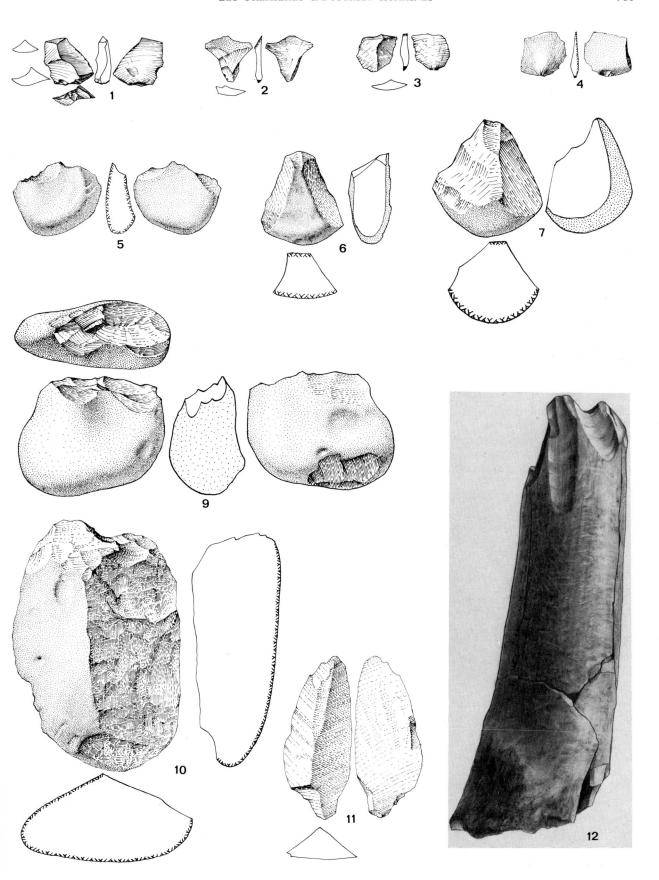

FIG. 2. — Industrie lithique et osseuse de la grotte du Vallonnet (900 000 à 950 000 ans).
1:2 de la gr. nat.

L'industrie.

Une industrie (fig. 2) a été découverte dans le remplissage du Pléistocène inférieur final. Parmi les objets taillés, il y a lieu de distinguer :

- les éclats de taille (fig. 2, n°s 1 à 4 et 10) ;
- les outils sur galet (fig. 2, n°s 5 à 9),
  - choppers,
  - chopping-tools,
  - rostro-carénés,
  - pebble-tools;
- les os taillés (fig. 2, n° 11).

Les outils sur galet et les éclats de taille avaient été abandonnés au centre de la petite salle. Les grands ossements de mammifères, par contre, avaient généralement été rejetés contre les parois. L'homme apportait dans son habitat des bois de cervidés détachés naturellement. Ils sont généralement découverts groupés. Certains d'entre eux paraissent avoir été ensuite sciés intentionnellement

L'homme du Villafranchien supérieur qui était venu se réfugier dans la grotte du Vallonnet, comme dans une tanière, ne paraît pas avoir connu le feu, et l'organisation de son habitat était des plus élémentaires.

Les techniques de chasse de l'homme du Vallonnet devaient être rudimentaires; il ramenait dans son habitat une forte proportion d'animaux âgés, vraisemblablement des bêtes malades ou mortes. Il y charriait même des fragments de carcasse de baleine échouée sur une plage proche et en cours de décomposition.

Le Vallonnet est certainement en Europe, le plus vieux site bien daté dans lequel a été mis en évidence le témoignage du passage de l'Homme.

Boulevard de Belgique.

Cette station est située, sur le territoire de la Principauté de Monaco, au 30 boulevard de Belgique.

Au-dessus de la plage sicilienne datée de l'interglaciaire « Günz - Mindel », des éboulis anguleux, emballés dans une matrice sablo-limoneuse jaune, étaient subdivisés par un paléosol rouge, fendillé, d'un mètre d'épaisseur environ.

Dans ce sol d'altération, daté d'un Inter-Mindélien, ont été découverts quelques outils, dont un petit chopper, associés à un foyer (G. Iaworsky, 1963 ; H. de Lumley, 1969).

Moyenne vallée de la Durance.

Dans la vallée de la Durance provençale, entre les Mées et Oraison, huit niveaux de terrasses quaternaires ont été reconnus (M. Dubar, 1975).

- Pléistocène inférieur :
  — « *Pré-Günz* » ?
    – Terrasse de Ruffe,
    – Terrasse de Brigadel ;
  — « *Günz* »
    – Terrasse de Bois-Saint-Martin.

- Pléistocène moyen :
  — « *Mindel* »
    – Terrasse du Jas de Tessier ;
  — « *Riss* »
    – Terrasse des Buttes du Canal,
    – Terrasse des Pourcelles.

- Pléistocène supérieur :
  — « *Würm* »
    – Terrasse de Saint-Michel,
    – Terrasse de Dabisse.

Sur les plus hauts niveaux : terrasses de Ruffe et de Brigadel, terrasse de Bois-Saint-Martin, plusieurs stations ont livré des industries archaïques sur galet.

Les outils sont taillés en quartzite grossier, à facture saccharoïde.

Série I : la série la plus ancienne, découverte sur les terrasses de Ruffe et de Brigadel, présente des pièces dont les facettes de taille sont extrêmement patinées et colorées en brun-rouge.

L'industrie comprend des choppers, des polyèdres et quelques éclats.

Ces outils dateraient, en raison de leur patine, du Pleistocène inférieur (M. Dubar 1975).

Série II : la série la plus récente, découverte sur les terrasses de Ruffe, de Brigadel et de Bois-Saint-Martin, comprend des pièces dont les facettes de taille ne sont pas patinées et présentent un aspect saccharoïde.

L'industrie, qui comprend des galets à enlèvement isolé, des choppers et quelques palets-disques, daterait du début du Würm.

Vallée de la Bléone.

Plusieurs terrasses alluviales du Pleistocène inférieur et moyen peuvent être observées dans la Vallée de la Bléone (M. Dubar, 1975) :

- Pléistocène inférieur :
  — « *Günz* »
    – Terrasse de Chenerilles.
- Pléistocène moyen :
  — « *Mindel* »
    – Terrasse des Plaines ;
  — « *Riss* »
    – Terrasse des Mollières.
- Pléistocène supérieur :
  — « *Würm* »
    – Terrasse d'Aiglun ;
    – Terrasse de Puy-Saint-Pierre.

Le niveau des Plaines, qui paraît correspondre à la Terrasse du Jas de Tessier dans la Vallée de la Durance, situé à 200 m environ au-dessus du lit actuel de la Bléone, présente de nombreux affleurements. Citons de l'amont vers l'aval : Les Hautes Sieyes, les Plaines, les Terres Rouges, Combe Julienne.

Aux Plaines et aux Terres Rouges, cette terrasse est recouverte par des cailloutis consolidés en brèche, et surmontés par un puissant paléosol à accumulation argileuse rouge, attribué au Mindel.

Sur le site des Plaines, un racloir simple convexe, en quartzite, a été découvert en place dans les brèches qui recouvrent la terrasse.

Sur le site de Combe Julienne, un chopper, dont les facettes de taille présentent une patine très évoluée, a été découvert en surface des alluvions.

Plateau de Riez-Valensole.

La surface du Plateau de Riez-Valensole constitue un vaste glacis de piémont de 40 km de long qui peut être daté du Pléistocène inférieur.

De nombreuses stations préhistoriques ont été découvertes sur cette surface. Plusieurs ont livré des industries archaïques sur galet (M. Dubar, 1975).

La station de la Plaine de Laure.

Plusieurs outils paléolithiques ont été recueillis sur cette station, en surface d'un vieux sol fersiallitique lessivé. Ils appartiennent à deux séries distinctes :

— *Série 1 :* la série 1 comprend des outils en quartzite dont les facettes de taille présentent une patine rouge foncé, très évoluée et très profonde, comparable à celle des galets des horizons superficiels du sol.

Les outils de cette série, paraissent très anciens, antérieurs aux principales pédogenèses et dateraient donc du Pleistocène inférieur.

Parmi les pièces les plus caractéristiques, notons un disque biface épais, un nucleus gobuleux, un éclat.

— *Série 2 :* la série 2 comprend les outils en quartzite et en chaille, dont la patine est moins évoluée et qui dateraient du Riss. Ils peuvent être rapportés à l'Evenosien.

Basse vallée du Rhône.

Près de Saint-Paul-Trois-Châteaux, la nappe alluviale de Barry, à Saint-Restitut, commune de Bollène, située à 280 m au-dessus du lit actuel du Rhône, est constituée par des graviers à galets de quartzite reposant directement sur la molasse miocène, et, en grande partie, démantelés.

L'altitude de cette nappe paraît anormalement haute par rapport à la très haute terrasse de 125 m, visible sur la rive droite, en particulier près de Saint-Just-d'Ardèche. La nappe de Barry pourrait être un témoin sur la rive gauche du Rhône de cette très haute terrasse soulevée par une tectogenèse tardive postpliocène.

La terrasse de 125 m, qui au niveau de Caderousse, sur la rive droite, recouvre directement le Pliocène supérieur (Horizon à *Potamides basteroti*), pourrait correspondre à un phase importante d'alluvionnement (Villafranchien inférieur).

Elle domine de 25 m environ la terrasse des Trappinistes, généralement attribuée au Günz.

C'est au milieu des graviers démantelés qu'une industrie archaïque sur galet a été découverte (fig. 3). Les outils ne sont pas en place et sont certainement

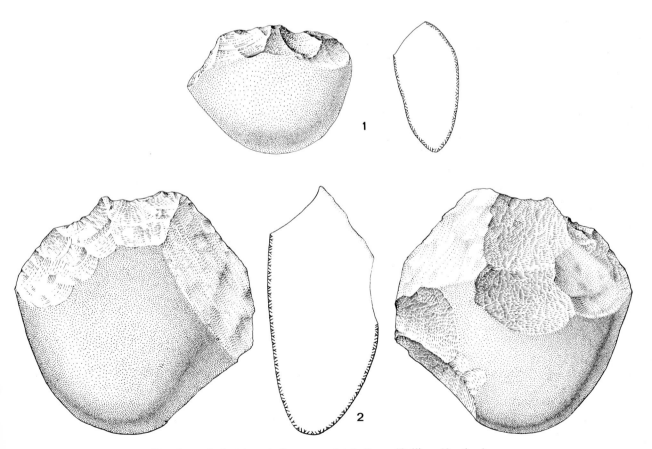

FIG. 3. — Industrie archaïque sur galet de Barry (Bollène, Vaucluse).
1:2 de la gr. nat.

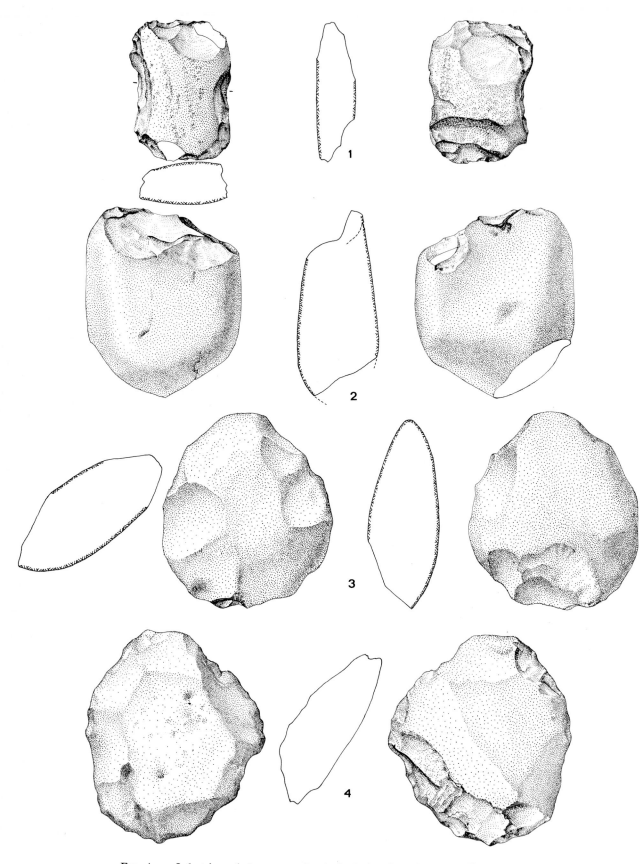

Fig. 4. — Industrie archaïque sur galet de la Petite Crau (Basse Vallée du Rhône).
1:2 de la gr. nat.

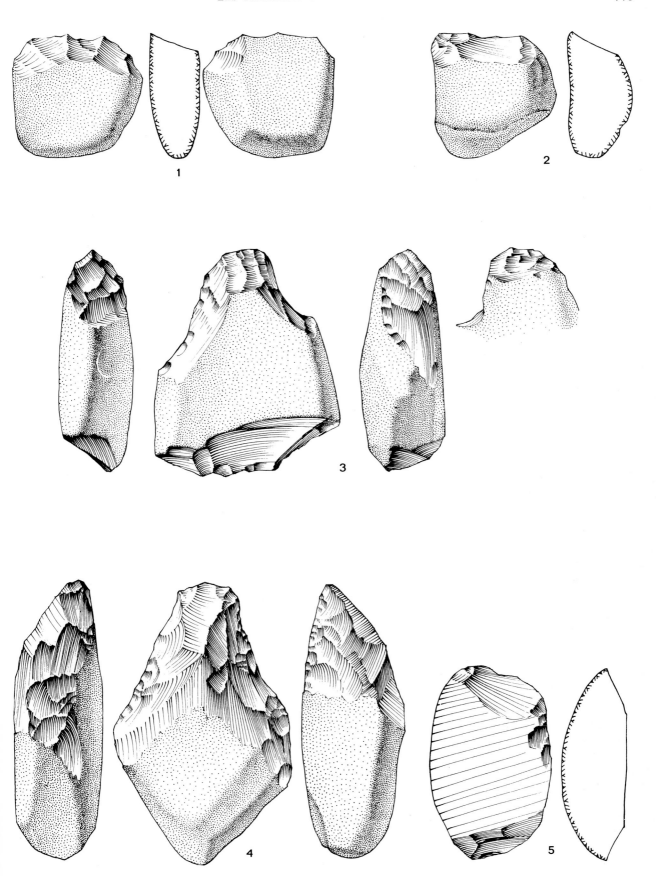

FIG. 5. — Industrie archaïque de la Crau (Basse Vallée de la Durance). 1 à 5. Station du Castel.
1:2 de la gr. nat.

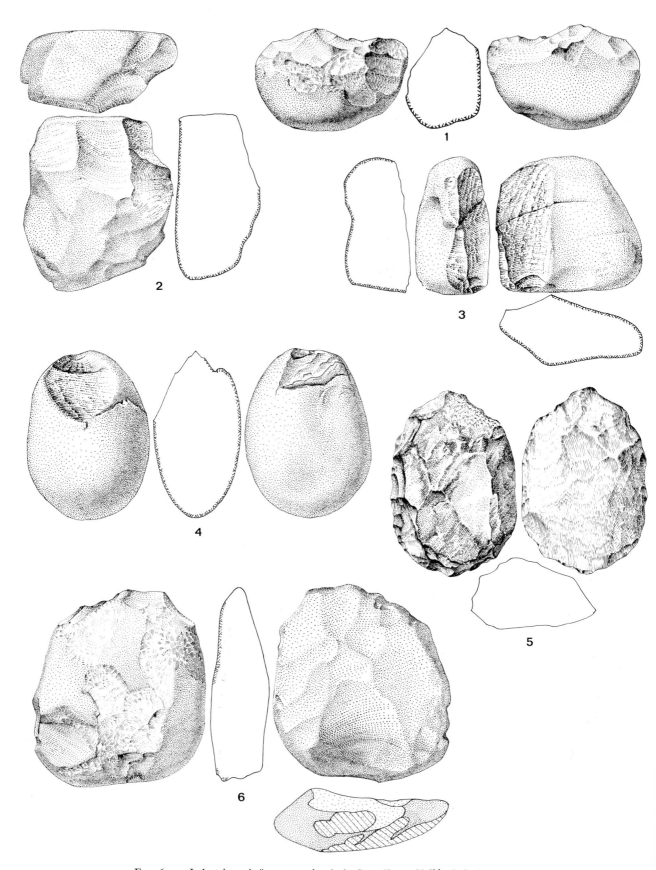

FIG. 6. — Industrie archaïque sur galet de la Crau (Basse Vallée de la Durance).
1. Station de la Samatane; 2 à 4. Station de Terme Est; 5. Station de Malacercis; 6. Station de la Ferme du Vallon.
1:2 de la gr. nat.

nettement postérieurs au dépôt de la très haute terrasse. Leur patine et leur altération permettent cependant de les attribuer à une phase ancienne du Quaternaire.

L'industrie comprend des choppers et des chopping-tools.

La Petite Crau.

La petite Crau ou Crau de Saint-Remy, située au pied du versant nord des Alpilles, correspond à une ancienne nappe alluviale rhodanienne, qui domine le lit actuel du fleuve de 80 m environ. Elle est généralement attribuée au Pléistocène inférieur, vraisemblablement au « Günz ».

Elle est essentiellement constituée de galets de quartzite et une éolisation intense a affecté la surface des alluvions (nombreux dreikanters).

L'étude altimétrique de cette terrasse met en évidence qu'elle a été ployée postérieurement à son dépôt.

Plusieurs outils sur galet, en quartzite ont été découverts en surface (fig. 4). Ils paraissent appartenir à deux séries d'âge différent :

— *Série I* : La série la plus ancienne comprend des outils sur galet extrêmement éolisés et dont les facettes de taille ont acquis la même coloration que les faces naturelles du galet.

Les outils de cette série sont donc postérieurs à la mise en place de la petite Crau datée du « Günz », mais antérieurs aux premiers phénomènes d'altération qui ont affecté sa surface, vraisemblablement pendant le « Günz-Mindel » ainsi qu'à la période d'intense éolisation qui a transformé en « dreikanters » un grand nombre de galets.

— *Série II* : La série la plus récente comprend des outils sur galet dont les facettes de taille sont nettement moins patinées que les faces naturelles du galet et faiblement éolisées.

Cette série, postérieure à la première altération de la terrasse et à la grande période d'éolisation, pourrait être attribuée au « Mindel ».

La Crau.

La Crau, limitée au Nord par les Alpilles et à l'Est par les massifs calcaires des bords de l'étang de Berre, est constituée de cônes alluviaux, issus de la Durance, qui plongent sous le delta du Rhône. Plusieurs nappes ont été distinguées :

- Pléistocène inférieur :
  — « *Pré-Günz* » ?
    – Nappe alluviale de Barbegal et d'Entressen ;
  — « *Günz* »
    – Terrasse de Glauges et d'Entressen.
- Pléistocène moyen :
  — « *Mindel* »
    – Terrasse de Brays,
    – Crau du Luquier ;
  — « *Riss* »

  – Crau de Grans.
- Pléistocène supérieur :
  — « *Würm* »
    – Crau de Miramas.

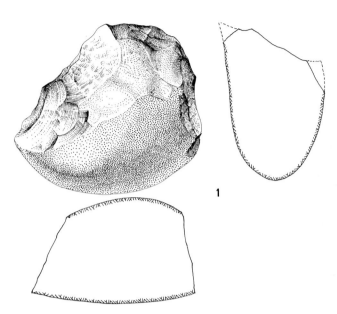

Fig. 7. — Industrie archaïque sur galet de la Crau (Basse Vallée de la Durance). Station de Vauvert sur Crau.
1:2 de la gr. nat.

Des industries archaïques sur galet ont été découvertes sur différentes nappes de la Crau.

La station de la Ferme du Vallon, au lieu-dit Terre Franche, hameau d'Entressen, sur la rive Est de l'étang d'Entressen, est située en surface de la terrasse d'Entressen attribuée au « Günz ».

Elle a livré un galet aménagé en serpentinite (fig. 6, n° 6), dont les facettes de taille, extrêmement éolisées, présentent la même altération que la surface originelle du galet.

La station des Coustières de Malacercis, commune de Mouries, est située au Nord-Est de l'étang d'Entressen, en surface de la terrasse de Brays (ou Crau de Saint-Pierre-de-Vence), attribuée au « Mindel ».
Elle a livré un galet aménagé (fig. 6, n° 5).

Les stations du Castel (Salon-de-Provence) (fig. 5), *de la Samatane* (Saint-Martin de Crau) (fig. 6, n° 1) *et de Terme-Est* (Salon-de-Provence) (fig. 6, nᵒˢ 2 à 4) ont été découvertes en surface de la Crau du Luquier qui est attribuée soit au « Mindel », soit au « Riss ancien ».

Des outils archaïques sur galet ont été découverts sur ces stations. Les facettes de taille sont généralement moins altérées que les faces originelles du galet et faiblement éolisées.

Le nombre de pièces découvertes sur ces stations est insuffisant pour permettre de donner un diagnostic précis de ces industries et de faire des comparaisons utiles.

Il existe cependant de grandes analogies entre ces outils et ceux découverts en Costière du Gard ou en Roussillon et datés du « Mindel ».

Bibliographie

[1] DUBAR Michel (1970). — Les hautes nappes alluviales de la vallée de la Bléone en aval de Digne (B.-A.). *Bulletin du Musée d'Anthropologie Préhistorique de Monaco,* fasc. 15, p. 137 à 142, 1 fig., 7 réf. bibl., résumés français et anglais.

[2] DUBAR Michel (1975). — Les formations quaternaires de la rive gauche de la Moyenne-Durance des Mées à Oraison (Alpes-de-Haute-Provence). *Géologie méditerranéenne,* t. II, n° 2, 1975, p. 49 à 58, 6 fig., 11 réf. bibl.

[3] DUBAR Michel (1975). — Les formations quaternaires du Plateau de Valensole et de la Moyenne Durance et les industries paléolithiques associées. *Diplôme d'études approfondies de Géologie.* Université de Provence, Laboratoire de Paléontologie Humaine et de Préhistoire, juin 1975, 49 p. dactyl., 19 fig., 12 réf. bibl.

[4] IAWORSKY Georges (1963). — Quelques coupes dans les terrains quaternaires à Monaco et dans les Alpes Maritimes. Problème du Calabrien, du Sicilien, du Mindel et du Tyrrhénien dans les Alpes-Maritimes. *Bulletin du Musée d'Anthropologie Préhistorique de Monaco,* n° 10, p. 25 à 61, 17 fig., 25 réf. bibl.

[5] LUMLEY Henry de (1969). — Les civilisations préhistoriques en France. Corrélations avec la chronologie quaternaire. *in Etudes Françaises sur le Quaternaire, présentées à l'occasion du VIII° congrès international de l'Inqua. Paris 1969.* Supplément au *Bulletin de l'Association Française pour l'étude du Quaternaire,* p. 151 à 169, 2 fig., 10 tabl. chron.

[6] LUMLEY-WOODYEAR Henry de (1969). — Le Paléolithique inférieur et moyen du Midi Méditerranéen dans son cadre géologique, t. I, Ligurie-Provence, V° supplément à *Gallia-Préhistoire,* 463 p., 353 fig., 24 tabl.

[7] LUMLEY Henry de et FABRE Fred (1971). — Découverte d'un galet aménagé du Paléolithique inférieur sur les alluvions de la Crau à la Samatane. *Bulletin du Museum d'Histoire Naturelle de Marseille,* t. XXXI, année 1971, p. 221 à 223, 1 figure.

[8] LUMLEY Henry de, GAGNIERE Sylvain, BARRAL Louis et PASCAL René (1963). — La grotte du Vallonnet (Roquebrune-Cap-Martin, Alpes Maritimes). *Bulletin du Musée d'Anthropologie Préhistorique de Monaco,* fasc. 10, p. 5 à 20, 7 fig., 1 tabl., 20 réf. bibl.

Les premières industries humaines
en Languedoc méditerranéen et en Roussillon

par

Henry de LUMLEY *, Jacques COLLINA-GIRARD *, Jean ABELANET *, Frédéric BAZILE ** et Liliane MEIGNEN *

Résumé. Les terrasses alluviales datées du Pléistocène inférieur (attribuées au « Günz ») et de la première partie du Pléistocène moyen (attribuées au « Mindel »), des fleuves et cours d'eaux côtiers du Languedoc Méditerranéen et du Roussillon, ont livré des industries archaïques sur galet essentiellement constituées de choppers, de chopping-tools, de polyèdres, d'épannelés et de très rares bifaces.

Dans les séries les plus anciennes les pièces peu caractéristiques ne sont pas standardisées. Dans les séries les plus récentes les pièces deviennent plus typiques et de plus en plus standardisées. Les bifaces typiques, dérivant des chopping-tools ou des épannelés font leur apparition. L'évolution la plus remarquable mise en évidence sur les terrasses du Roussillon, est la progression des choppers aux dépens des chopping-tools.

Abstract. The alluvial terraces, dated from the Lower Pleistocene (attributed to the « Günz ») and the first part of the Middle Pleistocene (attributed to the « Mindel »), of the rivers and coastal freshets of the Mediterranean Languedoc and Roussillon have furnished some archaic pebble industries constituted essentially of choppers, chopping tools, polyhedrals, « épannelés » and, rare bifaces.

In the older series, the atypical pieces are not standardized. In the more recent series, the pieces become more typical and increasingly more standardized. The typical bifaces, derived from the chopping tools or the « épannelés » make their apparition. The most remarkable evolution seen on the Roussillon terraces is the progression of the choppers at the expense of the chopping tools.

Les industries archaïques sur galet de la Costière du Gard.

La Costière du Gard est une vaste formation alluviale généralement horizontale, située à une altitude absolue de 60-70 m et limitée au Nord par la Vistrenque, à l'Ouest par la Plaine du Vidourle, à l'Est par la Gardon et la plaine du Rhône, au Sud par les étangs.

Elle est essentiellement constituée, dans les zones Nord et Est, d'alluvions rhodaniennes, inscrites dans la série de remblaiement post-astien (série de Survil-le), et elle comprend des galets de quartzite, de quartz et de roches siliceuses alpines, qui sont les seuls éléments qui ont résisté à l'altération pédologique et qui ont acquis, en surface, une patine rousse caractéristique.

La Zone Nord, correspond à une ancienne vallée du Rhône qui empruntait, jusqu'au « Mindel » la Vistrenque et terminait son cours dans la région de Montpellier (Maugio).

La Zone Est, correspond à la vallée actuelle.

Onze niveaux de terrasses ont pu être individualisés par la Géomorphologie et la Pédologie :

ZONE NORD

● Pléistocène inférieur :

« *Günz* »
   niveau 1 : Govons - Doscave
   niveau 2 : Montroche - Gromand
   niveau 3 : Le Bolchet - La Planchude

Sols fersiallitiques sans réserve calcique, très lessivés, colmatés, à pseudogley.

« *Günz récent* »
   niveau 4 : Mas de Rozier - Signan
   niveau 5 : Jasse de Goulard
   niveau 6 : Sernhac - Grand Mas d'Assas - Cadenette

Sols fersiallitiques sans réserve calcique, très lessivés, peu colmatés, à pseudogley.

● Pléistocène moyen :

« *Mindel* »
   niveau 7a : Le Counadou - Les Bouillens - La Mourre

Sols fersiallitiques sans réserve calcique, très lessivés, peu colmatés, sans pseudogley.

ZONE EST

● Pléistocène moyen :

« *Mindel* »
   niveau 7b : Terrasse haute de Beaucaire - Bellegarde
   niveau 8 : Mas du Maire

Sols fersiallitiques sans réserve calcique, très lessivés, non colmatés.

« *Riss* »
   niveau 9 : Terrasse de Beaucaire SNCF

Sols fersiallitiques, à réserve calcique et à accumulation calcaire, lessivés.

● Pléistocène supérieur :

« *Würm* »
   niveau 10 : Terrasse basse de Beaucaire

Sols fersiallitiques, à réserve calcique et à accumulation calcaire, modaux.

* Laboratoire de Paléontologie Humaine et de Préhistoire, U.R.A. n° 13 du C.R.A., Université de Provence, Centre Saint-Charles, place Victor-Hugo, 13331 Marseille Cedex 3 (France).
** 23, rue Jean-Jacques Rousseau, 30600 Vauvert (France).

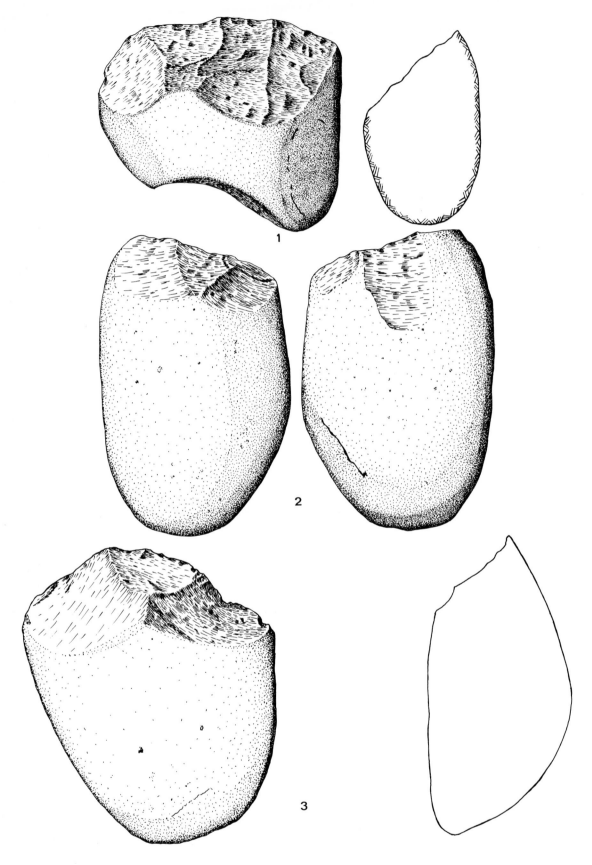

FIG. 1. — Industrie archaïque sur galet de la Costière du Gard.
1, station de Mas-Goulin à Caissargues (niveau 4); 2 et 3, station de la Garrigue, à Générac (glacis de Générac).
1:2 de la gr. nat.

Des formations marines littorales, et des glacis d'épandages anciens, s'intercalent dans différents niveaux alluviaux. Ce sont :

— La formation marine littorale de Saint-Gilles II (4 m N.G.F.) qui correspond aux niveaux de terrasses 1, 2 et 3 (Calabrien Supérieur ?).

— La formation marine littorale de Saint Gilles III (10,15 m N.G.F.) fossilisée sous le niveau 7 a qui a livré *Elephas meridionalis* aux Bouillens (Sicilien tempéré ?).

— Le glacis de Générac, postérieur au niveau 3, mais tronqué par le niveau 4 plus récent.

— Le glacis de Saint-Véran, vraisemblablement synchrone de la formation marine littorale des Bouillens.

Plusieurs sites à industrie archaïque sur galet ont été découverts au cours des dernières années en surface de la Costière du Gard :

Glacis de Générac :
- La Garrigue, à Générac (fig. 1, nos 2 et 3).

Niveau 4 :
- Mas Goulin-Mejanelles, à Caissargues (fig. 1, n° 1) ;
- Château Barnier, à Caissargues.

Niveau 6 :
- Cadenette Nord, à Vestric Candiac (fig. 2, nos 1 à 3) ;
- Pin de Candiac, à Vestric Candiac.

Glacis de Saint-Véran :
- Saint-Véran I et II, à Vestric Candiac (fig. 2, n° 4) ;
- La Rompude, à Beauvoisin.

Niveau 7 a :
- Mas d'Arnaud, à Vergèze.

Niveau 7 b :
- Bois des Orgnes, à Montfrin (fig. 3).

Plus de 200 outils sur galet ont été découverts sur ces stations. Les choppers très nombreux présentent, à tous les niveaux, un pourcentage nettement dominant. Les chopping-tools sont relativement peu abondants. Les pics apparaissent sur les stations du niveau 6, les bifaçoïdes et les unifaces sur les stations du glacis de Saint-Véran.

Les nuclei et les épannelés sont présents à partir du niveau 6 (Cadenette Nord).

L'évolution de l'outillage se caractérise, en outre, en passant des niveaux alluviaux les plus anciens vers les niveaux alluviaux plus récents, par un meilleur choix des pièces supports, une augmentation du nombre et de l'amplitude des enlèvements et une diversification de l'outillage au sein des galets à enlèvements unifaces (choppers).

La station de La Garrigue, sur le glacis de Générac, a livré des outils très massifs à enlèvements unifaces peu nombreux et de faibles amplitudes. Une dizaine de pièces a été découverte, très localisée, après un défoncement agricole profond (80 cm). La présence de revêtements argileux et d'oxydes métalliques sur les pièces taillées témoignent de la position

in situ de l'outillage dans le sol très puissant du glacis, avant le défoncement.

L'industrie archaïque sur galet de la station de La Garrigue (fig. 1, nos 2 et 3) est certainement antérieure au « Günz récent ».

Les stations de Cadenette Nord et du Pin de Candiac, à Vestric Candiac, sur le niveau 6, ont livré un grand nombre d'outils archaïques sur galet (fig. 2, nos 1 à 3).

Les facettes de taille des outils sont très altérées mais, en général, plus faiblement que les faces naturelles du galet. Les phénomènes d'éolisation qui ont affecté les facettes de taille ne sont pas très forts. Quelques pièces fortement altérées et très éolisées pourraient être plus anciennes et seraient contemporaines de la mise en place de la terrasse.

La matière première utilisée pour la confection des outils est le quartzite alpin, roche caractéristique des alluvions rhodaniennes de la Costière.

Plus d'une centaine de pièces ont été recueillies sur ces stations : galets à enlèvement isolé (8,3 %), choppers (73,8 %), pics (2,2 %), chopping-tools (4,8 %), proto-bifaces (1,2 %), polyèdres (1,2 %), éclats (4,8 %), nuclei (3,6 %).

La station du Mas d'Arnaud, à Vergèze, sur le niveau 7 a, a livré un pebble-tool présentant deux enlèvements en bout, alternes, découvert *in situ* dans la formation alluviale.

Cette pièce a été découverte, *in situ,* dans la formation alluviale, au niveau de l'horizon BC a du sol, en partie tronqué par l'érosion. Des concrétions calcaires sont encore fixées sur le cortex et sur les enlèvements.

Ce niveau a livré, par ailleurs, une dent d'*Elephas meridionalis* évolué.

La station du Bois des Orgnes, à Montfrin, sur le niveau 7 b, a livré plusieurs outils en quartzite (fig. 3). Ils paraissent appartenir à deux séries d'âge différent.

La série la plus ancienne, non roulée, comprend des outils sur galet dont les facettes de taille ont acquis la même coloration que les faces naturelles du galet. Ces outils sont très éolisés et leurs arêtes, fortement émoussées, sont parfois difficilement discernables. Cette série serait donc postérieure à la mise en place de la surface datée du « Mindel ancien » et antérieure aux premiers phénomènes d'altération qui l'ont affectée, vraisemblablement pendant le « Mindel ». Elle daterait donc du début du « Mindel ».

La série la plus récente, non roulée également, comprend des outils sur galet dont les facettes de taille sont légèrement plus claires que les faces naturelles du galet. Ces outils sont peu éolisés et les arêtes, bien discernables, sont peu émoussées ; cette série serait donc postérieure, non seulement à la mise en place de la surface datée du « Mindel ancien », mais aussi aux premiers phénomènes d'altération qui ont affecté la surface pendant le « Mindel » ainsi qu'à la période d'éolisation intense datée vraisemblablement du début du « Mindel ».

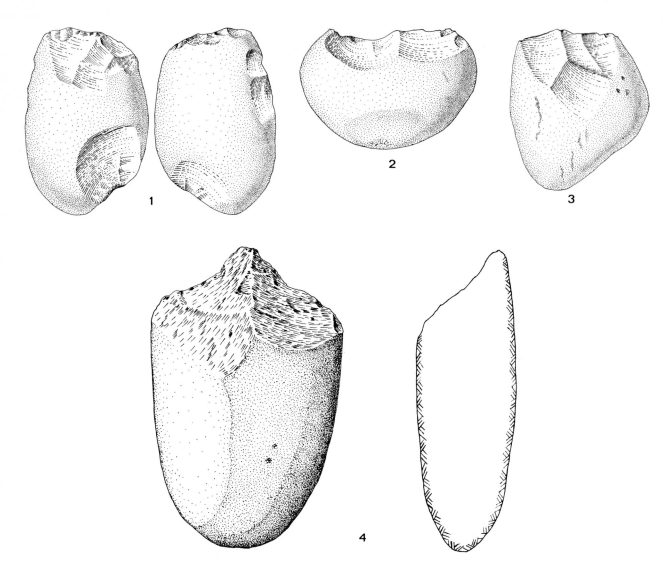

FIG. 2. — Industrie archaïque sur galet de la Costière du Gard.
1 à 3, stations de Cadenette Nord et du Pin de Candiac, à Vestric Candiac (niveau 6); 4, station de Saint-Véran, à Vestric Candiac (glacis de Saint-Véran).
1:2 de la gr. nat.

Dans les deux séries de la station du Bois des Orgnes, la roche utilisée pour la confection des outils est un quartzite alpin grossier, de couleur gris clair lorsqu'il n'est pas altéré, à cassure saccharoïde.

Les outils de la première série (« Mindel ancien ») : quinze pièces ont été attribuées à cette série. Ce sont presque tous des galets aménagés par enlèvements sur une seule face : choppers, choppers à pointe. Signalons un chopping-tool et un polyèdre.

Les outils de la deuxième série (« Mindel récent ») : Quatorze pièces peuvent être rapportées à cette série. Les choppers sont toujours en pourcentage dominant mais les chopping-tools deviennent plus nombreux que dans la série la plus ancienne. Signalons un pic uniface sur galet aménagé par enlèvements bilatéraux qui rappelle certaines pièces du site de Terra Amata.

	Série I "Mindel ancien"	Série II "Mindel récent"
Chopper	11　soit 73 %	8　soit 57 %
Chopper à pointe	2　soit 13 %	0
Pic	0	1　soit 7 %
Chopping-tool	1　soit 6,5 %	4　soit 28
Polyèdre	1　soit 6,5 %	0
Eclat	0	1　soit 7 %
	15	14

Les industries archaïques sur galet des terrasses du Fresquel.

Le Fresquel, affluent de l'Aude, qui coule d'Ouest en Est, de Castelnaudary à Carcassonne, entre le Massif Central au Nord, les Corbières et les Chaînons

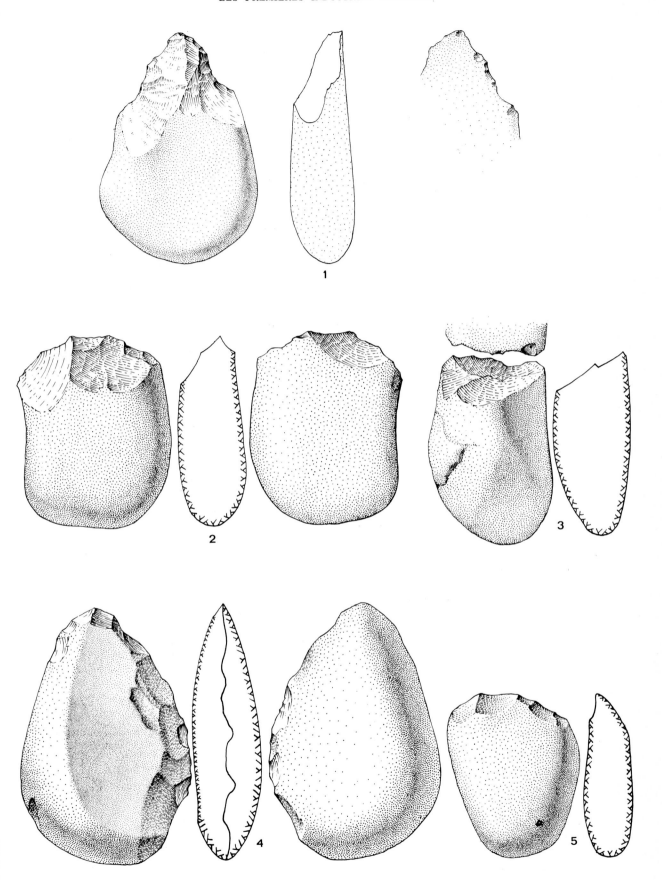

FIG. 3. — Industrie archaïque sur galet de la Costière du Gard.
1 à 5, station du Bois des Orgnes, à Montfrin (niveau 7b).
1:2 de la gr. nat.

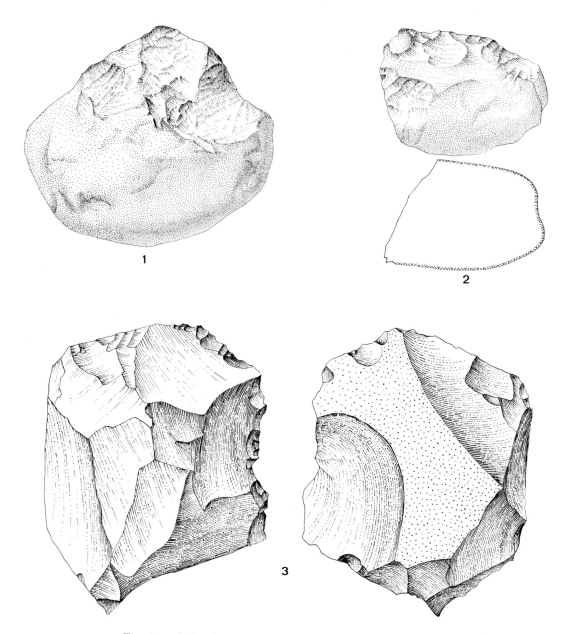

FIG. 4. — Industrie archaïque sur galet des Terrasses du Fresquel.
1 et 2 ,station de Saint-André; 3, station de Grazailles.
1:2 de la gr. nat.

nord-pyrénéens au Sud, constitue un couloir naturel entre l'Aquitaine et le Bassin Méditerranéen.

Plusieurs niveaux d'alluvions ont pu être mis en évidence :

Pléistocène inférieur :
● Terrasse du Télégraphe ;
● Terrasse de Rivoire ;
● Terrasse de Saint-André.

Pléistocène moyen :
● Terrasse de Pech Paraud ;
● Terrasse de la Gravette.

Pléistocène supérieur :
● Terrasse de Pezens.

Sur les terrasses les plus anciennes pouvant vrai-semblablement être datées du « Günz », plusieurs sites à industries archaïques sur galet ont été décou-verts :

Grazailles à Carcassonne (fig. 4, n° 3) ;
Bois des Castelles à Villepinte ;
Saint-André à Lasbordes (fig. 4, nᵒˢ 1 et 2).

Sur ces sites les outils taillés sont bien contempo-rains ou pénécontemporains du dépôt de la terrasse. Quelques pièces ont été roulées avec les alluvions. D'autres ont été découvertes, *in situ,* sous le paléosol du « Günz-Mindel » ou portent encore les traces de l'encroûtement calcaire formé à la base du sol.

L'industrie (fig. 4) comprend essentiellement des choppers, mais aussi quelques chopping-tools. Quel-ques éclats de taille ont également été découverts.

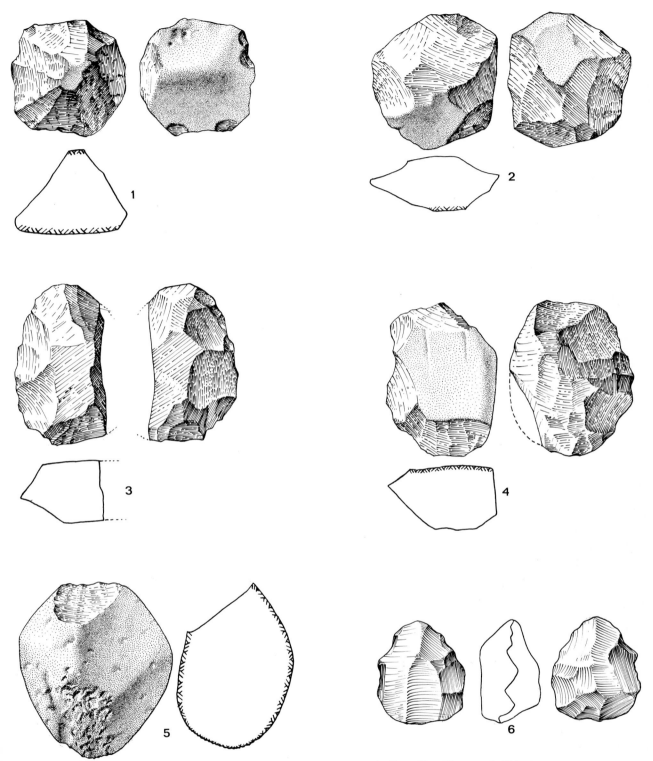

Fig. 5. — Industrie archaïque sur galet des Terrasses du Roussillon. Terrasse de Cabestany.
1. Mas de la Madeleine; 2, Le Village; 3, Aire de la route de Saint-Nazaire; 4, Mas Reynes; 5, Serrat d'en Diumenge; 6, Mas Galtes.
1:2 de la gr. nat.

Les industries archaïques sur galet des terrasses du Roussillon.

La plaine du Roussillon qui s'étend entre le Massif des Corbières au Nord, les Pyrénées à l'Ouest et au Sud, est bordée par la mer Méditerranée à l'Est. Elle est traversée par trois petits fleuves côtiers :

l'Agly, le plus septentrional, qui prend sa source dans les Corbières ; la Têt qui, née dans le massif du Carlite, irrigue la vallée du Conflent ; le Tech, le plus au Sud, qui baigne la vallée du Valespir.

Leurs vallées, en particulier celle de la Têt, entre Prades et Perpignan, présentent une remarquable série de terrasses quaternaires étagées, inscrites dans les formations pliocènes et recouvertes par des paléo-

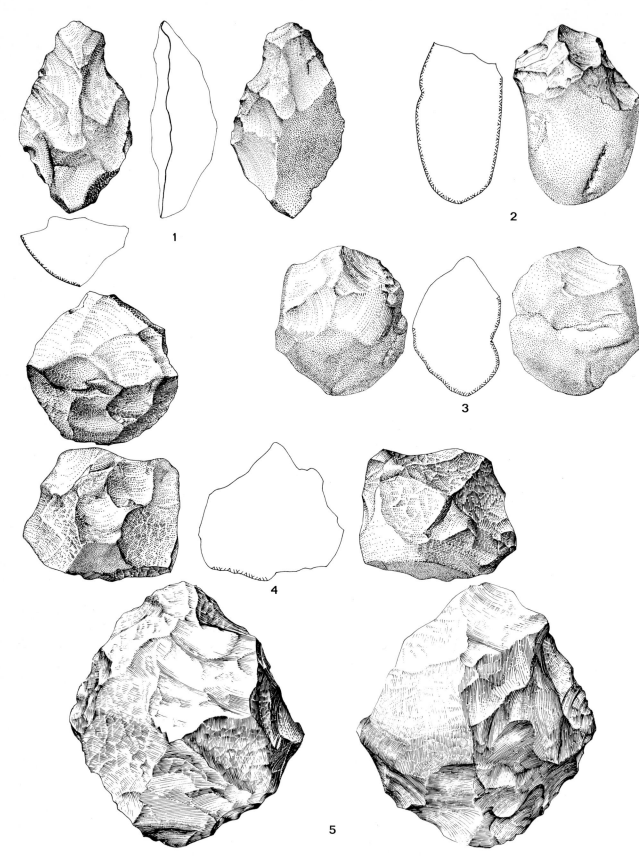

FIG. 6. — Industrie archaïque sur galet des Terrasses du Roussillon. Terrasse de Cabestany.
1, Mas Mester; 2 et 5, Mas Galtes; 3, Mas de la Prade; 4, Puech de la Boule.
1:2 de la gr. nat.

sols. Ces terrasses sont souvent conservées sous forme de petits lambeaux qui couronnent des buttes témoins, ou plus rarement sous forme de vastes surfaces tendues légèrement inclinées vers l'Est.

Huit niveaux de terrasses ont pu être individualisés :

Pléistocène inférieur :

Günz,
- Terrasse de Mata Roudoume ?
- Terrasse du Mas Ferréol ;
- Terrasse de Cabestany.

Pléistocène moyen :

Mindel,
- Terrasse de la Butte du Four ;
- Terrasse de la Llabanère ;
- Terrasse de Pia ;

Riss,
- Terrasse d'Ille-sur-Têt et glacis de Rivesaltes.

Pléistocène supérieur :

Würm,
- Terrasse de Prades.

Les terrasses du Pléistocène inférieur (Mata Roudoume, Mas Ferréol, Cabestany), vraisemblablement datées du « Günz », qui atteignent plus de 200 m N.G.F. à l'Ouest de la plaine, descendent jusqu'à 15 m N.G.F. au voisinage de la côte. Elles sont recouvertes par des sols fersiallitiques très lessivés et évolués (Cabestany). Une éolisation intense, qui daterait de l'extrême début du « Mindel », a affecté la surface de ces niveaux.

L'étude altimétrique des affleurements de la terrasse de Cabestany met en évidence qu'elle a été ployée en anticlinal postérieurement à son dépôt, probablement pendant l'interglaciaire « Günz-Mindel » ; en effet, les niveaux « mindéliens » n'ont pas été déformés.

Les terrasses de la première partie du Pléistocène moyen (Butte du Four, Llabanère, Pia), vraisemblablement datées du « Mindel », s'étendent de 100 à 10 m N.G.F. d'Ouest en Est. Elles sont recouvertes par des sols fersiallitiques lessivés modaux. Une seconde phase d'éolisation peu importante, qui daterait de l'extrême début du « Riss », a affecté la surface de ces niveaux.

Les terrasses de la deuxième partie du Pléistocène moyen, vraisemblablement datées du « Riss » (Ille-sur-Têt) s'étendent de 45 m à 2 m N.G.F., en bordure de l'étang de Salses. Elles sont recouvertes par des sols fersiallitiques à réserve calcique, légèrement lessivés.

Les terrasses du Pléistocène supérieur (Würm), correspondent aux très bas niveaux. Elles ont été rencontrées le long de la vallée de la Têt, d'où elles émergent parfois, en amont sous les alluvions modernes. Elles sont recouvertes par des sols bruns.

Sur les terrasses du Pléistocène inférieur et moyen de nombreux sites à industries archaïques sur galet ont été découverts et peuvent être datés de trois périodes principales :

I : « Fin du Günz » : Séries découvertes sur les terrasses du Pléistocène inférieur et comprenant des outils extrêmement éolisés au début du « Mindel » (fig. 5 et 6).

II : « Début du Mindel » : Séries découvertes sur la première terrasse du Pléistocène moyen (Butte du Four) et comprenant des outils légèrement éolisés au début du « Riss » (fig. 7 à 9).

III : « Fin du Mindel » : Séries découvertes sur les deuxième et troisième terrasses du Pléistocène moyen (Llabanère et Pia) et comprenant des outils légèrement éolisés au début du « Riss » (fig. 10 à 12).

Les outils conservés sont généralement taillés dans des quartz pyrénéens à cassure saccharoïde. Mais il est évident que tous les outils en calcaire ont été détruits par l'altération et nous n'avons, aujourd'hui, qu'une vue partielle de ces outillages du Pléistocène inférieur et moyen.

I : *Les séries attribuées à la fin du « Günz »* (fig. 5 et 6) sont caractérisées par un fort pourcentage de choppers (38 %), un pourcentage relativement élevé de chopping-tools (30 %), des galets épannelés peu typiques (10 %), des discoïdes (8 %) et des polyèdres (10 %).

Les stations sont assez nombreuses : région de Cabestany (Mas Ferréol, Mas Sainte-Thérèse, ...), région de Canohès (Mas Mester), environs de Perpignan (Mas Galtes, Mas Auriol), Baixas (Gourg, Oums, ...).

II : *Les séries attribuées au début du « Mindel »* (fig. 7 à 9) sont caractérisées par des choppers (25 %), de nombreux chopping-tools (29,5 %), des galets épannelés (9 %), des discoïdes (2 %), des polyèdres (14 %). Deux bifaces amygdaloïdes ont été découverts sur la station du Boulou.

Les stations sont situées soit dans la vallée de la Têt (Butte du Four, Corneilla-la-Rivière), soit dans la vallée du Tech (Valmagne près du Boulou).

III : *Les séries attribuées à la fin du « Mindel »* (fig. 10 à 12) sont caractérisées par un pourcentage plus élevé de choppers (47 %), une réduction de la proportion des chopping-tools (19 %), des épannelés (19 %), des polyèdres généralement atypiques (10 %) et, sur certaines stations, par quelques bifaces.

La station du Mas Romeu, près de Saint-Estève, ne contient pas de biface typique mais des bifaçoïdes, peu de polyèdres et un pourcentage relativement élevé d'épannelés (31 %).

Les stations du Col de la Guille et de la Llabanère possèdent quelques bifaces (5 %), des polyèdres (10 %) et un pourcentage plus faible d'épannelés (19 %).

Les industries archaïques sur galet des terrasses du Roussillon qui peuvent être datées de la fin du Pléistocène inférieur et du Pléistocène moyen sont relativement homogènes et se caractérisent donc par l'abondance des choppers et des chopping-tools, un pourcentage plus ou moins élevé d'épannelés et la présence, en proportion relativement plus faible, de discoïdes, de polyèdres et de bifaçoïdes. Une évolution assez nette peut cependant être mise en évidence.

Dans les séries les plus anciennes les pièces peu caractéristiques ne sont pas standardisées.

3

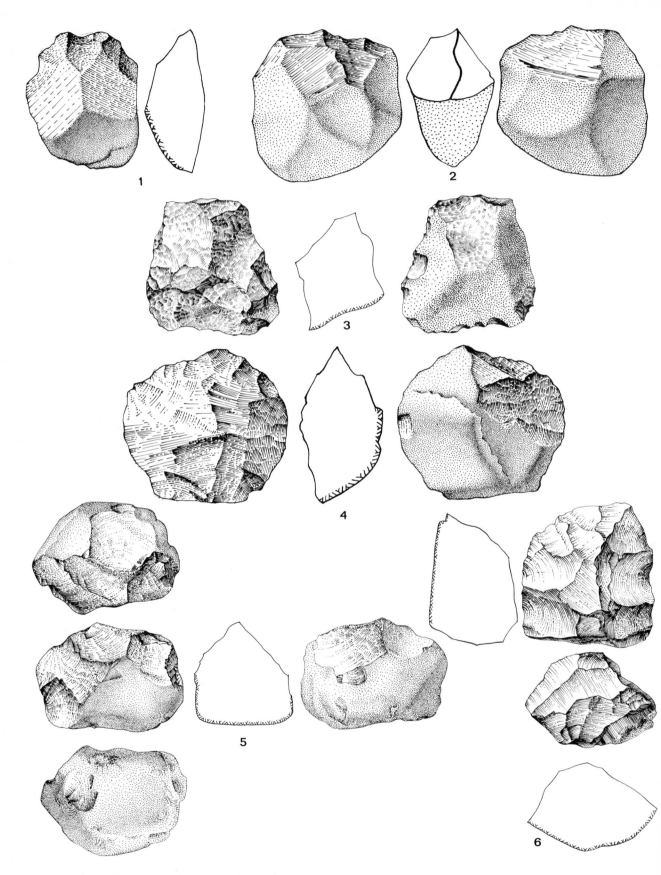

Fig. 7. — Industrie archaïque sur galet des Terrasses du Roussillon. Terrasse de la Butte du Four
1, Saint-Feliù-d'Aval; 2, Mas Galtes; 3, Le Soler-Cimetière; 4, Mas Bruno; 5, Mas Selve inf.; 6, Mas Carcassonne.
1:2 de la gr. nat.

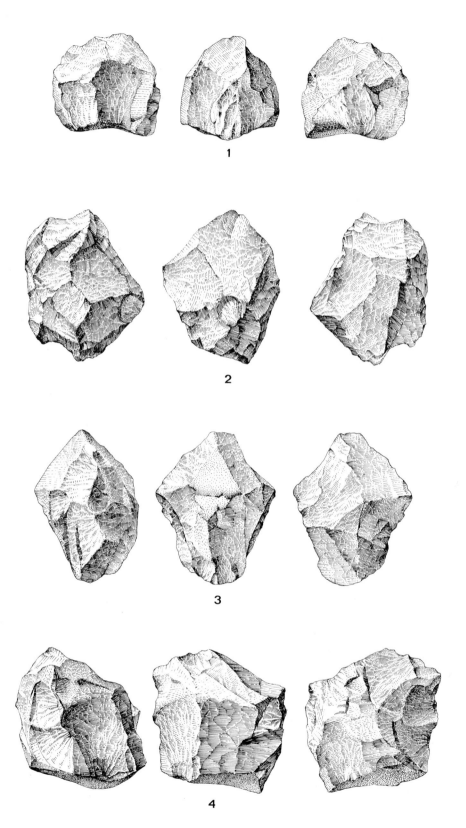

FIG. 8. — Industrie archaïque sur galet des Terrasses du Roussillon. Terrasse de la Butte du Four
1 et 2, Butte du Four; 3, Manadeil; 4, Mas Ferreol.
1:2 de la gr. nat.

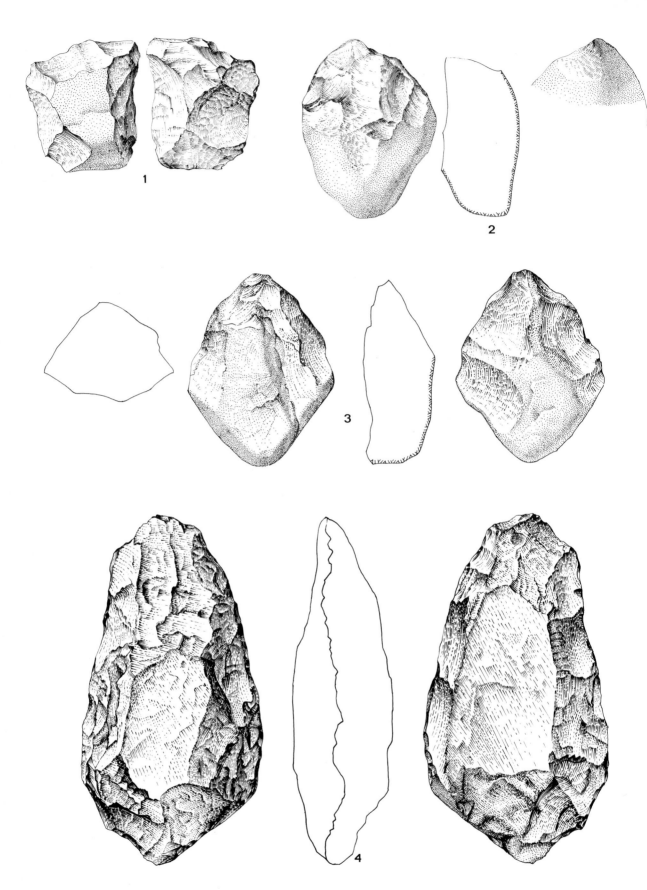

FIG. 9. — Industrie archaïque sur galet des Terrasses du Roussillon. Terrasse de la Butte du Four
1, Butte du Four; 2, Saint-Feliù-Briqueterie; 3 et 4, Le Boulou.
1:2 de la gr. nat.

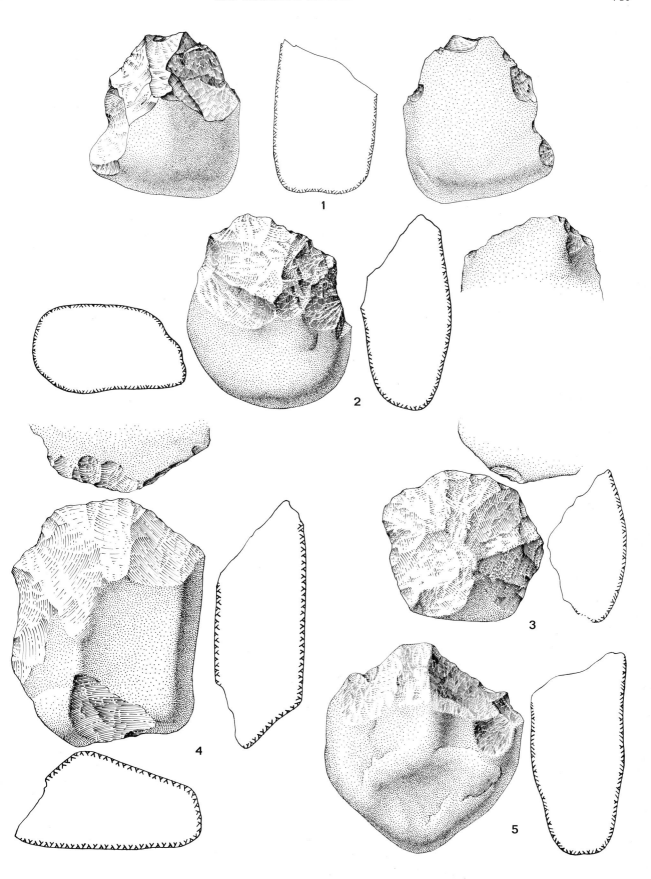

FIG. 10. — Industrie archaïque sur galet des Terrasses du Roussillon. Terrasse de la Llabanère.
1 à 5, station de la Llabanère.
1:2 de la gr. nat.

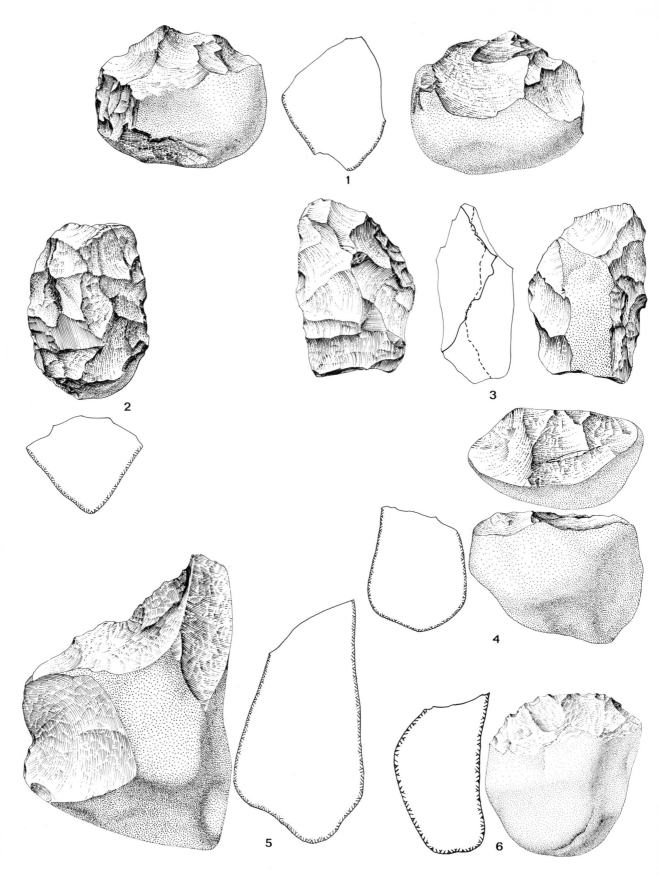

Fig. 11. — Industrie archaïque sur galet des Terrasses du Roussillon. Terrasse de la Llabanère.
1, Mas Burguère; 2, Mas Romeu inf.; 3, Col de la Guille; 4, Rimbau; 5, La Llabanère; 6, La Torre.
1:2 de la gr. nat.

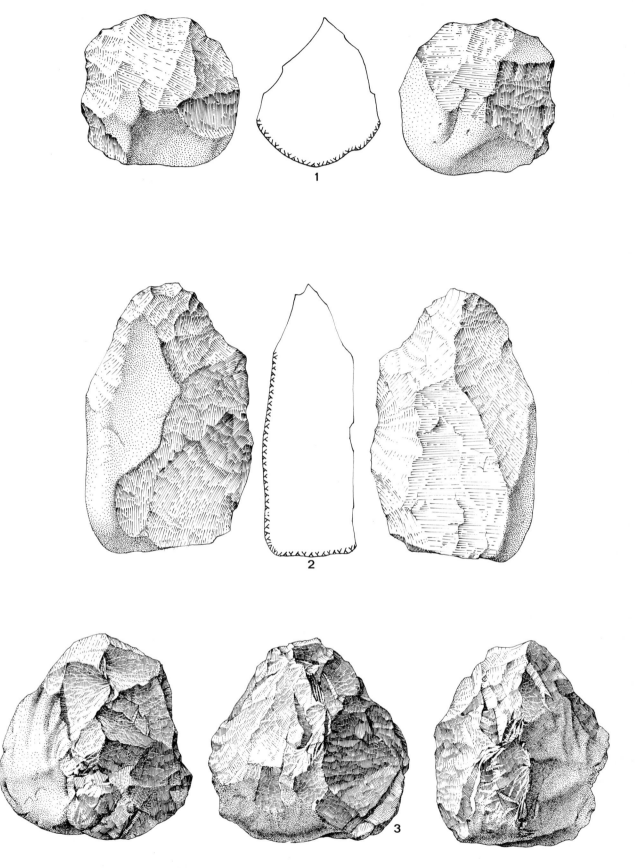

Fɪɢ. 12. — Industrie archaïque sur galet des Terrasses du Roussillon. Terrasse de la Llabanère.
1 et 2, La Llabanère; 3, Saint-André-de-Sorède.
1:2 de la gr. nat.

TABLEAU I
Stations à industries archaïques sur galet du Languedoc méditerranéen et du Roussillon.
Situation par rapport aux terrasses alluviales.

		COSTIERE DU GARD		FRESQUEL		ROUSSILLON	
		terrasses	industries	terrasses	industries	terrasses	industries
300 000	"Mindel-Riss"						
400 000	"MINDEL"	niveau 8				PIA	
500 000		niveau 7b	Bois des Orgnes			LLABANERE	Série III Mas Romeu Col de la Guille La LLabanère
			Mas d'Arnaud				
600 000		niveau 7a		PECH-PARAUD	Série II	BUTTE DU FOUR	Série II Butte-du-Four Corneilla-la-Rivière Valmagne
700 000	"Günz-Mindel"	glacis de St.Véran	La Rompude Saint Véran				
		niveau 6	Pin de Candiac Cadenette Nord				
800 000	"GÜNZ"						
900 000		niveau 5	Château Barnier Mas Goulin	SAINT-ANDRE	Série I Grazailles Bois des Castelles Saint André	CABESTANY	Série I Mas Ferrer Mas Sainte Thérèse Mas Mester Mas Galtes Mas Auriol Gourg
1 000 000		niveau 4 glacis de Générac niveau 3	La Garrigue				
1 100 000							
1 200 000		niveau 2		RIVOIRE		MAS FERREOL	
1 300 000		niveau 1					
1 400 000				TELEGRAPHE		MATA ROUDOUME	

Dans les séries les plus récentes les pièces deviennent plus typiques et de plus en plus standardisées. Les bifaces typiques, dérivant des chopping-tools ou des épannelés, font leur apparition.

L'évolution la plus remarquable est la progression des choppers aux dépens des chopping-tools.

	Pleistocène inférieur	Pleistocène moyen			
			"Mindel moyen" Terrasse de la Llabanère		
	"Gunz" Terrasse de Cabestany	"Mindel ancien" Terrasse de la Butte du Four	Ensemble des stations	Mas Romeu	Llabanère Ouest
	%	%	%	%	%
Chopper	38,4	25	45,6	44,7	46,8
Chopping-tool	30,7	29,5	17,8	17,3	19
Epannelé	10,1	9	26,4	31,3	18,9
Discoïde	7,6	2,2	2,3	3,7	0
Biface	2,5	4,5	4,1	3,0	5,7
Polyèdre	10,2	13,6	3,6	0	9,6
Rapport $\frac{chopper}{chopping\text{-}tool}$	1,25	0,84	2,6	2,6	2,5

TABLEAU II

Situation des industries archaïques sur galet des terrasses du Roussillon dans le cadre chronologique du Quaternaire.

Outillages tayacien et acheuléen de la Caune de l'Arago

III : *Série éolisée de la Terrasse de la Llabanère*

choppers	46 %
chopping-tools	18 %
épannelés	26 %
discoïdes	2 %
bifaces	4 %
polyèdres	4 %
rapport chopper/chopping-tool	2,6

II : *Série éolisée de la Terrasse de la Butte du Four*

choppers	25 %
chopping-tools	29 %
épannelés	9 %
discoïdes	2 %
bifaces	4 %
polyèdres	13 %
rapport chopper/chopping-tool	0,84

I : *Série très éolisée de la Terrasse de Cabestany*

choppers	38 %
chopping-tools	31 %
épannelés peu	
typiques	10 %
discoïdes	8 %
bifaces	2 %
polyèdres	10 %
rapport chopper/chopping-tool	1,25

Faunes de la Caune de l'Arago

ROQUE - HAUTE
VIAS
SAINT - THIBERY
AGDE

VALROS
BERNASSO

Individualisation du cours de l'Agly

Migration de la Têt vers le Sud

Individualisation du cours de la Têt et hiérarchisation du réseau hydrographique

Déformation anticlinale de la terrasse de Cabestany

Ebauche du réseau hydrographique actuel

2ᵉ phase d'éolisation

1ᵉ phase d'éolisation

Caractéristiques du sol

Sols bruns

Sols fersiallitiques à réserve calcique

Sols fersiallitiques à réserve calcique légèrement lessivés

Sols fersiallitiques lessivés modaux

Sols fersiallitiques lessivés modaux

Sols fersiallitiques très lessivés et évolués

Sols fersiallitiques très lessivés et évolués

pédogénèses cumulées

EN ROUSSILLON

Corrélations avec la chronologie glaciaire alpine	PRADES	
WÜRM	PRADES	
"RISS - WÜRM"		
"RISS"	ILLE SUR TET	
"MINDEL - RISS"		
"MINDEL"	PIA	
	LLABANERE	
	BUTTE DU FOUR	
"GÜNZ - MINDEL"		
"GÜNZ"	CABESTANY	
	MAS FERREOL	
	MATA ROUDOUME	
"DONAU - GÜNZ"		
"DONAU"		

PLEISTOCENE — supérieur / moyen / ancien

estimé	K/A
0	
100 000	
200 000	
300 000	
400 000	
500 000	
600 000	
	680 000
700 000	740 000
800 000	
900 000	
1 000 000	
1 100 000	
1 200 000	
1 300 000	
1 400 000	
1 500 000	
	1 600 000
1 600 000	1 650 000
1 700 000	
1 800 000	
1 900 000	
2 000 000	

Bibliographie

[1] ARNAL H. (1974). — Les multiples terrasses rhodaniennes de la partie Nord de la Costière nîmoise; leurs prolongements vers Montpellier et leurs sols. *Bulletin de la Société d'Etudes des Sciences Naturelles de Nîmes*, t. 54, 1974, p. 35 à 50, 1 carte, 1 tabl.

[2] ARNAL H., BARRIERE J., BAZILE F. et TONI C. (1974). — La Vistrenque, Vallée du Rhône au Quaternaire moyen. Essai de datation. *Bulletin de la Société d'Etudes des Sciences Naturelles de Nîmes*, t. 54, 1974, p. 61 à 66, 1 fig., 12 réf. bibl.

[3] BARRIERE Jean (1973). — Stratigraphie, Paléopédologie et Paléogéographie des dépôts plio-pléistocènes languedociens. *IXᵉ Congrès International de l'INQUA. Christchurch, Décembre 1973, Le Quaternaire. Géodynamique, stratigraphie et environnement*, p. 15 à 22, 3 fig., 10 réf. bibl.

[4] BARRIÈRE J. et MICHAUX J. (1973). — Essai de corrélation du Plio-Pléistocène languedocien. *IXᵉ Congrès International de l'INQUA. Christchurch, Décembre 1973, Le Quaternaire. Géodynamique, stratigraphie et environnement*, p. 22 et 23, 1 tabl.

[5] BAZILE Frédéric (1974). — Les industries archaïques sur galets de la Vistrenque. Note préliminaire. *Bulletin de la Société d'Etudes des Sciences Naturelles de Nîmes*, t. 54, p. 51 à 60, 1 fig., 1 tabl., 11 réf. bibl.

[6] COLLINA-GIRARD Jacques (1975). — Les industries archaïques sur galet des terrasses quaternaires de la Plaine du Roussillon (Pyrénées Orientales, France). *Thèse de Doctorat de 3ᵉ cycle*, Université de Provence, Laboratoire de Paléontologie Humaine et de Préhistoire, 472 p., 106 fig., 105 pl. h.t., 1 carte, 83 réf. bibl.

[7] LUMLEY Henry de (1969). — Les civilisations préhistoriques en France. Corrélations avec la chronologie quaternaire. *in Etudes Françaises sur le Quaternaire*, présentées à l'occasion du *VIIIᵉ Congrès International de l'INQUA. Paris 1969*. Supplément au *Bulletin de l'Association Française pour l'étude du Quaternaire*, p. 151 à 169, 2 fig., 10 tabl. chron.

[8] LUMLEY Henry de (1969). — Les industries paléolithiques de la Vallée de la Têt. *Union internationale pour l'étude du Quaternaire. VIIIᵉ Congrès INQUA, Paris 1969, Livret-guide de l'excursion A6*, Pyrénées Orientales et Centrales, Roussillon, Languedoc occidental. p. 79 à 84, fig. 34 à 36.

[9] LUMLEY-WOODYEAR Henry de (1971). — Le Paléolithique inférieur et moyen du Midi Méditerranéen dans son cadre géologique. Tome II, Bas-Languedoc, Roussillon, Catalogne. *Vᵉ Supplément à Gallia-Préhistoire*. 445 p., 300 fig., 901 réf. bibl., index.

[10] MEIGNEN Liliane (1972). — Le Paléolithique inférieur et moyen de la basse vallée du Gard dans son cadre géologique. *Thèse de doctorat de 3ᵉ cycle*. Université Paris VI, 27 juin 1972, 111 p. dactylographiées, 40 fig., 1 carte dépl.

[11] MICHAUX J. (1973). — Les rongeurs du Languedoc et de l'Espagne dans leurs rapports avec la faune et le climat de l'Europe, de l'Astien au début du Pléistocène moyen. *IXᵉ Congrès International de l'INQUA. Christchurch, Décembre 1973. Le Quaternaire. Géodynamique, stratigraphie et environnement*, p. 24 à 30, 2 fig., 3 tabl., 10 réf. bibl.

[12] TAVOSO André (1970). — Le paléolithique ancien des Terrasses du Fresquel (Aude). *Bulletin du Musée d'Anthropologie Préhistorique de Monaco*, fasc. 15, p. 107 à 135, 11 fig., 9 réf. bibl.

Les premières industries humaines
dans les Pyrénées et le Bassin de la Garonne

par

Henry de LUMLEY *

Résumé. Une industrie archaïque sur galet a été découverte à une dizaine de kilomètres au nord de Toulouse, en surface de la haute terrasse de la Vallée de la Garonne, datée du « Günz ». Les facettes de taille des pièces étant aussi altérées que les surfaces originelles des galets, cet outillage pourrait être contemporain ou pénécontemporain du dépôt de la terrasse. Des industries archaïques sur galet ont également été découvertes, roulées dans les alluvions de la moyenne terrasse, en particulier à Mondavezan, et dateraient du début du « Mindel ».

Abstract. An archaic pebble industry was discovered some ten kilometers north of Toulouse on the surface of the high terrace of the Garonne Valley dated as « Günz ». The flaking scars on the objects being as altered as the original pebble surfaces suggest that these tools may be contemporary or almost contemporary to the terrace deposit. Archaic pebble industries have also been discovered rolled in the alluvium of the middle terrace, in particular at Mondavezan, and may date from the beginning of the « Mindel ».

Au Nord des petites Pyrénées, en aval de la Cluse de Boussens, la vallée de la Garonne s'élargit et plusieurs terrasses quaternaires étagées peuvent être observées, principalement entre Muret et Toulouse. Ces différents niveaux sont tous bien caractérisés pédologiquement (J. Hubschman, 1975).

La Très Haute Terrasse, ou nappe culminante, attribuée au « Donau », domine le lit actuel de 200 à 150 m. Elle peut être suivie des Petites Pyrénées jusqu'à la Lomagne. Elle est recouverte par un sol fersiallitique très lessivé et évolué, hydromorphe.

Les Hautes Terrasses, attribuées au « Günz », dominent le lit actuel de 110 à 140 m. Elles sont recouvertes par un sol fersiallitique très lessivé et évolué, hydromorphe.

La Moyenne Terrasse, attribuée au « Mindel », qui domine le lit actuel de 80 à 60 m environ, constitue l'une des plus remarquables unités morphologiques de la région. Elle est recouverte par un sol fersiallitique lessivé, hydromorphe, avec forte argilisation de la matrice.

La Basse Terrasse, attribuée au « Riss », entre 25 et 20 m d'altitude relative, est recouverte par des sols bruns faiblement lessivés (sols bruns modaux et sols bruns acides).

La Très Basse Terrasse, vers 15 m, datée du Würm, est recouverte par des sols bruns lessivés.

Les industries des Hautes Terrasses.

Un éclat en quartzite a été signalé à Marmouget, dans des alluvions attribuées au « Donau ». Cet éclat (H. Alimen, 1964, pl. XII, n° 4 a et b) ne paraît pas avoir été taillé par l'Homme et serait naturel.

A une dizaine de kilomètres au nord de Toulouse, sur une haute terrasse de la Garonne, située à environ 110 m au-dessus du lit actuel du fleuve et attribuée au « Günz », Daspé a récemment découvert plusieurs outils sur galet. Les facettes de taille de ces pièces sont aussi altérées que les faces originelles du galet. Cette industrie serait donc contemporaine ou pénécontemporaine du dépôt de la terrasse et antérieure à sa première altération.

Les industries roulées de la Moyenne Terrasse.

Les stations préhistoriques découvertes en surface de la Moyenne Terrasse sont très nombreuses. Elles peuvent être généralement attribuées à l'Acheuléen, plus rarement au Moustérien ou à des industries plus récentes.

Sur plusieurs sites, des pièces manifestement roulées ont été recueillies. Elles sont contemporaines de la mise en place de la moyenne terrasse et dateraient donc du début du « Mindel ».

Les séries roulées de la Moyenne Terrasse correspondent à des industries archaïques sur galet comprenant un fort pourcentage de choppers, des chopping-tools, des discoïdes, des polyèdres et quelques rares bifaces grossiers.

La station de Mondavezan, par exemple, au Nord-Ouest de Cazères contient une série de galets aménagés, roulés et patinés, vraisemblablement contemporains du dépôt de la terrasse (H. Breuil et L. Méroc, 1950) : galets à enlèvement isolé convexe, nombreux choppers, quelques choppers à pointe, rares chopping-tools, bifaçoïdes (fig. 1).

* Laboratoire de Paléontologie Humaine et de Préhistoire, URA n° 13 du CRA, Université de Provence, Centre Saint-Charles, Place Victor-Hugo, F 13331 Marseille cedex 3 (France).

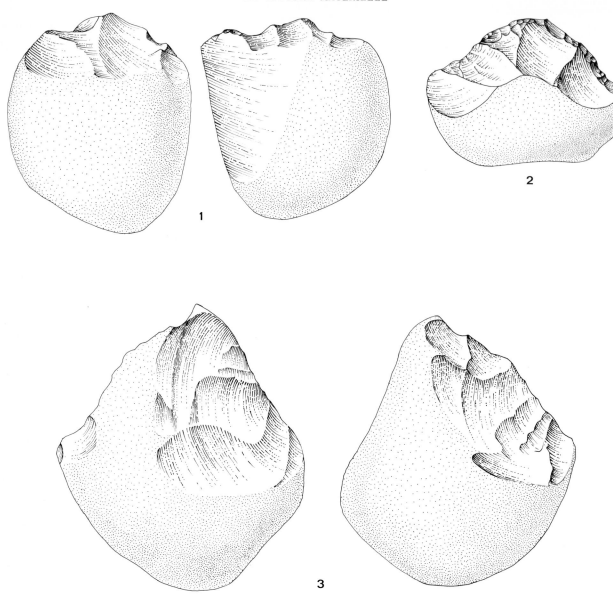

FIG. 1. — Industrie archaïque sur galet, roulée dans la Moyenne Terrasse de la Garonne. 1 à 3, station de Mondavezan (d'après H. Breuil et L. Méroc, 1950, fig. 3, 4 et 5). 1 : 2 de la *gr. nat.*

Bibliographie

[1] ALIMEN Henriette (1964). — Le Quaternaire des Pyrénées de la Bigorre. *Mémoires pour servir à l'explication de la carte géologique détaillée de la France,* Ministère de l'Industrie, Paris, 394 pages, 117 fig., 12 pl. h.-t., 24 tabl., 486 réf. bibl. Index géographique.

[2] BREUIL Henri et MÉROC Louis (1950). — Les terrasses de la Haute-Garonne et leurs quartzites. *Préhistoire,* t. XI, Presses Universitaires de France, Paris, pp. 1 à 15, 5 fig.

[3] HUBSCHMAN Jacques (1975). — Excursion dans le Piémont Garonnais. *Livret-guide de l'excursion de l'Association Française pour l'étude du Quaternaire,* 8 au 10 Mai 1975, 21 pages ronéotypées, 18 fig. dont 6 cartes.

[4] HUBSCHMAN Jacques (1975). — Morphogenèse et Pédogenèse Quaternaires dans le Piémont des Pyrénées Garonnaises et Ariégoises. *Thèse présentée devant l'Université de Toulouse le Mirail, 9 novembre 1974.* Atelier de Reproduction des Thèses de l'Université Lille III, Diffusion Librairie Honoré Champion, 7 quai Malaquais, Paris, 749 p., 48 fig., 1 pl. h.t., 1 carte dépl., 18 tabl.

Les premières industries humaines dans le Bassin du Tarn

par

André Tavoso *

Résumé. La plus ancienne station acheuléenne du bassin du Tarn est située sur la haute terrasse (Günz) de l'Agout et peut être datée du Mindel. Elle ne paraît pas fondamentalement différente, par sa typologie, des séries archaïques (Riss ancien) de l'Acheuléen tarnais.

Abstract. The oldest Acheulian site found in the Tarn basin is located on a high (Günz) terrace of the Agout. The site possibly dates to the Mindel period. The typology of this site's assemblage does not greatly differ from other archaic Acheulian assemblages (early Riss) that have been uncovered in the area.

Les basses vallées du Tarn et de l'Agout tracent de larges couloirs alluviaux entre l'Aquitaine garonnaise, le Massif Central et, par l'intermédiaire du Bassin de Revel et la vallée du Fresquel, le Languedoc occidental. Elles se rattachent toutefois plus nettement au pays aquitain par leur richesse en gisements acheuléens qu'au domaine méditerranéen où ce type d'industries, bien qu'illustré par de prestigieux gisements, demeure assez clairsemé.

De l'Espagne à la Dordogne en effet, les sites à bifaces abondent et parmi eux les plus fréquents sont les stations de surface, rarement stratifiées et en général liées aux terrasses alluviales. Aux problèmes particuliers posés par cette catégorie de gisements : homogénéité, datation, interférences entre la technique (commandée par la matière première utilisée), et la typologie, vient s'ajouter l'existence de faciès régionaux nettement tranchés.

Il n'est donc possible de dire ce qui dans la typologie d'un outillage reflète son âge, les difficultés (ou les caractères particuliers) de la matière première ou son origine géographique qu'en étudiant, à l'intérieur d'une aire bien définie, assez riche pour qu'on puisse y établir des séries, l'évolution chronologique et spatiale des outillages.

Les terrasses alluviales du Tarn et de l'Agout se prêtent particulièrement bien à une telle étude et nous avons pu répartir les nombreuses stations acheuléennes qu'elles portent en quatre groupes : Acheuléen moyen archaïque de la vallée de l'Agout, Acheuléen moyen des terrasses du Tarn (faciès montalbanais et gaillacois) et Acheuléen évolué. Ces quatre types d'industries forment une série évolutive caractérisée, de la fin du Mindel au Riss final, par l'affinement et la standardisation progressifs des bifaces, et dont le terme moyen se présente sous deux faciès liés à l'utilisation plus ou moins fréquente d'un type particulier de matière première (quartzites pyrénéennes importées du bassin de la Garonne).

De nombreux caractères typologiques et techniques relient entre eux tous ces gisements : fréquence des bifaces partiels, des unifaces, présence de hachereaux sur éclats, rôle important des galets taillés.

Certains de ces traits reflètent sans doute les caractéristiques du matériau utilisé (grands éclats, talons en cortex, pièces allongées et épaisses) alors que d'autres semblent caractéristiques d'une province méridionale de l'Acheuléen, comme la fréquence des

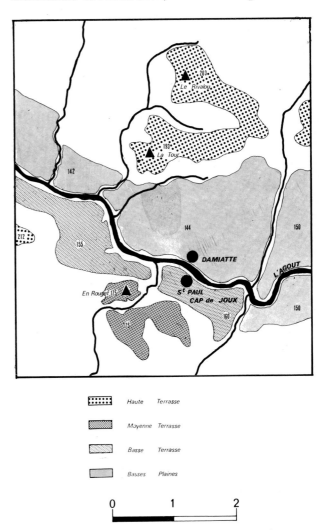

FIG. 1. — Dépôts alluviaux et stations acheuléennes (triangles) des environs de St-Paul-Cap-de-Joux.

* Attaché de Recherche au C.N.R.S., Faculté Saint-Charles, Place Victor-Hugo, 13331 Marseille Cedex 3 (France).

hachereaux sur éclats (jusqu'à 11 % du grand outillage dans l'Acheuléen montalbanais).

La plus ancienne des industries qui soit largement répandue dans le bassin du Tarn est l'Acheuléen moyen archaïque des terrasses de l'Agout. Trouvé le plus souvent en surface des hautes (Günz) et moyennes terrasses (Mindel) il n'y est (à l'exception de quelques pièces) jamais roulé comme la série que nous a livrée la basse terrasse (Riss ancien) à Lavaur. C'est donc au Riss ancien que nous rapportons ces séries, et cet âge n'est pas contredit par leur état physique habituel : peu émoussés — sauf quand ils sont éolisés — les outils qui les composent ne portent qu'une faible patine ferrugineuse et ne peuvent par ces caractères être distingués des outillages plus évolués (Acheuléen moyen et évolué) découverts dans la région. Typologiquement, cette industrie semble très archaïque : les bifaces, nombreux (30 %), y sont en majorité irréguliers, épais, largement corticaux et à arêtes anguleuses. Leur mise en forme, sommaire, n'intéresse en général qu'une partie du galet choisi, qui impose sa silhouette à l'outil. Unifaces et bifaces partiels sont toujours plus nombreux que les bifaces typiques, et les outils à pointe y dominent les tranchants convexes continus et transversaux rectilignes. Il y a quelques (1 à 2 %) hachereaux sur éclats. Le plus gros de l'outillage se compose de choppers,

chopping tools et polyèdres (56 à 63 %) parmi lesquels les choppers à tranchant latéral peu convexe (34,5 %) sont les plus fréquents. Les éclats, en général grands, sont presque tous corticaux, à talon en cortex, et ont souvent été débités sur enclume.

Sur tous les gisements de ce type d'Acheuléen, on ne rencontre qu'une série de pièces, de typologie et d'état physique homogènes, et concentrée dans une surface restreinte. Une seule station s'écarte de ce schéma, celle du Rivalou à Damiatte.

Situation.

Ce gisement est situé sur la rive droite de l'Agout, au Nord de St-Paul-Cap-de-Joux, sur un lambeau de la haute terrasse au Sud de la ferme du Rivalou.

La surface de cette terrasse n'y est pas parfaitement plane et l'érosion y a mis au jour différentes assises des dépôts günziens de l'Agout parmi lesquels on peut remarquer, dans les points bas, la couche de très grands galets (20 à 40 cm) qui en forme la base, et, sur les reliefs, les graviers plus fins du sommet des alluvions.

C'est la réfection d'un chemin qui, en rafraichissant l'affleurement, a permis à J.F. Alaux de découvrir les premières pièces et a motivé la prospection systématique du site.

Distribution de l'industrie; états physiques de l'outillage.

Deux concentrations d'outils sont aisément discernables : l'une associée à un affleurement des grands galets de base et qui a livré des pièces émoussées et patinées, l'autre, liée aux graviers moins grossiers du sommet de la terrasse, et où les outils ne sont ni usés ni patinés. Ces deux *loci*, nettement distincts et distants d'une centaine de mètres, n'ont que quelques centaines de mètres carrés d'étendue. Nous avons réparti le matériel de ce gisement en trois séries :

Série A, c'est la plus ancienne, caractérisée par une patine rousse qui, exception faite du cortex des galets, semble la plus ancienne de toutes celles qui affectent les alluvions. Les arêtes des outils qui la composent sont fortement émoussées.

Série B, trouvée avec la précédente, elle regroupe une cinquantaine de pièces moins usées, qui ne portent qu'un voile ferrugineux et semble avoir été séparée de la précédente par une phase d'éolisation intense : quelques bifaces sont taillés sur des fragments de galets dont les cassures, fortement éolisées, portent la patine rousse de la série A. Typologiquement, cette série est identique à l'Acheuléen moyen archaïque des stations proches de Damiatte (La Tour) et St-Paul-Cap-de-Joux (En Rouget), avec ses bifaces, bifaces partiels, unifaces, son hachereau sur éclat et une bonne proportion de choppers. Nous datons donc la série B du Riss ancien.

Série C, aussi pauvre que la précédente, elle se trouve en surface du sommet de la terrasse, et se compose d'outils non usés, à arêtes vives et grain

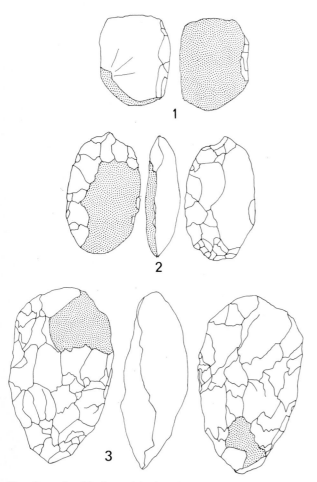

FIG. 2. — Le Rivalou, série A : n° 1 : hachereau sur éclat, n° 2 : biface partiel sur éclat, n° 3 : biface. (1/2 de la grandeur naturelle).

encore visible, et non patinées. Elle contient une bonne proportion de bifaces réguliers, amygdaloïdes surtout, mais aussi lancéolés et naviformes, dont les arêtes, régularisées par retouche secondaire sont en général rectilignes. Ces caractères ne se rencontrent que dans les séries postérieures au dépôt de la basse terrasse de l'Agout et désignent la série C du Rivalou comme un Acheuléen évolué rapportable au Riss moyen ou final.

Etude de la série A.

Semblant, par son état physique plus ancienne que les deux séries rissiennes du Rivalou, elle n'est malheureusement pas assez riche pour être vraiment significative : 62 pièces dont 37 éclats et 3 fragments.

Il s'agit d'un outillage de belles dimensions (longueur moyenne des éclats : 101,3 mm, des outils : 148,2 mm). Les outils élaborés (bifaces, unifaces, hachereaux) sont peu nombreux puisqu'avec six représentants ils ne forment pas le cinquième des pièces nucléiformes : 18,7 %. A côté du seul vrai biface (fig. 2, n° 3), ovalaire grossier à arêtes anguleuses et base étroite non tranchante, on y trouve

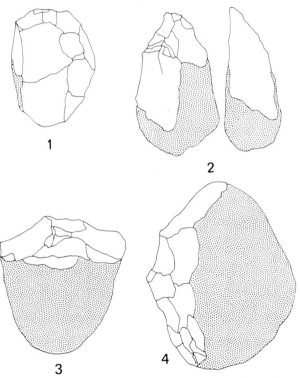

FIG. 3. — Le Rivalou, série A : n° 1 : chopper à tranchant étendu; n° 2 : pic sur dièdre cortical; n° 3 : chopper anguleux; n° 4 : chopper latéral.
(1/2 de la grandeur naturelle).

un biface partiel (fig. 2, n° 2), ovalaire à pointe sur éclat, deux pics (fig. 3, n° 2) sur dièdre cortical, un pic sur galet (« pic de terra Amata ») et un hachereau sur éclat. Ce dernier, fort typique (fig. 2, n° 1) a été fabriqué par retouche abrupte alterne, d'un éclat cortical de contour presque carré. Les choppers (fig. 3, n° 1, 3 et 4) forment la moitié (16/32) du gros outillage et ont en général un tranchant non anguleux (11/16), plus souvent latéral (7) que distal (4). Parmi les choppers anguleux, on peut distinguer trois tranchants denticulés et deux pointes axiales obtuses (fig. 3, n° 3). Les chopping tools (4) et les nucléus (5) sont médiocres.

Les éclats forment un peu moins de la moitié de la série, proportion appréciable pour un gisement de ce type. C'est dû sans doute à leur robustesse puisque leurs dimensions varient entre 185 × 117 × 50 mm et 54 × 48 × 25 mm. Tous sont corticaux et à talon en cortex (sauf un) et leur surface dorsale n'est que rarement décortiquée (4/30). Nous n'y avons reconnu que deux racloirs grossiers et une encoche clactonienne, mais il faut dire que l'éolisation a pu « effacer » certains outils sur éclat.

Que dire d'une telle série ?

D'abord qu'elle est trop pauvre pour que son étude puisse en fournir une interprétation sûre. Ensuite que si, comme nous le pensons, son état physique nous conduit à la dater d'une période antérieure au Riss ancien, sa typologie n'en fait pas une intruse parmi les outillages acheuléens archaïques de l'Agout. La coexistence de deux bifaces (dont un partiel), trois unifaces et un hachereau sur éclat avec de nombreux choppers et de grands éclats pourrait caractériser n'importe quelle série acheuléenne du Tarn. Tout au plus la série A peut-elle se signaler par sa très faible proportion de bifaces (un typique et un partiel) et les grandes dimensions de ses choppers.

Nous l'interprétons donc comme la plus ancienne manifestation de l'Acheuléen régional, dont les caractères typologiques particuliers auraient donc été discernables dès le Mindel. Postérieure aux alluvions günziennes, antérieure à la série plus fraîche du Riss ancien, la série rousse du Rivalou doit sans doute sa patine à une phase d'altération intense que nous identifions avec le Mindel-Riss.

Elle serait donc grossièrement contemporaine de l'Abbevillien, des outillages de Lunel-Vieil, et sans doute antérieure à l'industrie de Terra Amata dont les outils, plus sophistiqués, n'en sont pas moins comparables à nos séries tarnaises : on y retrouve les unifaces, bifaces partiels, hachereaux et les nombreux choppers que nous montrent les stations de la moyenne terrasse de l'Agout.

Les premières industries humaines dans le Sud-Ouest

par

Claude THIBAULT *

Nous ne traiterons dans cette brève note que des outillages lithiques antérieurs à ceux de l'Acheuléen, dans le Sud-Ouest limité par la Garonne au Nord et à l'Est, en dehors de l'Aquitaine.

En fait les vestiges d'une occupation humaine anté-rissienne y sont extrêmement réduits et se trouvent pour l'instant rassemblés dans le Nord de la Gascogne.

En Lomagne d'abondantes récoltes de surface (1) effectuées sur les plus hauts cailloutis du système alluvial de la Garonne, laissent pressentir l'existence d'industries préhistoriques datant de la fin du Pléistocène inférieur ou du début du Pléistocène moyen. En effet les choppers et les chopping-tools fabriqués à partir de galets de quartz ou quartzites blonds, roches qui sont en forts pourcentages dans les alluvions les plus anciennes de cette région, constituent la plus grosse part des ramassages. Beaucoup ont un aspect primitif en raison du faible nombre d'enlèvements ayant déterminé les tranchants. Mais certains signes évolutifs, comme par exemple l'apparition de pointes sur ces tranchants, ainsi que la présence sur quelques pièces de concrétions ferrugineuses que l'on peut mettre en relation avec des niveaux eux-mêmes très ferritisés à l'intérieur de stratigraphies détaillées (2), conduisent à l'hypothèse de l'existence en Lomagne d'au moins deux industries préhistoriques de type primitif sans bifaces.

Quoique moins abondantes et moins spectaculaires les trouvailles faites dans le gisement de Nauterie, à La Romieu (Gers) (3), sont tout aussi prometteuses car elles proviennent de niveaux bien situés dans l'échelle chronologique.

La couche 14, datée du Mindel ancien par sa faune, a livré quelques objets peu caractéristiques : un éclat de débitage ordinaire en silex (fig. 1, n° 1), une encoche large en bout d'un petit galet allongé (fig. 1, n° 2), un autre petit galet montrant un enlèvement douteux, et de très petits éclats de taille en silex.

(1) Recherches que M. R. Aveillé poursuit depuis plusieurs années.
(2) Etudes de R. Aveillé et de Cl. Thibault en cours.
(3) Fouilles F. Prat et Cl. Thibault. Résultats des travaux de 1967 à 1973 en cours d'impression.

Dans la couche 11 sus-jacente, que des considérations géologiques et paléontologiques font attribuer à l'interglaciaire Mindel-Riss, nous avons recueilli deux outils indiscutables : un denticulé sur éclat court et épais (fig. 1, n° 3) et un chopping-tool de petites dimensions (fig. 1, n° 4).

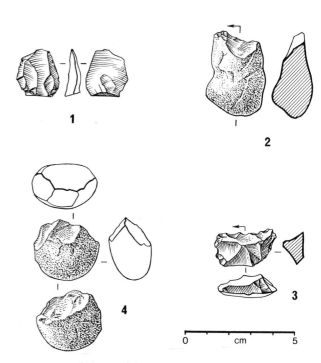

FIG. 1. — Objets préhistoriques du gisement de Nauterie, à La Romieu (Gers). nos 1 et 2 : couche 14 (Mindel) - nos 3 et 4 : couche 11 (Mindel-Riss). *1:3 gr. nat.*
(Dessins P. Laurent).

Il est évidemment impossible de conclure devant un aussi faible nombre de pièces, d'autant que celles-ci n'appartiennent pas à un habitat en place mais qu'elles sont venues au contraire de la surface du plateau par les ouvertures du karst. Elles attestent cependant avec certitude de l'occupation des plateaux de Gascogne par les hommes préhistoriques au moins dès la glaciation du Mindel.

* Laboratoire de Géologie du Quaternaire et Préhistoire (associé au C.N.R.S., n° 133), Université de Bordeaux I, 33405 Talence (France).

Les premières industries humaines en Auvergne

par

Henri DELPORTE *

Résumé. L'Auvergne a connu des phénomènes tectoniques et volcaniques relativement récents; il en est résulté la conservation, dans des conditions variées, de formations sédimentaires appartenant au système villafranchien.
Etudiées depuis longtemps du point de vue de la géologie et de la paléontologie, ces formations ont, dans les dernières années ,révélé des vestiges d'industrie ou d'activité humaines, très anciens mais mal définis à Chilhac, plus récents mais stratigraphiquement bien déterminés à Sinzelles et à Soleilhac.

Abstract. The Auvergne has known relatively recent tectonic and volcanic phenomena. Of them sedimentary formations belonging to the Villafranchian system have been preserved under varied conditions.
Studied for a long time from a geological and paleontological point of view, these formations have lately revealed vestiges of human industries or activities. Those at Chilhac are very old, but poorly defined; whereas those at Sinzelles and Soleilhac are more recent but stratigraphically better situated.

Administrativement, l'Auvergne réunit trois anciennes provinces ou fragments de province : au Nord, le Bourbonnais ; au Centre, l'Auvergne proprement dite, avec son prolongement cantalien de Haute-Auvergne ; au Sud-Est, le Velay qui se rattache historiquement au Languedoc. Géographiquement, et de façon plus simple, on considère que l'Auvergne couvre à peu près les bassins supérieurs de la Loire et de l'Allier.

Il est classique de décrire cette région comme un plateau ancien qui, à partir de l'ère tertiaire, a été relevé de façon inégale, en même temps qu'il subissait deux séries complexes de phénomènes : d'une part, un système de failles, surtout méridiennes, qui a déterminé la formation de môles et de fossés d'effondrement de dimensions diverses ; d'autre part et corrélativement, une large succession d'éruptions volcaniques de natures variées. Les aspects géologiques et géographiques de ces phénomènes sont d'ailleurs exposés dans plusieurs articles du présent volume.

L'exemple classique de l'Afrique orientale montre que les régions où l'activité tectonique ou volcanique récente a été importante sont, d'une façon générale, spécialement favorables à la conservation des vestiges préhistoriques. Il en est ainsi, à une plus petite échelle, pour l'Auvergne : Pierre Bout en a remarquablement exposé l'intérêt et l'organisation dans de nombreux ouvrages et articles consacrés à la géologie, à la géographie et à la préhistoire de l'Auvergne (P. Bout, 1960, 1973a). Dans la plupart des régions, les alluvions datées du plus ancien Quaternaire, ou *Villafranchien,* ont été déblayées ou tout au moins remaniées par l'érosion ; en Auvergne par contre, elles ont été fréquemment conservées grâce à deux sortes de « pièges » : ou bien elles ont été recouvertes par des matériaux volcaniques et plus particulièrement par des coulées basaltiques; ou bien elles ont été enterrées, dans des fossés d'effon-drement, sous des assises plus ou moins puissantes d'alluvions plus récentes.

Depuis plus d'un siècle, les formations villafranchiennes auvergnates ont été étudiées du point de vue de la géologie et de la paléontologie, et cela d'une façon très fructueuse pour l'une et l'autre de ces deux sciences ; mais il ne semble pas que l'éventualité de découvertes de vestiges humains ait été sérieusement envisagée, sauf par quelques rares chercheurs au premier rang desquels le cantalien Marcellin Boule (M. Boule, 1892). Actuellement, le Villafranchien, surtout connu par les travaux de Bout, est sensiblement assimilé aux glaciations antérieures à celle de Mindel et limité chronologiquement aux environs de 600 000 ; il est subdivisé en deux ou en trois phases, la distinction reposant à la fois sur des critères géologiques (stades de comblement de la vallée de l'Allier) et sur des critères paléontologiques ; parmi ces derniers, on relève, par exemple, le caractère « ancien » des Mastodontes et du *Tapirus arvernensis* et le caractère « récent » de l'*Elephas meridionalis* ; il y a lieu aussi d'insister sur l'intérêt des nombreuses espèces de cervidés qui ont été définies en Auvergne (E. Heintz, 1970). Ajoutons que les datations Ar/K et les analyses paléomagnétiques permettent de proposer, pour les principaux épisodes du Villafranchien auvergnat, des dates et des corrélations avec les événements extra-européens (P. Bout, 1973).

Il serait utile de rechercher dans la littérature ancienne la mention de quelques outils isolés qui ont pu être recueillis : c'est ainsi qu'une pointe « acheuléenne » originaire de *Sénèze* (Haute-Loire) se trouverait au Musée de Bâle (R. Sarasin, 1924). Mais c'est depuis ces dernières années que les découvertes et les observations réalisées tendent à assurer la présence de l'homme villafranchien en Auvergne ; ces travaux sont encore inédits ou n'ont encore fait l'objet que de publications très sommaires, ce qui

* Conservateur. Musée des Antiquités Nationales de Saint-Germain-en-Laye. B.P. 30, 78103 Saint-Germain-en-Laye (France).

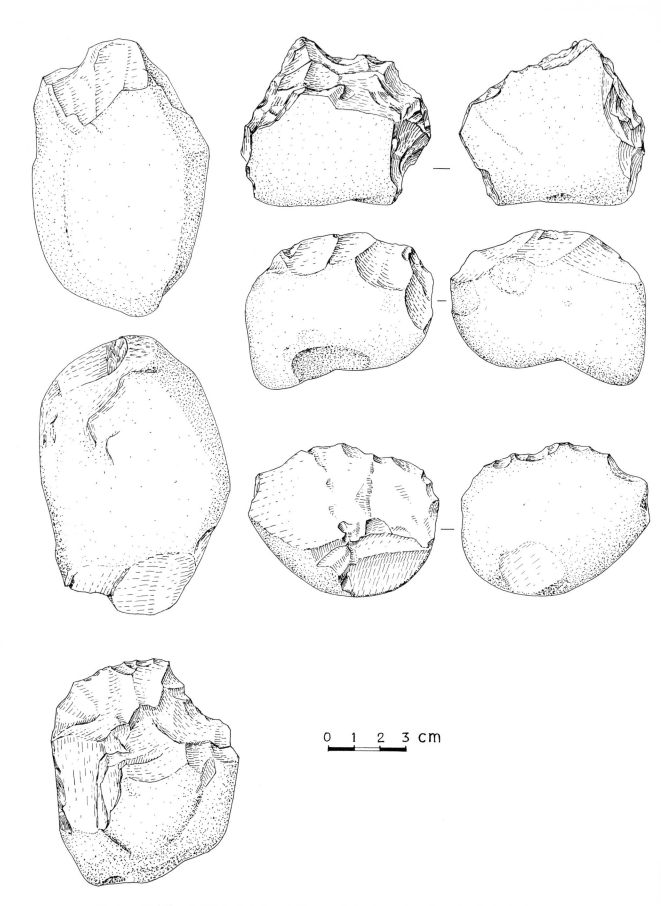

0 1 2 3 cm

Fig. 1. — Mobilier du Pié du Roi, Cerzat (Haute-Loire), récoltes Legall et Carré, dessin C. Nicolardot.

nous interdit de dépasser ici les limites d'une énumération sans prétention exhaustive :

1. A *Sinzelles,* commune de *Polignac* (Haute-Loire), des fouilles ont été dirigées par Eugène Bonifay de 1967 à 1973 ; la faune, à Hippopotame et *Elephas meridionalis,* est datée de la·phase récente du Villafranchien (cca. 1 million d'années). Dans l'un des niveaux, la disposition des vestiges osseux, la présence de fractures systématiques et de stries qui peuvent être des traces de décarnisation, tendent à suggérer, malgré l'absence de mobilier lithique, que le site a été fréquenté par l'homme.

2. Depuis plusieurs années, le site de *Chilhac* (Haute-Loire) est exploité par Christian Guth ; il s'agit cette fois de dépôts de pente datés du Villafranchien moyen (cca. 1,8 million d'années). Il y a été recueilli, malheureusement dans des conditions stratigraphiques et topographiques médiocres, plusieurs galets éclatés, surtout en quartz, dont l'origine humaine ne peut raisonnablement être mise en doute (C. Guth, 1974). Sous la réserve qu'impose l'imprécision stratigraphique, ces objets peuvent être considérés comme les plus vieux outils aujourd'hui connus en Europe.

3. Le site complexe de *Solilhac,* commune de *Blanzac* (Haute-Loire) a surtout livré une faune qui est tenue pour immédiatement post-villafranchienne (cca. 0,8 million d'années). Au cours de fouilles entreprises en 1974, Eugène Bonifay a découvert, dans d'excellentes conditions stratigraphiques, une importante série d'objets en basalte, en quartz et en silex, formant un ensemble industriel peu contestable.

4. Dans le cadre de prospections de surface, Olivier Legall et François Carré ont récolté au lieudit *le Pié du Roi,* commune de *Cerzat* (Haute-Loire), un ensemble de galets éclatés très voisins de ceux des sites précédents (fig. 1), ensemble qui peut être attribué avec vraisemblance à une phase ancienne du Paléolithique.

Il est évident que les découvertes récentes que nous venons de mentionner justifient, de par leur nombre et leur importance, qu'une orientation nouvelle soit systématiquement imposée aux travaux sur le Villafranchien de l'Auvergne et que l'adoption des méthodes et des objectifs de la Préhistoire y soit dorénavant acceptée.

Bibliographie

[1] BOULE M. (1892). — Description géologique du Velay. Paris, *Bull. Service Carte géologique de la France,* 4 (28), 259 p.

[2] BOUT P. (1960). — *Le Villafranchien du Velay et du bassin hydrographique moyen et supérieur de l'Allier.* Le Puy, Imprimerie Jeanne d'Arc, 344 p.

[3] BOUT P. (1973). — *La contribution du Massif Central volcanique à la chronologie du Quaternaire européen.* Symposium Jean Jung : Géologie, géomorphologie et structure profonde du Massif Central français, Clermont-Ferrand, 1973, p. 511-527.

[4] BOUT P. (1973 a). — *Les volcans du Velay, itinéraires géologiques et géomorphologiques en Haute-Loire.* Clermont-Ferrand, 290 p.

[5] GUTH C. (1974). — Découverte dans le Villafranchien d'Auvergne de galets aménagés. *Comptes rendus de l'Académie des Sciences.* 23-9-1974, p. 1071-1073.

[6] HEINTZ E. (1970). — *Les cervidés villafranchiens de France et d'Espagne. Mémoires du Mus. d'H.N.,* nouv. sér., Sér. C, Sciences de la Terre, t. XII, 2 vol., 303 + 206 p.

[7] SARASIN P. (1924). — Prähistorie, Bericht des Vorstehers für die Jahre 1919-24. *Basler Museum für Völkerkunde,* Jahresbericht 1924, p. 1-6.

Les premières industries humaines dans le Nord-Ouest

par

Franck Bourdier *

Résumé. Dans le nord-ouest de la France nous avons des indices en faveur d'une présence de l'homme préhistorique avant le Quaternaire moyen (Complexe Cromérien); nous avons regroupé ces indices dans l'espoir d'inciter de nouvelles recherches, en particulier dans les graviers des plateaux qui ont été peu explorés par les préhistoriens dont beaucoup ne sont pas géologues.

Abstract. In north-western France, we have evidence of the presence of prehistoric man before the Middle Quaternary (Cromer Complex); we have regrouped these indices in the hope of encouraging further research, and in particular in the plateau gravels which have been little explored by prehistorians of whom many are not geologists.

Nous ne traiterons ici que des rares industries attribuables au Quaternaire ancien (Villafranchien), industries dont l'existence est évidente en Afrique mais qui restent encore très discutables et discutées en Europe. Cependant, dans l'historique qui va suivre, nous évoquerons des industries moins anciennes, datant du Quaternaire moyen, mais qui, il y a cinquante ans, semblaient d'une prodigieuse antiquité ; leur étude a constitué une approche nécessaire vers les éventuelles industries du Villafranchien.

Depuis le milieu du siècle dernier, le nord-ouest de la France a joué un rôle essentiel dans l'acquisition de la notion de très haute antiquité de l'homme. Cette notion, qui choqua beaucoup d'esprits et fit l'objet de vives critiques à l'époque, s'était d'abord affirmée avec la découverte, par Boucher de Perthes de haches taillées dans le banc de graviers de l'hôpital d'Abbeville ; par leur altitude, ces graviers prouvaient qu'un profond creusement de la vallée s'était produit depuis leur dépôt et qu'un temps immense séparait l'époque des haches taillées de l'époque des haches polies trouvées en fond de la vallée, dans les tourbières. Rappelons que les conceptions de Boucher de Perthes ne triompheront qu'en 1859 grâce aux fouilles de contrôle faites par Prestwich et Gaudry dans des gravières d'Amiens-Saint-Acheul.

On connaissait alors à Saint-Prest, près de Chartres, des sables et graviers ossifères à *Elephas meridionalis* qui étaient unanimement classés dans le Pliocène. Jules Desnoyers, le créateur en 1829 du mot Quaternaire, signala en 1865 la présence d'incisions dues à l'homme sur certains ossements de Saint-Prest. Nous pensons que son observation était exacte ; elle fut admise par les hommes de science compétents à l'époque et détermina le paléontologiste Gervais, cette même année 1865, à dater la faune de Saint-Prest non du Pliocène mais de l'extrême début du Quaternaire, afin de maintenir l'homme dans la dernière des ères géologiques ; par la suite, Napoléon de Mercey proposa le terme Carnutien (1874-77) et Mortillet le terme Saint-Prestien (1883) pour désigner le niveau de Saint-Prest. Dans notre chronologie actuelle, ce niveau, qui a beaucoup perdu de son importance, semble se situer dans le complexe

cromérien qui appartient au début du Quaternaire moyen ; il est possible que l'industrie découverte depuis 1958 dans la très haute terrasse de Grâce, à Amiens-Montières, soit approximativement contemporaine du niveau de Saint-Prest. Mais il est permis d'avoir des doutes sur les silex taillés que l'abbé Bourgeois signala en 1867 à Saint-Prest ; ils semblent, selon toute probabilité, le produit d'écrasements naturels comme ceux que j'ai découverts en grand nombre lors de mes recherches à Saint-Prest et figurés (*Préhistoire de France,* 1967, fig. 57). Ce sont aussi des écrasements naturels qui incitèrent l'abbé Bourgeois à croire à l'existence d'industries préhistoriques dans l'Oligocène de la région d'Orléans, en particulier à Thenay (1887) ; cette pseudo-industrie motiva le Thenaisien créé par G. de Mortillet (1876).

Plus dignes d'intérêt seront les constatations d'Albert Gaudry qui reconnaît une forme évoluée de l'*Elephas meridionalis* dans la marne sableuse de base de la haute nappe alluviale d'Abbeville où un préhistorien et soigneux stratigraphe, d'Ault du Mesnil, avait récolté des bifaces « chelléens ». Malgré la très haute réputation de Gaudry, il ne sera pas tenu compte de ses observations car elles étaient contraires à la théorie de la chronologie courte, défendue par son assistant M. Boule ; selon cette chronologie courte, l'homme préhistorique n'avait été contemporain que de l'Epoque Chaude de Chelles et du Würm. En 1939, l'abbé Breuil, en publiant les relevés géologiques dus à son cousin d'Ault du Mesnil, réaffirma la réalité des bifaces découverts dans la marne d'Abbeville. Cette affirmation va soulever encore des critiques passionnées de la part des tenants de la chronologie courte.

Il n'est guère douteux que la faune de la marne d'Abbeville soit sensiblement plus récente que la faune de Saint-Prest ; elle se situe, semble-t-il, à l'extrême fin du Complexe Cromérien, à l'époque du Forest-Bed. Aujourd'hui, l'existence en France d'industries préhistoriques au début du Quaternaire moyen, pendant le « Complexe Cromérien », n'est pas mise en discussion, si ce n'est peut-être, par quelques partisans de la chronologie courte ; il n'en

---

* Ecole pratique des Hautes-Etudes, 9, rue Guy-de-la-Brosse, 75005 Paris (France).

n'est pas de même en ce qui concerne le Quaternaire ancien ou Villafranchien. Dans le nord-ouest de la France, on pourrait attribuer au Villafranchien, avec bien des réserves, le polyèdre de Sénart, près de Paris, un médiocre éclat à Boismont, près d'Abbeville, et peut-être la remarquable industrie sur galets de Wimereux près de Boulogne-sur-Mer ; mais pour cette dernière, beaucoup de prudence s'impose.

Nous n'insisterons pas ici sur le frontal de « *Cervus carnutorum* » de Saint-Prest, bien qu'à notre avis, et à l'avis de l'abbé Breuil fort compétent en la matière, les traces de sciage qu'il porte soient attribuables à une action humaine et non à la solifluxion (Bourdier et Lacassagne, 1963, fig. 3).

D'une part, il ne s'agit pas d'une industrie et d'autre part l'âge de la faune de Saint-Prest reste incertain. Dans les pages qui précèdent, nous avons placé cette faune dans le Quaternaire moyen ; cependant, elle est manifestement antérieure à la faune de Soleilhac qui serait elle-même antérieure à − 690 000 ans en raison du paléomagnétisme inverse attribué à ce gisement. Si ce paléomagnétisme était certain, il nous faudrait vieillir la faune de Saint-Prest et la placer dans le Villafranchien final, peut être à la même époque que le gisement de Sinzelle. Mais le paléomagnétisme inverse de Soleilhac n'a pas été mesuré dans le gisement lui-même ; il a été pris à une assez grande distance de celui-ci, dans un dépôt supposé identique. Espérons que les recherches en

cours à Soleilhac de E. Bonifay apporteront des précisions nouvelles.

I. Le polyèdre de Sénart.

A 20 km au SE de Paris (coupe fig. 1), existent deux nappes de graviers de très haut niveau, encore récemment considérées comme pliocènes (A. Cailleux et R. Soyer, 1960). La plus haute, à Yerres, recouvre des sables tertiaires fortement cryoturbés (fig. 2 et 3) et, dans sa partie inférieure, elle contient de magnifiques galets éolisés à facettes. On pourrait évidemment rattacher cette puissante éolisation à celle que j'ai récemment découverte aux environs de Lyon, à la base des graviers du Pliocène supérieur de la série Trévoux ; cependant l'hypothèse d'une nappe quaternaire semble plus probable.

Cette nappe d'Yerres est riche en sels de fer qui ont formé au sein des graviers, un banc très dur de grès ferrugineux ; elle contient beaucoup de silex présentant des concassages naturels simulant parfois, de façon étonnante, des outils humains ; l'homme primitif a pu utiliser des concassages semblables et s'en inspirer pour confectionner des outils ; son effort d'imagination aurait été ainsi minime.

A 30 mètres au-dessous de la nappe d'Yerres, s'étend la nappe de la forêt de Sénart que j'ai eu la bonne fortune, en 1966, de pouvoir étudier dans les

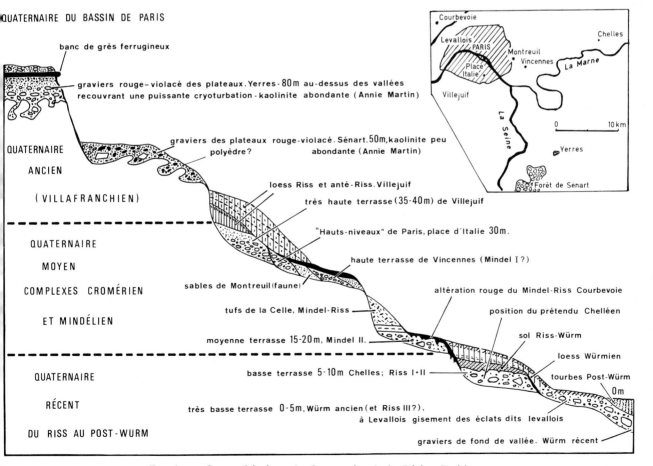

FIG. 1. — Coupe théorique du Quaternaire de la Région Parisienne
(Bourdier, 1969a modifié).

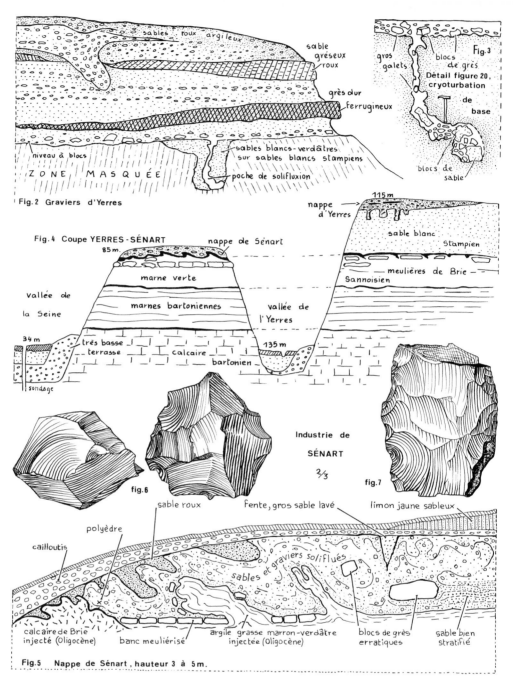

Fig. 2 Graviers d'Yerres

Fig. 3 Détail figure 20, cryoturbation de base

Fig. 4 Coupe YERRES-SÉNART

Industrie de SÉNART 2/3

Fig. 5 Nappe de Sénart, hauteur 3 à 5 m.

FIG. 2. à 7. — Coupes et industries des graviers des plateaux de Yerres et de Sénart
(Bourdier, 1969a)

longues tranchées de la déviation de la route nationale
N° 5 évitant l'agglomération de Montgeron (fig. 4, 5).
Mon collaborateur Michel Orliac a dégagé, au sein
de cette nappe alluviale, en ma présence, un petit
polyèdre aux arêtes presque intactes et très faiblement
patiné (fig. 6) ; cette pièce avait laissé une empreinte
très précise dans les sables graveleux compacts de la
terrasse, ce qui permit, quelques jours plus tard, au
Directeur des Antiquités Préhistoriques, M. Gérard
Bailloud, de contrôler nos observations. S'il s'était
agi d'une nappe alluviale plus récente, nous aurions
admis sans hésitation que le polyèdre était réellement
en place ; vu les problèmes soulevés dans le cas présent, il est bon de faire quelques réserves en raison

de l'ampleur des phénomènes de cryoturbation
(fig. 5), le polyèdre ayant pu pénétrer secondairement
dans les graviers grâce à des phénomènes périglaciaires (fente en coin ou reptation des graviers par exemple). A l'époque de nos recherches, la forêt de Sénart
était sillonnée de tranchées d'adduction d'eau peu
profondes ; dans les déblais de ces tranchées, nous
avons recueilli un autre polyèdre (fig. 8) et un vague
hachoir-biface en grande partie brisé (fig. 7). Le
polyèdre, qui est dans le même état physique que
celui « en place », avec ses enlèvements laminaires
à partir d'un angle, est digne des nucleus polyédriques
du Néolithique. Le « hachoir-biface », sur les deux
faces, présente des enlèvements peu profonds mais

nombreux, qui plaident pour un travail de l'homme ; sa technique comme sa patine rappelle celle des « petits bifaces difformes » que nous avons signalés jadis remaniés dans les hautes nappes alluviales de la Somme (pré-Abbevillien).

II. L'éclat de Boismont.

Dans la vallée de la Somme, les graviers des plateaux attribuables au Villafranchien ne subsistent qu'à l'état de rares lambeaux, sauf dans la région de l'estuaire où ils sont plus étendus et très activement exploités depuis 1950, en particulier autour du village de Boismont, à 12 km en aval d'Abbeville, sur la rive gauche.

Là, ces graviers sont entièrement décalcifiés et même lessivés (départ des anciens paléosols de surface qui se sont accumulés dans de grandes poches). Ils constituent trois nappes qu'il est difficile de raccorder avec les classiques terrasses des environs d'Abbeville, car toutes les nappes alluviales semblent rapidement plonger vers la mer, en particulier la moyenne terrasse (niveau de Mautort) qui s'enfonce sous les dépôts de l'estuaire. La plus basse des nappes, celle de Bois Sœurette, pourrait correspondre au « complexe cromérien » de la haute ou de la très haute terrasse d'Abbeville ; la seconde nappe, celle de Boismont-Village, est attribuable soit à la très haute terrasse d'Abbeville, soit plus probablement à la nappe inférieure des graviers des plateaux (Villafranchien). La troisième nappe subsiste au sommet des collines bordant l'estuaire ; son âge villafranchien ne semble pas douteux.

Vers 1960, à la sortie du village de Boismont vers Abbeville, une gravière (en partie remblayée aujourd'hui) était très activement exploitée du côté SW de la route ; j'ai extrait moi-même des graviers, entre 1,5 m et 2 m de profondeur, un éclat allongé en forme de pseudo-grattoir qui semble fabriqué par l'homme (plan de frappe, bulbe de percussion et trois enlèvements laminaires sur la face dorsale). Cet éclat présente une patine couleur vieille cire et un abrasement des arêtes apparemment par usure fluviatile (fig. 9), il est probable qu'il est antérieur au dépôt des graviers.

Cependant la reprise des travaux d'exploitation de cette carrière avec des moyens puissants a permis récemment le dégagement de parois dans les graviers pouvant atteindre 12 m de haut ; nous avons pu alors observer, et seulement dans des circonstances d'éloignement et d'éclairement favorables, que ces graviers avaient été parfois remaniés dans d'immenses poches de 8 à 10 m de profondeur en partant de la surface, difficiles à voir en raison de l'identité des matériaux, qu'ils soient en place ou remaniés ; ceci nous entraîne à formuler une réserve que nous n'avions pas prévue au moment de la découverte. Quoiqu'il en soit, il faudrait souhaiter que ces graviers, déjà en grande partie disparus par une exploitation de plus en plus rapide, fassent l'objet d'une surveillance archéologique réelle.

III. Industrie de Wimereux.

A 6 km environ, au nord du centre de Boulogne-sur-Mer, à la Pointe aux Oies (commune de Wimereux), depuis 1934 de nombreux préhistoriens ont recueilli, en surface de la plage, une industrie d'aspect très primitif taillée dans de gros galets ; elle comprend de vagues bifaces et quelques polyèdres volumineux bien caractérisés (fig. 13, 14). A en juger par son caractère primitif, on serait tenté de la situer bien avant l'Abbevillien ; mais on sait que certaines industries sur gros galets, en raison même de la matière et de la forme initiale du galet, ont une apparence faussement primitive.

Peu d'efforts ont été faits pour établir la position stratigraphique de cette industrie. Il est assez probable qu'elle provient d'une nappe de galets dont le sommet, au niveau des marées hautes, est recouvert par des argiles gris-rose et gris-vert, teinte peu fréquente si ce n'est dans les dépôts très anciens du Quaternaire, comme à la Londe, près de Rouen (fig. 12).

A Wissant, à une douzaine de kilomètres au nord-est de la Pointe aux Oies, près du littoral, d'épaisses couches de graviers contenant *Elephas meridionalis* (fig. 10, 11) étaient exploitées à la drague entre + 15 et — 5 mètres ; au-dessus, s'étendaient des sables et graviers contenant des argiles gris-rose et

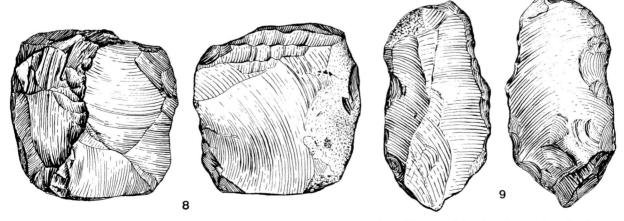

Fig. 8 et 9. — Polyèdre trouvé en surface des graviers des plateaux de la forêt de Sénart et éclat dans les graviers de plateaux de Boismont (région de l'estuaire de la Somme).

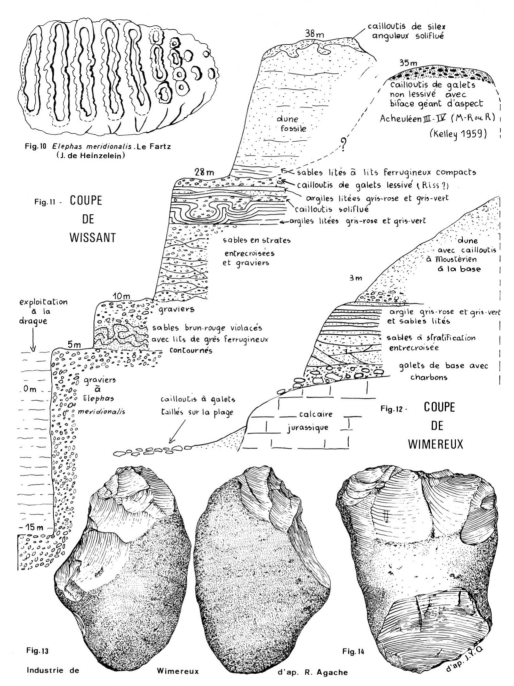

Fig.10 *Elephas meridionalis*. Le Fartz
(J. de Heinzelein)

Fig.11 - COUPE DE WISSANT

38 m — cailloutis de silex anguleux soliflué

35 m
Cailloutis de galets non lessivé avec biface géant d'aspect Acheuléen III-IV (M-R ou R)
(Kelley 1959)

dune fossile

sables lités à lits ferrugineux compacts
cailloutis de galets lessivé (Riss ?)
argiles litées gris-rose et gris-vert
cailloutis soliflué
argiles litées gris-rose et gris-vert

28 m

sables en strates entrecroisées et graviers

dune avec cailloutis à Moustérien à la base

3 m

exploitation à la drague

10 m   graviers

sables brun-rouge violacés avec lits de grès ferrugineux contournés

5 m

graviers à *Elephas meridionalis*

argile gris-rose et gris-vert et sables lités

sables à stratification entrecroisée

galets de base avec charbons

cailloutis à galets taillés sur la plage

calcaire jurassique

Fig.12 - COUPE DE WIMEREUX

Fig.13   Industrie de   Wimereux   d'ap. R. Agache   Fig.14   d'ap. J.Y.Q.

FIG. 10 à 14. — Industrie de Wimereux près de Boulogne-sur-Mer et coupe des terrains quaternaires de Wimereux et de Wissant (Bourdier, 1969a). Grand axe des galets taillés : 11,5 cm.

gris-vert très comparables, au moins en apparence, à celles de Wimereux. D'autre part, en Belgique, existent des sables, peut-être comparables, et dont l'âge Villafranchien n'est guère douteux. On a donc là un ensemble de faits qui incite, non à affirmer que l'industrie de Wimereux est villafranchienne, mais que des recherches ultérieures pourraient peut-être permettre de la faire remonter à cette lointaine époque. En Normandie, à 26 km à l'est de Cherbourg, le gisement de Montfarville (anse de Landemer) a livré à F. Scuvée (1974) une industrie sur

galets au voisinage du 0 marin (N.G.F.) ; cette industrie est proche de celle de Wimereux et pas mieux datée que celle-ci pour le moment.

En résumé, nous avons des indices d'industries probablement villafranchiennes dans le nord-ouest de la France ; mais la plupart des préhistoriens ont, jusqu'à présent, trop négligé des recherches systématiques pour les mettre en évidence et peu d'efforts ont été faits pour les dater ; il faut donc espérer que la présente note soit le point de départ de recherches nouvelles où la géologie aura son indispensable part.

Bibliographie

[1] AGACHE R. (1968). — Informations archéologiques : Circonscription de Nord-Picardie. *Gallia Préhistoire*, t. XI, fasc. 2, p. 286-289, fig. 27 à 29.

[2] BOURDIER F. (1963). — *Préhistoire de France.* Paris, Flammarion, 412 p., 152 fig., bibliogr. [Sénart, fig. 56, Saint-Prest, fig. 57].

[3] BOURDIER F. (1969 a). — Etude comparée des dépôts quaternaires des bassins de la Seine et de la Somme. *Bulletin d'information des géologues du Bassin de Paris,* n° 21, p. 169-220, 113 fig., 169 réf.

[4] BOURDIER F. (1969 b). — Sur la position chronologique du Paléolithique de Sangatte, Wissant et Wimereux (Pas-de-Calais). *Bulletin de la société préhistorique de France,* t. LXVI, compte rendu mensuel n° 8, p. 230-231.

[5] BOURDIER F. et LACASSAGNE H. (1963). — Précisions nouvelles sur la stratigraphie et la faune du gisement villafranchien de Saint-Prest (Eure-et-Loir). *Bulletin de la société géologique de France,* série 7, t. V, n° 4, p. 446-453, 4 fig., 42 réf.

[6] GRAINDOR M. J. et SCUVÉE F. (1970). — Deux niveaux marins submergés au Pléistocène dans le nord du Massif Armoricain [Montfarville-Landemer]. *Comptes rendus de l'académie des sciences de Paris,* t. CCLXXI, série D, p. 1489-1492.

[7] HEINZELIN J. de (1964). — Cailloutis de Wissant. *Bulletin de la société belge de géologie,* t. LXXIII, p. 146-161, 7 fig., 1 tabl., 1 pl., 26 réf.

[8] SCUVÉE F. (1974). — Introduction à l'archéologie [Montfarville-Landemer]. *Revue du cercle d'études historiques et préhistoriques de Cherbourg.* (*Littus*), n° 9, p. 14-15, fig.

[9] TUFFREAU A. (1971). — Quelques observations sur le Paléolithique de la Pointe-aux-Oies à Wimereux (Pas-de-Calais). *Bulletin de la société préhistorique française,* t. LXVIII, fasc. 2, p. 496-504, 4 fig., 31 réf.

Les premières industries humaines en Alsace

par

André Thévenin *

Résumé. L'auteur expose en prologue la stratigraphie dynamique des sites d'Achenheim et de Hangenbieten, où la tectonique quaternaire a joué un rôle prépondérant. Deux pebble-tools seulement peuvent être, avec sûreté, considérés comme antérieurs au Mindel récent.

Abstract. This article reviews the dynamic stratigraphy of the Achenheim and Hangenbieten sites. Both sites are situated in a region where extensive Quaternary tectonic activity occured. Only two pebble-tools found at these sites can be safely regarder as dating prior to late Mindel.

I. Les rarissimes témoins des premières industries humaines d'Alsace ont été trouvés — comme tous ceux de l'ensemble du Paléolithique alsacien — à l'occasion de travaux d'extraction de sable et gravier ou de loess dans la haute-terrasse de Hangenbieten-Mundolsheim, et plus précisément dans les loessières Jeuch à Hangenbieten et Hurst à Achenheim, à 12 km environ à l'Ouest de Strasbourg, dans le Bas-Rhin (fig. 1).

Comme le Paléolithique en son entier ou presque, avec l'histoire du Pleistocène moyen et supérieur, est condensé dans le seul gisement de plein air d'Achenheim, et pour éviter les répétitions, il apparaît bon de retracer l'histoire complexe de ce gisement, dont Paul Wernert avait minutieusement étudié pendant plus de cinquante ans les niveaux et bien dégagé les phases directrices de la stratigraphie (P. Wernert, 1957), devenu l'un des classiques du Quaternaire puisqu'on le retrouve dans tous les manuels (N. Théobald et A. Gama, 1959, p. 327) (J. Chaline, 1972, p. 58 ; N. Théobald, 1972, p. 30 ; etc.), et l'un des plus importants d'Europe avec Cerveny Kopec en Tchécoslovaquie (J. Chaline, 1972, p. 63).

II. Données préliminaires sur le Quaternaire ancien du sous-sol du fossé rhénan dans le secteur de Strasbourg (fig. 2, n° 1 à 6; fig. 3).

Les nombreux forages exécutés dans le sous-sol de la plaine alluviale actuelle du Rhin ont permis de reconnaître *une superposition par ordre d'âge des dépôts fluvio-glaciaires ou fluviatiles* (N. Théobald, 1955, p. 102 ; N. Théobald, 1972, p. 8 et 18 ; P. Wernert, 1949 ; P. Wernert, 1957, p. 12). A l'Est de la faille rhénane en effet, les mouvements tectoniques ont consisté en un mouvement d'affaissement par compartiments séparés. Au niveau de Strasbourg, à la Wantzenau, la série stratigraphique, très importante puisque située au centre du fossé, est la suivante (P. Wernert, 1949, p. 220) :

— sous quelques mètres de sédiments holocènes,

graviers de petit format, pleistocènes à *Quercus pedunculata* et *Elephas primigenius* à patine blanche (jusqu'à 7 m) ;

— limon jaunâtre à *Elephas antiquus, E. trogontherii*, et *E. primigenius* à patine jaune (jusqu'à 8 m) ;

— graviers de gros calibres à *Elephas meridionalis* (jusqu'à 14 m).

Sous ces alluvions, sont dragués des sédiments villafranchiens et plus anciens, riches en restes botaniques (F. Geissert, 1964, 1969 ; R. Ciry et alii, 1969).

III. Les gisements d'Achenheim et de Hangenbieten.

A. *Le compartiment de Hangenbieten-Mundolsheim* (fig. 2, n°ˢ 1 et 2 ; fig. 3).

Au niveau d'Achenheim (et sous toute la hauteur constituant la terrasse de Hengenbieten - Mundolsheim), sont repérés par sondage les graviers rhénans surmontés par une vingtaine de mètres d'alluvions rhénanes, constituées de vases alternant avec des sables gris verdâtres à stratification entrecroisée, à éléments de faune de type tempéré chaud, connu en Allemagne à Mosbach et à Mauer. Pour F. Geissert cependant, par l'analyse des mollusques, les faunes des sables rhénans considérées jusqu'à présent comme d'origine « chaude » auraient vécu sous des conditions périglaciaires lorsque s'accumulaient les sables alpins d'origine fluvio-glaciaire d'abord, puis les sables d'origine vosgienne (F. Geissert, 1969).

Sur les alluvions rhénanes pré-mindéliennes, on trouve les niveaux mindéliens suivants :

1) les alluvions vosgiennes (sables rouges vosgiens), datées récemment pour une série (qui n'est certainement pas la plus ancienne), du Mindel récent par la présence de *Citellus cf. Dietrichi* Kretzoi et de micromammifères ; en particulier *Arvicola cf. mosbachensis* (J. Chaline et A. Thévenin, 1972) ;

* Directeur des Antiquités préhistoriques d'Alsace et de Lorraine, Palais du Rhin, 3 place de la République, 67000 Strasbourg (France).

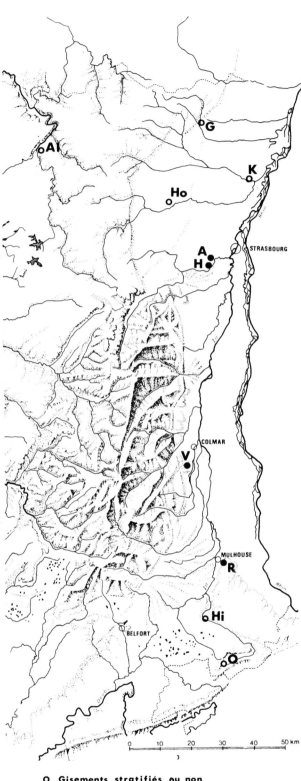

O **Gisements stratifiés ou non**

O **Trouvailles isolées**

Fig. 1. — Carte des gisements paléolithiques ancien et moyen et principales trouvailles.
Bas-Rhin : A : Achenheim, loessière Hurst et Sundhauser; H : Hangenbieten, loessière Jeuch; Ho : Hochfelden (biface); G : Goersdorf (biface); Al : Altwiller-Bonnefontaine (biface); K : Kaltenhouse (divers).
Haut-Rhin : V : Voegtlingshofen; R : Riedisheim; H : Hirtzbach (biface); O : Oberlarg (biface).

2) le loess sableux ancien (loess sableux jaune canari en particulier). Sur ces niveaux, repose un lehm rouge à faune forestière de milieu tempéré (limon rouge des plateaux), représentant pour tous les auteurs, l'altération du sommet des loess à l'interglaciaire Mindel-Riss.

Au cours de cet interglaciaire, les niveaux prémindéliens et mindéliens, vont être affectés d'une part par l'action érosive des eaux, d'autre part par la tectonique :

— Un cours d'eau, le Muhlbach ou ruisseau d'Achenheim a entaillé profondément et perpendiculairement la masse des alluvions, d'où une profonde entaille (fig. 2, n° 2 et fig. 3). Dans cette grande échancrure, s'accumuleront par la suite de nombreuses séries colluvionnées, constituant ou non *pro parte* le gradin emboîté d'Achenheim. Une deuxième profonde entaille oblique, partant de la loessière Sundhauser pour arriver à la loessière Hurst, bien visible sur la paroi sud, correspond au premier grand ravinement de Wernert (P. Wernert, 1969, stratigraphie p. 33) (fig. 3 et 4, GR 1).

— Une faille F1 (fig. 2, n° 2 et fig. 3) a provoqué des affaissements par compartiments, individualisant dès l'interglaciaire Mindel-Riss, la haute-terrasse de Hangenbieten-Mundolsheim, qu'il est plus logique d'appeler compartiment de Hangenbieten-Mundolsheim. Cette faille n'a jamais été signalée par P. Wernert, mais certaines anomalies ne sauraient être expliquées sans cette faille, en particulier le lambeau triangulaire de Riss au Nord d'Achenheim (G. Maire, 1967), que H. Vogt considère comme correspondant au gradin emboîté d'Achenheim de P. Wernert (fig. 3 et 4). Cette faille F1 se retrouve dans les loessières Sundhauser-Est et Hurst, pour être recoupée très rapidement par une faille de même âge F′1, dont le ruisseau d'Achenheim suit certainement le tracé ; elle est responsable du décalage de 27 m constaté par forage (Puits Schaeffer - Schneider) dans les graviers rhénans à — 113 m alors que, sous la haute-terrasse de Hangenbieten-Mundolsheim, on les rencontre à une cote plus élevée, — 140 m. Pour bien marquer le rôle joué par la tectonique, la haute-terrasse de Hangenbieten-Mundolsheim (qui en fait était à l'origine une nappe alluviale) doit être dénommée compartiment de Hangenbieten-Mundolsheim.

B. *Le gradin emboîté d'Achenheim* (fig. 2, n° 4 et fig. 3).

Suite à la lehmification, à l'interglaciaire Mindel-Riss, de la partie supérieure du loess sableux ancien, tout le secteur est recouvert, durant la glaciation de Riss, par les loess anciens : loess ancien inférieur et loess ancien moyen, divisés en nombreux sous-niveaux (fig. 2, n° 3 et fig. 3). Ce qui est sûr, c'est qu'une faille F2, jumelle de F1 et s'en dédoublant à partir de la loessière Sundhauser-Est, par affaissement progressif, va faire disparaître les loess ancien inférieur et moyen, de tout le secteur de Strasbourg (avec dégagement épisodique ou continu par le Rhin et la Bruche). Cette faille F2 ne peut être contestée car c'est la seule figurée par P. Wernert (1957, coupe p. 16).

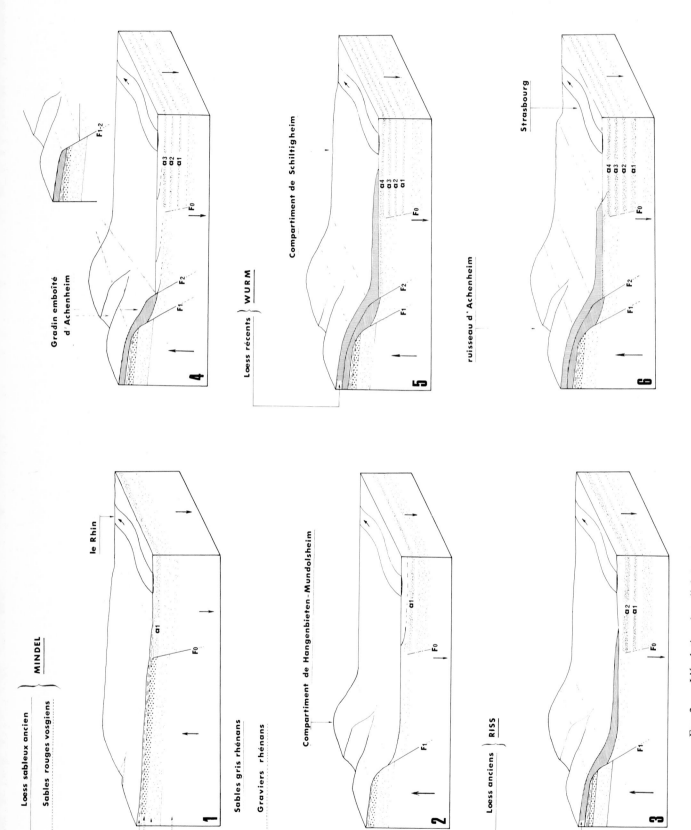

FIG. 2. — L'évolution du relief dans le secteur de Strasbourg au cours de la phase récente du Pléistocène. Essai d'explication et d'interprétation par blocs-diagrammes. 1, 2 et 3 : les formations du Mindel au Riss ; 4 et 5 : les formations du Riss et

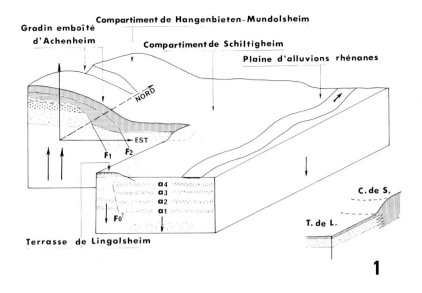

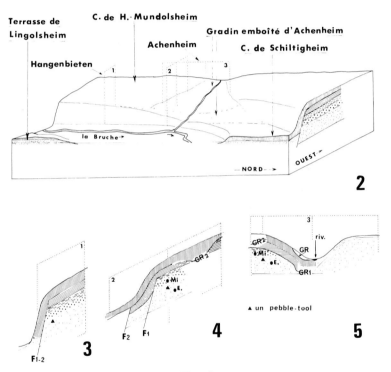

Fig. 3

1. Bloc-diagramme récapitulatif des formations quaternaires du secteur de Strasbourg.
2. Bloc-diagramme de situation des gisements d'Achenheim et de Hangenbieten.
3. Coupe transversale schématique du gisement de Hangenbieten, loessière Jench.
4. Coupe transversale schématique du gisement d'Achenheim, loessière Hurst. Mi : terriers de micromammifères, cf. J. Chaline et A. Thévenin, 1972; E. : *Elephas trogontherii*.
5. Coupe longitudinale schématique du gisement d'Achenheim, loessière Hurst.

C. *Le compartiment de Schiltigheim (ou « terrasse de Schiltigheim ») et la terrasse de Lingolsheim* (fig. 2, nos 5 et 6 ; fig. 3).

Au cours du Würm, une nouvelle sédimentation entrecoupée de ravinement, par exemple le grand ravinement GR 2 (que Paul Wernert pensait être interglaciaire), va définitivement recouvrir tout le secteur de Strasbourg. Le grand ravinement GR 2 n'est qu'un épisode très local d'érosion, recouvrant ou entamant le loess ancien supérieur, que F. Bordes considère comme würmien au vu de l'industrie lithique et du type de sédiments (F. Bordes, 1960 et 1969). Une première datation par le C 14 de charbons de bois d'un grand foyer du grand lehm de GR 2 (Lyon 761 : 36700 ± 2200. 1700 B.P. ou 34750 B.C.) semble confirmer ce point de vue, mais il faut attendre une deuxième mesure d'âge

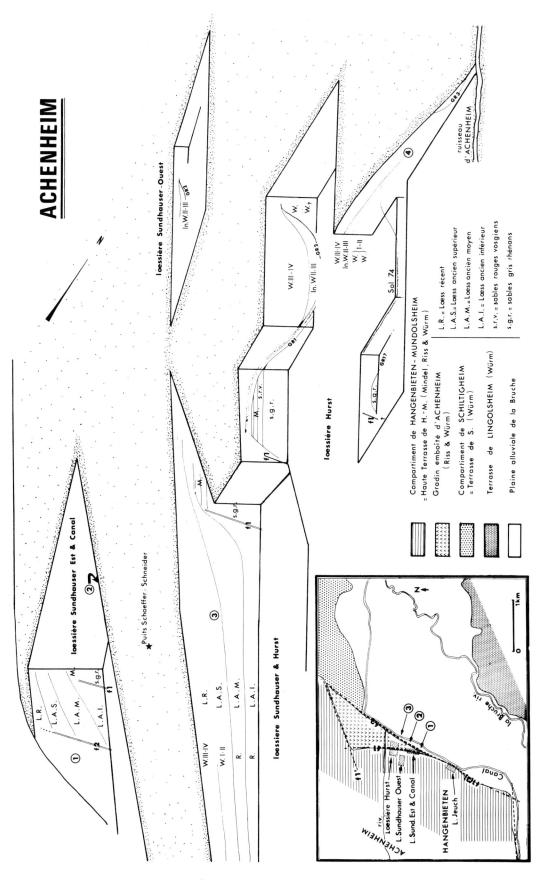

Fig. 4. — Vue en perspective des différentes coupes du gisement d'Achenheim. La coupe 1 de la loessière Sundhauser-Est et Canal correspond à la partie gauche de la coupe de P. Wernert (1957, p. 17), la coupe 2 à la partie droite de cette même coupe. Les coupes 3 et 4 de la loessière Hurst se retrouvent dans la coupe synthétique, p. 32 de P. Wernert

en cours. On observe, dans la loessière Hurst, un dernier et troisième ravinement GR 3 dû à une reprise d'érosion au Postglaciaire, avec accumulation de sédiments fluvio-lacustres horizontaux.

La puissante accumulation de loess atteignant jusqu'à 11 m d'épaisseur, reposant sur un lehm rouge de base avec couverture de limon noirâtre et sur des sables vosgiens, appelée terrasse de Schiltigheim, peut être considérée à la limite et pour ses niveaux les plus inférieurs, comme une terrasse fluviatile avec un niveau d'érosion découpé par le Rhin au cours du Postglaciaire et peut-être déjà au cours des premières oscillations tempérées du Tardiglaciaire. En fait, la terrasse de Schiltigheim est davantage un imposant placage de loess plus ou moins bosselé, dominant de 2 à 3 m, la basse-terrasse de Lingolsheim, vaste cône d'alluvions édifié par la Bruche torrentielle würmienne. Constituée de sables rouges vosgiens recouverts d'une mince couverture de loess ne dépassant jamais 1 m d'épaisseur, cette terrasse s'est formée aussi durant la glaciation de Würm : en effet, les sables rouges s'interpénètrent avec les loess récents würmiens de la terrasse de Schiltigheim ; d'après les trouvailles lithiques, les loess de la terrasse de Lingolsheim ont dû commencer à tomber après l'Aurignacien (P. Wernert, 1967 ; J.-J. Puissegur, 1965). S'il faut conserver le terme de terrasse de Lingolsheim, en revanche celui de compartiment de Schiltigheim correspondrait mieux à la réalité.

En résumé, nous trouvons donc entre Achenheim et Strasbourg, quatre unités sédimentologiques (fig. 3) :

— la *plaine alluviale actuelle* avec ses niveaux pléistocènes superposés ;

— la *terrasse de Lingolsheim*, cône d'alluvions de la Bruche, dont la tête, édifiée au début du Würm, est recouverte d'une très mince couverture de loess ;

— le *compartiment de Schiltigheim,* fluviatile à la base, constitué d'un épais placage de loess würmien ;

— le *gradin emboîté d'Achenheim,* constitué de séries loessiques rissiennes et würmiennes entre les failles F1 et F2 et *pro parte,* car P. Wernert n'a jamais donné de définition précise, de colluvions

loessiques et de loess rissiens et würmiens, piégés dans des entailles creusées par les eaux du Muhlbach, affluent de la Bruche ;

— le *compartiment de Hangenbieten - Mundolsheim,* constitué de sédiments pré-mindéliens et mindéliens, à l'origine nappe alluviale, dont l'escarpement actuel est d'origine tectonique.

IV. Les premières industries humaines d'Alsace.

A. *Les deux témoins des sables gris rhénans.*

A Achenheim, dans la loessière Hurst (fig. 4, 3 et 4) un galet à enlèvement unique (fig. 5, n° 1) était inclus dans un banc de glaise grisâtre atteignant par endroit 0,30 m d'épaisseur, s'intercalant dans un vaste dépôt de sable rhénan très fin, exempt d'élément caillouteux, constituant le socle de la très vieille terrasse d'Hangenbieten et recouvert par des alluvions vosgiennes de couleur rouge (P. Wernert, G. Millot et J.-P. Von Eller, 1962). Un deuxième pebble-tool (fig. 5, n° 2), trouvé à quelques kilomètres d'Achenheim dans la grande carrière Jeuch-Wellau, à Hangenbieten (fig. 4, n° 3), dans la « vase argileuse gris blanchâtre décantée à la surface des sables rhénans, sous - jacente aux sables rouges vosgiens » (P. Wernert, 1957, coupe avec indication de localisation, p. 23; P. Wernert, G. Millot et J.-P. Von Eller, 1962). Cet artéfact est un peu plus travaillé que le précédent : une première encoche a été pratiquée à l'une des extrémités et quelque peu aménagée ; dans la partie opposée, de structure moins fine, un éclat a été enlevé latéralement. Le chopper d'Achenheim avait été confectionné dans un galet de quartzite ou grès quartzitique ; le chopper double de Hangenbieten dans un galet roulé de grauwacke-phtanite. A quelques mètres du sommet des sables rhénans (fig. 4, n°s 3 et 4), ont été mis au jour en 1972 et 1973, un certain nombre d'ossements, entre autres une défense et le maxillaire inférieur d'un *Elephas trogontherii.* Tous les ossements sont entiers ; mais, fait surprenant dans ce milieu très pauvre en faune — au contact même des ossements de l'éléphant, ont été recueillis une dent de cervidé, un ossement

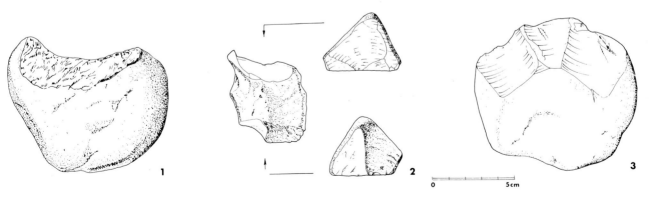

FIG. 5. — N° 1, Achenheim, loessière Hurst, chopper (sables gris rhénans); n° 2, Hangenbieten, loessière Jench, double chopper (sables gris rhénans); n° 3, Achenheim, loessière Sundhauser Ouest, chopper en phtanite (limon rouge des plateaux, interglaciaire Mindel-Riss).

appartenant à un carnassier, ainsi qu'une lamelle tirée d'un grand os. Ces pièces étrangères pourraient être la preuve de la présence de l'homme.

Comment dater ces trouvailles des sables gris rhénans ?

Günz ou Mindel ? Pour le moment, par prudence, aucune réponse n'est donnée; la seule indication actuelle vient des terriers de spermophiles des sables rouges vosgiens (fig. 4, n°s 3 et 4), à savoir le Mindel récent (J. Chaline et A. Thévenin, 1972).

B. *Les témoins du loess ancien sableux (Mindel).*

Les traces de la présence de l'homme sont très rares et ne consistent qu'en quelques pièces taillées dans des galets de rivière. Dans le limon rouge de plateau, la présence de l'homme est attestée par des vestiges de foyer : tibia de cheval carbonisé avec charbon de bois adhérant et quelques rares artéfacts, dont un chopper à trois enlèvements sur galet de phtanite (fig. 5, n° 3).

C. *Autres données alsaciennes.*

La trouvaille par R. Forrer, dans un remplissage karstique, d'une prémolaire d'hippopotame d'aspect phallique, d'une petite ammonite perforée naturellement permettant son utilisation comme pendeloque, associées à des ossements d'hippopotame, d'un rhinoceros voisin de *R. etruscus,* doit être considérée comme un ensevelissement naturel et non comme le plus ancien dépôt rituel (F. Bourdier, 1967, p. 174).

Bibliographie

[1] BORDES F. (1960). — (Compe rendu de la thèse de P. Wernert, 1957). *L'Anthropologie,* t. 64, n° 1-2, p. 77-85.

[2] BORDES F. (1969). — Le loess en France. *Etudes françaises sur le Quaternaire,* VIIIe Congrès INQUA, p. 69-76, 4 fig.

[3] BOURDIER F. (1967). — *Préhistoire de France.* Paris, Flammarion, 412 p., 152 fig.

[4] CHALINE J. (1972). — *Le Quaternaire. L'histoire humaine dans son environnement.* Paris, Doin, 348 p., 66 planches au trait, 43 tabl., 16 planches photo.

[5] CHALINE J. et A. THEVENIN (1972). — Deux terriers de spermophiles dans les sables rouges vosgiens d'Achenheim et l'âge des industries sous-jacentes sur galets brisés du Bas-Rhin. *Revue archéologique de l'est et du centre-est,* t. 23, fasc. 3-4, p. 205-216, 3 fig., 2 tabl.

[6] CIRY R. avec le concours de F. GEISSERT, G. MAIRE, C. SITTLER, J. TRICART, H. VOGT et P.

WERNERT (pour l'Alsace) (1969). — Comptes rendus des Excursions du VIIIe Congrès de l'INQUA, Paris 1969. Chapitres : *Le Pliocène et le Quaternaire au Nord de Strasbourg.*

[7] GEISSERT F. (1964). — Neuer Beitrag zur Untersuchung Fossilführender Lagerstätten im nördlichen Elsass. *Etudes haguenoviennes,* nouvelle série, t. 4, p. 53-107, 10 pl.

[8] GEISSERT F. (1967). — Mollusques et nouvelle flore plio-pleistocène à Sessenheim (Bas-Rhin) et leurs corrélations villafranchiennes. *Bull. serv. carte géol. Als.-Lorr.,* 20, 1, p .83-100.

[9] GEISSERT F. (1969). — Interglaziale Ablagerungen aus Kiesgruben der Rheinniederung und ihre Beziehungen zu den Diluvialsanden. *Mitt. bad. Landezver. Naturkunde und Naturschutz,* N. F. 10, 1, p. 19-38, 2 pl.

[10] MAIRE G. (1967). — Aspects de l'évolution quaternaire de la vallée inférieure de la Bruche, *Bull. serv. carte géol. Als-Lorr.,* 20, 3, p. 175-184, 1 fig.

[11] PUISSEGUR J.-J. (1965). — La terrasse de Schiltigheim (Alsace). Etude stratigraphique et malacologique. *Bull. assoc. franç. étude quaternaire,* 2, 2, p. 66-76.

[12] RASSAI G. (1971). — Feinstratigraphische Untersuchungen der Lössablagerungen des Gibietes um Hangenbieten südwestlich von Strassburg im Elsass. *Quartär,* Bd. 22, p. 17-53, 3 fig.

[13] THÉOBALD N. (1955). — Les alluvions anciennes au sud de la Bruche et aux environs d'Obernai (Bas-Rhin). *Bull. serv. carte géol. Als.-Lorr.,* t. 8, fasc. 1, p. 87.

[14] THÉOBALD N. et GAMA A. (1959). — *Stratigraphie.* Paris, Doin, 315 p., 116 fig.

[15] THÉOBALD N. (1972). — *Fondements géologiques de la Préhistoire. Essai de chronostratigraphie des formations quaternaires.* Paris, Doin, 95 p., 45 fig.

[16] THÉVENIN A. (1972). — Du Paléolithique ancien au Néolithique dans l'Est de la France : actualité des recherches. *Revue archéol. de l'est et du centre-est,* t. 23, fasc. 3-4, p. 163-204, 14 fig.

[17] THÉVENIN A. (1973). — Aperçu général sur le Paléolithique et l'Epipaléolithique de l'Alsace. *Annales scientifiques de l'Université de Besançon,* Géologie, 3e série, fasc. 1, p. 255-265, 6 fig.

[18] WERNERT P. (1949). — *Elephas meridionalis* Nesti dans le Bas-Rhin. Contribution à l'histoire du Rhin quaternaire. *Cah. als. d'arch., d'art et d'hist.,* 40, p. 217-222, 1 fig.

[19] WERNERT P. (1957). — Stratigraphie paléontologique et préhistorique des sédiments quaternaires d'Alsace, Achenheim. *Mémoires serv. carte géol. Als.-Lorr.,* n° 14, 262 p., 118 fig., 24 planches photo.

[20] WERNERT P., MILLOT G. et Von ELLER J. P. (1962). — Un « pebble tool » des alluvions rhénanes de la carrière Hurst à Achenheim. *Bull. serv. carte géol. Als-Lorr.,* t. 15, fasc. 2, p. 29-36, 4 fig.

II

LES CIVILISATIONS
DU PALÉOLITHIQUE INFÉRIEUR

PALEOLITHIQUE INFERIEUR

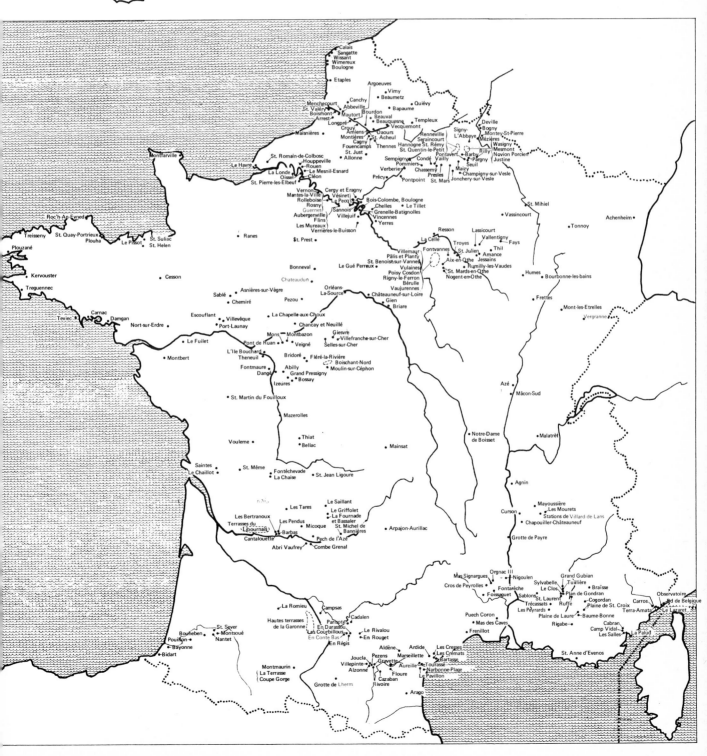

Les civilisations du Paléolithique inférieur en Provence

par

Henry de LUMLEY *

Résumé. Pendant la première partie du Pléistocène moyen, les industries archaïques sur galet et à rares bifaces du Pléistocène inférieur et de l'extrême début du Pléistocène moyen passent progressivement à des industries où les bifaces prennent une importance plus grande et où l'outillage sur éclat devient abondant et très caractéristique.

L'Acheuléen ancien de Terra Amata se caractérise en particulier par une industrie sur éclat de débitage non levallois, un pourcentage élevé de racloirs souvent aménagés par retouches surélevées, une forte proportion d'encoches et de denticulés, un pourcentage très élevé de choppers, quelques chopping-tools, de rares bifaces et des hachereaux.

A la fin du Pléistocène moyen « Riss », plusieurs groupes culturels peuvent être individualisés : Acheuléens moyen et supérieur, Tayacien, Evenosien, Prémoustérien.

Les Acheuléens moyen et supérieur comprennent, en fait, plusieurs groupes culturels : Acheuléen de débitage non levallois (Observatoire), Acheuléen de débitage faiblement levallois à pourcentage élevé de racloirs (Lazaret), Acheuléen, de débitage levallois, riche en racloirs et en outils à bords retouchés convergents (Les Sablons), Acheuléen, de débitage levallois, riche en racloirs et en outils à bords retouchés convergents, contenant quelques bifaces de type micoquien (Vallée du Largue, Carros-le-Neuf).

Le Tayacien est une industrie de débitage non levallois, riche en racloirs, souvent aménagés par retouches surélevées, ou écailleuses scalariformes, contenant en outre une proportion élevée d'outils aménagés par des encoches clactoniennes, quelques choppers et de rares bifaces.

L'Evenosien est une industrie de débitage non levallois, contenant un très faible pourcentage de racloirs, une assez forte proportion d'outils de type paléolithique supérieur (grattoirs, burins), une proportion très élevée d'outils aménagés par encoches clactoniennes, quelques boules polyédriques et des chopping-tools.

Le Prémoustérien de Rigabe et de la Baume des Peyrards, est caractérisé par une industrie de débitage levallois contenant une assez forte proportion de racloirs et d'outils à bords retouchés convergents.

Abstract. During the first part of the Middle Pleistocene, the archaic pebble and rare bifacial industries of the Lower Pleistocene and the very beginning of the Middle Pleistocene evolve progressively towards those industries where bifaces take on a greater importance and where flake tools become abondant and very characteristic.

The Lower Acheulean of Terra Amata is characterized in particular by a flake tool industry of non-Levallois debitage, a high percentage of side-scrapers often formed by overhanging retouch, a high proportion of notched pieces and denticulates, a very high percentage of choppers, some chopping tools and rare bifaces and hachereaux.

At the end of the Middle Pleistocene (« Riss »), several traditions can be individualized : Middle and Upper Acheulean, Tayacian, Evenosian and Premousterian.

The Middle and Upper Acheuleans comprise, in fact, several traditions : Acheulean of non-Levallois debitage (Observatoire), Acheulean of a low Levallois debitage with a high percentage of side-scrapers and tools with convergently retouched margins (Les Sablons), Acheulean of a Levallois debitage, rich in side-scrapers and tools with convergently retouched margins and some bifaces of the La Micoque type (Vallée du Largue, Carros-le-Neuf).

The Tayacian is an industry of non-Levallois debitage, rich in side-scrapers with overhanging scaled or stepped retouch and pieces notched by the Clactonian technique, some choppers and rare bifaces.

The Evenosian is an industry of non-Levallois debitage containing a very low percentage of side-scrapers, a rather high proportion of Upper Paleolithic type tools (end-scrapers, burins, etc...), a very high proportion of tools with Clactonian notches, several polyhedrals and some chopping tools.

The Premousterian of Rigabe and the Baume des Peyrards is characterized by an industry of Levallois debitage containing a rather high proportion of side-scrapers and tools with convergently retouched margins.

Pendant le Pléistocène moyen ancien (« Mindel ») les industries archaïques sur galet et à rares bifaces du Pléistocène inférieur et de l'extrême début du Pléistocène moyen passent progressivement à des industries où les bifaces prennent une importance plus grande et où l'outillage sur éclat devient abondant et très caractéristique : Acheuléen ancien.

Pendant le Pléistocène moyen récent (Riss) plusieurs groupes culturels peuvent être individualisés : Acheuléens moyen et supérieur, Tayacien, Evenosien, Prémoustérien.

I. LES INDUSTRIES DU PLÉISTOCÈNE MOYEN ANCIEN.

Mises à part quelques découvertes de surfaces isolées, deux sites ont livré des outillages en place :

— L'Escale à Saint-Estève-Janson,

— Terra Amata à Nice.

* Laboratoire de Paléontologie Humaine et de Préhistoire, U.R.A. n° 13 du C.R.A., Université de Provence, Centre Saint-Charles, place Victor-Hugo, 13331 Marseille Cedex 3, (France).

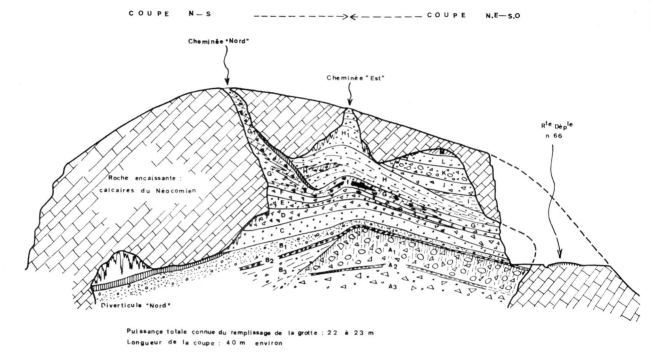

FIG. 1. — Coupe stratigraphique de la Grotte de l'Escale (Saint-Estève-Janson, Bouches-du-Rhône) d'après E. Bonifay. (M. F. Bonifay, 1971, p. 57, fig. 2).

La grotte de l'Escale.

La grotte de l'Escale est située dans la basse vallée de la Durance, près du village de Saint-Estève-Janson.

Le remplissage quaternaire actuellement reconnaissable, atteint 20 à 25 m d'épaisseur (fig. 1). Il comprend des cailloutis cryoclastiques, des limons lœssiques, des calcaires à débris végétaux et des graviers miocènes remaniés.

Il peut être subdivisé en trois ensembles correspondant à des climats froids, séparés par des couches interstadiaires déposées sous des climats tempérés ou tempérés chauds.

Les niveaux correspondant à des climats froids ont livré des faunes froides ou très froides (*Hemitragus, Gulo, Vulpes praeglacialis*) ; ceux correspondant à des interstadiaires des faunes tempérées (*Megaceros, Testudo*, Suidés, Singe cynomorphe).

LA FAUNE.

La faune est très riche. Elle comprend les espèces suivantes :

Primates :
  Cynomorphe (cf. *Semnopithecus*)

Carnivores :
  Ursidés :
    Ursus deningeri V. Reich.
  Félidés :
    Lynx spelaea M. Boule
    Jansofelis Vaufreyi M.F. Bonifay
  Canidés :
    Canis etruscus F. Major
    Vulpes vulpes L. *jansoni* M.F. Bonifay
    Vulpes praeglacialis Kormos
    cf. *Cuon stehlini* Thenius

Hyaenidés :
  Hyaena prisca M. de Serres

Mustélidés :
  Meles sp.
  Mustella palerminea Petenyi
  Gulo gulo schlosseri Kormos

Périssodactiles :
  Dicerorhinus sp.

Artiodactyles :
  Hemitragus jemlahicus bonali H. et St.
  Sus sp.
  Megaceros sp.

Lagomorphes :
  Leporidae ind.

Rongeurs :
  Sciurus sp.
  Eliomys quercinus helleri
  Clethrionomys glareolus
  Pliomys subterraneus
  Pliomys episcopalis
  Microtus agrestis jansoni J. Chaline
  Microtus brecciensis mediterraneus
  Arvicola mosbachensis
  Apodemus sylvaticus
  Allocricetus bursae duranciensis J. Chaline

Insectivores :
  Talpa cf. *europea*
  Sorex sp.
  Crocidura sp.

Chiroptères

Oiseaux, extrêmement abondants

Reptiles (nombreuses tortues)

Batraciens

Il faut constater la disparition de certaines espèces villafranchiennes caractéristiques qui existaient encore au début du Pléistocène moyen, comme *Rhinoceros etruscus, Elephas meridionalis, Equus stenonis* et les Machairodontidés. Certaines espèces comme

Ursus deningeri, Cuon cf. *stehlini* et *Megaceros* se retrouvent dans les ensembles du « Pléistocène moyen ancien » d'Allemagne.

Les caractères propres de la faune de grands mammifères de la grotte de l'Escale sont soulignés par la présence de *Hyaena prisca*, de *Hemitragus jemlahicus bonali* et d'un grand félin brachygnathe très particulier : *Jansofelis vaufreyi*. L'*Hemitragus jemlahicus bonali* est, avec le *Canis etruscus*, l'espèce la plus abondante.

La présence de *Lynx spelaea* et de *Vulpes vulpes jansoni* annonce les faunes du » Pléistocène moyen supérieur ».

L'association à *Pliomys episcopalis* et *Allocricetus bursae duranciensis* est caractéristique des faunes du « Pléistocène moyen européen ». L'absence de *Castillomys crusafonti*, *Mimomys* et *Allophaiomys* classe ce gisement après ceux datés du « Pléistocène inférieur final ».

Selon D. Janossy, la faune de rongeurs peut être comparée à celles des sites de Tarko inférieur, Tiraspol, Stranska Skala et permet donc de classer le site dans la première partie de la phase de Tarko inférieur (Biharien supérieur) de D. Janossy, c'est-à-dire au début du Pléistocène moyen.

Le remplissage de la grotte de l'Escale, contemporain de celui de Stranska Skala, daterait donc de 700 000 ans environ.

Quelques éclats de calcaire seraient, selon E. Bonifay, vraisemblablement taillés.

Le site de Terra Amata.

Le site de Terra Amata se trouve à Nice, sur les pentes occidentales du Mont Boron.

STRATIGRAPHIE.

Les sédiments quaternaires atteignent 10 m d'épaisseur (fig. 2). Les dépôts du Pléistocène moyen ancien (« Mindéliens »), les plus importants, peuvent être subdivisés en quatre ensembles ou cycles dont les trois premiers (A, B et C1) débutent chacun par une plage marine transgressive, recouverte par des sédiments en grande partie d'origine éolienne (régression marine). Ces plages, situées à la même altitude correspondent vraisemblablement à des interstades mineurs de l'extrême fin du Pléistocène moyen ancien (« Mindel »). Elles sont antérieures à la plage du « Mindel-Riss » (Pléistocène moyen moyen) dont on retrouve la ligne de rivage à quelques centaines de mètres dans la grotte du Lazaret.

L'ensemble stratigraphique A est représenté par trois types de dépôts :

Aa : Dépôts marins littoraux correspondant à une oscillation positive de la mer,

Ab : Dépôts lœssoïdes, vert olive pâle, correspondant à une régression de la mer,

Ac : Altération de sédiments correspondant à une période chaude. Formation d'un sol rouge jaune.

L'ensemble stratigraphique B : comme dans l'ensemble stratigraphique précédent, on peut distinguer dans l'ensemble stratigraphique B trois types de dépôts :

Ba : dépôts marins littoraux correspondant à une oscillation positive de la mer,

Bb : dépôts loessoïdes brun pâle correspondant à une régression de la mer,

Bc : altération des sédiments correspondant à une période chaude.

L'ensemble stratigraphique C1 : comme dans les ensembles précédents, trois types de dépôts peuvent être distingués :

C1a : dépôts marins littoraux correspondant à une oscillation positive de la mer. Les épisodes les plus anciens (M7 à P4a) sont constitués par des lits de galets emballés dans des sables limoneux riches en argile qui alternent avec des lits de sables limono-argileux. Ces sables limono-argileux sont parfois très riches en matières organiques. Au-dessus, un cordon littoral de galets (P3 à P1S). Au sommet une importante couche de sable blanc grossier (SB).

C1b : dune correspondant à une régression de la mer. Cette dune, déposée en arrière du cordon littoral, gris clair à la base, brun jaune au sommet, peut atteindre un mètre d'épaisseur (DH à DZ6). Elle est surmontée localement par des limons colluviés, rougeâtres ou gris rouges.

C1c : sédiments altérés correspondant à un nouvel optimum climatique. Formation en surface de la dune et des colluvions de l'ensemble stratigraphique régressif C1b d'un sol brun gris moucheté de taches rouille.

L'ensemble stratigraphique C2 : contrairement aux trois ensembles précédents, le cycle C2 ne commence pas par une plage marine transgressive.

C2b : limons loessoïdes, jaune pâle, qui ont plus de 2 mètres d'épaisseur.

C2c : grand paléosol pouvant atteindre 2,50 m d'épaisseur.

L'horizon B, argileux, est très épais et très évolué. Brun rouge foncé, au sommet, il devient brun jaune à la base. Les éléments grossiers sont très altérés. La teneur en argile est supérieure à 40 % au sommet.

L'horizon Cca, calcaire, est constitué par une croûte calcaire bien cristallisée de 10 cm d'épaisseur passant à la base à un horizon blanc jaunâtre à grosses concrétions.

LA FAUNE DE L'ENSEMBLE STRATIGRAPHIQUE C1.

Une faune abondante a été recueillie sur les sols d'habitat préhistorique découverts dans les ensembles C1a et C1b : *Ursus sp.* ; *Sus scrofa*, de grande taille ; *Capra sp.* ; *Bos primigenius* ; *Cervus coronatus* ; *Dicerorhinus hemitoechus* ; *Palaeoloxodon antiquus* ; Lapins ; divers rongeurs ; Oiseaux ; *Testudo*.

DATATION.

La faune évoque celle des sites attribués par D. Janossy à la phase de Tarko supérieur (Biharien final) : Tarko couche supérieure, Vértesszöllös, Mosbach.

TERRA-AMATA

N

S

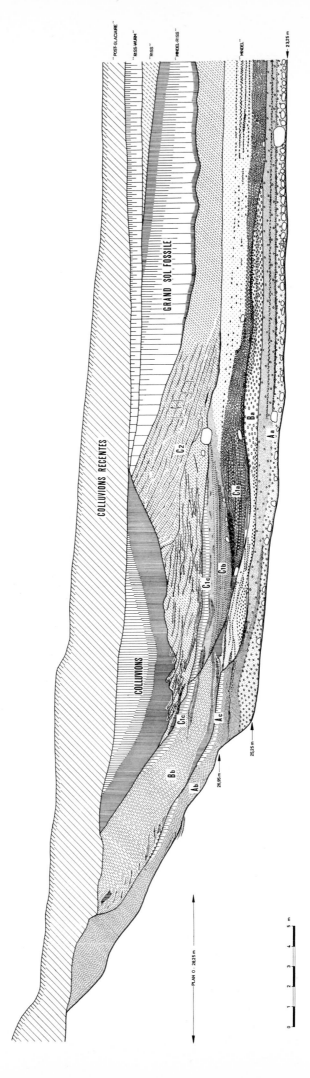

Fig. 2. — Coupe stratigraphique schématique du site de Terra Amata (Nice, Alpes-Maritimes). Les dépôts du Pléistocène moyen ancien peuvent être subdivisés en quatre ensembles ou cycles dont les trois premiers (A, B et C1) débutent chacun par une plage marine transgressive, recouverte par des sédiments en grande partie d'origine éolienne. C'est dans les dépôts de l'ensemble stratigraphique C1 qu'ont été découverts plusieurs sols d'habitat superposés contenant des outillages de l'Acheuléen ancien.

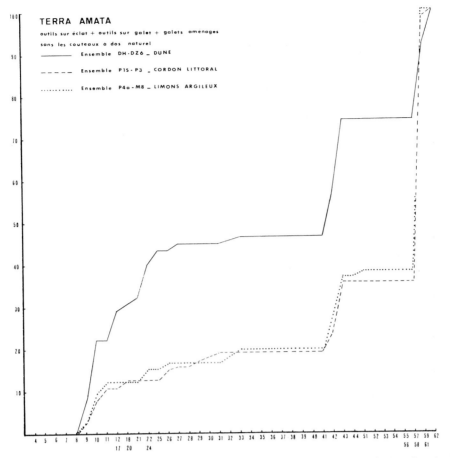

FIG. 3. — Diagrammes cumulatifs essentiels des industries de l'Acheuléen ancien de Terra Amata calculés sans les couteaux à dos naturel, avec les petits outils sur éclat et sur galet et les galets aménagés.

Le *Dicerorhinus hemitoechus* a existé en Europe Occidentale depuis le Mindel supérieur jusqu'au Würm. Celui de Terra Amata, en raison de la petite taille du segment molaire et par son hypsodontie encore moyenne, peut être attribué au Mindel (C. Guerin).

Le *Palaeoloxodon antiquus* de Terra Amata est au même stade d'évolution que celui découvert à Cava Molinario (Cava Bianca, Cava Nera) près de Rome. Ce site a été daté par la méthode du Potassium Argon de 420 000 ans.

Les trois plages transgressives de Terra Amata correspondant aux trois ensembles stratigraphiques Aa, Ba et C1a pourraient correspondre respectivement aux trois phases climatiques tempérées de N.J. Shackleton 15, 13 et 11 qui dateraient de 600 000-550 000 ans, 500 000-480 000 ans et 450 000-380 000 ans (cf. page 353, fig. 1 de cet ouvrage).

Les sols d'habitat découverts à Terra Amata dans l'ensemble stratigraphique C1a dateraient donc de 450 000 - 380 000 ans.

Les sols d'habitat de Torre in Pietra dont l'outillage évoque celui de Terra Amata ont été datés de 420 000 ans par la méthode du Potassium-Argon.

L'outillage acheuléen ancien de Terra Amata évoque également celui découvert sur les sols d'habitat de Torralba et d'Ambrona en Espagne, associé à une faune du Pléistocène moyen ancien.

Selon E. Aguirré, les *Paleoloxodon antiquus* de Torralba sont, comme ceux de Terra Amata, à un stade d'évolution proche de celui de Cava Molinario, dont le site est daté de 420 000 ans.

Des éclats de calcaire silicifié ou de silex brûlés, provenant de l'ensemble stratigraphique C1a, ont été datés par mesure de la thermoluminescence de 380 000 ans.

L'INDUSTRIE.

Plusieurs sols d'habitat superposés de l'Acheuléen ancien, ont été découverts à Terra Amata sous le dernier cordon littoral, dans le cordon littoral lui-même et dans la dune qui le surmonte.

Sous le dernier cordon littoral et dans le cordon littoral lui-même, les industries lithiques ont été essentiellement taillées sur galet (70,6 %). Dans la dune, située sur la plage, l'outillage taillé sur galet ne représente plus que 7,8 % et un plus grand nombre d'outils a été aménagé sur éclat. Néanmoins, les industries des différents sols d'habitat présentent toutes de grandes analogies (fig. 3 à 8).

Le débitage levallois n'existe pas (IL = 0,1) et les lames sont rares (ILam = 3,3). Les éclats à talon lisse sont nombreux alors que ceux à talon

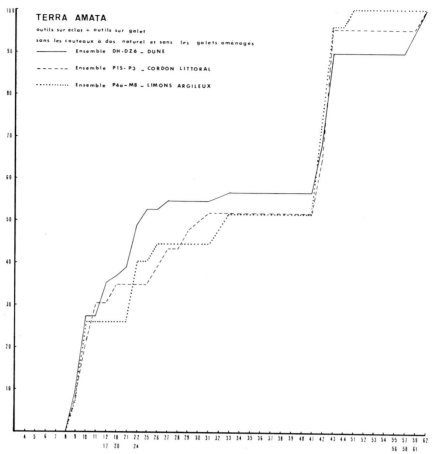

Fig. 4. — Diagrammes cumulatifs essentiels des industries de l'Acheuléen ancien de Terra Amata calculés sans les couteaux à dos naturel et sans les galets aménagés, avec les petits outils sur éclat et sur galet.

facetté sont extrêmement rares (IF = 2,6 et IFs = 0,9). Les éclats à talon en cortex sont très nombreux (ITc = 62,2) en raison de la matière première utilisée et du grand nombre d'outils aménagés sur galet. La plupart des éclats sont en effet des éclats de taille de chopper.

L'outillage classique (micro-industrie) est taillé soit sur éclat (92,2 % dans la dune et 70,6 % dans la plage), soit sur galet (7,8 % dans la dune et 29,4 % dans la plage). Les racloirs sont nombreux (IRess = 54,9 % de la micro-industrie dans la dune et 46 % dans la plage) mais ils ne représentent que 45,1 % de l'ensemble de l'outillage dans la dune et 17 % dans la plage. Les outils à bords retouchés convergents, rares dans la plage (IRc = 2 %), sont un peu plus nombreux dans la dune (IRc = 4 %). Les racloirs ont été souvent aménagés par retouches surélevées, parfois par retouches écailleuses scalariformes.

Les encoches (35,3 et 40,9 %) ainsi que les denticulés (61,5 et 64,7 %) sont relativement nombreux. Les outils aménagés par encoches clactoniennes sont plus abondants dans la plage (14 %) que dans la dune (7,8 %). Signalons enfin des pointes de Tayac, des pointes de Quinson, des protolimaces.

Les galets aménagés (macro-industrie), très nombreux, caractérisent l'outillage découvert sur les sols d'habitat de Terra Amata (17,5 % dans la dune et 62,5 % dans la plage). Ils sont essentiellement représentés par des choppers de types variés. Les chopping-tools peu nombreux dans la plage (5,9 %) deviennent extrêmement rares dans la dune.

Les choppers à pointe et les pics unifaces (galets appointés unifaces) sont très caractéristiques. En pourcentage non négligeable dans la plage, ils deviennent rares dans la dune.

Les bifaces, extrêmement rares (1 % de l'outillage), présentent toujours une base réservée en cortex et très souvent un tranchant transversal. Ils sont taillés par grands enlèvements et leurs arêtes n'ont jamais été régularisées par des retouches secondaires.

Signalons enfin, quelques hachereaux, presque toujours aménagés sur galet fendu, exceptionnellement sur éclat. Les galets à enlèvement isolé, convexe et à bord non tranchant, sont très nombreux. Classés parmi les outils, ils représentent plus de 30 % de l'ensemble de l'outillage. Ce sont vraisemblablement des outils ayant servi au martelage ou à la percussion.

Les outils en os sont rares : diaphyse d'éléphant appointée par percussion, os dont la pointe avait été durcie au feu, fragment dont l'extrémité est lustrée par l'usure, poinçon, racloirs sur diaphyse.

		Ensemble C 1a Transgressif		Ensemble C 1b Régressif
		Limons argileux et lits de galets	Cordon littoral	Dune
Par rapport à l'ensemble des éclats	Indice levallois	0,7	0,0	0,0
	Indice de talons lisses	19,9	11,0	17,6
	Indice de facettage large	1,0	0,5	2,5
	Indice de talons dièdres	1,0	0,5	1,6
	Indice de facettage strict	1,0	0,0	0,9
	Indice de talons nuls	34,1	53,6	40,5
	Indice de talons en cortex	43,9	34,9	39,9
	Indice laminaire	4,2	2,0	3,0
Par rapport à l'ensemble de la micro-industrie, des galets aménagés et des galets à enlèvement isolé	Petits outils sur éclat	6,1	3,5	47
	Petits outils sur galet	5,4	1,5	4
	Petits outils sur éclat et galet	11,5	5,1	51
	Galets aménagés	29,2	8,6	11
	Galets à enlèvement isolé	51,7	86,3	37
Par rapport à l'ensemble de la micro-industrie et des galets aménagés	Petits outils sur éclat	12,6	25,8	74,6
	Petits outils sur galet	11,3	11,3	6,3
	Petits outils sur éclat et galet	23,9	37,1	80,9
	Galets aménagés	60,6	62,9	17,5
Par rapport à l'ensemble de la micro-industrie sur éclat et sur galet	Racloirs	44,4	47,8	54,9
	Racloirs simples	25,9	39,1	31,4
	Racloirs doubles	0,0	4,3	7,8
	Racloirs convergents	0,0	4,3	3,9
	Racloirs transversaux	18,5	0,0	0,0
	Racloirs bifaces	0,0	0,0	11,7
	Outils de type Paléolithique supérieur	7,4	4,3	1,9
	Grattoirs	0,0	4,3	0,0
	Burins	7,4	0,0	1,9
	Perçoirs	0,0	0,0	0,0
	Couteaux à dos retouché	0,0	0,0	0,0
	Encoches + denticulés	44,4	43,4	33,3
	Encoches	22,2	13,0	11,7
	Denticulés	22,2	30,4	21,6
	Racloirs denticulés	7,4	8,7	11,7
	Outils aménagés par encoche clactonienne	14,8	13,0	7,8
	Encoches clactoniennes	7,4	0,0	1,9
Par rapport à l'ensemble des galets aménagés	Choppers	88,6	87,2	17,5
	Chopping-tools	9,1	10,2	0,0
	Bifaces	0,5	0,5	1,6
	Hachereaux	2,2	0,0	0,0
Par rapport à l'ensemble des choppers	Choppers à pointe	27,0	33,5	9,0

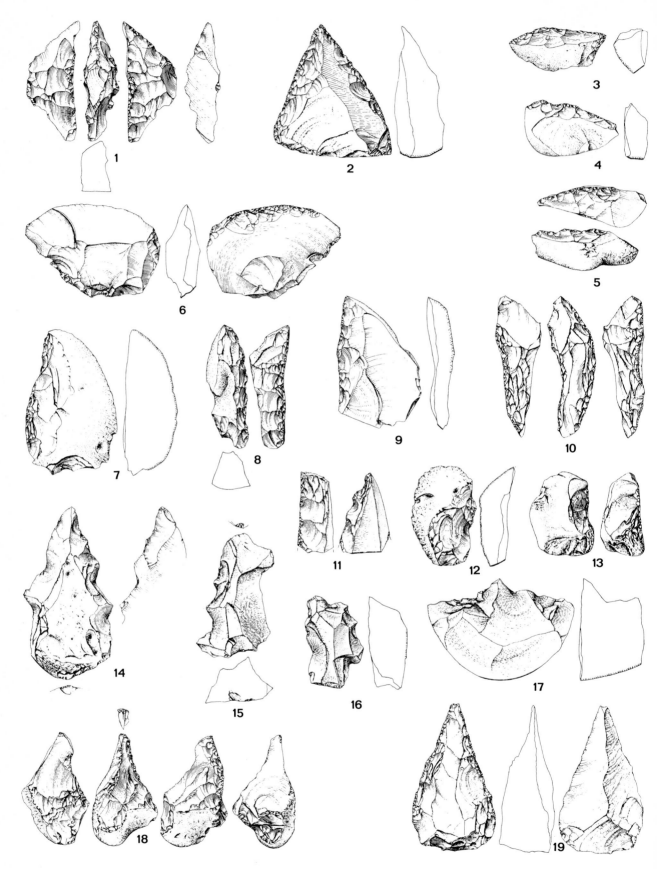

FIG. 5. — Industrie de l'Acheuléen ancien de Terra Amata.
1:2 de la gr. nat.

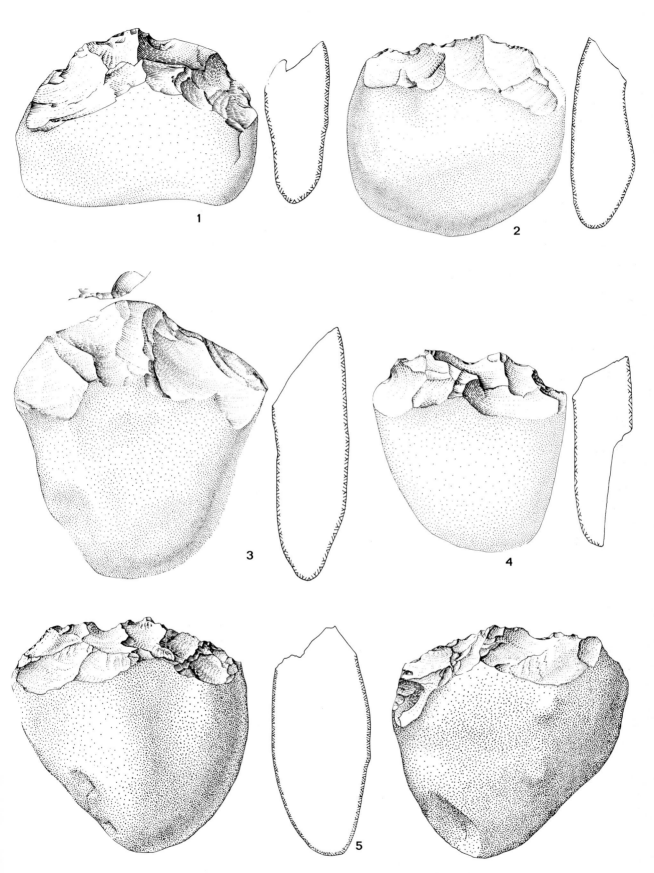

FIG. 6. — Industrie de l'Acheuléen ancien de Terra Amata.
1:2 de la gr. nat.

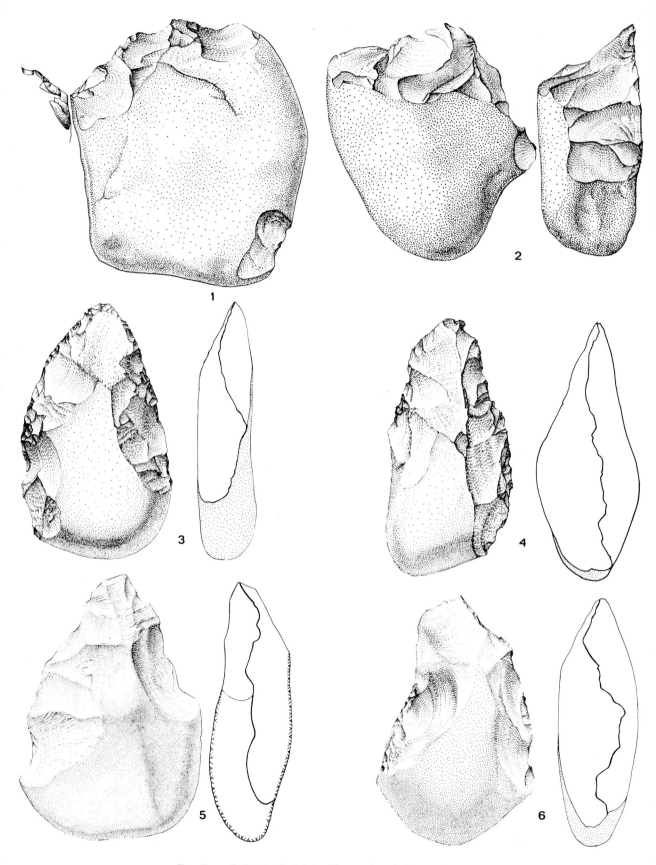

FIG. 7. — Industrie de l'Acheuléen ancien de Terra Amata.
1:2 de la gr. nat.

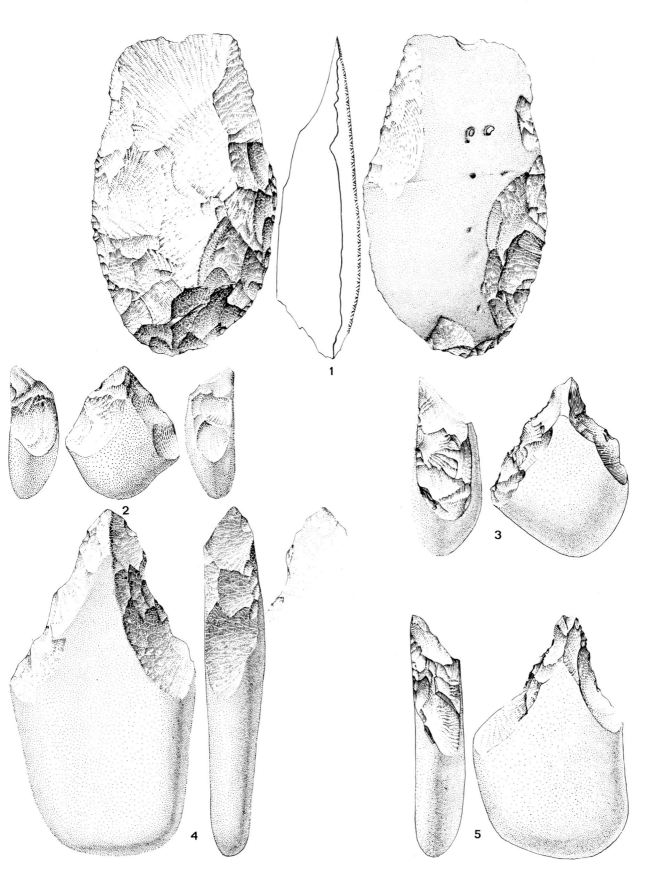

FIG. 8. — Industrie de l'Acheuléen ancien de Terra Amata.
1:2 de la gr. nat.

II. LES INDUSTRIES DU PLÉISTOCÈNE MOYEN SUPÉRIEUR.

Les habitats du Pléistocène moyen supérieur, découverts en Provence, sont assez nombreux. Quatre groupes d'industries ont été distingués :

A) *L'Acheuléen :* il a duré pendant tout le « Rissien », le « Riss-Würm » et s'est prolongé pendant le premier stade du « Würm ». L'Acheuléen moyen peut être daté du « Riss I » et du « Riss II », l'Acheuléen supérieur du « Riss III » et l'Acheuléen final du « Riss-Würm ».

B) *Le Tayacien :* il a également duré pendant toute la glaciation « rissienne ». C'est un ancêtre du Charentien.

C) *L'Evenosien :* d'âge « rissien », l'Evenosien paraît être dans la lignée du Clactonien et pourrait être l'ancêtre de certains Moustériens à denticulés « würmiens ».

D) *Le Prémoustérien :* qui pourrait être l'ancêtre soit du Moustérien typique, soit du Charentien de type Ferrassie.

A. L'ACHEULÉEN MOYEN ET SUPÉRIEUR.

La grotte du Lazaret.

La grotte du Lazaret est située à Nice sur les pentes du Mont Boron.

STRATIGRAPHIE.

Dans la grotte du Lazaret, les dépôts continentaux « rissiens » situés au-dessus de la plage « Mindel-Riss », atteignent près de 6 mètres d'épaisseur (fig. 9).

« *Riss I* » : le premier stade rissien (couches XXVI à XX) est caractérisé par un climat relativement froid et humide.

Six phases principales peuvent être distinguées dans le « Riss I ». Une oscillation climatique plus sèche (phase C) peut être mise en évidence au milieu de cette période ; elle est marquée par un arrêt momentané des apports d'argile provenant de l'extérieur de la grotte.

« *Inter-Riss I-II* » : il est caractérisé par d'importants phénomènes de corrosion et d'altération. Les rares cailloux des couches sous-jacentes sont décomposés et apparaissent sous forme de nodules blanchâtres crayeux.

« *Riss II* » : les niveaux du « Riss II » (couches XIX à VIII) sont essentiellement constitués par un épais cailloutis cryoclastique, très gélif, emballant dans certaines couches (XII) des blocs très volumineux. Ces dépôts pendent fortement vers l'intérieur

de la grotte et correspondent, en partie à un éboulis de pente descendu du Mont Boron. Des lentilles argileuses et argilo-sableuses sont interstratifiées dans la masse du remplissage. Le deuxième stade « rissien » est donc caractérisé, comme le premier, par un climat froid et humide.

« *Inter - Riss II - III* » : les couches datées du « Riss II » ont été altérées postérieurement à leur dépôt : en particulier, les cailloux des couches VII à V sont extrêmement corrodés et se présentent le plus souvent sous forme de nodules blanchâtres d'aspect crayeux.

« *Riss III* » : les dépôts du « Riss III » (couches IV à V) sont constitués par des cailloutis anguleux emballés dans des argiles sableuses entraînées par le ruissellement et correspondent vraisemblablement à un climat assez froid et très humide, certainement beaucoup plus continental que l'actuel.

L'ensemble des dépôts du « Riss III » apparaît beaucoup plus homogène que ceux des remplissages correspondant au « Riss I » et au « Riss II ». On peut cependant distinguer trois phases principales.

LA FAUNE.

La faune des niveaux « rissiens », bien conservée, est abondante. Celle des dépôts du ‹ Riss III » est mieux connue. Elle comprend les espèces suivantes :

Carnivores :
    Canidés :
        Canis lupus
        Vulpes vulpes
    Félidés :
        Felis (lynx) spelaea
        Felis (Panthera) pardus lunellensis
    Ursidés :
        Ursus arctos
Artiodactyles :
    Suidés :
        Sus scrofa
    Bovidés :
        Bos primigenius
    Cervidés :
        Cervus elaphus
        Dama sp. de grande taille
    Capridés :
        Capra ibex
        Rupicapra rupicapra
Périssodactyles :
    Equidés :
        Equus caballus pivetaui
Proboscidiens :
    Elephas antiquus
Rongeurs :
    Lagomorphes :
        Oryctolagus cuniculus cuniculus
    Sciuridae :
        Marmota marmota
    Gliridae :
        Eliomys quercinus helleri
    Cricetidae :
        Cricetus cricetus
    Arvicolidae :
        Dolomys (Pliomys) lenki
        Clethriomys clareolus
        Microtus (Microtus) subterraneus
        Arvicola sp.
    Muridae :
        Apodemus sylvaticus

ENE   WURM I   WSW

29,33m →

Lambeaux de la
brèche de fermeture

←Plan0 28,63m→

← vers la mer →

26,81m→

RISS-WURM
— cabane n°1

RISS III (environ −130000 ans)
acheuléen supérieur

INTER RISS II-III

←24,43m

RISS II

←23m

INTER RISS I-II

←22,73m Trous de lithodomes les
plus élevés

←22,50m
-Nombreux trous de lithodomes

acheuléen moyen

Corniche littorale de la
mer mindel-riss

←22m

RISS I

-Trous de lithodomes

←21,13m

**MINDEL-
RISS**

(environ −200000 ans)

←20,10m

←19,36m

N

N6	N5	N4	N3
M6	M5	M4	M3
L6	L5	L4	L3
K6	K5	K4	K3
J6	J5	J4	J3

0   0,5   1 mètre

Fɪɢ. 9. — Coupe stratigraphique du remplissage de la Grotte du Lazaret (Nice, Alpes-Maritimes), sous le porche. Au-dessus d'une plage marine très littorale, les dépôts du Pléistocène moyen récent sont constitués par trois ensembles de couches à gros blocs correspondant à trois stades plus froids de l'avant-dernière glaciation : « Riss I », « Riss II » et « Riss III ».

6

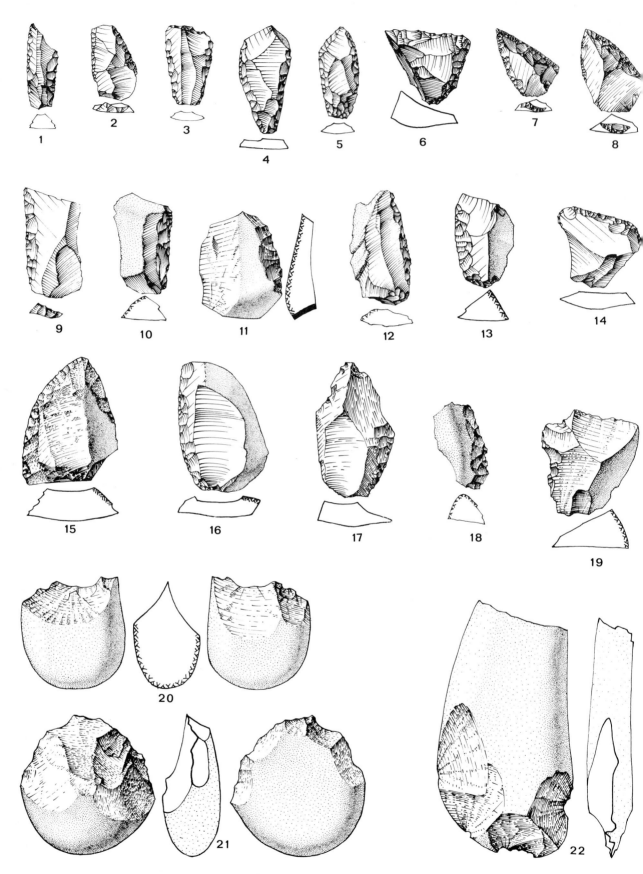

FIG. 10. — Industrie de l'Acheuléen supérieur de la Grotte du Lazaret.
1:2 de la gr. nat.

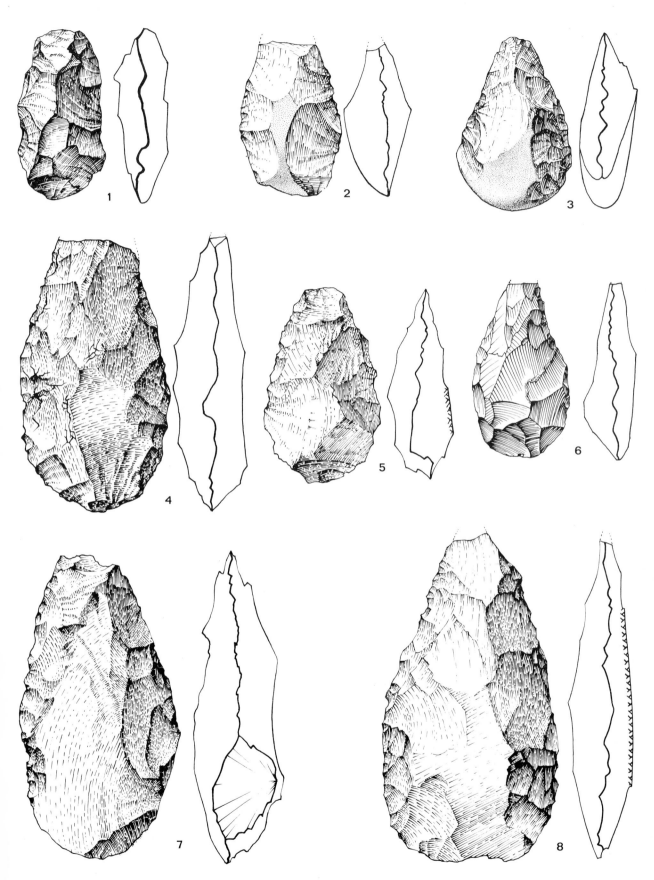

Fɪɢ. 11. — Industrie de l'Acheuléen supérieur de la Grotte du Lazaret.
1:2 de la gr. nat.

La présence d'un cheval archaïque et d'une panthère de forte taille, le stade d'évolution atteint par le loup, les restes d'un campagnol actuellement éteint (*Dolomys (Pliomys) lenki*) confirment qu'il s'agit effectivement d'une faune antéwürmienne (Pléistocène moyen récent ou « Rissien »).

L'INDUSTRIE.

Par ses caractéristiques techniques et typologiques, l'industrie acheuléenne des couches rissiennes de la Grotte du Lazaret peut être considérée comme un Acheuléen, de débitage faiblement levallois, à indice essentiel de racloirs élevé, pauvre en couteaux à dos retouchés et en outils de type paléolithique supérieur (fig. 10 et 11).

Les bifaces, relativement abondants (5,3 %), sont le plus souvent de type lancéolé et ont parfois conservé un talon en cortex. Les bifaces à tranchant transversal sont assez nombreux. L'Acheuléen du Lazaret se caractérise, en outre, par une forte proportion d'outils sur galet (13 à 26 %) et notamment de choppers et de chopping-tools. Les galets plats à enlèvement isolé, généralement en bout, sont assez nombreux.

L'évolution de l'outillage acheuléen de la Grotte du Lazaret est marquée par une diminution, de la base vers le haut du remplissage, du pourcentage des bifaces de type archaïque (amygdaloïdes, limandes, lancéolés à talon réservé en cortex), et par l'augmentation de celui des bifaces typologiquement évolués (lancéolés, cordiformes). Le biface micoquien apparaît dès les niveaux du Riss II.

La grotte de l'Observatoire.

La grotte de l'Observatoire est une vaste caverne qui s'ouvre à 104 mètres d'altitude sur le territoire de la Principauté de Monaco.

STRATIGRAPHIE.

Les dépôts les plus anciens de la grotte de l'Observatoire, peuvent être datés du Pléistocène moyen supérieur, vraisemblablement du début du Riss. Ils étaient constitués par un cailloutis cryoclastique à gros éléments, emballé dans une matrice argileuse.

FAUNE.

La faune de ces dépôts est constituée par une grande abondance de bouquetins, une forte proportion de cerfs, quelques carnassiers (*Cuon alpinus*). Le cheval n'est pas représenté.

INDUSTRIE.

L'industrie des dépôts du Pléistocène moyen de la grotte de l'Observatoire, taillée en calcaire gris, peut être définie comme un Acheuléen moyen à industrie sur éclat de débitage non levallois, pauvre en outils retouchés (fig. 12).

Les éclats, abondants et de grande taille, sont, le plus souvent, des éclats d'épannelage de galets et ont presque toujours conservé une partie du cortex.

Trois bifaces ont été découverts : à base réservée en cortex et à bords ensellés, losangique, ficron lancéolé.

Les stations acheuléennes de la vallée du Var.

Plusieurs terrasses quaternaires peuvent être observées dans la vallée du Var :

Pléistocène inférieur.

Günz. — Très haute terrasse : niveau de la Pardigonnière, à 80 mètres au-dessus du lit actuel, recouvert par un sol fersiallitique très évolué et lessivé.

Pléistocène moyen.

Mindel. — Haute terrasse : niveau du Lotissement, à 50 mètres au-dessus du lit actuel, recouvert par un sol fersiallitique évolué et lessivé.

Riss. — Moyenne terrasse : niveau du Stade, à 25 mètres au-dessus du lit actuel, recouvert par un sol fersiallitique lessivé à réserve calcique.

Pléistocène supérieur.

Würm. — Basse terrasse : généralement recouverte par un sol brun. Enfouie dans la basse vallée du Var sous les alluvions post-glaciaires.

Les terrasses du Lotissement, attribuée au Mindel, et du Stade, attribuée au Riss, sont recouvertes par des limons colluviés et des cailloutis à éléments grossiers.

Cette couverture sédimentaire, datée de la fin du Riss, a été affectée par le sol d'altération de l'Interglaciaire Riss-Würm.

LA STATION ACHEULÉENNE DE CARROS-LE-NEUF.

Le site de Carros-le-Neuf est situé sur la rive droite de la Basse Vallée du Var.

Une industrie acheuléenne (fig. 13) a été découverte en place dans les limons de couverture, datés de la fin du Riss, qui recouvrent la terrasse du Stade et son talus de raccordement avec la haute terrasse ainsi que la terrasse du Lotissement et son talus de raccordement avec la très haute terrasse.

Elle est antérieure à la profonde altération de cette couverture sédimentaire pendant l'interglaciaire Riss-Würm.

L'INDUSTRIE.

L'industrie acheuléenne de Carros-le-Neuf a été taillée en chaille ou en silex (fig. 13).

C'est un Acheuléen supérieur, de débitage levallois et de faciès levalloisien, caractérisé par la présence d'un biface micoquien, un pourcentage important d'outils à bords retouchés convergents d'excellente facture, la rareté des outils à retouches écailleuses scalariformes et des outils caractéristiques du Charentien.

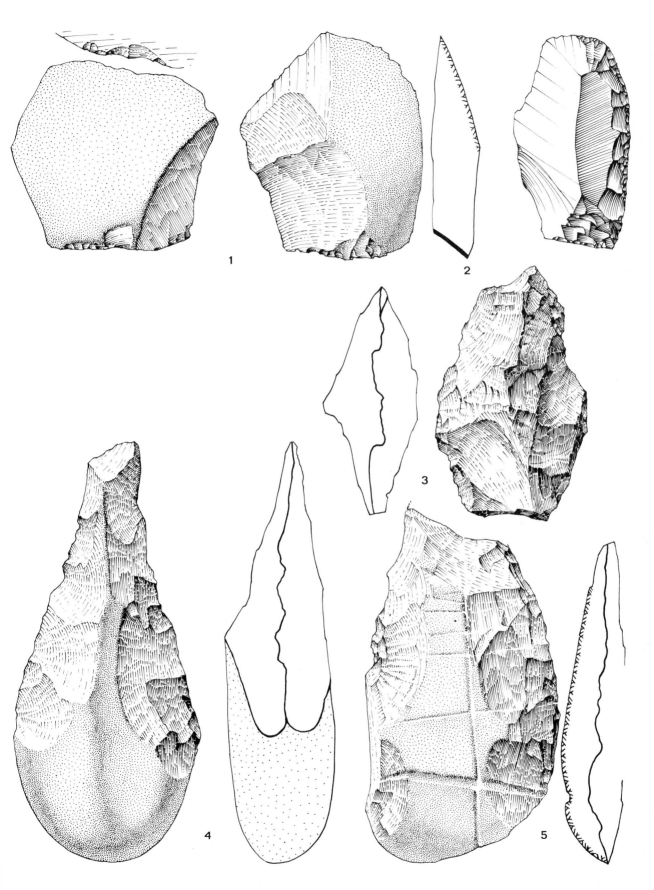

Fig. 12. — Industrie acheuléenne de la Grotte de l'Observatoire.
1:2 de la gr. nat.

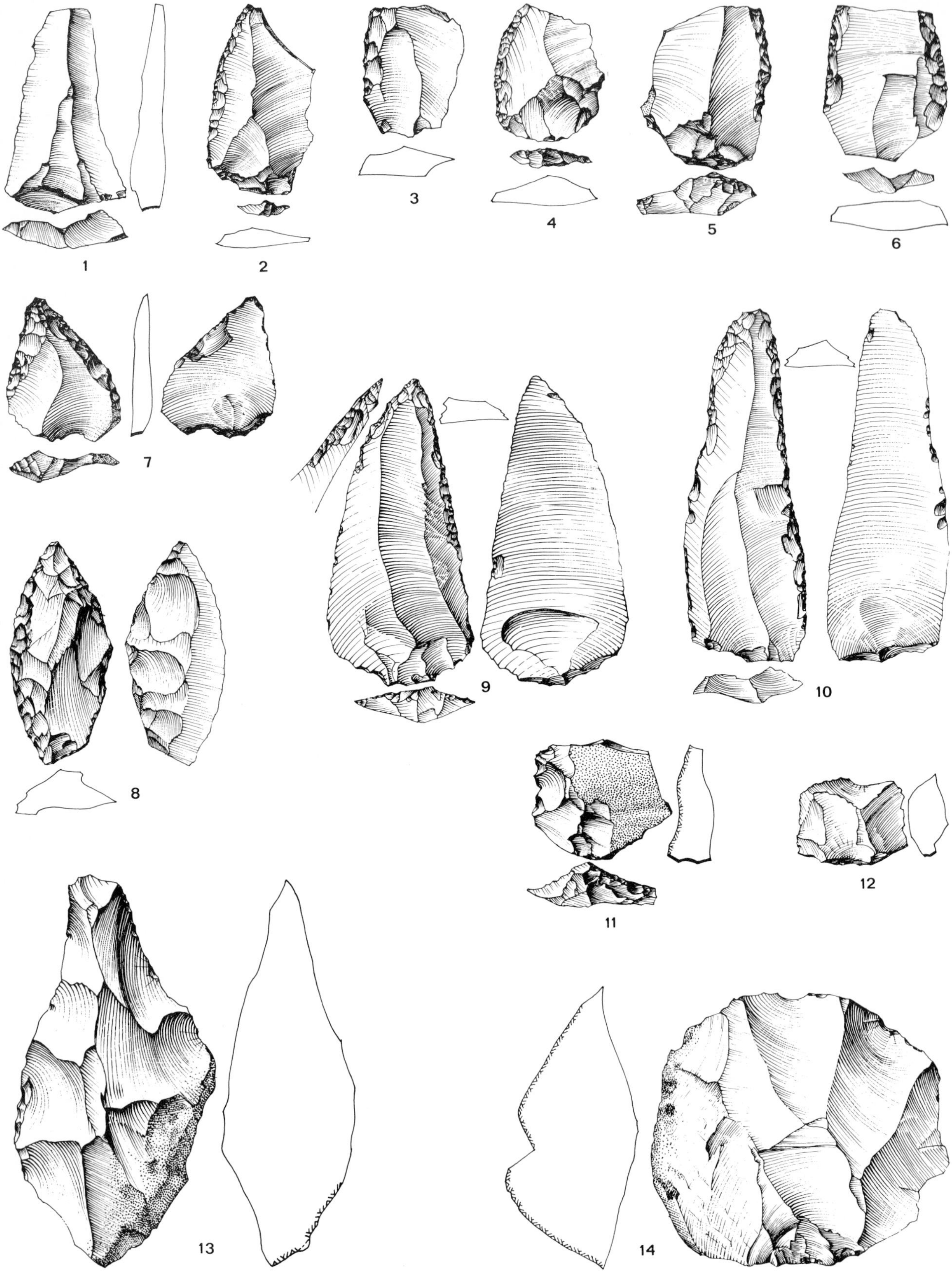

FIG. 13. — Industrie de l'Acheuléen supérieur de Carros-le-Neuf.
1:2 de la gr. nat.

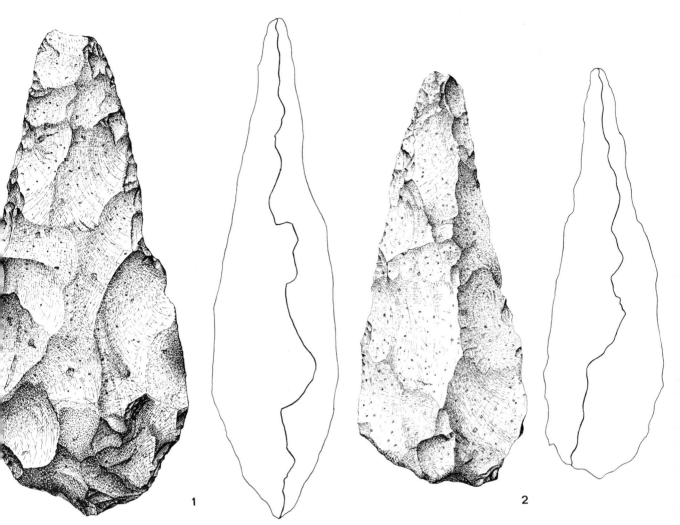

FIG. 14. — Industrie de l'Acheuléen supérieur de Camp Vidal (Basse Vallée de l'Argens).
1:2 de la gr. nat.

Les stations acheuléennes de la Basse Vallée de l'Argens.

Plusieurs niveaux d'alluvions quaternaires ont été observés dans la Basse vallée de l'Argens (travaux de P.J. Texier) :

Pléistocène inférieur.

Günz.
Glacis supérieur de la Colle du Rouet.
Glacis inférieur de la Colle du Rouet.

Pléistocène moyen.

Mindel.
Haute terrasse : niveau de Malbousquet, à 30 mètres au-dessus du lit actuel.

Riss.
Moyenne terrasse : niveau de Château-Palayson, à 15 mètres au-dessus du lit actuel.

Basse terrasse : niveau de l'Aire Belle à 5 mètres au-dessus du lit actuel.

Pléistocène supérieur.

Würm.
Très basse terrasse, enfouie dans la basse vallée de l'Argens sous les alluvions post-glaciaires.

Plusieurs stations acheuléennes ont été découvertes sur certaines terrasses de la basse Vallée de l'Argens :

— Station des Salles et station de La Palud, en surface de la terrasse de Château Palayson (15 m), attribuée au Riss.

— Station de Camp Vidal et station de Cabran, en surface de la terrasse de Malbousquet (30 m), attribuée au Mindel.

La station des Salles, entre Puget-sur-Argens et Fréjus, a livré des outils acheuléens, taillés en rhyolite, qui peuvent être regroupés en deux séries :

— *la série roulée,* contemporaine du dépôt de la terrasse, correspond à un Acheuléen moyen, de débitage non levallois et comprend un biface lancéolé, un biface amygdaloïde grossier et un biface partiel (fig. 15, nos 1 à 3) ;

— *la série non roulée,* assez pauvre, n'a pas livré de pièces caractéristiques.

La station de La Palud, à 1 800 m en aval de la précédente, a livré des outils qui peuvent également être regroupés en deux séries : une série roulée et une série non roulée.

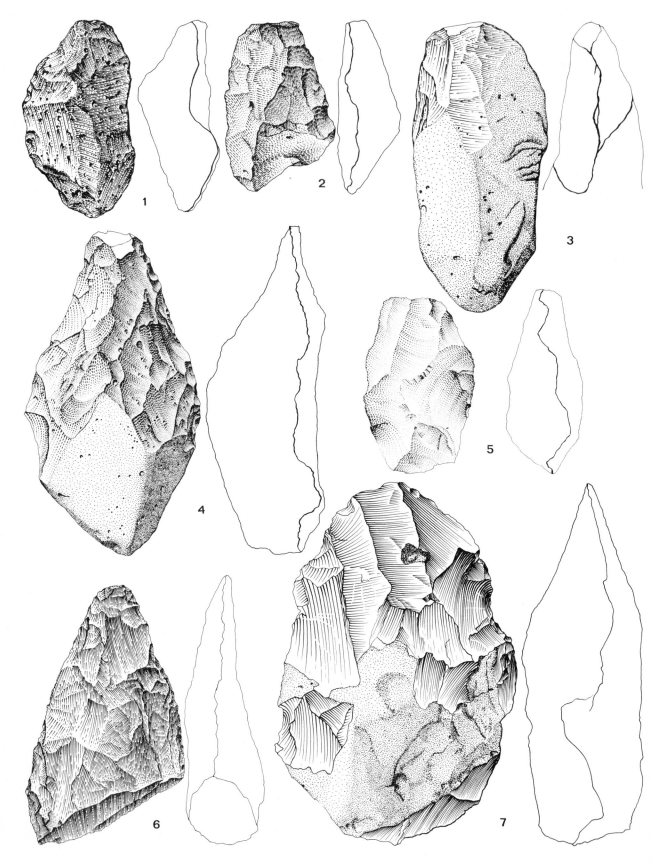

Fig. 15. — Industrie de l'Acheuléen supérieur. 1 à 3, station des Salles (Basse Vallée de l'Argens); 4, station de Cabran (Basse Vallée de l'Argens); 5, station de Roussiveau (Massif de l'Estérel); 6 et 7, station de la Bastide (Var). *1:2 de la gr. nat.*

La station de Camp Vidal au Nord-Est de Puget-sur-Argens, a livré une industrie de l'Acheuléen supérieur, taillée en rhyolite ou en quartz (fig. 14).

Cinq bifaces ont été découverts sur cette station dans un rayon d'une vingtaine de mètres. Probablement abandonnés ensemble par l'Homme Préhistorique, ils n'ont été dispersés que par les labours. Ils sont tous de grande taille (longueur moyenne = 23 cm ; longueur du plus grand = 26 cm), de type lancéolé et taillés au percuteur dur par de grands enlèvements envahissants et concaves. Leur extrémité distale, généralement tranchante, est très soignée et porte parfois des traces d'utilisation. La base est toujours épaisse et souvent tranchante. Les bords sont généralement droits ; l'un d'entre eux, cependant, aux bords légèrement ensellés, est de type micoquien.

Par ses caractéristiques et la morphologie de ses bifaces, l'industrie de Camp Vidal peut être considérée comme un Acheuléen supérieur, de débitage levallois.

La station de Cabran a livré des outils qui peuvent également être regroupés en deux séries :

— *une série roulée,* taillée en rhyolite, contenant un biface lancéolé à base réservée en cortex et à bords ensellés (fig. 15, n° 4) ;

— *une série non roulée,* très pauvre.

Les stations acheuléennes de la vallée du Reyran.

Le Reyran se jette dans l'Argens au niveau de son embouchure.

Une terrasse très disséquée, située entre 15 et 12 m au-dessus du lit actuel, peut être attribuée au Riss et correspond à la moyenne terrasse de la Basse Vallée de l'Argens.

Sur cette terrasse, au lieu-dit la Tour de Mare, des outils paléolithiques ont été découverts. Ils peuvent être regroupés, d'après leurs patines, en trois séries.

Les deux séries les plus anciennes, P 1 et P 2, correspondent aux séries roulées de la vallée de l'Argens et appartiennent à un Acheuléen moyen.

La troisième série, P 3, correspond à la série non roulée de Camp Vidal et appartiendrait à un Acheuléen supérieur.

Massif de l'Estérel.

Dans la zone méridionale du massif de l'Estérel, au pied des reliefs rhyolitiques escarpés, tels que la barre de Roussiveau ou le Pic de Perthus, deux ensembles de coulées d'éboulis qui s'étalent sur les affleurements arkosiques du Permien, peuvent être distingués.

Le plus ancien, constitué de blocs de dimensions moyennes, forme un glacis de pente relativement faible : ce glacis, fortement altéré, est attribué au Riss.

Le plus récent, constitué de blocs de grande taille, a une pente très forte (30 à 35°) et n'est pas altéré. Il est attribué au Würm.

La station de Roussiveau est située à 90 m d'altitude, dans l'arrière pays d'Agay. L'outillage a été découvert en place dans le glacis rissien. Il correspond à un Acheuléen supérieur de débitage levallois et de faciès levalloisien, à haute proportion de lames et riche en racloirs. Présence d'un biface amygdaloïde (fig. 15, n° 5).

La station de la Bastide.

La station de la Bastide est située en territoire varois sur le synclinal de la Roque Esclapon, au pied de la montagne de Brouis.

Stratigraphie : un cailloutis cryoclastique, constitué d'éléments anguleux calcaires, de blocs de silex et de quartzite, s'étale dans le fond du bassin. Cette formation a été remaniée, après son dépôt, par des phénomènes de solifluxion.

L'industrie acheuléenne, taillée en silex, a été découverte dans le cailloutis et dans les poches de solifluxion.

Plusieurs séries peuvent être distinguées d'après les patines.

Les séries les plus anciennes, série brun rouge et série orangée, partiellement désilicifiées et concassées par les phénomènes de solifluxion et de cryoturbation, correspondent à un Acheuléen supérieur, de débitage faiblement levallois, à bifaces lancéolés et amygdaloïdes (fig. 15, n°s 6 et 7).

Les stations acheuléennes de la vallée du Largue.

Le Largue est une petite rivière qui se jette dans la Durance en amont de Volx.

De nombreux affleurements de calcaires lacustres à silex, situés dans la région de Revest des Brousses, ont toujours attiré l'homme préhistorique. Entre le petit hameau du Largue et le village d'Aubenas, sur une distance de près de 12 km, plus de huit stations acheuléennes ont été établies sur de petits promontoires, dominant la rive droite du Largue et orientés vers l'Est : *Grand Gubian, Ravin de la Tuilière, Sylvabelle, Plan de Gondran, Plateau du Clos, Plateau de Saint-Laurent, Les Clausses.*

Toutes les stations de la vallée du Largue appartiennent à une même industrie : Acheuléen supérieur, de type micoquien et de débitage levallois (fig. 16 et 17). Celle du Plateau du Clos est de faciès non levalloisien (faible pourcentage d'éclats levallois non transformés en outils) ; par contre, celle du Plan de Gondran et celle du Plateau de Saint-Laurent sont de faciès levalloisien (fort pourcentage d'éclats levallois non transformés en outils).

L'outillage sur éclat contient un fort pourcentage d'outils à bords retouchés convergents, très souvent allongés (pointes moustériennes, pointes moustériennes allongées, racloirs convergents, racloirs déjetés, pointes surélevées). L'indice d'outils à bords retouchés convergents (IRC) est élevé :

Plan de Gondran   22,6
Plateau du Clos   16,7
Plateau de Saint-Laurent   13,5

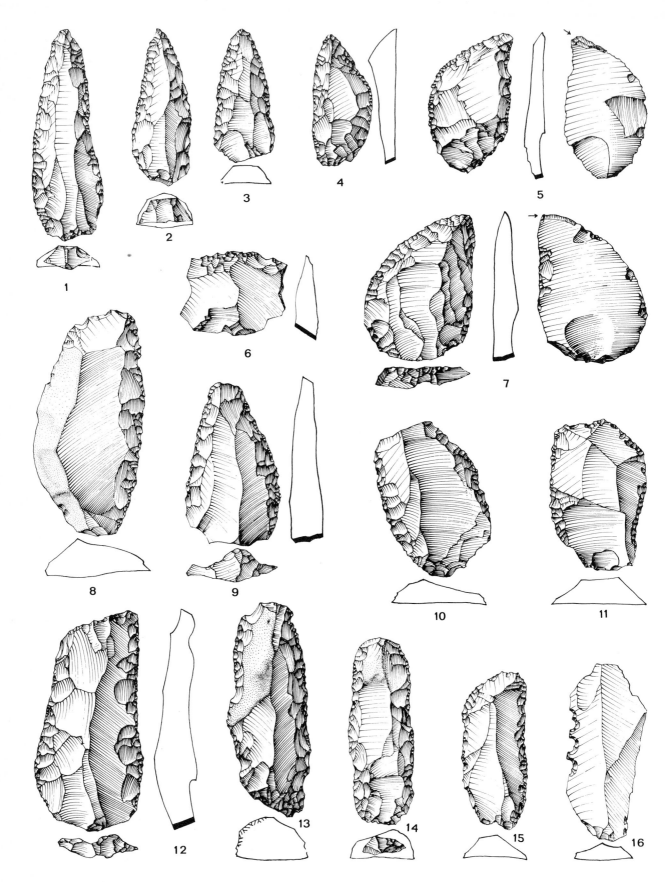

FIG. 16. — Industrie de l'Acheuléen supérieur, de type micoquien tardif de la Vallée du Largue. 1 à 3, 5 à 9, 14 et 15, station du Plan de Gondran; 4, 10, 12, 13 et 16, station de Saint-Laurent; 11, station du Plateau Vendron. *1:2 de la gr. nat.*

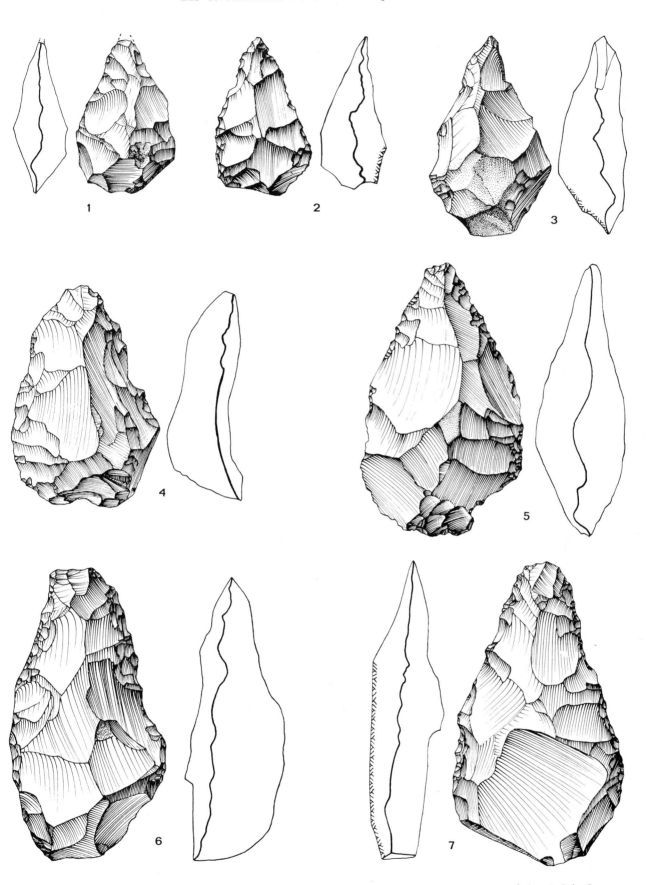

FIG. 17. — Industrie de l'Acheuléen supérieur, de type micoquien tardif de la Vallée du Largue. 1 et 7, station de Saint-Laurent; 2, station de Mazet; 3, 5 et 6, station du Plan de Gondran; 4, station du Clos.
1:2 de la gr. nat.

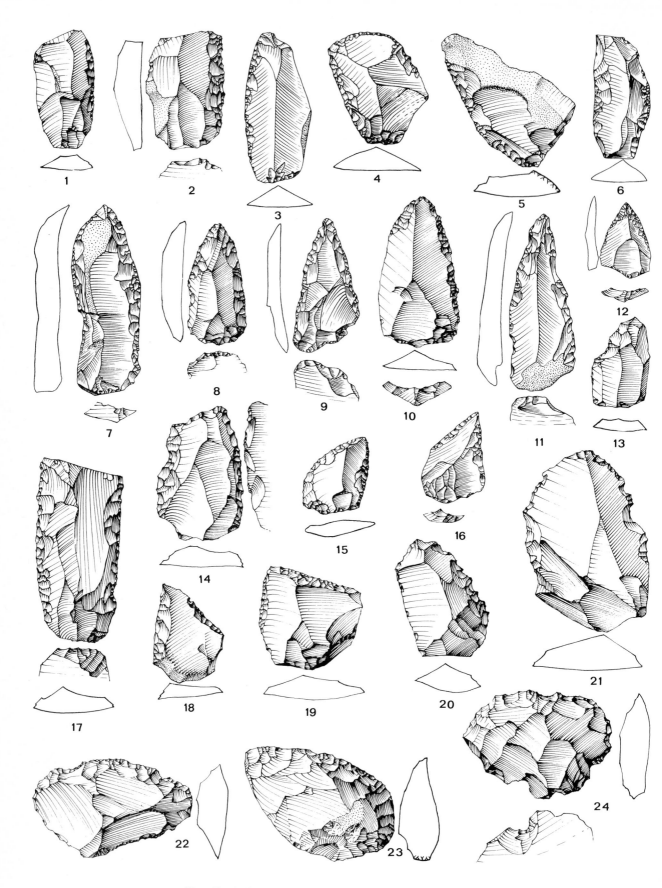

FIG. 18. — Industrie de l'Acheuléen supérieur des Sablons.
1:2 de la gr. nat.

Les outils à base amincie par grandes retouches plates sur face plane sont en pourcentage non négligeable. Ceux à retouches écailleuses scalariformes et les outils caractéristiques du Charentien sont relativement rares.

Le pourcentage des racloirs est compris entre 50 et 70 %. Les couteaux à dos sont rares.

Les bifaces sont de types très variés :

- *Groupe des bifaces micoquiens :*
  Biface-racloir à dos . . . . 5,9 %
  Micoquien . . . . 23,5 %
- *Groupe des bifaces acheuléens :*
  Lancéolé . . . . 11,8 %
  Lancéolé atypique . . . . 5,9 %
  Ficron lancéolé . . . . 5,9 %
  Amygdaloïde . . . . 17,6 %
  Naviforme épais . . . . 5,9 %
- *Groupe des bifaces moustériens :*
  Cordiforme . . . . 23,5 %
  Sub-triangulaire . . . . 5,9 %

Le pourcentage des bifaces acheuléens (76,5 %) est plus élevé que celui des bifaces moustériens (23,5 %).

Par la typologie de ses bifaces, l'Acheuléen de la vallée du Largue peut être considéré comme un Acheuléen supérieur de type micoquien tardif.

La technique de retouches de certains bifaces (taillés par petits éclats sur une face, bombée, et par larges enlèvements sur l'autre, plate) annonce indiscutablement le Moustérien de tradition acheuléenne.

Les Sablons.

La station des Sablons est située à Mormoiron à une dizaine de kilomètres au Sud du Mont-Ventoux.

Les dépôts quaternaires sont constitués par diverses nappes de cailloutis soliflués et concassés, qui recouvrent les sables ocreux du Crétacé.

Une industrie acheuléenne très riche a été découverte dans les cailloutis (fig. 18 et 19). C'est un Acheuléen supérieur, de débitage levallois et de faciès levalloisien, riche en racloirs (53 % en moyenne), possédant une forte proportion d'outils allongés à bords retouchés convergents (8 %) et un faible pourcentage de couteaux à dos aménagés. Les bifaces sont de type amygdaloïde ou micoquien.

La tendance évolutive de cet Acheuléen supérieur se caractérise par une augmentation du pourcentage des lames et du débitage levallois, depuis les séries les plus anciennes (brun rouge et jaune sable) vers les séries les plus récentes (miel et jaune clair). Cet Acheuléen supérieur a été marqué en outre par une diminution progressive des pourcentages de bifaces et de racloirs. Par contre, celui des denticulés, faible dans les séries les plus anciennes, devient fort dans les séries les plus récentes.

B. LE TAYACIEN.

En Provence, parallèlement à l'Acheuléen moyen et supérieur, une autre culture, le « Tayacien » a

également duré pendant tout le Riss. Il a été découvert dans la grotte de la Baume Bonne.

Grotte de la Baume Bonne.

A la Baume Bonne (Quinson, Basses-Alpes), les dépôts du Pléistocène moyen récent (« Riss ») correspondent à trois stades séparés par des sols d'altération (fig. 20).

STRATIGRAPHIE.

- *Ensemble B :* L'ensemble B, daté vraisemblablement du premier stade « rissien », paraît avoir débuté par un climat aride qui a favorisé le dépôt d'importantes couches de sables, sans éléments cryoclastiques. Un climat froid et humide a ensuite favorisé le dépôt d'un important cailloutis cryoclastique.

La faune des niveaux du « Riss I », comprend une grande abondance de bouquetins, un cheval de grande taille et le grand bœuf.

« *Inter-Riss I - II* » : Pendant une longue période chaude et vraisemblablement aride, une altération intense a affecté les dépôts du « Riss I ». La partie supérieure, riche en oxydes de Fer et de Manganèse, forme une croûte assez dure.

- *Ensemble C :* L'ensemble C, daté vraisemblablement du « Riss II » débute par une augmentation importante de l'humidité suffisante pour déterminer des circulations d'eau dans le karst, et vidanger la grotte. Seul un témoin du remplissage précédent restera plaqué contre la paroi Nord du gisement.

Une période un peu moins humide mais très froide persistera pendant toute la durée du dépôt des couches du deuxième stade « rissien ». Dans ces niveaux, les galets sont tous extrêmement gélivés et témoignent d'un froid intense pendant lequel les eaux chargées en CO_2 et possédant un grand pouvoir dissolvant, ont décalcifié lentement l'ensemble des sédiments.

Un réchauffement du climat vers le milieu du « Riss II » est marqué par un arrêt de la sédimentation, une légère altération et une petite croûte de manganèse (couche I).

Enfin, l'humidité croissante entraînera vers la fin du deuxième stade « rissien », un nouveau ravinement, creusant une profonde rigole dans la zone Sud de la grotte et vidant la presque totalité de l'abri.

La faune des niveaux du « Riss II » a complètement disparu.

« *Inter-Riss II - III* » : L'ensemble des couches du deuxième stade « rissien » a été extrêmement altéré au cours de cet interstade et il est possible de mettre en évidence une véritable diagenèse des sédiments. Une croûte riche en oxydes de Fer et de Manganèse (couche G), qui peut atteindre 20 centimètres d'épaisseur, scelle le remplissage antérieur. Une partie des oxydes de Manganèse libérés s'est déposée sous forme de nodules sphériques ou de plaquettes dans la masse des sédiments.

- *Ensemble D :* L'ensemble D, daté vraisemblablement du « Riss III », repose en discordance sur les ensembles précédents. Le début du « Riss III »

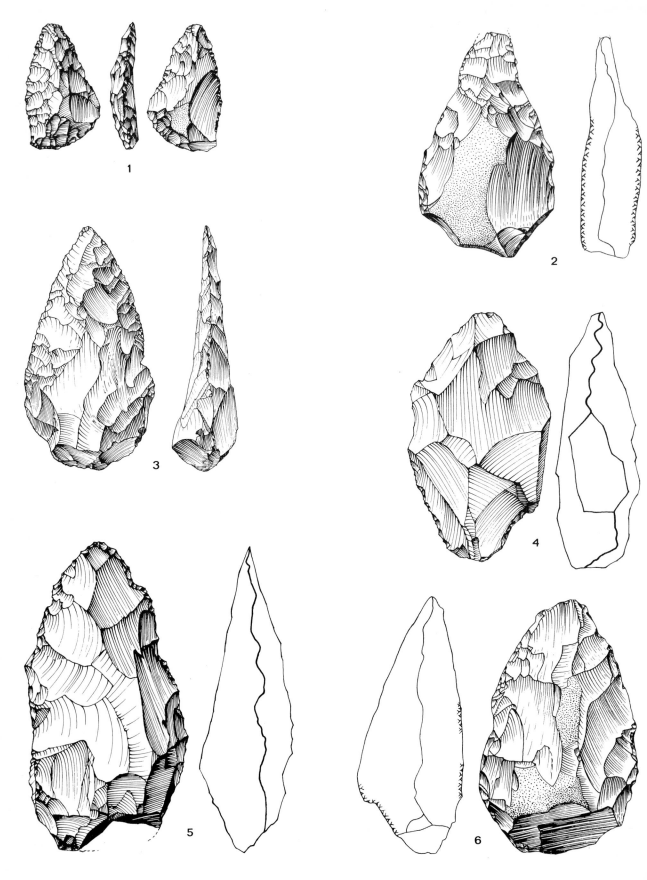

Fig. 19. — Industrie de l'Acheuléen supérieur des Sablons. *1:2 de la gr. nat.*

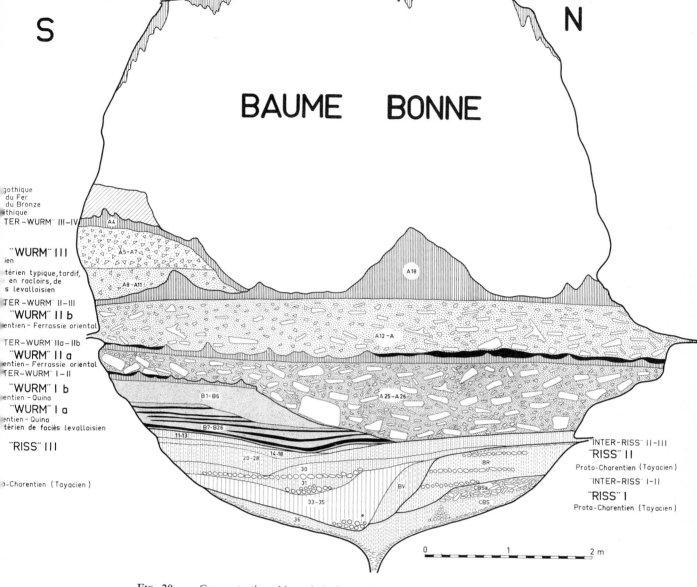

FIG. 20. — Coupe stratigraphique de la Baume Bonne (Quinson, Basses-Alpes).

a été marqué, comme celui du Riss II, par une période très humide pendant laquelle une nouvelle vidange de la grotte s'est effectuée. Les dépôts du « Riss III » portent l'empreinte d'un climat très rigoureux, froid et humide. Tous les galets et outils en grès sont extrêmement gélivés.

Les dépôts du « Riss III » comprennent en fait cinq ensembles de couches comblant chacun une rigole de ravinement creusée dans l'ensemble immédiatement antérieur. Les dépôts accumulés dans chacune de ces rigoles ont tour à tour été soliflués ; silex et galets furent redressés à la verticale.

Entre le dépôt de chacun de ces cinq ensembles, une augmentation de l'humidité favorisait le creusement des rigoles de ravinement. La décalcification par les eaux froides chargées en CO_2 a dû se poursuivre pendant toute la durée du « Riss III ».

A la fin du « Riss », une augmentation notable de l'humidité a provoqué un important ravinement des niveaux sous-jacents.

La faune des niveaux du « Riss III » est presque toujours décalcifiée. Signalons cependant dans un secteur consolidé en brèche et non décalcifié des ossements de bouquetin et une astragale de Rhinocéros de Merck.

INDUSTRIE.

Les dépôts datés du Riss contiennent une industrie assez homogène de la base vers le sommet du remplissage (fig. 21).

C'est une industrie tayacienne (protocharentienne ou protoquina), caractérisée par l'extrême faiblesse du débitage levallois, la rareté des lames, un fort pourcentage de racloirs simples convexes et transversaux, la dominance des outils à retouches Quina, la relative abondance de pointes de Tayac, de pointes de Quinson, d'encoches clactoniennes, de denticulés et de becs par encoches clactoniennes, la présence de

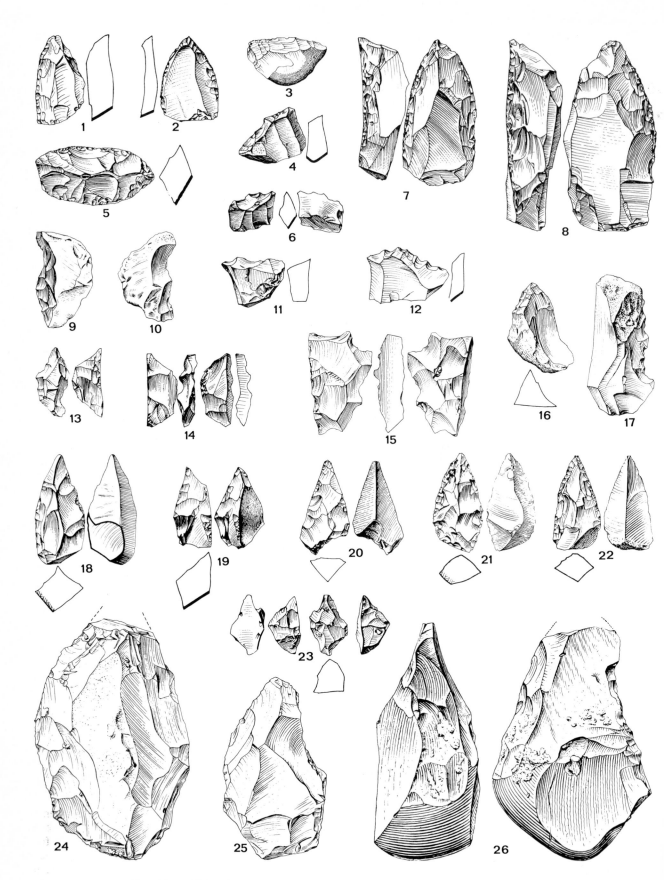

FIG. 21. — Industrie tayacienne (Protocharentien ou Protoquina) de la Baume Bonne.
1:2 de la gr. nat.

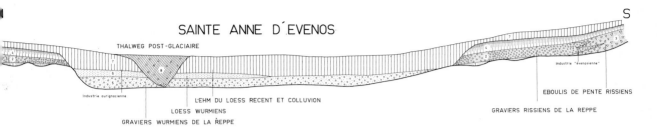

FIG. 22. — Coupe stratigraphique de Sainte-Anne-d'Evenos (Var).

protolimaces dérivées des racloirs surélevés doubles à bords convergents. Les chopping-tools sont rares mais les choppers sont abondants. Les bifaces sont très rares, mais parfois de belle facture.

L'évolution dans le temps des industries tayaciennes de la Baume Bonne a été marquée par une diminution progressive du pourcentage des encoches clactoniennes, des éclats denticulés, des becs par encoches clactoniennes adjacentes, concomitante à une augmentation du pourcentage des racloirs et, plus particulièrement, des racloirs simples convexes ou transversaux et des tranchoirs. Les bifaces sont plus souvent lancéolés dans les dépôts du « Riss III ».

Le biface micoquien et le pseudo-biface à dos apparaissent vers la fin du « dernier stade rissien ». C'est pendant cette période que les Tayaciens ont taillé à la Baume Bonne de véritables pointes foliacées.

C. L'ÉVENOSIEN.

Civilisation très différente du Tayacien, mais parfois confondue avec lui, l'Evenosien a été retrouvé en Provence dans des dépôts de la fin du Riss :

Sainte-Anne-d'Evenos, à Evenos (Var) ;
Les Trécassats, série I, à Apt (Vaucluse) ;
La Braïsse I et II, à Digne (Alpes de Haute-Provence) ;
Puimoisson (Alpes de Haute-Provence).

La station de Sainte-Anne-d'Evenos.

La station de Sainte-Anne-d'Evenos est située sur la rive gauche de la Reppe, à l'extrémité amont des gorges d'Ollioules, en surface d'une terrasse rissienne.

La terrasse rissienne, située entre 8 et 10 mètres au-dessus du lit actuel, passe latéralement à des cailloutis anguleux qui s'interstratifient dans les graviers (fig. 22).

Elle est recouverte par un sol fersiallitique rouge lessivé.

L'industrie évenosienne a été découverte dans les graviers rissiens et dans les cailloutis latéraux (fig. 23).

L'outillage a été taillé en silex, en pétrosilex, ou en calcaire gréseux.

L'Evenosien de Sainte-Anne-d'Evenos (fig. 23) se caractérise par une industrie de débitage levallois, souvent aménagée sur éclats naturels, contenant un très faible pourcentage de racloirs et une assez forte proportion d'outils de type paléolithique supérieur (grattoirs, burins), d'encoches clactoniennes multiples, de becs par encoches clactoniennes adjacentes, de troncatures, de boules polyédriques, de chopping-tools obtenus par enlèvements larges et par l'absence de choppers et de bifaces.

L'Evenosien, d'âge « rissien », paraît être dans la lignée du Clactonien de Clacton et pourrait être l'ancêtre de certains Moustériens à denticulés würmiens, comme le Tayacien l'est du Charentien.

Les principales différences entre le Tayacien et l'Evenosien peuvent être résumées dans le tableau ci-dessous.

Tayacien	Evenosien
Outils généralement aménagés sur éclat débité, rarement sur éclat de fortune.	Outils souvent aménagés sur éclat de fortune.
Racloirs assez nombreux et bons.	Racloirs extrêmement rares et de mauvaise facture.
Nombreux racloirs transversaux.	Absence ou rareté des racloirs transversaux.
Nombreux racloirs déjetés type "High Lodge".	Absence ou rareté des racloirs déjetés type "High Lodge"
Limaces ou protolimaces.	Pas de limaces ni de protolimaces.
Nombreux outils à retouches écailleuses scalariformes	Absence des outils à retouches écailleuses scalariformes
Pourcentage moyen d'outils de type paléolithique supérieur.	Fort pourcentage d'outils de type paléolithique supérieur.
Rares encoches clactoniennes surélevées.	Nombreuses encoches clactoniennes surélevées.
Absence ou rareté de troncatures sur éclat.	Nombreuses troncatures sur éclat.
Nombreuses pointes de Tayac.	Absence ou rareté des pointes de Tayac.
Nombreux choppers, rares chopping-tools.	Nombreux chopping-tools, pas de choppers.
Absence de boules polyédriques.	Nombreuses boules polyédriques.
Rares bifaces	Absence de bifaces.

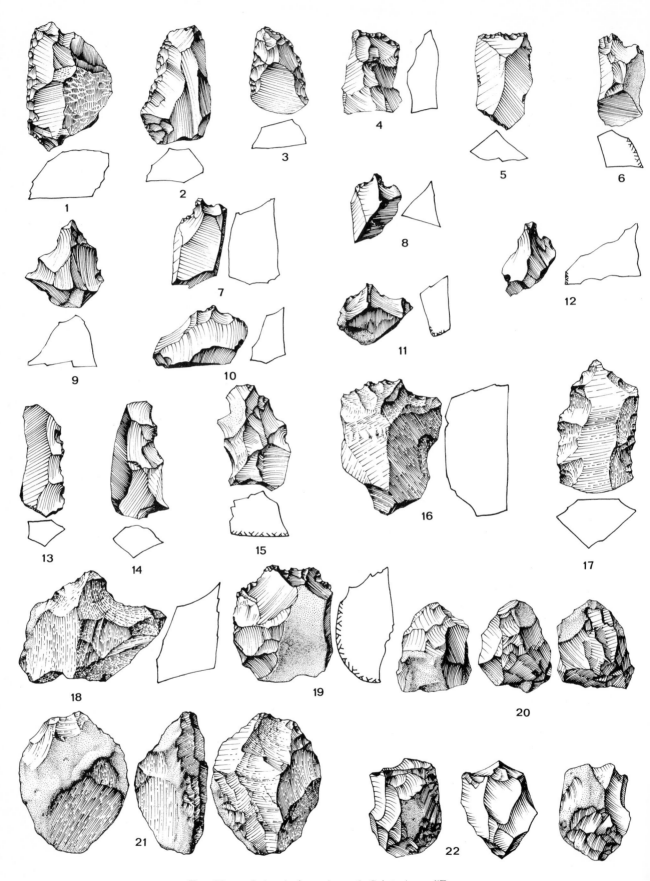

FIG. 23. — Industrie évenosienne de Sainte-Anne-d'Evenos.
1:2 de la gr. nat.

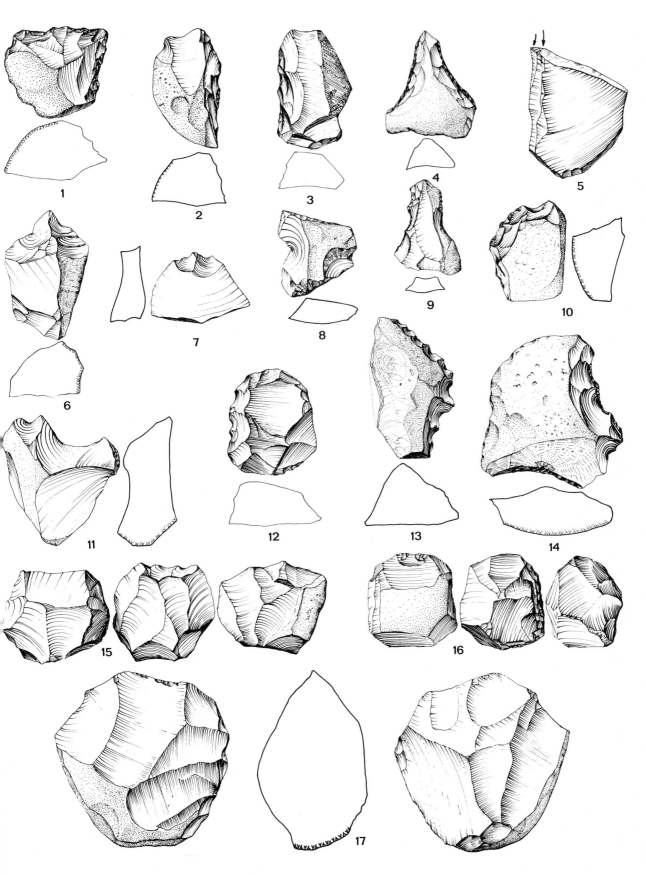

FIG. 24. — Industrie évenosienne de Puimoisson (Plateau de Riez-Valensole).
1:2 de la gr. nat.

Les stations de Puimoisson.

Dans la région de Puimoisson, sur le Plateau de Riez-Valensole, en surface d'un vieux sol fersiallitique, plusieurs stations ont livré une industrie évenosienne qui rappelle celle de Sainte-Anne-d'Evenos (M. Dubar, 1973-1974).

L'industrie (fig. 24), de débitage non-levallois, se caractérise par un pourcentage faible de racloirs, une assez forte proportion d'outils de type paléolithique supérieur (grattoir, burin), une abondance remarquable d'outils à encoches clactoniennes (encoche clactonienne, denticulé par encoches clactoniennes adjacentes, bec par encoches clactoniennes adjacentes), la présence de chopping-tools et de boules polyédriques.

Une industrie du même type que celles de Sainte-Anne-d'Evenos et de Puimoisson a été découverte à la Braïsse (Digne, Vallée de la Bléone) et aux Trécassats, série I (Apt, Vallée du Calavon).

D. LE PRÉMOUSTÉRIEN.

Des industries datées du Riss et pouvant être attribuées à un Prémoustérien ont été découvertes dans certains sites de Provence :
Grotte de Rigabe à Artigues (Var) ;
Baume des Peyrards à Buoux (Vaucluse).

Grotte de Rigabe.

Dans la grotte de Rigabe (Artigues, Var), une importante épaisseur du remplissage peut être attribuée au « Riss » (E. Bonifay, 1962) :

Les dépôts du « Riss II » sont représentés par les couches (S à N) constituées de cailloutis cryoclastiques très altérés avec des argiles colluviées.

« *L'Inter-Riss II - III* » est caractérisé par une importante altération du remplissage du « Riss II ».

Les dépôts du « Riss III » sont constitués par des cailloutis cryoclastiques qui témoignent d'un climat frais et humide comparable à celui du « Riss III » de la grotte du Lazaret.

La faune des niveaux rissiens est très riche. Elle comprend une grande abondance de cervidés et de bovidés, le Bouquetin, le Cheval, la Hyène et le Rhinocéros de Merck.

L'INDUSTRIE.

Dans les couches « rissiennes » de la grotte de Rigabe (Var) une industrie prémoustérienne est caractérisée par une industrie sur éclats de débitage levallois, un fort pourcentage d'éclats levallois non transformés en outils, une assez forte proportion de racloirs et d'outils à bords retouchés convergents et par la présence de la retouche écailleuse scalariforme. Ce sont des Prémoustériens, ancêtres, soit du Moustérien typique, soit du Charentien de type Ferrassie.

Une industrie du même type a été découverte dans les couches rissiennes de la *Baume des Peyrards* à Buoux dans le Vaucluse.

Bibliographie

[1] Bonifay Eugène et Lumley Henry de (1957). — Paléolithique ancien aux environs de Toulon (Var). *L'Anthropologie*, t. 61, n° 5-6, 1957, p. 409 à 419, 3 fig., 1 tabl.

[2] Bonifay Marie-Françoise (1971). — Carnivores quaternaires du Sud-Est de la France. *Mémoires du Museum National d'Histoire Naturelle*, série C, t. XXI, fasc. 2 et dernier, 377 pages, 109 tabl., 76 fig., 27 pl. h.t., 354 réf. bibl., index des noms de lieux.

[3] Dubar Michel (1973-1974). — Les industries paléolithiques des « Vieux » sols de surface du Plateau de Valensole. *Bulletin du Musée d'Anthropologie Préhistorique de Monaco*, fasc. 19, p. 37 à 65, 15 fig., 10 réf. bibl.

[4] Dubar Michel (1975). — Les formations quaternaires du Plateau de Valensole et de la Moyenne Durance et les industries paléolithiques associées. *Diplôme d'études approfondies de Géologie*. Université de Provence, Laboratoire de Paléontologie Humaine et de Préhistoire, Juin 1975, 49 p. dactyl., 19 fig., 12 réf. bibl.

[5] Goudet Monique (1975). — Le gisement acheuléen de Carros-le-Neuf (Alpes-Maritimes). *Géologie Méditerranéenne*, t. II, n° 2, p. 59 à 74, 11 fig., 8 réf. bibl.

[6] Lumley Henry de (1966). — Les fouilles de Terra Amata à Nice. Premiers résultats. *Bulletin du Musée d'Anthropologie Préhistorique de Monaco*, n° 13, p. 29 à 51, 11 fig., 16 réf. bibl., sommaire en français et en anglais.

[7] Lumley Henry de (1969). — A Paleolithic Camp at Nice. *Scientific American*. May 1969, v. 220, n° 5, p. 42 à 50, 9 fig., 1 tabl. chron.

[8] Lumley Henry de (1969). — Le Paléolithique inférieur et moyen du Midi Méditerranéen dans son cadre géologique, t. I, Ligurie-Provence, V⁰ supplément à *Gallia-Préhistoire*, 463 p., 353 fig., 24 tabl.

[9] Lumley Henry de (1969). — Les civilisations préhistoriques en France. Corrélations avec la chronologie quaternaire. *in* Etudes Française sur le Quaternaire, présentées à l'occasion du VIIIᵉ Congrès International de l'INQUA. Paris 1969. Supplément au *Bulletin de l'Association Française pour l'étude du Quaternaire*, p. 151 à 169, 2 fig., 10 tabl. chron.

[10] Lumley Henry de (1969). — Une cabane de chasseurs acheuléens dans la Grotte du Lazaret à Nice. *Archéologia*, n° 28, Mai-Juin 1969, p. 26 à 33, 9 fig., 1 tabl.

[11] Lumley Henry de (1969). — L'industrie acheuléenne découverte sur le sol de la cabane du Lazaret. *Mémoires de la Société Préhistorique Française*, t. 7, p. 145 à 169, 20 fig.

[12] Lumley Henry de (1969). — Terra Amata. Union Internationale pour l'étude du Quaternaire. VIIIᵉ Congrès INQUA. Paris 1969, livret-guide de l'excursion C14. Languedoc-Provence – Côte-d'Azur, p. 82 à 85.

[13] LUMLEY Henry de (1969). — La Grotte du Lazaret. Union Internationale pour l'étude du Quaternaire. VIIIe Congrès INQUA. Paris 1969, livret-guide de l'excusion C14. Languedoc-Provence – Côte d'Azur, p. 85 et 86, fig. 28.

[14] LUMLEY Henry de (1969). — La Baume Bonne. Union Internationale pour l'étude du Quaternaire. VIIIe Congrès INQUA. Paris 1969, livret-guide de l'excursion C14. Languedoc-Provence – Côte d'azur, p. 103.

[15] LUMLEY Henry de (1973). — Cultural and economic patterns in France during the Middle Pleistocene (L'évolution culturelle en France dans son cadre paléoécologique pendant le Pléistocène moyen). in *Stratigraphy and Patterns of Cultural Change in the Middle Pleistocene. Burg Wartenstein Symposium,* n° 58, 2-11 juillet 1973, Mouton Publishers, The Hague, Holland.

[16] LUMLEY Henry de et BOTTET Bernard (1959). — Remplissage et évolution des industries de la Baume Bonne (Quinson, Basses-Alpes). *Con-grès Préhistorique de Monaco,* VIe session 1959, (1965), p. 814 à 837, 3 fig., 3 tabl., 72 réf. bibl.

[17] LUMLEY Henry de et BOTTET Bernard (1960). — Sur l'évolution des climats et des industries au Riss et au Würm d'après le remplissage de la Baume Bonne. (Quinson, Basses-Alpes). *Sonderdruck aus Festschrift für Lothar Zotz., Steinzeitfragen der Alten und Neuen Welt Bonn,* 1960, Ludwig Röhrscheid Verlag, p. 271 à 301, pl. XI, 16 fig., dont 1 tabl., 1 pl. h.t. de 2 phot. (pl. XI), 37 réf. bibl.

[18] LUMLEY Henry de et collaborateurs (1969). — Une cabane acheuléenne dans la grotte du Lazaret (Nice). *Mémoires de la Société Préhistorique Française,* t. 7, 235 p., 166 fig., 11 pl. h.t., nombreux tableaux et réf. bibl.

[19] TEXIER Pierre-Jean (1972). — Industries du Paléolithique inférieur et moyen du Var et des Alpes-Maritimes dans leur cadre géologique. Thèse de doctorat 3e cycle, Université de Paris VI, 27 juin 1972, 119 p. dactyl., 59 pl.

Les civilisations du Paléolithique inférieur en Languedoc méditerranéen et en Roussillon

par

Henry de LUMLEY *

Résumé. Les stations du Paléolithique inférieur sont relativement nombreuses en Languedoc Méditerranéen et en Roussillon. Comme en Provence, leurs industries appartiennent à des cultures indépendantes qui ont évolué parallèlement pendant des millénaires : le Tayacien, l'Evenosien et plusieurs types d'Acheuléens.

Dans les sites de la première partie du Pléistocène moyen (Mindel et Mindel-Riss) les galets aménagés sont toujours en pourcentage très élevé.

Ils deviennent beaucoup plus rares dans les sites de la deuxième partie du Pléistocène moyen (Riss). Pendant le Riss, les diverses cultures préhistoriques s'individualisent de plus en plus et acquièrent alors des caractères propres qui individualisent plus fortement chaque civilisation.

Abstract. The Lower Paleolithic sites are relatively numerous in the Mediterranean Languedoc and Roussillon.

As in Provence, their industries belong to independent cultures which underwent a parallel evolution through the millenia : the Tayacian, the Evenosian and several types of Acheulean.

In the sites of the first part of the Middle Pleistocene (Mindel and Mindel-Riss), the worked pebbles are always present in a very high percentage.

They become much rarer in the sites of the second part of the Middle Pleistocene (Riss). During the Riss, the diverse prehistoric cultures become increasingly more individualistic and acquire the special characteristics which distinguish most strongly each culture.

I. LES INDUSTRIES TAYACIENNES.

Les sites ayant livré une industrie tayacienne sont rares en Languedoc méditerranéen et en Roussillon.

Ils ont été découverts en grotte (Caune de l'Arago et peut-être Aldène, Mas des Caves) et sont datés de l'extrême fin du Mindel, du Mindel-Riss et du Riss.

CAUNE DE L'ARAGO.

La Caune de l'Arago est située dans les Pyrénées Orientales, au Nord de la Plaine du Roussillon, près du petit village de Tautavel, à 19 km au Nord-Ouest de Perpignan.

Stratigraphie.

Le remplissage quaternaire (fig. 1 et 2) est essentiellement constitué par plusieurs mètres d'épaisseur de sables grossiers, plus ou moins altérés localement par une importante diagenèse des sédiments.

L'ensemble inférieur I (sols K, J) est constitué par des sables grossiers, lités, apportés dans la grotte, soit par le ruissellement, soit par le vent.

L'ensemble II (sols I, H3, H2 et H1) est constitué par des sables argileux, légèrement altérés en place.

L'ensemble III (sols G, F et E) est constitué, comme l'ensemble inférieur, par des sables grossiers,

lités, mis en place soit par le ruissellement, soit par le vent.

Localement, en particulier sous la cheminée qui perfore le plafond de la grotte, ces sables grossiers ont été lessivés et, en partie, décarbonatés, vraisemblablement sous l'action des eaux de pluie. Un encroûtement calcaire, recoupant le litage, s'est constitué parallèlement à la base de la poche lessivée, vraisemblablement dans la zone de contact entre un ensemble humide et un ensemble sec.

Des oxydes de fer, de manganèse, d'aluminium et de silicium se sont déposés, par la suite, principalement au-dessus de l'encroûtement calcaire, soulignant la base des dépôts lessivés, et sous forme de points, de taches, de traînées, de grosses concrétions.

Une hydrolyse des phosphates, favorisée par un pH bas (6) a entraîné la disparition des ossements dans la poche lessivée, une migration puis une recristallisation des phosphates.

L'ensemble IV, qui n'a été découvert que dans la zone arrière de la grotte, est constitué par une alternance de cailloutis et de planchers stalagmitiques.

L'ensemble V, conservé dans le fond de la grotte, est constitué par un cailloutis anguleux à gros éléments, faiblement altéré. Il est recouvert, dans le diverticule du fond, par un plancher stalagmitique.

La faune.

La faune, abondante, est bien conservée. De nombreuses espèces ont été découvertes :

* Laboratoire de Paléontologie Humaine et de Préhistoire, URA n° 13 du CRA. Université de Provence, Centre Saint-Charles, Place Victor-Hugo, F 13331 Marseille cedex 3.

Carnivores
  Canidés :
    Canis lupus
  Félidés :
    Felis (Panthera) pardus
    Felis spelaea
  Ursidés :
    Ursus sp.
  Mustélidés :
    Meles meles

Artiodactyles
  Suidés :
    Sus scrofa
  Bovidés :
    Bos primigenius
  Capridés :
    Capra ibex
  Cervidés :
    Cervus elaphus
    Rangifer tarandus

Perissodactyles
  Equidés :
    Equus caballus cf. mosbachensis (type de la Micoque)
  Rhinocérotidés :
    Dicerorhinus mercki
    Dicerorhinus hemitoechus
  Proboscidiens :
    Elephas antiquus

Lagomorphes
    Oryctolagus cuniculus cuniculus

Rongeurs
  Gliridae :
    Eliomys quercinus helleri
  Castoridae :
    Castor fiber
  Cricetidae :
    Cricetulus (Allocricetus) bursae pyrenaicus
  Arvicolidae :
    Microtus (Iberomys) brecciensis orgnacensis
    Microtus (Microtus) arvalis
    Microtus (Stenocranius) gregalis
    Microtus (Pitymys) groupe *subterraneus*
    Microtus (Pitymys) duodecimcostatus
    Dolomys (Pliomys) lenki
  Muridae :
    Apodemus sylvaticus

Insectivores
    Talpa europaea

Oiseaux
  Anatidés :
    Anas platyrhynchos L. (Canard colvert)
  Accipitridés :
    Gypaetus barbatus L. (Gypaète barbu)
    Aquila chrysaëtos L. (Aigle royal)
  Phasianidés :
    Alectoris graeca M. (Perdrix bartavelle)
    Alectoris barbara B. (Perdrix gambra)
  Columbidés :
    Columba livia minuta
    Columba aenas L. (Pigeon colombin)
  Strigidés :
    Asio flammeus P. (Hibou des marais)
  Apodidés :
    Apus melba L. (Martinet à ventre blanc)
  Muscicapidés :
    Turdus pilaris L. (Grive litorne)
    Turdus viscivorus L. (Grive draine)
    Fidedula albicollis T. (Gobemouche à collier)
  Fringillidés :
    Coccothraustes coccothraustes L. (Gros bec)
  Corvidés :
    Pyrrhocorax pyrrhocorax L. (Crave à bec rouge)
    Pyrrhocorax graculus vetus K. (Chocard de petite taille)
    Corvus antecorax M-C (Grand corbeau de petite taille)

Reptiles
    Testudo sp.

Il y a lieu de souligner la grande abondance des chevaux et des rhinocéros, qui témoigne d'une large extension des steppes, et de faire remarquer la présence d'un renne dans un remplissage daté de la phase moyenne du Pléistocène moyen.

Datation.

La présence d'un cheval archaïque proche de celui de la Micoque, d'un petit loup, d'une panthère de forte taille permettent de dater le site, de la période moyenne du Pléistocène moyen : Phase d'Uppony (Oldenburgien ancien de D. Janossy).

Le stade d'évolution atteint par les deux rhinocéros : *Dicerorhinus mercki* et *Dicerorhinus hemitoechus,* permet de paralléliser le site, selon C. Guérin, avec celui de Vergranne.

Il serait légèrement plus récent que la dune de Terra Amata et plus ancien que les sites de Bruges et de Lunel-Viel.

Des restes de rongeurs actuellement éteints (*Eliomys quercinus helleri, Microtus brecciensis orgnacensis, Dolomys (Pliomys) lenki, Cricetulus (Allocricetus) bursae pyrenaicus*) et le stade d'évolution atteint par ce dernier, confirment ces résultats.

Diverses datations obtenues soit par l'étude de la racémisation des acides aminés des ossements (J. Bada), soit par le dosage de l'uranium des planchers stalagmitiques (K. Turekian), permettent de mieux dater ce site.

Le plancher stalagmitique au sommet du remplissage (ensemble IV) daterait de 95 000 ± 10 000. Les dépôts à industries tayaciennes et acheuléennes dans lesquels ont été découverts les restes humains (ensembles I à III) auraient un âge compris entre 220 000 ans (sol F) et 320 000 ans environ (sol G).

L'industrie.

L'outillage en pierre abandonné par les chasseurs paléolithiques sur les divers sols d'habitat de la grotte de l'Arago est extrêmement abondant ; plus de 100 000 objets ont été déjà découverts. Ils correspondent dans presque tous les niveaux à un Tayacien ancien. Plusieurs couches situées au sommet de l'ensemble III (sol E) contiennent une industrie de l'Acheuléen moyen.

L'outillage du Tayacien (fig. 3 et 4) est essentiellement en quartz, plus rarement en silex, et exceptionnellement en quartzite.

L'industrie est de débitage non levallois (IL = 4,2). Les indices de facettage (IF = 16,3 ; IFs = 6,4) et les indices laminaires (ILam = 3,6) sont très faibles. La proportion moyenne des racloirs (IRess = 41), en particulier des racloirs simples et transversaux, la très forte proportion des outils à retouches surélevées (18,3 %), la présence de la retouche écailleuse scalariforme, la relative abondance de pointes de Tayac, de pointes de Quinson, d'encoches clactoniennes, de denticulés et de becs par encoches clactoniennes, la présence de protolimaces,

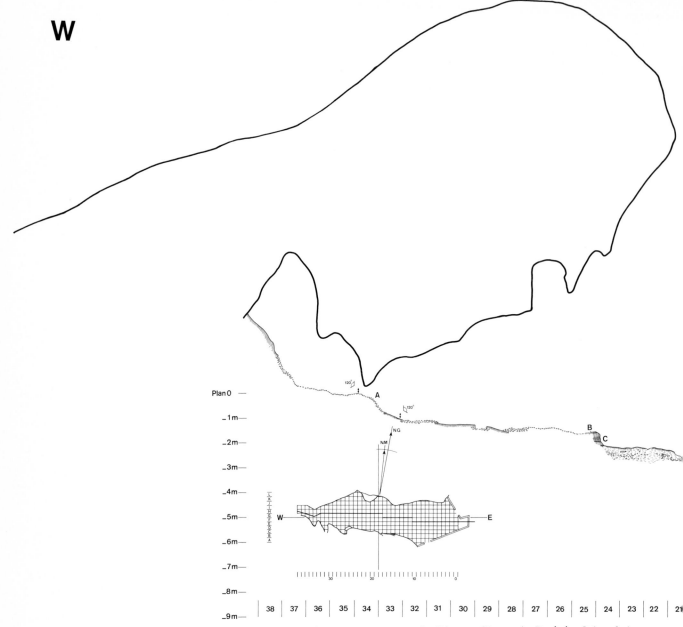

Fig. 1. — Coupe stratigraphique longitudinale de la Caune de l'Arago (Tautavel, Pyrénées-Orientales).

rapprochent cette industrie du Tayacien ou Proto-Charentien de la Baume Bonne et de la Micoque. Les outils sur galets sont très nombreux (choppers, chopping-tools, quelques polyèdres) et les bifaces extrêmement rares (moins d'un biface pour 1000 outils retouchés). La présence de micro-choppers et de micro-chopping-tools évoque l'industrie, plus ancienne, de Vértesszöllös en Hongrie, appelée Budien.

L'outillage de l'Acheuléen moyen (fig. 5) essentiellement taillé en marne schisteuse, correspond à une industrie de débitage levallois. Les racloirs, en assez fort pourcentage, sont souvent obtenus par retouches plates ; la retouche surélevée est par contre peu utilisée. Les bifaces, relativement nombreux, sont de type amygdaloïde, ovalaire ou lancéolé.

LA GROTTE D'ALDÈNE.

La grotte d'Aldène (Cesseras, Hérault), située sur la rive droite de la Cesse, contenait un remplissage quaternaire de 5 m de hauteur dont un modeste témoin subsiste encore à l'entrée de la caverne (fig. 6) dont l'étude a été reprise récemment par L. Barral et S. Simone (Musée d'Anthropologie Préhistorique de Monaco).

Stratigraphie.

L'ensemble « Mindel-Riss ».

Couche M : A la base, dépôts phosphatés d'alumine et de chaux, associés à des oxydes de fer et de manganèse.

E

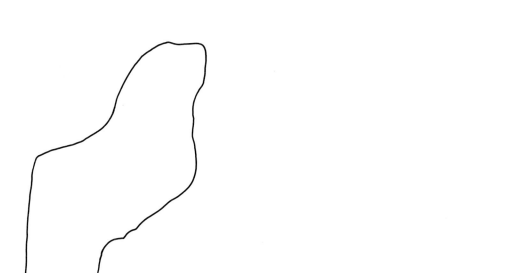

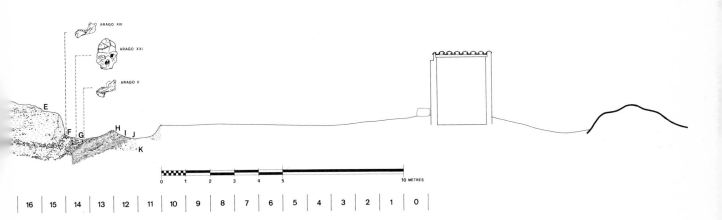

Couche L : Limon argileux rougeâtre, contenant, à la base, des cailloux profondément altérés.

Croûte, de 5 à 10 cm d'épaisseur, riche en oxydes de fer et de manganèse.

Couche K : Sable quartzeux, riche en petits galets karstiques, cimenté par un limon argileux brun rouge.

Couche J : Lit de petits galets, correspondant à une période de lessivage important.

Couche I2 : Eboulis emballé dans un limon jaunâtre, contenant un horizon cendreux riche en esquilles osseuses souvent brûlées.

Couche I : Plancher stalagmitique à Hellicellidés.

Couche H : Cailloutis emballé dans un limon argileux.

L'ensemble « Riss moyen ».

Couches G : Cailloutis faiblement altéré emballé dans une argile rouge à passées sableuses.

Couche F : Cailloutis à éléments anguleux essentiellement constitués d'éléments allochtones.

L'ensemble « Riss final ».

Couche E : Cailloutis anguleux, emballé dans des limons beiges.

Couche D : Cailloutis anguleux à éléments stalagmitiques pris dans des limons beiges.

Couche C : Cailloutis anguleux pris dans une argile rouge.

Couche B : Cailloutis anguleux à éléments gros-

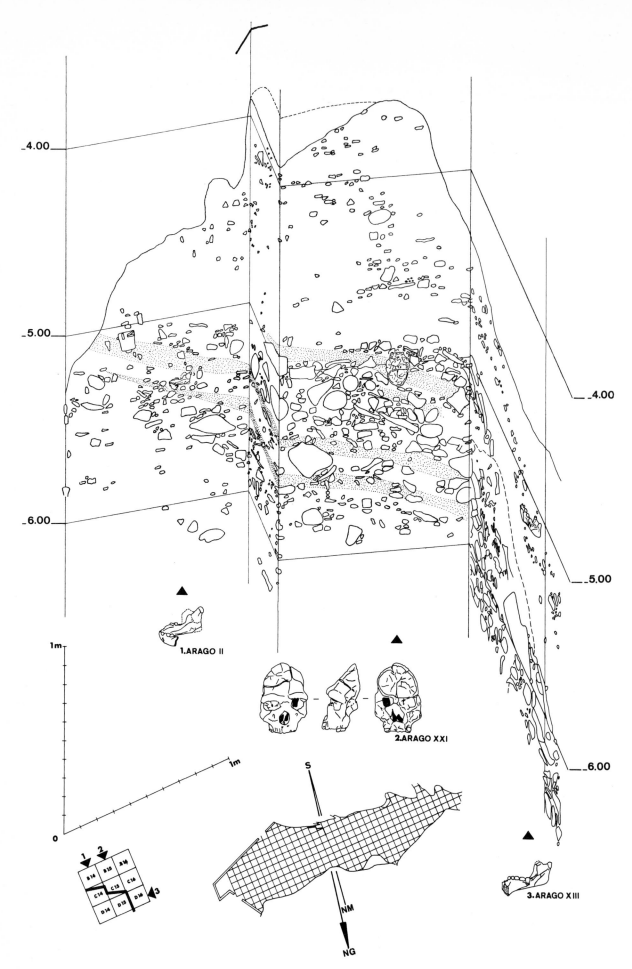

FIG. 2. — Coupe du remplissage de la Caune de l'Arago dans les zones C14, C15 et D16 montrant la position stratigraphique des principaux fossiles humains :
Mandibule Arago II : zone C14, couche C12, n° 385, sol G, 320 000 ans
Mandibule Arago XIII : zone D16, couche DQ6, n° 450, sol F, 220 000 ans
Crâne Arago XXI : zone C15, couche C7c, n° 410, sol G, 320 000 ans

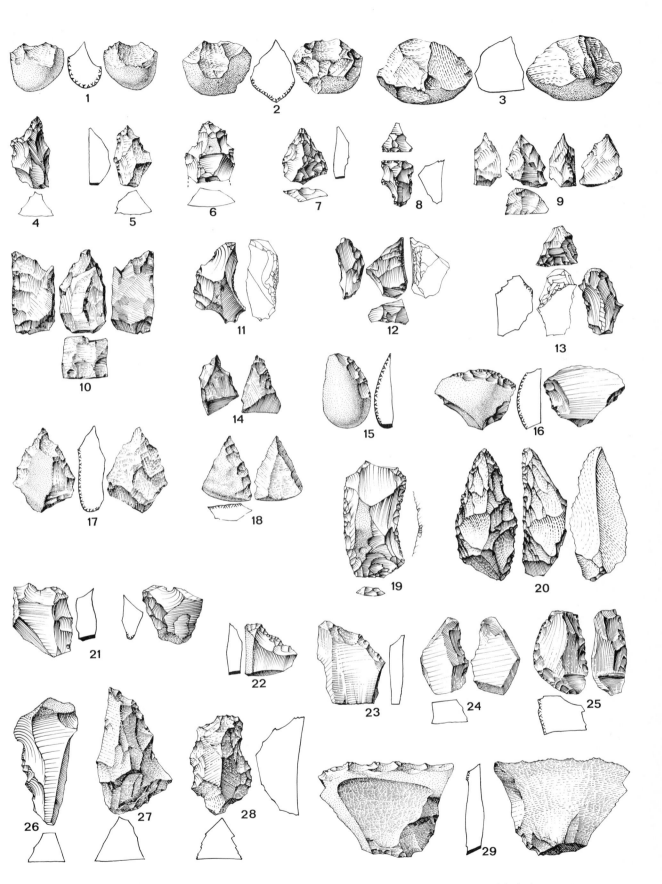

FIG. 3. — Industrie tayacienne (Protocharentien ou Protoquina) de la Caune de l'Arago : *1:2 de la gr. nat.*

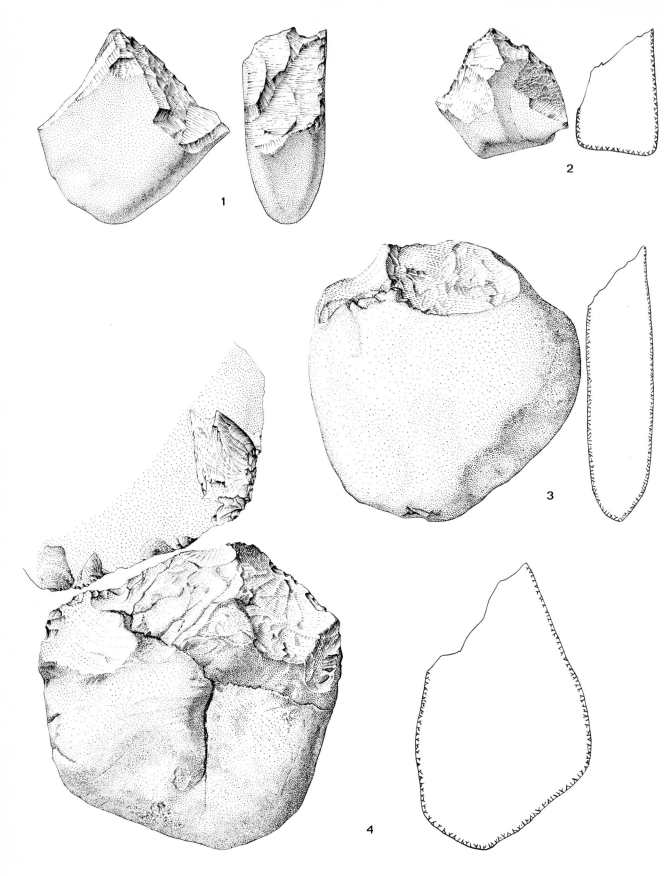

FIG. 4. — Industrie tayacienne (Protocharentien ou Protoquina) de la Caune de l'Arago. *1:2 de la gr. nat.*

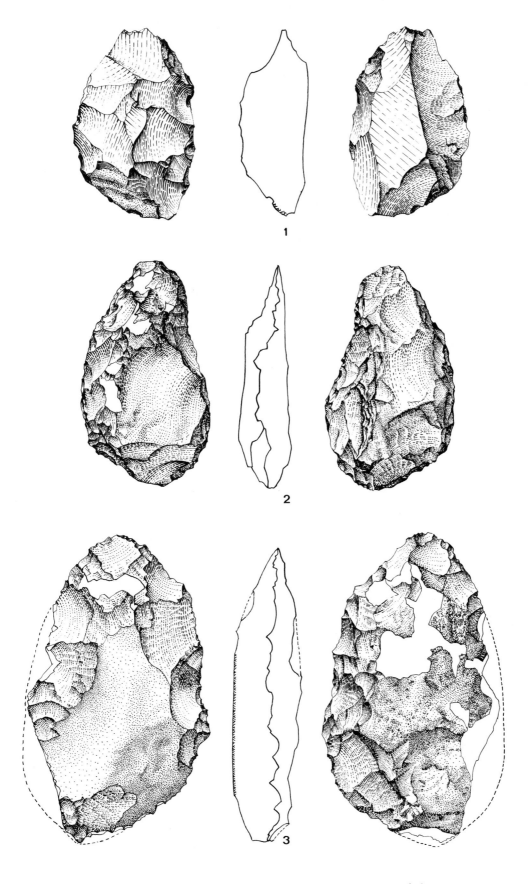

FIG. 5. — Industrie de l'Acheuléen ancien de la Caune de l'Arago. *1:2 de la gr. nat.*

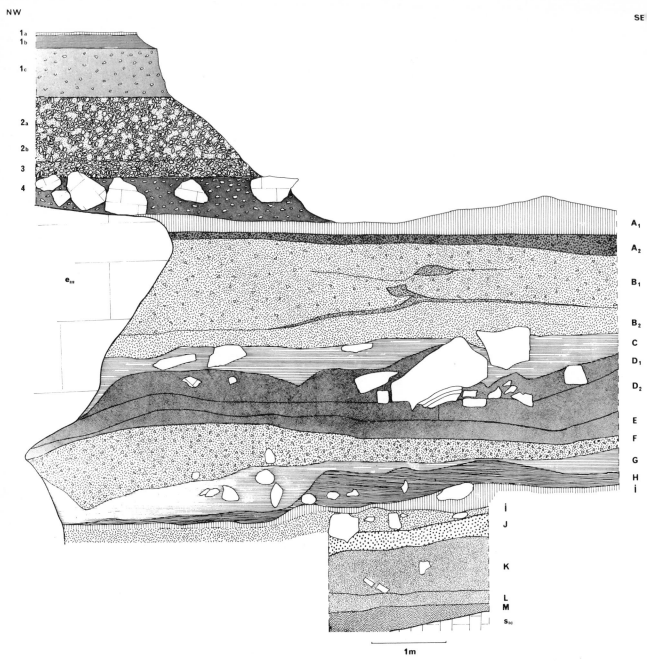

FIG. 6. — Coupe stratigraphique de la grotte d'Aldène (Cesseras, Hérault) d'après L. Barral, S. Simone et P. Baïssas.

siers, en majorité stalagmitiques, emballés dans un limon sableux.

Couche A2 : Cailloutis anguleux emballé dans un limon rouge.

L'ensemble « Riss-Würm ».

Couche A1 : Plancher stalagmitique stratifié.

Faune.

Dans l'ensemble « Mindel-Riss », la faune, très abondante, comprend : *Hemitragus jemlahicus bonali, Cervus elaphus, Cervus* cf. *megaceros, Sus scrofa, Ursus deningeri, Hyaena prisca, Equus caballus* cf. *mosbachensis, Dicerorhinus mercki, Pliomys lenki, Microtus brecciensis, Pliomys episcopalis.*

La présence de *Hemitragus jemlahicus bonali* et de *Pliomys episcopalis* confirment l'attribution de ce remplissage au début de l'Interglaciaire « Mindel-Riss ».

Les associations de faune rappellent celles de la Caune de l'Arago à Tautavel et du Mas des Caves à Lunel-Viel.

Dans l'ensemble « Riss moyen », la faune comprend *Ursus spelaeus, Cervus elaphus* et un grand bovidé.

Dans l'ensemble « Riss final », les faunes sont constituées par *Ursus spelaeus, Cervus elaphus, Felis*

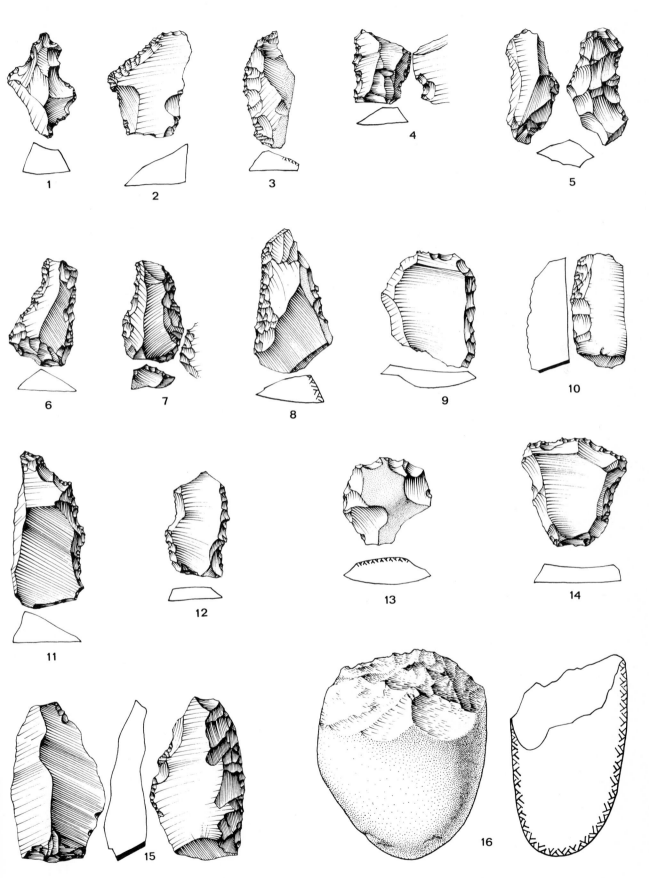

FIG. 7. — Industrie acheuléenne de la grotte d'Aldène. *1:2 de la gr. nat.*

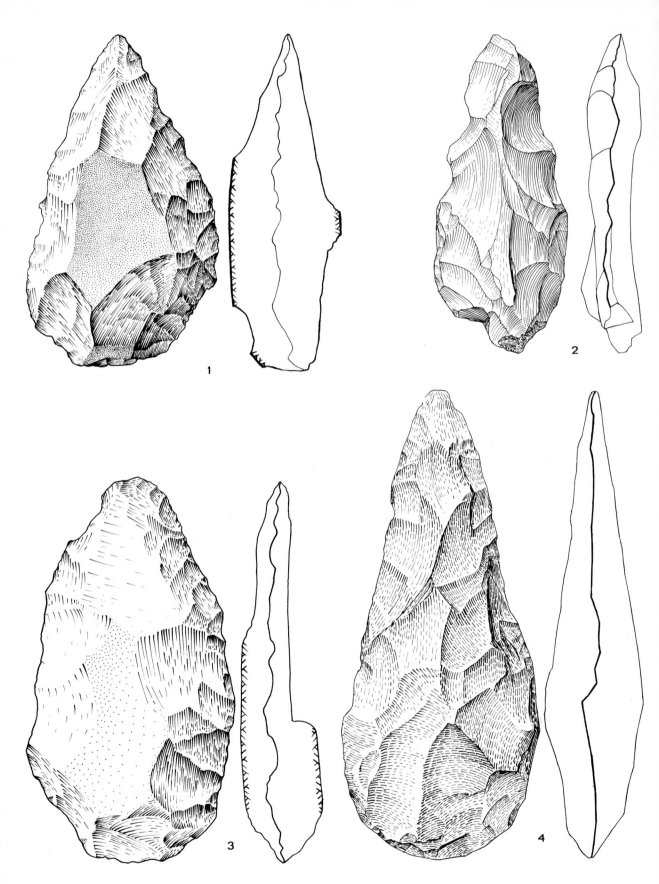

Fig. 8. — Industrie acheuléenne de la grotte d'Aldène. *1:2 de la gr. nat.*

spelaea, Equus caballus, Pliomys lenki, Allocricetus bursae, ainsi que *Dicrostonyx torquatus* (lemming à collier) représentent de la microfaune de la zone boréale.

La succession des associations de faunes de micromammifères permet de distinguer, selon J. Chaline (1973-1974), six phases climatiques. Les deux premières phases, qui contiennent *Pliomys episcopalis,* semblent contemporaines de l'interglaciaire Mindel-Riss, les phases plus récentes appartiennent respectivement aux climatozones rissiennes de l'Arago, d'Orgnac 3, de la Fage et au début de celle de Grimaldi.

	Ensemble "Mindel-Riss"		Ensemble "Riss-moyen"	Ensemble "Riss final"		Ensemble "Riss-Würm"
	climatozone Orgnac 3-1		climatozone Arago	climatozone Orgnac 3-6	climatozone La Fage	climatozone Grimaldi
	Phase 1 L-K-J	Phase 2 I	Phase 3 H-G1-D2	Phase 4 D1	Phase 5 B1-B2-B-C	Phase 6 A2-A1-A
Sciurus cf. whitei		+				
Eliomys quercinus helleri	+	+	+			+
Allocricetus bursae	+	+	+		+	
Sicista betulina					+	
Dicrostonyx torquatus					+	
Pitymys "subterraneus"					+	
Microtus arvalis		+	+	+	+	+
Microtus gregalis			+		+	
Microtus malei			+		+	
Microtus nivalis						
Microtus brecciensis		+				
Clethrionomys glareolus						+
Pliomys episcopalis		+				
Pliomys lenki	+	+	+	+	+	+
Apodemus sylvaticus	+	+	+		+	+
Insectivores	+		+			+
Chiroptères	+		+		+	+
Lagomorphes	+				+	

Les industries.

Deux types d'industrie ont été découverts dans le remplissage de la grotte d'Aldène : une industrie « tayacienne » dans l'ensemble « Mindel-Riss », un Acheuléen supérieur dans l'ensemble « Rissien » (fig. 7 et 8).

L'industrie « tayacienne » de l'ensemble « Mindel-Riss ».

Les niveaux inférieurs, K, I et H contiennent une industrie « tayacienne » qui rappelle les industries découvertes dans la Caune de l'Arago.

L'outillage sur éclat, taillé soit en calcaire siliceux, soit en quartz, de débitage non levallois, pauvre en lames, contient une forte proportion de racloirs souvent aménagés par retouches surélevées, des denticulés, des encoches clactoniennes, des denticulés par encoches clactoniennes adjacentes, des pointes de Tayac et de rares bifaces.

L'outillage sur galet est abondant : nombreux choppers parfois microlithiques, quelques chopping-tools et rares bifaces.

L'industrie acheuléenne de l'ensemble « Rissien ».

Les niveaux supérieurs, G à A, ont livré une industrie de l'Acheuléen supérieur (fig. 7 et 8). La couche G, datée du Riss moyen, est particulièrement riche.

L'outillage peut être décrit comme un Acheuléen supérieur, de débitage levallois, riche en racloirs souvent aménagés par retouches surélevées. Présence d'encoches clactoniennes, de becs et de denticulés par encoches clactoniennes adjacentes, de pointes de Tayac.

Les outils sur galets (choppers et chopping-tools) et les bifaces sont relativement nombreux. Ces derniers, le plus souvent lancéolés ou de type micoquien, sont parfois amygdaloïdes, ovalaires ou discoïdes.

LA GROTTE DU MAS DES CAVES A LUNEL-VIEL.

La grotte du Mas des Caves est située à moins de 1 km au Nord-Ouest de Lunel-Viel, près de Montpellier.

Stratigraphie.

Le remplissage quaternaire (fig. 9) est daté du Pléistocène moyen (« Mindel », « Mindel-Riss » et « Riss »).

L'ensemble inférieur est attribué au « Mindel ». Il est essentiellement constitué par de très gros blocs altérés provenant de l'effondrement d'une strate de la voûte et par des argiles et des sables stériles.

L'ensemble supérieur, épais de près de 4,50 m et dans lequel 14 couches ont pu être distinguées, est

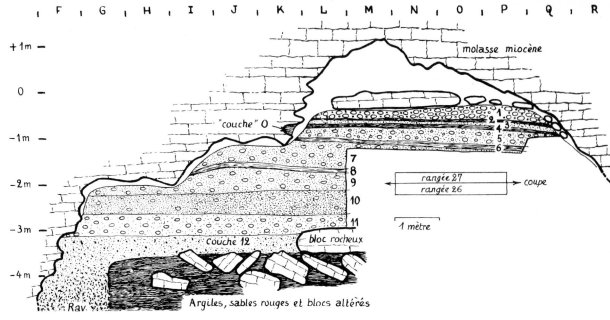

FIG. 9. — Coupe stratigraphique de la grotte du Mas des Caves (Lunel-Viel, Hérault)
d'après E. Bonifay (M. F. Bonifay, 1971, p. 59, fig. 3).

constitué de cailloutis, de sables jaunes et de limons varvés rouges. Il est attribué à l'interglaciaire « Mindel-Riss » ou à l'extrême début du « Riss ».

Faune.

La faune, extrêmement abondante et bien conservée, contient les espèces suivantes :

Carnivores fissipèdes
  Canidés :
    Cuon priscus Thenius
    Canis lupus lunellensis M. F. Bonifay
    Vulpes vulpes Linné
  Félidés :
    Felis monspessulana M. F. Bonifay
    Felis (Panthera) lunellensis M. F. Bonifay
    Felis spelaea Goldfuss
    Felis (Lynx) cf. *pardina*
    Felis (Lynx) spelaea M. Boule
  Ursidés :
    Ursus deningeri Von Reichenau
  Hyaenidés :
    Hyaena prisca de Serres
    Crocuta spelaea intermedia de Serres
  Mustélidés :
    Mustela palerminea Petenyi
    Lutra sp.
    Meles thorali spelaeus M.F. Bonifay
Carnivores pinnipèdes
    Phoca sp.
Artiodactyles
  Suidés :
    Sus sp.
  Bovidés :
    Bos primigenius Bof.
    Bison sp.
  Cervidés :
    Cervus elaphus Linné
    Capreolus cf. *süssenbornensis*
    Euctenoceros mediterraneus M. F. Bonifay

Perissodactyles
  Rhinocérotidés :
    Dicerorhinus hemitoechus
  Equidés :
    Equus caballus Linné
    Equus hydruntinus Regalia
Rongeurs :
    assez rares
Insectivores :
    Talpa sp.
    Erinaceus sp.
Chiroptères :
    assez rares
Lagomorphes :
    abondants
Oiseaux
Batraciens :
    Bufo
Reptiles :
    Testudo

Cette faune est caractérisée par l'arrivée massive d'espèces tempérées dont la plupart continueront leur évolution pendant tout le Pléistocène moyen récent et le Pléistocène supérieur : *Cervus elaphus, Equus caballus, Equus hydruntinus, Crocuta spelaea, Felis spelaea* et les grands bovidés. A côté de ces nouveaux arrivants, persistent des formes endémiques qui atteignent d'ailleurs le terme de leur évolution : *Hyaena prisca, Meles thorali spelaeus, Euctenoceros mediterraneus* et quelques formes du Pléistocène moyen ancien (« mindélien ») comme *Canis lupus lunellensis* et *Felis (lynx) spelaea* qui atteindront la période actuelle.

Selon C. Guérin le *Dicerorhinus hemitoechus* du Mas des Caves à Lunel-Viel est à un stade d'évolution comparable à celui du site de Bruges et serait légèrement plus évolué que ceux de l'Arago et de la dune de Terra Amata (cf. p. 823 du présent ouvrage).

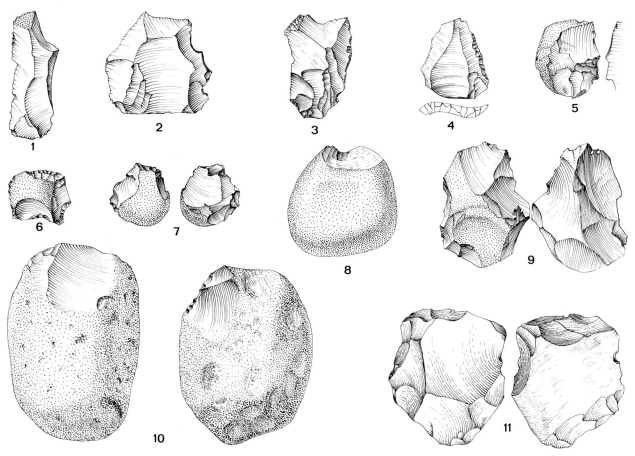

FIG. 10. — Industrie du Paléolithique inférieur de la grotte du Mas des Caves à Lunel-Viel),
d'après E. Bonifay, 1968, p. 41 à 43. *1:2 de la gr. nat.*

La faune du Mas des Caves à Lunel-Viel peut être parallélisée avec celles découvertes dans les sites de la Caune de l'Arago, Bruges, Uppony, Heppenloch correspondant à la phase d'Uppony (Oldenburgien ancien) de D. Janossy.

Industrie.

L'industrie lithique (fig. 10) est assez homogène. Elle est essentiellement représentée par des galets aménagés (choppers et chopping-tools), par des racloirs, des denticulés, des becs et des bifaçoïdes grossiers. Il y a lieu de noter la présence d'éclats proto-levallois. Il existe des ossements qui paraissent utilisés (ciseau, poinçon) ou retouchés, ainsi que des esquilles portant des traces d'incisions rectilignes intentionnelles.

Cet outillage (fig. 10) évoque les industries « tayaciennes » de la Caune de l'Arago et de la grotte d'Aldène. Il pourrait aussi correspondre à un Acheuléen archaïque.

II. LES INDUSTRIES EVENOSIENNES.

Les sites ayant livré une industrie évenosienne en Languedoc méditerranéen, reconnus actuellement,

sont relativement rares. Ce sont des sites de plein air, datés de la fin du « Riss » : Frenillot près de Montpellier, Grand Muscat et Pouderouses près de Béziers.

LA STATION DE FRENILLOT.

La station de Frenillot, à l'Est de Montpellier, est située en surface d'une terrasse du Rhône, datée du Pléistocène inférieur.

Elle a livré une industrie évenosienne, généralement taillée en silex (fig. 11).

L'outillage est de débitage non levallois, et très souvent les outils sont aménagés sur éclat de fortune. Les racloirs sont en pourcentage moyen (IR ess = 40) mais de mauvaise facture, aménagés par retouches épaisses ou surélevées. Les pointes sont absentes. Cette industrie se caractérise, comme celle de Sainte-Anne-d'Evenos par la grande abondance d'encoches clactoniennes souvent surélevées, par la présence de becs par encoches clactoniennes adjacentes, de boules polyédriques, de chopping-tools à enlèvements larges. Les outils de type Paléolithique Supérieur sont en pourcentage moyen et les troncatures sur éclat sont relativement abondantes.

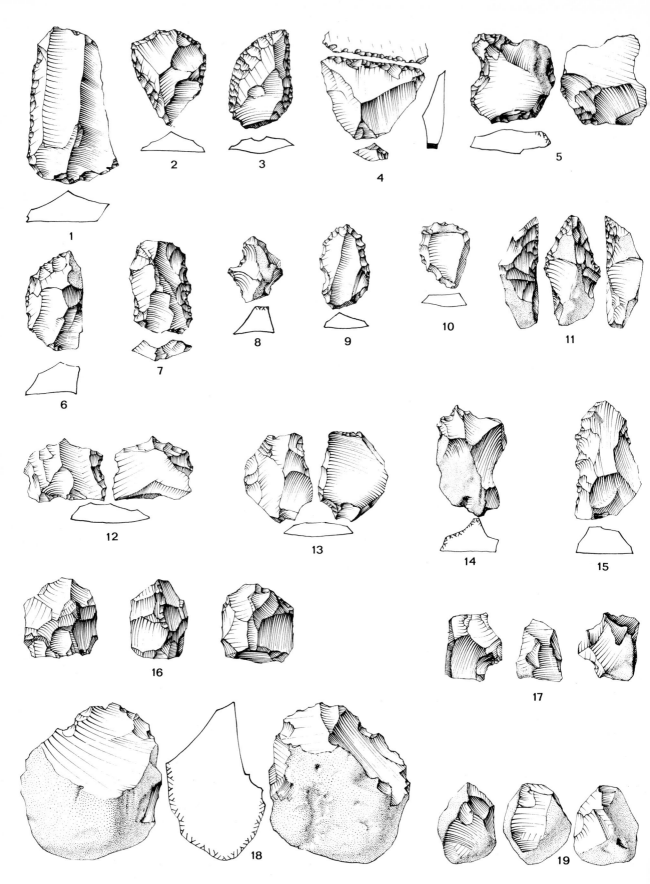

Fig. 11. — Industrie évenosienne de la station de Frenillot. *1:2 de la gr. nat.*

LES STATIONS DE CIPRÈS 1 ET DE CIPRÈS 2.

Plusieurs autres stations, situées à proximité de celle de Frenillot, ont également livré un outillage évenosien.

LES STATIONS DE GRAND MUSCAT ET POUDEROUSES.

Ces deux stations sont situées dans le bassin du Libron sur une nappe de graviers démantelés.

Elles ont livré une industrie de débitage non levallois, souvent aménagée sur éclat naturel, contenant un très faible pourcentage de racloirs, et une assez forte proportion d'encoches clactoniennes, de denticulés par encoches clactoniennes multiples, de becs par encoches clactoniennes adjacentes.

III. LES INDUSTRIES ACHEULÉENNES.

Les industries acheuléennes sont largement répandues en Languedoc méditerranéen et Roussillon, soit en grotte (Caune de l'Arago, Aldène), soit plus généralement en plein air où elles sont alors établies soit en surface de terrasses fluviatiles, soit sur des terrains sablonneux (sable ocreux du Crétacé supérieur par exemple).

Pendant la première partie du Pléistocène moyen (Mindel) les industries acheuléennes possèdent encore un pourcentage très élevé d'outils sur galet, notamment des choppers, une proportion non négligeable de pics et un pourcentage d'outils sur éclat qui paraît assez faible (Labastide d'Anjou, Malasang).

Dans la deuxième partie du Pléistocène supérieur (Riss) les outils sur galets sont plus rares et plusieurs faciès de l'Acheuléen s'individualisent, représentant autant de cultures différentes :

— un Acheuléen supérieur méditerranéen, de débitage levallois, riche en racloirs et possédant un fort pourcentage d'outils allongés à bords retouchés convergents. Bifaces lancéolés allongés et de type micoquien. Le type peut en être pris au Cros de Peyrolles (Cros de Peyrolles, Mas Signargues, Fontarèche).

— un Acheuléen supérieur, de débitage levallois, riche en racloirs, pauvre en outils retouchés à bords convergents. Nombreux racloirs aménagés par retouches surélevées et forte proportion d'outils à encoche clactonienne. Bifaces lancéolés allongés et de type micoquien (Aldène).

— un Acheuléen supérieur, de débitage faiblement levallois, à pourcentage moyen de racloirs et à outils retouchés à bords convergents extrêmement rares. Forte proportion d'outils à encoche clactonienne (Joucla, Alzonne, Rivoire, Fontsegrives, Saint-Hippolyte-de-Montaigu).

LES STATIONS A INDUSTRIE ARCHAIQUE SUR GALET ET A BIFACES DES TERRASSES DU ROUSSILLON.

Sur les terrasses fluviatiles du Roussillon, datées du « Günz » et du « Mindel », les industries archaïques sur galet sont souvent associées à quelques bifaçoïdes. Le pourcentage de l'ensemble de ces pièces, bifaçoïdes et bifaces typiques, augmente depuis les séries les plus anciennes jusqu'aux séries les plus récentes :

Terrasse de Cabestany :
Série très éolisée de Cabestany . . . . 2,5 %
Terrasse de la Butte du Four :
Série éolisée de la Butte du Four . . . . 4 %
Terrasse de la Llabanère :
Série du Mas Romeu . . . . 4 %
Série de la Llabanère Ouest . . . . 8 %
Série du Col de la Guille . . . . 9 %

Les industries datées du « Günz » (série très éolisée de la terrasse de Cabestany) ne contiennent pas de véritable biface mais parfois des bifaçoïdes très atypiques associés aux outils sur galets (fig. 5 et 6, p. 783 et 784 du présent ouvrage).

Les industries datées du début du « Mindel » (série éolisée de la terrasse de la Butte du Four), contiennent parfois quelques bifaces typiques (station de Valmagne) mais en très faible pourcentage (fig. 7 à 9, p. 786 à 788 du présent ouvrage).

Les industries datées d'un « Mindel moyen » (séries faiblement éolisées de la terrasse de la Llabanère) contiennent souvent des bifaces typiques et relativement plus nombreux que dans les séries plus anciennes (Llabanère Ouest, Col de la Guille) (fig. 10 à 12, p. 789 à 791 du présent ouvrage).

Sur certaines stations des bifaces tout à fait typiques ont été découverts : Valmagne (fig. 9, nos 3 et 4, p. 788), Llabanère Ouest (fig. 11, n° 3, p. 790 et fig. 12, n° 2, p. 791), Col de la Guille.

La station de Valmagne, près du Boulou, découverte dans la vallée du Tech, sur un niveau correspondant à la terrasse de la Butte du Four a livré un biface amygdaloïde et un biface amygdaloïde court à talon réservé (fig. 9, nos 3 et 4, p. 788), associé à quelques outils sur galet : chopping-tools, épannelés, etc...

La station de la Llabanère Ouest, près de l'aéroport de Perpignan, a livré des bifaces partiels et des bifaces atypiques (6 %), associés à de nombreux outils sur galets : choppers (47 %), chopping-tools (19 %), épannelés (8 %), polyèdres (10 %). Un des bifaces partiels découvert sur cette station (fig. 12, n° 2, p. 791), rappelle un de ceux de la Caune de l'Arago.

La station du Col de la Guille, près de Saint-Estève, découverte dans la vallée de la Têt, sur le niveau de la Llabanère a livré plusieurs bifaces (9 %) : abbevillien, amygdaloïde, amygdaloïde court, biface partiel, associé à un outillage sur galet assez riche : choppers (49 %), chopping-tools (17 %), épannelés (15 %), polyèdres (4 %).

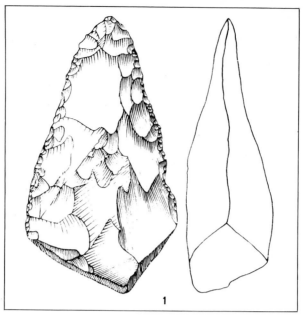

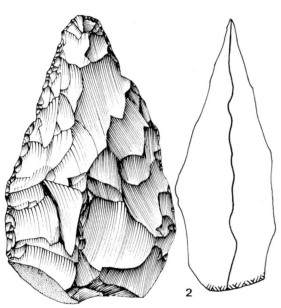

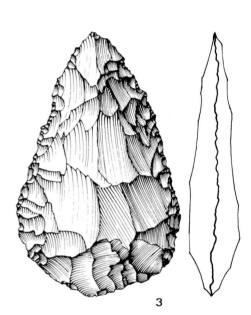

FIG. 12. — Industrie de l'Acheuléen supérieur du bassin de l'Aude et de la région de Capestang.
1. Station de la Tourasse; 2. Station du Pavillon; 3. Station de Narbonne-Plage. *1:2 de la gr. nat.*

Les séries du Roussillon nous apportent donc des renseignements précieux pour suivre, au sein des industries archaïques sur galet, l'apparition et l'évolution des bifaces depuis le « Günz » et pendant le « Mindel ancien et moyen ».

LES STATIONS ACHEULEENNES DU BASSIN DE L'AUDE.

Plusieurs stations acheuléennes ont été découvertes sur les terrasses quaternaires du Bassin de l'Aude, en particulier dans la vallée du Fresquel.

1° LES STATIONS ACHEULÉENNES ATTRIBUÉES AU « MINDEL ».

La station de Labastide d'Anjou est située sur une terrasse du Pléistocène inférieur (terrasse de Castelnaudary).

L'outillage a été taillé sur galets de quartz ou de quartzite issus de la Montagne Noire. Les galets aménagés sont très abondants : choppers 62 %, pics 4 %, chopping-tools 13 %, épannelés 12 %, discoïdes 0 %, polyèdres 5 %. Les bifaces sont très rares et représentent moins de 2 % de l'outillage.

Plusieurs pics, aménagés par enlèvements bilatéraux unifaces convergents, rappellent ceux du site de l'Acheuléen ancien de Terra Amata, daté de la fin du « Mindel » (environ 380 000 ans).

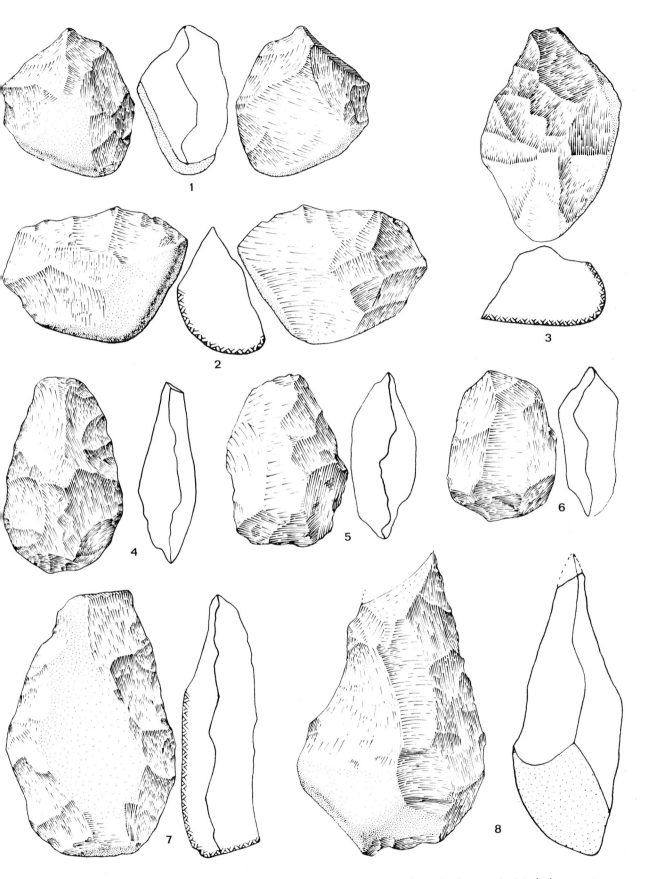

FIG. 13. — Industrie de l'Acheuléen moyen de la station de la Tourrasse (région de Capestang). *1:2 de la gr. nat.*

La station de Malasang, station voisine, située sur la même terrasse, a livré un biface lancéolé très usé.

2° LES STATIONS ACHEULÉENNES ATTRIBUÉES AU « RISS ».

La station de Joucla, correspond à un Acheuléen supérieur, de débitage faiblement levallois, à pourcentage moyen de racloirs (IR ess = 33). Les outils à bords retouchés convergents sont rares. Les encoches et les denticulés ont un pourcentage assez élevé : encoches clactoniennes, becs par encoches clactoniennes adjacentes, denticulés par encoches clactoniennes adjacentes, pointes de Tayac.

La station d'Alzonne a livré un outillage très proche de celui de Joucla. Présence d'un biface cordiforme allongé, à dos et talon réservé en cortex.

Les stations de Rivoire et de Fontsegrives.

Les deux stations de Rivoire et de Fontsegrives (Pennautier) sont situées dans la vallée du Fresquel, en surface de la basse terrasse rissienne (terrasse de la Gravette).

Elles sont antérieures aux phénomènes d'éolisation datés du Riss ancien et du Riss moyen.

Postérieures à la mise en place de la terrasse et antérieures aux phénomènes d'éolisation, les industries découvertes sur ces stations dateraient donc de la première partie du « Riss ».

Les outillages de ces deux stations se caractérisent par un débitage levallois extrêmement bas, un pourcentage assez élevé de racloirs (IR ess = 40) souvent aménagés par retouches surélevées, la présence de protolimaces, de pointes de Tayac et de pointes de Quinson. Encoches et denticulés sont relativement nombreux : encoches clactoniennes, becs dégagés par deux encoches clactoniennes, denticulés par encoches clactoniennes adjacentes.

Les bifaces sont très rares.

La station du Pavillon.

Près de Narbonne, au lieu-dit Domaine du Pavillon, sur une terrasse de l'Aude datée du Pléistocène moyen, a été découvert un biface amygdaloïde en silex (fig. 12, n° 2).

La station de Narbonne Plage, située à l'Est du Massif de la Clape, a livré un biface cordiforme allongé en silex, aménagé par retouches plates (fig. 12, n° 3).

LES STATIONS ACHEULÉENNES DE LA RÉGION DE CAPESTANG.

A l'Ouest de l'étang de Capestang plusieurs formations détritiques quaternaires peuvent être observées :

Le niveau supérieur ou surface de la Condamine. Cette surface, très dégradée par l'érosion, ne comporte qu'un manteau détritique grossier, altéré. Il daterait du « Mindel ».

Le niveau moyen ou glacis des Pins d'Aureille. Ce glacis s'articule par une brusque rupture de pente à la surface de la Condamine. Il date vraisemblablement du « Riss » ancien.

Les niveaux bas ou glacis de Cachefigues. Ils comprennent trois systèmes de glacis-terrasses, proches de la Quarante, de la Sélicate et de la Nazoure. Leur couverture détritique, peu épaisse, est essentiellement constituée de matériaux calcaires d'origine proche. Il date vraisemblablement du « Riss » supérieur.

Alors que la pente des glacis de la Condamine et des Pins d'Aureille les relient, vers le sud, à un niveau de base constitué par des terrasses anciennes de l'Aude, le glacis de Cachefigues est incliné, par contre, vers l'étang de Capestang. Ce changement de niveau de base serait intervenu pendant le « Riss » et résulterait de l'affaissement de l'étang de Capestang.

Deux stations acheuléennes ont été découvertes en surface du glacis des Pins d'Aureille, daté du « Riss » ancien.

La station d'Aureille, qui a livré un grand biface amygdaloïde, roulé, vraisemblablement contemporain de la mise en place des dépôts.

La station de la Tourasse, qui a livré plusieurs outils pouvant être regroupés en trois séries :

— La série I, comparable à la série I du Bassin du Libron, comprend un biface lancéolé, très roulé ; elle serait contemporaine de la mise en place de la terrasse ;

— La série II, non roulée, est comparable à la série II du Bassin du Libron. Elle correspond à un Acheuléen moyen et comprend des bifaces (ovalaires épais, ovalaires peu épais, subcordiformes, sublancéolés, lancéolés), des outils sur galets (choppers, chopping-tools, proto-bifaces, pics des Cresses) et quelques rares outils sur éclat (fig. 13). Cette série serait postérieure à la mise en place de la terrasse, mais antérieure aux phénomènes d'altération ;

— La série III est représentée par un biface lancéolé (fig. 12, n° 1) en silex nettement plus récent. Il pourrait être attribué à un Acheuléen supérieur.

LES STATIONS ACHEULÉENNES DU BASSIN DE L'ORB.

Comme dans le Bassin du Libron, dans la Basse vallée de l'Orb, plusieurs stations acheuléennes ont été découvertes sur les terrasses quaternaires : l'Ardide, Grand Albal.

L'outillage rappelle celui de la série II de la Tourasse et celui de la série II du Bassin du Libron : biface ovalaire, lancéolé, chopping-tool, disque, quelques éclats. Il peut être attribué à un Acheuléen moyen et daterait du début du « Riss ».

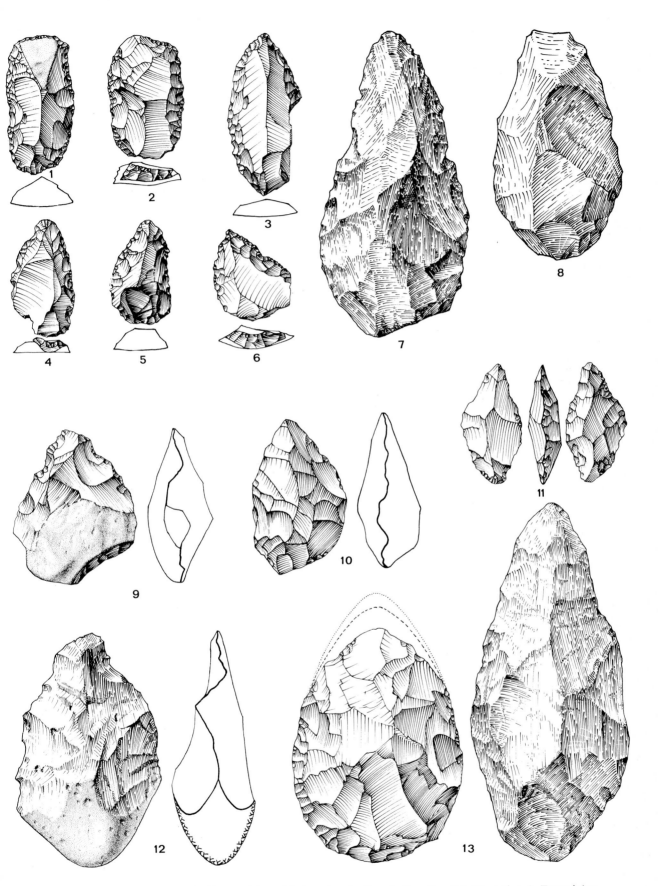

FIG. 14. — Industrie de l'Acheuléen supérieur. 1 à 8, station du Cros-de-Peyrolles; 9 à 12, station de Fontarèche; 13 et 14, station de Mas Signargues. *1:2 de la gr. nat.*

LES STATIONS ACHEULÉENNES DU BASSIN DU LIBRON.

Le Libron est un petit fleuve côtier qui se jette dans la Méditerranée à l'Est de Béziers.

Dans la basse vallée du Libron, sur des glacis quaternaires disséqués et sur des terrasses en grande partie démantelées, ont été découvertes plusieurs stations acheuléennes.

D'après les patines et l'altération des pièces, plusieurs séries peuvent être distinguées.

La série I (stations de Castelbon, des Cresses, du Pech, de Grand Muscat) qui correspond à un Acheuléen moyen, généralement roulée dans les terrasses du début du « Riss », comprend des bifaces lancéolés, lancéolé allongé, triangulaire. Cette série est comparable à celle de la série I de la station de la Tourasse.

La série II (stations du Ruisseau de l'Aire, de la Saignasse, de Compariès) correspond également à un Acheuléen moyen et serait pénécontemporaine de la mise en place de la terrasse du début du « Riss ».

Les bifaces ont généralement été taillés sur des galets de quartzite plats et allongés : amygdaloïdes, ovalaires épais, ovalaires peu épais, discoïdes, subcordiformes, triangulaires, sublancéolés, lancéolés, lancéolés allongés, irréguliers.

Taillés au percuteur de pierre, ils présentent de grands enlèvements larges et creux. Les retouches secondaires destinées à régulariser les bords sont rares ou absentes. Outre les bifaces, l'industrie comprend des outils sur galet (choppers et chopping-tools), des polyèdres et quelques éclats non levallois.

Cette série est comparable à celle de la série II de la station de la Tourasse.

LA STATION ACHEULÉENNE DU CROS DE PEYROLLES.

La station du Cros de Peyrolles est située sur le territoire des communes d'Allègre et de Rivière, sur la rive droite de l'Auzon, affluent de la rive droite de la Cèze.

Plusieurs séries ont pu être distinguées d'après les patines. Les plus anciennes (miel, jaune sable, jaune clair et ivoire) (fig. 14, nᵒˢ 1 à 8) correspondent à un Acheuléen supérieur de débitage levallois, contenant une forte proportion de racloirs (IR ess = 62,7). Les outils allongés à bords retouchés convergents (racloirs convergents et déjetés) sont assez nombreux ; le groupe denticulé domine sur le groupe paléolithique supérieur ; les couteaux à dos sont extrêmement rares.

Les bifaces sont relativement abondants, typiquement acheuléens : lancéolé allongé, ficron lancéolé, naviforme, ovalaire, cordiforme.

L'outillage acheuléen de la série miel du Cros de Peyrolles a été pris comme type pour définir l'*Acheuléen supérieur méditerranéen, de débitage levallois, riche en racloirs*.

Un Acheuléen supérieur de même type a été découvert au Mas Signargues et à Fontarèche (série jaune).

LA STATION ACHEULÉENNE DE MAS SIGNARGUES.

Au Mas Signargues (Saint-Privat-de-Champclos), l'industrie (fig. 14, nᵒˢ 13 et 14), proche de celle du Cros de Peyrolles, correspond à un Acheuléen supérieur, de débitage levallois, riche en racloirs, pauvre en couteaux à dos aménagé. Les bifaces sont typiquement acheuléens, lancéolé, allongé et micoquien.

FONTARÈCHE.

La station de Fontarèche (commune de Fontarèche) est située dans la partie amont du Bassin de la Tave.

L'outillage (fig. 14, nᵒˢ 9 à 12) peut être regroupé en deux séries d'après les patines. La série la plus ancienne, jaune sable, correspond à un Acheuléen supérieur de débitage levallois. Les bifaces sont assez nombreux : ficron lancéolé, cordiforme allongé, ovalaire dissymétrique, subcordiforme.

LES STATIONS ACHEULÉENNES DE LA VALLÉE DU GARDON.

Plusieurs terrasses quaternaires peuvent être distinguées dans la vallée du Gardon : Terrasse de l'Usine, attribuée à la première partie du « Riss » ; Terrasse de Fournès, attribuée au « Riss ».

Sur la terrasse de l'Usine, près de la Bégude de Vers ont été découvertes des industries pouvant être regroupées en deux séries :

— *Une série patinée en brun, miel ou jaune*, dont les pièces ont été roulées et souvent concassées. L'outillage correspondant est donc contemporain de la mise en place de la terrasse, mais antérieur aux phénomènes de cryoturbation et de solifluxion qui ont affecté les dépôts.

Cette station est particulièrement intéressante car elle permet de mieux situer dans la chronologie les séries acheuléennes à patine brun, miel et jaune du Gard et du Vaucluse.

L'industrie correspond à un Acheuléen supérieur, de débitage levallois. Présence d'un biface amygdaloïde grossier, taillé par grands enlèvements, au percuteur de pierre.

— *Une série patinée en blanc*, assez pauvre, paraît correspondre à un Acheuléen supérieur de débitage levallois.

Chronologie	Terrasses	Altération	Concassage	Industries
WURM			Concassage des outils de la série acheuléenne II	
		Altération des outils de la série acheuléenne II (*blanc*)		
		▼	▼	II. Séries acheuléennes à patine blanche
RISS RECENT	Terrasse de Fournès			
			Concassage des outils de la série acheuléenne I	
		Altération des outils de la série acheuléenne I (*brun, miel, jaune*)		
RISS ANCIEN	Terrasse de l'Usine	▼	▼	I. Séries acheuléennes à patines brun, miel, jaune

Sur la terrasse de Fournès, une industrie, à patine blanche, correspondant à un Acheuléen supérieur, de débitage levallois, a été découverte en place, dans la tranchée de l'autoroute. Non roulée, elle est postérieure à la mise en place de la terrasse et peut être contemporaine de la série patinée en blanc de la terrasse de l'Usine.

LA STATION ACHEULÉENNE DE SAINT-HIPPOLYTE-DE-MONTAIGU.

Au Sud de Saint-Hippolyte-de-Montaigu, au lieu-dit La Tourasse, sur la rive droite du Coucouyon, affluent du Gardon, une station de l'Acheuléen supérieur a été découverte. Débitage levallois non dominant, forte proportion d'éclats levallois non transformés en outils, pourcentage moyen de racloirs (IR ess = 32), abondance des encoches et des denticulés ; biface lancéolé.

LA STATION ACHEULÉENNE DE SAINT-MAMERT (Gard).

Elle a livré un biface lancéolé, à bords légèrement ensellés, qui évoque les types micoquiens.

LA STATION ACHEULÉENNE DU MAS GUIRAUD.

La station du Mas Guiraud, près de Parignargues (Gard), a livré un biface en quartzite, lancéolé, très détérioré, de patine brun jaune.

LA STATION ACHEULÉENNE DU PLO DE LA FAGE.

Cette station est située près de Saint-Roman-de-Codières (Gard), à la limite méridionale du massif des Cévennes. Elle a livré un biface cordiforme, en chaille, de très belle facture.

Bibliographie

[1] BADA Jeffrey L. (1976). — Application of Amino Acid Racemization dating in Paleoanthropology and Archaeology. *Paper to be presented at IX Congress International des Sciences Préhistoriques et Protohistoriques, Nice, 13-18 Septembre 1976. Colloque I : Datations absolues et analyses isotopiques en Préhistoire. Méthodes et limites.* 18 p. dactyl., 5 tabl., 1 fig.

[2] BARRAL L. et SIMONE S. (1972). — Le Mindel-Riss et le Riss à la Grotte d'Aldène (Cesseras, Hérault). *Bulletin du Musée d'Anthropologie Préhistorique de Monaco,* fasc. n° 18, 1972, p. 45 à 68, 11 fig., 13 réf. bibl.

[3] BARRIÈRE J., BOUTEYRE G., LUMLEY H. de, RUTTEN P. et VIGNERON J. (1965). — Relations entre deux surfaces rissiennes, une plage tyrrhénienne et des industries paléolithiques en Languedoc méditerranéen (Montels, Hérault). *Bulletin de la Société Géologique de France,* 7e série, t. VII, 1965, p. 981 à 997, 7 fig., 1 tabl., 29 réf. bibl., avec un appendice sur les foraminifères par Madame Laure Blanc-Vernet et un appendice sur les pollens par Madame Josette Renault-Miskovsky.

[4] BARRIÈRE J., BOUTEYRE G., LUMLEY H. de, RUTTEN P. et VIGNERON J. (1967). — Les industries du Paléolithique inférieur de la région de Capestang (Hérault) et leurs relations avec les formations quaternaires. *Bulletin de la Société Préhistorique Française.* Etudes et Travaux, t. LXIV, 1967, fasc. 2, p. 305 à 326, 13 fig., 28 réf. bibl.

[5] BAZILE Frédéric et ROBERT Evelyne (1970). — La station du Mas Guiraud (Parignargues, Gard) et le Paléolithique ancien dans la garrigue de Nîmes. *Compte-rendu des séances mensuelles de la Société Préhistorique Française,* n° 8, Novembre 1970, p. 240 à 242, 3 fig.

[6] BONIFAY Eugène (1968). — Stratigraphie et industries lithiques de la grotte n° 1 du Mas des Caves à Lunel-Viel (Hérault). *La Préhistoire, problèmes et tendances,* Editions du Centre National de la Recherche Scientifique, p. 37 à 46, 4 fig.

[7] BONIFAY Marie-Françoise (1971). — Carnivores quaternaires du Sud-Est de la France. *Mémoires du Museum National d'Histoire Naturelle,* Série C, t. XXI, fasc. 2 et dernier, 377 p., 109 tabl., 76 fig., 27 pl. h.t., 354 réf. bibl., index des noms de lieux.

[8] BOUDIN Renée-Claude (1975). — La géochimie appliquée à l'étude du Quaternaire. La Caune de l'Arago, Tautavel, Pyrénées-Orientales. *Mémoire présenté pour l'obtention du D.E.A. de Géologie des Formations Sédimentaires. Etudes fondamentales et appliquées.* Soutenu en Juin 1975, Université de Provence, Laboratoire de Paléontologie Humaine et de Préhistoire, 34 p., 9 fig.

[9] CHALINE Jean (1973-1974). — Les rongeurs de la grotte d'Aldène. Une nouvelle séquence climatique du Pléistocène moyen. *Bulletin du Musée d'Anthropologie Préhistorique de Monaco,* fasc. n° 19, p. 5 à 20, 3 fig., 6 tabl., 10 réf. bibl.

[10] GOTTIS M., LENGUIN M., SELLIER E. et TAVOSO A. (1972). — Hypothèses sur les causes et la chronologie des défluvations dans la gouttière de Carcassonne entre Toulouse et Narbonne. *Bulletin de la Société Linéenne de Bordeaux,* t. II, n° 6, Juin 1972, 2 fig., 26 réf. bibl.

[11] HUGUES C., LORBLANCHET M. et RAVOUX G. (1969). — Sur le Paléolithique ancien et moyen des Cévennes et des Garrigues du Gard. *Quartär,* 20, p. 47 à 68, 14 fig., 12 réf. bibl.

[12] LUMLEY Henry de (1969). — La Caune de l'Arago Union Internationale pour l'étude du Quaternaire. VIII° Congrès INQUA, Paris 1969, livret-guide de l'excursion A6, Pyrénées-Orientales et Centrales, Roussillon, Languedoc occidental, p. 84 à 88, fig. 37 et 38.

[13] LUMLEY-WOODYEAR Henry de (1971). — Le Paléolithique inférieur et moyen du Midi méditerranéen dans son cadre géologique. t. II, Bas-Languedoc Roussillon-Catalogne, Ve Supplément à *Gallia-Préhistoire,* 445 p., 300 fig., 901 réf. bibl., index.

[14] LUMLEY Henry de (1971). — Découverte de l'Homme de l'Arago. *Le Courrier du C.N.R.S.,* n° 2, Octobre 1971, p. 16 à 20, 7 fig., 2 tabl.

[15] LUMLEY Henry et Marie-Antoinette de (1971). — Découverte des restes humains anténéandertaliens datés du début du Riss à la Caune de l'Arago. (Tautavel, Pyrénées-Orientales). *Comptes-rendus de l'Académie des Sciences de Paris,* t. 272, série D, 29 mars 1971, p. 1739 à 1742, 2 fig., 1 pl. ph. h.t.

[16] MEIGNEN Liliane (1975). — Un gisement acheuléen du Gard. La station de Saint-Hippolyte-de-Montaigu. *Bulletin de la Société Préhistorique Française.* Comptes-rendus des séances mensuelles, t. 72, 1975, n° 8, p. 236 à 239, 3 fig., 6 réf. bibl.

[17] PENEAUD Patrick (1975). — Etude d'une diagénèse en grotte. La Caune de l'Arago, Tautavel, Pyrénées-Orientales. *Mémoire présenté pour l'obtention du D.E.A. de Géologie Dynamique.* Option Pédologie. Soutenu le 29 octobre 1975, Université Pierre et Marie Curie. Institut National Agronomique, Paris-Grignon, 34 p., 4 fig., 4 pl. h. t., 1 tabl.

[18] TUREKIAN KARL K. (1976). — Uranium decay series dating of the travertines of Caune de l'Arago (France). *Paper to be presented at IX Congress International des Sciences Préhistoriques et Protohistoriques, Nice, 13-18 Septembre, 1976. Colloque I : Datations absolues et analyses isotopiques en préhistoire. Méthodes et limites.* 8 p. dactyl., 1 tabl., 1 fig.

Les civilisations du Paléolithique inférieur dans la Basse-Isère

par

Jacques Elie BROCHIER *

Résumé. Deux faciès de l'Acheuléen sont décrits. Le premier est un faciès de débitage (gisement de Curson) qui offre de grandes analogies avec l'industrie rissienne de la Grotte de l'Observatoire. Le second, dont l'âge est fixé entre la fin du Mindel et le Riss ancien est caractérisé par l'importance de l'outillage sur galet, par la présence de bifaces souvent grossiers et partiels et de hachereaux sur éclat.

Abstract. Two aspects of the Acheulean are described. The first deals with the debitage (the site of Curson) which offers many analogies with the Rissian industry at the Grotte de l'Observatoire. The second, whose age is situated between the end of the Mindel and the early Riss, is characterized by the importance of the pebble tool industry, by the presence of cleavers and of often crude and partial bifaces.

La région du confluent Rhône-Isère offre au géologue une remarquable succession de niveaux alluviaux mis en place durant tout le Quaternaire. La rareté des gisements stratifiés dans ces dépôts contraste avec les nombreux témoins de l'occupation humaine de la région rencontrés en surface des terrasses fluviatiles. Pour l'instant, seul le niveau mindélien (terrasse de Fouillouse et de la Léore) bien conservé par rapport aux niveaux plus anciens a fourni une industrie acheuléenne.

I. Les gisements stratifiés.

A. LE GISEMENT DE CURSON.

En 1876, A. Nugues signale la découverte d'ossements dans la sablière Juge à Chanos-Curson, petit village situé entre Romans et Tain (Drôme). Le gisement se trouve dans la vallée du ruisseau de Veaunes non loin de son débouché dans la vallée de l'Isère.

En 1885, E. Chantre y conduit des fouilles et récolte, associés à des ossements d'*Elephas intermedius* (*trogontherii*), des éclats indubitablement taillés.

La stratigraphie, relevée par C. Côte en 1934, est la suivante : sur trois mètres d'épaisseur environ, la coupe est formée d'un sable fin dans lequel s'intercalent de haut en bas, une couche de sable grossier, une couche de sable rouge, un niveau d'argile, une couche de sable noir. La faune et l'industrie sont concentrées à la base des sables, au contact d'une couche d'argile d'âge peut-être Pliocène.

Les corrélations avec les formations alluviales iserannes ne sont pas encore très claires. Un âge rissien paraît cependant probable.

L'industrie lithique est composée d'une cinquantaine d'éclats le plus souvent en calcaire gris ou en chaille zonée. Quelques rares éclats de quartzite et de silex sont également présents. Ce débitage est très volumineux puisque les moyennes des longueurs

et des largeurs se situent autour de dix centimètres. L'épaisseur maximale est généralement comprise entre deux et quatre centimètres.

Nous utilisons dans l'étude technique suivante la méthode mise au point par A. Tavoso (1972). Les éclats sont répartis en 18 types caractérisés par la position et le développement des plages de cortex. Un diagramme cumulatif peut être construit pour faciliter les comparaisons (fig. 1).

Dans un premier temps les éclats sont divisés en deux lots : les éclats à talon cortical et les éclats à talon non cortical.

1. *Eclats à talon en cortex (type 1 à 9).*

Ils représentent 30 % des éclats. Leur face supérieure est totalement ou très largement corticale (types 1, 2 et 3 dominants). Les éclats portant la trace d'enlèvements antérieurs (types 4 à 9) sont très rares ou absents. Le débitage du galet, une fois l'entame détachée n'est donc pas poursuivi sur la même face. Le galet est immédiatement retourné et la deuxième étape du débitage commence.

2. *Eclats à talon non en cortex (type 10 à 18).*

Les éclats de type 10, 11 et 12, à surface supérieure largement corticale, sont les premiers éclats obtenus après le renversement du galet. Ils sont très bien représentés (34 %). Le débitage se poursuit ensuite latéralement fournissant les éclats à dos et bord distal en cortex (n° 13), à dos abrupt en cortex (n° 14) et à dos envahissant en cortex (n° 15). Il n'est pas possible de déterminer si le galet a été retourné ou non au cours de cette deuxième phase du débitage. Nous savons cependant, grâce à la présence de quelques éclats sans cortex (dont un levallois), que le débitage latéral était parfois poussé jusqu'à l'épannelage complet de l'une des faces, sans d'ailleurs que le but principal de l'opération ait été l'obtention d'éclats sans cortex.

Cette succession de gestes destinés à obtenir des éclats d'un type particulier illustre la technique la

* Laboratoire de Paléontologie Humaine et de Préhistoire, Faculté Saint-Charles. 13331 Marseille Cedex 3 (France).

plus fréquemment utilisée à Curson. Un éclat a toutefois été détaché d'un galet d'une façon très différente, décrite par R.A. Fournier à Terra Amata (R.A. Fournier, 1973). Ce type de débitage produit les galets à enlèvement(s) isolé(s) à bord convexe non tranchant.

Les talons des éclats forment dans la grande majorité des cas un angle très obtus avec la face d'éclatement. Les surfaces corticales, adjacentes au talon, perpendiculaires au plan d'éclatement, ont le plus souvent été modifiées par un seul enlèvement formant un talon lisse largement déversé. Cette *recherche systématique* d'un talon formant un angle très obtus avec la face d'éclatement peut-être illustrée par le tableau suivant :

	talon en cortex	talon non en cortex
talon formant un angle droit ou peu obtus avec la face d'éclatement.	60 %	6 %
talon formant un angle obtus avec la face d'éclatement.	40 %	94 %

Lorsque l'artisan dégage lui-même son plan de frappe il le fait de façon à ce que le talon forme un angle très obtus avec la face d'éclatement. Lorsqu'il utilise un plan de frappe naturel en cortex, l'inclinaison du talon dépend en grande partie de la morphologie du galet.

Les éclats sont la plupart du temps bruts de taille. Rares sont ceux qui sont retouchés et lorsque cela arrive la longueur du tranchant aménagé est toujours très réduite.

Rien n'indiquerait dans cette industrie sans biface ni hachereau un faciès acheuléen si nous ne connaissions l'industrie du foyer K de la grotte de l'Observatoire à Monaco dans laquelle une série d'éclats analogue à celle de Curson est associée à quelques bifaces acheuléen moyen (H. de Lumley, 1960, 1965) et à quelques hachereaux sur éclat (P. Villa, communication orale). Nous avons reporté sur la figure 1 le diagramme d'éclat de la grotte de l'Observatoire que nous devons à l'amabilité de Mme P. Villa. Les analogies, qui ont d'ailleurs été notées par plusieurs chercheurs (H. Breuil, 1932; H. de Lumley, 1960), sont frappantes. Elles concernent même la matière première et la dimension des éclats. Quelques différences de détail apparaissent cependant. La technique est plus simple qu'à Curson puisque, le premier éclat détaché, le galet est retourné pour donner un éclat de type 10 ou 12, puis le plus souvent abandonné. Le débitage latéral est presque inexistant.

L'industrie du gisement de Curson doit être considérée comme un faciès un peu particulier (« type Curson ») de l'Acheuléen moyen. Par comparaison avec l'industrie de la grotte de l'Observatoire un âge rissien est probable.

B. Le gisement de Vinay.

Découvert par F. Bourdier, il a fait d'objet d'une étude détaillée par A. Bocquet et M. Malenfant

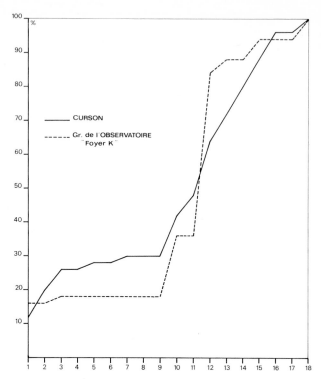

Fig. 1. — Diagrammes cumulatifs des éclats du gisement de Curson et du foyer K de la grotte de l'Observatoire. *Eclats à talon en cortex :* 1. A surface entièrement en cortex; 2. Limités par des fractures; 3. A rares enlèvements antérieurs; 4. A dos et bord distal en cortex; 5. A dos abrupt en cortex; 6. A dos envahissant en cortex; 7 A bord distal seul en cortex; 8 A plage résiduelle centrale; 9. A talon seul en cortex.

Eclats à talon non en cortex :
10. A surface entièrement en cortex; 11. Limités par des fractures; 12. A rares enlèvements antérieurs; 13. A dos et bord distal en cortex; 14. A dos abrupt en cortex; 15. A dos envahissant en cortex; 16. A bord distal en cortex; 17. A plage résiduelle centrale; 18 Sans cortex.

(1966). L'étude géologique du dépôt semble placer les très rares silex « Prémoustériens » au début du Riss III.

II. L'Acheuléen de la terrasse de Fouillouse.

L'Acheuléen est aujourd'hui connu en plusieurs points de la terrasse mindélienne de Fouillouse. Il s'agit de récoltes de surface. Cependant, la forte éolisation affectant les facettes de taille, la patine identique des enlèvements et du cortex prouvent que ces objets ont été taillés durant une période qui suivit de peu le dépôt de la terrasse. Un âge fin Mindel ou Riss ancien a été proposé (J.E. Brochier, 1975).

L'industrie, taillée dans les galets de quartzite de la terrasse, est très riche en choppers (76 % au gisement de Chapouiller) le plus souvent transversaux. Parmi ceux-ci, les choppers à bec, taillés par un petit nombre d'enlèvements, à tranchant non régularisé, sont assez bien représentés. Les chopping-tools sont toujours beaucoup moins abondants (14 % au gisement de Chapouiller) et de mauvaise facture. Les unifaces sont parfois présents. Les

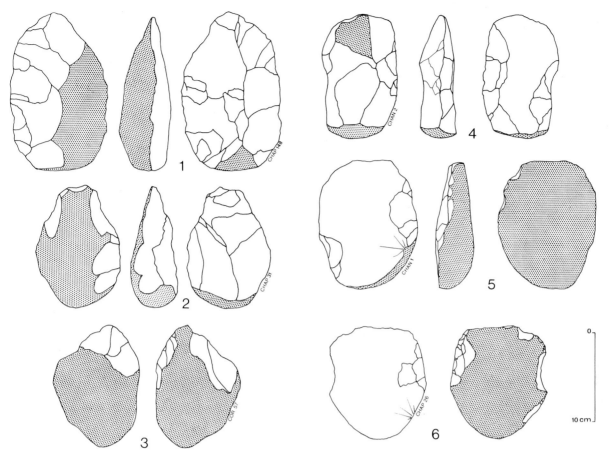

FIG. 2. — Bifaces et hachereaux sur éclat de la région du confluent Rhône-Isère.

1 et 2. Bifaces partiels (gisement de Chapouiller); 3. Biface partiel (gisement de Cornefain); 4 et 5. Hachereaux sur éclat (gisement de Chanalet); 6. Hachereau sur éclat (gisement de Chapouiller).

bifaces, le plus souvent partiels, conservent de larges plages corticales. D'aspect fréquemment très fruste, ils coexistent avec des formes plus soigneusement régularisées aux arêtes rectilignes.

Une caractéristique importante de cet Acheuléen est la présence, en nombre sensiblement équivalent à celui des bifaces, de hachereaux sur éclat. Tous sont du type O de J. Tixier.

La liaison avec le riche gisement d'Orgnac 3 en Ardèche, peut être en partie contemporain, n'est pas claire pour l'instant. Par contre on est tenté de rapprocher cet Acheuléen de celui de la vallée du Tarn (A. Tavoso, 1973) ou de l'Abbevillien du site de Terra Amata (H. de Lumley, 1966; R.A. Fournier, 1973). Dans ces gisements se rencontre en effet la même association caractéristique bifaces à talon réservé, largement corticaux, parfois grossiers, et hachereaux. Peut-être avons-nous ici un nouvel exemple du faciès méridional de l'Acheuléen défini par F. Bordes (1971).

Deux assemblages industriels sensiblement différents (Acheuléen des terrasses et Acheuléen de Curson) occupent donc la basse vallée de l'Isère durant la longue période couvrant la fin de la glaciation mindélienne, l'interglaciaire Mindel-Riss et la glaciation rissienne. La position relative de ces deux faciès Acheuléens ne peut encore pour l'instant être précisée.

Bibliographie

[1] BOCQUET A., MALENFANT M. (1966). — Un gisement prémoustérien près de Vinay. *Travaux du laboratoire de Géologie de Grenoble*, t. 42, p. 66-82.

[2] BORDES F. (1971). — Observations sur l'Acheuléen des grottes en Dordogne. *Munibe*, XXIII, 1, p. 5-24.

[3] BOURDIER F. (1961). — Le bassin du Rhône au Quaternaire. *Editions du C.N.R.S.*, 2 vol.

[4] BREUIL H. (1932). — Les industries à éclats du Paléolithique ancien. I - le Clactonien. *Préhistoire*, t. I, fasc. II, p. 125-190.

[5] BROCHIER J.E. (1975). — La station acheuléenne de Chapouiller (Chateauneuf d'Isère, Drôme). *Bulletin de l'Association française pour l'étude du Quaternaire*. 1, p. 31-41.

[6] CHANTRE E. (1901). — L'homme quaternaire dans le bassin du Rhône. *Annales de l'université de Lyon*, nouvelle série, I, fasc. 4, 189 p., 74 fig.

[7] COMBIER J. (1967). — Le Paléolithique de l'Ardèche dans son cadre paléoclimatique. *Publication de l'Institut de Préhistoire de l'Université de Bordeaux*, mémoire n° 4, 461 p.

[8] FOURNIER R. A. (1973). — Les outils sur galet du site mindélien de Terra Amata. *Thèse de doctorat de 3e cycle*, Marseille.

[9] LUMLEY H. de (1960). — Clactonien et Tayacien dans la région méditerranéenne française. *C.R. de l'Académie des Sciences,* t. 250, p. 1887-1888.

[10] LUMLEY H. de (1965). — Le Paléolithique inférieur et moyen dans son cadre géologique (Ligurie, Provence, Bas-Languedoc, Roussillon, Catalogne). *Thèse Fac. Sc., Paris,* n° 5229.

[11] LUMLEY H. de (1966). — Les fouilles de Terra Amata. Premiers résultats. *Bulletin du musée d'Anthropologie préhistorique de Monaco,* n° 13, p. 29-51.

[12] TAVOSO A. (1972). — Les industries de la moyenne terrasse du Tarn à Técou. *Bulletin du musée d'Anthropologie préhistorique de Monaco,* n° 18, p. 113-144.

[13] TAVOSO A. (1973). — La station acheuléenne de Chaubard à Grazac (Tarn) *Bulletin de la société préhistorique française,* t. 70, p. 103-107.

Les civilisations du Paléolithique inférieur dans le Jura méridional et les Alpes du Nord

par

Michel MALENFANT *

Résumé. Aux quelques pièces découvertes près de Vinay, à Mayoussière, en Basse Vallée de l'Isère, viennent de s'ajouter de nombreuses industries découvertes dans le Val de Lans, en Vercors, à plus de 1 000 m d'altitude. Elles reposent sur des dépôts glaciaires et glacio-lacustres affectés d'une puissante pédogénèse. Elles sont caractérisées par leur débitage levallois, un indice levallois typologique élevé, un pourcentage de racloirs limité, des pièces lourdes à arête latérale et dos épais, des choppers et chopping-tools sur rognons de silex et l'absence de biface. Elles pourraient être datées de la fin du Riss III ou du tout début du Riss-Würm.

Abstract. The discovery of assemblages near Vinay, at Mayoussiere, in Basse Valley of l'Isere can supplement the numerous finds at altitudes of over 1,000 meters in Val de Lans, in Vercors. The artifacts were found above glacial and glacio-lacustrine deposits greatly affected by pedogenesis. The assemblages are characterized by : levallois debitage, high index of levallois typology, limited number of scrapers, pieces with thick and dull lateral edges, choppers and chopping tools made of flint nodules, and absence of biface. These assemblages can probably be dated to the end of Riss III or to the beginning of Riss-Würm.

I. Cadre géographique et géologique sommaire.

Le champ géographique de cette étude s'étend, du Nord au Sud, de la cluse de Nantua aux massifs du Vercors et du Pelvoux, et d'Ouest en Est, de l'île Crémieu, des Terres Froides et du Bas-Dauphiné aux frontières suisse et italienne. Le Rhône et plusieurs de ses affluents, dont l'Isère, parcourent cette région de morphologie variée. Le Bugey est au Nord du Rhône, la Savoie Jurassienne au Sud-Est. Lui succèdent les Alpes du Nord et ses trois grandes régions : les Hauts Massifs savoyard et dauphinois que le Sillon subalpin sépare des Massifs subalpins où abondent les grottes, du Chablais (et Faucigny) près de la Suisse, aux Bauges, Grande-Charteuse et Vercors successivement vers le Sud. C'est le fait glaciaire qui donne son unité à cet ensemble tout entier compris dans la zone intra-würmienne, à l'exception des marches occidentales du Jura méridional qu'atteignit le glacier rissien. Moraines, terrasses et dépôts glacio-lacustres würmiens et rissiens, alpins et locaux comme dans le Vercors, sont partout présents. Toutes les industries découvertes en région alpine et attribuées au Paléolithique inférieur étaient au contact de vestiges glaciaires (1).

II. Les industries du Paléolithique inférieur.

Il ne semble pas possible de retenir, dans le cadre de cette étude, la « hache chelléenne » qui aurait été découverte à la fin du siècle dernier dans

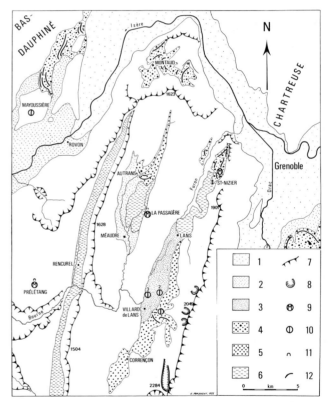

FIG. 1. — *Extrémité septentrionale du Vercors et Basse Vallée de l'Isère*. Situation des gisements du Paléolithique inférieur et du Paléolithique moyen. 1. Alluvions récentes de fond de vallée; 2. Alluvions würmiennes formant terrasses; 3. Alluvions glacio-lacustres du Val de Lans; 4. Moraines du glacier de l'Isère (Würm); 5. Moraines des glaciers locaux du Vercors (Würm et antérieur); 6. Molasse des synclinaux miocènes du Vercors; 7. Principaux escarpements; 8. Cirques glaciaires; 9. Gisements du Paléolithique moyen (grotte et plein air); 10. Gisements du Paléolithique inférieur (1. Les Mourets, 2. La Grande Terrasse, 3. Val Molière); 11. Grotte; 12. Vallum morainique. (Carte Monjuvent G., 1975).

_____

(1) On se rapportera à la carte générale de situation des gisements paléolithiques du Jura méridional et des Alpes du Nord et à la figure 1 du présent article.

_____

* Centre de Recherches d'Ecologie Humaine et de Préhistoire, 07000 Saint-André-de-Cruzières (France).

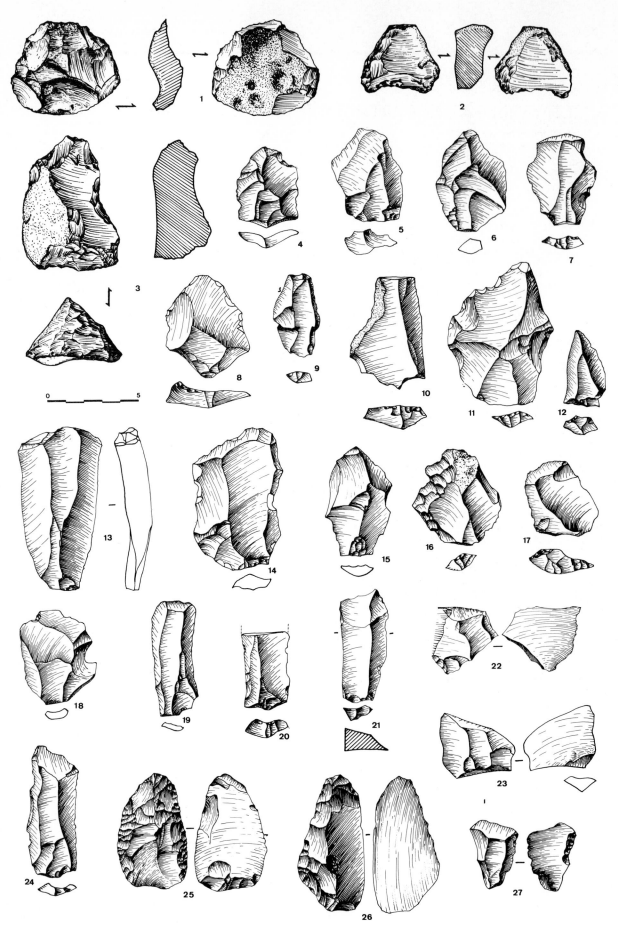

Fig. 2. — 1 à 3. Pièces du Gisement de Mayoussière, près de Vinay; 4 à 27. Industrie des Mourets, Val de Lans.
1. Nucleus levallois repris en nucleus discoïde; 2. Racloir latéral convexe et transversal concave; 3. Racloir transversal épais;
4. Eclat levallois, talon dièdre; 5. Eclat levallois, talon dièdre; 6. Eclat levallois, talon lisse; 7. Eclat, talon facetté rectiligne;
8. Eclat levallois, talon « en chapeau de gendarme »; 9. Eclat levallois, talon facetté convexe; 10. Eclat ordinaire, talon
facetté convexe; 11. Eclat levallois, talon facetté ocnvexe; 12. Pointe levallois, de deuxième ordre; 13. Eclat levallois;
14. Eclat levallois, talon lisse; 15. Eclat levallois, talon lisse; 16. Eclat levallois, talon facetté rectiligne; 17. Eclat levallois,
talon facetté convexe; 18. Eclat levallois, talon lisse; 19, 20, 21 et 24. Lames levallois; 22 et 23. Pointes pseudo-levallois;
25. Racloir double, biconvexe, à « coup-de-burin » distal inverse, aminci; 26. Racloir simple convexe; 27. Racloir sur la face plane.
Dessins : 1 Franck Bourdier. 2 et 3 Jean Combier. 4 à 27. C.R.E.P., Saint-André-de-Cruzières.

le Jura méridional au col de Thur, entre Hautecour et Bohan.

Dans le domaine alpin, aucun gisement en grotte de cette époque n'a encore été trouvé. Les industries décrites ici proviennent de la Basse vallée de l'Isère et du Vercors. On se contente de faire mention des industries de Vassieux-en-Vercors, en cours d'étude.

A. LES DÉCOUVERTES DE MAYOUSSIÈRE, PRÈS DE VINAY, ISÈRE.

Dans la basse vallée de l'Isère, F. Bourdier trouva, en 1935, un nucleus levallois, repris en nucleus discoïde (fig. 2, n° 1) dans un cailloutis attribué avec réserve au Riss III et situé entre un lambeau morainique alpin très altéré et plus de deux mètres de limon jaune moucheté de taches noires. En 1966, ce site livra (A. Bocquet, M. Malenfant) trois pièces patinées, légèrement charriées, dont deux racloirs (fig. 2, n°s 2 et 3), dans un limon ferrugineux, rougeâtre, décalcifié, entre la moraine et le limon. L'un des outils a été exécuté sur éclat de débitage clactonien. Les dépôts, sédiments, cailloutis et pièces, dans un thalweg, sont probablement remaniés. Il n'est pas sûr que les découvertes de 1935 et de 1966 proviennent du même niveau.

B. LES INDUSTRIES DU VAL DE LANS.

1. *Cadre géologique du Val de Lans.*

Le Val de Lans forme plateau à la partie Nord-Est du Vercors. A une altitude moyenne un peu supérieure à 1 000 mètres, des dépôts glaciaires l'occupent partiellement (fig. 1). Des études récentes (G. Monjuvent, 1969, 1970, 1971) ont montré l'hétérogénéité du complexe glaciaire-fluvio-glaciaire. Sous les cirques, à 2 049 m, des moraines fraîches locales seraient würmiennes tandis que des lambeaux morainiques altérés sont manifestement de datation anté-würmienne. Une longue terrasse, dans le grand axe, Nord-Sud, du val paraît bien être d'origine glacio-lacustre. Elle est surmontée de sols extrêmement évolués.

2. *L'industrie patinée de l'aire D 3 des Mourets.*

a) *Stratigraphie du dépôt des Mourets, position de l'industrie* (fig. 3). A 1 160 m d'altitude, l'aire D 3, en forte pente et dominée par un replat, porte une formation morainique locale, altérée fortement sur plus d'un mètre cinquante. Les sondages ont montré, sous la couche humique (couche I), un sédiment argilo-sableux, hétérogène, sans roche alpine, jaune-rougeâtre (couche II), ponctué de taches noirâtres ferro-manganiques et présentant des poches grisâtres, résidus de roches calcaires détruites par la pédogenèse. Les pièces reposent, à plat, 10 cm sous la limite supérieure de la couche II, des poches grisâtres pulvérulentes subsistent *au-dessus* du matériel lithique. La couche III présente les mêmes caractéristiques que la couche II mais devient progressivement plus sableuse et plus jaune. Les couches II et III sont entièrement décalcifiées et ont subi des lessivages. La granulométrie confirme qu'il

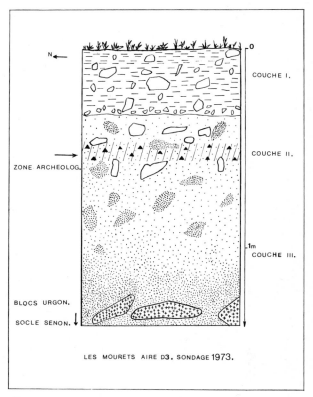

FIG. 3. — Représentation schématique de la stratigraphie de l'aire D 3 des Mourets, Val de Lans.

s'agit d'une moraine de fonte glaciaire. Ce sédiment a subi une longue et profonde altération sur place. *L'industrie était en place, qu'elle ait ou non légèrement glissé, avant que l'ensemble du dépôt ne soit affecté par la pédogenèse.*

b) *L'industrie.* 412 objets ont été découverts dont 280 lors des sondages. Le silex sénonien a fourni, sur place, le matériau.

— *Etude technique.*

L'indice levallois est bon, de *21,59.* Les *indices de facettage* sont très bas, *IF = 19,39* et *IFs = 11,51.* Les talons lisses représentent 48,17 % des talons reconnaissables. Il y a 22 talons dièdres. *L'indice clactonien* est de *6,06.* *L'indice laminaire,* pour 9 lames levallois et 10 lames ordinaires, est de *6,94.* Les 37 *nucleus* et fragments (8,98 % des objets et 20,91 % de l'outillage) comportent un tiers de levallois, à éclats (fig. 5, n° 3), à pointes (fig. 5, n° 2), de type primitif (fig. 4, n°s 18 et 19). Quatre nucleus, surélevés, ont fourni des éclats obtenus en série par percussion d'un même plan de frappe, naturel ou sommairement préparé (fig. 4, n° 17 et fig. 5, n° 1). Il y a quelques nucleus globuleux (fig. 4, n° 15), prismatiques ou informes. On a recueilli 200 éclats ordinaires (fig. 2, n° 10) et 83 très petits éclats.

— *Etude typologique et descriptive.*

L'indice levallois typologique est très fort, de *51,40.* Les *éclats levallois* sont d'assez bonne taille (fig. 2, n°s 4 à 9, 11 et 13 à 18). Sur les 59 éclats levallois sans retouche, 39 sont typiques. Les *lames levallois* peuvent être de belle venue (fig. 2, n°s 19 à 21 et 24). Il n'en est pas de même des 2 *pointes*

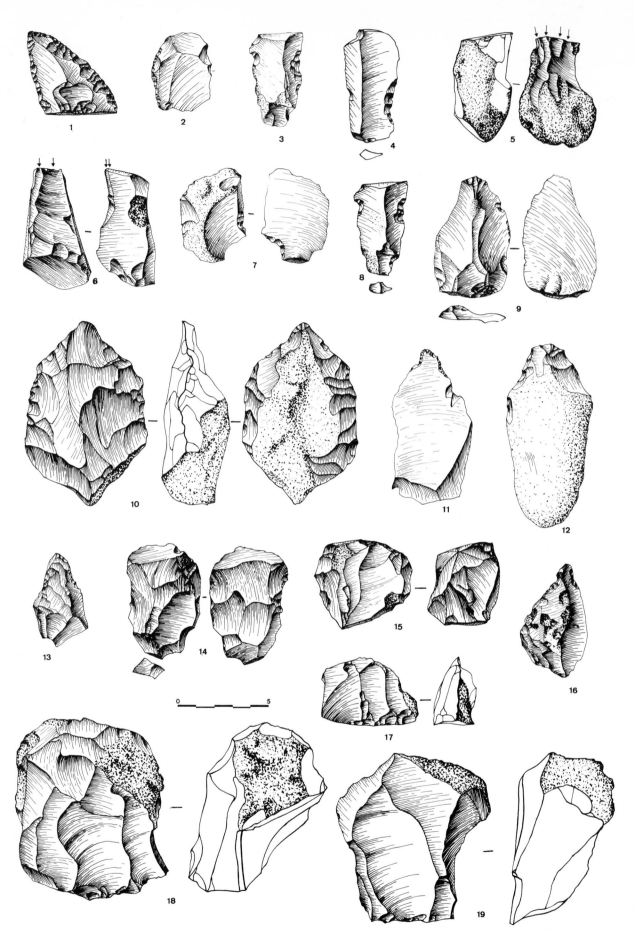

Fig. 4. — Industrie des Mourets, Val de Lans.

1. Racloir convergent, convexe, déjeté, aminci; 2. Racloir simple convexe; 3. Racloir simple droit; 4. Racloir simple concave 5 et 6. Burins polyédriques; 7. Coche; 8. Coche; 9. Grattoir; 10. Pièce à dos et arête latérale, à retouches bifaces; 11. Eclat appointé par retouches inverses; 12. Pointe-obtuse; 13. Pointe de Quinson atypique; 14. Eclat aminci; 15. Nucleus globuleux; 16. Bec; 17. Nucleus surélevé à enlèvements en série à partir d'un unique plan de frappe; 18. Nucleus levallois à éclat, de type primitif; 19. Nucleus levallois à pointe, de type primitif.

Desssins : C.R.E.P.

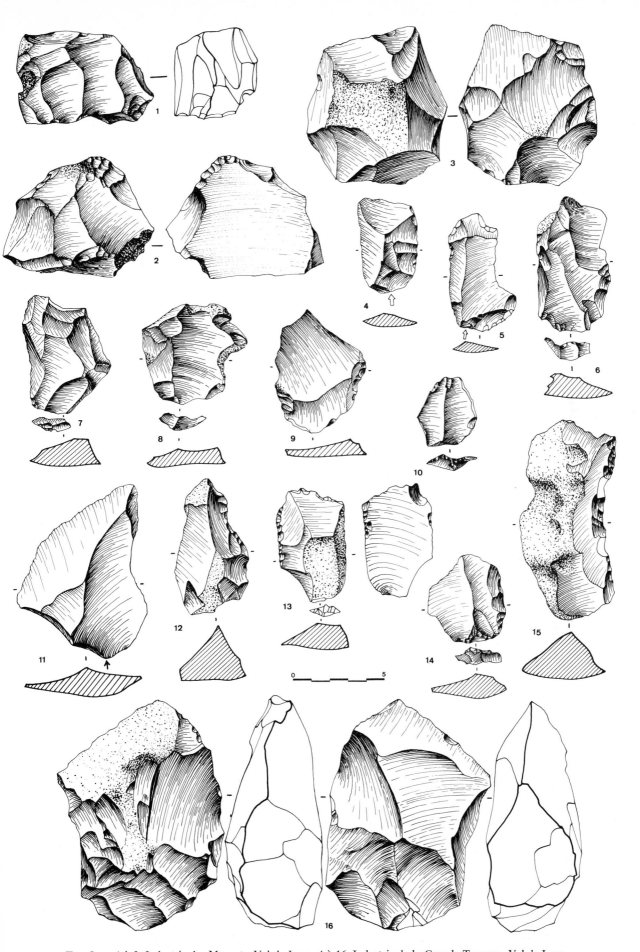

Fig. 5. — 1 à 3. Industrie des Mourets, Val de Lans; 4 à 16. Industrie de la Grande Terrasse, Val de Lans.
1. Nucleus unipolaire à enlèvements en série; 2. Nucléus levallois à pointe; 3. Nucleus levallois; 4 à 10. Eclats levallois;
11. Pointe pseudo-levallois; 12. Coche clactonienne surélevée; 13. Racloir simple droit. 14. Racloir simple convexe; 15. Racloir simple concave; 16. Pièce lourde à dos épais et arête latérale.
Dessins : C.R.EP.

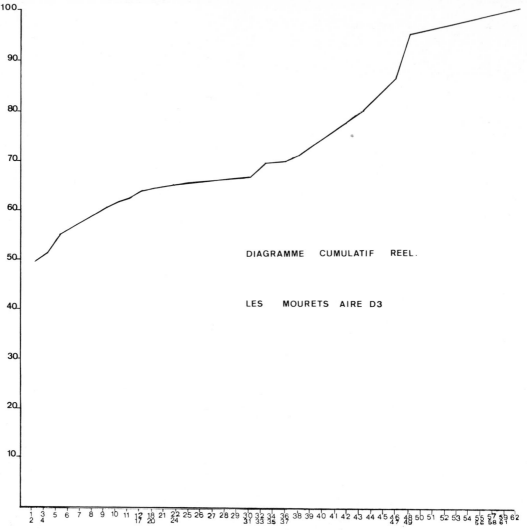

FIG. 6. — Industrie de l'aire D 3 des Mourets. Diagramme cumulatif réel.

levallois (fig. 2, n° 12). 2 des 6 *pointes pseudo-levallois* (fig. 2, n°ˢ 22 et 23) sont partiellement retouchées. L'*indice de racloir* est remarquablement bas, de *9,85*. Les *racloirs* simples droits dominent (fig. 4, n° 3) ; pour deux racloirs simples convexes (fig. 2, n° 26 et fig. 4, n° 2), on compte 1 racloir simple concave, sur lame (fig. 4, n° 4), 1 racloir double, biconvexe, aminci, à « coup-de-burin » distal (fig. 2, n° 25), 1 racloir convergent convexe, déjeté (fig. 4, n° 1, aminci), et 1 racloir sur face plane (fig. 2, n° 27). Les retouches de racloir sont variées, fines et marginales, larges et envahissantes ou lamellaires. Il y a 2 *grattoirs* (fig. 4, n° 9). 2 des 3 *burins* sont de type polyédrique (fig. 4, n°ˢ 5 et 6). L'outillage comprend encore 3 *couteaux à dos,* atypique ou à dos naturel, 10 *encoches* (fig. 4, n°ˢ 7 et 8), dont une clactonienne et un unique *denticulé.* Ont été classés dans la rubrique des divers : 1 *pièce denticulée carénée,* sur fragment de rognon épais, un *éclat appointi* par retouches inverses (fig. 4 n° 11), 1 *éclat aminci* (fig. 4, n° 14), 1 éclat retouché, 1 *pointe épaisse* sur rognon long, tendant au grattoir caréné (fig. 4, n° 12), 1 *bec* (fig. 4, n° 16, 1 *pointe de Quinson* atypique (fig. 4, n° 13) et

1 *pièce partiellement biface* (fig. 4, n° 10), à cortex réservé sur l'une des faces et à la base, à dos puissant et à arête latérale affinée par des retouches des deux faces. Il y a 10 *pièces à retouches abruptes minces* et 11 à *retouches abruptes épaisses.*

Dans les *groupes caractéristiques,* le groupe levalloisien domine avec 51,40, le groupe moustérien est de 14,08, ceux du paléolithique supérieur et des denticulés, respectivement de 4,22 et 2,11.

Le *diagramme cumulatif réel* (fig. 10) objective la forte proportion d'éclats levallois demeurés bruts. Le *diagramme cumulatif essentiel* (fig. 11) d'abord nettement concave vers le bas offre ensuite une forte montée due aux 11 encoches.

c) *Diagnose de l'industrie des Mourets.* Il s'agit d'*un faciès d'atelier.* En témoignent les nucleus, les 200 éclats ordinaires dont bon nombre portent du cortex et les 83 petits éclats de taille. *De débitage levallois, peu facettée et peu laminaire,* l'industrie comprend *un nombre très élevé d'éclats levallois et lames demeurés bruts* et *très peu de racloirs.* Il n'y a aucune pointe moustérienne, un seul denticulé, pas de biface mais une *pièce à arête latérale et dos épais.* Les nucleus levallois primitifs et les nucleus à enlè-

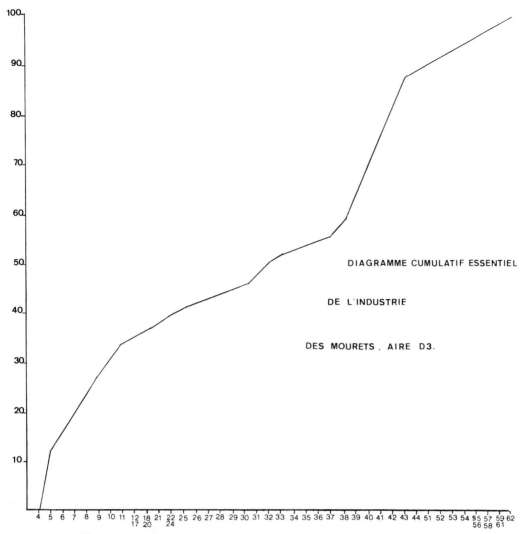

DIAGRAMME CUMULATIF ESSENTIEL

DE L'INDUSTRIE

DES MOURETS, AIRE D3.

FIG. 7. — Industrie de l'aire D 3 des Mourets. Diagramme cumulatif essentiel.

vements en série évoquent des modes de débitage de la *fin du Paléolithique inférieur*. L'industrie des Mourets peut être datée de cette période. *Elle est, techniquement et typologiquement, d'ambiance nettement levalloisienne.*

3. L'industrie de la Grande Terrasse (1 020 m).

a) *Position de l'industrie.* En situation sommitale, l'industrie recueillie sur la Grande Terrasse repose dans les tous premiers centimètres de sols extrêmement puissants et évolués ; les sondages ont montré les pièces, posées à plat. La plus grande partie du matériel a été, pour le moment, recueillie en surface dans des zones contiguës. Ce sont les rognons des sédiments glacio-lacustres de la terrasse qui ont donné le matériau. Les objets sont fortement patinés, du jaune-ocre au brun-rouille.

b) *L'industrie.* Elle offre, par sa technique, sa typologie et sa patine une évidente homogénéité. 125 pièces ont été découvertes. Les *nucleus,* au nombre de 29, comprennent des nucleus levallois à éclat (fig. 9, n° 1), à pointe (fig. 9, n° 6, sur rognon plat, de type archaïque, et n° 2), et à lame (fig. 9, n° 3). 4 nucleus, surélevés, ont donné des éclats obtenus en série à partir d'un seul plan de

frappe, naturel ou de préparation sommaire (fig. 9, n°s 4, 5 et 7). Il y a 1 petit nucleus discoïde (fig. 8, n° 8) et un nucleus bipolaire (fig. 8, n° 9). Les *éclats levallois* sont souvent épais, quelquefois fins (fig. 5, n° 4 à 10) ; ils sont plus nombreux que les éclats ordinaires. Un facettage rectiligne ou convexe affecte un peu plus de la moitié des pièces levallois qui comprennent également deux *lames* et deux *pointes* de premier ordre. On compte deux *pointes pseudo-levallois* dont l'une est de grande taille (fig. 5, n° 11).

Les *racloirs* sont assez nombreux, simple droit (fig. 8, n° 1), simples convexes (fig. 5, n° 14 et fig. 8, n° 6), simple concave (fig. 5, n° 15), latéral, partiel (fig. 8, n° 13 et alterne (fig. 8, n° 2). Ils ont été exécutés sur éclats épais ou puissantes lames. L'outillage comporte une *coche clactonienne* (fig. 5, n° 12), un fort *burin* (fig. 8, n° 3), un *grattoir-burin* usagé (fig. 8, n° 4) qui a été trouvé lors d'un sondage, des *chopping-tools* dont le n° 5 de la figure 8 et des *pièces lourdes, à enlèvements bifaces, à dos épais et arête latérale* (fig. 5, n° 16 et fig. 8, n° 7).

c) *Diagnose. Pourvue du débitage levallois,* l'industrie de la Grande Terrasse comprend un bon nombre d'*éclats levallois demeurés bruts, d'assez*

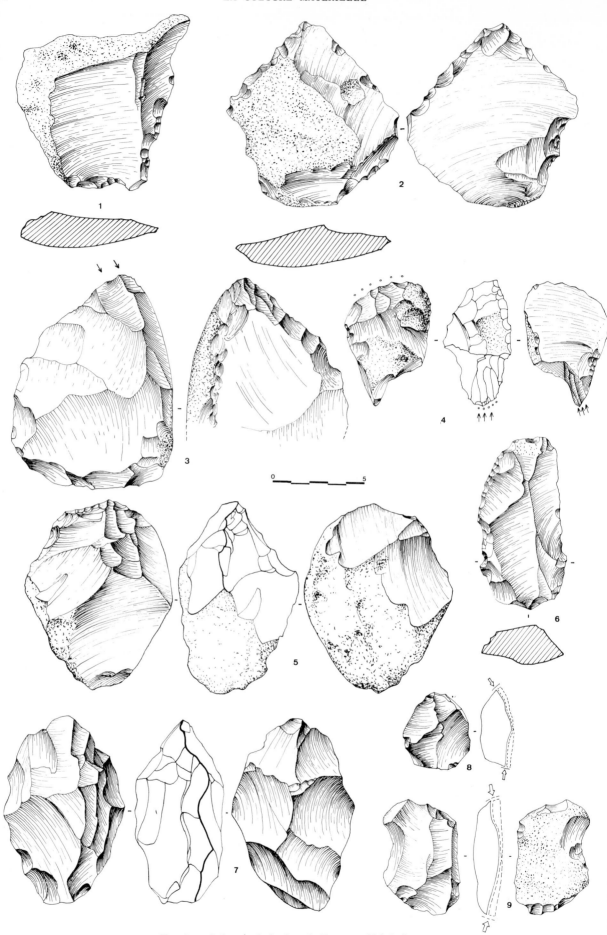

FIG. 8. — Industrie de la Grande Terrasse, Val de Lans.

1. Racloir latéral, partiel; 2. Racloir alterne; 3. Burin. 4. Grattoir-burin; 5. Chooping-tool; 6. Racloir simple convexe; 7. Pièce lourde à dos épais et arête latérale. 8. Nucleus discoïde. 9. Nucleus bipolaire.

Dessins : C.R.E.P.

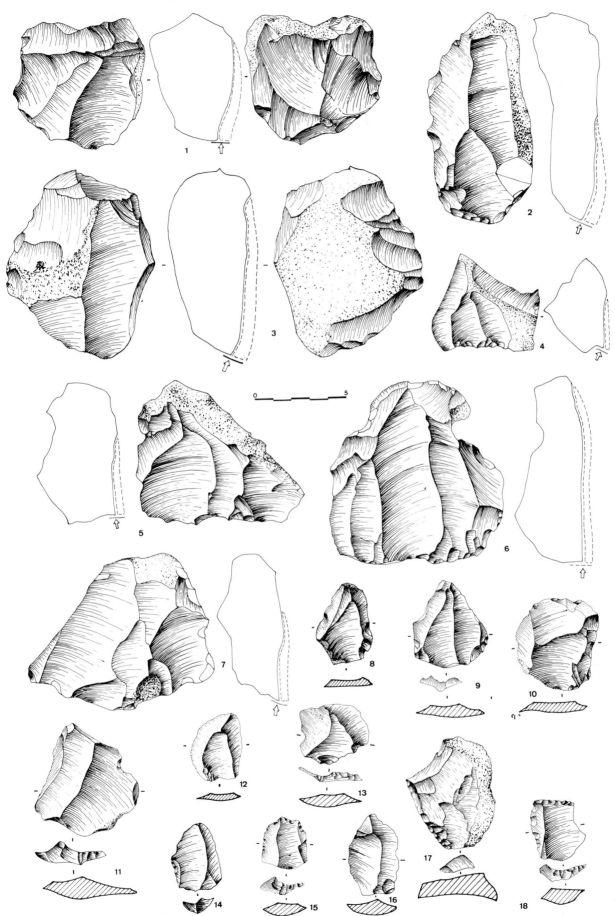

FIG. 9. — 1 à 7. Industrie de la Grande Terrasse; 8 à 18. Industrie de Val Molière, Val de Lans.

1. Nucleus levallois, à éclat; 2. Nucleus levallois, à pointe; 3. Nucleus levallois, à lame; 4, 5 et 7. Nucleus unipolaire à enlèvements en série; 6. Nucleus levallois à pointe; 8 à 16. Eclats levallois; 17. Racloir simple convexe, partiel; 18. Eclat tronqué. Dessins : C.R.E.P.

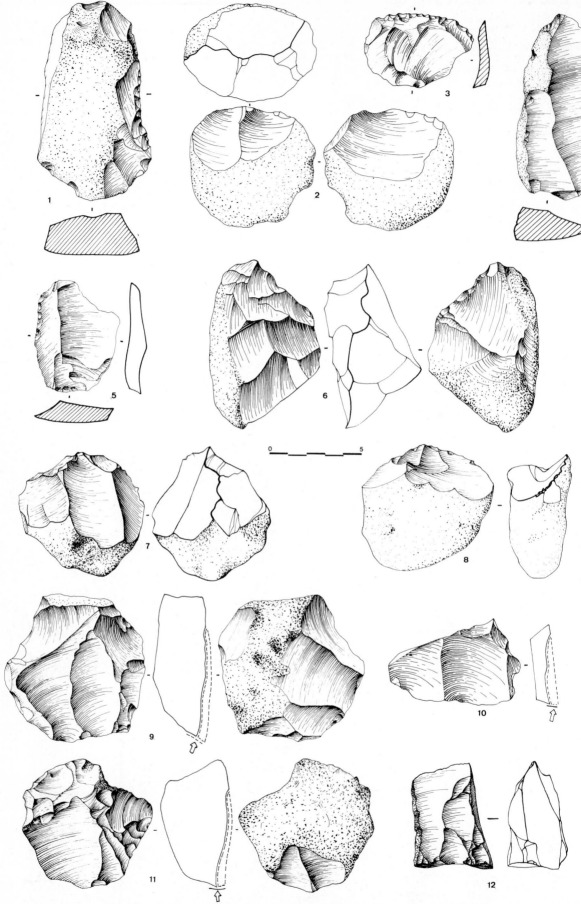

FIG. 10. — Industrie patinée jaune-ocre et jaune beige de Val Molière, Val de Lans.
1. Racloir simple concave; 2. Chopping-tool; 3. Racloir transversal convexe; 4. Couteau à dos; 5. Racloir simple droit;
6 et 7. Chopping tools; 8. Chopper; 9. Nucleus levallois à pointe; 10. Nucleus unipolaire à enlèvements juxtaposés; 11. Nucleus
prismatique.
Dessins : C.R.E.P.

nombreux racloirs, ni pointes moustériennes, ni denticulés, ni biface mais des *chopping-tools* et des *pièces lourdes à arête latérale.* Comme l'ensemble de l'industrie, les nucleus levallois primitifs et ceux qui portent des enlèvements en série suggèrent une *datation de la fin du Paléolithique inférieur.*

4. *Les industries de Val Molière* (895 m d'altitude).

a) *Situation des industries.* Les sondages de 1974 ont montré que les séries lithiques de Val Molière reposaient dans les tous premiers centimètres du sol très évolué, jaune-ocre, décalcifié, d'un niveau d'alluvions probablement glacio-lacustres situé en contre-bas de la Grande Terrasse. Il pourrait s'agir d'un niveau d'érosion.

b) *Les industries.* Il existe plusieurs séries de patines différentes.

— Série jaune-ocre et jaune-beige.

Ell est tirée des galets alluvionnaires de tailles diverses. Les *éclats levallois* sont nombreux, petits, généralement fins (fig. 9, nos 8 à 16). Le facettage est relativement rare mais peut être très soigné, y compris sur les éclats ordinaires, une soixantaine. Les *nucleus* comprennent des nucleus levallois à éclat (fig. 10, n° 11) et à pointe (fig. 10, n° 9) et des nucleus à plan de frappe unique dont sont partis des éclats par percussion en ligne (fig. 10, n° 10). L'outillage comporte des *racloirs,* simple droit (fig. 10, n° 5), simple convexe, partiel (fig. 9, n° 17), simple concave (fig. 10, n° 1), transversal convexe (fig. 10, n° 3). Les racloirs ont été fabriqués sur des éclats épais, pour la plupart. Il y a un *couteau à dos* en cortex et retouche distale, de belle facture (fig. 10, n° 4), et un *éclat tronqué* (fig. 9, n° 18). Ce sont les *choppers* (fig. 10, n° 8) et les *chopping-tools* (fig. 10, nos 2, 6 et 7), sur rognons de silex, qui dominent l'ensemble.

La série jaune-ocre et jaune-beige de Val Molière est caractérisée par *la présence du débitage levallois,* et d'un débitage d'éclats sur nucleus à plan de frappe unique dont sont partis des enlèvements juxtaposés, par *un nombre assez élevé d'éclats levallois demeurés bruts,* de *rares racloirs* et une *longue série de choppers et chopping-tools,* sur silex.

— *Série gris-beige à points noirs.*

Elle est de plus forte dimension que la précédente, moins abondante mais, comme elle, comprend des *éclats levallois demeurés bruts,* nettement plus nombreux que les éclats ordinaires. Ces éclats levallois (fig. 11, nos 1 à 3 et 5), offrent des talons lisses. Les *nucleus,* tous levallois, sont à éclat, de type primitif (fig. 11, n° 7) ou à pointe (fig. 11, n° 4, repris en *coche clactonienne*).

Cette courte série est remarquable par la présence d'*une pointe pseudo-levallois* de très belle venue (fig. 11, n° 6) mais surtout par *une pièce à dos épais et arête latérale à retouches bifaces* (fig. 11, n° 8) et un *très puissant chopping-tool* (fig. 11, n° 9).

c) *Diagnose.* Les séries jaune-ocre, jaune-beige et gris-beige à points noirs de Val Molière peuvent être attribuées à une civilisation de *la fin du Paléolithique inférieur* comprenant une industrie *avec débitage levallois,* des nucleus levallois parfois pri-

mitifs et des nucleus à enlèvements juxtaposés à partir d'un même plan de frappe, *un bon nombre d'éclats levallois demeurés sans retouche, peu de racloirs,* ni pointe moustérienne, ni denticulé, ni biface mais *des choppers, chopping-tools* et *pièces lourdes à dos épais et arête latérale, sur silex.*

III. Conclusions.

A. On ne peut tirer aucune conclusion au vu des quelques pièces découvertes à Mayoussière, près de Vinay. Les hommes préhistoriques qui séjournèrent dans la Basse Vallée de l'Isère, probablement à la fin du Riss III, pratiquaient la taille levallois et, semble-t-il, le débitage clactonien. L'homogénéité de cette courte série n'est pas démontrée.

B. Ce qui définit essentiellement *l'industrie patinée de l'aire D3 des Mourets,* dans le Val de Lans, en Vercors, c'est son *caractère levalloisien d'ensemble, à la fois technique et typologique.* Elle comprend, par contre, *très peu de racloirs,* ni pointe moustérienne, ni biface et un seul denticulé. L'absence de racloirs surélevés, la faiblesse de l'indice clactonien de cet ensemble cependant très peu facetté (mais où abondent les éclats ordinaires ou levallois à talon lisse éversé sur la face d'éclatement), l'indice laminaire, de 6,94 seulement, semblent également empêcher de vieillir l'industrie des Mourets au-delà de la fin du Riss III, malgré la présence de nucleus levallois de type primitif et d'un débitage, sur nucleus à un seul plan de frappe, d'éclats en série. Elle ne peut être insérée dans l'un des groupes culturels identifiés comme Acheuléen ou Prémoustérien de la fin du Riss III ou du tout début du Riss-Würm.

La pièce à dos épais et arête latérale, sorte de racloir à dos, à retouches bifaces, donne une note particulière à l'industrie, au sein d'une ambiance levalloisienne très affirmée qui semble constituer l'indicateur culturel décisif et pas seulement définir un faciès technique.

Si l'importance des éclats levallois non retouchés était liée, en effet, à des activités spécifiques du milieu alpin, où l'on peut légitimement penser que les contraintes subies par les hommes étaient puissantes et les activités (cynégétiques ?) difficiles, il faudrait expliquer pourquoi l'industrie des Mourets partage cette particularité avec bon nombre d'ensembles lithiques, de grotte ou de plein air, *dans les environnements les plus divers.*

Le milieu montagnard forestier et les activités des tribus dans ce milieu ont pu, probablement, infléchir certaines caractéristiques préexistantes de l'outillage, tel que l'usage de nombreuses pointes pseudo-levallois.

Mais il est difficile d'imaginer que pour des séjours saisonniers et sans doute relativement brefs, le milieu subalpin et les activités aient pu profondément remodeler des industries définies ailleurs comme acheuléennes ou prémoustériennes, elles auraient été dotées d'une surprenante plasticité, perdant par exemple bifaces et racloirs en grand nombre.

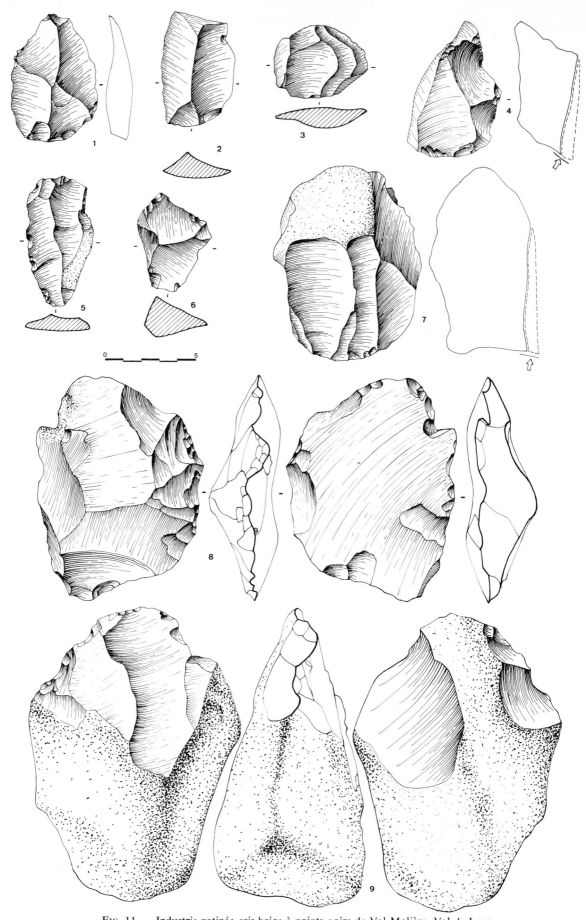

FIG. 11. — Industrie patinée gris-beige à points noirs de Val Molière, Val de Lans.
1 à 3 et 5. Eclats levallois; Nucleus levallois à pointe, repris en coche clactonienne surélevée; 6. Pointe pseudo-levallois;
7. Nucleus levallois à éclat, de type primitif; 8. Pièce lourde à dos épais et arête latérale à retouches bifaces; 9. Chopping-tool.
Dessins : C.R.E.P.

Gisement	Site	Altit.	Caractérist. de l'Industrie lithique	Culture	Datation	Rapports statigraph.
Mayoussière (Vinay).	Plein Air Basse Vallée de l'Isère	± 405 m	Débitage clactonien Débitage levallois Racloirs frustes	Homogénéité de la série : douteuse.	Fin Riss III ?	— Limon jaune à points noirs. — Limon rouge (niv. archéolog.) — Moraine altérée alpine
Les Mourets Aire D₃ (Villard-de-Lans).	Plein Air Massif du Vercors Val de Lans	1 160 m	Série Patinée Faciès d'atelier Ind. de débitage levallois, de faciès levalloisien. Peu de racloirs. Pas de biface. Pièce à arête latérale et dos épais. IL = 21,59. IL ty = 51,40	Levalloisien rissien ?	Fin Riss III-Début Riss-Würm ?	L'industrie repose sur un lambeau morainique local très altéré
La grande terrasse (Villard-de-Lans),	Plein Air Massif du Vercors Val de Lans.	1 020 m	Présence du débitage levallois. Nbˣ éclats lev. bruts. Racloirs. Pas de biface. Chopping-tools. Pièces à arête latérale et dos épais sur silex	Levalloisien rissien ?	Fin Riss III Début Riss-Würm ?	L'industrie repose sur un dépôt glacio-lacustre surmonté de sols très évolués
Val Molière (Villard-de-Lans)	Plein Air. Massif du Vercors Val de Lans.	895 m	— *Série jaune-ocre et jaune-beige* Présence du débitage levallois Nbˣ éclats levallois bruts. Peu de racloirs. Chopper. Chopping-tools sur rognons de silex. Pas de biface. — *Série gris-beige à points noirs* Présence du débitage levallois. Eclats levallois bruts. Pièce à dos épais et arête latérale. Chopping-tool sur rognon de silex. Pas de biface.	Levalloisien rissien ?	Fin Riss III Début Riss-Würm ?	- idem - (niveau d'érosion)

Alpes du Nord - Paléolithique inférieur

Comme il ne paraît pas possible de faire des industries du Val de Lans les témoins d'une culture spécifique du Vercors, dont l'existence eut été fort brève et les vestiges bien rares, l'explication semble résider dans *l'identification d'une civilisation levalloisienne,* sans biface mais comprenant un *outil lourd,* avec *très peu de racloirs,* sur l'horizon chronologique de la *fin du Riss III ou du tout début du Riss-Würm.*

Si le milieu subalpin a joué un rôle, c'est peut-être en récusant certaines industries, bien adaptées à des milieux divers et en acceptant l'intrusion saisonnière de tribus porteuses d'ensembles lithiques aptes à assurer la survie dans les milieux les plus opposés, au prix de quelques aménagements transitoires.

Les comparaisons que l'on pourrait tenter avec des industries du même âge sont rendues difficiles par la faiblesse, aux Mourets, du pourcentage des racloirs et des denticulés. Mais l'absence de biface, la présence du débitage levallois et l'importance numérique des éclats levallois bruts semblent permettre d'évoquer ici les séries rissiennes de la Baume des Peyrards (couches 26-23) et de Rigabe, celles, datées du Riss-Würm, d'Orgnac 3, niveau 1, et de la Baume-Bonne, les industries du Würm I de Buis-les-Baronnies, des Sablons, de Rigabe, niveau G, de la Baume des Peyrards (couches 18-13), ou celles des gisements loessiques de la Région parisienne.

Le meilleur terme de comparaison pourrait être trouvé à la grotte de Prélétang, en Vercors, où l'industrie, plus récente, sans doute Riss-Würm, offre, *dans un faciès d'habitat,* un indice levallois très fort (IL = 76,8), un très fort contingent de pièces levallois demeurées brutes (ILty = 78,5), un indice de racloir de 9,2 (il est de 9,85 aux Mourets), tandis que les pointes pseudo-levallois représentent 4,20 % de la liste-type (et 4,20 aux Mourets). A Prélétang, les pointes levallois sont par contre nombreuses et il y a des pointes moustériennes.

En guise de *conclusion provisoire,* on peut estimer que *l'industrie des Mourets,* sur ses caractéristiques techniques et typologiques, *semble bien appartenir à une civilisation levalloisienne de la fin du Paléolithique inférieur, sur la fin du Riss III ou le tout début du Riss-Würm.*

Les industries de la Grande Terrasse et de Val Molière paraissent contribuer à confirmer cette hypothèse. Dans l'état actuel de la recherche, il est difficile d'affirmer leur identité à la série des Mourets, mais elles appartiennent, très probablement, à la même famille. *Elles associent,* elles aussi, *le débitage levallois,* peut-être dominant, *à bon nombre d'éclats levallois utilisés bruts,* elles comportent *assez peu de racloirs, sauf à la Grande Terrasse,* elles *ne contiennent ni biface, ni pointe moustérienne, ni denticulé* mais *les choppers, chopping-tools et pièces lourdes à arête latérale et dos épais sur silex y sont nombreux.* Ces industries reposent sur des sols très évolués et c'est, du reste, la découverte des industries des Mourets, de la Grande Terrasse et de Val Molière qui révéla la présence de ces sols sur les dépôts glaciaires-fluvio-glaciaires du Val de Lans. L'attribution chronologique de certains de ces dépôts s'en trouve ainsi modifiée.

Bibliographie

[1] ALLIX A. (1914). — La morphologie glaciaire en Vercors. *Rev. Géogr. Alpine,* t. II, fasc. 1, p. 1-185, 1 carte.

[2] BOCQUET A. et MALENFANT M. (1966). — Un gisement prémoustérien près de Vinay (Isère). *Trav. Lab. Géol.,* Grenoble, t. 42.

[3] BOCQUET A. (1968). — *L'Isère pré et protohistorique,* 2 fasc. Thèse d'Université de Grenoble.

[4] BOCQUET A. (1969). — L'Isère préhistorique et protohistorique. *Gallia-Préhistoire,* t. XII, fasc. 1 ct 2.

[5] BONIFAY E. (1962). — *Les terrains quaternaires dans le Sud-Est de la France.* 1. vol. Imp. Delmas, Bordeaux.

[6] BORDES F. (1961). — *Typologie du Paléolithique ancien et moyen.* 2 vol. Inst. de Préh. Univers. Bordeaux. Imp. Delmas.

[7] BOURDIER F. (1961). — *Le bassin du Rhône au Quaternaire.* Géologie et Préhistoire. 2 vol. Edit. C.N.R.S. Paris.

[8] COMBIER J. (1967). — *Le Paléolithique de l'Ardèche, dans son cadre paléoclimatique.* Imp. Delmas, Bordeaux.

[9] LEQUATRE P. (1966). — *La grotte de Prélétang,* commune de Presles (Isère). *Gallia-Préhistoire,* t. IX, fasc. 1.

[10] de LUMLEY H. (1969 et 1971). — *Le Paléolithique inférieur et moyen du Midi méditerranéen dans son cadre géologique.* Tome I, Ligurie, Provence. Tome II, Bas-Languedoc, Roussillon, Catalogne. Vᵉ supplément à Gallia-Préhistoire. Editions du C.N.R.S.

[11] MONJUVENT G. (1971). — Le Drac, Morphologie, stratigraphie et chronologie quaternaire d'un bassin alpin. Thèse, Univ. Paris VI. Résumé stratigraphique : la transfluence Durance-Isère; essai de synthèse du Quaternaire du bassin du Drac. *Géologie Alpine,* t. 49, 1973, p. 57-118.

Les civilisations du Paléolithique inférieur des Pyrénées et du Bassin de la Garonne

par

André Tavoso *

Résumé. Le bassin supérieur de la Garonne a livré de nombreux gisements du Paléolithique inférieur, pour la plupart inédits. On peut en distinguer deux types : stations de surface associées aux alluvions (Acheuléen moyen à hachereaux sur éclat) et gisements en grotte. Parmi ces derniers, on peut remarquer l'existence de plusieurs types d'industries : Prémoustérien sans bifaces (Montmaurin, Nestier), Acheuléen (grotte de la Terrasse à Montmaurin), « Micoquien » (grotte du Coupe-Gorge, à Montmaurin).

Abstract. The Upper Basin of the Garonne has furnished numerous sites of the Lower Paleolithic which are for the most part unpublished. One can distinguish two types : open-air sites associated with alluvions (Middle Acheulean characterized by *hachereaux* on flakes) and caves sites. Among the latter, one notices the existence of several types of industries : Pre-Mousterian without bifaces (Montmaurin, Nestier), Acheulean (Grotte de la Terrasse at Montmaurin), "Micoquian" (Grotte du Coupe-Gorge at Montmaurin).

Entre le bassin de l'Adour à l'Ouest et celui de l'Aude à l'Est, le cours supérieur de la Garonne draine par ses affluents la partie orientale des formations plio-quaternaires du Lannemezan et l'extrémité occidentale des Petites Pyrénées.

Les formations quaternaires y sont largement étendues et leur plus grande partie est constituée par les terrasses alluviales qui longent la Garonne et ses affluents et dont l'étagement fournit les bases de la chronologie du Quaternaire régional.

De nombreux gisements du paléolithique inférieur y ont été découverts, dont certains ont été fouillés dès 1851, mais cette richesse n'est guère reflétée par la littérature, la plupart des gisements étant restés inédits.

Deux types de gisements peuvent y être distingués : les stations de surface et les remplissages de grottes.

Stations de surface.

Les stations acheuléennes de surface, associées en général aux dépôts alluviaux de la Garonne et de ses affluents, sont extrêmement nombreuses dans le bassin de la Garonne et Méroc a pu écrire que la moyenne terrasse (Mindel) constituait pratiquement un gisement ininterrompu, des Pyrénées à Castelsarrasin.

Cette richesse en gisements a depuis longtemps attiré les amateurs de bifaces qui y ont constitué de nombreuses collections, scientifiquement inutilisables pour la plupart (séries triées, de provenance douteuse...). Seuls quelques chercheurs, au premier rang desquels il faut citer Louis Méroc, ont pris le soin d'effectuer des observations stratigraphiques (quand elles étaient possibles) et de récolter toute l'industrie rencontrée. Il est malheureusement décédé avant d'avoir pu étudier toutes ses séries dont les seules descriptions accessibles sont les informations archéologiques publiées dans Gallia Préhistoire. Lorsqu'on veut décrire le Paléolithique inférieur de cette région, on est donc réduit à évoquer, grâce aux quelques séries signalées, l'énorme masse des outillages des terrasses (les gisements livrant des centaines de bifaces n'y sont pas exceptionnels).

A. Chronologie des gisements associés aux terrasses.

Dans la plupart des cas, les collections ont été constituées par ramassages de surface, après les labours.

La datation de telles séries peut se faire grâce aux arguments :

— typologiques : il s'agit d'outillages acheuléens, riches en bifaces amygdaloïdes et lancéolés,

— géologiques : postérieurs aux moyennes terrasses (Mindel) sur lesquelles ils sont nombreux et jamais roulés, ils sont absents de basses terrasses (Riss) où l'on rencontre cependant quelques pièces roulées (contemporaines des alluvions).

Quelques gisements ont cependant permis des observations stratigraphiques.

1. *Colomiers (Haute-Garonne)*.

La coupe de la briquetterie toulousaine d'En Jaca a livré, en 1959, une intéressante série d'outils acheuléens, à Louis Méroc.

Ils gisaient, en surface des alluvions altérées de la moyenne terrasse de la Garonne, sous des limons loessiques datés du Würmien par la découverte de restes de renne. Quelques pièces s'étaient enfoncées dans la couche de petits graviers qui forme le sommet des alluvions de la moyenne terrasse. Certains des quartzites taillés qui composent l'industrie portent une usure éolienne très typique.

Cette coupe permet de replacer l'Acheuléen à quartzites du bassin de la Garonne dans un cadre chronologique assez précis, puisqu'elle montre qu'il

---

* Laboratoire de Paléontologie Humaine et de Préhistoire, Université de Provence, Centre Saint-Charles, Place Victor-Hugo, 13331 Marseille Cédex 3 et U.R.A. n° 13 du C.R.A. (France).

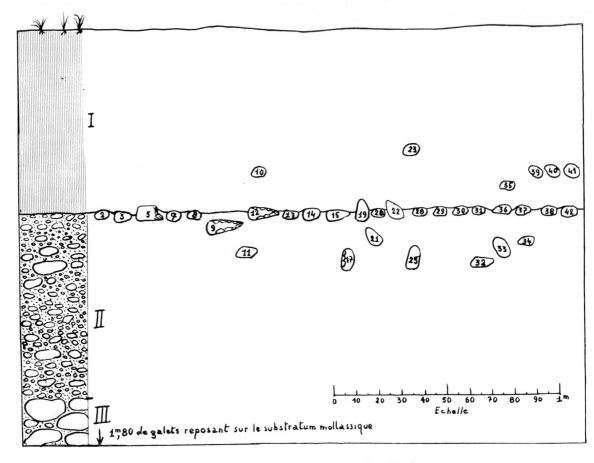

FIG. 1. — Colomiers. Briqueterie toulousaine d'En-Jaca.

Coupe schématique sur laquelle ont été conventionnellement groupés tous les quartzites taillés et galets éolisés récoltés *in situ*.
I. Loess récent; II. Petits galets; III. Gros galets (d'après L. Méroc, 1961).

est postérieur à l'altération de la moyenne terrasse (Mindel Riss) et antérieur au dépôt des limons würmiens qui la recouvrent.

2. *Le Lherm (Haute-Garonne).*

C'est en suivant les berges du canal de Saint-Martory, entre Bérat et Le Lherm, que L. Méroc, Antoine de Gauléjac, Pierre et Jean Lannes ont pu découvrir une autre série de quartzites taillés acheuléens, en place, au sommet de la moyenne terrasse.

La coupe relevée en ces lieux est la suivante :
— couche 1 : loess récent, jaune clair, non ferritisé,
— cailloutis limoneux ferritisé à nombreux gravillons quartzeux (0,02 m de diamètre moyen) cimenté de grepp (concrétion d'oxydes métalliques caractéristiques des horizons d'accumulation des sols lessivés acides de la région),
— sommet des alluvions de la moyenne terrasse (Mindel), fortement concrétionné de grepp.

L'industrie provient intégralement de la couche II où elle se trouve à plusieurs niveaux (elle semble cependant plus abondante au sommet). Méroc interprète cette formation comme le mélange (par cryoturbation ?) du sommet des alluvions mindéliennes avec un loess ancien rissien. Le Grepp qui cimente cette couche, serait alors rapportable à l'interglaciaire Riss-Würm.

3. *Plateau du Lannemezan.*

C'est dans la partie septentrionale du plateau que L. Méroc a pu étudier les limons qui forment la couverture de la formation de Lannemezan. Il y a distingué 8 couches dont deux ont livré des outillages préhistoriques :
1 — limons noirs subactuels,
2 — limon jaune clair peu plastique, parfois absent, livrant des outillages moustériens en quartzite non patinés d'âge würmien,
3 — cailloutis gélivé intermittent, correspondant au cailloutis de base de la couche 2,
4 — limon ocre ou rouille, très argileux et très plastique, livrant de grands bifaces acheuléens,
5 — cailloutis de base identique à la couche 3,
6 — limon sableux, coloré alternativement de bandes horizontales blanches et rouges (dérubéfaction en bande) rapporté par Méroc, au Mindel,
7 — cailloutis éolisé et concrétionné par des oxydes métalliques,
8 — sommet de la formation du Lannemezan : argile panachée à galets, cryoturbée à son sommet.

4. *Vallon de l'Infernet (Clermont-le-Fort, Haute-Garonne).*

Fouillé par Noulet en 1851, puis en 1953-54 par L. Méroc et J. Paloumé, ce site a l'intérêt de livrer, dans un contexte stratigraphique, faune et industrie.

Les fouilles récentes ont permis de relever une stratigraphie qu'on peut résumer ainsi, de haut en bas :

— limon colluvial néolithique (0,4 à 1 m) ;

— complexe argilo-sableux, parfois lité et marqué de ravinements, où s'individualisent des coulées ou couches de sables rouges d'origine pédologique. Cet ensemble, dont l'épaisseur atteint 2,50 m a été déposé par des phénomènes de ruissellement au pied de versants molassiques.

— « couche bleue », argiles litées plastiques contenant quelques lentilles sableuses,

— « couche à nodules » : sables et graviers déposés par le ruisseau de Notre-Dame,

— substratum miocène.

La faune et l'industrie proviennent des alluvions qui constituent la couche à nodules, bien que Méroc et Paloumé attribuent à la couche bleue quelques pièces qui, disent-ils, ne font probablement qu'un avec le sommet de la couche à nodules. La faune, comme l'industrie, se présente sous plusieurs états physiques différents qui prouvent qu'il y a eu mélange dans les alluvions de plusieurs occupations successives du site.

Si la faune semble assez homogène et de type würmien (Rhinocéros Tichorhinus, Mammouth, Cheval, Bouquetin, Renne), l'industrie a pu être répartie en trois séries, que leur typologie permet d'attribuer à l'Acheuléen pour les deux plus anciennes (série roulée et série éolisée) et au Moustérien de tradition acheuléenne, pour la plus récente.

Toutes ces stratigraphies permettent donc de rapporter les séries acheuléennes des gisements de surface à la période rissienne, puisqu'elles sont toujours postérieures aux alluvions mindéliennes et à leur altération au cours du Mindel-Riss, et antérieures aux limons ou cailloutis würmiens.

B. TYPOLOGIE.

C'est sans doute l'aspect le plus mal connu de ces outillages et il serait osé de vouloir tirer des conclusions valables des quelques pièces signalées dans la littérature (peut-être une centaine d'outils alors que la seule moyenne terrasse de la Garonne en a livré des dizaines de milliers !). Nous nous bornerons donc à quelques indications très vagues.

Il s'agit d'un Acheuléen, riche en grands bifaces, le plus souvent lancéolés et amygdaloïdes. La présence, dans toutes les séries, de hachereaux sur éclat, nombreux et typiques est le caractère le plus original de ces outillages, où se rencontrent, en outre, de nombreux outils sur galets (choppers, chopping tool, polyèdres). Les éclats, qui ne sont jamais très nombreux dans les séries récoltées en surface, ne sont que très rarement retouchés et de débitage non Levallois.

L'utilisation d'une roche facile à tailler, disponible sous forme de grands galets réguliers a permis une grande économie de gestes à l'auteur de cette industrie, où les bifaces typiques sont toujours accompagnés de bifaces partiels et d'unifaces.

Ces caractères permettent d'identifier l'Acheuléen du bassin de la Garonne à celui de la moyenne terrasse du Tarn que les études entreprises ces dernières années, ont permis de définir comme un Acheuléen moyen, d'âge rissien (Riss II et Riss III) riche en bifaces et hachereaux sur éclats.

Gisements en grotte.

Les grottes sont nombreuses dans les assises calcaires du bassin méridional de la Garonne (calcaires lacustres tertiaires, Petites Pyrénées) et un grand nombre d'entre elles possède (ou possédait) un remplissage quaternaire avec faune et industrie. Le Paléolithique supérieur y est fort répandu mais quelques cavités ont aussi livré des outillages antérieurs au Moustérien des dépôts würmiens. Il s'agit parfois de quelques pièces (éclats, outils sur galets) trouvées dans des couches profondes ou dans une galerie reculée : grottes de Fantas, Le Lherm, La Bouïche, Bouichetta, Tuteil, Rivernert (Ariège). Ces découvertes, effectuées lors d'une visite du site, d'un examen de la coupe ou d'un sondage limité, n'ont pas donné lieu à des fouilles (il semble souvent s'agir de séries fort pauvres) et ne peuvent avoir d'autre valeur que celles d'indices de l'occupation prémoustérienne de la région.

Trois gisements seulement on fait l'objet de fouilles suivies : les grottes du Coupe Gorge et de la Terrasse à Montmaurin (Haute-Garonne) et la grotte du Cap de la Bieille à Nestier (Hautes-Pyrénées).

A. LES GROTTES DE MONTMAURIN.

Connu depuis les travaux de Boule en 1902, le karst de Montmaurin a vu son ampleur révélée par l'exploitation d'une carrière qui mit au jour le remplissage, trè riche en faune et industrie, d'une cavité connue depuis sous le nom de grotte du Coupe Gorge. Dès 1946, Louis Méroc y entreprit des fouilles fort minutieuses et qu'il devait poursuivre jusqu'en 1961. L'ampleur et l'accumulation des tâches auxquelles ce chercheur scrupuleux dût faire face (en particulier le sauvetage d'un village chasséen, à Saint-Michel-du-Touch) ne lui permit pas de mener à son terme l'étude des grottes de Montmaurin, dont l'ensemble constitue une séquence unique dans la Préhistoire régionale. Ce n'est qu'en 1974, que le matériel issu des fouilles de L. Méroc, a été réparti entre différents spécialistes de la Préhistoire et de la Géologie.

1. *Chronologie générale et structure du karst.*

Le réseau des grottes de Montmaurin creuse un massif de calcaire danien, au pied duquel coule la Seygouade, affluent de la rive droite de la Save. Trois étages ont pu être distingués dans ce karst :

— niveau supérieur : grotte de Montmaurin (grotte Boule) et grotte de la Terrasse, ouvertes à 40 m au-dessus du lit actuel du ruisseau,

— niveau moyen : grotte du Coupe Gorge, niche, fissures et poches ouvertes à 28 m d'altitude relative,

— niveau inférieur : grottes du Putois, à 4 m au-dessus du niveau de la Seygouade.

La géologie du Quaternaire régional, rythmée par l'alternance des phases de creusement et de dépôt alluvial, fournit un cadre chronologique général aux remplissages de Montmaurin :

— Toutes les grottes s'ouvrent sous le niveau de la terrasse de 60 m (Mindel), qui existe de part et d'autre du massif où s'ouvrent les grottes. Elles sont donc post-mindeliennes.

— La grotte de la Terrasse, située à 40 m contient, à la base de son remplissage, un dépôt alluvial (que Méroc attribue aux « ruisseaux qui ont creusé la grotte ») qui peut être considéré comme un jalon du creusement, pendant le Mindel-Riss, de la vallée de la Seygouade.

— La grotte du Coupe Gorge est à 28 m au-dessus du lit actuel, c'est-à-dire à peu de chose près, au niveau de la terrasse rissienne de 25-30 m. Comme elle ne contient aucune couche de nature alluviale, on peut penser que son remplissage est postérieur à cette terrasse, dont l'édification date sans doute du début du Riss comme celle des basses terrasses du bassin du Tarn.

— Les grottes du Putois, enfin, s'ouvrent à un niveau qui n'a été atteint par la Seygouade qu'après le dépôt de la terrasse würmienne de 7-15 m.

Les études paléontologiques (grotte Boule) et l'identification des industries (grottes du Putois) viennent confirmer ce cadre puisque le plus ancien remplissage du karst qui livra à Boule des restes de Rhinocéros de Merck et de Machairodus, a montré à M. Girard une flore rapportable à l'interglaciaire Mindel-Riss, alors que les plus anciennes industries du Putois I sont constituées par des outils moustériens (au-dessus desquels le remplissage se poursuit par des niveaux du Magdalénien III).

C'est donc entre le Mindel-Riss et le Würm, que se sont remplies les deux grottes qui ont livré les industries attribuables au Paléolithique inférieur.

2. Grotte de la Terrasse.

En l'absence de toute étude détaillée de la stratigraphie, il est délicat d'avancer une datation pour un remplissage aussi important dont rien encore n'a été étudié et où Méroc a distingué :

— couche 1 :
  0,50 m d'éboulis calcaire anguleux,
  lit d'éclats de quartzite,
  0,30 m, limon brun jaunâtre à cailloux calcaires arrondis,
— couche 2 :
  0,30 m de couche archéologique sans bifaces,
  2 m de limon jaune clair pauvre en vestiges,
  2 a : sable argileux ossifère,
  2 b : argile bien rouge stérile,
  2 c : sable argileux ossifère ;
— couche 3 : 1,50 m de sable stérile ;
— couche 4 : 1,40 m de galets.

Méroc place les couches 2, 3 et 4 dans le Mindel-Riss, la couche 1 étant rissienne. Si pour la couche 4, cette datation est très vraisemblable, elle ne pourra être admise pour les couches 2 et 3 que si les études sédimentologiques, palynologiques et paléontologiques la confirment.

Méroc avait, au cours de ses fouilles, distingué deux types d'outillage : l'un à bifaces (couche 1), l'autre sans (couche 2). Les bifaces de la couche 1,

FIG. 2. — Coupe du remplissage de la grotte de Coupe-Gorge (Photographie G. Simonnet, 1969).

peu nombreux (une vingtaine) sont accompagnés d'outils sur galets et d'éclats bruts. Ils ressemblent beaucoup à ceux des stations acheuléennes de la moyenne terrasse de la Garonne (talons en cortex, bifaces partiels, unifaces) mais la série ne contient aucun hachereau sur éclat (sinon un exemplaire très

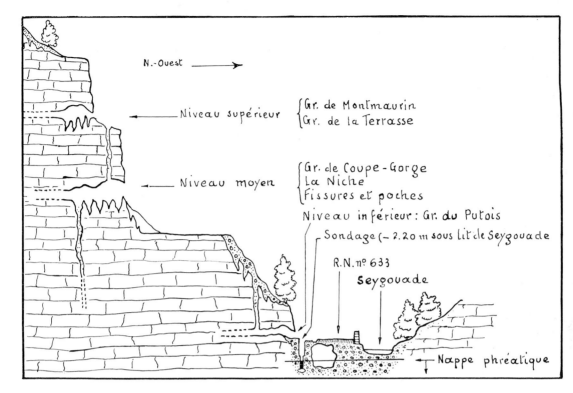

FIG. 3. — Coupe schématique des trois niveaux karstiques de Montmaurin, d'après L. Méroc, 1963.

atypique). Il s'agit donc, sans doute, d'un Acheuléen, différent de celui des terrasses par la proportion moindre des bifaces et la plus grande quantité d'éclats récoltés. Il est difficile de dire, avant toute étude, si ces différences sont dues au mode de gisement (tous les éclats ont été récoltés à Montmaurin, ce qui n'est jamais possible lors de ramassages de surface) ou si elles ont une valeur culturelle.

L'industrie de la couche 2 ressemble à la précédente dont elle diffère par l'absence des bifaces : le quartzite, roche la plus utilisée, est accompagné de silex, lydiennes et quartz. Les éclats, le plus souvent à talon cortical, rarement (6,7 %) Levallois (et quand ils le sont très atypiques) sont rarement retouchés : sur 3 786 pièces taillées, il y a 3 445 éclats bruts. Les outils sur éclats sont surtout des racloirs (67) le plus souvent simples et droits, des denticulés (58) et des encoches (28) le plus souvent clactoniennes. Les outils sur galets sont relativement peu abondants pour une série entièrement tirée de galets : choppers (17), chopping tools (16) et divers (5).

3. Grotte du Coupe Gorge.

Sous les couches 1 (gallo-romain et néolithique) et 2 (paléolithique supérieur), Méroc a distingué :
— 3 Z : cailloutis argileux,
— 3 Y : limon sableux plancher stalagmitique de composé ?
— 3 X et 3 W : cailloutis calcaire,
— 3 U : limon argileux,
— 3 T et 3 S : cailloutis calcaire,
— 3 R : plancher stalagmitique,
— 4 : argile stérile.

La faune et l'industrie proviennent des couches 3 qui ont livré deux types d'outillages : Micoquien à petits bifaces en 3 Z, Prémoustérien au-dessous (3 R à 3 y).

Méroc date la couche 3 Z du Würmien I, les couches 3 X à 3 S, du Riss et 3 R du Mindel-Riss, mais seules des études détaillées permettront de replacer ce remplissage dans la chronologie.

Quoiqu'il en soit, l'industrie prémoustérienne ne semble pas différer fondamentalement de celle de la couche 2 de la Terrasse avec ses nombreux éclats bruts, son débitage non Levallois et la proportion médiocre des outils sur galets (6,7 %).

Parmi les éclats retouchés, les racloirs dominent, suivis par les denticulés et les encoches.

Dans la couche 3 Z, le débitage et les outils sur éclats sont peu différents mais il y a en outre, une vingtaine de petits bifaces de type parfois micoquien, et les outils sur galets sont plus nombreux (12,6 %).

4. La Niche.

Ouverte à quelques mètres en amont du Coupe Gorge, donc sous le niveau de la Terrasse, cette cavité correspond à une galerie verticale où se sont accumulés des sédiments issus du démantèlement de remplissages de cavités situées plus haut, dans le réseau karstique. Associée à des éclats de quartzites, la faune comprend le rhinocéros de Merk et un grand cerf et a pu être rapprochée de celle des couches 2 a ou 2 c de la Terrasse, ce qui la daterait du Mindel-Riss.

C'est dans ce remplissage remanié qu'a été découverte la mandibule humaine qui fit la célébrité des grottes de Montmaurin. Ce fossile est actuellement considéré comme celui d'un archanthropien, voisin de l'homme de Mauer dont il ne diffèrerait que par des caractères imputables au dimorphisme sexuel.

B. La grotte du Cap de la Vieille à Nestier (Hautes-Pyrénées).

Mise au jour par l'exploitation d'une carrière, cette cavité a été signalée par L. Méroc qui y a découvert les premières pièces taillées. L'abbé Debeaux a ensuite établi les grandes lignes de la stratigraphie :
– 1 : substratum calcaire,
– 2 : argile de décalcification,
– 3 : plancher stalagmitique,
– 4 : sables, argiles et graviers siliceux à faune,
– 5 : ravinement,
– 6 : argiles sableuses jaunâtres, à blocs calcaires corrodés, à faune et industrie,
– 7 : ravinement,
– 8 : argile rouge à Gastéropodes.

La grotte s'ouvre au niveau de la terrasse mindélienne de la Neste et Méroc pense que la couche 4, qui a livré des restes (souvent en connexion anatomique) de bison, daim (voisin de Dama Senonensis, rhinocéros, Elephas trongontherii et Porc Epic), peut dater de l'interglaciaire Günz-Mindel.

Au-dessus, la couche 6 a livré des restes de Marmotte, bœuf, cerf, chamois, bison, hyène, élan, rhinocéros tichorhinus, brisés et dispersés, et a été rapportée au Riss.

L'industrie découverte au sommet de cette strate est originale puisqu'elle se compose de deux chopping-tools, un nucleus disque et 83 éclats bruts, à plan de frappe parfois facetté.

Conclusion.

Cette revue du Paléolithique ancien du bassin de la Garonne constitue plus un catalogue de problèmes à résoudre qu'un bilan.

Plusieurs civilisations semblent s'y être cotoyées ou succédées entre le Mindel-Riss et le début du Würm : Acheuléen à Hachereaux des stations de plein air, Prémoustérien sans biface de Montmaurin et Nestier, Acheuléen de la Terrasse, Micoquien du Coupe Gorge.

Seuls l'avancement des recherches en cours et l'étude de l'énorme matériel qui dort encore dans les collections permettront d'y voir clair.

Bibliographie

[1] BOULE Marcellin (1902). — La caverne à ossements de Montmaurin (Haute-Garonne). *L'Anthropologie*, t. XIII, 1902, pp. 305 à 319, 9 fig.

[2] BAYLAC P., CAMMAS R., DELAPLACE E., LACOMBE P., LAPLACE-JAURETCHE G., MEROC L., MOTHEL., SIMONNET G., SIMONNET R. et TROUETTE L. (1950). — Découvertes récentes dans les grottes de Montmaurin (Haute-Garonne). *L'Anthropologie*, t. 54, n° 3-4, 1950, pp. 262 à 271, 5 fig.

[3] GIRARD Michel (1973). — La Brèche à « Machairodus » de Montmaurin (Pyrénées centrales). *Bulletin de l'Association Française pour l'Etude du Quaternaire*. 1973, 3, pp. 193 à 209, 4 fig., 45 réf. bibl.

[4] MEROC Louis (1954). — Plateau de Lannemezan t. XII, fasc. 1, 1954, p. 108-109.

[5] MEROC Louis (1959). — Prémoustériens, Magdaniens et Gallo-Romains dans la caverne de Labouiche (Ariège). *Gallia Préhistoire*, t. II, 1959, p. 1-37, 17 fig.

[6] MEROC Louis (1961). — Colomiers, Le Lherm, Nestier. Informations archéologiques Xe Circonscription, *Gallia Préhistoire*, t. IV, 1961.

[7] MEROC Louis (1963). — Les éléments de datation de la mandibule humaine de Montmaurin (Haute-Garonne). *Bulletin de la Société Géologique de France*, 7e série, t. V, pp. 508 à 515, 6 fig. sommaire.

[8] MEROC Louis (1963). — Nestier (Hautes-Pyrénées). Circonscription de Toulouse. *Gallia Préhistoire*, t. VI, 1963, p. 208-211, 2 fig.

[9] MEROC Louis (1967). — Nestier (Hautes-Pyrénées), Roquefort (Haute-Garonne). *Gallia Préhistoire*, Circonscription de Midi-Pyrénées, t. X, 1967, fasc. 2, p. 411.

[10] MEROC Louis et PALOMET Jacques (1958). — Nouvelles fouilles à l'Infernet, commune de Clermont-le-Fort (Haute-Garonne). *Bull. soc. mérid. Spéléol. et Préhist.*, t. V, années 1954-1955, in *Bull. soc. Hist. nat. Toulouse*, t. XCIII (1958), p. 305-328, 6 fig., bibl.

Les civilisations du Paléolithique inférieur dans le Bassin du Tarn

par

André Tavoso

Résumé. Les industries acheuléennes des terrasse alluviales se présentent sous quatre faciès : Acheuléen moyen archaïque de l'Agout, Acheuléen moyen montalbanais, Acheuléen moyen gaillacois, Acheuléen évolué. Ces industries forment une série évolutive marquée par l'affinement et la standardisation des bifaces et présentent plusieurs faciès liés au type de matière première utilisée. Datées de la fin du Mindel à la fin du Riss, elles contiennent toutes des hachereaux sur éclats.

Abstract. The Acheulian industries found on the alluvial terraces represent four distinct facies : the middle archaic Acheulian of Agout, the middle Acheulian of Montalban, the middle Acheulian of Gaillac, and the evolved Acheulian. These facies stand in an evolutionary relationship to each other and show a progressive refinement and standardization in the biface production. Some of the facies also show the use of new raw materials. These industries date from the end of Mindel to the end of Riss; all four types yeld cleavers.

Issu du flanc sud du Mont Lozère, le Tarn coule dans une vallée étroite, profondément encaissée lors de la traversée des Causses puis de la partie méridionale du dôme du Levèzou. Ce cours supérieur est relayé, lorsqu'il débouche sur le bassin aquitain, par une large vallée creusée dans les molasses, et dont la rive sud montre, d'Albi à Moissac, un remarquable système de terrasses alluviales. Son affluent principal, l'Agout, draine, des monts de l'Espinouse à Lavaur, le nord de la Montagne Noire et les versants méridionaux des Monts de Lacaune.

Les terrasses alluviales de ces deux rivières sont riches en gisements de plein air, parmi lesquels on peut remarquer de nombreuses séries acheuléennes. Il s'agit dans tous les cas de stations où le matériel récolté a été exhumé par les labours et en l'absence de stratigraphie, c'est la typologie et l'âge relatif par rapport aux formations alluviales qui nous ont permis de distinguer les faciès, chronologiques et géographiques, de ces industries.

I. L'Acheuléen de la vallée de l'Agout.

Les stations y sont nombreuses, souvent riches, bien individualisées dans l'espace (outillages concentrés dans une surface restreinte) et dans le temps (une seule occupation du site en général). Nous avons pu y distinguer deux stades évolutifs.

A. L'Acheuléen archaïque.

Il provient d'une dizaine de gisements dont les plus riches sont à Lavaur (En Darassou, Les Courbillous) et à Saint-Paul-Cap-de-Joux (En Rouget). Postérieures, à quelques exceptions près (pièces roulées), au dépôt de la terrasse mindélienne, ces stations sont antérieures à la basse terrasse (Riss), ou contemporaines de sa formation. Elles remontent donc à une période qui s'étend de la fin du Mindel, au début du Riss.

Il s'agit d'une industrie très archaïque dont les bifaces, nombreux (27,5 à 32,7 %), sont mis en forme d'une façon sommaire, le plus souvent par une seule génération d'éclats sur chaque face. Leurs arêtes sont anguleuses ou sinueuses à 80 %, et presque tous (95,1 %) ont gardé d'importants résidus corticaux ; 17,6 % d'entre eux seulement montrent des retouches proximales et 61,8 % ont un épais talon en cortex. Les bifaces vrais (7,4 à 11,5 %) sont toujours accompagnés de bifaces partiels (6,8 à 11,5 %) et d'unifaces. Ils sont plus souvent pointus (14,7 à 21,9 %) qu'ovalaires (7 à 12 %) ou à tranchant distal rectiligne (5,2 à 6,8 %). Les hachereaux sur éclats sont peu nombreux mais typiques.

Du point de vue morphologique, il faut noter la forte proportion (56 %) des pièces qu'on pourrait qualifier d'abbevilliennes : épaisses, à bords asymétriques anguleux et sinueux, arêtes anguleuses et talon cortical. Pour les bifaces réguliers, ce sont les contours amygdaloïdes (41 %), ovalaires (25,6 %), upsiloïdes (17,9 %) et lancéolés (10,2 %) qui dominent. Tous ces outils donnent l'impression d'une faible standardisation, l'artisan semblant s'être le plus souvent contenté de dégager une pointe robuste à l'extrémité du galet choisi.

Les outils sur galets forment plus de la moitié de l'outillage : 56 à 62,7 %. Ce sont surtout des choppers (81 % des galets taillés) à tranchant latéral peu convexe (34,5 %). Les chopping-tools ne représentent que 10 % des outils sur galets.

Presque tous les éclats recueillis ont gardé des résidus de cortex (éclats sans cortex : 2,5 à 7,3 %) et ce sont les éclats à surface entièrement corticale qui sont les plus nombreux (12,7 à 29,1 %). Les éclats retouchés, trop rares pour qu'on puisse en tirer des conclusions solides, sont surtout des denticulés, accompagnés d'encoches et de quelques racloirs simples.

* Attaché de Recherche au CNRS, Faculté Saint-Charles, Laboratoire de Paléontologie Humaine et de Préhistoire, 13331 Marseille - Cedex (France).

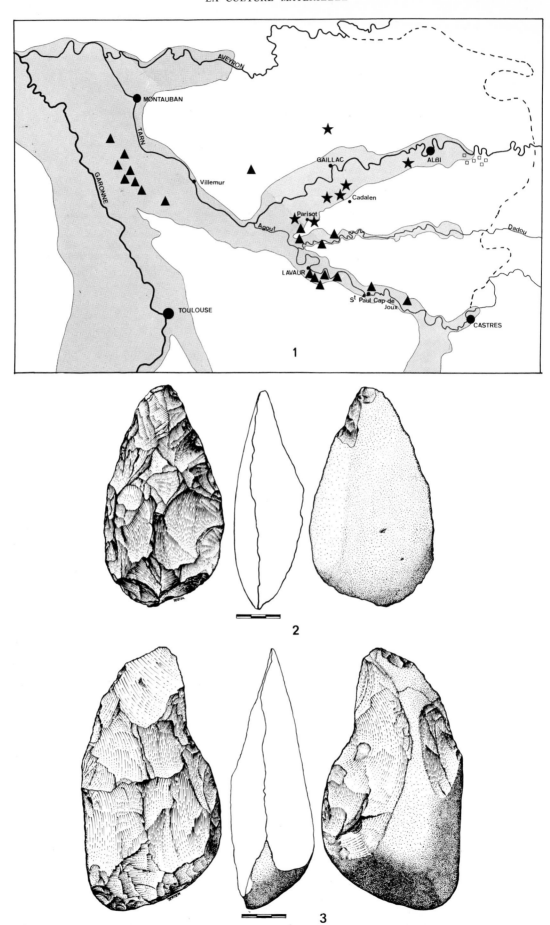

FIG. 1. — 1. Carte des couloirs alluviaux du Sud-Est aquitain (en grisé). Triangles : stations acheuléennes, étoiles : stations acheuléennes et moustériennes, carrés : stations moustériennes. 2 et 3. Acheuléen moyen de Campsas : bifaces partiels amygaloïdes.

B. L'ACHEULÉEN ÉVOLUÉ.

Nous en connaissons de nombreuses stations, en général pauvres et limitées à quelques bifaces isolés et quatre gisements plus importants à Giroussens, Lavaur, Massac et Damiatte. Leur position chronologique est assez claire puisqu'ils sont toujours postérieurs au dépôt de la basse terrasse (Riss), et antérieurs au Riss-Würm, période à laquelle nous attribuons la patine ferrugineuse qui les voile. Leur typologie n'est en outre pas incompatible avec l'âge proposé (fin du Riss). Nous illustrerons ces séries en présentant brièvement la plus riche d'entre elles (173 outils et 154 éclats), celle d'En Régis à Massac.

Les bifaces y sont relativement peu nombreux : 12,7 % des grands outils, mais plus souvent typiques (13/23) que partiels (5/23) ou unifaces (5/23). Les pointes (14), y dominent les tranchants convexes continus (6) et les tranchants transversaux rectilignes. La silhouette de ces outils est régulière pour 2/3 d'entre eux et les formes lancéolées (5) et ovalaires (4) dominent les amygdaloïdes (2), ovalaires à pointe (2), upsiloïdes (2) et discoïdes (1). Ils ont en majorité un talon cortical (mais peu épais) et des arêtes latérales de bonne facture : rectilignes (20), peu sinueuses (4), sinueuses (5) et anguleuses (4).

Les outils sur galets, toujours nombreux (64,2 %), sont plus riches en chopping-tools (20,8 %) que les séries précédentes. Les choppers y sont à peu près également répartis dans les différentes catégories distinguées (tranchant distal 9,8 %, latéral 13,9 %, anguleux 8,1 % et étendu 11,6 %). On peut toutefois relever la fréquence de ce dernier type, dans lequel nous avons classé une série de sept palets disques.

Les éclats s'apparentent, par leur technique de débitage, à ceux des stations voisines mais plus archaïques d'En Darassou et des Courbillous : pourcentages élevés des éclats corticaux (96,1 %), des éclats à talon en cortex (81,8 %) et des éclats à surface entièrement corticale. La découverte d'enclumes très typiques atteste l'emploi du percuteur dormant pour la fabrication des plus grands d'entre eux.

II. L'Acheuléen des terrasses du Tarn.

C'est sur la moyenne terrasse (Mindel) que se trouvent la plupart des gisements acheuléens de la région. L'état physique des pièces, les formations auxquelles elles sont associées, leur typologie enfin, conduisent à les dater du Riss moyen. Un des caractères les plus curieux de ces séries est la présence, à côté d'outils tirés de galets locaux, d'un lot parfois important de pièces fabriquées dans un quartzite d'importation, dont le gisement d'origine se trouve dans la zone axiale des Pyrénées et qui est transporté par la Garonne et ses affluents méridionaux. La proportion de cette roche diminue très rapidement quand on remonte la vallée du Tarn : 82% à Lapeyrière, 70 % à Campsas, 50 % à Fronton, 5 % à Vacquiers ; au-delà elle n'est plus représentée que par quelques pièces (1 à 2 %) qui sont soit des hachereaux sur éclat, soit des bifaces. Il est donc possible de distinguer deux faciès géographiques

dans cet Acheuléen de la moyenne terrasse : l'un proche de la Garonne, très courant au sud de Montauban où les roches importées dominent, l'autre bien connu au sud de Gaillac et où presque tous les outils sont tirés de galets locaux.

A. L'ACHEULÉEN MONTALBANAIS.

C'est au sud de Montauban, entre les villages de Fabas et Fronton, que la moyenne terrasse a livré ses stations les plus riches : 2 510 grands outils et 1 093 éclats répartis en une dizaine de stations très semblables les unes aux autres et où les quartzites importés représentent 70 à 78 % de l'outillage.

a) *Unifaces et bifaces.*

La plus grande partie de l'outillage se compose d'outils très élaborés puisque bifaces, unifaces et hachereaux en forment 55,3 %, contre 32,3 pour les outils sur galets, et 12,3 pour les nuclei. Le caractère le plus frappant est l'énorme (11,2 %) proportion des hachereaux sur éclats qui sont en fait les outils les plus fréquents. Ils sont accompagnés de bifaces typiques (14,4 %), mais ceux-ci ne jouent qu'un rôle relativement effacé par rapport aux unifaces (13,4 %) et aux bifaces partiels. Parmi ces outils, les pointes (25,4 %) dominent, suivies des tranchants convexes continus (15,5 %) et des tranchants transversaux rectilignes (hachereaux, unifaces, bifaces, sur éclats : 14,8). Tous ces outils, très stéréotypés, souvent fabriqués « à l'économie » en exploitant au mieux les caractères du support choisi, témoignent d'une technique très sûre. A une partie distale finement aménagée, ils opposent une base généralement arrondie et corticale : talon en cortex 40,7 %, demi-talon 48 %, base tranchante par retouche bifaciale 10,7 %. Les bases retouchées dominent puisque la plupart des demi-talons sont à retouche unifaciale. Bien que les bifaces irréguliers (« abbevilliens ») soient encore nombreux (27,3 %), les contours réguliers et symétriques dominent : amygdaloïdes (19,3 %), lancéolés (18,4 %), ovalaires (17,4 %), ovalaires à pointe (10,5 %), upsiloïdes (5,3 %) et discoïdes (2,6 %).

Les hachereaux sur éclats sont eux plus souvent upsiloïdes (38,3 %) et ovalaires (33,7 %) que rectangulaires (11,7 %) ou trapézoïdaux (10,6 %). Le complément est formé de hachereaux triangulaires (2,8 %), pentagonaux (1,8 %) ou amygdaloïdes (1 %).

Ces outils, en général soignés (retouche secondaire des bords : 49,8 %) montrent des arêtes latérales rectilignes (27,9 %) ou faiblement sinueuses (28 %), plus rarement sinueuses (24 %) et anguleuses (20 %).

b) *Outils sur galets.*

En pourcentage moyen, ils représentent, avec les nucléus 44,7 % du gros outillage. Les choppers (18,9 %) dominent les chopping-tools (9,7 %) et les polyèdres (3,7 %). Parmi les choppers, les tranchants non anguleux (distal 6 %, latéral 5,6 %, étendu 4,7 %), sont plus fréquents que les outils à pointe ou denticulés (2,7 %).

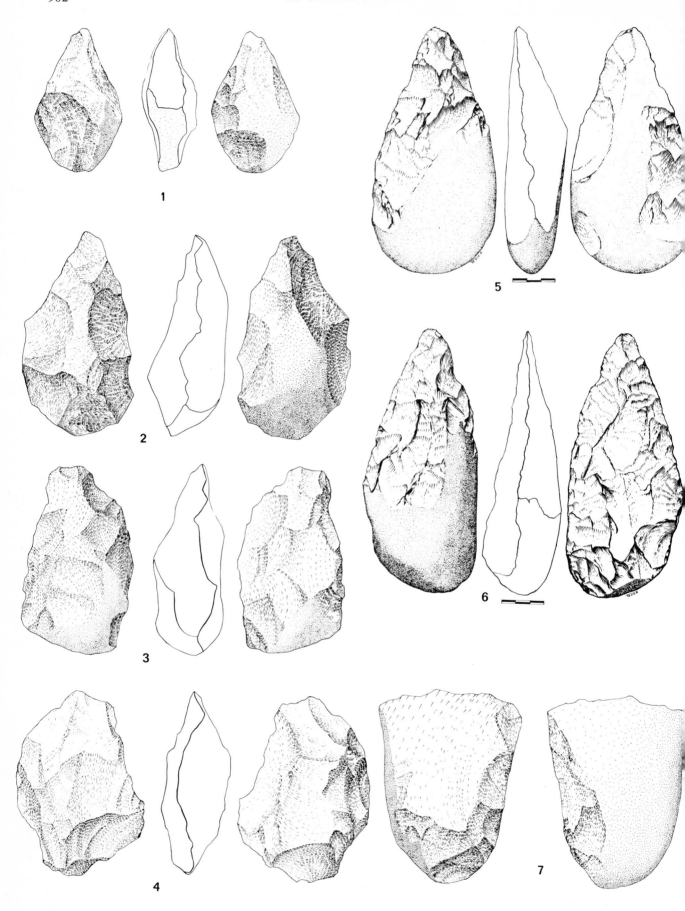

FIG. 2. — 1 à 4. Acheuléen archaïque de l'Agout : 1. Biface à dos sur éclat; 2. Biface à pointe; 3 et 4. Bifaces à tranchant terminal étroit. 5 à 7. Acheuléen moyen de Campsas; 5 et 6. Bifaces partiels lancéolés; 7. Hachereau sur éclat.

c) *Eclats.*

Différents par leurs propriétés mécaniques, les deux types de roches le sont aussi par leur signification archéologique : si les éclats tirés de galets locaux représentent un échantillon de tous les produits de débitage fabriqués sur le site, les quartzites garonnaises ont subi un tri avant d'être importées. Elles sont en effet enrichies en grands et très grands éclats, dont les dimensions égalent ou dépassent celles des plus grands outils nucléiformes. Il s'agit, pour la plupart d'entre eux, des éclats qui ont été transformés en hachereaux, mais même en ne tenant pas compte des outils de ce type, la série importée paraît enrichie en amorces (éclats à talon et face dorsale en cortex) : 37,8 % (25,4 % sans les hachereaux), par rapport aux éclats locaux où ce type ne représente que 2,4 %. Par leurs autres caractères, les deux séries se ressemblent plus : rareté des éclats sans cortex (7,7 % et 6,6 %) porportion des talons corticaux (80,9 et 82,3 %) importance des éclats à talon seul en cortex (15,1 et 6,6 %), faiblesse de l'indice Levallois (IL = 2,7 et 1 %).

Ces éclats sont, exception faite des hachereaux, rarement (24,6 %) retouchés. A côté d'outils classiques (racloirs 47,9 %, denticulés 26 %, encoches 10 %) on remarque des racloirs géants, que leurs dimensions et leur morphologie rapprocheraient plutôt des unifaces. D'autres, très sommairement aménagés, ne portent que quelques enlèvements qui en rectifient la silhouette ou amincissent leur base.

B. L'Acheuléen des environs de Gaillac.

De Giroussens à Lagrave, les moyennes et hautes terrasses livrent de nombreuses séries acheuléennes, associées la plupart du temps à des stations moustériennes, mais dont il est facile de les distinguer : les quartzites à patine ferrugineuse, souvent émoussés (et éolisés) sont acheuléens mais les quartz moustériens ne montrent ni patine ni usure. La plus grande partie de l'outillage est tirée des galets du Tarn, mais il y a sur chaque station une ou deux pièces importées de la Garonne : hachereaux sur éclats à Parisot (Ducrose, Barrial), Cadalen (Petit Nareye), bifaces à Parisot (La Grange), Cadalen (La Ganelle), uniface à Parisot (Barrial), grand éclat brut à Giroussens (St-Joseph). De plus, les proportions des différents types d'outils nucléiformes sont identiques à celles de la série locale de Campsas. Il s'agit donc sans doute du même Acheuléen, mais débarrassé de la plus grande partie des quartzites pyrénéens qui confèrent aux séries montalbanaises un aspect si particulier. Les outils les plus typiques de Campsas (hachereaux sur éclats, pics sur dièdre cortical, bifaces partiels) jouent ici un rôle beaucoup plus modeste (et sont d'ailleurs souvent d'importation).

Ces séries montrent une bonne proportion (23 % à Cadalen, 24 % à Ducrose) de bifaces, de nombreux outils sur galets (56,3 % à Cadalen) parmi lesquels les choppers (51,7 % à Cadalen, 52,6 % à Ducrose) dominent largement, et ont leur tranchant distal dans près de la moitié des cas (29,9 % et 28,1 %). Les chopping-tools varient de 4,6 à

12 %. Unifaces et bifaces sont réguliers (14/20 à Cadalen, Petit Nareye), la plupart du temps pointus (lancéolés et amygdaloïdes en proportion à peu près égale), et leurs arêtes latérales sont plus souvent droites (8/20) ou peu sinueuses (6/20) qu'anguleuses (4) ou sinueuses. Près de la moitié d'entre eux ont des retouches secondaires (9/20). L'outillage de Ducrose à Parisot, dont la composition est identique à celui des autres stations, se signale toutefois par la qualité de ses outils : sur 16 bifaces, un seul est irrégulier, 9 ont des arêtes rectilignes ou peu sinueuses, 10 présentent une retouche secondaire étendue à tout leur périmètre et tous sont allongés et peu épais.

III. Conclusions : relations mutuelles des différents faciès de l'Acheuléen tarnais.

Les vallées de l'Agout et du Tarn livrent donc quatre types d'industries acheuléennes. Toutes cependant présentent des caractères très particuliers, qui leur donnent un incontestable air de famille (fréquence des hachereaux sur éclats, des unifaces, bifaces souvent partiels, en général pointus, à talon fréquemment cortical) et permettent de définir une province tarnaise de l'Acheuléen.

Quelles sont dès lors les rapports mutuels des types d'outillages ?

Dans la vallée de l'Agout, la réponse paraît assez clairement : il s'agit de deux stades d'une évolution relativement classique, marquée par l'affinement et la standardisation des bifaces ; du groupe En Darassou Les Courbillous En Rouget aux séries du type En Régis, les bifaces réguliers augmentent leurs proportions, la retouche secondaire des bords se développe, les arêtes sont plus souvent rectilignes. Parallèlement le pourcentage des bifaces diminue alors que les chopping-tools augmentent leur nombre. Les choppers restent aussi nombreux, mais les outils à tranchant étendu y deviennent plus courants. Cette évolution ne semble pas avoir modifié les techniques de taille des éclats.

Dans la vallée du Tarn, les choses sont aussi nettes, on a affaire à deux faciès géographiques d'un même Acheuléen : De Campsas à Cadalen, les roches locales sont toujours taillées de la même façon et livrent des outillages de typologie identique. Seule change la proportion des quartzites pyrénéennes, dont les caractères techniques expliquent l'engouement dont elles ont été l'objet : se taillant bien, livrant à peu de frais de grands éclats et d'excellents tranchants, elles sont disponibles sous un format commode (grands galets allongés, que quelques enlèvements suffisent à transformer en outils efficaces et stéréotypés).

Si l'on compare maintenant les stations des deux vallées, on s'aperçoit que les séries locales du Tarn sont intermédiaires par la proportion des bifaces, des chopping-tools, par le degré d'élaboration des bifaces (régularité, rectitude des arêtes, retouche secondaire, morphologie) entre l'Acheuléen archaïque d'En Darassou, Les Courbillous, En Rouget et l'outillage évolué d'En Régis. Les proportions relatives des différents types d'outils sont cependant assez voisines dans les deux stades les plus anciens pour qu'on puisse les réunir sous une appellation commune et proposer le schéma suivant pour l'Acheuléen du bassin du Tarn :

— Fin Mindel - début Riss : Acheuléen moyen archaïque : bifaces 30 %, sommairement taillés et fréquemment irréguliers : Les Courbillous, En Darassou, En Rouget ;

— Riss moyen : Acheuléen moyen ; bifaces 25 %, plus élaborés, le plus souvent amygdaloïdes : stations de la moyenne terrasse du Tarn ;

— Riss supérieur : Acheuléen évolué : bifaces 12 %, le plus souvent lancéolés et allongés, finement taillés et retouchés : En Régis, Rivalou série récente, Les Camboulives.

Bibliographie

[1] TAVOSO A. 1972). — Les industries de la moyenne terrasse du Tarn à Técou (Tarn). *Bulletin du Musée d'Anthropologie Préhistorique de Monaco,* fasc. 18.

[2] TAVOSO A. (1975). — Les hachereaux sur éclats de l'Acheuléen Montalbanais. *Quartär,* Bd 26, 1975.

Les civilisations du Paléolithique inférieur dans le Sud-Ouest
(Pays Basque, Landes, Gironde)

par

Claude Thibault *

Résumé. Le Paléolithique inférieur n'est connu en Aquitaine occidentale qu'en gisements de plein air, à l'intérieur des colluvions dans le Sud des Landes (Chalosse) et dans les alluvions de la Dordogne et de l'Isle en Gironde (Libournais). Il semble pour l'instant être plus rare en Pays Basque.

En Chalosse on le rencontre principalement à deux niveaux dans la séquence rissienne : à la base du Riss II où il est représenté par l'Acheuléen moyen à « trièdres chalossiens », et à la base du Riss III où il existe un Acheuléen supérieur pauvre en bifaces, surtout faits sur galets de quartzite, mais exceptionnellement riche en outils sous éclats de belle qualité.

L'Acheuléen moyen et l'Acheuléen supérieur, différenciés par le style des bifaces, la nature du débitage et l'état physique des pièces, sont également présents dans les terrasses du Libournais.

Abstract. The Lower Paleolithic of the Western Aquitaine region is found exclusively in open-air sites. These sites are located in colluvions in the southern part of the Landes *département* (the Chalosse region) and in alluvial deposits of the Dordogne and Isle Rivers in the Gironde (the Libournais). Lower Paleolithic industries are found less frequently in the Basque Country.

In the Chalosse the Lower Paleolithic occurs principally at two points in the Riss sequence. The Middle Acheulean with Chalossien trihedral pics is found at the base of the Riss II and the Upper Acheulean at the base of the Riss III layers is characterized by a high proportion of well-made flake tools and relatively few handaxes which are usually made on quartzite pebbles.

These Middle and Upper Acheulean industries, differing from each other in handaxe style, in the nature of their toll debitage, and their physical condition, are found in river terraces in the Libournais region.

Les meilleurs documents lithiques concernant le Paléolithique inférieur de l'Aquitaine occidentale, utilisables en ce moment, proviennent des sites de plein air de la Chalosse et des terrasses alluviales du Libournais.

I. Pays Basque.

E. Passemard (1924) mentionne, sans les figurer, des quartzites taillés attribuables au Paléolithique inférieur, sur les plateaux de Bidart et les coteaux bordant la Nive à Saint-Pierre d'Irube (collection Daguin). Un biface en quartzite de même âge, peu convaincant d'après le dessin qui en est donné, aurait été trouvé dans le lit d'un ruisseau près de Mouligna, à Bidart.

Plus exacte est la provenance d'un hachereau sur éclat de type primitif que Cl. Chauchat a extrait du cailloutis de base du Riss II, dans la falaise de la plage de Bidart.

Quelques pièces issues de coupes ou de sondages de la région de Bayonne, désilicifiées et très finement retouchées lorsqu'il s'agit d'outils, présentent de grandes ressemblances avec les objets en silex de l'Acheuléen supérieur de la Chalosse, et pourraient par conséquent appartenir à cette industrie. En revanche la présence de l'Acheuléen supérieur est certaine sur les collines de la région de Bidache, notamment à Tambaou où nous avons recueilli un outil denticulé et des éclats de débitage à la base des limons sablo-argileux du Riss III (Cl. Thibault, 1970).

Signalons enfin que des bifaces de type acheuléen existeraient dans la région de Saint-Jean-de-Luz (collection Blot) (1).

II. Landes.

De même que la plupart des sites de Paléolithique moyen des Landes sont rassemblés en Chalosse, de même le Paléolithique inférieur y est concentré, et ceci plus particulièrement dans l'E. de cette région, comme le prouvent à la fois les premières prospections et les travaux récents.

Il est difficile, à travers les publications anciennes (1), de savoir à quel groupe d'industries lithiques appartiennent ces « grandes haches en silex » ou ces « grandes pointes épaisses et ovoïdes » que leurs inventeurs ramassaient, à la fin du siècle dernier ou dans le premier quart de l'actuel, sur le pourtour de la ride crétacée de Saint-Sever, sans que des observations stratigraphiques décisives aient été proposées.

De plus le problème du « Chalossien » est venu tout compliquer, dans la mesure où les préhistoriens locaux ont voulu voir dans les trièdres d'aspect primitif qui le caractérisaient, des outils d'âge pré-chelléen. Malgré la tentative de mise au point de L. Méroc (1949) qui put assimiler le Chalossien à l'Acheuléen, beaucoup de points demeuraient encore obscurs quant

(1) Renseignement oral de R. Arambourou.
(1) Cf. les publications de H. du Boucher, P. E. Dubalen, J. de Laporterie.

* Chargé de Recherche au C.N.R.S., Institut du Quaternaire (Laboratoire associé au C.N.R.S. n° 133), Université de Bordeaux I, 33405, Talence Cédex (France).

à la véritable nature de ce faciès spécial et à sa position stratigraphique exacte.

En outre si le progrès des connaissances en la matière permettait, ces dernières années, d'attribuer sans hésitation les bifaces plus ou moins amygdaloïdes et allongés des vieilles séries à un Acheuléen relativement évolué, il était par contre impossible de dater correctement les nombreux outils sur éclats qui remplissaient les vitrines et les tiroirs de plusieurs collections. A tel point que seuls les travaux de fouilles récents ont pu aider à clarifier ces questions stratigraphiques, chronologiques et typologiques.

A. L'ACHEULÉEN ANCIEN.

Certains objets en silex très patinés (biface-pic, bifaces partiels, lames et éclats épais) venant de ramassages de surface aux environs d'Hagetmau et d'Audignon, pourraient faire partie de l'Acheuléen ancien, eu égard aussi à leur technique de préparation assez fruste. Toutefois les plus anciennes preuves de l'occupation humaine en Chalosse seraient fournies avec plus de sûreté par un biface de style abbevillien, désilicifié puis rubéfié, que nous avons trouvé dans des sables rouges antérieurs au Riss II à Serreslous-Arriban (fig. 1, n° 1), ainsi que par deux éclats de débitage roulés et ayant subi les mêmes altérations physico-chimiques que le biface, incorporés à la coulée de base du Riss I tout près d'Audignon. Il semble dans les deux cas que ces pièces aient souffert

des actions climatiques du long interglaciaire Mindel-Riss.

B. L'ACHEULÉEN MOYEN.

Cette industrie préhistorique correspond au « Chalossien » des anciens auteurs. Nous savons depuis les fouilles du gisement de plein air de Nantet (Cl. Thibault, 1968) qu'elle se place à la base des sables limoneux du Riss II, au-dessus ou dans les coulées massives de base lorsque celles-ci existent, ou bien, en leur absence, sur la surface d'érosion du sol rouge de l'interstade Riss I - Riss II.

Les stations d'Acheuléen moyen les plus intéressantes sont localisées au S. de Saint-Sever. Elles sont essentiellement caractérisées par la présence en assez grand nombre de bifaces en silex ou en quartzite à section trièdrique, ou « trièdres chalossiens », auprès desquels on rencontre aussi des bifaces mieux finis possédant un dos préparé ou un talon non travaillé (fig. 1, n° 2).

En plus de ces bifaces particuliers, l'Acheuléen moyen de faciès « chalossien » comporte de mauvais racloirs (fig. 1, n° 4), des outils denticulés (fig. 1, n° 3), des couteaux à dos naturel, et montre l'association d'un débitage levallois naissant à un débitage clactonien très net.

On connaît des sites assez remarquables d'Acheuléen moyen sur les coteaux de Montsoué, en particulier celui de Lafauquille-Diris, dont les éléments jadis récoltés par P. Dubalen sont aujourd'hui déposés au Musée de Mont-de-Marsan.

Toutefois d'autres outils très caractéristiques de cette industrie (fig. 2) ont été trouvés isolément en divers points de la Chalosse, bien que plus rarement à l'W de celle-ci, en Chalosse de Pouillon.

C. L'ACHEULÉN SUPÉRIEUR.

Rencontré à la base du Riss III, il se distingue de l'Acheuléen moyen par les caractères suivants : qualité exceptionnelle et grande variété de l'outillage,

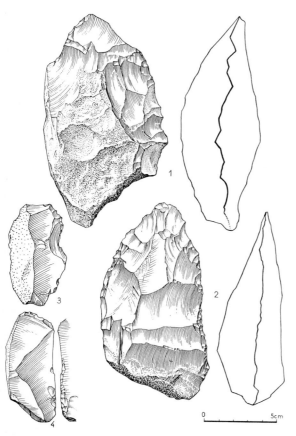

FIG. 1. — Acheuléen ancien. Chalosse (Serreslous-Arriban). 1. Biface de style abbevillien; Acheuléen moyen, Chalosse (Nantet); 2. Biface amygdaloïde; 3. Denticulé; 4. Racloir sur face plane.

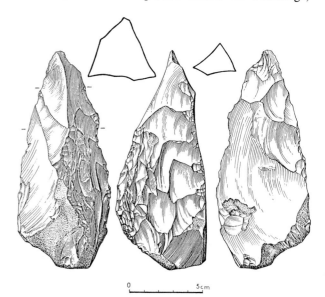

FIG. 2. — Acheuléen moyen, Chalosse, Trièdre chalossien typique.

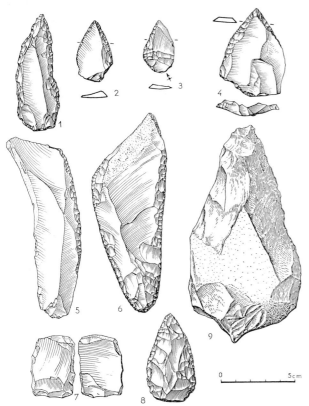

FIG. 3. — Acheuléen supérieur de Bouheben.
1. Pointe « moustérienne » allongée; 2 et 3. Pointes « moustériennes »; 4. Pointe levallois retouchée; 5. Racloir simple convexe sur lame levallois; 6. Racloir double convexe-concave; 7. Burin transversal; 8. Petit biface allongé en silex; 9. Biface en quartzite (coll. Docteur Nautiacq).

proportions d'outils très fortes, amélioration du débitage, diminution du nombre des bifaces. De plus les gisements d'Acheuléen supérieur se répandent sur toute la Chalosse jusqu'aux approches du Pays Basque.

La plus belle série d'Acheuléen supérieur provient du gisement de plein air de Bouheben (commune de Baigts), découvert par E. Letailleur (1898), où une fouille portant sur 125 mètres carrés nous a fourni plus de 1 600 outils extrêmement variés et très finement retouchés dans la plupart des cas. Les racloirs dominent largement les autres catégories d'outils (indices de racloirs de 44,89 en dénombrement réel et 58,92 en dénombrement essentiel) (2). Ils sont principalement de type simple droit, simple convexe (fig. 3, n° 5), double (fig. 3, n° 6), convergent, déjeté. A noter également un nombre important de pointes (fig. 3, nos 1 à 4), le fort pourcentage des couteaux à dos naturel et des denticulés, et une proportion d'outils de « type Paléolithique supérieur » plus grande que dans les niveaux moustériens susjacents (fig. 3, n° 7). Les bifaces sont assez rares (IB essentiel = 3,44) et peu typiques. Ceux qui ont été fabriqués à partir de galets de quartzite sont massifs, le plus souvent partiels, d'allure acheuléenne (fig. 3, n° 8). Le débitage est peu levallois (IL = 11,88), mais de nombreux éclats levallois sont restés

(2) Résultats numériques ne concernant qu'une surface fouillée de 43 mètres carrés.

intacts, ce qui donne un indice levallois typologique double de l'indice technique (IL ty = 24,70). Enfin nous devons mettre l'accent sur une certaine proportion d'outils à base amincie : 6 % du total des outils sur éclats.

Parmi les roches siliceuses utilisées dans la fabrication de l'outillage on relève la présence d'un silex zoné qui est incontestablement issu du flysch crétacé du Pays Basque. Un autre matériau semble avoir été importé des abords de la chaîne pyrénéenne : il s'agit de plaquettes de schiste, dont une a d'ailleurs servi à fabriquer un disque. De tels indices attestent de courants de circulation au début du Riss III entre les régions pré-pyrénéennes et la Chalosse.

Si l'Acheuléen supérieur recouvre vers l'E les territoires précédemment occupés par les populations de l'Acheuléen moyen, il s'étend aussi vers l'W, en Chalosse de Pouillon, où l'on a plusieurs fois recueilli en stratigraphie ses outils sur éclats en silex et ses bifaces en quartzite. Ces derniers sont également présents sur les coteaux de l'interfluve des Gaves de Pau et d'Oloron, au-dessus des falaises de Sorde-l'Abbaye (R. Arambourou, Cl. Thibault et F. Delpech, 1968).

La station acheuléenne la plus orientale de la Chalosse est celle de Duhort-Bachen, signalée par X. de Cardaillac en 1926, dans les limons argileux recouvrant la nappe fluvio-glaciaire de Garlin.

De beaux bifaces amygdaloïdes plus ou moins lancéolés, figurant dans les collections des musées de Dax et de Mont-de-Marsan et appartenant très certainement à l'Acheuléen supérieur, tirent leur origine des sables et limons du plateau de Saint-Sever, formé par la réunion des nappes mindéliennes de Garlin et de Thèze. Ils témoignent des incursions des Acheuléens sur ces vastes épandages alluviaux du Pléistocène moyen, lorsqu'une amélioration locale du drainage superficiel rendait ceux-ci moins inhospitaliers.

D. L'ACHEULÉEN FINAL.

Nous pensons que ce dernier terme du Paléolithique inférieur existe dans la région de Saint-Sever et de Montsoué, si l'on prend en considération les bifaces micoquiens en silex des collections anciennes. En effet ces bifaces possèdent une pointe dégagée par une taille soignée, et ne sont pas désilicifiés, à l'inverse des objets en silex de la base du Riss III. Ils rejoignent ainsi par leur état physique les pièces moustériennes non cacholonnées du début du Würm, où ils se situeraient eux-mêmes du point de vue stratigraphique, et par leur style ils rappellent les bifaces du Micoquien du bassin de Paris. Il est curieux de constater que c'est le seul type de biface classique qui se manifeste dans un contexte de bifaces très spéciaux.

III. Gironde.

Pour ce qui est du Paléolithique inférieur de la Gironde on doit faire la distinction entre les trouvailles anciennes assez éparpillées, et les recherches modernes concernant des sites plus riches, intégrés à un cadre géologique ou morphologique. Les premières furent l'œuvre de J.A. Garde dans le Libournais, de F. Daleau dans la région de Bourg-sur-Gironde, de F. Morin autour de Sainte-Foy-la-Grande, de J. Labrie dans l'Entre-deux-Mers et de Ph. Queyron dans le Réolais. Quant aux travaux actuels sur le Paléolithique ancien ils sont menés par L. Moisan (3) dans les terrasses alluviales des basses vallées de l'Isle et de la Dordogne, par M. Sireix dans le Castillonnais et l'Entre-deux-Mers, et enfin par M. Lenoir sur l'ensemble du département (4).

Quelles que soient les époques des prospections ou les régions intéressées le Paléolithique inférieur de la Gironde semble comporter au moins de l'Acheuléen moyen à bifaces amygdaloïdes ou trièdriques et de l'Acheuléen supérieur à débitage levallois et bifaces plus évolués. C'est ce qui apparaît notamment dans certains niveaux des terrasses fluviatiles du Libournais où les deux industries se différencient aisément par leur état physique (5).

La partie située entre l'océan et la vallée de la Garonne n'a pas jusqu'ici livré de Paléolithique inférieur, excepté peut-être la série rassemblée par l'abbé Létu à Aubiac, près de Bazas.

Bibliographie

[1] ARAMBOUROU R. (1963). — Essai de paléogéographie du Paléolithique des Landes. *Bulletin de la Société de Borda*, Dax, 2ᵉ trim. 1963, 28 p., 4 fig.

[2] ARAMBOUROU R., THIBAULT Cl. et DELPECH F. (1969). — Les recherches archéologiques dans les Landes au cours de l'année 1968. *Bulletin de la Société de Borda*, Dax, 1969, 34 p., 13 fig.

[3] CARDAILLAC X. de (1926). — Une station acheuléenne. *IXᵉ Congrès d'Histoire et d'Archéologie*, Dax, 26-29 juillet 1926, p. 61.

[4] DUBALEN P. (1893). — Ancienneté de l'Homme dans les Landes. *Bulletin de la Société de Borda*, Dax, 1893, p. 89-91.

[5] DUBALEN P. (1924). — Le Pré-Chelléen de la Chalosse (Chalossien). *P.V. Soc. Linn. de Bordeaux*, t. LXXV, p. 212-215, 1 pl., 1 fig.

[6] LETAILLEUR E. (1898). — Aperçus sur les âges de la pierre en moyenne Chalosse. *Bulletin de la Société de Borda*, Dax, n° 23, 2ᵉ trim. 1898, p. 185-190.

[7] LUMAU M. (1939). — Le Chalossien de Chalosse. *Bulletin de la Société Préhistorique Française*, t. XXXVI, n° 6, p. 280-289.

[8] MEROC L. (1949). — Le Chalossien. *Revue Ikuska*, Institut Basque de Recherches, vol. 3, n° 2-6, Sare (B.P.), p. 79-91, 2 fig.

[9] PASSEMARD E. (1924 a). — *Les stations paléolithiques du Pays Basque et leurs relations avec les terrasses d'alluvions*. Thèse Sciences Université de Strasbourg, Bodiou imp., Bayonne, 1 vol., 218 p., 9 pl., 1 carte, 127 fig.

[10] PASSEMARD E. (1924 b). — Le Chalossien. *Bulletin de la Société Préhistorique Française*, t. XXI, p. 148-152, 6 fig.

[11] PASSEMARD E. (1925). — Une nouvelle industrie du Paléolithique inférieur, plus ancienne que le Chelléen : le Chalossien. *Congrès A.F.A.S.*, Grenoble, p. 478-481.

[12] THIBAULT Cl. (1968). — Un gisement paléolithique inférieur et moyen de plein air en Chalosse : Nantet (commune d'Eyres-Moncube, Landes). *In : La Préhistoire — Problèmes et tendances*, Ed. du C.N.R.S., Imp. Priester, Paris, p. 427-438, 6 fig.

[13] THIBAULT Cl. (1970). — *Recherches sur les terrains quaternaires du Bassin de l'Adour*. Thèse de Doctorat d'Etat ès-Sciences Naturelles, Université de Bordeaux, 1970, Tomes I et II : 814 p. ronéot.; Tome III : 171 fig. et 1 carte; Tome IV : 68 pl.

(3) L. Moisan, Thèse de Doctorat d'Université en cours.
(4) M. Lenoir, Thèse de Doctorat d'Etat en cours.
(5) L. Moisan, renseignement oral.

Les civilisations du Paléolithique inférieur en Périgord

par

Geneviève GUICHARD *

Résumé. Le chapitre I traite des gisements classiques du Périgord : La Micoque, le Pech de l'Azé II, Combe-Grenal. Il fait état des dernières découvertes. Il propose une nouvelle interprétation, à savoir que la Micoque (à l'exception de la couche 4a), est, pour tout le reste, un site de l'Acheuléen rissien, comme les niveaux inférieurs du Pech de l'Azé II et de Combe-Grenal. Dans tous ces sites très connus, la pauvreté des séries d'instruments bifaciaux n'a pas permis de définir clairement les différents étages ou faciès de cet Acheuléen. Le chapitre II est consacré à des sites de plein-air de la région de Bergerac où des séries très riches (jusqu'à 319 objets bifaciaux pour une même couche), trouvés en stratigraphie, permettent de définir quatre étages ou faciès d'un Acheuléen très particulier. Le chapitre III est consacré aux conclusions dont la plus importante est que les sites classiques, notamment la Micoque, (toujours à l'exception de la couche 4a) et ceux du Bergeracois forment un tout où l'on peut, peut-être, voir l'évolution sur place de l'Acheuléen rissien (du Riss I à la fin du Riss III).

Abstract. Chapter I deals with the classical layers of the Perigord : La Micoque, Pech de Aze II and Combe-Grenal. It describes the latest discoveries. It proposes a new interpretation, i.e. that the La Micoque (with the exception of the archeological layer 4a) is an Acheulean sites of the Riss period, like the inferior levels of Pech de l'Aze II and Combe-Grenal. In all these classical sites, the scarcity of bifacial artifacts has not made possible a clear definition of the different chronological or geographical facies of this Acheulean. Chapter II deals with the open-air sites of the Bergerac region, where a very rich series (up to 319 bifacial artifacts in one layer only) found in stratigraphy, enable one to define four patterns or facies of a very particular Acheulean. Chapter III concerns the conclusions, the most important of wich being that the classical sites, especially La Micoque, (always with exception of the layer 4a) and the sites in Bergerac region a whole, where one can see, perhaps, an evolution *in situ* of the Acheulean of the Riss period (Riss I to the end of Riss III).

Les sites classiques.

Il y a un paradoxe du Paléolithique inférieur en Périgord : c'est la province où la littérature est abondante, c'est celle qui a donné une couche éponyme de l'Acheuléen terminal (le Micoquien) mais c'est aussi celle où ces industries étaient jusqu'à des travaux très récents, les plus mal connues.

I. LA MICOQUE.

Situé dans la commune de Manaurie, ce gisement, d'une épaisseur moyenne de 6 m, découvert en 1895, a fait l'objet de prospections fréquentes jusqu'en 1932 et suscité bien des polémiques.

A. CHRONOLOGIE. En effet, la couche A, la plus profonde, avait été datée du Mindel par D. Peyrony (1938) et les couches B à L du Mindel/Riss, la couche M étant rissienne et la couche éponyme supérieure N, du Riss/Würm. D'une part, il y avait donc eu une humanité mindélienne en Périgord, d'autre part, D. Peyrony était amené à qualifier de « proto-moustérienne » la couche H, à cause notamment de l'absence de biface et la présence de racloirs nombreux et de types divers.

En 1951, M. Bourgon proposa une chronologie plus courte : « Les niveaux de la Micoque sont du dernier interglaciaire, ou plus anciens pour les couches inférieures ». En 1966, après ravivage du témoin, F. Bordes rajeunit encore cette chronologie. Enfin, en 1973, H. Laville confirme et démontre par un ensemble d'arguments sédimentologiques concordant avec les dernières études faunistiques et palynologiques que le gros du gisement est non seulement rissien, mais qu'on peut même y voir les trois stades de cette glaciation. Le tableau I résume la progression de ces approches chronologiques.

Ainsi, là où D. Peyrony avait dénombré 14 niveaux (de A à N) incluant 6 couches archéologiques (F. Bordes subdivisant la couche 5 en 5 et 5′), H. Laville trouve bien 13 « ensembles » (non compris N dont il ne reste rien), mais il les subdivise en 63 niveaux.

B. TYPOLOGIE. Malheureusement, si la stratigraphie est riche d'informations, les séries lithiques, dilapidées par les « fouilleurs » prédécesseurs de D. Peyrony, sont pauvres. Le tableau II récapitule les résultats des travaux faits sur les seules collections qui restent : celles du Musée des Eyzies.

Couche 1. — C'est la seule qui soit, en Périgord, à ce jour, et selon H. Laville, anté-rissienne. H. Breuil l'avait considérée comme clactonienne au vu d'« une quinzaine d'éclats à plan de frappe clactonien ». En fait, on possède 14 objets : 2 nucléus, 3 outils sur éclat, 4 éclats bruts et 5 débris. Les 5 talons identifiables sont tous lisses, deux seulement présentent un plan de frappe légèrement incliné. Tous les éléments sont de petites dimensions : l'éclat le plus long mesure 8 cm. Rien dans tout cela de particulièrement clactonien.

Couche 2. — Sur 509 objets, il n'y a aucun biface, l'IR n'est que de 1,8 %, les couteaux à dos de 0,2 %, les denticulés de 7 %. Par contre, les objets « utilisés » atteignent la proportion fantastique de 98 %, et les « 46-47 » (1) celle de 65,70 %. Certains objets de la première série doivent évidemment être

(1) Objets à retouches alternes, épaisses ou minces, dans la liste typologique de F. Bordes.

* Musée National de Préhistoire des Eyzies, 24620 les Eyzies-de-Tayac (France).

TABLEAU I.
La Micoque - Interprétations chronologiques.
(M. = Mindel; M./R. = Mindel/Riss; R. = Riss; R./W. = Riss/Würm; etc...).

Niveau	Couche	Breuil 1932	Peyrony 1938	Bourgon 1951	Bordes 1956	Laville 1973
N	6	Mico-quien	Mico-quien ⎱ Wurm (début)	Micoquien ⎱ Wurm (début)	Micoquien ⎱ Wurm (début)	
M		⎱R/W.				I (3 niv.)
L					5′ indéter.	II (8 niv.)
K					⎱R.III	III (3 niv.) ⎱R.III
J	5	Taya-cien	Taya-cien	5b Tayac. strict 5a Acheul.	5b 5a Acheul.	IV
I						V
H	4	Taya-cien	Moust. typ. ⎱M./R.	4b Tayac. strict 4a Moust. ⎱R/W	4b Aspect 4a Moust. ⎱R.II/III	VI (3 niv.) ⎱R.II
G		⎱M/R				VII
F						VIII
E	3	Clacto-nien	Taya-cien	3b Clacto-nien 3a Moust.	3b Moust. très 3a primi-tif ⎱R.I/II	IX (3 niv.)
D						X (3 niv.) ⎱R.I
C	2	Clato-nien	Taya-cien	Tayacien typique	indéfi-nissable	XI (3 niv.)
B				RISS		XII (3 niv.)
A	1	Clato-nien	MIND.	indéfi-nissable MIND.	indéfi-nissable	XIII (non étudié) ⎱Anté-RISS

TABLEAU II.
La Micoque - Principales données techniques et typologiques (d'après M. Bourgon).
Les chiffres *entre parenthèses* indiquent le *nombre réel d'objets;* il en sera de même dans les autres tableaux.

N° des couches	Nombre d'objets	"utilisés" %	"46/47" %	IL %	IFL %	IB %	IR %	Denti-culés %	Couteaux à dos %	Grattoirs perçoirs burins
6	781		20,80	1,90	22,30	9,80 (66)	23,50	27,06	1,14	G,P,B.
5′						0	22,06	21,4		
5	901	87	37,20	2,64	23	2,11 (15)	14,2	14,26	0,57	G,P,B.
4b	261		56,4	0,83	23,69	2,4 (6)	11,8	7,8	0	
4a	139	54,7	4,6	15,4	32,9	0	32,5	7,8	4,6	
3b	482		51,4	0,21	26,7	0,68 (3)	4,59	9,2	0	
3a	1928	92	14,67	3,40	18,3	2,70 (45)	26,30	0,55		
2	509	98	65,7	0,87	40,50	0	1,80	7	0,2	
1	quelques éclats seulement.									

attribués à la seconde dont on sait maintenant qu'elle ne représente que des pièces concassées, à pseudo-retouche, c'est-à-dire, à la rigueur, un bon indice de cryoturbation.

M. Bourgon a noté que si l'indice levallois est pratiquement nul (0,87 %), cette industrie est curieusement, l'une des plus minces et des plus facettées du gisement. Quoiqu'il en soit, et malgré sa dénomination de « Tayacien typique » par M. Bourgon, dans de telles conditions aucune diagnose n'est possible, et ce niveau reste indéterminable.

Couche 3. — Subdivisée en 3a et 3b, comme le sera la couche 4 et pour les mêmes raisons : une brèche surmonte dans les deux cas un niveau limoneux.

3a : Dans le limon. Pour H. Breuil, c'est toujours du Clactonien, pour D. Peyrony et M. Bourgon, c'est du Proto-moustérien. L'IL est encore très faible (3,4 %) de même que l'IFL. L'indice de bifaces est très bas (2,70 %), bien que, hormis le Micoquien, ce soit *la couche qui en ait livré le plus* (45). Les racloirs sont nombreux et variés, parfois du type Quina. Il y a des outils de « type Paléolithique supérieur », mais les couteaux à dos sont extrêmement rares. Les denticulés sont nombreux (26 % en moyenne), pourcentage à mettre, peut-être, en relation avec ceux des « utilisés » qui atteint le chiffre inacceptable de 92 %.

Quant aux bifaces, M. Bourgon hésite à les rapprocher du type MTA (2) ; pour lui, ils sont à peine du type acheuléen, et F. Bordes précise « tous partiels ou nucléiformes ». En fait, M. Bourgon a décompté : 1 subcordiforme, 2 bifaces-hachereaux, 13 partiels, 24 nucléiformes, 3 « divers », 2 débris.

En somme, l'atypisme de ces bifaces d'apparence fruste contrastant avec de « bons racloirs » et des outils du type Paléolithique supérieur, a fait opter les auteurs pour la dénomination « Proto-moustérien ».

3b : Dans la brèche. Tous les pourcentages fléchissent, exceptés ceux dénonçant le concassage. Trois bifaces (0,68 %), un indice levallois presque nul, un pourcentage de facettage relativement important : c'est du Tayacien pour M. Bourgon. En fait, il s'agit peut-être du prolongement de 3a, mais défiguré.

Couche 4. — C'est le « Proto-moustérien » de D. Peyrony. M. Bourgon la subdivise :

4a : Pauvre, elle est contenue dans un limon rougeâtre. L'IL (15,4 %), est sensiblement plus élevé que dans les couches précédentes. C'est même le plus fort de tout le gisement. Il en est de même pour l'IFL, bien que les talons lisses dominent largement (67 %). Le fort pourcentage des racloirs, variés, souvent plats, parfois de type Quina, *l'absence totale de biface,* la présence de pointes retouchées, l'importance modérée des denticulés ont amené M. Bourgon à rapprocher cette couche du niveau inférieur de la gare de Couze, et, à un moindre degré, du Moustérien typique du Moustier (couche J), confirmant ainsi la diagnose de D. Peyrony. F. Bordes la définit comme d'« aspect très moustérien ».

(2) Abréviation de Moustérien de tradition acheuléenne.

4b : Pauvre, elle est contenue dans une brèche. Là encore, tous les pourcentages fléchissent au point que l'IL est pratiquement nul, alors qu'augmente celui de « cryoturbation » (56,4 %). Aucun couteau à dos. L'ensemble du débitage est plus épais et plus archaïque qu'en 4a. Finalement, seule la présence de 6 bifaces (frustes pour M. Bourgon et seulement « bifaçoïdes » pour F. Bordes) permet de conclure pour ces auteurs à un Acheuléen qu'ils ne déterminent pas davantage.

Couche 5. — Tayacien de H. Breuil, Acheuléen de D. Peyrony. Assez riche en objets, elle a été fortement cryoturbée puisque les « utilisés » et les « 46/47 » atteignent les pourcentages de 87 et de 37,20 %. L'IL demeure négligeable (2,4 %). L'IFl est de 23,40 %. Les racloirs et les denticulés dominent avec respectivement 14,2 % et 14,26 %. Les couteaux à dos sont pratiquement absents. Il y a quelques burins, perçoirs et grattoirs.

Il y a surtout 15 bifaces ainsi décomptés par M. Bourgon : 1 lancéolé, 2 subcordiformes épais, plus ou moins allongés, 3 « divers », dont un, épais, à tranchant latéral, 8 nucléiformes. On est bien en présence d'un Acheuléen qui n'est, lui non plus, pas davantage précisé.

Couche 5'. — Distinguée par F. Bordes. Très pauvre (« quelques silex ») elle permet seulement de noter l'augmentation des indices de racloirs et des denticulés. F. Bordes la rattache à la couche 5.

Couche 6. — C'est la couche éponyme du Micoquien. L'indice de cryoturbation est modéré, l'IL est presque nul et l'ensemble est peu facetté. Les couteaux à dos sont très rares, par contre les denticulés sont nombreux (27,06 %), il en est de convergents plus ou moins épais dits « pointes de Tayac ». Les racloirs, nombreux et variés (23,50 %) sont souvent très beaux. On note la présence de quelques outils du Paléolithique supérieur (dont un grattoir à museau). Quant aux bifaces, les 66 pièces représentent 9,80 % de l'outillage. Pour F. Bordes, le Micoquien ne présente que deux différences avec le Moustérien de tradition acheuléenne : présence des bifaces lancéolés ou de type micoquien, et absence des triangulaires.

II. PECH DE L'AZE.

Gisement complexe situé dans la commune de Carsac. Au flanc du côteau, l'abrupt est percé de 2 ouvertures ; ce sont les deux débouchés d'une même galerie, la grotte du Pech de l'Azé, recoupée tangentiellement par l'évolution du versant. La première de ces ouvertures ou Pech de l'Azé I, est prolongée par un abri effondré. La seconde, ou Pech de l'Azé II s'ouvre à 75 m environ de la première et se prolonge également par un abri.

A. CHRONOLOGIE. En 1951, M. Bourgon et F. Bordes classent les couches 8, 7 et 6 dans un Proto-moustérien qui pourrait rappeler celui de la couche 4 de la Micoque. En 1952, F. Bordes les dénomme « clactoniennes », comme la couche 3 de la Micoque. Ce n'est qu'à partir des fouilles de 1969 que F.

Bordes fera des couches 9, 8 et 7c, de l'Acheuléen méridional, et des couches 7b, 7a et 6 de l'Acheuléen. Il y a donc au Pech de l'Azé II abandon du Proto-moustérien et du Clactonien, au profit de l'Acheuléen.

B. TYPOLOGIE. Du seul point de vue typologique, on sait peu de chose de ces diverses couches. Dans l'attente des monographies à venir, le tableau IV précise les connaissances actuelles.

TABLEAU III.
Pech de l'Azé II - Intreprétations chronologiques.

N° des couches inférieures	Bourgon et Bordes 1951	Bordes Fouille 1952	Bordes Fouilles 67 - 69	Laville 1973
6	R./W. — Proto-moustérien	R./W — Clac-tonien	Riss III — 7 A / 7 B / 7 C } R.II — Acheul. / R.I — Acheul. méridional	Riss III
7				horizons B2 B3 C } Riss II
8		R.II/III		horizons B1 B2 } Riss I
9	Acheuléen	Acheuléen		
10			stérile — anté-rissienne	stérile — anté-rissienne

TABLEAU IV.
Pech de l'Azé II - Données techniques et typologiques (d'après F. Bordes).

N° des couches	nombre d'objets	nombre d'outils	IL %	IFL %	IB %	IR %	A = chopper B = chopping -tools	G = grattoir B = burin P = percoir C = couteau à dos %	Diagnose
6									Traces d'Acheuléen indé-terminé au sommet.
7 A									Acheuléen indéterminé (seulement quelques éclats dont certains levallois).
7 B	167	62	40,4	60	1,6 (1)		(A = 1) (B = 2)		Acheuléen très levallois.
7 C	321	116	8,5	34,5	4,5 (5)	22,4 (27)	(A = 5)	G = 9,3 B = 1 P = 2,8 C = 3,7 } 24 %	Acheuléen méridional.
8	560	228			4,5 (5)		(A = 4) (B = 7)		Acheuléen méridional.
9	330	113	3,5	35,5	9,1 (10)	20	(A = 1) (B = 3)	G typ. = 6 atyp. = 8 P = 5 C = 4	Acheuléen méridional.
10	stérile								

Couches 9, 8, 7c. — Elles forment l'ensemble « Acheuléen méridional ». L'IL est très faible, les outils du Paléolithique supérieur sont présents partout. Dans la couche 7c leur total domine les racloirs.

Quant aux bifaces, ceux de la couche 9 sont frustes, de style plus abbevillien qu'acheuléen moyen (mais la matière première est médiocre : quartz, basalte). Un hachereau en silex. Dans la couche 8, les 10 bifaces, 4 choppers et 7 chopping-tools ne sont guère meilleurs. On note, là aussi, un hachereau. Enfin, parmi les 5 bifaces de la couche 7c on peut isoler un lancéolé court, un « à dos » et un amygdaloïde, le reste étant plus ou moins de style abbevilien.

Couche 7b. — Sur 62 outils, 1 seul biface et un chopper. Il est dommage que la série soit si pauvre car il semble s'agir d'une couche de transition. L'IL est, de loin, le plus élevé de tous les gisements acheuléens connus en Périgord.

Couches 7a et 6. — On ne peut rien en dire.

III. COMBE-GRENAL.

La grotte-abri de Combe-Grenal s'ouvre à l'Est de Domme. Découverte en 1816, la station fit l'objet de prospections intermittentes.

De 1953 à 1965, F. Bordes y reprit des fouilles systématiques, mettant au jour, en avant de l'abri, les couches du Paléolithique inférieur. En 1965, l'édification d'un mur de protection du gisement a stoppé toute nouvelle recherche. Malheureusement,

« aucune étude d'ensemble n'ayant été publiée à ce jour » (H. Laville, 1973), les renseignements d'ordre statigraphique ou typologique relevés par F. Bordes au cours de ses 13 années de fouilles n'apparaissent que de façon très fragmentaire dans différentes notes consacrées à ce site.

Cependant, « exceptionnel par ses dimensions ainsi que par l'épaisseur et l'extension de ses dépôts, le gisement de Combe-Grenal présente une importance capitale sur le plan archéologique. Soixante-quatre niveaux appartiennent, pour les uns à l'Acheuléen, pour les autres, aux différents faciès du complexe moustérien » (H. Laville, 1973, p. 228). L'épaisseur du remplissage propre au Paléolithique inférieur, est d'environ 3 m. Il est subdivisé en 9 niveaux recélant 8 couches archéologiques (de 64 à 56).

A. CHRONOLOGIE. Pour F Bordes, confirmé par H. Laville, l'ensemble appartient au Riss III.

B. TYPOLOGIE. Les seules précisions qui puissent être rassemblées sont données dans le tableau V.

Pour ces 8 couches, on retiendra :
1° L'indice levallois, quand il est connu, est toujours faible.
2° L'indice de bifaces ne dépasse pas 10 %. Ces bifaces sont variés mais les types de l'Acheuléen supérieur, lancéolés, cordiformes, micoquiens, sont rares ou manquent totalement. Les plus fréquents sont des nucléiformes médiocres, les meilleurs sont

TABLEAU V.

Combe-Grenal - Principales données techniques et typologiques (d'après F. Bordes).

N° des couches	nombre d'objets	nombre d'outils	IL %	IB %	IR %	Diagnose	Renseignements divers.
56	1 113	73	8,4 %			Acheuléen supérieur	C'est le maximum du Levallois.
57	5 737	400				Acheuléen supérieur	Les racloirs du type Quina atteignent 1,3 % (maximum pour les couches acheuléenes de Combe-Grenal).
58	17 432	1 409	4,5 %	5,3 %	42,5 %	Acheuléen supérieur	— Racloirs de types extrêmement variés. — 19,9 % d'encoches et denticulés.
59	16 623	1 075		varie de 5 à 10 %	varie de 42 à 54 %	Acheuléen méridional	
60	6 800	500 environ				Acheuléen méridional	Plus évolué qu'au Pech de l'Azé II.
61	1 010	56				Acheuléen méridional	— idem —
62	311	33		1			
63	87	15		0		Acheuléen présumé	Quelques éclats de taille de biface.
64	5			0		Acheuléen présumé	— Beaucoup de congélifraction. — Quelques éclats de taille de biface.

amygdaloïdes ou à dos. La diagnose « Acheuléen méridional plus évolué qu'au Pech de l'Azé » est sans doute fondée, mais ne donne guère de détails. F. Bordes renvoie à Bouheben, gisement de la Chalosse, fouillé par C. Thibault. Or, le niveau 2 de Bouheben ne comporte que 12 bifaces, et c'est de l'Acheuléen supérieur. Pour l'Acheuléen moyen, qui n'a livré que quelques bifaces, C. Thibault lui reconnaît « des affinités certaines, surtout au vu des bifaces rudimentaires, avec l'industrie du gisement des Pendus (fouille J. et G. Guichard), en Bergeracois » (C. Thibault, 1970, p. 808).

3° Les choppers et les chopping-tools sont assez fréquents.

4° Le groupe des outils du type Paléolithique supérieur est présent partout mais en faible proportion.

5° Les denticulés varient de 15 à 18 %.

En résumé :

— les couches 64, 63, 58, 57 et 56 ont fourni un Acheuléen indéterminé,

— les couches 61, 60 et 59 un « Acheuléen méridional évolué » dont l'une des caractéristiques serait la prédominance des outils sur éclat, souvent beaux.

En CONCLUSION, les sites classiques des grottes du Périgord montrent que les couches « à bifaces » apparaissent avec le Riss I (la Micoque, 3) et se développent jusqu'au Micoquien (début du Würm I) (3).

S'il est vrai que l'Acheuléen se définit par des bifaces (F. Bordes a classé ainsi la couche 7b du Pech de l'Azé II au vu d'un seul spécimen), il faut inclure la couche 3 de la Micoque dans l'Acheuléen, de même d'ailleurs que les couches 4b et 5. Si D. Peyrony s'y était refusé, c'est qu'il avait été induit en erreur par des séries pauvres et par la « médiocrité » des bifaces, en contraste avec un outillage moustérien d'aspect « évolué », et, en conséquence, il n'a pas tenu compte des premiers.

Tant à Combe-Grenal qu'au Pech de l'Azé II, F. Bordes a rencontré des séries quantitativement tout aussi pauvres et qualitativement tout aussi médiocres. Il les a cependant classées dans un « Acheuléen méridional » dont il n'a pu donner, en ce qui concerne les bifaces, et faute d'un matériel suffisant, une description précise.

Dans la deuxième partie de cet article, on verra que les fouilles menées dans un autre contexte géomorphologique apportent des précisions fondamentales.

Finalement, à la Micoque, le « Tayacien » n'existe pas et hors des couches trop concassées ou trop pauvres pour permettre une diagnose quelconque, il ne reste que la couche 4a qui puisse encore être qualifiée de « proto-moustérienne », tout le reste étant Acheuléen.

---

(3) Les fouilles en cours de J.-P. Rigaud dans la grotte de l'Eglise (Cénac et Saint-Julien), atteignent, sous 12 m environ de remplissage, des niveaux Mindel/Riss, riches en faune, mais qui n'ont pas livré d'industrie.

Les sites de plein air.

I. PALÉOGÉOGRAPHIE HUMAINE.

Jusqu'à la première fouille de Cantalouette (J. et G. Guichard, 1957, publiée en 1965), bien que des quantités de sites de plein-air fussent *signalés* (D. Peyrony, *Le Périgord Préhistorique*, 1949), aucun n'avait été *étudié*. Ils ont été négligés pour de nombreuses raisons : pas de faune (terrain acide et siliceux), donc pas d'œuvres d'art ; stratigraphies difficiles à interpréter avant les progrès de la sédimentologie, de la pédologie, de la palynologie ; obsession de mélanges indécelables avant la maîtrise d'une méthode typologique statistique, etc.

Si bien que M. Bourgon, traitant du Périgord, pouvait encore écrire, en 1951 : « les alluvions des plateaux n'ont jamais donné d'industries préhistoriques en place, sinon à leur surface, où le Paléolithique inférieur et moyen est mêlé au Néolithique » (M. Bourgon, 1951, p. 14). Bref, en dehors des classiques remplissages de grottes et abris, des dépôts de pente et de rarissimes tufs, tout le reste était une vaste *terra incognita,* autant de blanc que l'on retrouve dans les cartes de M. Bourgon (1951) et même en 1960 dans celles de D. de Sonneville-Bordes pour le Paléolithique supérieur.

A partir de 1957, le *survey* systématique du Bergeracois ; la création de véritables petits musées de terrain (Eymet) ; les découvertes du Dr J. Gaussen dans la région de Neuvic ; la mise en train (J. et G. Guichard) du fichier systématique des gisements du Périgord ; puis plus tard les travaux de J.-P. Texier dans la vallée de l'Isle, ceux de B. Kervazo en Sarladais, etc., allaient complètement modifier les perspectives du Quaternaire de plein-air en Périgord.

En 1949, D. Peyrony avait publié son *Périgord Préhistorique,* première tentative de recensement exhaustif : 238 communes étaient citées comme contenant du Paléolithique, sans que celui-ci fut autrement précisé (4). Dans 132 cas, il indiquait des lieux-dits.

Actuellement, *pour les seuls Paléolithiques inférieur et moyen* on a repéré 475 sites, et 321 d'entre eux font l'objet de déterminations plus précises. A titre d'exemple, Brantôme qui n'était pas mentionné dans le *Périgord Préhistorique* passe de 0 à 6 gisements, Le Fleix de 0 à 5, Belvès de 4 à 8, Mouleydier de 0 à 6, Queyssac de 3 à 10, Creysse de 9 à 19, Lembras de 2 à 17, Lanquais de 0 à 18, etc. (fig. 1). Le gain des connaissances sur la paléogéographie humaine est de 48,70 % sur la localisation des sites de plein-air et de 217 % sur l'identification des époques culturelles (4).

Mieux, si 202 sites de plein-air ne possèdent qu'une seule industrie (Acheuléen ou M.T.A.), on sait désormais que 119 autres recèlent ces deux industries. Quelques-uns montrent d'ailleurs dans leur coupe plusieurs couches d'Acheuléen (cas des Bertranoux, commune de Creysse, par exemple). De

---

(4) A l'exception, bien entendu, des grands sites connus en milieu de grottes, abris, dépôts de pente, etc...

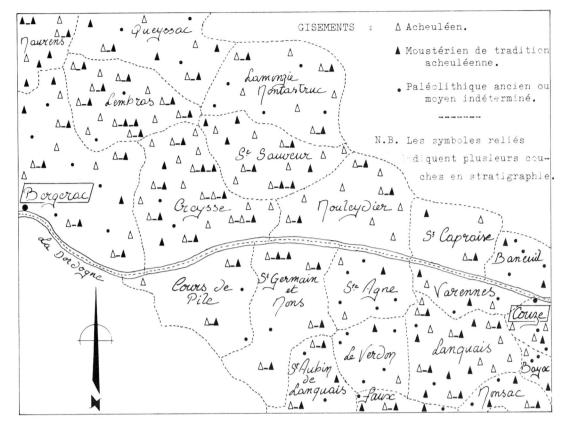

FIG. 1. — Répartition schématique des sites Acheuléens et Moustériens dans 21 communes du Bergeracois. Les sites du Paléolithique supérieur sont aussi nombreux.

plus, pour un nombre important, la séquence Paléolithique inférieur ou moyen est complétée par la présence, en stratigraphie, de Paléolithique supérieur et de Néolithique.

II. STRATIGRAPHIE.

Bien entendu, il faudrait, avant de passer à l'étude typologique de ces sites, lever clairement l'hypothèque stratigraphique. Mais les explications nécessaires, outre qu'elles allongeraient considérablement ce texte, concernent tout autant les gisements du Paléolithique moyen. Elles seront donc données au chapitre consacré au Moustérien du Périgord.

III. TYPOLOGIE.

1° Généralités.

Comme tout Acheuléen, le matériel du Bergeracois comprend un outillage sur éclat et des instruments bifaciaux. Faute de place, on ne traitera pas spécialement des premiers. On rappellera seulement qu'au plan technique, leurs IL et IFs sont faibles à très faibles. Dans l'ensemble, les outils sont élégants, d'une retouche soignée (notamment les racloirs de types variés) et font penser à un Acheuléen final, voire même à un beau Moustérien. Il y a des outils du type Paléolithique supérieur.

En contraste, les instruments bifaciaux, hormis certains bifaces, présentent un aspect archaïque, de prime abord déconcertant, qui les rend difficiles à classer et à décrire. Cependant, ils ont été trouvés en

abondance (plus de 300 aux Pendus) et en stratigraphie. Ces séries sont répétitives : on les retrouve, avec ou sans nuances, dans nombre de sites. L'homogénéité générale est telle que la permutation de certaines catégories de pièces est possible, de site à site. Si bien que, dans ces grandes séries, des types caractéristiques ont pu être isolés et définis.

L'originalité propre à ces industries, c'est la prédominance des bifaces-hachereaux, et la présence, non seulement de bifaces spécifiques, mais encore de hachereaux. On commencera par l'étude de ces derniers, car ils font l'objet d'un problème d'école.

2° Le problème des hachereaux.

Le hachereau a été défini à partir des industries africaines, dans lesquelles il est un élément prépondérant. Quelle que soit la méthode d'analyse employée par divers auteurs (Alimen, Biberson, Chavaillon, Tixier), la définition finale est qu'il s'agit d'un outil toujours sur éclat, de forme globale variable, dont les bords sont plus ou moins abattus ou aménagés, mais caractérisé par un tranchant ayant été déterminé *antérieurement* à l'enlèvement de l'éclat. Les retouches affectant le bord peuvent envahir une partie, mais toujours mineure, d'une ou des deux faces de l'objet.

Des spécimens correspondant à cette définition synthétique se trouvent en Périgord. Cependant, beaucoup de pièces ne peuvent entrer dans cette catégorisation restrictive, bien qu'elles présentent la même morphologie générale et qu'elles soient toujours associées aux précédents : leur tranchant étant

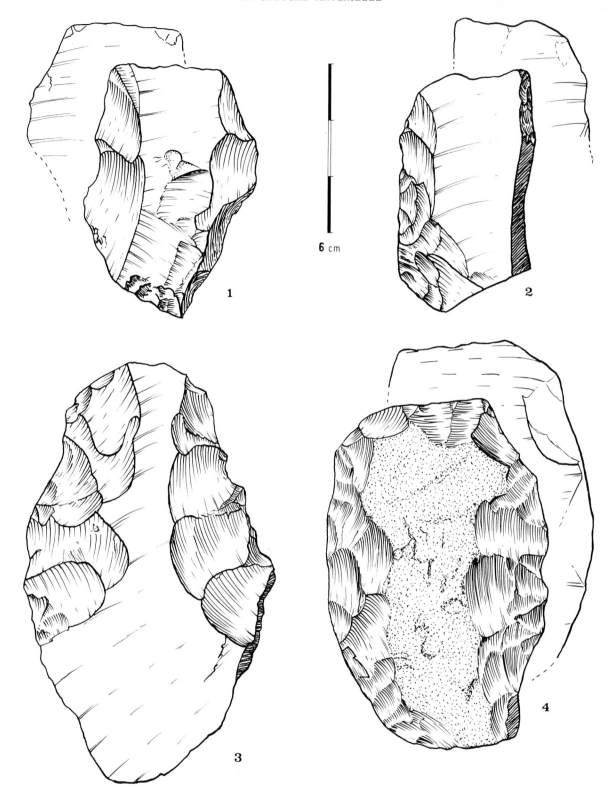

6 cm

FIG. 2. — *Hachereaux.*
1. La Micoque, couche 3; 2. Les Pendus; 3 et 4. Bertranoux. (Dessins G. Guichard, A. Morala).

souvent obtenu, *postérieurement,* par de grands enlèvements plats, elles perdent ainsi *fondamentalement*
la dénomination de hachereau.

Or, comme il sera vu plus loin, le débitage de ces
industries est très étroitement lié à la matière première, laquelle n'est pas toujours propice à la préparation ordinaire de cet outil. Notamment dans le cas

de certains éclats de gel (5), véritables préformes
naturelles non ambiguës, il n'est plus besoin d'un
débitage spécial, ni même parfois d'un agencement
des bords. Tout est donné par le support judicieuse-

(5) Désormais, dans ce texte, on distinguera *éclat* de gel,
de congélifarct en tant que *bloc - support d'outil.*

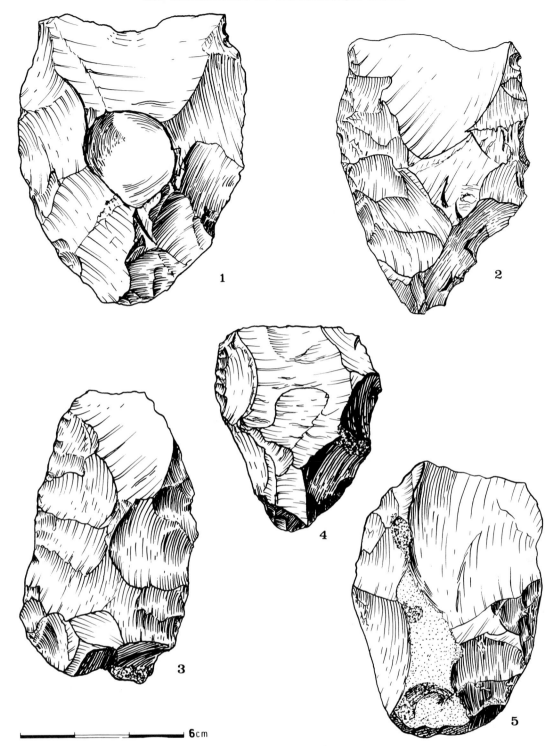

6cm

FIG. 3. — *Bifaces-hachereaux*.
1. Bertranoux; 2. Barbas infra; 3. Les Pendus; 4. La Micoque, couche 3; 5. Barbas médium. (Dessins G. Guichard, A. Morala).

ment choisi, sous réserve d'aménager sommairement, si nécessaire, le tranchant.

On pourrait, certes, les appeler « outils à biseau terminal » ou « pièces à tranchant terminal ». Cette dénomination ne rendrait pas compte d'une distinction importante : celle de « pièce *sur éclat* à biseau terminal » et de « pièce *bifaciale* (ou sur bloc) à biseau terminal ».

Il semble plus logique de rattacher les premières aux hachereaux, dans la mesure où ils ont en commun le fait d'être sur éclat, et d'avoir un biseau, quelle que soit la façon dont celui-ci a été obtenu, compte tenu que les uns sont typiques (selon la définition « africaine »), et les autres atypiques. Une autre raison qui milite en faveur de ce rapprochement, c'est que toutes les pièces étudiées, typiques et atypiques, associées dans les mêmes sites, présentent non seulement un contour identique, mais encore une

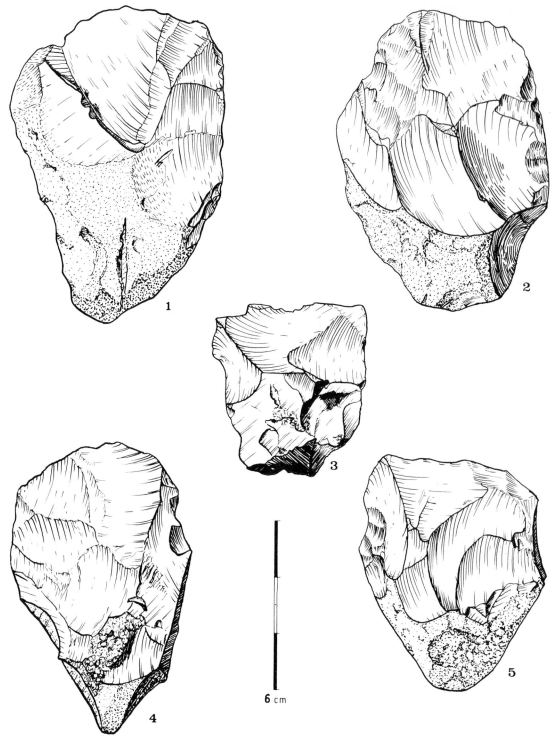

FIG. 4. — *Bifaces-hachereaux sur bloc.*
1. Barbas infra; 2. Barbas medium; 3. La Micoque, couche 3; 4 et 5. Les pendus. (Dessins G. Guichard, A. Morala).

dimension, un rapport longueur-largeur-épaisseur identiques, sans parler bien entendu d'un aspect fonctionnel identique, même s'il est présumé. La proportion des biseaux rectilignes, obliques, par rapport aux biseaux légèrement convexes, celle des bases en V par rapport à celle des bases en U, celle des bords retouchés par rapport à celle des bords naturels (ces deux derniers paramètres étant souvent dus à la matière première) est également ou à très peu de choses près, chaque fois identique.

Si l'on admet généralement une sorte d'évolution créatrice du chopper au choping-tool et au biface, rien n'empêche d'imaginer une évolution du hachereau à tranchant non aménagé à celui à tranchant aménagé.

Que ces pièces soient dénommées « hachereau

atypique », « hachereau européen », « pseudo-hachereau », peu importe. L'important est que le mot hachereau demeure car elles appartiennent indubitablement à ce genre typologique. On l'appellera ici « hachereau de tradition africaine » (fig. 2).

3° Le biface-hachereau.

Le biface-hachereau ne saurait être confondu avec un chopping-tool dont le tranchant demeure toujours sinueux. Il ne peut être non plus confondu avec un biface présentant une sorte de biseau terminal, ce dernier étant alors toujours très étroit et surtout très court. Il ne peut pas, non plus, être confondu avec le hachereau, dont il diffère par des retouches bifaciales importantes, même si elles sont parfois partielles.

En réalité, il procède de ces deux dernières catégories : il a un corps bifacial et un biseau terminal occupant presque toujours la largeur et le tiers de la longueur de la pièce. Ce biseau est obtenu de différentes manières qui seront analysées plus loin.

Le terme de biface-hachereau a été contesté. Il paraît cependant souhaitable de conserver cette dénomination. En effet, l'expression de « hachereau-biface » est à proscrire, car elle porte en soi une contradiction. Elle suggère implicitement un hachereau qui aurait été transformé en biface, ce qui est incompatible avec la définition même du hachereau. Au contraire, le terme de biface-hachereau range l'outil dans son groupe typologique initial, celui des vrais bifaces, tout en signalant la parenté sans équivoque, intentionnelle ou fonctionnelle, avec le hachereau (fig. 3).

Si l'on ne peut donner, dans le cadre de ce travail, une étude morphologique exhaustive des divers types de bifaces-hachereaux, il convient cependant de retenir une sorte de sous-type très fréquent qui dépend du choix d'une certaine matière première : c'est le biface-hachereau sur bloc (fig. 4).

Au demeurant, tous les exemplaires connus sont d'une homogénéité parfaite dans leurs proportions, tant sous le rapport de la longueur, de la largeur, de l'épaisseur, que du profil ou de la section. De plus, ils se trouvent, eux aussi, dans les mêmes contextes stratigraphiques et industriels. Enfin, ils peuvent subir des permutations de site à site sans jamais sembler intrusifs (fig. 3 et 4).

4° Matière première et support.

Si une partie de l'outillage provient de petits rognons ou de petites plaquettes de silex débités à l'ordinaire, plus des deux tiers ont été aménagés et taillés sur des éclats de gel ou sur des blocs ou des fragments de blocs congélifractés.

Si les Acheuléens rissiens du Bergeracois ont marqué une certaine préférence pour le silex frais pour tailler les outils sur éclat, les hachereaux et les bifaces ordinaires, ils ont eu une préférence certaine pour les blocs congélifractés quand il s'agissait, notamment, de bifaces-hachereaux.

Ce dernier choix préférentiel évident, outre son intérêt paléthnologique et classificatoire, milite en faveur d'une installation directe sur un sol cryoturbé, ou venant d'être cryoturbé, dans une région où abondent par ailleurs les biefs à rognons de qualité.

La raison profonde de ce choix nous échappe. On peut formuler des hypothèses d'ordre climatique, sédimentaire ou culturel. En tout cas, tout indique une interaction entre des formes naturelles qui préfiguraient l'objet et la collecte systématique de congélifracts qu'une taille sommaire rendait conforme au modèle voulu. Cette démarche a été très bien ressentie, dans un autre contexte pétrographique, par J. Chavaillon qui ajoute même : « ... (ces blocs) ... présentant naturellement des caractères favorables à la fabrication de l'outil envisagé » (J. Chavaillon, 1966, p. 219). L'obtention de l'outil était pratiquement immédiate, par une sorte d'aménagement rapide et intelligent doublé d'une grande économie gestuelle. C'est en cela que ces objets ne sont en réalité ni frustes ni archaïques mais parfaitement adaptés.

Dès lors, ce qui importe surtout c'est l'étude morphologique de ces congélifracts : bases, bords, surfaces planes, extrémités distales, etc...

A. BASES.

Les formes rencontrées sont de 3 types :

— *Rectilignes* : il peut s'agir d'une surface corticale, que ce cortex envahisse ou non le corps de la pièce ; du talon lisse de l'éclat-support ; d'une fracture ou d'une surface cryoclastique. Dans ce dernier cas (cassure naturelle) cette surface peut être très importante, occupant la plus grande largeur et la plus grande épaisseur de la partie inférieure de l'objet. Le plus souvent obliques, ces bases rectilignes sont presque dans tous les cas fortement inclinées vers la face ventrale et simulent alors des talons clactoniens.

— *Diédriques ou coniques*. Le cône est plus ou moins mousse, irrégulier, cortical, évoquant un U évasé, souvent en forme de V. Le dièdre est formé par la rencontre, en angle aigu, de deux fractures de congélifraction. L'angle est même quelquefois accentué, grâce à quelques chocs violemment portés.

— *Convexes* : il s'agit soit d'une surface corticale naturellement arrondie, soit de la rencontre de plusieurs plans cryoclastiques (polyèdre tronqué), eux aussi souvent aménagés, mais cette fois par des retouches discrètes qui finissent de donner à la base son aspect convexe, souvent globuleux. Les bases façonnées sont pratiquement toujours de ce type.

Si pour les bifaces les bases rectilignes et convexes sont les plus nombreuses, les bases en cône tronqué ou en V aigu semblent avoir été préférées pour les bifaces-hachereaux sur bloc.

B. Bords.

— *Retouchés,* dans des cas très rares de la pointe à la base, le plus souvent partiellement et vers la partie distale.

— *Coupants naturels* (bords bruts d'éclat de débitage ou de gel).

— *A dos ou pan naturel :* cortex, fracture de congélifraction, ils occupent tout ou partie des deux côtés de la pièce, ou d'un seul côté.

— *Mixtes :* combinaison des cas précédents intéressant soit les deux, soit un seul bord.

Lorsqu'un des bords est constitué par une fracture à surface infléchie vers le ventre de la pièce, l'arête aiguë de la fracture sert pratiquement toujours de plan de frappe pour obtenir des retouches qui affectent le dos de l'objet.

C. SURFACE NATURELLE (dos ou ventre). Elle peut être :

— *plane* (ne pas confondre avec *face plane* qui désigne la face d'éclatement d'un éclat débité). Ici, il s'agit d'une large plage, soit plate (surface de clivage d'un bloc après congélifraction), soit légèrement bombée ou concave (éclat de gel).

— *en pyramide aplatie* d'origine cryoclastique. Cette préforme a été fréquemment choisie pour le façonnage sommaire d'un biface.

Les deux cas peuvent se combiner. De telles surfaces naturelles sont très typiques de ces industries.

D. EXTRÉMITÉS DISTALES.

Dans le cas des bifaces faits à partir de congélifracts, la rencontre des plans naturels est toujours retaillée, même si ce n'est que partiellement. La pointe d'un lancéolé ou l'arc supérieur d'un ovalaire sont soignés.

Dans le *cas du hachereau de type africain,* on sait que le tranchant est, par définition, prédéterminé, et que les types de ces biseaux, faiblement convexes, rectilignes droits ou obliques peuvent être de surcroît rétrécis (étroits), spatulés, ou égaux à la largeur de la pièce (dont les bords sont, dans ce cas, parallèles). Ce type de hachereau est rare en Bergeracois, mais il est toujours associé avec la forme suivante :

— « *hachereau de tradition africaine* » : le tranchant peut être la rencontre de la face d'éclatement d'un éclat de gel et d'une surface plane, dorsale, le plus souvent naturelle. Les types des biseaux sont les mêmes que précédemment, dans leur contour ou dans leur amplitude. Mais le tranchant est toujours accentué ou même tout simplement aménagé par des retouches appropriées (fig. 1, n° 4).

En conclusion, *on rencontre en Bergeracois, dans une industrie acheuléenne, des hachereaux façonnés à partir d'éclats de débitage dont la base est parfois amincie par la suppression du bulbe ; ou sur éclats de gel, dont les bords sont affectés de retouches simples, alternes ou bifaciales, quand celles-ci ne sont pas remplacées par un élément naturel qui en tient lieu ; dont le tranchant est obtenu soit par la rencontre de deux plans préalablement établis ou naturels, soit, à défaut, par des retouches le plus souvent longitudinales, plates, en nombre toujours peu élevé, qui améliorent ou même aménagent, sur l'une, ou les deux faces, le biseau souhaité.*

Il existe des bifaces-hachereaux qui ont subi le même traitement lorsque celui-ci a été nécessaire pour obtenir un outil du même genre (fig. 2).

Enfin, il ne faudrait surtout pas croire, à la lecture de cette analyse, que les objets décrits sont des sortes d'éolithes, interprétés de manière plus ou moins subjective. Il s'agit bien d'outils objectivement identifiables, finis, classables. Mais on ne peut les sérier selon les habituelles normes typomorphologiques qu'après avoir compris leur économie. On rejoint d'ailleurs une fine observation de J. Chavaillon : « le

tailleur de pierre acheuléen, en choisissant la nature pétrographique et la forme d'un bloc ou d'une plaquette, réalisait la première opération d'une série de phases techniques et intellectuelles qui devait faire d'un simple galet ou d'une plaquette (...) un biface (...) : le choix de la matière première semble indissociable de l'idée de l'outil ou de l'arme que l'homme acheuléen envisageait de réaliser » (J. Chavaillon, 1966, p. 1). Il y a là une sorte de donnée élémentaire de l'esprit acheuléen. De plus, si on a insisté dans cet article sur le côté morphogénétique du support, au détriment du classement morphologique (listes-types), c'est parce que c'est là qu'ont achoppé, semble-t-il, les anciens préhistoriens ou les fouilleurs des sites classiques.

5° *Les bifaces.*

Toujours abondants dans les sites de plein-air fouillés avec méthode, ils exigent une classification aussi exhaustive que possible car celle-ci rend possible des comparaisons non seulement de culture à culture, mais encore de site à site au sein d'une même culture, ce qui permet de délimiter des « faciès » (qu'ils soient géographiques, saisonniers, culturels). De plus, dans le cas d'un échantillonnage réduit, certains points de repère permettent cependant de situer un site dans le complexe acheuléen.

La liste-type n'est pas donnée ici, faute de place. Son existence ne peut cependant être passée sous silence puisque c'est à partir d'elle que, pour la seconde fois (6), des industries acheuléennes seront classées selon les ensembles de leur fossile directeur, le biface, qui, dans l'Acheuléen, paraît plus spécifique que l'outil sur éclat. Cet essai porte sur près de 1 000 pièces bifaciales provenant des 5 couches de 3 sites (7).

A partir de la liste-type, chaque catégorie de bifaces est affectée d'un pourcentage qui peut se traduire par un graphique cumulatif. L'ordre de décompte des types est important, bien entendu.

D'une part, il paraît difficile de ranger ensemble tel lancéolé raffiné, aux arêtes rendues rectilignes et tranchantes par régularisation secondaire au percuteur doux, avec tel autre lancéolé auquel seul un contour très général obtenu par retouches brutales, voire sommaires, donne son nom. Il en est de même pour les cordiformes : l'on ne peut décompter ensemble telle pièce globuleuse à base réservée et telle autre, extra-plate, typique des industries du M.T.A..

D'autre part, le critère d'archaïsme, tant dans la forme que dans le débitage, sous la réserve expresse d'être manié avec précaution, permet une bonne répartition par « blocs » (8).

Par exemple, si dans l'Acheuléen rissien du Bergeracois, il existe quelques vrais lancéolés, cordiformes ou ovalaires, on pourrait attribuer au plus grand nombre le préfixe *sub* ou *proto*.

Les bifaces sont donc rangés dans leurs catégories typomorphologiques mais quelques-unes de ces caté-

---

(6) La première tentative a eu lieu au sujet des 4 000 bifaces de la région de Wadi-Halfa, Nubie, (J. et G. Guichard, 1968).

(7) Une de ces couches est du M.T.A.

(8) Dans les décomptes du Moustérien F. Bordes a distingué le groupe I (ou « Acheuléen »), le groupe II (« Charentien »), etc...

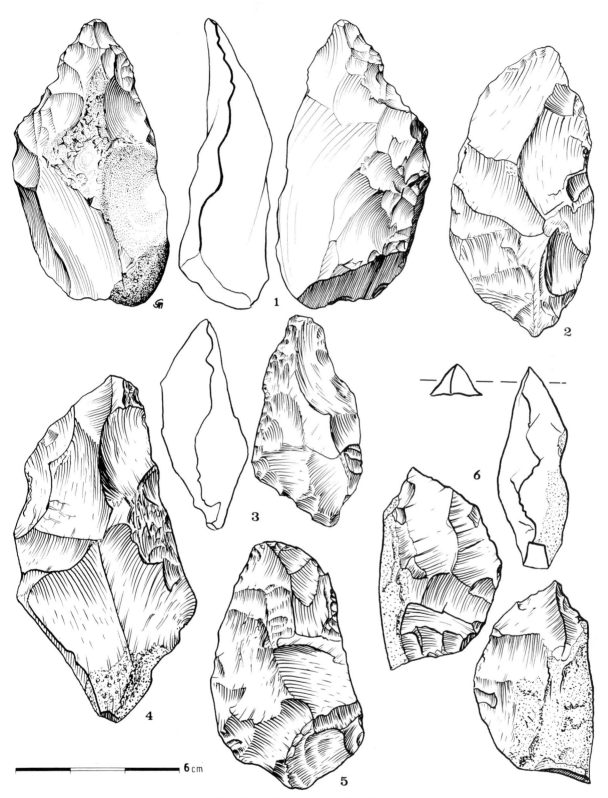

6 cm

FIG. 5, — *Bifaces de type Les Pendus.*
1. Barbas medium; 2. Bertranoux; 3. La Micoque, couche 3; 4. Les Pendus; 5. Barbas infra.
Biface à dos
6. Les Pendus. (Dessins G. Guichard, A. Morala; le n° 1 est de J.G. Marcillaud).

gories figurent deux fois, la première dans le groupe « archaïque » ou dans le groupe « Acheuléen moyen », la seconde dans celui de l'« Acheuléen supérieur ». Il va de soi qu'il peut exister dans telle industrie de type supérieur des éléments beaucoup plus frustes, mais l'expérience de la méthode prouve que cela ne change rien à l'aspect final de l'histogramme récapitulatif qui distribue les ensembles

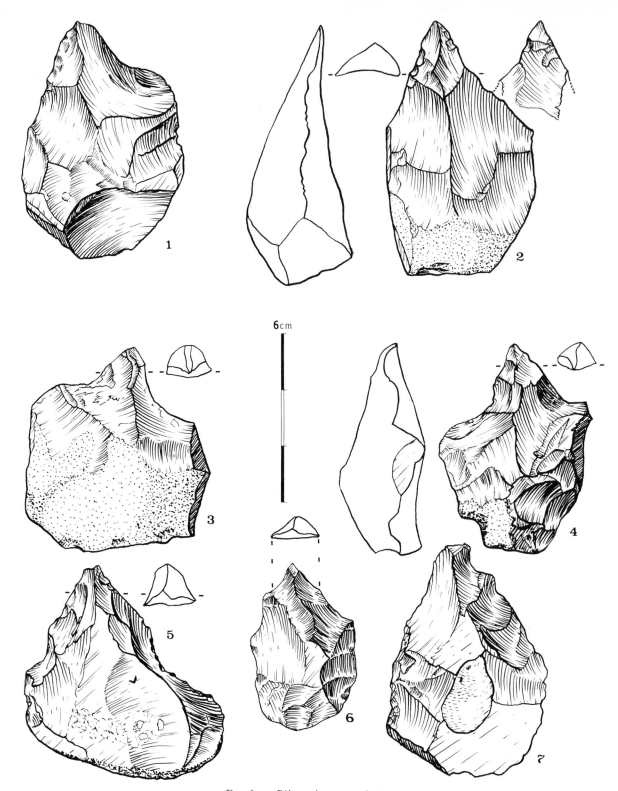

FIG. 6. — *Bifaces à rostre aplani.*
1. Bertranoux; 2 et 6. Les Pendus; 3. Cantalouette; 4. La Micoque, couche 3; 5. Barbas infra; 7. Bertranoux.
(Dessins G. Guichard, A. Morala).

selon le degré d'évolution technique et typologique qui leur sont propres. Au stratigraphe de faire le reste (9).

(9) Car il reste bien entendu que l'évolution n'est pas linéaire, qu'il y a des récurrences, etc...

BIFACES FRÉQUENTS OU PARTICULIERS EN BERGERACOIS.

— « *Partiels* », « *à dos* ». Si l'on s'en tient aux définitions proposées par divers auteurs, les sites du Bergeracois, à quelques exceptions près, ne compor-

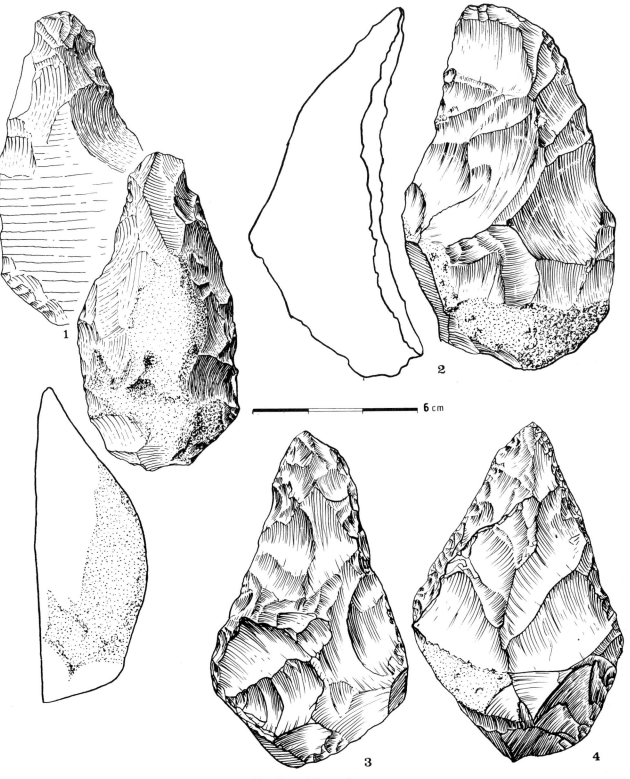

FIG. 7. — *Bifaces divers.*

1. *Caréné,* Les Pendus; 2. « *De type Cantalouette* », Les Pendus; 3. « *De type Acheuléen supérieur* » (tendant vers le Micoquien), Bertranoux; 4. *Lancéolé,* Bertranoux. (Dessins G. Guichard, A. Morala; le n° 2 d'après P. Laurent, le n° 1 de J.G. Marcillaud).

tent que ces deux catégories..., quand ces deux catégories ne se chevauchent pas.

Seront donc appelés *bifaces partiels* les pièces dont le contour est si mal défini que, même entièrement taillées, elles entreraient dans la rubrique des inclassables. Les bifaces partiels mais de morphologie reconnaissable seront distribués selon leur catégorie. Il suffit d'indiquer en note leur particularité (fig. 7, n° 1).

Seront appelés *bifaces à dos* ceux dont un des

bords forme un « dos » de 2 à 3 cm d'épaisseur, qu'il s'agisse d'un large méplat, d'une fracture cryoclastique ou d'une très importante masse corticale. L'autre côté est toujours retouché, leur pointe est le plus souvent aiguë, la base en V (retouchée ou naturelle), la section cunéiforme (10) (fig. 5, n° 6).

— *Du type Les Pendus :* étroits, relativement longs, à bords subparallèles, à base souvent réservée, dont la pointe parfois acuminée est le plus souvent mousse, à profil torse (10). Après les bifaces-hachereaux, ce sont les plus nombreux (fig. 5, sauf n° 6).

— *A rostre aplani :* leur volume évoque celui d'une pyramide aplatie. Très partiels, la face dorsale est aménagée par de grandes retouches plates plus ou moins convergentes qui dégagent un rostre variable, allant de l'angle obtus à l'épine. Le contour de la base est globuleux ou plus ou moins convexe. Ils semblent associés à un outil sur éclat rostro-caréné (sorte de pointe de Tayac à dos pyramidal) (10). Leur fréquence est presque identique à celle des bifaces de type Les Pendus (fig. 6).

— *Carénés :* de contour ovalaire partiel. Le profil dessine une carène. La face dorsale est fortement bombée, la ventrale nettement concave, ce qui amincit le fil du sommet. Ils arrivent, par ordre de fréquence en troisième position (fig. 7, n° 1).

— *Du type Cantalouette :* de contour sublancéolé, à profil nettement incurvé (donc une face ventrale très concave) (11). Bien que fort particulier, ce type demeure rare (fig. 7, n° 2).

— *Réniformes, à épaulement* (10), etc. Bien que présents dans le Bergeracois leur pourcentage est en-dessous du seuil significatif.

Les autres types appartiennent au fonds commun acheuléen.

IV. LES PRINCIPAUX SITES.

Cet Acheuléen moyen peut être défini à partir de 3 sites choisis parmi les plus riches : *Les Pendus* (Creysse), qui a livré, dans une couche unique et homogène, 324 pièces bifaciales et 27 hachereaux ; *Barbas* (Creysse), couche inférieure : 95 pièces bifaciales et 6 hachereaux ; *Barbas* ; couche médium : 105 pièces bifaciales et 16 hachereaux ; *Cantalouette* (Creysse), couche unique ayant donné 149 pièces bifaciales et 3 hachereaux. Soit au total 670 pièces bifaciales et 52 hachereaux.

Au plan stratigraphique, toutes ces couches sont contenues dans des cailloutis dont on sait seulement qu'ils sont rissiens. Il y a donc une grande difficulté de correlation fine entre ces sites autrement qu'à l'échelle globale du Riss. Cependant, à Barbas, on a une superposition (Barbas infra, médium, supra). Par ailleurs, on n'a trouvé, dans cette région, aucune industrie interglaciaire (12).

(10) Pour une définition plus exhaustive cf. J. et G. Guichard, 1966.

(11) Cf. J. Guichard, Cantalouette (1965).

(12) Cantalouette a été le premier gisement de plein-air fouillé en Bergeracois. Faute de références stratigraphiques et typologiques, J. Guichard en avait fait un Acheuléen **très** final, c'est-à-dire datable, peut-être, du tout début du Würm. C'était une erreur. Cantalouette est, lui aussi, rissien.

Au plan typologique, les caractéristiques essentielles de ces industries ressortent d'histogrammes établis à partir de blocs dont les 3 groupes sont calculés sur les pourcentages des pièces bifaciales (à l'exception des fragments et ébauches) (tableau VI).

Groupe I. – dit « Acheuléen inférieur ». Il se compose de deux sous-groupes : le premier, « archaïque », comporte les choppers et les chopping-tools ; le second les bifaces rencontrés généralement dans les industries les plus anciennes : pics, ficrons, bifaces dits abbevilliens, etc.

Groupe II – dit « Acheuléen moyen ». Il se compose lui aussi de deux sous-groupes. Le premier où se trouvent les formes habituelles au Paléolithique ancien un peu plus évolué que dans le groupe I : amygdaloïdes globuleux, subcordiformes épais, subovalaires, proto-lancéolés, etc... ; le second comportant des bifaces spécifiques à telle ou telle région : limandes, bifaces-hachereaux, bifaces à rostre, etc...

Groupe III – dit « Acheuléen supérieur ». Toutes les formes de l'Acheuléen supérieur et final (vrais lancéolés, cordiformes *plats,* micoquiens), auxquelles s'ajoutent des formes aussi spécifiques que celles des bifaces triangulaires, allongés ou non, la présence de ces derniers indiquant à elle seule la frontière entre Acheuléen, même final, et M.T.A.

Pour les industries considérées, les blocs s'établissent ainsi :

	Groupe I	Groupe II	Groupe III
Barbas infra	34,86	60,18	1,20
Les Pendus	27,91	64,96	7,01
Barbas médium .	17,55	55,83	21,95
Cantalouette ...	15,74	39,37	44,88

Barbas infra : Le groupe II, ou « Acheuléen moyen », occupe presque les 2/3 de l'outillage bifacial ; les pièces spécifiques dominent de 3 % les pièces ordinaires. Le groupe I, ou « Acheuléen inférieur » frôle le tiers de l'ensemble, les choppers et chopping-tools étant presque à égalité numérique avec les pièces banales de l'Acheuléen inférieur. Le groupe III, celui des pièces évoluées (tant par leur forme que par la technique de leurs retouches) est à peu près nul.

Les Pendus : Le groupe II approche des 2/3 de l'ensemble bifacial, avec une écrasante majorité des bifaces spécifiques (53 % environ contre 12 % pour les bifaces habituels). Le groupe I diminue sensiblement, mais le groupe III révèle l'apparition, bien que modeste, de pièces nettement plus évoluées. Ce gisement se caractérise surtout par la présence de 96 bifaces-hachereaux et de 27 hachereaux. Grâce à ses 324 outils bifaciaux, c'est ce site qui a permis, par la seule importance numérique des spécimens, de déterminer sans ambiguïté des séries qu'il eût été plus difficile de mettre en évidence dans des ensembles moins riches.

Barbas médium : Son histogramme est encore plus accentué que le précédent. Le groupe I descend

TABLEAU VI.
Sites du Bergeracois.
Le groupe I donne le pourcentage des objets bifaciaux du type Acheuléen inférieur, le II celui des types de l'Acheuléen moyen et le III celui de l'Acheuléen supérieur. La partie plus ombrée de chaque colonne indique, pour le groupe I, les choppers et chooping-tools; pour le groupe II, les « bifaces spécifiques ».

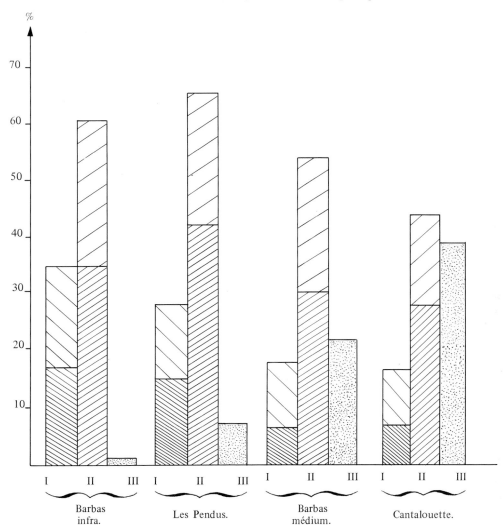

en-dessous de 20 %, et les chopping-tools y sont en nette régression. Le groupe II faiblit bien que les pièces spécifiques dominent encore, mais dans une moindre proportion. Quant au groupe III, il double son pourcentage.

Cantalouette : Si le total des deux premiers groupes est supérieur à celui du troisième, ce dernier approche des 40 % de l'outillage bifacial. Cependant, la chute légère du groupe I, la baisse appréciable du groupe II, et surtout la remontée flagrante du groupe III, démontrent que Cantalouette, s'il est encore Acheuléen moyen, atteint peut-être une limite au-delà de laquelle il appartiendrait à un Acheuléen supérieur débutant.

En résumé, on observe une baisse constante des pièces de facture les plus anciennes. Celles de l'Acheuléen moyen et notamment les plus spécifiques, plafonnent dans les trois premiers sites et fléchissent dans le quatrième sans cesser cependant d'être signifiantes. Enfin, on constate une franche

montée, qui commence à devenir significative, celle des pièces évoluées.

La diagnose est formelle : il existe en Bergeracois un Acheuléen moyen, commun dans cette région, dont les divers faciès se rattachent à une même lignée, formant un tout original.

Les gisements de cet Acheuléen moyen sont encadrés au Nord par le site de Laugerie, commune de Coursac (13) (G. Célérier) et au Sud par ceux de la vallée du Dropt (14) (musée d'Eymet). C. Thibault a retrouvé cette industrie jusqu'en Chalosse où il a pu démontrer dans une publication exemplaire qu'elle se place toujours à la base du Riss II, « au-dessus ou dans les coulées de solifluxion lorsque celles-ci existent. Sinon ... (elle) ... repose sur la surface d'érosion du sol de l'interstade Riss I/II » (C. Thibault, 1970, p. 807).

(13) Rive gauche de l'Isle, affluent de la Dordogne.
(14) Affluent de la Garonne.

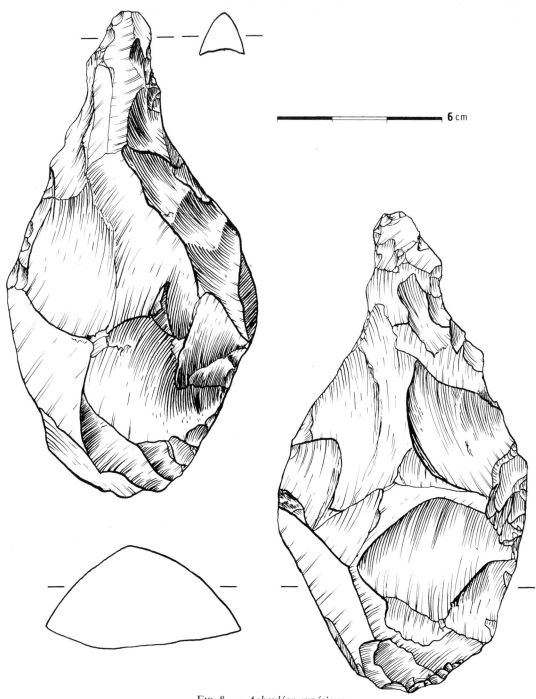

6 cm

FIG. 8. — *Acheuléen supérieur.*
Biface micoquien, Bertranoux. (Dessin G. Guichard).

Acheuléen supérieur : Les sites ont dû être nombreux car toutes les collections privées contiennent des lancéolés ou des micoquiens, malheureusement toujours sans contexte. Il s'agit d'écrémages qui ne permettent pas d'études statistiques.

Cependant, aux Bertranoux, J. et G. Guichard ont trouvé, en stratigraphie, un lambeau de couche en place qui a livré 10 bifaces de type Acheuléen supérieur : 1 ovalaire allongé très plat, 1 naviforme, 4 lancéolés, 2 « demi-micoquiens » (lancéolé d'un côté, micoquien de l'autre) et 3 micoquiens typiques (fig. 7, n° 3 et fig. 8).

On peut signaler qu'à Barbas, outre les Acheuléens « infra » et « médium », il été trouvé, malheureusement dans une partie remaniée du gisement, 5 bifaces semblables à ceux des Bertranoux (dont 2 lancéolés et un micoquien).

Conclusion.

Les grands gisements classiques ont livré des couches acheuléennes dont certaines, du Riss II, sont classées par F. Bordes dans un « Acheuléen méridional ». Créée en 1950, cette dénomination permettait à cette époque à son auteur (F. Bordes,

TABLEAU VII.
Essai de corrélation.

	La Micoque	Combe-Grenal	P. de l'Azé II	Chalosse	Bergeracois
Würm	Micoquien			Acheuléen final.	Bertranoux Barbas "remanié"
Riss III	couche 5a	Acheuléen Supérieur : couches 58, 57, 56. Acheuléen méridional mais plus évolué qu'au Pech de l'Azé II : couches 61, 60, 59		Base : Acheul. supérieur de Bouheben	Acheul. Supérieur présent mais diffus. Acheul. Moyen : Cantalouette. Barbas médium.
Riss II			Acheuléen méridional couche 7c	Base : Ach. mérid. identique aux Pendus	Les Pendus. Barbas infra.
Riss I	Acheuléen moyen couche 3a		Acheuléen méridional couches 9 et 8		

1950, p. 411) de distinguer l'Acheuléen supérieur à IL et IFs faibles d'autres industries, plus levallois et plus facettées, du Bassin Parisien par exemple.

J. Guichard reprenait ce terme, dans sa publication sur Cantalouette (1965), mais pour caractériser cette fois une industrie acheuléenne qui différait complètement de tout ce qui était connu jusque là.

La dénomination « Acheuléen méridional » était reprise, dans *le même sens* pour la description du site des Pendus (J. et G. Guichard, 1966), et c'est *dans ce sens* aussi que C. Thibault l'emploie pour certains sites de la Chalosse (1970). C'est encore dans ce sens que semble l'employer F. Bordes pour caractériser, en 1971, les couches 9, 8 et 7 c du Pech de l'Azé II.

On saisit mieux, maintenant, cette originalité qui tient, dans le Bergeracois, à deux facteurs : c'est, pour une large part, une industrie à blocs aménagés, et les tranchants transverses y atteignent en moyenne environ 25 % (15).

Dès lors, se pose le problème de savoir si on peut rattacher les sites classiques de grottes ou d'abris avec ceux de plein-air.

On peut répondre affirmativement pour la Micoque, et notamment pour sa couche 3a, qui a été décomptée à nouveau, selon la méthode et les critères exposés plus haut.

Cette étude a permis de retrouver l'association des beaux outils sur éclat, de « type moustérien », ou,

(15) Or, les industries classiques de l'Acheuléen français sont ressenties, à tort sans doute, comme un ensemble à dominantes de pièces pointues, suivies par celles franchement convexes.

plus simplement, « acheuléen évolué », et des « bifaces acheuléens moyen » tels qu'ils viennent d'être décrits.

En effet, si *en aucun cas* on ne peut se ranger à l'avis de M. Bourgon les incluant dans un protomoustérien (M. Bourgon, 1957, p. 67), il faut également revenir sur l'appréciation de F. Bordes « tous partiels ou nucléiformes ». Certes, ils sont tous partiels, et il y en a de nucléiformes. Après avoir écarté les débris, les bifaces trop défigurés et de véritables nucléus, le décompte de M. Bourgon se trouve sensiblement modifié : sur les 37 « nucléiformes ou partiels » restant, on peut isoler entre autres : 4 subcordiformes épais ; 4 amygdaloïdes globuleux ; 3 bifaces à épaulement ; 3 bifaces à rostre typiques et 3 moins sûrs ; 5 du type « Les Pendus » et 2 moins sûrs ; 3 bifaces-hachereaux (et non pas 2 hachereaux).

Outre un chopping-tool qui n'avait pas été mentionné, il y a, parmi les outils sur éclat, 4 ou 5 vrais hachereaux.

Par ailleurs, on retrouve le même support cryoclasté, les bases naturelles, les fractures servant parfois de bords, le « coup du tranchet » dans les bifaces-hachereaux, la retouche dorsale reprise à partir d'une surface accidentelle infléchie vers le ventre de la pièce, etc.

Certes, il faut avoir vu de grandes séries de cette industrie un peu spéciale, pour en retrouver facilement les caractères sur un échantillon restreint, et l'on comprend mieux pourquoi des bifaces parfaitement acheuléens ont été « gommés » d'une couche, pour faire de celle-ci un proto-moustérien. La couche

3a de la Micoque appartient au groupe de l'Acheuléen moyen (16).

Dès lors, on peut tenter un essai de corrélation entre les gisements de grottes ou abris et les gisements de plein-air (tableau VII).

L'Acheuléen moyen semble commencer au Riss I avec la couche 3 de la Micoque et les couches 9 et 8 du Pech de l'Azé II.

Dès la base du Riss II et même sur la surface d'érosion de l'interstadiaire Riss I/II, on trouve en Chalosse des spécimens « identiques » à ceux des Pendus (bifaces à rostre notamment).

Le Riss II est représenté par la couche 7 c du Pech de l'Azé II.

A la base du Riss III se place l'Acheuléen de Bouheben (Chalosse), ressemblant aux couches acheuléennes de Combe-Grenal qui, comme la couche 5a de la Micoque, occupent le Riss III.

Il semble que les couches de Barbas infra, les Pendus, Barbas médium et Cantalouette s'échelonnent dans les séquences Riss I, Riss II et début du Riss III, et qu'elles soient suivies par un Acheuléen supérieur rarement trouvé en stratigraphie jusqu'ici dans les gisements de plein-air du Bergeracois.

Si la couche 6 de la Micoque, de même que l'Acheuléen final de la Chalosse, sont du début du Würm I, on pourrait, peut-être d'un point de vue typologique, y rattacher la couche en stratigraphie de « Bertramoux micoquien » et de « Barbas remanié ».

Bien sûr, l'avenir seul répondra à une telle hypothèse. Il faudrait trouver dans le Périgord des sites sous abri possédant des séries d'objets bifaciaux aussi riches que celles que l'on rencontre dans le Bergeracois ; ou alors attendre que les sites de plein-air livrent des stratigraphies aussi parlantes que celles des gisements dits « classiques ».

De toutes façons, l'appellation « Acheuléen méridional » n'est plus suffisante.

Il semble que, d'ores et déjà, une précision supplémentaire souhaitable puisse être apportée, en désignant clairement l'« Acheuléen moyen de type Chalossien », ou « de type Les Pendus », ou « de type la Micoque 3 », ou « de type Combe-Grenal 7c ». Cela aurait sans doute le mérite d'isoler des faciès encore mal connus, qu'il est dommage d'englober sous le vocable trop flou, tant géographiquement que chronologiquement, d'Acheuléen « méridional ».

Bibliographie

Les principaux sites étudiés ici recèlent à la fois de l'Acheuléen et du Moustérien. Les ouvrages ou articles qui leur sont consacrés traitent de l'une et de l'autre de ces industries. Aussi, pour éviter de nombreux doubles emplois, nous renvoyons la bibliographie à la fin du chapitre consacré au *Moustérien en Périgord*.

---

(16) Cependant les pièces sont en général plus petites et dans l'ensemble plus acuminées. D'autre part, G. Bosinski (Fundamenta 1970) avait bien compris que la Micoque formait un tout Acheuléen; mais il allait trop loin en y incluant la couche 4 qui n'a livré aucun biface, et en faisant de toutes les couches un proto-micoquien.

Les civilisations du Paléolithique inférieur en Charente

par

André DEBENATH *

Résumé. Les gisements acheuléens sont nombreux dans le bassin de la Charente. Malheureusement, la plus grande partie du matériel qui en provient est difficilement utilisable, par suite du manque de données stratigraphiques.
Les gisements sous abris ou en grottes ne sont connus que dans la valée de la Tardoire : grotte de Fontéchevade (industries « tayaciennes ») et abri Suard à la Chaise-de-Vouthon (industrie proche de l'Acheuléen, individualisée par la rareté, voire l'absence de biface et par une technique de taille présentant des caractères originaux).

Abstract. Many Acheulian deposits have been uncovered in the Charente basin. A large part of this material, unfortunately, is of little use because of the confused stratigraphies involved.
The only rock-shelter and cave sites known are located in the valley of Tardoire and are : the cave site of Fontechevade ("Tayacian" industry) and the Suard a La Chaise-de-Vouthon rock shelter (industry similar to the Acheulian). In general, Acheulian sites are rare, lack bifaces, and their lithic assemblages show unique traits in the methods of production.

Le Bassin de la Charente est une région particulièrement favorisée sur le plan des industries préhistoriques, et la densité des sites paléolithiques y est très forte.

C'est surtout dans la partie supérieure et moyenne de ce Bassin que sont concentrés les sites renfermant des industries se rapportant au Paléolithique inférieur. Sans doute de tels sites existent-ils dans la partie inférieure du Bassin, mais la transgression flandrienne les a ennoyés : c'est ainsi que l'on ne connaît pratiquement pas de Paléolithique inférieur en aval de Saint-Savinien.

Au cours de cette brève étude, nous distinguerons successivement le Paléolithique inférieur des formations de surface et celui des grottes et abris.

I. Les formations de surface.

Des dizaines de sites ont livré un matériel riche de plusieurs milliers d'objets provenant des terrasses de la Charente et de ses affluents, notamment la Seugne et la Soute. Malheureusement, le matériel récolté anciennement est difficilement utilisable, ainsi que le soulignait voici quelques années J. Chavaillon (1961) : « Malheureusement, le très faible espoir que nous gardions de pouvoir attribuer une industrie donnée à une sablière ou mieux encore à un niveau stratigraphique ne résista pas aux faits... Nous en sommes réduits, pour dater telle ou telle pièce, à utiliser ses caractères typologiques d'une part, ses degrés d'usure ou de patine d'autre part ». Il en est encore de même actuellement.

Les très hauts niveaux de terrasses sont difficiles à dater avec précision, par suite du manque d'industrie (région de La Rochefoucauld par exemple).

Les alluvions de moyen niveau sont constituées de graviers souvent calcaires, de petites dimensions. La terrasse de 25 mètres, bien connue dans les environs de Jarnac, est surmontée à son sommet d'une couche rouge décarbonatée (couche rouge de Chez-Prévôt), et parfois d'un ancien sol gris-jaunâtre et de limons « loessiques ». Ces limons sont eux-mêmes surmontés d'une seconde couche rouge de formation beaucoup plus récente.

Les graviers de cette moyenne terrasse ont fourni une industrie qui comprend, d'une part un outillage que l'on peut rapporter à de l'Abbevillien ou à un Acheuléen très ancien fortement roulé, et un Acheuléen moyen non roulé.

La basse terrasse peut être subdivisée en une haute basse-terrasse, complexe, ayant livré un Acheuléen roulé ou non et une basse basse-terrasse qui a livré un Moustérien non déterminé avec plus de précision.

Dans les environs de Saintes, le lieu-dit *Le Chaillot* (commune de Thénac) a livré une abondante industrie de l'Acheuléen supérieur (fouilles Tourneur). Plusieurs milliers d'objets ont été récoltés dans cette station avant que la stratigraphie en soit précisée.

Une série de 1 133 outils a pu être étudiée, mais elle ne représente qu'une infime partie de l'ensemble amputé d'un certain nombre de pièces intéressantes.

Le débitage n'est que très faiblement levallois (IL : 9,20). Les indices de facettage large et de facettage strict sont respectivement de 25,86 et 19,54. L'indice laminaire est très faible (inférieur à 2). L'indice levallois typologique est faible. Les racloirs forment la majeure partie de l'outillage (IR : 38,06). Le groupe moustérien est le groupe dominant. Le groupe des outils de type paléolithique supérieur est peu important et les denticulés sont relativement abondants (13,05 % de l'outillage en compte essentiel). Il existe quelques objets présentant une retouche de type Quina. Il faut préciser que cette station correspond à un atelier de taille : pour 1 133 outils, nous avons 1 650 éclats, 38 lames et 2 034 éclats de taille.

* Chargé de Recherche au C.N.R.S., Institut du Quaternaire, Université de Bordeaux I, Laboratoire associé au C.N.R.S. n° 133, 33405 Talence (France).

L'indice de bifaces est voisin de 3 mais nous ne sommes pas sûr d'avoir eu en mains tous les bifaces et n'avons pas pu décompter toute l'industrie.

Un sondage a permis de préciser la stratigraphie. On distingue, de haut en bas, sur une épaisseur maximale de 1,70 m :

— couche 1a : argileuse, rouge renfermant de nombreux éléments très altérés et émoussés ;

— couche 1b : très proche comme nature de la la couche 1a, elle renferme toutefois moins d'éléments caillouteux que cette dernière dont elle est séparée, par endroits, par un mince niveau renfermant de l'industrie ;

— couche 1c : il s'agit de graviers rubéfiés qui apparaissent sous forme de lentille à la base de la couche 1b ;

— couche 2 : couche sablonneuse, renfermant le principal niveau d'industrie et présentant, à sa base, une zone gravillonneuse rappelant la couche 1c ;

— couche 3 : argiles bigarrées, stériles dans la partie sondée.

Sur le plan typologique, l'industrie du niveau supérieur n'était pas assez riche pour être bien caractérisée ; cependant, sa morphologie la rapproche de celle de la couche 2 qui semble devoir être rapportée à un Acheuléen supérieur (nature des bifaces, morphologie des éclats levallois à talons très épais).

Sur le plan chronologique, il ne fait pas de doute que les niveaux renfermant l'industrie appartiennent au Riss III et ont subi les effets de la pédogénèse lors de l'interglaciaire Riss-Würm. Le niveau inférieur semble être le cailloutis de solifluxion du Riss III et les argiles peuvent correspondre au paléosol de l'interstade Riss II - Riss III.

Ce sondage montre qu'il existe donc au moins deux niveaux d'industrie et que, par conséquent, il y a eu un mélange dans les séries de P. Tourneur.

Mieux connues sont les industries du Paléolithique inférieur des grottes et abris charentais.

II. Grottes et abris.

Les industries du Paléolithique inférieur ne sont connues en grottes que dans la vallée de la Tardoire : grotte de Fontéchevade et abri Suard à La Chaise-de-Vouthon.

A. Fontéchevade.

La grotte de Fontéchevade s'ouvre dans la vallée d'un petit ruisseau affluent de la Tardoire, à environ 2 km au Nord-Ouest de Montbron. Orientée N-NE, elle se présente sous la forme d'un tunnel rectiligne au plafond sub-horizontal.

La stratigraphie est la suivante, de haut en bas (G. Henri-Martin, 1957) :

« A-AB   terre végétale et couches remaniées contenant des industries mélangées et des tessons de poterie.

B   horizon de l'*Aurignacien moyen.*

Bs   horizon de *petite blocaille cimentée.*

C1   niveau du *Moustérien à pointes.*

C2   niveau du *Moustérien à bifaces.*

D   couche de *blocaille stérile* en grande partie cimentée.

EO }

E1' } niveaux *supérieur du Tayacien.*

E1" }

Horizon à Ours.

E2' }

E2" } niveaux *inférieurs du Tayacien.*

E2''' }

Argile stérile.

Sol de la grotte (formé par la roche dolomitique altérée). »

L'auteur précise, par ailleurs, que « les trois subdivisions de E1 et E2 sont des coupures artificielles et n'ont pas de signification stratigraphique ». De plus, « les niveaux supérieurs et inférieurs du Tayacien étaient séparés par un horizon qui contenait la même industrie, mais où les restes d'ours étaient beaucoup plus abondants. D'autre part, cet horizon présentait des caractères assez originaux pour permettre de l'individualiser. Il chevauchait sur E1" et E2' ».

Chronologiquement, ces niveaux tayaciens ont été attribués à l'interglaciaire Riss-Würm (G. Henri-Martin, 1957 et 1965).

Il semble qu'il faille les vieillir et qu'un âge rissien puisse leur être attribué (Debénath, 1974 a et 1974 b).

Sur le plan de la technique, le débitage levallois semble être de règle et devient plus important au fur et à mesure que l'on monte dans la séquence « tayacienne ». Les talons sont en majorité des talons lisses auxquels se mêlent, principalement dans les niveaux supérieurs, des talons dièdres et facettés, mais en assez faible proportion.

Le débitage n'est pas laminaire et la retouche de type Quina est exceptionnelle.

Sur le plan typologique, le Tayacien de Fontéchevade semble être caractérisé par un fort pourcentage de choppers et de chopping-tools et une très faible représentation des racloirs qui forment moins de 1 % de l'outillage. Les encoches sont également bien représentées, mais ce « sont presque toujours des ébréchures d'utilisation » (G. Henri-Martin, *op. cit.*) ou des marques de concassage par cryoturbation.

Une autre caractéristique importante de cette industrie est l'absence totale des bifaces.

Enfin, il faut signaler un nombre important d'objets fabriqués à partir de galets de rivière. Il est difficile, en l'absence d'une étude typologique plus fine de l'industrie tayacienne de Fontéchevade, d'apporter plus de précisions permettant une diagnose plus rigoureuse.

Peut-être ne devrait-on voir dans ce Tayacien qu'une forme particulière d'Acheuléen sans biface.

B. La Chaise, abri Suard.

Situés à quelques kilomètres de Fontéchevade, les gisements de La Chaise s'ouvrent dans une falaise de calcaire bajocien qui domine la vallée de la Tardoise d'une dizaine de mètres. Il s'agit des

K 17   K 16   K 15   K 14   K 13

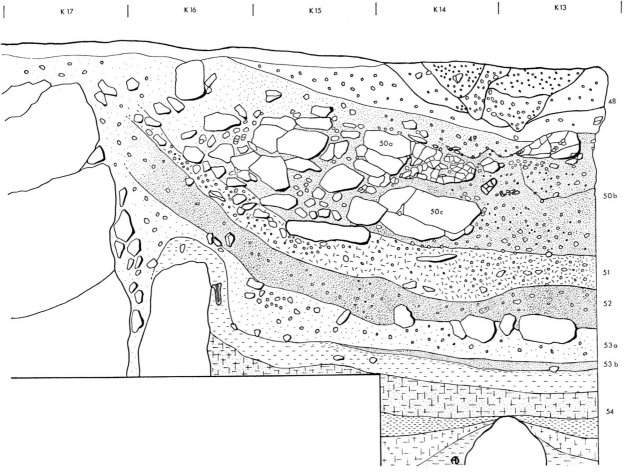

FIG. 1. — Stratigraphie de l'abri Suard (fouilles Debénath);

abris Bourgeois-Delaunay et Suard et de la grotte Duport.

C'est vers 1850 que les premières recherches furent entreprises dans ces gisements. Seul l'abri Suard a livré des industries se rapportant au Paléolithique inférieur.

1) Stratigraphie.

La première coupe stratigraphique publiée de cet abri est celle de P. David (1956) qui distinguait, de haut en bas :

« **A** Couverture détritique (nappe alluviale quaternaire et éléments calcaires locaux);

  B calcaire jurassique;

  I-II couches à industries moustériennes, à peu près détruites par les fouilles anciennes;

  III couche noire, altération superficielle de la « couche jaune »;

  IV couche jaune, consolidée en brèche, avec Moustérien de tradition acheuléenne;

  V-VI couches meubles, très sableuses, plus ou moins litées, avec Moustérien à denticulés;

  VII « éboulis stérile », débitage cryoclastique;

  VIII couche meuble, avec Moustérien de tradition acheuléenne;

  IX couche reconnue sous la couche VIII, et en avant du sondage;

  X délitage cryoclastique avec renne. »

Plus récemment, de nouvelles fouilles ont permis d'établir la stratigraphie suivante (Debénath, 1974 a), de haut en bas (fig. 1) :

— couche 48 : (1) petits éboulis cryoclastiques, indurés ou complétement bréchifiés, présentant de nombreuses figures de cryoturbation;

— Couche 49 : éboulis de nature voisine de celle des éboulis de la couche 48, mais s'en distinguant par l'absence de concrétitionnement et la présence d'une matrice sableuse bien développée, alors que la couche 48 est composée d'éboulis secs;

— Couche 50 : composée de gros blocs d'effondrement, cette couche a été subdivisée en trois niveaux. Les niveaux 50 a et 50 c correspondent aux blocs alors que le niveau 50 b correspond à des éboulis plus fins noyés dans une matrice sableuse et présentant des figures de cryoturbation. Ce niveau n'existe pas de partout dans la partie fouillée;

— Couche 51 : elle est formée par des petits blocs calcaires peu bréchifiés ou totalement dépourvus de concrétionnement, noyés dans une matrice sableuse jaune;

— Couche 52 : elle se distingue de la précédente par une matrice plus argileuse et plus rouge;

(1) Afin d'éviter toute confusion avec la numérotation des couches de P. David, le n° 50 a été attribué à une couche qui correspond vraisemblablement à la couche VIII de David. Il n'était pas possible, en effet, de vérifier la stratigraphie de David sans fouiller le témoin qu'il a conservé, dans lequel les couches supérieures ne sont plus représentées que par quelques lambeaux.

— Couche 53 : à son sommet, cette couche présente un niveau de blocs de dimensions assez importantes, inclus dans une matrice argileuse brune (niveau 53 a). Vers la base, la couche devient plus sableuse et plus jaune (niveau 53 b);

— Couche 53′ : il s'agit d'un plancher stalagmitique épais en moyenne d'une dizaine de centimètres qui sépare les couches 53 et 54. Ce plancher subsiste à l'état de lambeaux de superficie très limitée, dans certaines parties du gisement;

— Couche 54 : ensemble de niveaux argilo-sableux qui renferment quelques gros blocs calcaires très altérés;

TABLEAU 1
Chronologie des gisements de La Chaise

	Abri Bourgeois-Delaunay	Abri Suard fouilles P. David	Abri Suard fouilles A. Debenath
Würm II	2		
Interstade Würm II - Würm III	3 ?		
Würm II	4 5 6		
Interstade Würm II- Würm I	7 plancher stalagmitique		
Würm I	8 8′ 9 9′ 10	I — — II — — II	
Interglaciaire Riss-Würm	11 plancher stalagmitique	bréchification	plancher stalagmitique supérieur
Riss III	12	III – IV V – VI VII VIII	48 49 50 51 52 53
Interstade Riss II- Riss III			53′ (plancher stalagmitique inférieur)
Riss II	13 ?		54

La couche 54, épaisse de près de 2 m dans la partie fouillée, était totalement stérile et reposait sur du calcaire. Il n'est pas possible de dire, dans l'état actuel d'avancement des fouilles, s'il s'agit là d'un très gros bloc d'effondrement ou de la roche en place.

La chronologie des gisements de La Chaise telle qu'elle a pu être précisée récemment est résumée dans le tableau 1.

2) Les industries (2).

Les industries du Riss II. L'industrie de la couche 54 est très pauvre : 52 galets et éclats de galets

(2) L'étude des industries a été conduite selon la méthode F. Bordes.

et seulement trois outils : une pointe moustérienne allongée, un grattoir typique sur lame, associé à un racloir simple droit et une lame tronquée. Il existe également un galet strié (en calcaire) et quelques éclats dont un présente des traces d'utilisation.

Les industries du Riss III. Outre leur originalité, les industries rissiennes de La Chaise se caractérisent par la mauvaise facture de l'outillage duquel émergent quelques pièces « bien réussies ». Il faut remarquer que la matière première est de mauvaise qualité : le silex le plus couramment employé est un silex local qui se présente sous forme de rognons de petites dimensions, le plus souvent gélivés et se prêtant mal à la taille. Des roches diverses ont également été utilisées ; ce sont des quartzites, des roches éruptives ou métamorphiques variées, récoltées sous forme de galets dans les terrasses et, beaucoup plus rarement, des calcaires. Les galets (parfois peu ou pas utilisés) et leurs éclats forment en général de 30 à 40 % de l'ensemble de l'outillage lithique.

Sur le plan technique, ces industries se caractérisent par une retouche particulière qui affecte le talon de certains éclats et outils : il s'agit de l'enlèvement du talon par grandes retouches, souvent très plates et obliques par rapport à l'axe de la pièce. Cette technique a été appelée technique de reprise du talon (2).

— Couches inférieures (couches 54 à 50).

Le débitage est levallois (l'indice levallois est voisin de 20) (tableau 2). L'indice de facettage est assez élevé, compris entre 50 et 60, l'indice de facettage strict est voisin de 50. L'indice laminaire est moyen : il est compris entre 7 et 11.

La technique de reprise du talon est largement utilisée. Sur le plan typologique, l'indice de racloirs est toujours supérieur à 45. Le groupe II est dominant (compris entre 45 et 55), le groupe III est moyennement développé et le groupe IV faiblement représenté.

Les indices acheuléens sont faibles : l'indice acheuléen total n'atteint jamais 3 et les bifaces sont souvent absents de l'industrie : seule la couche 51 en renferme quelques-uns, de mauvaise facture.

La forte proportion de racloirs au sein de l'outillage sur éclats donne au diagramme cumulatif (fig. 2) une allure convexe, moins marquée toutefois que dans le cas des Moustériens de type charentien.

— Couches supérieures (couches V-VI à III).

Les industries provenant des séries récoltées par P. David ont longtemps été considérées comme étant moustériennes : Moustérien à denticulés dans les couches V et VI et Moustérien de tradition acheuléenne atténuée dans les couches III et IV, mais nous savons maintenant ce qu'il faut penser de cette attribution (F. Bordes, 1965).

Le débitage est plus faiblement levallois que dans les couches étudiées précédemment (l'indice levallois est compris entre 15 et 20). L'indice de

(2) Debénath. A. Particularités techniques des industries de La Chaise de Vouthon (Charente). Sous presse.

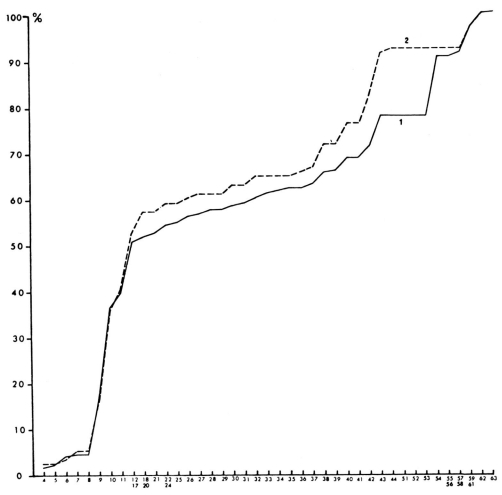

FIG. 2. — La Chaise, abri Suard. Diagrammes cumulatifs des industries. 1 : couche 51, 2 : couche 2 (fouilles Debénath).

TABLEAU 2

Indices et groupes caractéristiques des industries de La Chaise (compte essentiel)

	Couche 51 %	Couche 52 %	Couche 53 %	Couche III %	Couche IV %	Couche V-VI %
Indice levallois	20,81	19,52	19,35	13,60	15,64	14,54
Indice de facettage	60,60	49,63	47,45	56,13	58,64	63,37
Indice de facettage strict	52,81	40,14	44,06	48,87	52,42	58,67
Indice laminaire	8,12	7,14	10,74	9,43	11,20	12,78
Indice levallois typologique	1,85	2,83	0	0	0,30	0,12
Indice de racloirs	53,16	58,44	46,46	37,60	40,19	34,43
Indice acheuléen total	2,72	1,98	2,32	10,67	5,32	2,77
Indice acheuléen uniface	0,92	1,98	2,32	2,81	2,12	1,94
Indice de bifaces	1,81	0	0	8,09	3,37	0,84
Indice charentien	22,68	10,37	18,59	16,88	21,11	18,72
Groupe I	1,85	2,83	0	0	0,30	0,12
Groupe II	55,93	58,44	46,46	41,10	41,24	34,59
Groupe III	8,29	10,35	9,29	11,23	9,54	9,70
Groupe IV	6,48	8,49	11,62	15,84	22,79	16,46

facettage large est voisin de celui des couches 54 à 50 : entre 55 et 60, mais l'indice de facettage strict est supérieur à 50. L'indice laminaire est plus élevé et en général supérieur à 10.

La technique de reprise du talon est beaucoup moins employée. Sur le plan typologique, l'indice de racloirs est inférieur à 45, le groupe II est dominant, mais moins important que dans les couches inférieures. Le groupe II est bien représenté. Le groupe IV est important (compris entre 15 et 30).

Les indices acheuléens sont d'une manière générale plus élevés que précédemment : l'indice acheu-

TABLEAU 3

Caractéristiques typologiques des industries de l'Abri Suard (compte essentiel)

	Couche 51 %	Couche 52 %	Couche 53 %	Couche III %	Couche IV %	Couche V-VI %
4-Pointes levallois retouchées	1,85	2,83	–	–	0,30	0,12
5-Pointes pseudo-levallois	0,46	–	–	1,40	0,15	0,36
6-Pointes moustériennes	1,85	0,94	–	1,40	0,30	0,60
7-Pointes moustériennes allongées	0,46	1,88	–	0,70	0,15	0,36
8-Limaces	–	–	–	–	0,45	0,12
9-Racloirs simples droits	12,03	11,32	13,95	6,33	5,31	3,65
10-Racloirs simples convexes	19,90	18,86	11,62	14,08	18,23	11,57
11-Racloirs simples concaves	3,24	4,71	–	2,46	2,73	3,41
12-Racloirs doubles droits	1,38	–	–	0,35	0,30	0,36
13-Racloirs doubles dr. convexes	3,70	5,66	2,32	1,40	1,82	0,48
14-Racloirs doubles dr.-concaves	–	0,94	–	–	–	0,12
15-Racloirs doubles biconvexes	5,09	5,66	2,32	2,81	1,06	0,48
16-Racloirs doubles biconcaves	–	–	–	–	0,30	0,12
17-Racloirs doubles convexes-concaves	0,92	–	2,32	–	0,91	0,24
18-Racloirs convergents droits	–	0,94	–	0,70	0,15	0,12
19-Racloirs convergents convexes	0,46	3,77	2,32	1,40	2,12	0,97
20-Racloirs convergents concaves	0,46	–	–	–	–	–
21-Racloirs déjetés	0,92	–	4,65	1,40	1,67	1,46
22-Racloirs transversaux droits	0,92	–	–	–	0,15	0,12
23-Racloirs transversaux convexes	0,92	1,88	2,32	1,40	1,06	0,36
24-Racloirs transversaux concaves	–	–	–	0,35	–	0,12
25-Racloirs sur face plane	0,46	–	2,32	3,87	1,67	5,23
26-Racloirs à retouches abruptes	1,38	0,94	–	–	1,21	0,12
27-Racloirs à dos aminci	0,46	0,94	2,32	–	0,30	0,97
28-Racloirs à retouches bifaces	0,92	–	–	0,70	0,60	2,07
29-Racloirs à retouches alternes	–	–	–	0,35	0,60	1,09
30-Grattoirs typiques	0,92	1,88	4,65	0,70	1,67	1,21
31-Grattoirs atypiques	0,46	–	–	1,05	0,91	0,97
32-Burins typiques	0,92	1,88	–	1,05	0,45	0,85
33-Burins atypiques	1,38	–	–	2,11	1,06	1,82
34-Perçoirs typiques	0,46	–	–	0,35	0,45	0,73
35-Perçoirs atypiques	0,46	–	–	2,81	0,46	0,60
36-Couteaux à dos typiques	–	0,94	–	0,70	0,76	0,85
37-Couteaux à dos atypiques	0,92	0,94	2,32	2,11	1,36	1,09
38-Couteaux à dos naturel	7,40	4,71	11,62	2,46	1,52	3,77
39-Raclettes	0,46	–	–	3,52	3,19	1,70
40-Eclats tronqués	2,77	4,71	2,32	0,35	2,43	1,58
42-Encoches	7,40	6,60	9,30	12,67	9,57	10,47
43-Denticulés	6,48	8,49	11,62	15,84	22,79	22,45
44-Becs burinants alternes	–	0,94	–	1,05	1,52	0,60
51-Pointes de Tayac	–	–	–	0,35	–	0,12
52-Triangles à encoches	–	–	–	–	–	0,24
53-Pseudo-microburins	–	–	–	–	–	0,24
54-Encoches en bout	2,77	–	–	–	0,91	0,12
58-Outils pédonculés	0,92	–	–	–	–	–
59-Choppers	5,55	2,83	2,32	0,35	0,15	–
61-Chopping-tools	–	1,88	6,97	0,70	0,30	0,12
62-Divers	2,77	2,83	2,32	10,56	8,81	12,66
Nombre total d'outils :						
compte réel	216	106	43	481	658	821
compte essentiel	315	157	69	284	1 132	1 504

léen total atteint 10,67 dans la couche III et l'indice de bifaces 8,09 dans cette même couche.

La diminution des racloirs, l'augmentation des encoches et denticulés, donnent au diagramme cumulatif (fig. 3) une allure très différente de celle du diagramme des industries plus anciennes de ce même gisement.

Dans leur ensemble, les bifaces de l'abri Suard sont petits, de formes irrégulières et ils présentent parfois un dos.

On constate, de bas en haut de la série rissienne de La Chaise, une évolution des industries qui porte tant sur la technique : diminution constante de la technique levallois et de la technique de reprise

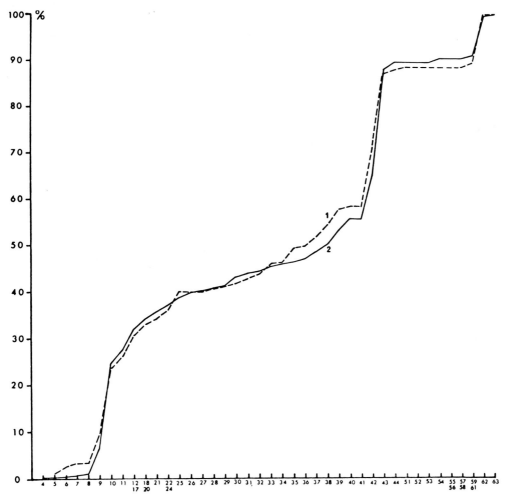

FIG. 3. — La Chaise, abri Suard. Diagrammes cumulatifs des industries. 1 : couche V, 2 : couche VI (fouilles David).

des talons, que sur la typologie : variations des rapports entre les denticulés et les outils de type Paléolithique supérieur par exemple, apparition d'outils peu fréquents dans les industries du Paléolithique inférieur de France, tels les couteaux de Kostienki, les pièces pédonculées ou foliacées).

Ainsi, il ne paraît pas souhaitable d'assimiler l'industrie rissienne de La Chaise à un Acheuléen au sens large, car il y aurait confusion avec les Acheuléens « classiques ». Cette industrie évolue sur place et conduit au Moustérien, assez primitif par sa morphologie de l'abri Bourgeois-Delaunay. Il faut voir en elle un type industriel proche de l'Acheuléen, un faciès bien individualisé.

Bibliographie

[1] BORDES F. (1965). — A propos de la grotte de La Chaise (Charente), une rectification, L'Anthropologie, 69, 602-603.

[2] CHAVAILLON J. (1961). — Quelques aspects typologiques du Paléolithique inférieur de la Charente. Bull. Soc. Préhist. Fr., 58, 776-786, 5 fig.

[3] DAVID P. (1956). — Les gisements préhistoriques de La Chaise de Vouthon (Charente). Congrès Préhist. de France, XVe session, Poitiers-Angoulême, p. 148-154, 2 fig.

[4] DEBENATH A. (1974 a). — Recherches sur les terrains quaternaires des Charentes et les industries qui leur sont associées. Thèse de Doctorat ès Sciences, Bordeaux, 678 p., 209 pl., 64 tabl.

[5] DEBENATH A. (1974 b). — Position stratigraphique des restes humains antewürmiens de Charente. Bull. et Mém. de la Soc. d'Anthrop. de Paris, 1 (13); 417-426, 2 tab.

[6] HENRI-MARTIN G. (1957). — La grotte de Fontéchevade. 1re partie : historique, fouilles, stratigraphie, archéologie. Archives de l'Institut de Paléontologie humaine, mémoire 28, 288 p., 79 fig., 10 pl. h.t.

[7] HENRI-MARTIN G. (1965). — La grotte de Fontéchevade. Bull. de l'Ass. Fr. pour l'Et. du Quaternaire, p. 211-216, 4 fig.

Les civilisations du Paléolithique inférieur en Limousin

par

Guy MAZIÈRE * et Jean-Paul RAYNAL **

Résumé. En Limousin, le Paléolithique inférieur est rare et hors de tout contexe stratigraphique. Tous les éléments semblent appartenir à l'Acheuléen. On distingue :
— Acheuléen à outils sur galets et bifaces partiels;
— Acheuléen supérieur à bifaces lancéolés;
— Acheuléen final à bifaces micoquiens.

Abstract. Lower Paleolithic artifacts are rare in the Limousin and the objects found are without stratigrafic contexts. The artifacts found to date appear to belong to the Acheulian and can be assigned to the following categories :
1) Acheulian with pebble tools and partially bifacial handaxes;
2) Upper Acheulian with lanceolite handaxes;
3) Late Acheulian with Micoquian handaxes.

Situé dans le centre-ouest de la France, le Limousin est une région composite drainée par de nombreux cours d'eau dont les principaux sont, du Nord au Sud, la *Creuse,* la *Vienne,* la *Vézère* et la *Dordogne* (fig. 1). Le substrat est essentiellement constitué de roches éruptives et métamorphiques, les terrains sédimentaires n'apparaissant qu'en de rares endroits au Nord et à l'Ouest (Jurassique) et plus largement au Sud-Ouest dans la dépression permo-triasique du *Bassin de Brive.* Cette région semble avoir été peu fréquentée par l'homme paléolithique, mais cette opinion sera sans doute à réviser lorsque les prospections systématiques des terrains quaternaires seront intensifiées.

I. Les industries antérieures à l'Acheuléen supérieur.

En Haute-Vienne, les plus anciens indices de présence humaine ont été rencontrés dans la région de *Saint-Jean Ligoure,* au Sud du chateau de *Chalucet,* à la surface d'un plateau micaschisteux dont l'altitude relative par rapport aux deux vallées qui l'enserrent, celles de la *Briance* et de la *Ligoure,* est de 80 mètres environ (P. Fitte, 1968), (fig. 1, n° 3). Ce sont uniquement des ramassages de surface qui ont fourni deux séries lithiques :

— une série fraiche rattachée au Moustérien de tradition acheuléenne,

— une série dont les outils présentent des arêtes émoussées et une patine jaune roux. Elle se compose de choppers, chopping-tools, éclats grossiers et bifaces. La matière première utilisée le plus souvent est le quartz, mais on rencontre aussi des quartzites et de rares silex. Les bifaces sont tantôt à réserve enveloppante (fig. 2, n° 2), tantôt à talon massif obtenu par troncature, mais conservent de larges plages de cortex (fig. 2, n° 3). Les arêtes

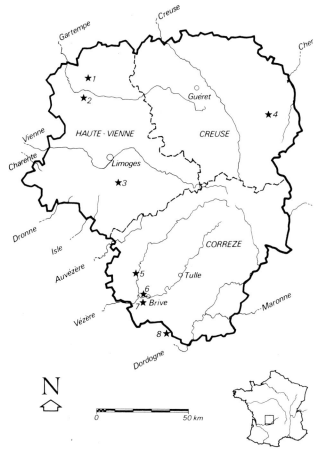

FIG. 1. — Carte de la région Limousin.
1. Thiat. Biface lancéolé; 2. Bellac (environs de). Bifaces lancéolés 3. Saint-Jean-Ligoure (environs de). Bifaces partiels et outils sur galets; 4. Mainsat. Biface lancéolé; 5. Le Saillant. Biface lancéolé; 6. Le Griffolet. Biface ovalaire et amygdaloïde court; 7. La Fournade. Biface amygdaloïde; Plateau de Bassaler. Bifaces micoquiens; 8. Saint Michel de Bannières (Lot). Biface lancéolé.
(Dessin de J. P. Raynal).

* Assistant à la Direction Régionale des Antiquités Préhistoriques Limousin, 2 ter, rue Haute de la Comédie, 87000 Limoges (France).
** Docteur de 3e Cycle, Institut du Quarternaire, Université de Bordeaux I, 33405 Talence (France).

sont toujours sinueuses. La matière première utilisée confère à cette industrie une allure archaïque. Mais en l'absence de données stratigraphiques précises, on ne peut que constater l'existence d'un Acheuléen qui n'est pas supérieur (Acheuléen moyen ?).

En Creuse, une seule découverte semble appartenir au Paléolithique ancien, le biface amygdaloïde de *Mainsat*, trouvé en 1908. Il est en silex jaune-foncé, très lustré (fig. 1, n° 4 et fig. 2, n° 6). Bien que rapporté à l'Acheuléen final par comparaison avec les industries de la vallée de l'Aisne (G. Rigaux, 1962), nous pensons que cette pièce peut appartenir à un Acheuléen moyen.

En Corrèze, plusieurs découvertes anciennes s'intègrent dans le système de terrasses alluviales de la vallée de la Corrèze (fig. 1, n°ˢ 6 et 7), (J.P. Raynal, 1973-1974). Le biface amygdaloïde roulé de *la Fournade* (fig. 2, n° 5) daterait du Riss ancien ou moyen et appartiendrait par conséquent à l'Acheuléen moyen. Les bifaces du *Griffolet* proviennent des alluvions anciennes de bas niveau qui dateraient du Riss III ou du Würm ancien : il s'agit d'un biface amyddaloïde court très roulé (fig. 2, n° 4) et d'un ovalaire. Ces deux pièces peuvent appartenir à l'Acheuléen moyen. Les « plateaux » des environs de Brive ont fourni des pièces isolées dont certaines appartiennent peut-être à l'Acheuléen moyen : limande de *Champs* par exemple.

II. L'Acheuléen supérieur et final.

En Haute-Vienne, l'Acheuléen supérieur parait être représenté par quelques découvertes de bifaces lancéolés : *Thiat* (fig. 1, n° 1), environs de *Bellac* (fig. 1, n° 2) (E. Patte, 1970) ; la littérature fournit quelques indications sommaires qui ne doivent être interprétées qu'avec prudence : « Hache chélenne » de *Magnac-Laval* (G. Chauvet, 1886), « coups de poings chélléens et acheuléens » de la région de *Rochechouart* (P. Deffontaines, 1931), « hache chélénne » de *Saint-Auvent* (Masfrand, 1890), etc... Le biface cordiforme allongé de *Saint-Hilaire-la-Treille*, à base globuleuse, peut appartenir à l'Acheuléen supérieur (R. Crédot et M. Dominique, 1972). Une seule découverte en stratigraphie retiendra notre attention : il s'agit du biface amygdaloïde de *la Chapelle-Blanche* (commune de *Saint-Victurnien*) (P. Fitte, 1968 ; P. Fitte et J.P. Texier, 1969) ; cette pièce a été découverte dans la couche de base d'un chenal ravinant une ancienne formation fluviatile de la Vienne, située à une vingtaine de kilomètres en aval de *Limoges* et étagée à 120 mètres environ au-dessus du lit actuel de la rivière (Villafranchien ?) ; le chenal se serait creusé au Riss-Würm et son remplissage, divisé en quatre ensembles principaux, serait le résultat des quatre principaux stades würmiens ; par conséquent, le biface daterait, au plus récent, du tout début du Würm et pourrait appartenir à un Acheuléen supérieur ou final.

En Creuse, à part le biface de *Mainsat* précédemment cité, aucune découverte ne semble caractériser l'Acheuléen supérieur.

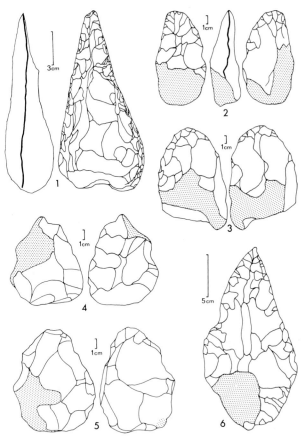

FIG. 2.
1. Biface micoquien, Plateau de Bassaler (Brive, Corrèze);
2 et 3. Bifaces partiels de Saint-Jean-Ligoure (Haute-Vienne);
4. Biface amygdaloïde court du Griffolet (Brive, Corrèze);
5. Biface amygdaloïde de la Fournade (Brive, Corrèze);
6. Biface lancéolé de Mainsat (Creuse).
(Dessins de J. P. Raynal d'après J. Bouyssonie (n° 1),
P. Fitte (n° 2 et n° 3) et G. Lobjois (n° 6)).

En Corrèze, deux sites retiendront notre attention :
— *le Saillant* (commune d'*Allassac*), ou fut découvert un biface lancéolé, en silex à patine rousse, lustré et aux arêtes émoussées. Cette pièce provient sans nul doute d'un système alluvial complexe situé au débouché des gorges de la Vézère (1) et appartient à l'Acheuléen supérieur (fig. 1, n° 5).
— *le plateau de Bassaler* (commune de *Brive*), sur lequel ont été découverts de nombreux outils lithiques appartenant à diverses époques dont quelques bifaces micoquiens (fig. 1, n° 7 ; fig. 2, n° 1). Ces pièces pourraient caractériser un Acheuléen final. Malheureusement, aucune stratigraphie ne permet d'éclaircir le problème.

Dans le Sud du département, des prospections rationnelles devraient amener la découverte de traces acheuléennes car les indices ne manquent pas dans les basses vallées de la *Tourmente* et de la *Sourdoire* aux environs de *Saint-Michel de Bannières* (Lot) (fig. 1, n° 8) (P. Laurent, 1966 ; M. Lorblanchet, 1969).

(1) Travaux en cours de J. P. Raynal dans le cadre du levé de la feuille de *Tulle* de la Carte Géologique de la France au 1/50 000.

De la même façon, l'étude en cours des formations alluviales de la feuille de *Terrasson* permettra de préciser la position chronologique des industries découvertes sur les terrasses de la *Vézère* à la limite des départements de la *Dordogne* et de la *Corrèze* (A. Cheynier et *al.*, 1930).

Bibliographie

[1] BOUYSSONIE J. (1944). — La Préhistoire en Corrèze. *Bulletin de la Société Archéologique de la Corrèze*, Brive, t. 66, 37-55, 5 fig., 1 carte.

[2] CHAUVET G. (1886). — Exposition de Limoges. *Matériaux*, 521-524.

[3] CHEYNIER A., BOUYSSONIE A. et J. LEYGONIE M. (1930). — Les stations préhistoriques de plein air à Cublac (Corrèze). *Bulletin de la Société Archéologique de la Corrèze*, Brive, t. 51, 15 p.

[4] CRÉDOT R., DOMINIQUE M. (1972). — Contribution à l'étude de la préhistoire de la commune de Saint-Hilaire-la-Treille (87), la collection de M. Roger Poussif. *Bulletin de la Société d'Ethnographie du Limousin et de la Marche*, Janvier-Mars 1972, n° 44, p. 25-31.

[5] DEFFONTAINES P. (1931). — Essai de géographie préhistorique du Limousin et de son pourtours sédimentaire. *Annales de Géographie*, p. 461-476.

[6] FITTE P. (1968). — Contribution à l'étude du Préhistorique en Limousin. Industries en quartz du Paléolithique ancien et moyen. *Bulletin de la Société Archéologique du Limousin*, Limoges, 123ᵉ année, t. XCV, p. 9-20.

[7] FITTE P., TEXIER J. P. (1969). — Etude du site de la Chapelle-Blanche, commune de Saint-Victurnien (Haute-Vienne). *Bulletin de la Société Préhistorique Française*, t. 66, Etudes et travaux, p. 311-317.

[8] LAURENT P. (1966). — Découvertes récentes de Paléolithique dans le Nord du département du Lot. *L'Anthropologie*, t. 70, n° 3-4, 1966, p. 255-268.

[9] LORBLANCHET M. (1969). — Les bifaces de la Vercantière (St-Michel de Bannières) et du Duravel (Lot) et les débuts de l'occupation humaine du Haut-Quercy. *Bulletin de la Société des Etudes du Lot*, 1969, fasc. 1, p. 23-39.

[10] MASFRAND (1890). — *In* : Le Limousin (livre publié par l'A.F.A.S. à l'occasion du Congrès de Limoges).

[11] MAZIÈRE G (1973). — Le Paléolithique en Corrèze. 131 pages dactylographiées, fig., tabl. Diplôme E.P.H.E. *inédit*.

[12] PATTE E. (1941). — *Le Paléolithique dans le Centre-Ouest de la France*. Paris, Masson et Cie, 207 p., 1 carte.

[13] PATTE E. (1970). — La collection Deschamps et la Préhistoire dans la région de Bellac. *Bulletin de la Société d'Ethnographie du Limousin et de la Marche*, Juillet-Décembre 1970, n° 38 et 39, p. 79-100.

[14] RAYNAL J. P (1973-1974). — Les formations alluviales de la vallée de la Corrèze. *Bulletin de la Société des Lettres, Sciences et Arts de la Corrèze*, Tulle, t. LXXVII, p. 19-26.

[15] RIGAUX G. (1962). — Biface acheuléen de Mainsat. *Mémoires de la Société des Sciences naturelles et archéologiques de la Creuse*, t. 34, p. 381-385.

Les civilisations du Paléolithique inférieur en Auvergne

Résumé. Les vestiges qui peuvent être attribués avec certitude au Paléolithique inférieur en Auvergne sont extrèmement rares; l'ensemble le plus intéressant est représenté par les découvertes du bassin d'Arpajon-Aurillac (Cantal), parmi lesquelles des bifaces pourraient être attribués à l'Acheuléen.

Abstract. The vestiges which can be attributed with certitude to the Lower Paleolithic in Auvergne are extremely rare. The most interesting group is represented by the discoveries in the Arpajon-Aurillac basin (Cantal), among which the bifaces may be attributed to the Acheulean.

La littérature antérieure à 1914 fait souvent état, à propos de découvertes effectuées en Auvergne, de haches chelléennes ou acheuléennes, ou du type de Chelles et du type de Saint-Acheul, ou encore du type des hauts niveaux de la vallée de la Somme, tous termes qui tendraient donc à affirmer l'existence, sinon l'abondance, du Paléolithique inférieur dans les hautes vallées de la Loire et de l'Allier. En fait, la situation est beaucoup plus nuancée, et peut être exposée de la façon suivante :

1. Il est indispensable de faire état, bien qu'extérieure à l'Auvergne, de l'importante station de *Notre-Dame-de-Boisset* (Loire), dont la couche inférieure a livré un matériel clactonien considéré comme rissien (J. Combier, 1962) ; il semble que ce serait dans la recherche de tels ensembles que devrait s'orienter la prospection dans les vallées auvergnates.

2. A plusieurs reprises, des récoltes de bifaces, par exemple dans les régions de Moulins, de Montluçon, de Riom, de Clermont-Ferrand, etc., ont été signalées ; il s'agit toujours de trouvailles isolées et souvent disparues aujourd'hui ; dans le cas où ils ont été conservés, ces bifaces sont de type cordiforme ou ovalaire et appartiennent donc plutôt à un Moustérien de tradition acheuléenne qu'à un Acheuléen ou à un Abbevillien authentique.

3. Il faut toutefois signaler que l'existence de l'Acheuléen en Auvergne n'est pas formellement exclue ; les sondages effectués par A. Laborde, puis par R. Seguy et F. Moser dans la grotte de *Sainte-Anne II* à *Polignac* (Haute-Loire) ont livré quelques bifaces d'aspect nettement acheuléen.

4. La région auvergnate qui est censée avoir fourni le plus grand nombre de bifaces est celle du bassin d'Aurillac-Arpajon (Cantal) ; ces bifaces ont été décrits comme « chelléens » ou « acheuléens »

par de nombreux auteurs, tels J.B. Rames, M. Boule, P. Marty, J.B. Delort, etc. ; P. Girod et A. Aymar (1903) ont donné un bon résumé historique de la question ; des stratigraphies intéressantes ont été relevées (P. Marty, 1914) ; des observations récentes, mais qui n'ont malheureusement pas pu être complétées par des sondages, effectuées à *Arpajon,* sur le site du terrain d'aviation, affirment l'existence, sous le Moustérien de tradition acheuléenne, d'un Acheuléen à patine brune. En fait, il faut noter que, dès que des bifaces ont été recueillis en série, ils sont accompagnés par des éclats, des racloirs et des pointes d'aspect moustérien ; à l'examen, la plupart de ces bifaces se révèlent, non pas comme des « amygdaloïdes lancéolés ou grossièrement taillés », mais comme des exemplaires relativement plats et dont la forme rappelle souvent celle des ovalaires, des subtriangulaires et surtout des cordiformes du Moustérien de tradition acheuléenne, par exemple de celui du Nord de l'Auvergne.

Dans ces conditions, le problème du Paléolithique inférieur en Auvergne ne peut être résolu ; il sollicite l'organisation de prospections nouvelles.

Bibliographie

[1] COMBIER J. (1962). — Rapport de Directeur pour la circonscription des Antiquités Préhistoriques de Lyon. *Gallia-Préhistoire,* V-1, p. 229-306.

[2] GIROD P. et AYMAR A. (1903). — *Stations moustériennes et campigniennes des environs d'Aurillac.* Paris, Baillière, 60 p., 20 pl.

[3] MARTY P. (1914). — Essai de chronologie des dépôts pléistocènes de la haute vallée de la Cère et de la plaine d'Arpajon (Cantal). *Revue de Haute-Auvergne,* 15 p. 7 pl.

* Musée des Antiquités Nationales de Saint-Germain-en-Laye, B.P. 30, 78103 Saint-Germain-en-Laye (France).

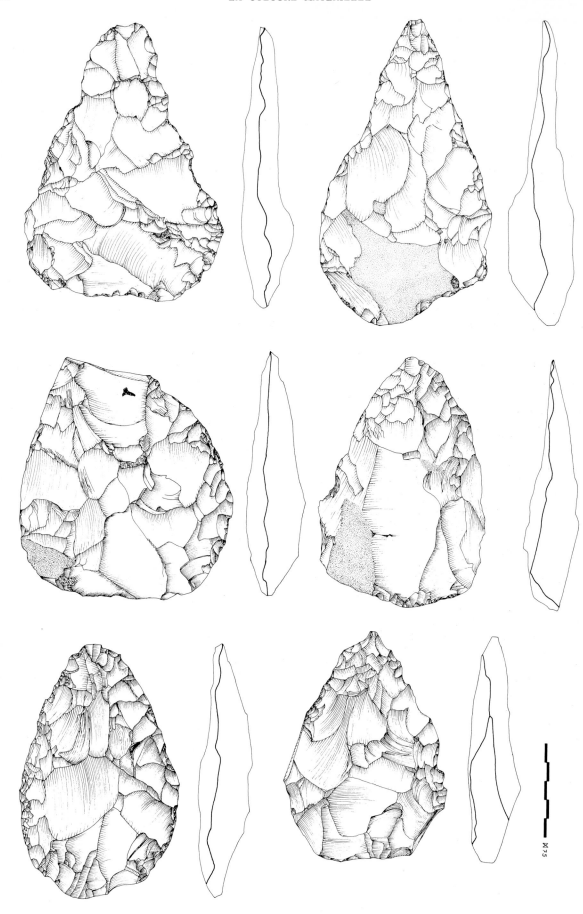

Fig. 1. — Bifaces de la région d'Aurillac (Cantal.)
Dessins de J.-P. Daugas.

Les civilisations du Paléolithique inférieur dans les pays de la Loire

par

Michel Gruet *

Résumé. Il n'y a aucune industrie en place antérieure au Riss. Quelques pebble tools et de rares objets de facture abbevillienne sont remaniés dans les terrasses inférieures. L'Acheuléen est relativement fréquent en place dans la basse terrasse rissienne qui est, peut-être, dédoublable. Un niveau à faune tempérée est situé sous la terrasse rissienne près d'Angers.

Abstract. No 'in situ' industries have been found before the Riss. Some pebble tools as well as some rare abbevillian implements were found, redeposited, in the lower terrace. Here we also found numerous examples of acheulean industry. Near Angers a marle-dominated deposit with temperate fauna underlies the Rissian terrace. A higher terrace nearby contains acheulean industry.

I. Les industries d'aspect ancien.

Aucune industrie appartenant au Paléolithique le plus ancien (Villafranchien, Günz et même Mindel) n'a été trouvée en place dans le bassin de la Loire moyenne ou basse (1). Remaniés dans des bas niveaux de terrasses, deux choppers de quartz, fortement émoussés, ont été décrits (G. Cordier) (2), l'un sur la Vienne à Theneuil, l'autre sur la Creuse à Abilly (n° 1).

Un peu moins malmenés, mais certainement très remaniés aussi, une quinzaine de pebble tools divers ont été trouvés (J. Despriée) à la base d'une terrasse de 14 m relatif (probablement rissienne) à Pezou, dans la vallée du Loir, au N de Vendôme. Par leur émoussé ces galets de silex se séparent nettement des matériaux de la terrasse qui les englobe et se rapprochent de ceux d'un niveau de 40 m qui domine le site. Un chopper isolé trouvé plus haut sur la pente semble indiquer la voie d'arrivée de ces outils roulés. Du fait de l'emploi du silex les analogies sont fortes avec les objets de Clacton (n° 2).

Appartenant typologiquement à l'Abbevillien (Mindel), ce que ne dément pas leur patine prononcée, deux trièdres (n°s 3 et 5) et deux bifaces à profonds enlèvements à la pierre (n° 8) ont été recueillis aux environs de Sablé (J. Rioufreyt) mais, là aussi, ils ne sont pas en position originelle, mais descendus dans une terrasse de 20 m sur la Sarthe.

De rares bifaces abbevilliens sont signalés çà et là, en surface. Certains ne sont probablement que des ébauches abandonnées d'outils acheuléens. Le « *Chelléen* » signalé autrefois en place aux environs d'Orléans est absolument nié aujourd'hui (G. Richard).

(1) En préliminaire le lecteur pourrait avoir intérêt à parcourir le chapitre concernant les terrasses du bassin de la Loire.

(2) Les auteurs dont les noms sont cités entre parenthèses ont bien voulu fournir eux-mêmes les renseignements utilisés; qu'ils en soient remerciés.

De très rares éclats roulés, probablement très anciens, ont été récoltés (G. Richard) près de Gien sur la terrasse mindelienne de 30 m d'altitude relative et, à Gien même, sur un lambeau de terrasse supérieure peut être attribuable au Günz.

Une industrie clactonienne a été trouvée (G. Cordier) dans une terrasse d'environ 22 m, à Bossay dans la vallée de la Claise affluent de la Creuse. Assez évolué et peu émoussé ce Clactonien (n° 9) doit être tardif (Riss ?) car il semble bien en place dans ce niveau qui, plus en aval, au Grand Pressigny, a fourni un beau biface acheuléen évolué parmi d'autres pièces.

Dans une situation altimétrique analogue, à Villefranche-sur-Cher, un Clactonien, assez évolué aussi, est séparé d'un Acheuléen qu'il recouvre par des niveaux éolisés (J. Despriée). Un peu en aval, les terrasses de Selles-sur-Cher donnent de l'Acheuléen ancien parmi des bifaces acheuléens plus évolués.

Dans la basse vallée du Loir, à Villevêque, au N d'Angers, deux ballastières ont donné, dans une terrasse de 22 m relatif, parmi des éclats divers, deux bifaces (n° 4) suffisamment évolués pour appartenir au Riss. Ceci fait poser la question de l'existence de deux terrasses rissiennes différentes.

II. Interstade ?

C'est beaucoup plus bas, vers 7 m, qu'a été trouvé à Port-Launay au Nord d'Angers une lentille argileuse qui, parmi une faune de mollusques tempérés, contient des rejets de cuisine comportant du daim à grandes ramures, du cheval, un dicerorhinus sp., soit hemitoechus soit mercki, un ours de petite taille, une tortue du groupe *Chlémys*. Parmi des éclats de taille il n'y a, malheureusement, que de rares objets peu typiques : une coche (n° 7), deux racloirs transverses denticulés (n°s 10-14) et un chopper inverse (n° 11). Une petite diaphyse porte des incisions régulièrement espacées (n° 6). Ce niveau que scelle la basse terrasse pourrait représenter un interstade du Riss ?

* Docteur, Institut de Recherches Fondamentales et Appliquées d'Angers, 86, rue de Frémur, 49000 Angers (France).

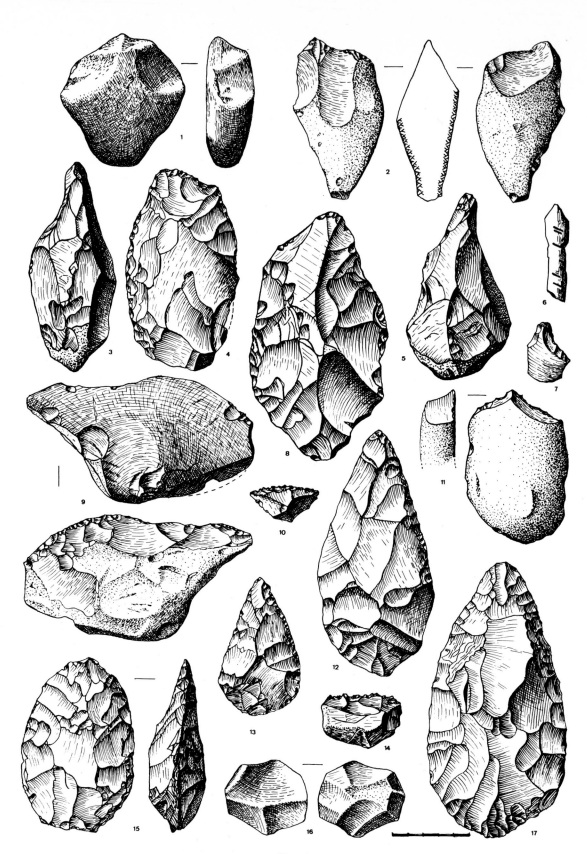

FIG. 1

1. Chopper de quartz, remanié dans la terrasse würmienne de la Creuse à Abilly (Indre-et-Loire), d'après G. Cordier; 2. Chopping tool sur rognon de silex, remanié dans la terrasse rissienne de Pezou sur le Loir (Loir-et-Cher), d'après J. Despriée; 3. Trièdre d'allure abbevillienne remanié en terrasse rissienne de Sablé (Sarthe), d'après J. Rioufreyt; 4. Biface d'allure acheuléenne dans une terrasse du Riss ancien ? Villevèque (Maine-et-Loire); 5. Comme n° 3; 6. Os avec incisions régulières, argile à faune tempérée, sous l'Acheuléen Moyen, à Port-Launay en Ecouflant (Maine-et-Loire) Inter Riss I - Riss II; 7. Coche denticulée, Port-Launay, voir n° 6; 8. Biface abbevillien probable, fondations de l'usine Bell à Sablé-sur-Sarthe (Sarthe), d'après J. Rioufreyt; 9. Racloir du Clactonien de Bossay (Indre-et-Loire) dans la terrasse rissienne de la Claise, d'après G. Cordier; 10. Racloir transverse denticulé, Port-Launay, voir n° 6; 11. Chopper inverse, Port-Launay, voir n° 6; 12. Biface acheuléen de l'Ile-Bouchard, terrasse de la Vienne, (Indre-et-Loire), d'après G. Cordier; 13. Petit biface de Montbazon (Indre-et-Loire), alluvions rissiennes de l'Indre. D'après J.C. Yvard et G. Bastien; 14. Racloir denticulé transverse, Port-Launay, voir n° 6; 15. Biface acheuléen, terrasse rissienne de La Cheuvère à Ecouflant (Maine-et-Loire); 16. Petit nucleus, terrasse à industrie acheuléenne de la Claise à Abilly (Indre-et-Loire), d'après G. Cordier; 17. Biface acheuléen de la terrasse de Châteauneuf-sur-Loire (Loiret), d'après Bourlon.

III. Terrasse rissienne.

Les basses terrasses (Moyen niveau des tourangeaux) ont fourni suffisamment d'objets acheuléens en place, bifaces et hachereaux, pour être bien datées du Riss. Ainsi, sur la Loire, à Briare, aux environs de Gien, et plus bas où la terrasse de Chateauneuf a livré des bifaces acheuléens en abondance et, en particulier deux bien en place à 1,5 m de profondeur (n° 17) sur cette commune. Un autre biface de très grande taille, trouvé à Orléans même, semblait bien être aussi en place. Sur l'autre rive le glacis d'Olivet-Orléans - La Source, de même datation, a fourni de nombreux bifaces acheuléens dont plusieurs en place.

Vers l'aval du fleuve les terrasses évanescentes n'ont rien fourni, mais les affluents sont riches. Au Sud de la Loire, Villefranche, Giesvre, Selles, sur le Cher ; Fléré-la-Rivière, Bridoré, Veigné, Montbazon (n° 13), Monts, Artannes et Pont-de-Ruan sur l'Indre, ont donné de l'Acheuléen en place. La Vienne surtout a, dans ses ballastières, donné de bonnes séries à bifaces et nucleus levallois abondants : Dangé, Séligny, Theneuil, Panzoult, l'Isle-Bouchard (n° 12), Sazilly, Rivières. Ses affluents sont riches aussi : la petite Claise avec Abilly (n° 16), la Creuse avec le riche site d'Yzeure, Chambon, la Haye-Descartes et Balesme. Le Clain est moins riche.

Au Nord du fleuve la vallée du Loir est jalonnée par des trouvailles d'Acheuléen en surface des terrasses, mais peu d'objets sont, pour le moment, connus en place : la-Chapelle-aux-Choux. En descendant les terrasses de la basse Sarthe on rencontre les sites de Parcé, Sablé, Chemiré, pour arriver, près d'Angers, à Ecouflant, où les ballastières, dans un niveau bien précisé, ont livré une quinzaine de bifaces dont les moins patinés sont d'un Acheuléen évolué (n° 15).

En basse Loire, on ne peut citer que quelques éclats dans les terrasses de l'Erdre à Nort près Nantes et, en rive sud, deux bifaces à Montbert dans les alluvions d'un petit affluent du lac de Grandlieu.

IV. Limons.

Dans les limons éoliens anciens ou scellés par eux, il faut citer les pièces acheuléennes de Bonneval (carrière de la Joinière) et celles de la Malassise à Chateaudun puis, au Nord-Est de Tours, celles des briqueteries de Neuillé et de Chancay.

Scellé par une limon à industrie moustérienne, un cailloutis a donné de l'Acheuléen, à Moulin-sur-Céphon au Nord de Chateauroux.

Sur un plateau de rive gauche en Anjou, au Fuilet, le curieux groupement de 24 très beaux bifaces acheuléens évolués, entassés dans une argile lacustre, mérite d'être signalé.

V. Parmi les gisements superficiels épars un peu partout certains sont remarquables par leur densité : Fréteval, Lisle, Villiers-Faux, Artins, près de Vendôme ; Teillez à Verneuil-sur-Indre, Athée à l'Est de Tours, Asnières près Sablé-sur-Sarthe ; le Loroux-Bottereau moins riche, mais dans une zone pauvre au Sud de Nantes.

Les civilisations du Paléolithique inférieur en Armorique

par

Pierre-Roland GIOT * et Jean Laurent MONNIER **

Résumé. Le Paléolithique inférieur en Armorique est connu par des bifaces souvent isolés et qu'il n'est pas toujours possible de situer stratigraphiquement. Pourtant, récemment, l'étude des dépôts pléistocènes du littoral ainsi que des terrasses fluviatiles dans l'intérieur, a révélé la présence d'industries en place. La présence de l'Abbevillien ou d'industries plus anciennes est peu sûre. L'Acheuléen inférieur et moyen existe certainement mais seul l'Acheuléen final est connu par des gisements importants.

Abstract. We know about the Lower Paleolithic of Armorica from handaxes that are often found isolated and which can't always be placed stratigraphically. Recent studies of Pleistocene deposits from coastal zones and from fluvial terraces of the interior have disclosed industries in situ. The presence of Abbevillian or of older industries is, at present, uncertain. While Lower and Middle Acheulean industries definitely exist, major sites only contain Upper Acheulean ones.

I. Introduction.

Située tout à l'Ouest de l'Europe, la péninsule armoricaine ouvre ses rivages vers la Manche et l'Océan Atlantique. Au cours du Pleistocène, le littoral s'est modifié, offrant aux hommes du Paléolithique des zones d'habitat favorables grâce à la présence du silex contenu dans les cordons de galets et aux abris fournis par les falaises mortes. La concentration des sites paléolithiques le long de la côte n'est sans doute pas seulement due aux facilités de prospection. Parmi ces gisements, un grand nombre appartient au Paléolithique moyen et supérieur ; ceux du Paléolithique inférieur (fig. 1) sont les moins bien connus.

II. Présence incertaine d'industries Préabbevilliennes et Abbevilliennes en Armorique.

Jusqu'à présent, l'existence d'industries plus anciennes que l'Acheuléen est restée très discutable. Les dépôts antérieurs à l'interglaciaire holsteinien sont mal conservés. Pourtant certains bifaces en quartzite, roulés dans les alluvions anciennes de la Vilaine à Cesson (Ille-et-Vilaine) ou Damgan (Morbihan), pourraient se rapporter à l'Abbevillien. Faut-il encore y attribuer cet étrange grand biface de Kerrien (Lannilis, Finistère) (L. L'Hostis, 1937) ? La pièce, en grès à Sabals, est peu retouchée et assez énigmatique. Le galet de silex taillé découvert à Bénance en Sarzeau (Morbihan) (Y. Coppens, 1964) présente un tranchant aménagé par enlèvements bifaciaux de gros éclats. On ne peut malheureusement dater ce *chopping-tool* avec précision du fait de sa situation probablement remaniée. Depuis lors, non loin de là, dans les alluvions de la Basse-Vilaine, plusieurs galets éclatés ont attiré l'attention.

III. L'Acheuléen inférieur et moyen en Armorique.

Quelques bifaces ou fragments de bifaces en quartzite ont été découverts récemment dans la région de Damgan (Morbihan) (J. Briard et *al.,* 1972 ; P.R. Giot, 1973). Ce sont des outils de forme amygdaloïde ou triangulaire, assez grossièrement retouchés, fortement patinés et éolisés. Ils proviennent des alluvions de la Vilaine qui sont pour une grande part d'âge anté-saalien ou reprises à l'Eemien. Plus en amont, à Cesson (Ille-et-Vilaine), les terrasses anciennes ont aussi livré des outils en quartzite ou en quartz de filon. Un petit biface de forme amygdaloïde a été trouvé vers 30 m ; les autres sont très émoussés, subcordiformes et discoïdes, provenant de dépôts fluviatiles situés vers 35 à 45 m d'altitude. Ils sont sûrement plus anciens que le dernier interglaciaire. C'est encore en surface de la moyenne terrasse de la Vilaine, près de St-Jacques-de-la-Lande, que fut trouvé le biface de la collection Harscouët de Keravel (P.-R. Giot, 1970) : l'outil est fait sur un éclat de quartzite bien recristallisé, à grain fin. La forme est ovalaire et une face est beaucoup mieux retouchée que l'autre. Une telle pièce pourrait appartenir à un Moustérien de tradition acheuléenne ; toutefois son épaisse patine et son éolisation suggèrent un âge plus ancien. Les alluvions anciennes de la rivière de Plouzané (Finistère) ont livré un biface cordiforme allongé en quartzite brun très patiné et légèrement émoussé. On peut l'attribuer à un Acheuléen moyen de même qu'au moins une pièce assez semblable en grès lustré, trouvée sur le site de Kervouster (Guengat, Finistère) et dont la forme ainsi que l'aspect diffèrent nettement des bifaces du Moustérien de tradition acheuléenne. Le gisement de Beaulieu, près de Locminé, aurait révélé des bifaces acheuléens en

* Directeur de Recherches au C.N.R.S.

** Attaché de Recherches au C.N.R.S., Equipe de Recherche n° 27, Laboratoire « Anthropologie-Préhistoire-Protohistoire et Quaternaire Armoricains », Université de Rennes, B.P. 25 A, 35031 Rennes - Cedex (France).

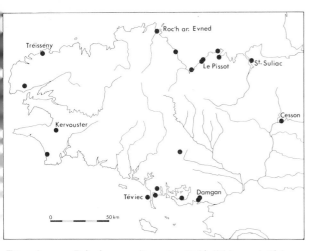

Fig. 1. — Principaux sites du Paléolithique inférieur armoricain.

quartzite ; la photographie publiée (Aveneau de la Grancière, 1910) semble presque probante, montrant des outils ovalaires ou amygdaloïdes, mais aucune de ces pièces n'a été retrouvée.

Les dépôts limoneux saaliens, le long du littoral, n'ont encore fourni que peu d'industrie : à Nantois (Pléneuf, Côtes-du-Nord) quelques éclats de silex taillé ont été récoltés dans le head qui remanie le plus ancien dépôt marin (Holsteinien ou interstade de la Pénultième glaciation). A l'Hostellerie (Hillion, Côtes-du-Nord) le limon sableux antérieur au sol éemien renferme des silex (un nucleus et quelques petits éclats). A la plage des Vaux (Plévenon, Côtes-du-Nord) le limon sous le head à galets (gélifluxion de la plage éemienne) contient quelques silex taillés dont un éclat levallois. Une lame en silex a été trouvée dans un limon saalien à Port-à-la-Duc (Pléhérel, Côtes-du-Nord). Mais surtout le biface en phtanite du Pissot (Pléneuf, Côtes-du-Nord) est sans doute plus ancien qu'il n'est d'abord apparu (J.L. Monnier, 1974) : de nouveaux critères stratigraphiques conduiraient à vieillir la plage gélifluée jusque vers le début de la glaciation saalienne, les dépôts et le sol éemiens se trouvant au-dessus. Une pièce de Porteleu (Etables-sur-Mer, Côtes-du-Nord), conservée au Musée des Antiquités Nationales, est un biface en quartzite ovalaire à tendance cordiforme et dont l'origine est mal connue (G. et A. de Mortillet, 1900). Cet outil est peut-être Acheuléen moyen. La position du biface de Parc-ar-C'hastel (Tréguennec, Finistère) est plus sûre : il se trouvait sur un plateau à une altitude d'une dizaine de mètres où sont conservés des galets marins résiduels (G.A.L. Boisselier et al., 1940 ; P.R. Giot, 1955). La pièce est en quartzite, très patinée et éolisée ; sa forme, grossièrement ovalaire, est régularisée par de larges enlèvements.

IV. L'Acheuléen supérieur et final.

Deux gisements importants appartiennent à un Acheuléen très final. Dans l'anse de Tréissény (Kerlouan, Finistère) sont conservés des lambeaux sableux, entre le niveau des plus hautes mers actuelles

et quatre mètres au-dessous. C'est un dépôt littoral pour le moins éemien. Une industrie en silex se situait à la base de l'arène limoneuse gélifluée qui recouvre la plage ancienne. Les outils comprennent surtout des petits bifaces ovalaires ou cordiformes associés à quelques racloirs dont un grand nombre à retouches bifaces. Le débitage levallois n'a pratiquement pas été utilisé. C'est un Acheuléen supérieur d'âge probablement éemien mais très différent du Micoquien. Des ressemblances existent avec certains niveaux de l'Acheuléen supérieur de Combe-Grenal (Dordogne) (P.-R. Giot et al., 1973). On peut rapprocher de cette industrie des pièces telles que le biface de Port l'Epine en Trélévern (Côtes-du-Nord) découvert au sommet du cordon de galets éemien, la pièce de Poulloupry en Plestin-les-Grèves (Côtes-du-Nord) ou le petit biface de la Trinité en Ploubazlanec (Côtes-du-Nord) (P.-R. Giot, 1969).

L'industrie de St-Suliac (Ille-et-Vilaine) est une sorte de Micoquien attardé et atténué dont l'outillage diffère peu de celui du Moustérien de tradition acheuléenne (P.-R. Giot et F. Bordes, 1955). Elle comprend une riche industrie sur éclats avec pointes moustériennes, racloirs, denticulés. L'indice levallois est moyen, à la limite du débitage levallois proprement dit. Les bifaces sont de type nettement micoquien et non moustérien. Le gisement date vraisemblablement du début du Weichsel. Quelques bifaces du même type ont été trouvés sporadiquement en Bretagne. La position du biface de l'îlot de Téviec

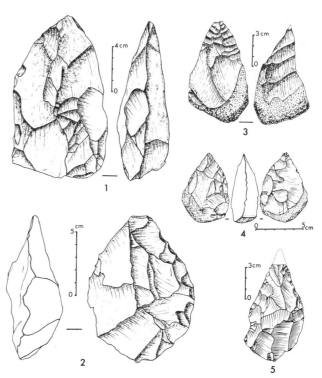

Fig. 2. — Quelques pièces du Paléolithique inférieur de l'Armorique.

1. Biface de Tréguennec (d'après P.-R. Giot, 1955); 2. biface de Roc'h an Evned (d'après G. Fournier et al., 1957); 3. Biface micoquien de Téviec (d'après H. Breuil, 1955); 4. Un biface du gisement de Tréissény (d'après P.-R. Giot et al., 1973); 5. Un biface micoquien du site de Saint-Suliac (d'après P.-R. Giot et F. Bordes, 1955).

(St-Pierre-Quiberon, Morbihan), en place dans la plage éemienne, confirme son appartenance à l'Acheuléen final (H. Breuil, 1955). L'outil est fait à partir d'un galet de silex retouché en pointe et conservant une grande part de cortex vers le talon. Notons encore le biface cordiforme étiqueté « la Buzardière » (Ploubazlanec ?, Côtes-du-Nord) d'origine incertaine, ainsi que celui trouvé en surface vers les alignements de Carnac (Morbihan) et conservé à Toulouse (B. Dandine, 1956). La forme du biface de St-Colomban en Carnac (Morbihan) dont la pointe est cassée, se rapproche du type micoquien malgré des enlèvements assez grossiers, sans retouches secondaires. Il est taillé dans un galet marin en quartzite et son talon se trouve réservé au tiers de la surface totale. La pièce est lustrée et les arêtes sont émoussées par places. Il fut découvert à la surface de la plage éemienne gélifluée, associé à des éclats de taille (J.C. Sicard, 1959). On peut signaler, pour terminer, le biface trouvé au cours de la fouille du retranchement de Roc'h an Evned (Ploubazlanec, Côtes-du-Nord). C'est une pièce épaisse en aplite, subcordiforme. Elle provient sans doute des limons périglaciaires dont il reste des traces dans les creux de falaises aux environs et put être amenée lors de la construction des talus (G. Fournier et al., 1957).

V. Conclusion.

La pauvreté des ressources en silex a eu pour conséquences l'utilisation d'un grand nombre de roches de remplacement et corrélativement l'existence de formes assez atypiques. Néanmoins la présence des hommes semble bien attestée, en Armorique, depuis l'Acheuléen ancien. Des prospections orientées vers les dépôts limoneux périglaciaires du littoral et vers les anciennes terrasses devraient amener de nouvelles découvertes mieux situées stratigraphiquement.

Bibliographie

[1] AVENEAU de la GRANCIÈRE (1910). — L'industrie acheuléenne dans le centre du Morbihan. Le Paléolithique inférieur en Bretagne-Armorique. Bull. Soc. Polym. Morbihan., p. 16-19.

[2] BOISSELIER G. A. L., FOURMEAUX G. et COURROT J. L. (1940). — La nécropole de Tréguennec en Plonéour-Lanvern (Finistère). Bull. Soc. Préhist. Française, t. 37, p. 29-35.

[3] BREUIL H. (1955). — Note on a micoquian tool from a raised beach in Morbihan. Proc. of the Prehistoric Society, n° 1, p. 1-2.

[4] BRIARD J., COLOMBEL M., GIOT P.-R. et LECORNEC J. (1972). — Damgan préhistorique. Ann. de Bretagne, n° 1, p. 7-19.

[5] COPPENS Y. (1964). — Chronique de préhistoire et de protohistoire morbihannaise. Bull. Soc. Préhist. Française, t. LXI, p. 195-236.

[6] DANDINE B. (1956). — Un nouveau biface breton. Bull. Soc. Préhist. Française, t. LIII, p. 120-122.

[7] FOURNIER G., GIOT P.-R., L'HELGOUACH J. et SIEVEKING G. de G. (1957). — Les sites préhistoriques de Loguivy-de-la-Mer en Ploubazlanec (Côtes-du-Nord). Mém. Soc. Emul. Côtes-du-Nord, t. LXXXV, p. 1-15.

[8] GIOT P.-R. (1955). — Quelques bifaces du Paléolithique ancien du Finistère. Bull. Soc. Arch. Finistère, t. LXXXI, p. 70-78.

[9] GIOT P.-R. (1969). — Circonscription de Bretagne et des Pays de la Loire. Gallia-Préhistoire, t. XII, p. 439-463.

[10] GIOT P.-R. (1970). — Le district de Rennes à l'Age de la Pierre Ancienne. Ann. de Bretagne, t. LXVII, p. 7-9.

[11] GIOT P.-R. (1973). — Circonscription de Bretagne. Gallia-Préhistoire, t. 16, p. 401-426.

[12] GIOT P.-R. et BORDES F. (1955). — L'abri sous roche paléolithique de Grainfollet à Saint-Suliac (Ille-et-Vilaine). L'Anthropologie, t .59, p. 205-234.

[13] GIOT P.-R., HALLEGOUET B. et MONNIER J.L. (1973). — Le Paléolithique ancien du pays de Léon (Finistère). L'Anthropologie, t. 77, p. 497-518.

[14] L'HOSTIS L. (1937). — Prise de date. Bull. Soc. Préhist. Française, t. 34, p. 408.

[15] MONNIER J. L. (1974). — Les dépôts pléistocènes de la région de Saint-Brieuc. Stratigraphie et Préhistoire. Bull. Soc. Géol. Minéral. Bretagne, (C), t. VI, p. 43-62.

[16] MORTILLET G. et A. de (1900). — La Préhistoire. Paris, Schleicher Frères, 709 p.

[17] SICARD J. C. (1959). — Le Chelleo-acheuléen et Levalloisien de Saint-Colomban en Carnac. Bull. Soc. Polym. Morbihan, P. V., p. 30-32.

Les civilisations du Paléolithique inférieur dans la région parisienne et en Normandie

par

Alain Tuffreau *

Résumé. Le Paléolithique inférieur est surtout représenté dans l'Ouest du Bassin Parisien par des séries conservées dans les limons anciens, bien développés dans ces régions, ou dans des nappes alluviales. L'Acheuléen ancien et moyen demeure mal défini ainsi que les industries sans bifaces (Clactonien ?) de la région du Havre. L'Acheuléen supérieur et final, de faciès levalloisien, conservé à la base du dernier limon rissien ou au niveau du sol interglaciaire Riss-Würm, est connu dans de nombreux gisements.

Abstract. The Lower Palaeolithic of the area west of the Parisian Basin is known from industries found in ancient thick loam deposits and in fluviatile gravels. These deposits contain Old Acheulean and Middle Acheulean industries as well as industries without handaxes that probably come the Le Havre region. Upper and Late Acheulean industries (of Levallois facies) have been found in many sites in base layers of the last Rissian loams and in interglacial (Riss-Würm) soils.

I. Introduction.

De nombreuses pièces ont été découvertes dans certaines formations alluviales de la Seine et de ses affluents. A la fin du XIXe siècle et au début du XXe siècle, ces découvertes ont eu, pour certaines d'entre elles (Chelles, Levallois), une grande importance pour le classement des industries du Paléolithique inférieur (« Chelléen », « Levalloisien »), H. Breuil (1939) montre que les pièces attribuables au « Chelléen » étaient rares et dérivées dans le gisement éponyme qui recelait surtout des industries plus récentes.

C'est également dans des alluvions de la Seine, mais à son estuaire, au Havre, que furent reconnues des industries qui ont été rapprochées du Clactonien anglais (H. Breuil, 1932 ; L. Cayeux, 1963).

Les industries mises au jour dans les limons anciens, surtout dans la région parisienne et la Haute Normandie, semblent présenter un plus grand intérêt. Dès la fin du XIXe siècle, P.J. Chédeville (1894), pour Saint-Pierre-les-Elbeuf, A. Laville (1893), pour la région parisienne, A. Dubus (1916), pour la région du Havre et une partie de la Haute Normandie, publièrent des indications stratigraphiques concernant les provenances des industries acheuléennes. Auparavant, J. Ladrière (1890), qui établit les fondements de la stratigraphie des limons dans le Nord de la France, publia des levés intéressant la région parisienne.

Dans le cadre d'une révision des limons du bassin de la Seine, F. Bordes (1952, 1954) précisa la stratigraphie des industries acheuléennes et moustériennes. Il en définit les caractéristiques typologiques et techniques, fondées sur une méthode statistique, alors nouvellement mise au point. Malheureusement, la fermeture de la plupart des briqueteries entraina un déclin certain des études sur le Paléolithique

inférieur dans le Bassin parisien et la Normandie où les fouilles récentes concernant cette période demeurent rares : Verrières (M. Daniel et *al.*, 1973), Cergy (R. Chrétien, 1957; J.P. Michel, 1973 a et b). Les découvertes de gisements mis au jour par l'érosion marine (J. Dastugue, 1969), ou immergés sur le littoral normand (E. Bonifay, 1973), apporteront peut-être de fructueux renseignements géologiques et archéologiques.

Les travaux de F. Bourdier (1950, 1969) ont permis de mieux connaître les formations quaternaires, variées, du bassin de la Seine, qui ont été paraléllisées avec celles du bassin de la Somme. Plus récemment, l'étude des limons de Normandie a été reprise par J.P. Lautridou.

II. Les industries sans bifaces.

A. LES INDUSTRIES DES PLAGES DU HAVRE.

A la fin du XIXe siècle, plusieurs stations paléolithiques ont été découvertes sur les plages du Havre, par G. Romain, dans des formations alluviales de la Seine. Des niveaux différents ayant livré de l'Acheuléen furent reconnus. H. Breuil (1932) rapprocha leur stratigraphie de celle de Menchecourt, dans la basse vallée de la Somme. M. Duteurtre (1932) reconnut, ultérieurement, de nouvelles stations dont le matériel archéologique fut comparé au Clactonien anglais (H. Breuil, 1932). Aucune étude détaillée de ces industries n'a été publiée, si ce n'est celle de L. Cayeux (1963), desservie par une illustration de qualité médiocre.

Les industries « clactoniennes » du Havre et de Sainte-Adresse comprennent des éclats plus ou moins retouchés, à angle d'éclatement très ouvert et à plan de frappe le plus souvent lisse, quelques encoches,

* Equipe de recherche associée au C.N.R.S. n° 423. Musée des Antiquités Nationales, 78100 Saint-Germain-en-Laye (France).

racloirs et rognons de silex sommairement taillés. Il est encore difficile de déterminer s'il convient de voir dans ce matériel le produit d'un atelier spécialisé appartenant à une industrie de type acheuléen (P. Callow, 1974) ou une industrie indépendante.

B. LES TROUVAILLES ISOLÉES.

Des rognons de silex sommairement taillés, fortement patinés, ont été découverts en différents endroits, dans les alluvions de la Seine (J.-P. Michel, 1973 a). Ces trouvailles seraient peut-être à rapprocher d'une petite série provenant de la terrasse du Loir, à Pezou (J. Despriée et M. Lorrain, 1972). Les pièces recueillies comprennent quelques rognons de silex à taille unifaciale ou bifaciale, quelques éclats et un biface partiel.

La pauvreté de ces séries, découvertes à l'état dérivé, dans des formations alluviales, ne permet pas de les attribuer à une industrie déterminée du Paléolithique inférieur.

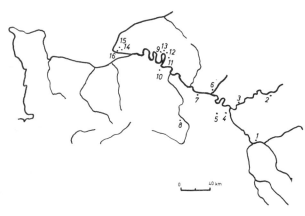

Fig. 1. — Carte de localisation des principaux gisements du Paléolithique inférieur de la région parisienne et de la Normandie.
1. Celle-sous-Moret; 2. Le Tillet; 3. Chelles; 4. Villejuif; 5. Verrières-le-Buisson; 6. Cergy; 7. Mantes; 8. Chaudon; 9. Bondeville; 10. Saint-Pierre-les-Elbeuf; 11. Bonsecours; 12. Bihorel; 13. Houppeville; 14. La Mare-aux-Clercs; 15. Bléville; 16. Le Havre.

III. L'Acheuléen ancien et moyen.

A. L'ACHEULÉEN ANCIEN.

Comme dans la vallée de la Somme, l'Acheuléen ancien demeure très mal connu. Il est souvent difficilement différenciable de l'Acheuléen moyen primitif. Quelques bifaces assez grossiers des environs du Havre, de Rouen, ainsi que des alluvions de la Seine, dans la région parisienne (J.P. Michel, 1973 a et b) et de l'Oise (E. Patte, 1924, 1931), peuvent appartenir à un Acheuléen ancien.

La partie inférieure de la séquence pléistocène du gisement de Sannois (Val d'Oise) a livré quelques bifaces de style abbevillien, sans doute attribuables à un Acheuléen ancien (J. Degros et Ch. Sacchi, étude en cours).

B. L'ACHEULÉEN MOYEN.

La coupe de la briqueterie de Saint-Pierre-les-Elbeuf a livré à la base des limons anciens des bifaces d'aspect assez évolué (J. Chedeville, 1893). Ces pièces sont situées au-dessus d'un ancien sol, d'âge Mindel-Riss pour F. Bourdier (1969) et, Inter-Mindel, pour J.P. Lautridou et G. Verron (1970) (1).

L'exploitation des nappes alluviales à permis de découvrir des pièces isolées et des séries d'importance variable, probablement attribuables à l'Acheuléen moyen, comme à Flins (J.P. Michel, 1973 a et b).

La trentaine de bifaces des tufs de La Celle-sous-Moret (Seine-et-Marne) pourrait aussi appartenir à un Acheuléen moyen (F. Bourdier, 1969), mais l'unanimité ne s'est pas faite sur l'âge des formations de La Celle-sur-Moret qui sont parfois classées dans le Riss-Würm (H. Alimen, 1967).

C. L'ACHEULÉEN MOYEN ÉVOLUÉ ET LE GISEMENT DE CHELLES.

La série la plus importante de l'Acheuléen moyen évolué que l'on peut dater d'un stade ancien du Riss est celle de Chelles, dans la vallée de la Marne, à une vingtaine de kilomètres à l'E de Paris.

Les carrières de Chelles ont livré, à la fin du XIXe siècle de nombreuses pièces, réunies notamment par E. Chouquet, F. Ameghino et E. d'Acy. En 1872, G. de Mortillet avait d'abord qualifié d' « Acheuléen » l'industrie du cailloutis de la moyenne terrasse de Saint-Acheul. Il considéra ensuite (1878) que les pièces de Chelles, provenant en fait de niveaux plus récents que ceux de la moyenne terrasse de la Somme, étaient plus représentatives que celles de Saint-Acheul où le limon ancien livraient un outillage diversifié. L'Acheuléen ne correspondit plus alors qu'à l'actuel Acheuléen supérieur.

H. Breuil (1939) montra que les bifaces « chelléens » étaient fort rares à Chelles, dérivés de couches plus anciennes. Il établit que la majeure partie de l'outillage de Chelles appartenait à une industrie rissienne, typologiquement évoluée, et il regroupa dans l'Abbevillien défini par l'industrie associée à la faune classique d'Abbeville le « Pré-Chelléen » de V. Commont et une partie du « Chelléen » des anciens auteurs.

En dehors de précisions apportées par J.P. Michel (1965), la stratigraphie des grévières de Chelles est connue par la monographie de H. Breuil (1939) et les levés de F. Bourdier (1950, 1969) qui reconnut l'ensemble des formations quaternaires du versant de la vallée de la Marne entre Champs-sur-Marne et Chelles (fig. 2, n° 6).

Le cailloutis de la terrasse, subdivisé dans sa partie inférieure par des formations calcaires concrétionnées (« calcin » des auteurs anciens) est recouvert par une couche marneuse et un cailloutis scellé par

_____

(1) Récemment, J. P. Lautridou (in *Le Quaternaire*, IXe Congrès Inqua) a attribué cet ancien sol (Elbeuf IV) au Mindel-Riss.

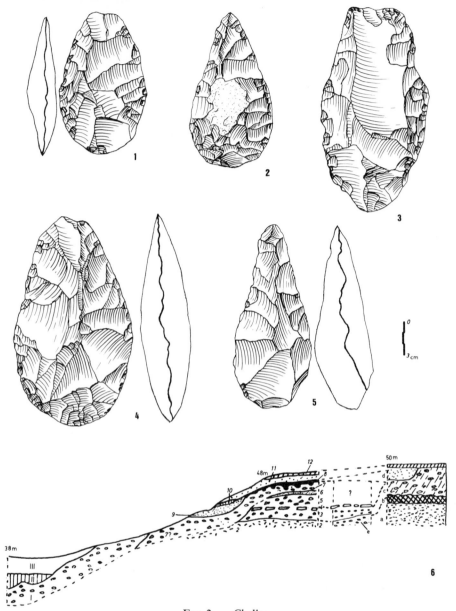

FIG. 2. — Chelles.

1 à 5. Bifaces de l'Acheuléen moyen évolué, provenant du « calcin » (d'après H. Breuil). 6. Coupe synthétique de la vallée de la Marne. a : graviers siliceux; b : cailloutis dans « argile chocolat »; c : limon verdâtre à grosses concrétions; d : sable roux; e : gravier calcaire; 2. marne solifluée; 3. Concrétions; 4. Calcaire dur, fragmenté, « calcin »; 5. Cailloutis; 6. Marne grise; 7. Cailloutis; 8. Ancien sol remanié (Riss-Würm ?); 9. Sable stratifié (Riss-Würm); 10 et 11. Limons récents; 12. Sol post-glaciaire; I. Cailloutis würmien; II. Tourbe; II. Argile et tourbe (d'après F. Bourdier).

un ancien sol, probablement d'âge Riss-Würm, et des niveaux plus récents. La terrasse rissienne de Chelles repose en partie sur les lambeaux de ce qui semble être les restes remaniés d'une moyenne terrasse, surtout observable dans la partie haute du gisement (F. Bourdier, 1969).

La majeure partie du matériel archéologique provient des cailloutis 3 et 5 (fig. 2) et des concrétions calcaires datées du début du Riss (Riss I pour H. Breuil ; inter Riss I - Riss II ?, pour F. Bourdier, 1969 ; Riss I pour J.P. Michel, 1965). L'industrie, qui a fait l'objet d'une révision récente (J.B. Roy, 1972), appartient, en ce qui concerne la partie inférieure de la basse terrasse de Chelles, à un Acheuléen moyen très évolué, à nombreux bifaces ovalaires, lancéolés, amygdaloïdes. L'outillage sur éclat qui comprend des éclats levallois, des racloirs variés et même quelques limaces, n'a pas été ramassé systématiquement.

La partie inférieure de la séquence de Chelles a également livré une faune abondante : Elephas proche du meridionalis, Machaïrodus, Elephas antiquus, Elephas Trongrontherii, Rhinoceros Merckii, Hippopotamus, Equus caballus, Equus stenonis, Cervus Belgrandi, Cervus Capreolus, Ursus spelaeus, Trogontherium Cuvieri, et des restes de bovidés (H. Breuil, 1939).

L'industrie de la partie supérieure du gisement est classable dans l'Acheuléen supérieur. D'après la collection du Musée des Antiquités Nationales, les pièces « chelléennes », très rares, doivent correspondre à un Acheuléen moyen primitif.

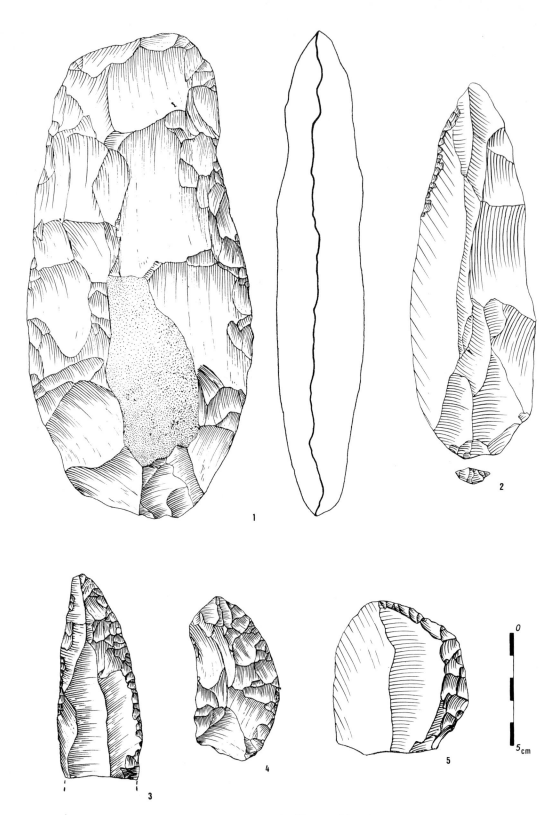

Fig. 3. — Acheuléen supérieur.

1. Hachereau-biface (Bondeville); 2. Lame levallois retouchée (Bondeville); 3. Racloir convergent (Bondeville); 4. Racloir double (Bonsecours); 5. Couteau à dos (Houppeville). 1 à 4. Collection du Musée des Antiquités Nationales. 1, 3 et 4. *Dessins J. Hurtrelle*, 5. *d'après F. Bordes*.

IV. L'Acheuléen supérieur et final.

Dans la partie occidentale du Bassin Parisien et en Haute Normandie, de nombreuses carrières ont livré des pièces provenant de la base du dernier limon ancien (Acheuléen supérieur) ou de sa partie supérieure où s'est développé le sol interglaciaire riss-würm, souvent remanié (Acheuléen final), notamment au Havre, à Bléville, la Mare-aux-Clercs, Bois-Guillaume, Bihorel, Houppeville, Bonsecours, Bondeville, Saint-Pierre-les-Elbeuf, Mantes, Chaudon (F. Bordes, 1954; P.J. Chédeville, 1893 ; L. Cayeux, 1971 ; A. Dubus, 1916 ; J.P. Lautridou et G. Verron, 1970). Il en est de même pour la région parisienne avec les gisements de Villejuif (F. Bordes et P. Fitte, 1949 ; A. Laville, 1898), de Sannois (J. Degros et Ch. Sacchi, étude en cours) et du Tillet (F. Bordes, 1952, 1954). Les outils sur éclat sont très nombreux pour la plupart de ces gisements (H. Kelley, 1937). Il existe toutefois peu de séries abondantes répondant aux exigences des études techniques et typologiques actuelles (fig. 3 et 4).

A. L'ACHEULÉEN SUPÉRIEUR.

La seule série, quelque peu importante, ayant une origine stratigraphique déterminée est la série blanche du Tillet conservée à la base du dernier limon ancien (F. Bordes, 1954). Les bifaces sont des cordiformes, des cordiformes allongés, des hachereaux. Il existe aussi des formes allongées, micoquienne ou lancéolée. L'outillage sur éclat est relativement peu développé par rapport aux bifaces (IB ess. = 34,37), mais la série blanche du Tillet ne provient pas d'une fouille. Il se compose surtout d'éclats levallois et comprend aussi quelques pièces retouchées : racloirs, outils de type paléolithique supérieur, encoches et denticulés.

La série de la couche 3 du gisement du Terrier à Verrières-le-Buisson, ramassée lors d'une fouille, peut être considérée comme représentative des industries de l'Acheuléen supérieur de la fin du Riss (M. Daniel et al., 1973). La couche 3 qui recelait le mobilier paléolithique inférieur a été datée de l'interglaciaire riss-würm, par les auteurs, en raison de la détermination de la série qui a été classée dans le Micoquien (Acheuléen final). Cependant, cette série, même si elle remonte au Riss-Würm, ne doit guère différer de celles de la fin du Riss. En décompte réel, l'Acheuléen de Verrières comprend 147 bifaces et 243 outils sur éclat, souvent taillés dans du grès. Les bifaces, très nombreux (IB ess. = 45,09), comprennent une majorité de types acheuléens, amygdaloïdes, cordiformes allongés, limandes, ovalaires (65 % des bifaces entiers) qui dominent nettement les micoquiens (11 %) et les types moustériens, subtriangulaires, cordiformes (17 %). En ce qui concerne les éclats et l'outillage sur éclat, le débitage levallois est assez faible (IL = 18) et les éclats levallois de bonne facture, n'atteignent qu'un pourcentage modéré (IL ty réel = 26,33) (2). L'outillage sur éclat est marqué par l'importance du groupe moustérien (II ess. = 60,89) aux nombreux racloirs (IR ess. = 53,63), typolo-

giquement variés, et par la présence d'outils de type paléolithique supérieur (III ess. = 16,20). Les encoches (3,35 % en ess.) et les denticulés (IV ess. = 5,58) sont rares.

Des bifaces et des éclats de l'Acheuléen supérieur, souvent remaniés, ont été trouvés à maintes reprises dans les alluvions de la Seine et de ses affluents. Il en est ainsi pour une grande partie du matériel paléolithique de la basse terrasse de Cergy (R. Chrétien, 1957 ; J.P. Michel, 1973 a et b) dont les formations remontent surtout au Riss (F. Bourdier, 1969).

Bien que la plupart des autres séries de l'Acheuléen supérieur du Bassin Parisien et de Normandie soient pauvres ou enrichies en « belles pièces » par les conditions de récolte, il est possible, à la suite de F. Bordes (1954), de dégager les caractères suivants :

— présence de bifaces le plus souvent taillés au percuteur tendre, généralement de grandes dimensions, plus nombreux que dans le bassin de la Somme ou le Nord de la France où ont été reconnus des industries acheuléennes pauvres en bifaces (A. Tuffreau, 1974). Certains bifaces présentent une section plane-convexe (P. Callow, 1974) ou un « coup de tranchet » à l'extrémité distale. Les types acheuléens dominent nettement les formes micoquiennes ainsi que les types moustériens à la section asymétriques ;

— débitage levallois pour presque toutes les séries qui possèdent un nombre appréciable d'éclats levallois non retouchés ;

— variété de l'outillage sur éclat marqué par l'importance des racloirs, présence d'outils de type paléolithique supérieur (grattoirs, burins, perçoirs, couteaux à dos, éclats tronqués), faiblesse des denticulés et des encoches.

B. L'ACHEULÉEN FINAL INTERGLACIAIRE.

Très souvent, la partie supérieure du « limon fendillé », ancien sol de l'interglaciaire Riss-Würm, a livré des bifaces, des éclats levallois et des outils sur éclat retouchés. Mais les pièces trouvées à ce niveau proviennent parfois de la partie inférieure du « limon fendillé ». Elles ont été abandonnées avant le dépôt du dernier limon rissien, parfois entièrement altéré par la pédogénèse interglaciaire. Souvent, la distinction n'a pas été faite entre ces pièges d'âge rissien et celles d'âge interglaciaire, trouvées dans la partie du limon fendillé remaniée au cours de l'interglaciaire riss-würm ou abandonnées à sa surface et enfouies par des ravinements survenus au tout début de la dernière glaciation. Les séries d'âge interglaciaire indiscutable, provenant d'une séquence limoneuse, sont donc rares.

Il est probable que les alluvions de la vallée de la Seine et de ses affluents recèlent des industries interglaciaires mais elles sont encore mal connues (J.P. Michel, 1973 a et b ; E. Patte, 1924, 1931).

_____

(2) Les indices typologiques ont été calculés d'après les décomptes publiés par les auteurs des différentes études, selon la méthode statistique de F. Bordes.

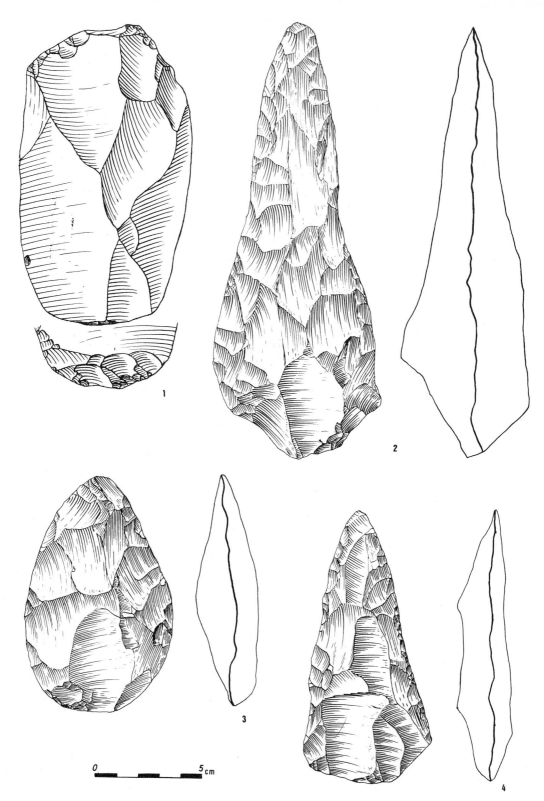

FIG. 4. — Acheuléen supérieur.

1. Eclat levallois (Le Tillet). Acheuléen final : 2. Biface micoquien (Bonsecours); 3. Biface cordiforme (Bonsecours); 4. Biface lancéolé (Bonsecours). 1. *D'après F. Bordes;* 2 à 4. *Collections du Musée des Antiquités Nationales, dessins J. Hurtrelle.*

C'est à certaines d'entre elles qu'il convient peut-être de rattacher une partie du matériel assez particulier aux vallées de l'Oise et de l'Aisne avec les bifaces minces taillés dans du silex tabulaire et certaines pièces foliacées (F. Bordes, 1968).

Les caractéristiques techniques et typologiques de l'Acheuléen final interglaciaire sont connues par la série blanche de Houppeville, la série grise du Tillet, celle de Chaudon (F. Bordes, 1954). Des pièces, probablement d'âge interglaciaire, ont été également mises au jour à la Mare-aux-Clercs, Saint-Pierre-les-Elbeuf, Mantes.

La série blanche de Houppeville, numériquement peu importante, provient de colluvions affectant le « limon fendillé ». Elle possède des bifaces allongés de type micoquien ou acheuléen et d'autres types : ovalaires, subcordiformes, limandes, hachereaux. Le débitage des éclats est nettement levallois (IL = 45,3). Les outils sur éclat, peu nombreux, comprennent notamment des pointes moustériennes, des racloirs, des couteaux à dos de style acheuléen, comparables à ceux de l'Atelier Commont (Saint-Acheul, Acheuléen moyen), des grattoirs.

L'origine stratigraphique de la série grise du Tillet n'a pu être établie avec certitude. Elle proivent probablement de la surface du sol interglaciaire. Cette série présente des bifaces (IB ess. = 38,2), typologiquement variés, de type micoquien, acheuléen (lancéolées, cordiformes, allongés, ovalaires), moustérien (cordiformes, et aussi de vrais triangulaires comparables à ceux du Moustérien de tradition acheuléenne). Par rapport à ceux de la série blanche (Acheuléen supérieur) du même gisement les bifaces de type moustérien (52 %) de la série grise sont mieux représentés. La série grise n'a pas été réunie au cours de fouilles, aussi la valeur des indices n'est

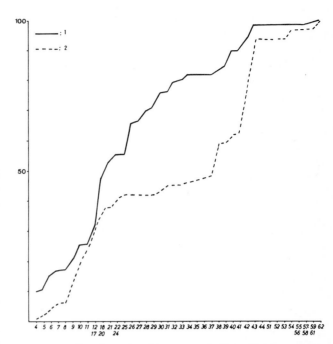

Fig. 5. — Graphiques cumulatifs essentiels.
1. Couche 3 de Verrières-le-Buisson (*d'après M. Daniel et al.*); 2. Série B 2 du gisement des Osiers à Bapaume (*d'après A. Tuffreau*).

qu'indicative. Le débitage est nettement levallois. En dehors des éclats levallois très nombreux (IL ty réel = 66,5), l'outillage sur éclat comprend des racloirs (IR ess. = 44,8), quelques outils de type paléolithique supérieur (III ess. = 13,7) et de rares denticulés et encoches.

Stratigraphie des limons anciens (F. Bordes, J. P. Lautridou) *et position des principales industries acheuléennes de la région parisienne et de Normandie* (F. Bordes, F. Bourdier, J. P. Michel).

	Stratigraphie des limons anciens		Industries des limons et des formations alluviales
Riss-Würm	paléosol remanié cailloutis paléosol	Elbeuf I	Acheuléen final interglaciaire (Le Tillet, série grise)
Riss III	limon doux ou loess calcaire non induré cailloutis		
Inter Riss II-III	paléosol	Elbeuf II	Acheuléen supérieur (Le Tillet, série blanche ; Houppeville, série blanche)
Riss II	limon doux cailloutis		Acheuléen moyen évolué (niveau à calcin de Chelles)
Inter Riss I-II	paléosol	Elbeuf III	
Riss I	limon doux ou limon très altéré		
Mindel-Riss	cailloutis paléosol	Elbeuf IV	Acheuléen moyen (alluvions de la Seine et de ses affluents)
Mindel	limons très anciens		Acheuléen moyen et ancien (alluvions de la Seine et de ses affluents)

A Chaudon, la partie supérieure du limon fendillé, remaniée par un cailloutis, recélait une série assez pauvre, également attribuable à un Acheuléen final.

L'Acheuléen final est peut-être aussi représenté en Basse Normandie à Rânes (J. Dastugue, 1969) par une série dont les bifaces sont de type amygdaloïde court, ovalaire, cordiforme.

La répartition des bifaces de type moustérien et acheuléen y est assez comparable à celle de bifaces de la série grise du Tillet.

Il semble bien que l'Acheuléen final, d'âge interglaciaire, diffère surtout de l'Acheuléen supérieur rissien par une répartition des bifaces quelque peu différente, marquée par une meilleure représentation des types micoquiens et, surtout, moustériens qui parfois sont comparables aux pièces triangulaires du Moustérien de tradition acheuléenne. Il est difficile de préciser de façon détaillée les caractéristiques de l'outillage sur éclat, assez mal connu, faute de séries importantes provenant de fouilles. Tout au plus peut-on relever la présence de nombreux éclats levallois. Parmi les outils retouchés, les racloirs dominent et les outils de type paléolithique supérieur sont bien connus. Les encoches et les denticulés semblent rares.

V. Conclusion.

L'Ouest du Bassin Parisien et la Normandie offrent un grand intérêt pour la connaissance des industries du Paléolithique inférieur de la moitié Nord de la France. L'Acheuléen moyen demeure mal connu, en dehors de découvertes ponctuelles, faute de séries importantes possédant une origine stratigraphique précise. L'Acheuléen supérieur et final est mieux connu. Il semble différer des industries similaires du Nord de la France et du bassin de la Somme par une certaine richesse en bifaces de grandes dimensions. Il possède, outre de nombreux éclats levallois, un outillage sur éclat guère différent de celui du Moustérien, surtout de celui du Moustérien de Tradition acheuléenne de la base de limons récents. Des fouilles seraient cependant nécessaires pour réunir un matériel abondant de bonne qualité qui permettrait de préciser les caractères de l'Acheuléen supérieur qui ont été définis par F. Bordes.

Des industries n'appartenant pas à l'Acheuléen ont été signalées, notamment dans la région du Havre, mais il conviendrait d'en établir l'âge et de mieux cerner leurs caractéristiques techniques et typologiques.

Bibliographie

[1] ALIMEN H. (1967). — The Quaternary of France, in : The Geologic Systems : The Quaternary, vol. 2, London, p. 89-238, 33 fig., 14 tabl.

[2] BONIFAY E. (1973). — Informations archéologiques. Circonscription des antiquités préhistoriques sous-marines. Gallia-Préhistoire, t. XVI, p. 525-533, 6 fig.

[3] BORDES F. (1952). — Stratigraphie du loess et évolution des industries paléolithiques dans l'Ou-est du bassin de Paris. L'Anthropologie, t. LVI, p. 1-39, 8 fig. et p. 405-452, 28 fig.

[4] BORDES F. (1954). — Les limons quaternaires du bassin de la Seine. Archives de l'Institut de Paléontologie humaine, mémoire n° 26, 472 p., 175 fig., 34 tabl., 1 carte h.t.

[5] BORDES F. et FITTE P. (1949). — Les limons de la région de Villejuif et leurs industries paléolithiques. L'Anthropologie, t. LIII, p. 1-19, p. 193-208 et p. 407-433, 32 fig.

[6] BOURDIER F. (1950). — Esquisse stratigraphique des dépôts à industrie paléolithique des environs d'Amiens et de Chelles. Congrès préhistorique de France, XIIIe session, Paris, p. 169-182, 2 fig.

[7] BOURDIER F. (1969). — Excursion dans le bassin de Paris de l'Association internationale pour l'Etude du Quaternaire du 18 au 28 août 1969 : étude comparée des dépôts quaternaires des bassins de la Seine et la Somme. Bulletin d'Information des géologues du bassin de Paris, n° 21, p. 169-200, 133 fig.

[8] BREUIL H. (1932). — Les industries à éclats du Paléolithique ancien : I - Le Clactonien. Préhistoire, t. I, fasc. 2, p. 125-190, 28 fig., 1 tabl.

[9] BREUIL H. (1939). — Le gisement de Chelles; ses phénomènes, ses industries. Quartär t. 2, p. 1-21, 2 fig., 8 tabl. h.t.

[10] CALLOW P. (1974). — Le Paléolithique inférieur et moyen de la Grande-Bretagne et de la France septentrionale (Nord, Bassin Parisien). Septentrion, t. 4, p. 61-70, 4 fig.

[11] CAYEUX L. (1963). — Le Clactonien des stations sous-marines du Havre et de Sainte-Adresse. Bulletin de la société normande d'études préhistoriques, t. XXXVIII, fasc. 1, 42 p., 7 pl.

[12] CAYEUX L. (1971). — Les industries paléolithiques de la forêt de Montgeon (Le Havre). Bulletin de la société normande d'archéologie préhistorique et historique, t. XL, fas. 2, p. 63-113, 20 pl.

[13] CHAPUT E. (1924). — Recherches sur les terrasses alluviales de la Seine entre la Manche et Montereau. Bulletin des services de la carte géologique de la France, n° 155, t. 27, 141 p., 5 pl.

[14] CHEDEVILLE P. J. (1894). — Recherches préhistoriques et géologiques sur la station paléolithique et le dépôt quaternaire de Saint-Pierre-les-Elbeuf. Bulletin de la société normande d'études préhistoriques, t. I, p. 126-138, 3 pl.

[15] CHRÉTIEN R. (1957). — Etude complémentaire du gisement quaternaire de Cergy (Seine-et-Oise). Bulletin de la société géologique de France, 6e série, t. VII, p. 369-383, 5 fig.

[16] DANIEL M. et R., DEGROS J. et VINOT A. (1973). — Les gisements préhistoriques du Bois de Verrières-le-Buisson (Essonne). I. - Le site paléolithique du Terrier. Gallia-Préhistoire, t. XVI, p. 63-103, 13 fig.

[17] DASTUGUE J. (1969). — Informations archéologiques. Circonscription de Haute et Basse Normandie. Gallia-Préhistoire, t. XII, p. 417-437, 15 fig.

[18] DESPRIÉE J. et LORAIN J. M. (1972). — Une industrie à choppers dans les alluvions du Loir à Pezou (Loir-et-Cher). Gallia-Préhistoire, t. XV, p. 3-30, 18 fig.

[19] DUBUS A. (1916). — Carte préhistorique et protohistorique du département de la Seine-Inférieure, accompagnée d'un mémoire et d'un tableau analytique donnant la répartition des objets recueillis par arrondissement. Bulletin de la société géologique de Normandie, t. 33, 112 p., 1 carte.

[20] KELLEY H. (1937). — Acheulian flake tools. *Proceedings of the Prehistoric Society*, n° 2, p. 15-28, 8 fig.

[21] LAUTRIDOU J. P. et VERRON G. (1970). — Paléosols et loess de Saint-Pierre-les-Elbeuf (Seine-Maritime). *Bulletin de l'association française pour l'étude du quaternaire*, t. VII, p. 145-165, 7 fig., 2 tabl.

[22] LAVILLE A. (1898). — Etude sur les limons et graviers quaternaires à silex taillés de la Glacière, Bicêtre et Villejuif, suivie d'une note sur un gisement de silex taillés dans les limons de la briqueterie de Mantes-la-Ville, *L'Anthropologie*, t. IX, p. 278-297, 23 fig.

[23] MICHEL J. P. (1965). — Etude sédimentologique de la gravière Boutelet dans les alluvions anciennes de la Marne, à Chelles. *Bulletin de l'association française pour l'étude du quaternaire*, p. 267-276, 5 fig., 2 tabl.

[24] MICHEL J. P. (1973 a). — Aperçu sur le Quaternaire du Vexin français (Climat, Géologie, Industries paléolithiques). *Bulletin archéologique du Vexin français*, n° 7-8, p. 85-104, 11 fig., 7 tabl.

[25] MICHEL J. P. (1973 b). — Le Quaternaire de la région parisienne. *Bulletin de l'association française pour l'étude du quaternaire*, t. X, p. 31-45, 4 fig.

[26] PATTE E. (1924). — Contribution à l'étude du Quaternaire dans la vallée de l'Oise. *Bulletin de la société géologique de France*, 4e série, t. XXIV, p. 483-514, 4 fig.

[27] PATTE E. (1931). — Nouvelles observations sur le Quaternaire de la vallée de l'Oise. *Bulletin de la société géologique de France*, 5e série t. I, p. 311-352; 10 fig.

[28] ROY J. B. (1972). — Le problème des industries du Paléolithique de Chelle-sur-Marne, d'après l'étude des collections du Musée des Antiquités Nationales, *Antiquités Nationales*, t. 4, p. 6-13, 3 fig.

Les industries paléolithiques anté-würmiennes
dans le Nord-Ouest

par

Franck Bourdier *

Résumé. Notre chronologie est basée sur la notion de cycle climato-sédimentaire établie en Charente en 1937-38 et qui s'applique remarquablement dans la vallée de la Somme. Des industries indubitables apparaissent dès le début du Quaternaire moyen (Complexe Cromérien); pour les plus anciennes nous avons proposé le nom provisoire de Pré-Abbevillien; l'Abbevillien semble dater de la fin du Complexe Cromérien. L'Acheuléen ancien se situe au Mindel ancien et probablement à l'Inter-Mindel; l'Acheuléen moyen (Cagny) occupe le sommet de la moyenne terrasse (Mindel récent). Au cours du Riss, deux lignées d'industries semblent évoluer côte à côte : l'Acheuléen supérieur (Chelles) et le Levalloisien (Argoeuves près d'Amiens). De très belles industries à pointes bifaces triangulaires ou foliacés semblent se situer à la fin du Riss-Würm ou au début du Würm.

Abstract. Our chronology is based on the notion of the climatic-sedimentary cycle established in the Charente (1937-38) and which can be applied remarkably well in the Some Valley. Some undeniable industries appear from the beginning of the Middle Quaternary (Cromer Complex); for the oldest, we have proposed the provisional name of Pre-Abbevillian; the Abbevillian seems to date from the end of the Cromer Complex. The Lower Acheulean is situated in the Lower Mindel and probably in the Inter-Mindel. The Middle Acheulean (Cagny) occupies the summit of the middle terrace (late Mindel). During the Riss, two groups of industries seem to evolved side by side : the Upper Acheulean (Chelles) and the Levalloisian (Argoeuves near Amiens). Some very beautiful industries, characterized by triangular or foliated bifacial pointes, seem to be situated at the end of the Riss-Würm or at the beginning of the Würm.

En tête du livret-guide pour l'excursion A 10 dans le nord-ouest de la France, a été retracé un historique des recherches qu'il n'est pas nécessaire de répéter ici. D'autre part, dans un précédent article (supra, pp. 804-809) nous avons traité des hypothétiques industries du Quaternaire ancien (Villafranchien) de cette région. Nous n'envisageons donc ici que le Quaternaire moyen (complexes cromérien et mindélien) et le début du Quaternaire supérieur (Riss et Riss-Würm) ; le Würm et le post-Würm feront l'objet d'autres exposés.

Nous insisterons plus particulièrement sur les gisements-types de l'Abbevillien, de l'Acheuléen, du prétendu Chelléen et du Levalloisien que nous nous efforcerons de replacer dans leur contexte géologique.

Comme l'abbé Breuil, nous avons un préjugé favorable à la chronologie longue, mais nos méthodes ne sont pas les siennes car nous avons adopté la notion de cycle climato-sédimentaire établie en Charente en 1938 et qui s'est montrée particulièrement favorable pour l'étude du bassin de la Somme. En effet, comme l'a noté le géologue Belgrand dès 1869, le bassin de la Somme est presque entièrement creusé dans une craie poreuse qui absorbe vite et emmagasine les précipitations, de telle sorte que les crues de la Somme, au cours des temps historiques, furent tout à fait exceptionnelles et ne se produisirent que pendant de grands hivers, lorsque la neige fondait en surface d'un sol rendu imperméable par le gel. Autrement dit, sous notre climat, les transports solides de la Somme sont très faibles et devaient être pratiquement nuls avant l'arrivée de l'agriculture, lorsque le bassin était couvert d'épaisses forêts.

Par conséquent, les nappes alluviales anciennes de la Somme, constituées de graviers grossiers, datent des périodes froides. Nous avons été amené ainsi à distinguer aux flancs des vallées, au-dessous des graviers des plateaux du Quaternaire ancien, une très haute terrasse attribuée au Complexe Cromérien, une ou plusieurs hautes terrasses du Mindel ancien, une moyenne terrasse du Mindel récent, une basse terrasse du Riss et une très basse terrasse du Würm (fig. 1).

La très haute terrasse de la Somme.

Cette très haute terrasse n'a fourni d'industrie et d'éléments paléontologiques qu'à Amiens (faubourg de Montières) près de la Ferme de Grâce où son étude, commencée par Commont, a été continuée par nous-même depuis 1950 ; l'abbé Breuil l'avait laissée de côté car il estimait, *a priori,* qu'elle était pliocène et antérieure aux plus anciennes industries humaines.

Son étude ne peut se faire que par sondages car elle est recouverte de sables limoneux (sables fluviatiles et sables soufflés) épais d'une douzaine de mètres, activement exploités à l'époque de Commont ; leur surface a été profondément altérée (sol rouge). Les tamisages ont fourni une assez abondante faune de petits rongeurs, étudiés par J. Chaline, qui montre que graviers et sables soufflés ne diffèrent que relativement peu comme âge.

Par leur position entre les graviers des plateaux et la très haute terrasse, on pouvait penser que ces dépôts se situaient au tout début du Quaternaire moyen ou à la fin du Quaternaire ancien. Mais l'absence de pollen d'espèces villafranchiennes (A.V. Munaut) en particulier vers la base des graviers, permet d'exclure le Quaternaire ancien ; la même indication est donnée par les petits rongeurs qui

* Ecole pratique des Hautes Etudes, 9, rue Guy-de-la-Brosse, 75005 Paris (France).

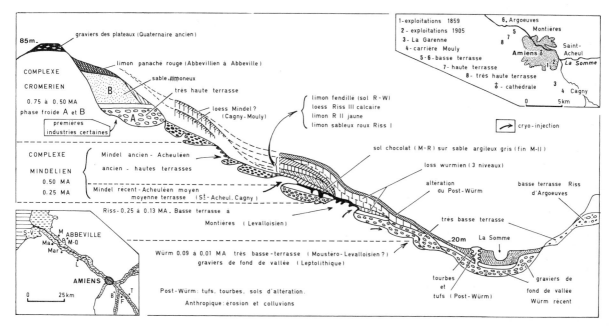

FIG. 1. — Coupe générale théorique du Quaternaire de la région d'Amiens. Dans le carton en bas à gauche, B. Boves; F. Fouencamps; L. Longpré; M. Menchecourt; Ma. Mautort; Mar. Mareuil; M-Q. Moulin-Quignon; S-V. Saint-Valery; T. Thennes.

évoquent ceux des sédiments constituant le « Complexe Cromérien » des côtes du sud-est de l'Angleterre.

Un ensemble de travaux récents, aux Pays-Bas et dans la vallée du Danube (Krems), a permis de distinguer deux phases froides, A et B, dans le « Complexe Cromérien » ; le classique interglaciaire du Forest-bed anglais terminerait ce complexe, séparant ainsi la glaciation B du Mindel ancien. D'autre part, il semble que l'inversion magnétique qui termine l'époque de Matuyama, vers — 690 000 ans, serait contemporaine de la glaciation A. Si nous admettons, à titre d'hypothèse, que les graviers périglaciaires de Grâce sont contemporains de la glaciation A, ces graviers se situeraient donc vers — 700 000 ans. Leur partie profonde n'est connue que par un seul puits de sondage, mais sa partie superficielle a pu être explorée sur une vingtaine de mètres carrés et a livré une pointe retouchée sur éclat naturel et trois éclats à plan de frappe et à bulbe de percussion, pièces dont l'origine humaine n'est guère douteuse ; ces pièces sont associées à *Equus stenonis*.

Le paléosol de la période interglaciaire qui, dans notre hypothèse, devrait se situer entre les graviers et les sables limoneux, semble avoir été enlevé par l'érosion sur les rares points où il aurait été possible de l'observer ; mais la présence d'opercules de *Pomatias elegans* (espèce malacologique interglaciaire) remaniés à la base des sables limoneux, semble apporter la preuve de l'existence de ce paléosol détruit par l'érosion.

Dans le tiers inférieur des sables limoneux, seule partie des sables qui nous a été accessible pour les tamisages, la faune malacologique et la flore évoquent un climat froid. Dans ce tiers inférieur existent de minimes lits de cailloutis et les sondages que nous avons faits dans les deux tiers supérieurs des sables

nous ont fait aussi rencontrer d'autres cailloutis qui ont parfois bloqué notre tarière. A l'époque de Commont, où les sables étaient exploités, des cailloutis, parfois relativement épais, étaient bien visibles et Commont a récolté (5 novembre 1912), dans un cailloutis inclus au sommet du limon sableux, un biface d'allure archaïque, actuellement dans la collection Vayson de Pradenne où nous l'avons étudié. D'autres bifaces, plus évolués, semblent provenir de sables remaniés sur la pente à une époque plus récente.

Les observations de Commont n'ont pour nous rien de choquant car nous avons signalé depuis longtemps, dans les graviers de haut niveau, l'existence de bifaces grossiers, souvent de petite taille (nos « petits bifaces difformes ») qui sont très manifestement antérieurs à la belle industrie abbevillienne.

L'industrie abbevillienne et son gisement.

Le terme Abbevillien fut proposé par l'abbé Breuil en 1932 pour remplacer celui de Chelléen dépourvu de réalité (1). Nous pensons, contrairement à l'abbé Breuil, qu'il faut restreindre le terme d'Abbevillien à l'industrie qui a été découverte intacte, ou presque intacte, dans la marne blanche d'Abbeville par d'Ault du Mesnil, industrie aujourd'hui conservée au Musée des Antiquités Nationales au Château de Saint-Germain (fig. 2) ; les industries géologiquement plus anciennes que cet Abbevillien pourraient être englobées sous le nom provisoire de Pré-Abbevillien.

Rappelons qu'Albert Gaudry, dès 1896, avait reconnu l'existence, à Abbeville, d'une forme évoluée

(1) A Chelles, près de Paris, les rarissimes bifaces archaïques sont remaniés; G. de Mortillet finira par figurer comme typiques du Chelléen de Chelles des bifaces d'un Acheuléen très évolué.

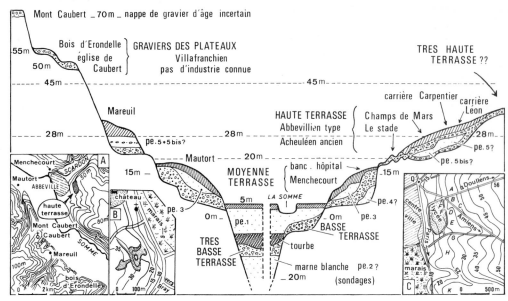

FIG. 2. — Coupe de la région d'Abbeville.

pe. Dépôts fins, supposés d'estuaires et interglaciaires du Post-Würm (1); du Riss-Würm ? (2); du Mindel-Riss (3); de l'inter-Mindel ? (4); de l'interglaciaire de la fin Cromérien : marne blanche 5-5 bis. Dans le carton C plan des carrières d'Abbeville, principalement d'après Commont et Jazet (*in* Pontier) : A. Ancienne carrière Léon et Leclerc; B. Carrière Carpentier (vers 1900-1910); C. Carrière Léon, route d'Amiens; D. Anciennes ballastières (1873-78) et Moulin Quignon; E. Carrières Léon (1900-1920); F-F. Carrières du Champ de Mars (1878-80); G. Carrières du Chemin des Postes (vers 1907 ?); H. Terrassements pour le stade (vers 1927 ?); I. Gravières de Saint-Gilles (vers 1850); Q Grand rond-point « Général de Gaulle » pour repère.

d'*Elephas meridionalis* dans la marne blanche à bifaces ; ses déterminations fauniques, et plus tard celles de M. Boule à partir des récoltes de Commont, ont montré que la faune d'Abbeville (« chaude » par la présence des os d'une patte d'hippopotame en connexion) était constituée par un mélange d'espèces archaïques et d'espèces modernes ; avec *Elephas meridionalis* coexisteraient *E. trogontherii* et *E. antiquus* ; avec *Equus* cf. *stenonis* se trouvent *E. caballus* et *E. hydruntinus* ; *Cervus solilhacus* et *C. elaphus* sont associés. Ce mélange, d'après beaucoup d'auteurs, serait caractéristique du Forest-bed.

A la surface de la marne blanche, l'abbé Breuil aurait recueilli (mais non publié) un beau biface en amande typique de l'Acheuléen, industrie qui semble apparaître avec les premiers froids du Mindel lors du dépôt de la partie périglaciaire de la haute terrasse.

La haute terrasse de la Somme.

Dans la vallée de la Somme, en particulier à Abbeville (gravière du Champ de Mars), à Crouy, entre Abbeville et Amiens et surtout à Amiens (Saint-Acheul et Montières) cette haute terrasse a très peu livré de faune, étant généralement décalcifiée (1) ;

(1) La faune de la haute terrasse d'Abbeville recueillie par d'Ault du Mesnil eut à souffrir des bombardements lors de la première guerre mondiale; les ossements qui en restaient furent triés en deux séries par G. Pontier en 1928; celui-ci se basa ,dit-il, sur leur patine et leur état de fossilisation. Il en avait conclu que les espèces archaïques provenaient toutes de la marne blanche de base (Cromérien) et les autres de la partie supérieure des graviers (inter-Mindel ?). Une nouvelle étude de ce matériel est en cours.

mais elle a fourni des milliers de bifaces qui n'ont fait l'objet que de rares études, en particulier dans l'*Anthropologie,* en 1908 (V. Commont) et en 1920 (André Vayson) ; j'ai eu moi-même l'occasion d'étudier les séries de Commont, de Vayson et de H. Kelley sans pouvoir aboutir à une classification satisfaisante ; une partie des industries dites des hauts niveaux provient en réalité de divers cailloutis de pente plus récents, qui se sont enfoncés en poches dans les graviers ; la distinction entre le bord interne de la haute terrasse et le bord externe de la moyenne terrasse n'est pas toujours claire, en particulier à Saint-Acheul ; de plus, les indications données par les ouvriers sont souvent inexactes ; parfois ils transportent d'une carrière à une autre les pièces et ils affirment toujours qu'elles proviennent de la base des graviers.

Dans l'état actuel de nos connaissances, il semble que la haute terrasse ait été contemporaine de plusieurs industries à bifaces caractérisés par leur forme en amande. Dans la moyenne terrasse, on retrouve ces industries portant des concassages successifs et des patines diverses.

Nous datons la haute terrasse du Mindel ancien (glaciation de Tourdan en Bas-Dauphiné) et la moyenne terrasse du Mindel récent (glaciation d'Anneyron) ; les nappes de Tourdan et d'Anneyron sont caractérisées par un paléosol rouge ; mais celui d'Anneyron est beaucoup moins épais. On peut donc supposer qu'un interglaciaire long et complexe sépare le Mindel ancien du Mindel récent. Dans la vallée de la Somme, seule la haute terrasse a un paléosol rouge, la moyenne n'ayant qu'un paléosol de couleur moins vive, brun-roux ou « chocolat ».

Le Complexe Cromérien et le Mindel ancien dans la vallée de la Seine.

Les hautes et très hautes terrasses de la Seine ont été peu étudiées depuis Belgrand (1869). On peut attribuer au Complexe Cromérien les très hauts niveaux de Villejuif et peut-être les hauts niveaux de la place d'Italie dont les faunes malacologiques et de petits rongeurs ont été déterminées par J.-J. Puisségur et J. Chaline d'après nos récoltes (fig. 1, p. 805). Toujours à Paris, à la Porte de Montreuil, Belgrand a fait récolter dans des sables de haut niveau une faune de grands mammifères étudiée par Roujou qui semble très voisine de celle d'Abbeville (mais elle fut en grande partie détruite lors des incendies de la Commune). Peut-être faut-il rattacher au Mindel ancien les alluvions du Bois de Vincennes. Cet ensemble, dit souvent « des hauts niveaux de Paris » n'a pas livré d'industrie préhistorique certaine.

La moyenne terrasse de la Somme.

De toutes les anciennes nappes alluviales de la Somme, la moyenne terrasse est la mieux connue grâce aux recherches de V. Commont à Amiens-Saint-Acheul (carrière Bultel et Tellier) qu'il a été possible de contrôler et de préciser à Cagny, à quelques kilomètres en amont de Saint-Acheul (fig. 3).

À Cagny, les graviers périglaciaires ont livré d'assez nombreuses pièces remaniées du Pré-Abbevillien, de l'Abbevillien et de l'Acheuléen ancien. Dans la partie supérieure de ces graviers, fortement bouleversée par la solifluxion sur un mètre environ d'épaisseur, se trouve l'industrie du célèbre atelier de Cagny-la-Garenne, étudiée en particulier par H. Kelley. Cette industrie, intacte ou faiblement usée, comprend des bifaces très variés comme forme et comme dimension. Outre les éclats de débitage courant on y trouve de larges éclats à plan de frappe facettés dont certains ont été détachés latéralement de grands bifaces ; ils annoncent l'éclat levallois ; il y a aussi quelques rares nucléus discoïdes de technique Levallois ; ce serait la plus ancienne application voulue de cette technique. Les graviers grossiers sont recouverts, à la Garenne, d'un ensemble complexe comprenant des sables argileux verdâtres, des limons loessoïdes de teinte jaune franc et enfin de dépôts de pente constitués de granules de craie ou blocailles dans une matrice de marne crayeuse.

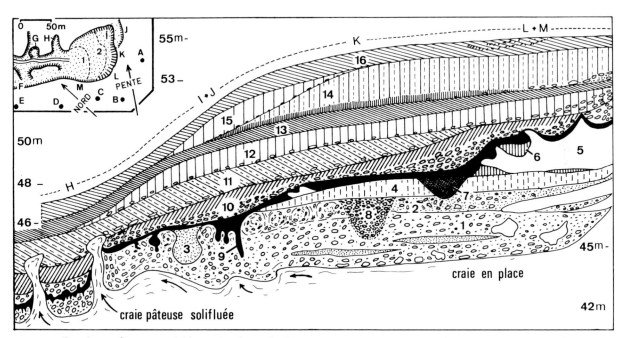

FIG. 3. — Coupe synthétique de Cagny-la-Garenne groupant des observations faites depuis 1946.
A. Séquence du Mindel récent : 1. Graviers grossiers périglaciaires avec blocs anguleux de craie pâteuse (H. Breuil). Couche supérieure 2 solifluée principal niveau de l'atelier préhistorique proto-levalloisien; 3. Poche de sable fin à mollusques de climat froid probablement antérieure à la marne sableuse verte 4; 5. Coulée de craie pâteuse solifluée, plus ou moins contemporaine du limon loessoïde 6. Cette coulée a rejoué ultérieurement en donnant des injections dans les dépôts qui sont venus la recouvrir. Les dépôts de 3 à 6 marquent des oscillations climatiques froides de la fin du Mindel récent.
B. Le Mindel-Riss : 7. Altération de la marne sableuse verte 4 déterminant la formation d'un grès ferrugineux tendre pendant l'interglaciaire Mindel-Riss. Au début du Riss les sols du Mindel-Riss formés sur les pentes ont soliflué sous forme d'argile grasse couleur chocolat (en noir).

C. Du Riss au Post-Würm : 10-11. Deux limons loessoïdes sableux avec cailloutis de base datant probablement des Riss 1 et 2; 12. Lœss du Riss 3 à faciès de lœss récent, avec granules de craie (F. Bordes); son cailloutis inférieur a livré de beaux outils levalloisiens et sa partie supérieure s'est altérée au Riss-Würm en limon fendillé (13); 14 à 16. Lœss récent avec niveau noirâtre à la base, semble se subdiviser en deux (14 et 15); une argile de décalcification du Post-Würm (16) constitue la classique « terre à brique » ici plus ou moins colluvionnée.

D. Plan de la Garenne (carton en haut à gauche) : A et E. Sondages de R. Agache; F. Emplacement approximatif de l'atelier préhistorique inédit exploité par Bordes et Fittes; G. Diverticule; H à M. Différents points portés sur la coupe ci-dessous; 1. Emplacement du front de carrière vers 1947; 2. Emplacement du front de carrière vers 1956.

Dans la carrière du cimetière de Cagny, à quelques centaines de mètres en aval de la Garenne, ces dépôts de recouvrement sont constitués de marnes gris-blanc ou gris-noir, et sont irrégulièrement recoupés par des lits de concrétionnements dus probablement à la décalcification du paléosol de l'interglaciaire Mindel-Riss. Là, on a pu étudier à la fois une flore pollinique (A.-V. Munaut), des faunes malacologiques (J.-J. Puisségur) et de petits mammifères (J. Chaline et D. Jammot). Sur toute la hauteur de la couche, les micromammifères indiquent un climat froid, parfois même arctique, avec le Lemming à collier (*Dicrostonyx torquatus*) *Sorex arcticus,* etc. La faune malacologique donne un indice d'ensemble un peu moins froid, avec un niveau plus tempéré (abondance des *Vallonia*) que l'analyse pollinique va préciser. Celle-ci révèle un paysage découvert mais avec quelques bouquets d'arbres à partir desquels va se développer une forêt probablement de durée très brève, suivie d'un retour du froid modéré ; c'est notre « interstade de Cagny ».

D'autres gisements (tranchée du cimetière de Cagny, gravière de Cagny l'Epinette, gravières de Thennes), d'après leurs faunes, pourraient indiquer l'existence de réchauffements climatiques probablement distincts du précédent. Il y aurait donc eu, à la fin du Mindel récent, des oscillations climatiques comparables à celles connues depuis longtemps dans le Würm.

L'interglaciaire Mindel-Riss à Saint-Acheul, comme à Cagny, à Fouencamps, à Daours, est représenté par des sables roux compacts et surtout par des argiles grasses, couleur chocolat, qui ont toujours été solifluées au début du Riss en raison de leur plasticité.

Il faut faire une place à part au célèbre atelier Commont dont l'industrie (Acheuléen de faciès Commontien), très variée, avec des grattoirs et des burins, semble annoncer le Paléolithique supérieur (Leptolithique) du Würm. Cette industrie qui n'utilise pas le débitage levallois a été figurée par A. Vayson (1920) et par Bordes et Fitte (1953). D'après les indications de Commont, l'atelier se situait principalement en surface des sables roux à la base du loess ancien ; il daterait donc de l'extrême fin du Mindel-Riss et du début du Riss, probablement marqués par un éclaircissement de la forêt dense, forêt si défavorable à l'homme.

Dans des régions au climat atlantique humide comme la Somme, avec une épaisse forêt protectrice aux époques de climat doux, les dépôts interglaciaires se bornent à des tufs ; il est possible que les tufs d'Arrest, dans la région d'Abbeville, datent de l'interglaciaire Mindel-Riss en raison de leur faune malacologique (déterminations inédites de J.-J. Puisségur) qui rappelle des faunes de la Celle-sous-Moret, de Vernon et de Saint-Pierre-lès-Elbeuf que nous allons examiner ; celles-ci témoignent d'un climat notablement plus chaud que l'actuel ; sous un tel climat, il est normal que le niveau marin glacio-eustatique soit plus élevé que l'actuel ; c'est ce qui semble se produire à Menchecourt et à Mautort près d'Abbeville, à Sangatte près de Calais ; il n'est pas impossible que l'industrie dite Menchecourtien (Levalloisien à lames),

au-dessus des dépôts marins de Menchecourt, se situe à l'époque de transition entre le Mindel-Riss et le Riss. Espérons que des fouilles à Menchecourt permettront d'éclaircir ce petit problème.

La moyenne terrasse de la Seine. Son recouvrement par les tufs du Mindel-Riss.

Les tufs de la Celle-sous-Moret (aujourd'hui la Celle-sur-Seine), à 75 kilomètres en aval de Paris, sont célèbres depuis les classiques recherches de Saporta et Tournouer (1874). Ces tufs reposent sur une moyenne terrasse de la Seine ; là où elle n'a pas été protégée par les tufs, cette terrasse présente un paléosol rouge (Champagne, près de la Celle, Courbevoie près de Paris). A la Celle même, la nappe alluviale, non altérée, est recouverte par des sables argileux fluviatiles gris-verdâtres qui rappellent ceux de Cagny-la-Garenne. Ils sont surmontés par des limons tufeux, dont la faune malacologique indique l'arrivée de la forêt (J.-J. Puisségur), puis par des tufs typiques dont Munier-Chalmas a établi une fine stratigraphie comportant un niveau à *Pinus* et, dans leur partie supérieure, le célèbre niveau à flore chaude, non visible actuellement, qui a fourni l'arbre de Judée (*Cercis silaquastrum*), le Laurier des Canaries (*Laurus canariensis*), la Viorne tin (*Viburnum tinus* de la péninsule ibérique). Dans la partie supérieure des tufs furent trouvés, au nombre de quelques dizaines, des bifaces qualifiés abusivement de micoquiens lorsque les tufs étaient attribués au Riss-Würm, curieux effet de la chronologie sur la typologie.

Comme l'avait noté Louis Germain dès 1908, la faune malacologique de la Celle, avec ses particularités, présente de grandes analogies avec celle de Saint-Pierre-lès-Elbeuf, au sud de Rouen, dont l'étude a été récemment reprise par J.-J. Puisségur.

Le grand intérêt des tufs de Saint-Pierre est dans leur position stratigraphique : ils reposent sur une moyenne terrasse de l'Oison, petit affluent de la Seine, et sont surmontés par une belle séquence des trois loess rissiens ; là, on est donc certain de leur âge anté-rissien. La moyenne terrasse de l'Oison pourrait se raccorder à la nappe alluviale de Cléon, près d'Elbeuf, qui a fait l'objet de récentes recherches, en particulier de P. Martin qui fait de cette nappe une basse terrasse rissienne ; en raison de son altitude (compte tenu du voisinage de la mer), de son altération superficielle profonde, et de sa grande complexité, je serais porté à la situer entre l'inter-Mindel et le milieu du Riss ; elle comporte plusieurs intercalations de dépôts saumâtres indiquant des niveaux marins plus hauts que l'actuel (1) Cl. Lechevalier vient de montrer que les célèbres industries dites « clactoniennes » recueillies au niveau de la mer sur la plage actuelle du Havre n'étaient qu'un faciès d'atelier de l'Acheuléen, suivi d'un niveau assez élevé de la mer. Je serais personnellement porté à synchroniser le « clactonien » du Havre avec un des niveaux de la nappe de Cléon.

_____

(1) D'après de récentes recherches (J.P. Lautridou), à Cléon il pourrait y avoir deux nappes juxtaposées, d'âges différents (renseignement oral).

Le Riss dans les régions de Rouen et d'Amiens.

Nous avons déjà noté qu'au-dessus des tufs du Mindel-Riss de Saint-Pierre-lès-Elbeuf, s'étendent deux grands ensembles de limons superposés, rissien et würmien. L'ensemble rissien est composé de trois limons loessoïdes non calcaires séparés par d'importants sols d'altération ; le plus élevé est celui du Riss-Würm et les récents travaux de J.-P. Lautridou et de G. Verron ont montré que les deux sols interstadiaires avaient une altération presque aussi épaisse que celle du Riss-Würm.

Cette tripartition du Riss se retrouve aussi aux environs d'Amiens, en particulier à Cagny-la-Garenne, mais avec une netteté moindre des paléosols en raison de la forte teneur en sable des loess rissiens inférieurs et moyens. Quant au loess rissien supérieur, il présente, à Cagny-la-Garenne, une grande richesse en granules de craie qui lui donne un faciès de loess récent (F. Bordes) ; il contient une faune malacologique très « froide » et de belles pièces d'un Levalloisien d'apparence très évoluée.

Cette tripartition du Riss, si remarquablement évidente à Saint-Pierre-lès-Elbeuf, n'est pas sensible dans la basse terrasse rissienne de la vallée de la Somme et il est possible qu'une partie de la très basse terrasse, généralement attribuée au Würm, appartienne encore au Riss. Ce sont les industries de la basse et peut-être en partie de la très basse terrasse, entre Amiens et Dreuil, qui ont servi à l'abbé Breuil à définir le Levalloisien (1931) ; le nom de Levalloisien, contrairement à l'usage, ne provient pas de Montières mais de Levallois, près de Paris, où furent décrits pour la première fois les éclats qui portent le nom de cette localité, éclats souvent à plan de frappe à facettes, provenant de nucléus spécialement aménagés, en général discoïdes.

Une certaine difficulté à tracer les limites entre les graviers rissiens et würmiens dans la région choisie par H. Breuil, rend souhaitable de prendre comme gisement type ou « néo-type » du Levalloisien les graviers activement exploités à Argoeuves, en face de Dreuil, sur l'autre rive de la Somme. Là, seuls les graviers rissiens sont exploités et ont livré des centaines d'éclats d'une industrie sans biface et sans outil de type moustérien ; il serait inexact, pour cette industrie, de la qualifier de Moustérien de technique levallois ou d'Acheuléen de technique levallois.

Grâce aux importantes séries d'éclats levallois d'Argoeuves, accompagnés de nucléus, recueillies par R. Agache au cours de nombreuses années, avec sa précieuse collaboration, nous avons repris l'étude de ce matériel qui peut se subdiviser, en simplifiant, en 3 grandes séries :

1. la série patinée jaune avec concassages en blanc opaque et concassages en blanc léger ;
2. la série en blanc opaque avec concassages en blanc léger ;
3. La série patinée en blanc léger avec parfois des concassages lustrés mais sans patine.

Il existe aussi une série sans lustrage fluviatile et sans patine qui nous a semblé provenir des dépôts de pente recouvrant les graviers. Si les patines blanches peuvent s'expliquer par de simples séjours à l'air avant l'entrée des pièces dans les graviers par solifluxion et remaniements fluviatiles, la série patinée jaune semble témoigner d'un séjour dans un paléosol à la fois riche en fer, en humus et en eau, qui pourrait se situer entre les Riss I et II. Dans toutes les séries, les éclats ont une tendance laminaire et R. Agache a recueilli un véritable nucléus à lames patiné jaune à rapprocher du « Menchecourtien » déjà évoqué (1).

Une autre industrie levalloisienne laminaire est le « Moustérien chaud » sommairement décrit par Commont à Montières ; cette industrie pourrait éventuellement se situer dans le Riss-Würm.

Dans le nord-ouest de la France, comme dans le sud-est (travaux de H. de Lumley), des types divers d'industries préhistoriques ont coexisté côte à côte ; tout se passe comme si quelques grandes tribus se déplaçaient en restant fidèles à leurs traditions technologiques ; en Normandie coexistent, au Riss, des industries levalloisiennes et acheuléennes et le célèbre gisement de Chelles, près de Paris, appartient à un Acheuléen rissien sans éclats levallois.

La position stratigraphique du gisement de Chelles.

Les graviers de Chelles se situent à 20 kilomètres à l'est de Paris dans la vallée de la Marne (fig. 4). Trompé par les affirmations inexactes de d'Acy, G. de Mortillet, en 1878, avait remplacé l'Acheuléen par le Chelléen ; puis en 1886, il rétablit l'Acheuléen comme industrie intermédiaire entre le Chelléen et le Moustérien. Sa chronologie n'était pas valable puisque l'Acheuléen avait son type dans les hautes et moyennes terrasses de la Somme qui sont antérieures à la basse terrasse de Chelles. Effectivement, l'industrie contemporaine des graviers à Chelles est un Acheuléen très évolué, avec des bifaces lancéolés, peu épais, souvent à partir de plaques de silex, rarement accompagnés d'éclats, et ceux-ci, jamais de type levallois ; malgré ces faits évidents, l'emploi du terme Chelléen a longtemps persisté, en particulier chez certains préhistoriens parisiens qui faisaient du Chelléen le « cheval de bataille » d'une chronologie courte que Breuil lui-même n'a pas réussi à abattre.

A Chelles, la série stratigraphique semble traduire, mieux que dans la Somme, la complexité climatique du Riss ; en effet les graviers de la basse terrasse, entre Chelles et Meaux, sont souvent divisés en 2 grandes strates par un banc marneux très constant, qui pourrait être interstadiaire ; de plus, sur certains points, ce complexe était raviné, vers l'axe de la vallée, par une nappe de graviers plus récents (Riss III ?).

(1) Depuis la rédaction de ces lignes, un de mes collègues préhistoriens m'a suggéré que l'absence de bifaces à Argoeuves pourrait s'expliquer en supposant que cette région était spécialisée dans la fabrication des éclats levallois; les bifaces se faisaient ailleurs. Mais on connait en Picardie, découvrant en basse mer sur la plage actuelle de la Manche à Ault. un atelier d'éclats levallois utilisant les rognons de silex d'une ancienne falaise aujourd'hui arasée; la proportion des nucléus y est beaucoup plus forte qu'à Argoeuves.

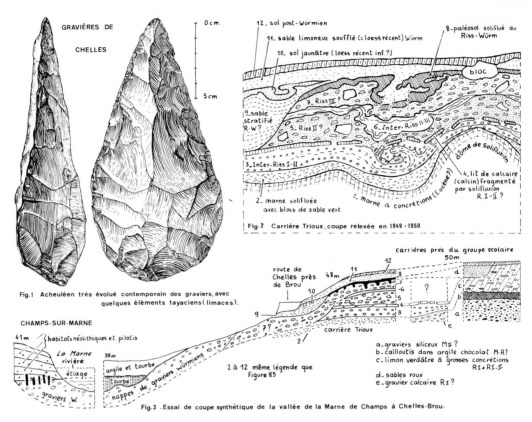

FIG. 4. — Stratigraphie du gisement de Chelles (Seine-et-Marne) (Bourdier, 1969).

Le Riss-Würm et ses industries.

Comme le Mindel-Riss, le Riss-Würm fut une période d'altération sous couverture forestière ; les loess ou les graviers rissiens se sont décalcifiés et les sols qui en résultent ont été plus ou moins remaniés au début du Würm ; il est difficile de savoir, dans la Somme, si les belles industries à bifaces très plats, finement retouchés, souvent triangulaires ou cordiformes, se situent encore dans le Riss-Würm ou bien à l'époque des oscillations tempérées fraîches du début du Würm. A noter aussi, en très bas niveau, des sables fluviatiles qui, dans la vallée de l'Oise, à Pontpoint, contiennent encore l'hippopotame ; là, la virtuosité des tailleurs de silex se manifeste par de magnifiques pointes foliacées, presque dignes du Solutréen.

Parmi les tufs attribuables à l'interglaciaire Riss-Würm, notons celui de Caours, près d'Abbeville, contenant des éclats levallois. A 90 kilomètres au sud-est de Paris, dans la vallée de la Seine, les tufs de Resson pourraient aussi appartenir au Riss-Würm malgré leur flore relativement chaude (cf. la Celle).

Résumé.

Dans le nord-ouest de la France, les hommes de l'Age de la Pierre ont bénéficié de silex en abondance, tout au moins pendant les périodes froides, car, pendant les interglaciaires, en dehors des zones côtières battues par les vagues, les gisements de silex devaient être souvent masqués par la forêt dense. Cette forêt a peut-être été un obstacle pendant les périodes modérément froides du Quaternaire ancien.

A l'époque du « Complexe Cromérien », c'est-à-dire approximativement et en chiffres « ronds » entre – 750 00 ans et – 500 000 ans, semblent apparaître avec une certaine abondance des industries de technique brutale, qui seront ensuite remaniées dans les hautes terrasses et constitueront notre Pré-Abbevillien. A la fin du « Complexe Cromérien », la marne blanche d'Abbeville a livré des bifaces habilement taillés, mais sans recherche d'une forme d'ensemble régulière.

Le « Complexe Mindélien », qui s'étend (c'est un ordre de grandeur) entre – 500 000 ans et – 250 000 ans, est caractérisé d'abord par les bifaces en amande (hautes terrasses) puis par des bifaces de formes très variées, avec l'apparition de la technique levallois (moyenne terrasse).

Le Mindel-Riss, qui termine le « Complexe Mindélien », a bénéficié d'un climat chaud ; à l'extrême fin de cette période, ou bien au tout début du Riss, se situe le célèbre atelier Commont avec une industrie d'aspect très évolué (Acheuléen de faciès commontien). Nous estimons approximativement à 150 000 ans la durée du Riss et du Riss-Würm. Pendant le Riss, il est manifeste que des industries de technique levallois, en particulier le Levalloisien sans biface, ont coexisté, dans la région considérée, avec des industries de l'Acheuléen (sans éclats levallois).

Les très belles industries à bifaces minces, triangulaires, cordiformes ou foliacés pourraient dater de la période de transition entre le Riss-Würm et le Würm.

Les nappes alluviales du nord-ouest de la France contiennent donc souvent des mélanges d'industries pour lesquels le triage par patines et concassages, si indispensable soit-il, ne donne pas de résultats comparables à ceux d'une fouille d'habitat ou d'atelier.

Mais ces habitats ou ateliers sont rarement inclus dans une stratigraphie suffisante pour permettre une datation solide ; bien des préhistoriens, vu ces difficultés, se tournent plus volontiers vers une typologie qui ne peut malheureusement remplacer une chronologie géologique.

Bibliographie

Depuis un siècle, plus de mille articles ont été consacrés au Quaternaire et au Paléolithique du nord-ouest de la France; nous ne citerons ici que les travaux suivis d'importantes bibliographies.

[1] AGACHE R., BOURDIER F., PETIT R. (1963). — Le Quaternaire de la Basse Somme. *Bulletin de la société géologique de France,* série 7, t. V, p. 422-442, 16 fig., 72 réf.

[2] BORDES F. (1953). — Les limons quaternaires du Bassin de la Seine. *Archives de l'Institut de paléontologie humaine,* mémoire 26 et thèse sciences Paris, 1953, 472 p., 173 fig., 229 réf.

[3] BOURDIER F. (1967). — *Préhistoire de France,* 312 p., 152 fig., 280 réf. Flammarion, Paris [figuration d'industries du N. W. de la France].

[4] BOURDIER F. (1969). — Etude comparée des dépôts quaternaires des bassins de la Seine et de la Somme. *Bulletin d'information des géologues du Bassin de Paris,* n° 21, p. 169-220 (environ 150 réf.).

[5] BOURDIER F. et LAUTRIDOU J. P. (sous la direction de). — Numéro double du *Bulletin de l'Association française pour l'étude du Quaternaire,* consacré au Bassin de la Somme et à la Basse-Seine (Colloque de Forges-les-Eaux, mai 1974) (sous presse, complète le présent article).

[6] CHAPUT E. (1922-23). — Recherches sur les terrasses quaternaires de la Seine entre la Manche et Montereau. *Bulletin du service de la carte géologique de la France,* t. XXVII (n° 153), 139 p., cartes, 342 réf.

[7] DUBOIS G. (1924). — Recherches sur les terrains quaternaires du nord de la France. *Mémoires de la société géologique du Nord,* t. VIII, 356 p., 41 fig., 6 pl., 535 réf.

[8] LEXIQUE STRATIGRAPHIQUE INTERNATIONAL. — Vol. I, Europe, fasc. 4b (1957). Quaternaire France-Belgique-Pays-Bas-Luxembourg, éditions du Centre de la recherche scientifique, 231 p., 1 carte [plus de 800 références sur le Quaternaire et le Paléolithique de France; beaucoup concernent le nord-ouest].

Les civilisations du Paléolithique inférieur en Artois et dans le Cambrésis

par

Alain TUFFREAU *

Résumé. Hormis l'industrie de Wimereux aux nombreux rognons de silex sommairement taillés, le Paléolithique inférieur est attesté dans l'Artois et le Cambrésis par des découvertes acheuléennes. Ces industries sont surtout conservées dans les cailloutis des vallées de l'Aa et de la Canche et dans les séquences limoneuses de la région orientale du Nord de la France. L'Acheuléen supérieur, provenant de la base du dernier limon saalien, présente généralement un faciès Levalloisien. Il comprend un pourcentage très variable de bifaces et des outils sur éclat très évolués. Une industrie saalienne sans bifaces a été découverte à Beaumetz-lès-Loges, près d'Arras.

Abstract. The Lower Palaeolithic period is represented in Artois and Cambresis by Acheulean finds. The only exception is the Wimereux industry which includes many choppers and chopping tools. Acheulean industries are generally found in the gravels of Aa and Canche valleys and in the loamic levels in the eastern part of northern France. Upper Acheulan industries found at the base of last Saalian loam levels generally are of Levallois facies, contain a variable rate of handaxes, and include numerous evolved flake tools. In Beaumetz-lès-Loges, near Arras, an industry without any handaxes has been discovered.

I. Introduction.

Dans le Nord de la France, les gisements et les découvertes isolées attribuables au Paléolithique inférieur sont surtout présents sur les hauteurs de l'Artois, prolongées au SE par le Cambrésis. Cette région, qui correspond essentiellement à la zone limoneuse (J. Sommé, 1969 b), a conservé dans sa partie orientale d'épaisses séquences limoneuses, d'âge saalien, recélant des industries acheuléennes. Dans le Haut-Artois et sur le littoral, hormis l'industrie de Wimereux, le Paléolithique inférieur est attesté par des découvertes de pièces acheuléennes, souvent remaniées, dans les alluvions fluviatiles (vallée de l'Aa, de la Canche, notamment) et les cordons littoraux pléistocènes (Calaisis). Plus rarement, des industries ont été mises au jour dans des coupes limoneuses (Sangatte).

Des fouilles et des recherches récentes ont permis d'établir la provenance stratigraphique et les caractéristiques techniques et typologiques des industries de l'Acheuléen supérieur.

II. L'industrie archaïque de Wimereux.

A. LE CONTEXTE STRATIGRAPHIQUE.

L'érosion marine a mis au jour sur la plage de la Pointe-aux-Oies, à Wimereux, un cailloutis recélant de nombreux rognons de silex sommairement taillés (A. Agache, 1968 ; A. Lefebvre, 1971 ; A. Tuffreau, 1971 a). Ce cailloutis, qui repose sur le substrat, est observable dans la falaise quaternaire voisine. Il y est recouvert par des formations du Pléistocène moyen comprenant, de bas en haut, des argiles brunâtres, des sables lités et un épais cailloutis, à passées sableuses roussâtres, scellé par des dunes. J. de Heinzelin (1972), qui a découvert dans des éboulis du cailloutis supérieur deux éclats et un « chopping-tool », estime que ces éléments sont dérivés du cailloutis inférieur, niveau probable de l'industrie lithique.

Ce cailloutis inférieur de la Pointe-aux-Oies a été corrélé par A. Bonte (1966) avec le cailloutis de Wissant qui a livré des vestiges d'*Elephas primigenius* et d'*Hippopotamus major* antérieurs au Mindel (F. Poplin, 1969). Pour F. Bourdier (1969 a et b) la partie inférieure de la stratigraphie de la Pointe-aux-Oies serait plus ancienne et pourrait être comparée aux formations de La Londe, près de Rouen.

B. CARACTÉRISTIQUES DE L'INDUSTRIE.

L'industrie ramassée au pied de la falaise quaternaire de Wimereux comprend surtout des rognons de silex sommairement taillés (fig. 1). Ces rognons qui représentent 84 % des pièces ont une typologie assez variée. Ils ont un tranchant obtenu par taille unifaciale, bifaciale ou multifaciale (A. Tuffreau, 1971 a, 1974).

Les rognons à taille bifaciale (87 % des rognons), plus nombreux et plus faciles à reconnaître que les pièces à taille unifaciale (1/10e des rognons taillés), ont été obtenus pour près des 4/5 d'entre eux, par taille bifaciale successive. Ces rognons présentent un tranchant limité à l'extrémité distale du support. Pour la plupart des pièces de ce type, un premier enlèvement a servi de plan de frappe au débitage d'une série d'éclats sur l'autre face. Quelques rares pièces ont une morphologie comparable à celle de grattoirs frustes. Quelquefois le tranchant est parallèle au grand axe du support.

La taille bifaciale alternée n'a été qu'exceptionnellement employée.

Les rognons à taille multifaciale ne sont représentés que par quelques exemplaires. Ils sont parfois difficiles à différencier des véritables nucleus qui

* Equipe de recherche associée au C.N.R.S. n° 423. Musée des Antiquités Nationales, 78100 Saint-Germain-en-Laye (France).

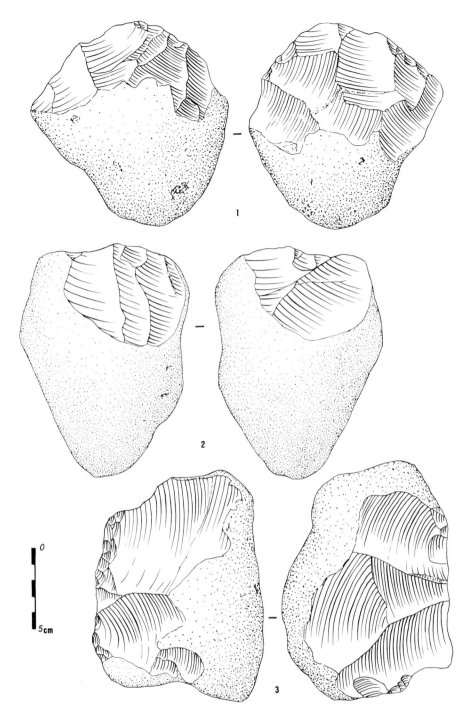

0
5 cm

FIG. 1. — Wimereux, la Pointe-aux-Oies : rognons de silex à taille bifaciale.

sont souvent des rognons dont le débitage a été poursuivi ou repris.

Les éclats, reconnus à Wimereux, demeurent rares. Leur angle d'éclatement est supérieur à 90°. Ils ont conservé du cortex à l'extrémité distale ou ont une forme en « quartier d'orange ».

C. Détermination.

Bien que le problème de la provenance strati-graphique de l'industrie de la Pointe-aux-Oies semble partiellement résolu (J. de Heinzelin, 1972), il est difficile d'établir sa datation que l'on ne peut guère fixer au-delà du Cromérien. Les comparaisons demeurent délicates avec d'autres industries du Paléolithique inférieur, le Clactonien, notamment, où l'outillage sur éclat est bien attesté. Sans doute, faut-il corréler l'industrie de Wimereux avec les stades les plus évolués de la *Pebble Culture*.

III. Les industries acheuléennes.

A. L'Acheuléen ancien.

Dans le Nord de la France, l'Acheuléen ancien n'est connu que par des découvertes de pièces

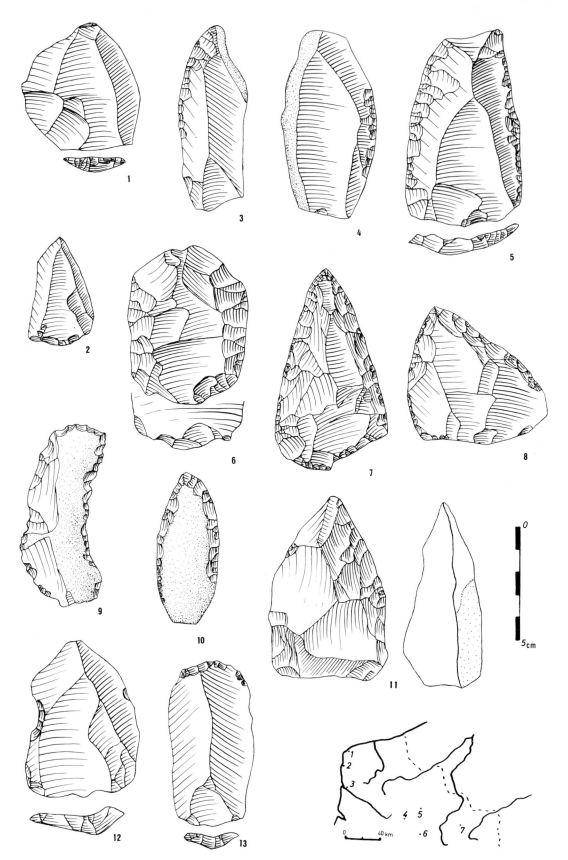

FIG. 2. — Bapaume, gisement des Osiers, Acheuléen supérieur conservé à la base du dernier limon saalien.
1. Eclat levallois; 2. Pointe levallois; 3 et 4. Racloirs simples; 5 et 6. Racloirs doubles; 7. Pointe moustérienne; 8. Racloir déjeté; 9. Denticulé; 10. Racloir convergent; 11. Biface amygdaloïde; 12. Encoche; 13. Grattoir. En bas, à droite, carte de localisation des gisements du Paléolithique inférieur de l'Artois et du Cambrésis : 1. Sangatte et cordons littoraux du Calaisis; 2. Wimereux; 3. Etaples, terrasse de Bagarre; 4. Beaumetz-lès-Loges; 5. Vimy; 6. Bapaume, gisement des Osiers; 7. Quiévy.

isolées, dans des anciennes alluvions fluviatiles. A Elnes, le cailloutis de la basse terrasse de l'Aa a livré quelques bifaces grossiers, fortement roulés, qui pourraient appartenir à un Acheuléen ancien (J. Boutry et P. Dollé, 1968 ; R. Prévost, 1958). Des trouvailles comparables ont aussi été signalées dans la vallée de la Canche, à Frévent, mais ces découvertes sont difficilement contrôlables.

B. L'ACHEULÉEN MOYEN.

Au siècle dernier, l'exploitation des carrières de phosphates de Quiévy a mis au jour de nombreux bifaces attribuables à l'Acheuléen moyen (A. Tuffreau, 1971 b). Malheureusement, l'outillage sur éclat n'a pas été ramassé. D'après les publications de J. Gosselet et de J. Ladrière (1890), l'industrie provient de cailloutis enrobés de « glaise » que J. Ladrière (1890) plaçait dans son assise inférieure. L'était physique des silex permet de reconnaître une série non roulée à patine blanc-jaunâtre aux nombreux lagéniformes, lancéolés, amygdaloïdes et ficrons ainsi qu'une série roulée où les amygdaloïdes prédominent.

Des bifaces de l'Acheuléen moyen sont également connus dans les anciennes alluvions de la région de Béthune (A. Tuffreau, 1971 b) et dans les cailloutis des moyenne et basse terrasses de la vallée de l'Aa (J. Boutry et P. Dollé, 1968).

C. L'ACHEULÉEN SUPÉRIEUR.

Dans les séquences limoneuses, l'Acheuléen supérieur est généralement conservé, sous le dernier limon saalien, dans un cailloutis ravinant un ancien sol (Vimy, Bapaume, Floringhem) ou dans un léger niveau humifère subdivisant le dernier limon saalien (Beaumetz-lès-Loges). Cet Acheuléen supérieur peut comprendre un pourcentage élevé de bifaces ou, seulement, quelques rares outils de ce type.

1. L'Acheuléen supérieur riche en bifaces.

Il est connu par deux séries où toutes les pièces ont été recueillies. A Vimy (recherches E. Monchy), l'industrie présente un faciès levalloisien marqué (IL ty réel = 53). L'outillage sur éclat est assez varié. Les bifaces sont très abondants (IB ess. = 36), avec de nombreuses formes acheuléennes.

La série jaune de Beaumetz-lès-Loges a un débitage levallois faible (IL = 14,87) et ne possède qu'un pourcentage médiocre d'éclats levallois (IL ty = 18,05). Les bifaces (IB ess. = 20) sont tous, sauf un micoquien, de type acheuléen (J. Hurtrelle, E. Monchy et A. Tuffreau, 1972).

Ce faciès de l'Acheuléen, riche en bifaces, est peut-être aussi présent dans le niveau sableux recouvrant le cailloutis de la basse terrasse de la Canche à Etaples où plusieurs remontages d'éclats sur leurs nucleus ont pu être effectués (A. Tuffreau et J. Zuate y Zuber, 1975).

2. L'Acheuléen supérieur pauvre en bifaces.

L'Acheuléen supérieur pauvre en bifaces est représenté par l'industrie du gisement des Osiers à Bapaume (A. Tuffreau, 1971 b, 1974). La valeur de l'indice des bifaces est insignifiant mais l'outillage sur éclat, abondant, est très évolué (fig. 2). Outre de nombreux éclats levallois (IL ty réel = 56,56) (indices de la série B2, fouilles de 1972), cette industrie possède des racloirs en pourcentage moyen (IR ess. = 35,80), de bons outils de type paléolithique supérieur (III ess. = 10,83) et d'assez nombreux denticulés (IV ess. = 15) et encoches (15,82 % en ess.).

La série recueillie dans la sablière de Haussy a des caractéristiques typologiques assez voisines (pauvreté en bifaces, faciès levalloisien) mais la faiblesse de la couverture limoneuse du gisement ne permet pas de préciser la position stratigraphique de l'industrie (A. Tuffreau, 1974).

Les fouilles de la terrasse de Bagarre à Etaples (A. Tuffreau et J. Zuate y Zuber, 1975) ont révélé la présence, dans le cailloutis supérieur des formations fluviales, d'une série aux nombreux éclats et lames levallois (IL ty réel = 46,49). L'outillage sur éclat, de médiocre qualité, possède beaucoup d'encoches et de denticulés (fig. 3). Un seul biface (une ébauche) a été retrouvé au cours des fouilles.

3. Les trouvailles sporadiques.

Les découvertes isolées de bifaces ou de petites séries de pièces sont très nombreuses (R. Félix, 1968 ; R. Prévost, 1958). Mais, le plus souvent, en raison des conditions de récolte ou de la pauvreté de la série, il est impossible de préciser les caractéristiques de l'outillage sur éclat. Parmi les trouvailles les plus importantes, il convient de signaler les quelques bifaces de Wissant dont l'un d'entre eux a des dimensions exceptionnelles (J.L. Baudet, 1971 ; H. Kelley, 1965), les pièces de la falaise de Sangatte (A. Lefebvre, 1969 b), la petite série de Coquelles-Village (A. Lefebvre, 1969 a), les récoltes anciennes de Mont-Saint-Eloi (R. Prévost, 1958) et quelques pièces trouvées à Vendin, près de Béthune (H. Bertouille, 1963).

IV. Les industries saaliennes sans bifaces.

A Beaumetz-lès-Loges, une industrie, d'âge saalien, à débitage levallois, sans bifaces, a été mise en évidence. Dans le Calaisis, l'existence d'une industrie originale a été soutenue à plusieurs reprises.

1. La série lustrée de Beaumetz-lès-Loges.

La série lustrée, qui se différencie de la série jaune du même gisement par ses caractéristiques physiques, techniques et typologiques, ne possède, aucun biface. Elle présente un faciès levalloisien (IL ty réel = 36,29) et comprend de nombreux racloirs (IR ess. = 42,96), outils de type paléolithique supérieur (III ess. = 17,03) et couteaux à dos naturel. Cette série, très évoluée, qui offre des similitudes avec l'industrie du Rissori (A. Adam et A. Tuffreau, 1973), peut se définir comme étant un Prémoustérien de faciès levalloisien, d'âge saalien. Elle pourrait aussi appartenir à un Acheuléen supérieur pauvre en bifaces dont les bifaces, pour des raisons diverses, seraient absents du gisement.

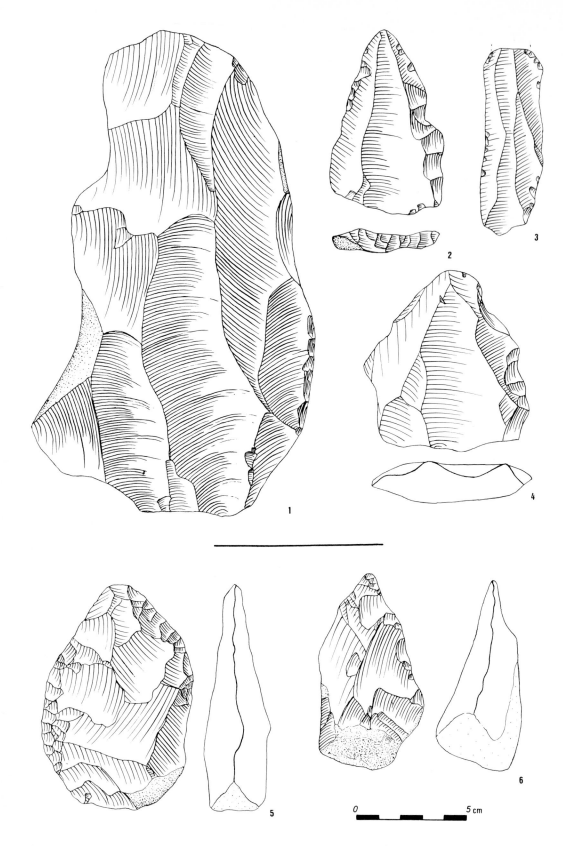

Fig. 3. Industrie du cailloutis supérieur de la basse terrasse de Bagarre, à Etaples (1 à 4) et Acheuléen supérieur de Beaumetz-lès-Loges (5 et 6).
1. Nucleus levallois à lames; 2. Pointe levallois retouchée; 3. Lame levallois; 4. Nucleus levallois à pointe; 5 et 6. bifaces.

Position stratigraphique des principales industries du Paléolithique inférieur du Nord de la France.

Europe du Nord	Chronologie alpine	Bapaume "Les osiers"	Beaumetz-Les-Loges	Vimy	Quiévy	Etaples	Wimereux	Industries
Eemien	Riss-Würm	"limon fendillé" (sol de Rocourt)	"limon fendillé" (sol de Rocourt)	"limon fendillé" ou sables		"limon fendillé"		
Saalien	Riss III	limon doux	limon doux cailloutis niveau humifère limon doux	limon doux niveau humifère limon doux cailloutis paléosol	"assise inférieure" de Ladrière	sables rubanés sables cailloutis alluvial sables cailloutis alluvial		Acheuléen supérieur et "Prémoustérien" (Beaumetz-les-Loges) Acheuléen supérieur (Bapaume, Vimy Etaples) Acheuléen supérieur (Etaples)
	Riss II	cailloutis "limon fendillé" limon doux						
	Riss I							
Holsteinien	Mindel-Riss							Acheuléen moyen (Quiévy)
Elsterien	Mindel				?			
Cromerien	Günz-Mindel						? cailloutis	Industrie archaïque (Wimereux)

2. Les industries des cordons littoraux du Calaisis.

Les cordons littoraux pléistocènes du Calaisis ont livré à A. Lefebvre (1969 b) des séries riches en lames levallois. Ce matériel hétérogène, qui comprend aussi quelques bifaces, appartiendrait à une industrie originale, le « Calaisien ». Cette industrie aurait été retrouvée sur les rivages de la Baltique (J.L. Baudet, 1971).

V. Conclusion.

Le Nord de la France, dans sa partie méridionale et occidentale (Artois, Cambrésis) a conservé la trace d'industries paléolithiques bien différenciées. Pour l'Acheuléen, le secteur oriental de la région limoneuse paraît plus riche en industries et se prête mieux à l'étude de séries abondantes et homogènes. L'Acheuléen supérieur, à l'outillage sur éclat très évolué, généralement à débitage levallois, est conservé à la base du dernier limon saalien. Il présente un faciès riche en bifaces assez comparable à celui du Bassin Parisien (F. Bordes, 1954) et un faciès pauvre en bifaces qui a pu être décelé grâce à des fouilles récentes.

L'existence dans les séquences limoneuses d'industries à débitage levallois sans bifaces est certaine mais le problème de leur signification reste posé.

Bibliographie

[1] ADAM A. et TUFFREAU A. (1973). — Le gisement paléolithique ancien du Rissori, à Masnuy-Saint-Jean (Hainaut, Belgique). *Bulletin de la société préhistorique française*, t. LXX, p. 293-310, 13 fig.

[2] AGACHE R. (1968, 1971, 1974). — Informations archéologiques, circonscription de Nord-Picardie. *Gallia-Préhistoire*, t. XI, p. 267-309, 49 fig., t. XIV, p. 272-310, 39 fig., t. XVII, p. 425-463, 50 fig.

[3] BAUDET J. L. (1971). — *La Préhistoire ancienne de l'Europe septentrionale.* Paris, 257 p., 120 fig., 4 tabl.

[4] BERTOUILLE H. (1963). — Contribution à l'étude du Quaternaire de l'Artois, région de Béthune. *Bulletin de la Société Géologique de France*, 7e série, t. V, p. 419-421.

[5] BONTE A. (1966). — Le quaternaire de la Pointe-aux-Oies entre Wimereux et Ambleteuse (Pas-de-Calais). *Annales de la société géologique du Nord*, t. LXXXVI, p. 183-186, 1 fig.

[6] BORDES F. (1954). — Les limons quaternaires du bassin de la Seine. *Archives de l'Institut de Paléontologie humaine*, mémoire n° 26, 472 p., 175 fig., 34 tabl., 1 carte h.-t.

[7] BOUCHUD J. (1968). — Etude sommaire de la molaire d'éléphant trouvée à Wissant (Pas-de-Calais). *Revue anthropologique*, p. 83-88, 3 fig.

[8] BOURDIER F. (1969 a). — Excursion dans le bassin de Paris de l'Association internationale pour l'étude du Quaternaire du 18 au 28 août 1969 : étude comparée des dépôts quaternaires des bassins de la Seine et de la Somme. *Bulletin d'information des géologues du bassin de Paris,* n° 21, p. 16-220, 113 fig.

[9] BOURDIER F. (1969 b). — Sur la position chronologique du Paléolithique de Sangatte, Wissant et Wimereux (Pas-de-Calais). *Bulletin de la Société Préhistorique française*, t. LXVI, p. 230-231.

[10] BOUTRY J. et DOLLÉ P. (1968). — Le Quaternaire de la vallée de l'Aa. *Annales de la société géologique du Nord*, t. LXXXVIII, p. 19-23, 1 fig., 1 tabl. h.-t.

[11] COMMONT V. (1912). — Note sur le Quaternaire du Nord de la France, de la vallée du Rhin et de la Belgique. *Annales de la société géologique du Nord*, t. XLI, p. 12-59, 9 fig.

[12] Dubois G. (1924). — Recherches sur les terrains quaternaires du Nord de la France. *Mémoires de la société géologique du Nord,* t. VIII, fasc. 1, 356 p., 41 fig., 6 pl. h.-t.

[13] Félix R. (1968). — Répertoire bibliographique des découvertes préhistoriques du département du Nord. *Mémoires de la société d'agriculture, sciences et arts de Douai,* 5e série, t. II, 119 p., 29 fig.

[14] Heinzelin J. de (1972). — Note sur l'industrie paléolithique de la Pointe-aux-Oies à Wimereux (Pas-de-Calais). *Septentrion,* t. 2, p. 3-5, 1 fig.

[15] Hurtrelle J., Monchy E. et Tuffreau A. (1972). — Le gisement paléolithique ancien de Beaumetz-les-Loges (Pas-de-Calais). *Annales de la société géologique du Nord,* t. XCII, p. 147-153, 4 fig.

[16] Kelley H. (1965). — Bifaces acheuléens de très grande taille. *Congrès préhistorique de France,* XVIe session, Monaco, p. 739-772, 22 fig.

[17] Ladrière J. (1890). — Etude stratigraphique du terrain quaternaire du Nord de la France. *Annales de la société géologique du Nord,* t. XVIII, p. 93-149 et 205-276, 22 fig.

[18] Lefebvre A. (1969 a). — Le gisement préhistorique de Coquelles (village). *Septentrion,* t. I, p. 8-14, 7 fig.

[19] Lefebvre A. (1969 b). — Aperçu sur quelques gisements de la région côtière du Nord de la France. *Septentrion,* t. I, p. 57-67, 13 fig.

[20] Poplin F. (1969). — Etude des restes osseux provenant de la carrière de Wissant. *Septentrion,* t. I, p. 69-72, 4 fig.

[21] Prévost R. (1958). — Répertoire bibliographique des recherches préhistoriques dans le département du Pas-de-Calais. *Mémoires de la Com-mission départementale des Monuments historiques du Pas-de-Calais,* t. IX, fascicule 1, 136 p., 1 pl. h.-t., 3 cartes h.-t.

[22] Sommé J. (1969 a). — La falaise de Sangatte et la plaine maritime. *Septentrion,* t. I, p. 43-56, 9 fig.

[23] Sommé J. (1969 b). — Stratigraphie des limons de la région du Nord de la France (Flandres-Artois), *in* La stratigraphie des loess d'Europe. *Supplément au bulletin de l'association française pour l'étude du Quaternaire,* VIIIe Congrès Inqua, Paris, p. 71-78, 3 coupes.

[24] Ters M. *et al.* (1969). — *Livret-guide de l'excursion A 10. Littoral atlantique.* VIIIe Congrès Inqua, Paris, 111 p., 42 fig.

[25] Tuffreau A. (1971 a). — Quelques observations sur le Paléolithique de la Pointe-aux-Oies à Wimereux (Pas-de-Calais). *Bulletin de la société préhistorique française,* t. LXVIII, p. 496-504, 4 fig.

[26] Tuffreau A. (1971 b). — Quelques aspects du Paléolithique ancien et moyen dans le Nord de la France (Nord, Pas-de-Calais). *Bulletin de la société de préhistoire du Nord,* n° 8, 99 p., 45 fig.

[27] Tuffreau A. (1974). — *Contribution à l'étude du Paléolithique ancien et moyen dans le Nord de la France et le bassin oriental de la Somme.* Université de Paris I, thèse de 3e cycle, 2 vol., 324 p., 77 fig. h.-t.

[28] Tuffreau A. et Zuate y Zuber J. (1975). — La terrasse fluviatile de Bagarre (Etaples, Pas-de-Calais) et ses industries : note préliminaire. *Bulletin de la société préhistorique française,* t. LXXII, p. 229-235, 6 fig.

Les civilisations du Paléolithique inférieur
dans le Jura et en Franche-Comté

par

Jean-François PININGRE * et Marcel VUILLEMEY **

Résumé. Des découvertes isolées de surface constituent les rares témoins de l'existence d'un Paléolithique inférieur en Franche-Comté. Une canine humaine, trouvée récemment dans la région de Baume-les-Dames, remonterait, d'après son contexte, au Mindel récent mais l'outillage correspondant n'est pas connu. Si une occupation des plaines et des régions peu élevées est décelable au moins à l'Acheuléen final, le petit nombre des indices et l'inexistence de stratigraphie en plein air et en grotte sont à imputer d'une part à l'extension des glaciers rissiens et, d'autre part, aux reprises d'érosion du Riss-Würm qui ont profondément modifié la morphologie des dépôts antérieurs.

Abstract. The Lower Paleolithic period is represented in Franche-Comte by isolated surface discoveries. A human canine recently found near Baume-les-Dames dates stratigraphically to recent Mindel. If we assume that the low-lying regions and the plains were occupied during this period, then the scarcity of finds and the lack of stratigraphy possibly result from : 1) Riss glaciation, and 2) Riss-Würm erosion which modified the morphology of both surface and caves deposits.

Le plus ancien témoignage humain se trouve être, à l'heure actuelle, le seul vestige anthropique du Paléolithique recueilli en Franche-Comté. Il s'agit d'une canine humaine trouvée en 1973 dans un petit aven comblé sur la commune de Vergranne au nord de Baume-les-Dames (Doubs) (M. Campy, J. Chaline, C. Guérin, B. Vandermeersch, 1974).

Cette dent était associée à une faune variée qui lui conférerait un âge ancien : *Dicerorhinus mercki, Pliomys episcopalis, Pliomys lenki, Arvicola mosbachensis,* et dont le stade d'évolution de ce dernier le placerait au Mindel récent. Cette canine serait donc le plus ancien reste d'hominidé recueilli en France.

Le paysage contemporain correspondait à une forêt de steppes sous climat froid. A ce jour ce petit gisement n'a fourni aucune industrie.

Aucune industrie datant du Paléolithique inférieur n'est connue en stratigraphie en Franche-Comté. Cependant des ramassages de surface ont fourni un outillage qui pourrait être antérieur au Moustérien.

La station de Fédry (Haute-Saône), prospectée depuis la fin du siècle dernier a fourni un outillage sur quartzites. Si certains bifaces semblent tardifs (Moustérien) des choppers et chopping tools très lustrés pourraient être, d'après A. Thévenin (1972), d'une datation ancienne.

Un outillage attribuable à l'Acheuléen supérieur se rencontre plus fréquemment dans la haute vallée de la Saône et sur les plateaux entre Saône et Ognon.

A. Thévenin (1965) puis B. Arnould (1971) ont publié plusieurs bifaces, fruits de récoltes isolées. La plupart sont faits de silex en rognon ou en plaquettes, 25 % sur des galets de quartzites vosgiens. Des bifaces amygdaloïdes à talon épais comme celui de Thurey-le-Mont, des bifaces lancéolés et micoquiens comme ceux de Soing, peuvent être rattachés à l'Acheuléen supérieur. Les formes ovalaires et les limandes sont inexistantes. On rencontre également

des pièces bifaces à tranchant latéral et distal assimilables dans le premier cas à des bifaces à dos comme à Mercey-sur-Saône et à Beaujeu et dans le second cas, à des hachereaux comme celui d'Arc-les-Gray.

Poussant plus avant les déductions, B. Arnould (1971) publie une série de surface qu'il attribue à l'Acheuléen final en voie de moustérianisation (Mont-les-Etrelles, « à Vallirand »). On peut se demander tout simplement si les conditions de ramassage d'outils, dont l'appartenance à un même ensemble reste à démontrer, n'est pas à l'origine de ce faciès composite.

Hormis les objets isolés trouvés au début du siècle, aucune découverte récente n'est venue confirmer l'existence de Paléolithique ancien en position stratigraphique dans le Jura.

Il faut brièvement rappeler les découvertes anciennes :

— Biface acheuléen découvert en 1908 par M. Lebrun sur la commune de Conliège dans les éboulis de base de pente tirés pour faire un chemin.

— Deux petits bifaces ovalaires trouvés par Lejay sur la commune de Courlans.

— Bifaces triangulaires provenant de Vernantois.

— J. Feuvrier signale un biface chelléen à Gendrey et M. Piroutet un outil amygdaloïde très grossier recueilli par lui à Bracon (Montagne Saint-André) (M. Piroutet, 1932-33).

L'ensemble de ces pièces a été trouvé fortuitement en bordure du Revermont ou dans la plaine de Bresse. Cette localisation paraît étroitement liée à l'extension rissienne du glacier alpin et jurassien interdisant toute incursion de l'homme dans les zones où l'altitude est supérieure à 500 m (M. Campy, J.C. Frachon, P. Petrequin, 1970).

Le nord-est de la Franche-Comté et la bordure

* Assistant à la Direction des Antiquités préhistoriques de la région Nord - Pas-de-Calais, Ferme Saint-Sauveur, 59650 Villeneuve d'Ascq (France).
** 60, rue du Commerce, 39000 Lons-le-Saunier (France).

méridionale des Vosges présentent un vide absolu en stations de cette période. Cette lacune peut s'expliquer par les profondes reprises d'érosion du Riss-Würm bien mises en évidence dans la grotte de la Baume de Gonvillars (P. Petrequin, 1970) et par le démantèlement des porches de grotte. Par exemple les sédiments Riss-Würm de la Baume d'Echenoz-la-Méline sont des dépôts de galerie, le porche situé plus avant aurait disparu au début du Würm avec le recul de la falaise encaissante.

Nous retenons donc l'existence d'un Paléolithique inférieur indéterminé et d'un Acheuléen supérieur probable, essentiellement localisés dans la haute vallée de la Saône et sur la retombée occidentale du Jura, dans des sites de flancs de coteau dont les dépôts argileux et limoneux ont maintes fois été soumis aux remaniements naturels et humains.

Bibliographie

[1] ARNOULD B. (1971). — *Gisements paléolithiques, mésolithiques, néolithiques, de l'atelier préhistorique de Mont-les-Etrelles,* D.E.S. Université de Besançon (dactylographié).

[2] CAMPY M., CHALINE J., GUÉRIN C., VANDERMEERSCH B. (1974). — Une canine humaine associée à une faune d'âge Mindel récent dans le remplissage de l'aven de Vergranne (Doubs). *Compte rendu de l'académie des sciences de Paris,* t. 278, série D, 3187-3190, 1 fig.

[3] CAMPY M., FRACHON J. C., PETREQUIN P. (1970). — Dépôts quaternaires du Jura français. *Revue archéologique de l'est,* t. XXI, fasc. 3-4, p. 331-341, 7 fig.

[4] HUGUENIN G., RIGOLOT F. (1971). — Une station paléolithique inédite à Mercey-sur-Saône. *Bulletin de la société préhistorique française,* comptes rendus des séances mensuelles, t. 68, n° 5, p. 140-144, 4 fig.

[5] PETREQUIN P. (1970). — La grotte de la Baume de Gonvillars. *Annales littéraires de l'Université de Besançon,* archéologie 22, Les Belles Lettres, Paris, 185 p., 53 fig., 3 pl. h.-t.

[6] PIROUTET M. (1932-1933). — Essai sur les connaissances actuelles relatives au préhistorique de Franche-Comté. *Bulletin archéologique,* p. 517-523.

[7] THEVENIN A. (1965). — L'outillage paléolithique et mésolithique du bassin supérieur de la Saône. *Annales scientifiques de l'Université de Besançon,* 3e série, géologie n° 1, p. 13-61, 21 fig.

[8] THEVENIN A. (1972). — Du Paléolithique ancien au Néolithique dans l'est de la France. *Revue archéologique de l'est,* t. XXIII, fasc. 3-4, p. 163-204, 14 fig.

Les civilisations du Paléolithique inférieur en Champagne-Ardenne

par

Bernard CHERTIER *

Résumé. Les vestiges du Paléolithique inférieur en Champagne-Ardenne ont tous été découverts soit à la suite de prospections de surface (gisements de plein air), (région du Porcien - Ardennes - Pays d'Othe - Aube - Plateaux Haut-Marnais), soit à l'occasion d'ouvertures de carrières (vallée de la Seine, vallée de la Vesle, vallée de la Meuse). Les deux seuls gisements en place sont ceux de Lassicourt et de Vallentigny (Aube). Ils sont situés dans les alluvions graveleuses du cône périglaciaire de l'Aube qui s'étale dans la plaine de Brienne le Château.

Abstract. The vestiges of the Lower Paleolithic in the Champagne-Ardenne region have all been discovered either during surface projections (open-air sites : Porcien region, Ardennes, Pays d'Othe, Aube, Upper Marne plateaus) or during quarry operations (Seine Valley, Vesle Valley, and Meuse Valley). The only *in situ* sites are those of Lassicourt and Vallentigny (Aube). They are situated in the gravel alluvions of the Aube periglacial cone which fans out into the Brienne le Château plain.

La Champagne-Ardenne englobe deux régions très différentes au point de vue géologique et d'étendue fort inégale.

La première, la Champagne, de beaucoup la plus vaste, appartient aux formations sédimentaires du Bassin Parisien et se développe du Rethelois, au nord, jusqu'au Pays d'Othe et au Barséquanais, au sud.

De l'ouest à l'est, elle s'étend depuis la lisière orientale de la Brie champenoise (Falaise de l'Ile-de-France) jusqu'à l'Argonne, prolongée au sud par le Barrois, auquel font suite les plateaux haut-marnais.

La Champagne est constituée par les auréoles du Crétacé supérieur (craie) et inférieur, formé en majeure partie d'argiles, et par les auréoles jurassiques où le calcaire prédomine.

La seconde région, l'Ardenne, est un massif primaire se présentant comme un plateau essentiellement schisteux, profondément entaillé par la vallée de la Meuse qui la traverse du sud au nord.

On peut diviser la Champagne-Ardenne en cinq parties essentielles : l'Ardenne, la Champagne crayeuse, la Champagne humide, le Bassigny et le Pays de Langres auxquelles on doit ajouter plusieurs petites régions bordières ayant leur individualité propre comme le Porcien, la Montagne de Reims et le Tardenois au nord-ouest, les marais de Saint-Gond à l'ouest, le Montois au sud-ouest, le Perthois à l'est et l'Argonne au nord-est.

Si l'on excepte la Meuse qui traverse le massif ardennais du sud au nord, les principaux cours d'eau (Seine, Aube, Marne, Aisne) suivent un axe général sud-est nord-ouest avant de se diriger franchement vers l'ouest au sortir de la région.

*
**

Les vestiges du Paléolithique inférieur sont répartis très inégalement en Champagne-Ardenne (fig. 2). Jusqu'à ce jour, cette région n'a fourni aux préhis-toriens aucun vestige susceptible d'être rattaché de façon certaine aux industries abbevilliennes.

Si la basse terrasse de la Seine a livré au siècle dernier, à Saint Julien les Villas et à Troyes, des bifaces de l'Acheuléen supérieur, associés à des restes de faune (Salmon, 1882, p. 154, 179 et 180), les plus importants gisements acheuléens actuellement connus en place se trouvent dans les alluvions grave-leuses du vaste cône périglaciaire de l'Aube qui s'étale dans la plaine de Brienne le Château.

Il s'agit d'abord du site de Lassicourt, lieux-dits La Grande Pièce, le Champ aux Corneilles, Les Longues Raies et Les Bois le Roy, où Raymond Tomasson a recueilli, de 1955 à 1973, une trentaine de bifaces lancéolés, amygdaloïdes ou cordiformes (fig. 1,1 et 1,3), associés à quelques hachereaux, nuclei et éclats, ainsi que des restes de faune (équidés et bovidés) (Tomasson, 1960 ; Tomasson, 1963 ; Chertier, 1974, p. 512-514).

L'Acheuléen ancien n'est représenté que par un seul biface. Roulé, il n'appartient pas au niveau dans lequel il fut trouvé. Les autres pièces, attribuées à l'Acheuléen moyen et supérieur, furent recueillies, *in situ,* sur le paléo-substratum Cénomanien, c'est-à-dire à la base de la nappe de gravier de formation rissienne dont la partie supérieure fut entaillée au cours du Würm. Des analyses polliniques, effectuées en 1964 par Josette Renault-Miskowsky, attestent la présence d'une flore de steppe.

Le gisement voisin de Vallentigny, lieu-dit La Côte d'Ossignoux (Paléolithique inférieur et moyen), complète les découvertes précédentes. En dehors de l'industrie moustérienne, dont il sera question par ailleurs, ce site a livré à Raymond Tomasson un important outillage lithique de l'Acheuléen moyen et supérieur (bifaces de types divers, très patinés et très lustrés), associé, entre autres, à des restes d'*Elephas primigenius* et de rhinocéros dont l'espèce reste à déterminer (Joly, 1965, p. 57-60 ; Joffroy, 1968, p. 337 et 338).

* Directeur des Antiquités Préhistoriques de Champagne - Ardenne, 20 rue de Chastillon, 51000 Châlons sur Marne (France).

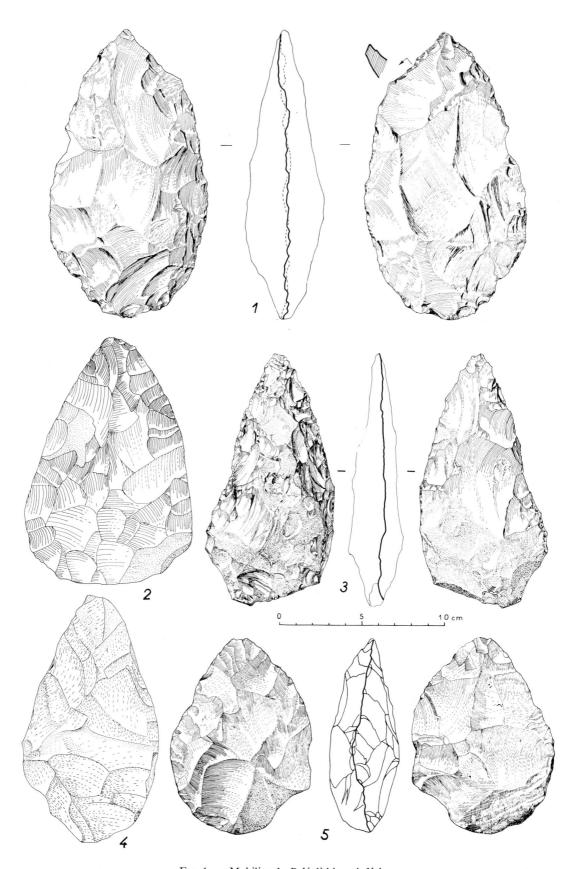

FIG. 1. — Mobilier du Paléolithique inférieur.
Bifaces. 1. Lassicourt (Aube); 2. Hannogne Saint Rémy (Ardennes); 3. Lassicourt (Aube); 4. Rilly sur Aisne (Ardennes); 5. Humes (Haute-Marne).

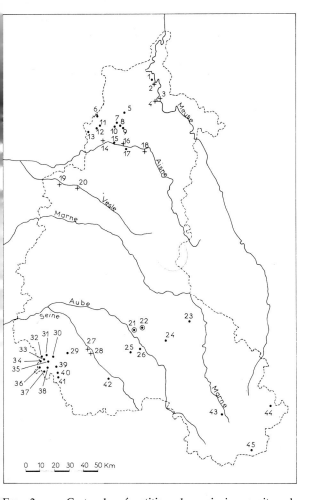

FIG. 2. — Carte de répartition des principaux sites du Paléolithique inférieur en Champagne-Ardenne.

⊙ Gisement en place
+ Découverte en gravière
● Site de plein air.

Ardennes. 1. Deville; 2. Bogny; 3. Montcy Saint Pierre; 4. Mézières; 5. Signy l'Abbaye; 6. Renneville; 7. Wasigny; 8. Mesmont; 9. Novion Porcien; 10. Justine; 11. Seraincourt; 12. Hannogne Saint Rémy; 13. Saint Quentin le Petit; 14. Château Porcien; 15. Barby; 16. Pargny; 17. Seuil; 18. Rilly.

Marne. 19. Jonchery sur Vesle; 20. Champigny sur Vesle. *Aube.* 21. Lassicourt; 22. Vallentigny; 24. Thil; 25. Jessains; 26. Amance; 27. Troyes; 28. Saint Julien; 29. Fontvannes; 30. Villemaur; 31. Pâlis; 32. Planty; 33. Saint Benoist sur Vannes; 34. Vulaines; 35. Paisy Cosdon; 36. Rigny le Ferron; 37. Bérulle; 38. Vaujurennes; 39. Aix en Othe; 40. Saint Mards en Othe; 41. Nogent en Othe; 42. Rumilly les Vaudes.

Haute-Marne. 23. Fays; 43. Humes; 44. Bourbonne les Bains; 45. Frettes.

Dans une région jusqu'alors mal connue des préhistoriens, ces gisements présentent un grand intérêt, aussi bien au point de vue préhistorique et paléontologique qu'en ce qui concerne la stratigraphie du quaternaire.

Au début du siècle, les alluvions de la Vesle, affluent de l'Aisne, avaient aussi fourni un mobilier et une faune représentatifs du Paléolithique inférieur, en particulier à Champigny sur Vesle (Marne) et à Jonchery sur Vesle (Marne) (Pistat, 1909, p. 114-119). Le tout, déposé au Musée de Reims, a été détruit lors de la première guerre mondiale.

S'il est matériellement impossible d'énumérer toutes les découvertes de surface pouvant être rattachées à l'Acheuléen, il est cependant important de signaler que les plaines crayeuses de Champagne qui s'étalent sur une grande partie des départements de la Marne et de l'Aube n'ont livré aucun vestige pouvant être rattaché à cette période. Par contre, les Ardennes, le Pays d'Othe et les plateaux de la Haute-Marne ont fourni un mobilier souvent abondant attestant la présence de nombreux gisements de plein air du Paléolithique inférieur.

Pour les Ardennes, un certain nombre de trouvailles anciennes ont été faites, soit à l'occasion de dragages de la Meuse (Bogny, Mézières), soit au cours d'exploitation de gravières ouvertes dans la vallée de la Meuse : Montcy Saint Pierre ou de l'Aisne : Château Porcien, Pargny, Rilly sur Aisne (fig. 1, 4), soit, enfin, lors de ramassages de surface qui, à l'exception de quelques pièces isolées (Deville, Novy Chevrières, Seuil), proviennent de la région du Porcien, située à l'ouest du département : Barby, Hannogne Saint Rémy (fig. 1, 2), Justine, Mesmont, Novion Porcien, Renneville, Saint Quentin le Petit, Seraincourt, Signy l'Abbaye et Wasigny, ce dernier site se trouvant en partie dans une briqueterie exploitée depuis un certain temps sur le territoire de la commune.

Le Pays d'Othe, entre Seine et Yonne, possède de nombreux gisements de plein air, souvent connus depuis fort longtemps et qui livrent encore d'intéressantes pièces. Les principaux sites de l'Aube se localisent à Aix en Othe, Bérulle (Tomasson, 1968), Fontvannes, Nogent en Othe, Pâlis, Paisy Cosdon (Chertier, 1974, p. 512), Planty, Rigny le Ferron, Saint-Benoist sur Vanne (Chertier, 1974, p. 515), Saint-Mards en Othe, Villemaur et Vulaines.

Quelques trouvailles isolées, effectuées dans le département de l'Aube, méritent aussi d'être signalées : Amance, Jessains (Chertier, 1974, p. 512), Rumilly les Vaudes (Chertier, 1974, p. 515) et Thil.

Pour les plateaux haut-marnais, il faut signaler les découvertes isolées de Fays (Mouton, 1950, Thévenin, 1972, p. 172), Bourbonne les Bains (Thévenin, 1972, p. 174), Humes (Thévenin, 1972, p. 174, Chertier, 1974, p. 536) et Frettes (fig. 1, 5) (Chertier, 1974, p. 535).

La carte de répartition des sites de cette période ne prétend nullement être exhaustive. Elle tient compte des conditions particulières de découverte et distingue les gisements en place, les trouvailles effectuées à l'occasion de dragages ou lors de l'exploitation d'une gravière et les objets ramassés au cours de prospections de surface.

Bibliographie succincte (1)

[1] SALMON Ph. (1882). — *Dictionnaire paléoethnologique du département de l'Aube.* Troyes, Dufour-Bouquot, 228 p., 5 tabl., 3 plans h.-t.

[2] PISTAT L. (1909). — Les dépôts quaternaires des environs de Reims. *Bulletin de la Société archéologique champenoise,* 1909, n° 4, p. 114-119, 2 fig.

[3] MOUTON P. (1950). — Un biface de l'Acheuléen supérieur trouvé à Fays (Haute-Marne). *Bulletin de la société préhistorique française,* t. XLVII, n° 9-10, p. 386-387, 1 fig.

[4] TOMASSON R. (1960). — Observations sur un biface du paléolithique inférieur, découvert « in situ » à Lassicourt (Aube). *Bulletin de la société préhistorique française,* t. LVII, fasc. 3-4, p. 177-182, 3 fig.

(1) Classée par ordre chronologique.

[5] TOMASSON R. (1963). — Observation sur un biface de l'Acheuléen ancien découvert « in situ » à Lassicourt. *Bulletin de la société préhistorique française,* t. IX, fasc. 1-2, p. 38-42, 3 fig.

[6] JOLY J. (1965). — Informations archéologiques, Circonscription de Bourgogne. *Gallia Préhistoire,* t. VIII, Vallentigny, p. 57-60, 3 fig.

[7] TOMASSON R. (1968). — Les bifaces du paléolithique ancien de Bérulle. *Bulletin de la société archéologique de l'Aube,* n° 2, p. 5-20, 1 fig.

[8] JOFFROY R. (1968). — Informations archéologiques, Circonscription de Champagne-Ardenne. *Gallia Préhistoire,* t. XI, fasc. 2, p. 337-341.

[9] THEVENIN A. (1972). — Du Paléolithique ancien au Néolithique dans l'Est de la France, actualité des recherches. *Revue archéologique de l'Est et du Centre-Est,* t. XXIII, p. 163-204, 14 fig.

[10] CHERTIER B. (1974). — Informations archéologiques, Circonscription de Champagne-Ardenne. *Gallia Préhistoire,* t. XVII, fasc. 2, p. 503-539.

Les civilisations du Paléolithique inférieur en Lorraine

par

Christine GUILLAUME *

Résumé. Les civilisations du Paléolithique inférieur de Lorraine, à quartzites, évoluent à partir d'une industrie sur galets aménagés de la fin du Mindel en une phase ancienne de l'Acheuléen, mal définie à ce jour par manque de documents. Elles e transforment lentement au cours du Riss et principalement du Riss-Würm en un Acheuléen supérieur, enrichi en racloirs t pauvres en bifaces, glissant vers une « moustérianisation » très marquée, dans le Sud des Vosges notamment.
   Un seul gisement est connu actuellement : Vassincourt (Meuse).

Abstract. Early Paleolithic cultures of Lorraine are little known at present due to lack of documentation. They evolved from a pebble tool industry at the end of Mindel glacial period into an ancient phase of the Acheulean. During the Riss glacial and particularily during the Riss-Würm interglacial they slowly changed into Late Acheulean industries containing few bifaces and rich in Charentian-type scrapers. Finally, they transformed into Mousterian industries known primarily from the southern region of the Vosges. At present only one important site is known — at Vassincourt (Meuse).

La Lorraine, caractérisée par une topographie morcelée, est limitée à l'Est par le massif des Vosges. Cette région se compose d'une succession régulière de buttes-témoins, de côtes et de plateaux, liés par l'étroitesse des bandes géologiques du Secondaire, qui se sont formés à partir d'une surface oligo-miocène (J. Tricart, 1952) ou d'un piémont villa-franchien (J.-C. Bonnefont, 1975), orienté des Vosges vers les Ardennes.

Le Quaternaire lorrain est dominé par le glaciaire des Vosges d'où sont issues les grandes rivières : la Meurthe et la Moselle qui ont modelé le paysage lorrain. Le réseau hydrographique, orienté dans l'ensemble vers le Nord a subi d'importantes modifications au cours du Quaternaire ancien : captures de la Moselle par la Meurthe, de l'Ornain par la Marne, etc. Les vallées ont été calibrées dès l'inter-glaciaire Mindel-Riss (J.-C. Bonnefont, 1975, p. 90) et les terrasses quaternaires, fortement remaniées et souvent démantelées pour les niveaux anciens, s'éta-gent sur les pentes marno-calcaires et les plateaux, plus souvent en lambeaux qu'en véritables dépôts.

La couverture limoneuse, peu développée, est due pour l'essentiel des formations, à l'altération des roches sous-jacentes. Mais on note parfois une importante proportion d'éléments éoliens (région de Bitche (Moselle) et vallée de la Seille (Meurthe-et-Moselle) et de bonnes séquences dans la région de Nancy (Meurthe-et-Moselle) et dans la vallée de l'Ornain (Meuse). Les cavités lorraines sont en géné-ral de type gouffre, puits ou diaclase étroite, peu propices à des habitats. Malgré ces terrasses lessivées, l'absence de limons et le manque de grottes, le Paléolithique inférieur lorrain est cependant bien représenté, principalement par des stations de surface à quartzites, matériel roulé provenant du massif des Vosges, et de rares gisements.

Les industries du Mindel et du Mindel-Riss.

Dans l'état actuel de nos connaissances, les pre-mières industries humaines apparaissent en Lorraine à la fin du Mindel. Les terrasses mindéliennes, très altérées, séparées des niveaux rissiens par un fort creusement qui a déterminé des affleurements de bancs rocheux (nappe A de J. Tricart) se situent sur les rebords des plateaux et sur les croupes dominant les rivières (Bois de Moncel à Foug (Meurthe-et-Moselle), Fort de Guentrange (Moselle), etc.).

Le seul gisement, connu à ce jour, est la terrasse de la « Côte de Bar » à Saint-Mihiel (Meuse) (pl. I, carte, point n° 1, p. 1136) qui a livré dans sa masse (2 m de puissance moyenne) de rares galets aménagés (fig. 1, n°s 2 et 3) unifaces du type I 1 et I 3 de Biberson (P. Biberson, 1966), en quartzite.

Sur la terrasse du Mindel II de la Meurthe (P. Hubert, 1973) à Lenoncourt (Meurthe-et-Moselle) pl. I, carte, point n° 8), glacis qui a subi une forte déflation au Würm, un ensemble important et homo-gène de galets aménagés en quartzite, postérieur au dépôt mais attribuable au Mindel-Riss a été trouvé en surface. Ils sont différents par la patine roussâtre des rares industries plus récentes qui y sont mêlées. Il s'agit de choppers du type de ceux de la « Côte de Bar » et des galets aménagés bifaces du type II 3, II 5 à 7, II 10 et 13 de Biberson, avec des galets unifaces doubles et alternes ou opposés à des tran-chants bifaces.

Une autre série de galets aménagés, trouvés à Metz (Moselle) (pl. I, carte, point n° 9, p. 1136) se rattacherait à cet interglaciaire, de même que des stations sur les terrasses mindéliennes de la Moselle à Flavigny-sur-Moselle (Meurthe-et-Moselle).

---

* Assistante à la Circonscription des Antiquités Préhistoriques de Lorraine (Meuse, Meurthe-et-Moselle, Moselle et Vosges), 40, rue de la Côte, 54000 Nancy (France).

Les industries du Riss et du Riss-Würm.

Avec la glaciation du Riss, les documents se multiplient et l'on voit se dessiner en Lorraine, une occupation humaine plus dense. Aux industries uniquement sur galets de quartzite s'ajoutent quelques outils en silex importé, car la Lorraine ne comporte pas de gîtes de cette matière première à part le « silex » rauracien de la Meuse et les chailles bajociennes de Neufchâteau (Vosges), de Pierre-la-Treiche et de Rosières-aux-Salines (Meurthe-et-Moselle). L'emploi quasi exclusif du quartzite implique peut-être une certaine sédentarisation avec cependant une mobilité dans un secteur restreint ne dépassant pas le cadre de la région lorraine dont la Moselle en est l'axe principal jusqu'au Rhin (H. Schwabedissen, 1970).

Dans l'ensemble, on distingue en Lorraine deux niveaux rissiens : la terrasse de la Justice (Riss I) à Toul et la terrasse de Toul-Croix de Metz (Meurthe-et-Moselle) dans la vallée de la Moselle, par exemple (J.-C. Bonnefont, 1975, p. 89) ou dans la vallée de la Meuse, à Tilly-sur-Meuse entre autres. Sur les terrasses du début du Riss des Monthairons (vallée

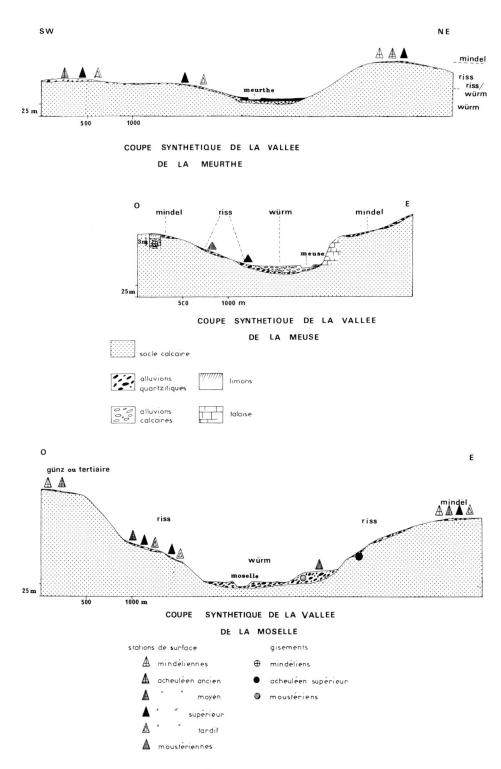

COUPE SYNTHETIQUE DE LA VALLEE
DE LA MEURTHE

COUPE SYNTHETIOUE DE LA VALLEE
DE LA MEUSE

socle calcaire

alluvions quartzitiques   limons

alluvions calcaires   talaise

COUPE SYNTHETIQUE DE LA VALLEE
DE LA MOSELLE

stations de surface   gisements
A mindéliennes   ⊕ mindéliens
A acheuléen ancien   ● acheuléen supérieur
A "   "   moyen   ⊘ moustériens
A "   "   supérieur
A "   "   tardif
A moustériennes

de la Meuse), de Froidos et de Lavoye (vallée de l'Aire) (E. Bouillon, 1963 et G. Chenet, 1927) des bifaces en silex (fig. 1, n° 4) et en chaille ont été découverts en trouvailles isolées, parfois mêlés à des industries sur quartzite (Dugny-sur-Meuse) (Meuse).

Dans la vallée de la Moselle, quelques stations de surface à quartzites, établies sur les terrasses de la fin du Mindel et du début du Riss peuvent être placées, en hypothèse car les documents sont trop épars et trop rares, dans une phase ancienne de l'Acheuléen (région de Metz (Moselle) et de Nancy (Meurthe-et-Moselle)). Elles sont représentées par des galets aménagés, de l'outillage sur éclats peu développé et de mauvaise facture, de rares bifaces à plages corticales importantes assez grossiers et de quelques produits de débitage. Le calibre moyen (15 cm) des galets de quartzite et la mauvaise qualité de certains donnent un aspect archaïque à ces industries. De plus, il faut tenir compte également de la fonction du site (habitat, atelier, halte temporaire, etc.). Il reste donc à définir ces témoignages du début de l'Acheuléen par d'autres découvertes plus abondantes.

Quelques trouvailles isolées et en surface, le long de la Meurthe, à Flavigny-sur-Moselle (Ch. Guillaume, 1974, fig. 6, n° 47) (Meurthe-et-Moselle) notamment, peuvent être attribuées à l'Acheuléen moyen. Mais ce mobilier lithique est très rare.

A l'Acheuléen supérieur, les civilisations du Paléolithique inférieur de Lorraine se précisent par l'abondance des trouvailles. On note deux gisements et de nombreuses stations de surface à matériel en quartzite important le long de la Moselle jusqu'au Rhin (pl. I, carte, points n°s 10 à 20, p. 1136).

Le gisement acheuléen de Vassincourt (Meuse)
(pl. I, carte, point n° 2, p. 1136).

Aux confins de la Champagne, l'exploitation de la sablière des « Sables Verts » par les Fonderies de Pont-à-Mousson a révélé l'existence d'un campement de plein air acheuléen, établi dans le fond de la vallée de l'Ornain, au Riss. Le niveau archéologique se trouve à la base d'une lentille limono-argileuse. Un cailloutis composé d'éléments calcaires portlandiens couronné de limons anciens complète les 4 m de puissance moyenne de cette terrasse rissienne. Le contact des terrains sédimentaires de l'Argonne et de la Champagne a créé probablement des mouvements tectoniques locaux qui ont anormalement perché cette nappe à +30-35 m.

Les analyses polliniques des lentilles inférieures, faites par B. Guillet ont montré que les conditions climatiques générales étaient tempérées humides, probablement d'un interstade rissien, avec une détérioration du climat vers le haut de la séquence à la base du cailloutis. La faune, étudiée par F. Delpech, supporte également des variations climatiques peu rigoureuses (cheval de type Equus Caballus mosbachensis, cerf et Bos primigenius). Si l'on exclut un remaniement très important des lentilles interstadiaires de la base de la terrasse à E. Antiquus (A. Pâques, et R. Vaufrey, 1947) par le cailloutis à E. Primigenius, l'association de ces deux types d'éléphants est possible dans une phase finale du Riss (F. Bourdier, 1969, p. 198) sans parler obligatoirement de faune Nord-Européenne confinée dans l'Est.

L'industrie lithique, différente par la matière première de l'ensemble des quartzites taillées de Lorraine, est composée de racloirs et de quatre bifaces en silex (F. Bordes, 1955) : deux amygdaloïdes dont un tend vers le type cordiforme allongé, un lancéolé et un cordiforme allongé. Elle est à placer au début de l'Acheuléen supérieur, proche du Tillet (Seine-et-Marne) (F. Bordes, 1954), dans un interstade rissien.

Les stations de surface à quartzites de l'Acheuléen supérieur.

Sur l'ensemble de ces stations et de ces points (plus de deux cents) (Ch. Guillaume, 1974, note n° 1), un seul gisement a été découvert, probablement glissé par solifluxion avec l'ensemble des alluvions, sur la plus basse terrasse rissienne dans la vallée de la Moselle, à Tonnoy (Meurthe-et-Moselle) pl. I, carte, point n° 3, p. 1136). Nous le considérons comme gisement car c'est un cas unique en Lorraine. L'industrie est composée d'éclats, de quelques racloirs et de galets aménagés, difficilement reconnaissables par l'usure et mêlés aux alluvions en surface. Ce site, qui reste à fouiller, peut être attribué à la fin du Riss.

A part cette exception, les stations de surface se situent principalement sur les terrasses rissiennes (nappe B de Tricart) et parfois sur les terrasses mindéliennes (Provenchères-lès-Darney, Vosges, pl. I, carte, point n° 15, p. 1136) où les placages d'alluvions siliceuses ont été utilisés comme matière première. Il faut noter leur concentration autour du massif gréseux des Vosges, à la limite des moraines frontales les plus avancées.

Elles sont caractérisées par une industrie de débitage non-Levallois, presque exclusivement sur galets de quartzite, rarement en chaille locale et exceptionnellement en silex d'importation des contrées voisines (Champagne, Franche-Comté) ou en autre matière (trapp ou quartz). Cette matière première donne un aspect particulier discernable par la répartition du cortex sur les éclats courts et épais. Les nucléus les plus fréquents sont de type discoïde à plan de frappe préparé et non préparé et de type à dos cortical et à un plan de frappe. Les indices techniques Levallois, laminaires sont quantités négligeables. L'indice de facettage varie faiblement de 0,5 à 25 %.

Les indices typologiques sont assez constants (fig. 1, n° 1) dans l'ensemble : l'indice Racloir est toujours supérieur à 40 % et atteint 65 %. L'indice Charentien varie avec I R élevé (30 %) pour I R fort, il est faible (8 %) lorsque I R est moins développé. Les retouches sont en général suparallèles pour les indices Racloir les plus bas, et écailleuses scalariformes pour les indices R les plus forts. L'indice Acheuléen total oscille entre 15 et 30 %. L'indice Acheuléen uniface est presque nul ; les couteaux à dos cortical étant les plus nombreux (fig. 1, n° 13). L'indice Bifaces est variable dans l'ensemble mais reste faible : de 0,3 à 15 %. Les galets aménagés sont plus rares mais de bonne facture. Ils représentent 0 à 15 % de l'outillage (fig. 1, n° 15).

Les groupes Levallois (I) et Paléolithique supérieur (III) sont faibles, en moyenne 10 %. Le groupe des Denticulés (IV) est bas, de 0 à 8 %. Le groupe Moustérien (II) est fort et constant, de 50 à 70 %.

A défaut de stratigraphie, quelques stations (seules figurées sur la carte de la pl. I : points 10 à 20, p. 1136) ont été décomptées sur l'ensemble de la Lorraine selon la liste-type établie par F. Bordes, seul élément de datation possible. Nous pouvons ainsi comparer ces courbes cumulatives et ces indices (fig. 1, n° 1) avec d'autres courbes provenant de gisements clos ou de surface, d'un point de vue morphologique et non paléogéographique. L'ensemble statistique de cette industrie s'insère dans un contexte Acheuléen supérieur comme celles d'Orgnac III (J. Combier, 1967) de la station des Sablons (Vaucluse), du Plan-des-Gondran (Basses-Alpes), etc. (H. de Lumley, 1972). L'outillage ne se raccorde pas à un Moustérien de tradition acheuléenne (Ch. Guillaume, 1974).

En Lorraine, des bifaces de types acheuléens (fig. 1, n° 6) (nombreux cordiformes allongés et amydaloïdes, rares lancéolés et de type micoquien plutôt d'âge rissien et associations de bifaces discoïdes, ovalaires et protolimandes assez fréquentes au Riss-Würm) sont mêlés à ·quelques bifaces moustériens (fig. 1, n° 7) (subcordiformes, cordiformes, formes diminutives, et rares subtriangulaires et triangulaires). On remarque une évolution parallèle de l'outillage : lorsque ce dernier s'enrichit en racloirs de type charentien à retouches écailleuses scalariformes, l'indice Bifaces s'élève et les bifaces moustériens dominent les bifaces acheuléens de dimensions plus réduites qu'en général.

Cette dualité typologique : morphologie moustérienne de l'outillage (fig. 1, n° 8 à 14) avec bifaces de types acheuléens s'observe également dans des gisements acheuléens du bassin de la Seine à la fin du Riss et au Riss-Würm (F. Bordes, 1954), à Orgnac (Ardèche), à la Chaise (Charente) et à Combe-Grenal (Dordogne) (Ch. Baroth, 1969, p. 91 à 97).

Ainsi on peut dire, en hypothèse vu l'absence de stratigraphie, que l'Acheuléen supérieur rissien de Lorraine évolue pendant l'avant-dernière glaciation et surtout l'interglaciaire Riss-Würm, à partir d'un outillage déjà riche en racloirs, mais pauvre en bifaces vers un Acheuléen tardif ou « Prémousté-rien » à tendances Quina. Ce dernier, sensiblement plus riche en bifaces où les formes moustériennes dominent, se continue peut-être dans le Würm ancien. Ce glissement vers une « moustérianisation » est très net dans les industries à quartzites du bassin supérieur de la Saône, dans le département des Vosges. Il n'est pas sans relations avec le Paléolithique inférieur et moyen de Franche-Comté (A. Thévenin, 1972).

Bibliographie

[1] Baroth Ch. (1969). — Le Paléolithique inférieur dans la vallée de la haute Moselle. *D.E.S. Lettres, Nancy,* 100 p., 41 fig., cartes et tableaux.

[2] Biberson P. (1966). — Galets aménagés du Maghreb et du Sahara. Fiches typologiques africaines. 2e cahier. *Congrès panafricain de Préhistoire et d'études du Quaternaire,* 64 p., 32 fig.

[3] Bonnefont J.-C. (1975). — La morphologie pré-rissienne dans le Sud de la Lorraine. *Etudes géographiques. Mélanges offerts à Georges Viers,* p. 89-100, 3 fig.

[4] Bordes F. (1954). — Les limons quaternaires du bassin de la Seine. *Archives de l'Institut de Paléontologie humaine,* mémoire n° 26.

[5] Bordes F. (1955). — L'Acheuléen moyen de Vassincourt et la question de l'Acheuléen « froid ». *Bulletin de la Société préhistorique française,* t. 52, n° 3, p. 156-162, 3 fig.

[6] Bouillon E. (1963). — Essai sur la présence de l'homme du Paléolithique ancien et moyen dans la partie Ouest du département de la Meuse. *Bulletin de l'Académie et Société lorraines des Sciences,* p. 20-26, 1 carte, 3 fig.

[7] Bourdier F. (1969). — Etudes comparée des dépôts quaternaires des bassins de la Seine et de la Somme. Excursion dans le bassin de Paris de *l'Association internationale pour l'étude du Quaternaire* du 18 août au 28 août 1969.

[8] Chenet G. (1927). — Vestiges du Paléolithique ancien dans l'Argonne meusienne. *Bulletin de la Société des Naturalistes et Archéologues du Nord de la Meuse,* 38e année, p. 1-7, 1 fig.

[9] Combier J. (1967). — Le Paléolithique de l'Ardèche dans son cadre paléoclimatique. *Publications de l'Institut de Préhistoire de l'Université de Bordeaux.* Mémoire n° 4, 462 p., 173 fig., tableaux et cartes.

[10] Guillaume Ch. (1974). — Bifaces en quartzite du Paléolithique ancien en Lorraine. *Bulletin de la Société préhistorique française,* t. 71, Etudes et Travaux, fasc. 1, p. 279-294, 3 tabl., 1 carte, 7 fig., bibliographie régionale.

[11] Hubert P. (1973). — Carte des formations superficielles. Nancy au 1/50 000, t. V. Evolution morphologique. *Mémoire de Géographie, Lettres, Nancy,* 31 p., tableaux et cartes.

[12] Lumley-Woodyear H. de (1972). — Le Paléolithique inférieur et moyen du Midi méditerranéen dans son cadre géologique. *Ve supplément à Gallia-Préhistoire,* 2 t., 806 p., 652 fig.

[13] Paque A. et Vaufrey R. (1947). — Les vieilles alluvions de l'Ornain et de l'Ante et le mammouth. *L'Anthropologie,* t. 51, n° 3-4, p. 201-219, 8 fig.

Fig. 1.

1. Diagrammes essentiels des industries à quartzites de l'Acheuléen supérieur de Manoncourt-en-Vermois (Meurthe-et-Moselle) n° 27, de Girmont (Vosges) station I, de Dogneville (Vosges) station VIII et de Dugny-sur-Meuse (Meuse) « La Falouze ». 2 et 3. Choppers, industrie du Mindel, Saint-Mihiel (Meuse). 4. Biface subcordiforme, Acheuléen Supérieur, Belleray (Meuse). 5. Pointe moustérienne. Moustérien (?), Tilly-sur-Meuse (Meuse). *Acheuléen supérieur :* 6. Biface amygdaloïde à base réservée, Zincourt (Vosges) « Champs Brasles »; 7. Biface subcordiforme, Dogneville (Vosges), station VIII; 8. Pointe moustérienne, Girmont (Vosges), station I; 9. Racloir simple convexe, Zincourt (Vosges), station I; 10. Racloir transversal convexe, Zincourt (Vosges) station I; 11. Racloir déjeté, Girmont (Vosges) station I; 12. Racloir, Jésonville-devant-Darney (Vosges), station II; 13. Couteau à dos, Jésonville-devant-Darney (Vosges) station II; 14. Racloir convergent biconvexe, Jésonville-devant-Darney (Vosges), station II; 15. Chopping-tool, Dogneville (Vosges), station VIII.

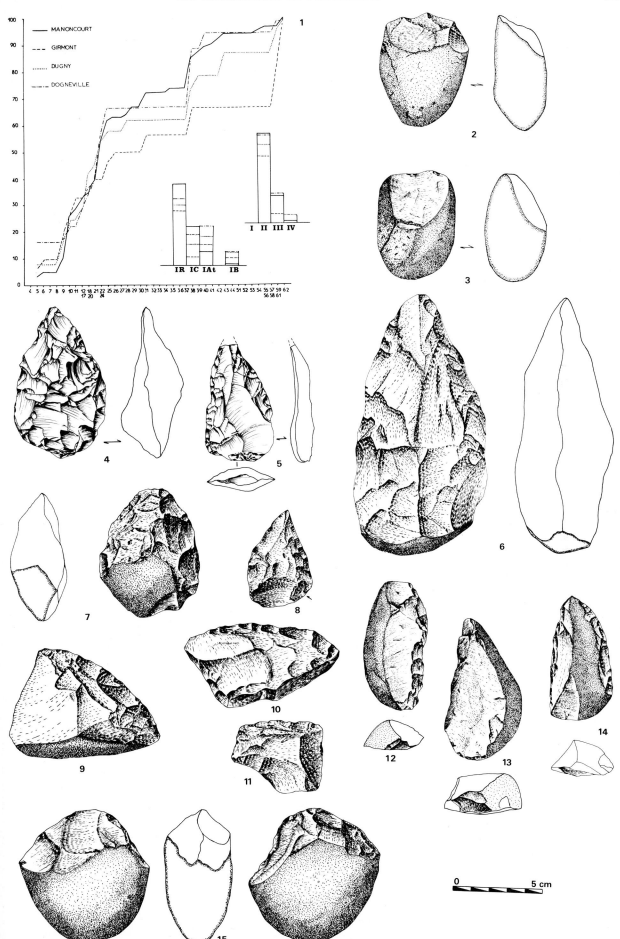

Chronologie	Age absolu	Gisements	Stations de surface	Dépôts	Lithologie	Culture préhistorique	Faune	Flore	Climat
WURM II (?)		– Rebeuville (Vosges)		– grotte	– alluvions calcaires du Mouzon.	Moustérien (?) (industrie silex et chaille locale.	– *Bos primigenius* Cervidés, renne (?)	– pollens non conservés	– assez tempéré humide
		– Pont-à-Mousson (M. et M.)		– terrasse de Metz-Frescaty	– alluvions quartzitiques et limons.	Industries sur quartzite	*E. primigenius* abondant		
		– Marly-sur-Seille (Moselle) – région de Thionville (Moselle)		– terrasse de Metz-Frescaty – basses terrasses de la Moselle	– alluvions quartzitiques. – alluvions quartzitiques et limons.	*Moustérien* (sans biface)	– *E. primigenius*	– pollens non conservés	
WURM I WURM ancien	75 000	– Pierre-la-Treiche (M. et M.)		– fissure dans le plateau calcaire du Bajocien	– remplissage argilo-sableux	– (industrie sur chaille locale)	– *E. primigenius*		
		– Ludres (Meurthe-et-Moselle)		– terrasse rissienne démantelée de la Moselle	– sol remanié sur limons d'altération.	*Moustérien de Tradition acheuléenne ou Micoquien*	– néant		
		– Metz (Moselle)		– terrasse de Metz-Frescaty	– alluvions quartzitiques.	*Acheuléen supérieur très tardif,* riche en bifaces et en racloirs	– *E. primigenius.*		
INTERGLAC. RISS/WURM	100 000		– Bleurville, Jésonville-devant-Darney (Vosges) Zincourt, Girmont, Dogneville (Vosges) Ville-en-Vermois (M-et-M.) etc... nombreuses stations qui se prolongent depuis le Riss, au Riss-Würm	– terrasses rissiennes et antérieures de la Saône – terrasses rissiennes et antérieures de la Meuse, Moselle, Seille et Meurthe	– alluvions quartzitiques et limons. – alluvions quartzitiques, limons d'altération, limons soliflués.	*Acheuléen supérieur avec nette "moustérianisation"* (pauvre en bifaces et enrichi de racloirs)	?		
RISS II		– Tonnoy (Meurthe-et-Moselle)		– terrasse rissienne de la Moselle	– alluvions quartzitiques.	*Acheuléen supérieur*	?		
INTER-STADE RISSIEN	150 000	– Vassincourt (Meuse)		– terrasse rissienne de l'Ornain	– lentille sablo-argileuse	– (industrie sur silex)	– cheval de type *equus caballus mosbachensis* – cerf, *Bos primigenius* – *E. antiquus* et *E. primigenius*	pin sylvestre et éléments steppiques paysage forestier : bouleau et *Quercus*	froid et sec tempéré et humide
RISS I			– Les Monthairons (Meuse)	– terrasse rissienne de la Meuse	– rares alluvions quartzitiques	– (industrie sur silex et quartzite)			
			– Tomblaine (M. et M.)	– terrasse rissienne de la Meurthe	– alluvions quartzitiques et limons soliflués	*Acheuléen moyen*			
			– région de Nancy	– terrasses rissiennes et antérieures de la Moselle et de la Meurthe	– alluvions quartzitiques.	*phase ancienne de l'Acheuléen*	?		
	200 000		– région de Metz	– terrasses mindéliennes et antérieures de la Moselle	– alluvions quartzitiques et limons.	et	Faune peu connue et peu étudiée		
INTER-GLAC. MINDEL/ RISS		– Metz (Moselle)		– terrasse mindélienne de la Seille	– alluvions quartzitiques et limons	*Pebble-Culture* sur galets de quartzite			
	300 000		– Flavigny sur Moselle (M.-et-M.)	– terrasse prémindel de la Moselle	– alluvions quartzitiques.				
			– Lenoncourt (M-et-M.)	– terrasse Mindel II de la Meurthe	– alluvions quartzitiques.		?		
MINDEL II							?		
MINDEL I	400 000	– Saint-Mihiel (Meuse)		– terrasse de la Meuse/Moselle	– alluvions quartzitiques.		*E. méridionalis* rares		

[14] SCHWABEDISSEN H. (1970). — Zur Verbreitung der Faustkeil in Mitteleuropa. *Fundamenta,* Reihe A, 2, 61 ff. Karten.

[15] THEVENIN A. (1972). — Du Paléolithique ancien au Néolithique dans l'Est de la France : actualités des recherches. *Revue archéologique de l'Est et du Centre-Est,* fasc. 3-4, p. 163-204, 14 fig. et cartes.

[16] TIXIER J. (1973). — Informations archéologiques de la Circonscription des Antiquités préhistoriques de Lorraine. *Gallia-Préhistoire,* t. 16, fasc. 2, p. 439-461, 30 fig.

[17] TRICART J. (1952). — *La partie orientale du bassin de Paris,* t. II : L'évolution morphologique au Quaternaire. S.E.D.E.S., 467 p., 90 fig.

Les civilisations du Paléolithique inférieur en Alsace

par

André Thévenin *

Résumé. Le Paléolithique inférieur n'est pratiquement représenté en Alsace qu'à Achenheim et, les documents y sont peu abondants : les industries des loess anciens inférieur et moyen, à synchroniser avec le Riss, pourraient appartenir à un Acheuléen moyen et à l'Acheuléen supérieur.

Abstract. The Lower Paleolithic period is (very poorly) represented in Alsace. Only the Achenheim site appears to date from this period. A very small number of artifacts represents this period. The industries found in the lower and middle loess layers (Riss) may belong either to the Middle or to the Upper Acheulian industries.

I. Le Paléolithique inférieur à Achenheim.

Le Paléolithique inférieur est pris dans un sens très restrictif : il ne concerne que les industries recueillies dans les loess anciens inférieur et moyen (P. Wernert, 1957) et correspond seulement au Riss (F. Bordes, 1960 et 1969). Pour la position topologique et stratigraphique des loess anciens inférieur et moyen, il faut se reporter à la notice : « Les plus anciennes industries humaines d'Alsace » ; pour la localisation des lieux, à la figure 1 de cette même notice.

A. Les industries du loess ancien inférieur (de P. Wernert).

De cet ensemble subdivisé en 4 sous-niveaux, l'industrie est très pauvre :

1. Limon argileux fluviatile de base : un chopper, 1 fragment de galet.
2. Lehm noirâtre durci, ferritisé et manganésifère : quelques éclats.
3. Limon loessique à pseudomycélium : 32 artéfacts, dont 1 chopper, 5 nucléus amorphes, 1 racloir sur éclat (fig. 1, n° 1), un grand uniface, 2 racloirs, 3 grattoirs, tous à talon lisse.
4. Lehm noir : onze galets en tas, certains cassés; un nucléus avec un large enlèvement, un chopper pointu.

Pour P. Wernert (1957, p. 201), « le grand uniface et la technique Levallois situeraient cette industrie dans une phase synchronique de l'Acheuléen moyen », début du Rissien, « mais la présence de choppers nombreux permet de penser aussi au Clactonien ».

B. Les industries du loess ancien moyen (de P. Wernert).

Le loess ancien moyen, subdivisé en six niveaux superposés, est sensiblement plus riche que le précédent :

1. Limon colluvial de base : rares outils.
2. Loess jaune à grosses concrétions et grandes coquilles d'*Helix arbustorum* : 5 choppers, 1 nucléus en quartz, des éclats de taille, 1 pointe typique, 1 éclat de calcédoine à talon facetté retouché en mauvais racloir, 2 racloirs convergents (= « pointes-racloirs » de P. Wernert) (fig. 1, n° 2), 2 racloirs, 1 grattoir plus ou moins caréné, 1 grattoir microlithique.
3. Loess atypique à gros grains calcaires et pseudomycélium, avec gros *Helix* : 1 percuteur, 1 chopping-tool, 1 vraie limace à retouche plano-convexe (fig. 1, n° 3), 3 racloirs, 4 grattoirs « pseudocarénés ».
   C'est de cette couche, que fut retiré en 1941 un amoncellement de boules d'argile, probablement artificielles (P. Wernert, 1961 et 1963; Zeuner, 1955).
4. Sol brunâtre calcareux : à côté d'artéfacts plus ou moins amorphes, un galet tronqué, 2 nucléus, 1 chopping-tool, des éclats de débitage (15 amorphes, 7 à talon lisse, 11 à talon préparé), on trouve un outillage assez bien élaboré : une pointe-racloir sur éclat Levallois (fig. 1, n° 8), un racloir convergent biface (fig. 1, n° 6), des racloirs (fig. 1, n°s 7 et 9).
   Cette industrie rappelle le Moustérien pré-Quina d'Ehringsdorf.
5. Loess atypique à gros *Helix* : les vrais outils y sont relativement nombreux : 12 racloirs convergents, 7 bons racloirs à retouche scalariforme, d'allure Quina (fig. 1, n°s 11 à 12), un chopping-tool, 1 morceau d'ocre rouge lissé par frottement, de forme quadrangulaire; un fragment de coquille d'une *Ostrea* fossile utilisée (P. Wernert, 1952).
6. Lehm rouge, sol de surface du loess ancien moyen : l'industrie ne comprend que des racloirs convergents (fig. 1, n°s 4 et 5) des racloirs sur éclats plus ou moins pointus, un racloir sur lame (fig. 1, n° 13).

P. Wernert rapproche cet outillage de celui d'Ehringsdorf mais F. Bordes fait remarquer que des formes analogues se trouvent déjà dans la couche 3 de la Micoque. Bosinski (1967) range les industries du loess ancien moyen dans un groupe, Achenheim III, proche de Karstein III, identifié par lui au Moustérien ?

II. Le Paléolithique inférieur dans la plaine d'Alsace.

Il faut noter quelques rares découvertes : un biface en quartzite à Altwiller (Bas-Rhin) (fig. 1, n° 14), dit biface de Bonnefontaine, un biface à Goersdorf (Bas-Rhin) (fig. 1, n° 15), un à Hirtzbach (Haut-Rhin) (fig. 1, n° 16) et un à Oberlarg (Haut-Rhin), un biface très trapu, sans pointe bien dégagée, en calcaire gréseux à filonnets pegmatiques.

* Directeur des Antiquités préhistoriques d'Alsace et de Lorraine, Palais du Rhin, 3, place de la République, 67000 Strasbourg (France).

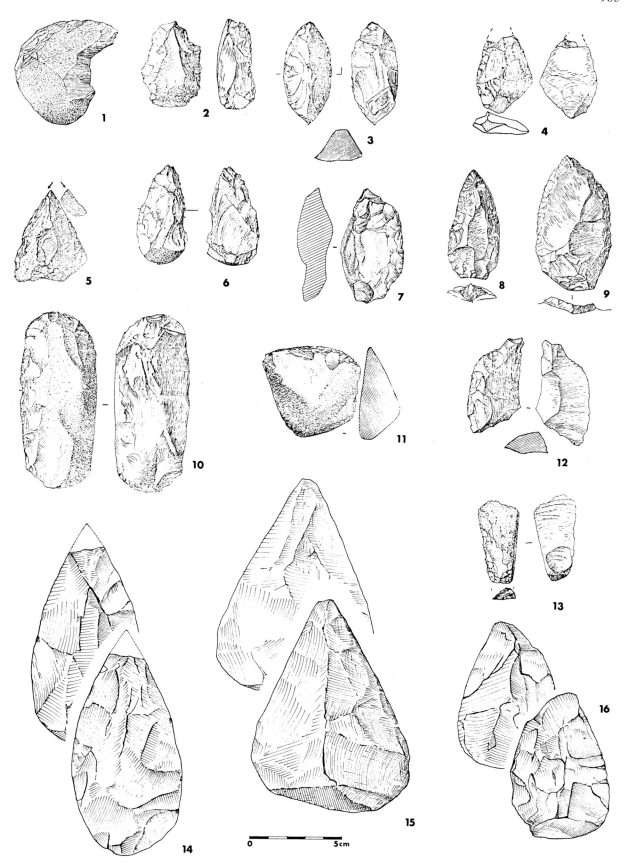

Fig. 1. — Achenheim : *lœss ancien inférieur*. Limon lœssique : 1. Racloir sur éclat.
Loess ancien moyen :
Loess atypique à grosses concrétions et grands Helix : 2. Racloir convergent, calcédoine; 3. Limace, phtanite.
Sol brun calcareux : 6. Pointe-Racloir, calcédoine; 7. Racloir, phtanite; 8. Pointe-racloir, phtanite; 9. Racloir convergent, phtanite;
Loess atypique à gros Helix : 10. Racloir, phtanite; 11. Racloir transversal, grauwacke; 12. Racloir convexe, calcédoine.
Lehm rouge : 4. Racloir convergent, calcédoine; 5. Racloir convergent avec enlèvement de burin, calcédoine; 13. Racloir sur lame.
Altwiller : 14. Biface dit de Bonnefontaine; Goersdorf : 15. Biface; Hirtzbach : 16. Biface.

Bibliographie

[1] BORDES F. (1960). — Compte rendu de la thèse de P. Wernert, 1957. *L'Anthropologie,* t. 64, n° 1-2, p. 77-85.

[2] BORDES F. (1959). — Le loess en France. *Etudes françaises sur le Quaternaire,* VIIIe Congrès INQUA, p. 69-76, 4 fig.

[3] BOSINSKI G. (1967). — Die mittelpaläolithischen Funde im westlichen Mitteleuropa. *Fundamenta,* série A, volume 4, 205 p., 16 fig., 15 + 197 pl., 7 cartes.

[4] RASSAI G. (1971). — Feinstratigraphie Untersuchungen der Lössablagerungen des Gebietes um Hangenbieten südwestlich von Strassburg im Elsass. *Quartär,* Bd. 22, p. 17-53, 3 fig.

[5] THEVENIN A. (1972). — Du Paléolithique ancien au Néolithique dans l'Est de la France : actualité des recherches. *Revue archéol. de l'est et du centre-est,* t. 23, fasc. 3-4, p. 163-204, 14 fig.

[6] WERNERT P. (1952). — Outil paléolithique en coquille d'huître fossile du loess ancien de Hangenbieten. Contribution à l'étude de l'outillage coquillier de l'âge de la pierre. *Cah. archéol. hist. Als.,* p. 9-20.

[7] WERNERT P. (1955). — Un fossile directeur de la faune malacologique interglaciaire dans les limons loessiques de la station paléolithique d'Achenheim : *Zonites acieformis* Klein. Contribution à la climatologie de l'ère quaternaire dans le fossé rhénan. *Bull. serv. carte géol. Als. Lorr.,* 8, 1, p. 119-127.

[8] WERNERT P. (1957). — Stratigraphie paléontologique et préhistorique des sédiments quaternaires d'Alsace, Achenheim. *Mémoires serv. carte géol. Als. Lorr.,* n° 14, 262 p., 118 fig., 24 planches photo.

[9] WERNERT P. (1961). — Les boules de loess d'Achenheim et les « Lhitte-Mirr », essai de paléoethnographie comparée. *Cah. als. arch. art et hist.,* 5, p. 5-18.

[10] WERNERT P. (1963). — Les boules de loess d'Achenheim et les « Lhitte-Mirr », gloses et glanures. *Cah. als. arch. art et hist.,* 7, p. 5-22.

[11] ZEUNER F.-E. (1955). — Les boules de loess paléolithiques d'Achenheim. *Congrès préhistorique de France, Strasbourg-Metz,* 1953, p. 663-666.

III

LES CIVILISATIONS
DU PALÉOLITHIQUE MOYEN
(Moustérien)

PALEOLITHIQUE MOYEN

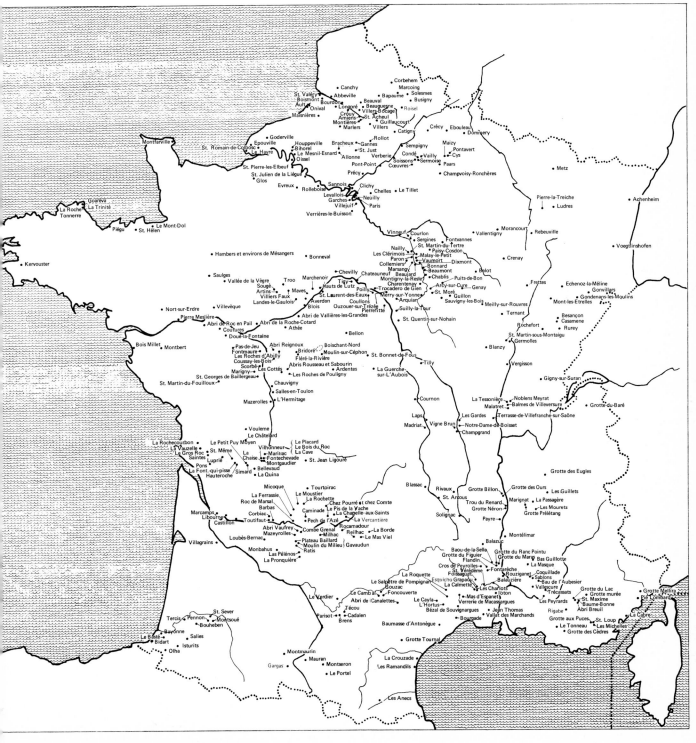

Les civilisations du Paléolithique moyen en Provence

par

Henry de LUMLEY *

Résumé. Les civilisations moustériennes, qui occupèrent la Provence, pendant tout le Würmien ancien (Würmien I et Würmien II), entre 80 000 et 32 000 ans, sont assez bien connues grâce aux nombreux sites découverts. Plusieurs groupes ethniques s'individualisent, acquérant alors des traditions et une culture matérielle propre. Localisés sur de vastes territoires de chasse, véritables provinces archéologiques, ils purent conserver leur individualité pendant des millénaires.

Parmi ces groupes les plus caractéristiques sont au *Würmien I* : le Moustérien post-acheuléen riche en racloirs du type des Trécassats, le Moustérien typique du type de Bas Guillote, le Moustérien typique riche en racloirs du type de Rigabe, le Charentien de type Ferrassie archaïque et le Charentien de type Quina archaïque; et, au *Würmien II* : le Moustérien typique de débitage faiblement levallois du type de l'Abri Breuil, le Moustérien typique riche en racloirs et en lames du complexe de l'Aubesier, le Charentien de type Ferrassie oriental, le Para-Charentien.

Abstract. The Mousterian cultures occupying the region of Provence during the entire Early Würm (Würm I and II) between 80,000 and 32,000 years ago are quite well understood due to the information procured at numerous important discovery sites. Several ethnic groups emerge, each thus acquiring traditions and a material culture of its own. Localized on vast hunting territories, true archeological provinces, they are able to preserve their individuality for thousands of years.

Among these groups, the most characteristic are the Würm I : the Post-Acheulean Mousterian riche in side scrapers of the Trecassats variety, the typical Mousterian of the Bas-Guillotte variety, the Mousterian rich in side scrapers of the Rigabe type, the Charentian of the archaic Ferrassie type, and the Charentian of the archaic Quina type; and of the Würm II : The Mousterian typical with a low Levallois debitage of the Abri Breuil, the typical Mousterian rich in side scrapers and in blades of the Aubesier complex, the Charentian of the eastern Ferrassie variety, and the Para-Charentian.

Les sites moustériens de Provence sont très nombreux, et plusieurs milliers d'outils et d'éclats ont été recueillis. Les industries moustériennes devraient donc en principe être bien connues. S'il existe une unité évidente des outillages lithiques découverts dans les divers sites moustériens, pratiquement l'outillage de chaque gisement présente une certaine originalité et il devient très difficile d'établir une classification des industries moustériennes.

Il apparaît le plus souvent que dans les différents niveaux d'un même gisement (Baume des Peyrards, Abri Breuil, Bau de l'Aubesier) ou dans les différents sites d'une même région géographique (Massif du Lubéron, Monts du Vaucluse), les outillages moustériens découverts jusqu'à ce jour présentent une grande analogie et appartiennent à un même groupe culturel.

Les principales caractéristiques retenues pour individualiser et classer les industries moustériennes sont : les techniques de débitage des éclats, le pourcentage de lames, la proportion et la qualité des racloirs, la proportion et la qualité des denticulés, les types de retouches utilisées pour la confection des outils, le pourcentage des pièces à bords retouchés convergents, la présence d'outils à dos ou à base amincie.

Nous étudierons successivement les principales cultures moustériennes qui ont pu être individualisées dans le Würmien I, puis dans le Würmien II.

Les industries moustériennes du Würmien I.

MOUSTÉRIEN POST-ACHEULÉEN, RICHE EN RACLOIRS.

Le Moustérien post-acheuléen qui dériverait de l'Acheuléen supérieur méditerranéen, de type Micoquien, connu sur les stations de la vallée du Largue, est bien représenté en Provence sur la station des Trécassats (série II) (fig. 1).

La station des Trécassats, située près d'Apt (Vaucluse) est établie sur des sables ocreux du Crétacé. Les sédiments quaternaires en place sont constitués par des cailloutis soliflués.

L'industrie (fig. 1) se caractérise par un débitage levallois dominant, une forte proportion d'éclats levallois non transformés en outils, un pourcentage de racloirs élevés (IR ess. = 58), un fort pourcentage d'outils à bords retouchés convergents (pointes, racloirs convergents, racloirs déjetés) (IRc = 15), la dominance du groupe denticulé (IV = 15) sur le groupe paléolithique supérieur (III = 7), une proportion faible mais non négligeable de troncatures le plus souvent concaves et d'encoches en bout, la présence d'outils (notamment de racloirs déjetés) à base amincie, l'absence ou l'extrême rareté des outils caractéristiques du Charentien et de la retouche écailleuse scalariforme.

Par tous ces caractères, l'industrie de la série II des Trécassats peut être comparée à l'Acheuléen

* Maître de Recherche au C.N.R.S., Laboratoire de Paléontologie Humaine et de Préhistoire, URA n° 13 du CRA, Université de Provence, Centre Saint-Charles, place Victor-Hugo, 13331 Marseille Cedex 03 (France).

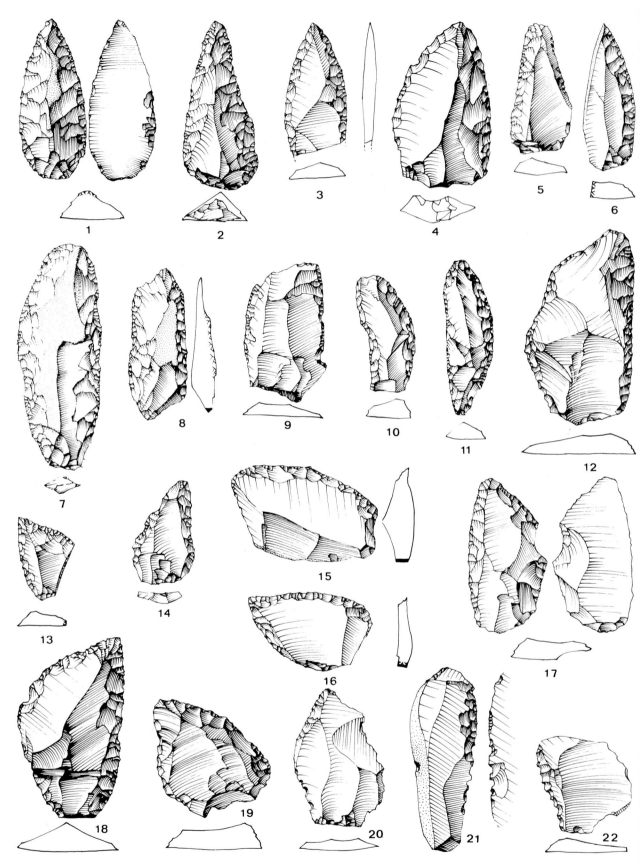

FIG. 1. — Moustérien post-acheuléen, riche en racloirs. 1 à 22. Les Trécassats, série II. (1/2 de la grandeur nature).

supérieur de type Micoquien de la vallée du Largue. Elle daterait du premier stade würmien et représenterait, comme celle de la série blanc mat du Cros de Peyrolles dans le Gard, le terme ultime de l'évolution d'un Acheuléen supérieur méditerranéen.

LE MOUSTÉRIEN TYPIQUE DE BAS GUILLOTTE.

La station de Bas Guillotte est un gisement « en pied de roche » situé à Buis-les-Baronnies, sur la rive droite de l'Ouvèze.

L'industrie (fig. 2, n°s 1 à 15) est de débitage levallois (IL = 33) et comprend un fort pourcentage de lames (ILam = 19). Les éclats levallois non transformés en outils sont abondants. Les racloirs, en pourcentage moyen (IR ess. = 37) sont légèrement plus nombreux que dans les Moustériens typiques classiques.

Les outils caractéristiques du Charentien : limaces, racloirs à retouches bifaces sont absents. Les racloirs transversaux, de mauvaise facture, sont en pourcentage faible.

Il n'y a pratiquement pas de pièces à base ou à dos amincis.

Les outils aménagés par retouches écailleuses scalariformes sont très rares.

Les denticulés, en proportion moyenne (9 %) sont de qualité médiocre.

Signalons une assez forte proportion d'encoches (13,5 %) et d'encoches clactoniennes (4 %) et une faible proportion de pièces de type paléolithique supérieur.

LE MOUSTÉRIEN TYPIQUE, RICHE EN RACLOIRS, DE RIGABE.

Daté du Würmien I à Rigabe et à Pié Lombard, il se caractérise par un débitage levallois moyen, un pourcentage de racloirs assez élevé, une proportion moyenne d'outils à bords retouchés convergents et de racloirs transversaux, de très rares outils à encoches clactoniennes et une très faible proportion d'outils de type paléolithique supérieur et de troncatures.

La grotte de Rigabe à Artigues (Var) contient un important remplissage daté du Riss et du Würm ancien. Les couches attribuées au Würmien I (couches G et 7) ont livré une industrie moustérienne (fig. 3, n°s 1 à 30).

Le débitage levallois est nettement dominant (IL = 30) ; l'indice laminaire moyen (ILam = 10). Le pourcentage des éclats levallois non transformés en outils est assez élevé.

Les racloirs sont très nombreux et leur pourcentage est comparable à ceux du Charentien ou du Moustérien typique riche en racloirs (IR ess. = 61). Signalons cependant l'absence des outils caractéristiques du Charentien : limaces, racloirs à retouches bifaces, tranchoirs. Les racloirs, souvent petits et faiblement arqués, sont cependant de belle facture. L'indice d'outils à bords retouchés convergents est élevé (IRc = 13,8).

Il y a lieu de noter un pourcentage notable d'outils possédant de grands enlèvements sur la face plane : racloirs à dos aminci et outils à base amincie.

Les retouches écailleuses scalariformes sont rares et la retouche surélevée absente. Les racloirs ont souvent été aménagés par retouches plates ou minces, très régulières, qui donnent aux pièces un aspect « élégant ».

Les denticulés, rares, sont atypiques et mal caractérisés. Il n'y a aucun outil à encoches clactoniennes.

Les outils de type paléolithique supérieur sont représentés par quelques grattoirs en bout de racloirs de bonne facture et par quelques perçoirs ou couteaux à dos médiocres. Il n'y a pas de burin.

Les outils sur galet et les bifaces sont absents.

La grotte de Pié Lombard, à Tourettes-sur-Loup (Alpes-Maritimes) contient un remplissage qui est daté de la fin du premier stade würmien.

L'industrie moustérienne (fig. 4, n°s 1 à 25) découverte est de débitage levallois (IL = 33) et riche en lames (I Lam = 22).

Elle se caractérise par un fort pourcentage de racloirs (IR = 53). Les outils caractéristiques du Charentien sont rares et les outils à bords retouchés convergents sont mal représentés (IRc = 7).

Les denticulés, en pourcentage moyen, sont essentiellement représentés par des racloirs denticulés d'excellente facture. Les encoches clactoniennes sont rares.

Les outils de type paléolithique supérieur, en pourcentage moyen, sont essentiellement représentés par des burins et quelques grattoirs.

CHARENTIEN DE TYPE FERRASSIE ARCHAÏQUE.

Il peut être décrit, en Provence, dans les dépôts du Würmien I de la Baume des Peyrards et vraisemblablement aussi dans la grotte de Rigabe (Artigues) couche F, et dans la grotte Murée (Sainte-Croix-du-Verdon) (fig. 2, n°s 16 à 23).

Dans la Baume des Peyrards, à Buoux (Vaucluse), le Charentien de type Ferrassie archaïque a été découvert, dans les couches 18 à 13 datées du Würmien I (fig. 7).

Le débitage levallois, très élevé (IL = 73) est caractéristique d'une industrie triée et il est évident que l'homme préhistorique a apporté dans l'abri un grand nombre d'éclats levallois ou d'outils sur éclats levallois déjà débités et taillés.

Les éclats levallois non transformés en outils sont nombreux. Le pourcentage de racloirs est élevé (IR = 67) ; ceux-ci sont d'excellente facture et bien arqués, souvent aménagés par retouches écailleuses scalariformes. Signalons cependant un pourcentage faible de racloirs transversaux, l'absence de racloirs à retouches bifaces et de limaces. Les racloirs déjetés sont très abondants et les racloirs à dos aminci sont présents mais en faible pourcentage.

Les denticulés ne sont représentés que par quelques outils mal caractérisés et les encoches clactoniennes sont très rares.

Les outils de type paléolithique supérieur, en pourcentage moyen, sont représentés par quelques grattoirs, burins ou couteaux à dos.

Ce Moustérien présente de grandes analogies avec le Moustérien post-acheuléen des Trécassats série II : débitage levallois important, forte proportion d'éclats levallois non transformés en outils, pourcentage élevé de racloirs et d'outils à bords retouchés convergents

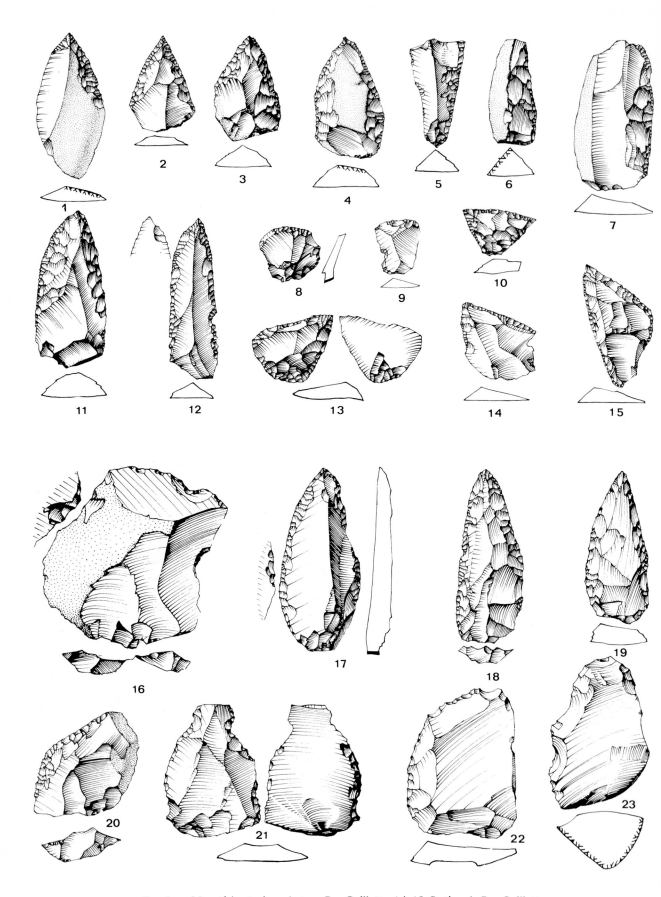

FIG. 2. — Moustérien typique du type Bas Guillotte. 1 à 15. Station de Bas Guillotte.
Charentien de type Ferrassie archaïque. 16 à 23. Grotte Murée. (1/2 de la grandeur nature).

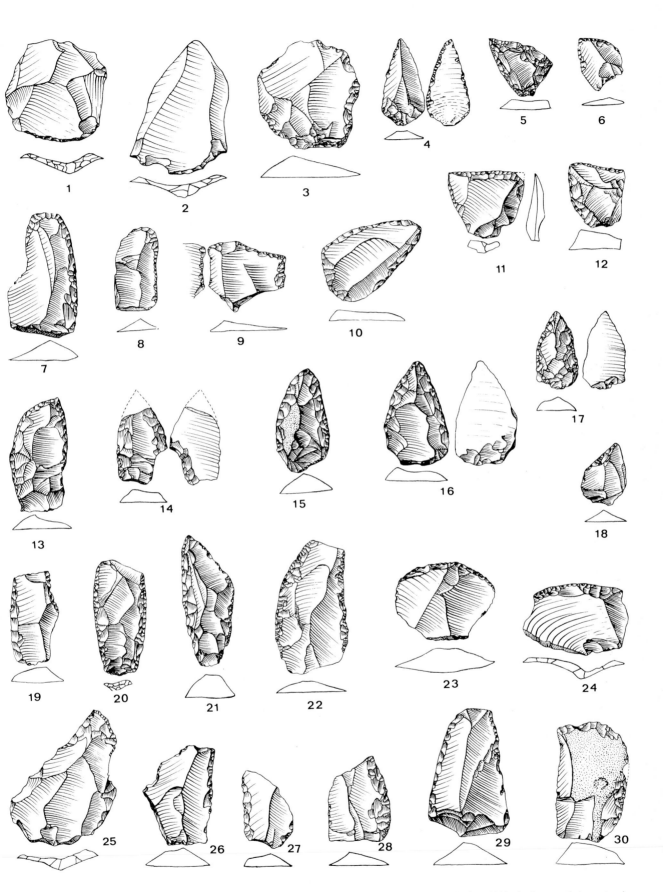

Fig. 3. — Moustérien typique riche en racloirs du type de Rigabe. 1 à 30. Grotte de Rigabe. (1/2 de la grandeur nature).

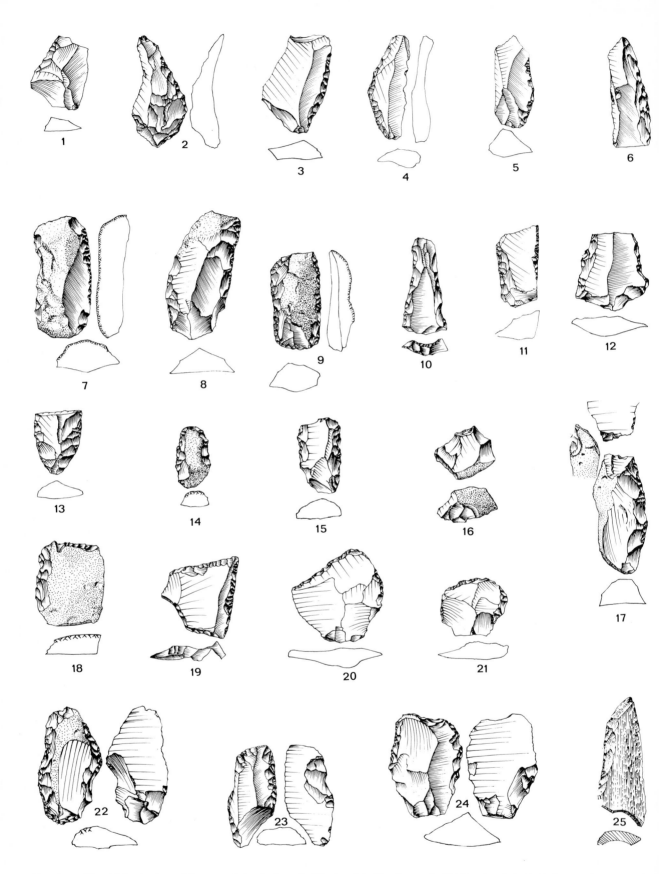

FIG. 4. — Moustérien typique riche en racloirs du type de Rigabe. 1 à 25. Grotte de Pié-Lombard. (1/2 de la grandeur nature).

(principalement de racloirs déjetés), absence ou extrême rareté des outils caractéristiques du Charentien (limaces, racloirs à retouches bifaces). Dans le Charentien de type Ferrassie archaïque, les troncatures sur éclat sont cependant moins nombreuses et la retouche écailleuse scalariforme est plus abondante.

Par la présence de racloirs à dos aminci, cette industrie est déjà nettement engagée sur la voie qui conduit vers le Charentien de type Ferrassie oriental du Würmien II.

CHARENTIEN DE TYPE QUINA ARCHAÏQUE.

Il a été découvert en Provence dans les dépôts du Würmien I de la grotte de la Baume Bonne.

A la Baume Bonne, Quinson (Basses-Alpes), les dépôts du Würmien I, contiennent en effet une industrie de débitage levallois (IL = 12). Quelques éclats levallois, de bonne facture, témoignent cependant que le débitage levallois était occasionnellement pratiqué.

Le pourcentage de racloirs est élevé (IR = 52). Ils ont souvent été aménagés par retouches écailleuses scalariformes ou par retouches surélevées. Signalons la présence de tous les outils caractéristiques du Charentien, proto-limaces et limaces, racloirs transversaux, racloirs à retouches bifaces, tranchoirs, racloirs à dos aminci. Ces racloirs sont, généralement, nettement arqués et d'excellente facture. Les racloirs déjetés simples, doubles ou triples sont relativement abondants.

Les denticulés relativement nombreux sont caractéristiques ; leurs denticules sont le plus souvent assez bien dégagés. Les encoches clactoniennes, les denticulés et les becs par encoches clactoniennes adjacentes sont abondants.

Les outils de type paléolithique supérieur sont rares et représentés par des grattoirs et des burins qui peuvent être de bonne facture.

Une assez forte proportion d'outils archaïques : proto-limaces, pointes de Tayac, pointes surélevées, pointes de Quinson, encoches clactoniennes, becs et denticulés par encoches clactoniennes adjacentes, témoigne de l'origine tayacienne de ce Charentien de type Quina archaïque. Elle la situe typologiquement entre le Tayacien typique du Rissien et le Charentien de type Quina classique du Würmien II.

Les industries moustériennes du Würmien II.

MOUSTÉRIEN TYPIQUE, DE DÉBITAGE FAIBLEMENT LEVALLOIS, RICHE EN RACLOIRS.

L'Abri Breuil, situé près de Quinson (Basses-Alpes) dans le Bassin du Verdon, contient un remplissage homogène de 1,80 m d'épaisseur, essentiellement constitué par un cailloutis anguleux emballé dans un sable limoneux.

Il a livré, dans les couches inférieures D et C, un Moustérien typique, riche en racloirs, de débitage faiblement levallois, évoluant dans les couches supérieures (couche B), vers un Moustérien typique enrichi en denticulés (fig. 5).

Dans les couches D et C de l'Abri Breuil, le débitage levallois n'est pas dominant. Les racloirs sont relativement nombreux (IR ess. = 50 et 44) ; généralement plats, peu arqués et de mauvaise facture, ils ont été aménagés par retouches minces, épaisses ou plates. Les outils caractéristiques du Charentien sont rares ou absents et la retouche écailleuse scalariforme n'a pas été utilisée. Les racloirs transversaux sont rares et mal venus.

Les denticulés, peu nombreux, sont parfois de bonne facture. Les encoches clactoniennes sont rares.

Les outils de type paléolithique supérieur sont extrêmement rares.

MOUSTÉRIEN TYPIQUE, DE DÉBITAGE FAIBLEMENT LEVALLOIS, ENRICHI EN DENTICULÉS.

Dans la couche B de l'Abri Breuil, les racloirs, peu nombreux (9 %), sont en général plats, peu arqués et de facture médiocre. Ils ont été aménagés par retouches épaisses ou minces.

Les denticulés sont nombreux mais peu caractéristiques. Signalons quelques encoches clactoniennes.

Les trois ensembles d'industrie de l'Abri Breuil D, C et B, paraissent correspondre à trois stades de l'évolution d'un même complexe industriel. Divers arguments peuvent être avancés en faveur de cette hypothèse. Du haut en bas du remplissage, les racloirs, plus ou moins nombreux selon les niveaux, restent assez plats, peu arqués et de mauvaise facture ; les racloirs transversaux sont rares. Les retouches le plus souvent présentes, sont la retouche épaisse, la retouche mince, et dans une moindre mesure, la retouche plate et la retouche denticulée. Les retouches Quina, demi-Quina et surélevées n'ont été utilisées qu'accidentellement. Les denticulés, en pourcentage plus ou moins fort selon les niveaux, sont toujours mal caractérisés, obtenus en général par retouches minces et abruptes minces. Enfin, le mode de débitage est le même dans tous les niveaux, et les divers indices techniques sont voisins.

A l'Abri Breuil, tout se passe donc comme si le Moustérien typique, riche en racloirs des couches D et C, avait évolué sur place, vers un Moustérien typique enrichi en denticulés par une augmentation progressive du pourcentage des denticulés et des encoches et par une diminution de la proportion des racloirs, plus particulièrement simples convexes, transversaux et déjetés.

Le phénomène denticulé ne caractérise pas ici une industrie autonome, mais correspond à un simple faciès industriel du Moustérien typique, en général non denticulé.

MOUSTÉRIEN TYPIQUE, RICHE EN RACLOIRS ET EN LAMES, DE FACIÈS LEVALLOISIEN.

C'est le *complexe Moustérien de l'Aubesier,* bien représenté en Provence, dans les gorges de la Nesque et les Monts de Vaucluse, soit en grotte, soit en plein air : Bau de l'Aubesier, Coquillade, Pied de Sault, Baume Troucade, Vallescure.

Le Bau de l'Aubesier, Monieux (Vaucluse), est un vaste abri situé dans les gorges de la Nesque.

Son remplissage, très épais, est composé par un éboulis cryoclastique ordonné. Les niveaux à gros blocs alternent avec des niveaux à éléments moyens

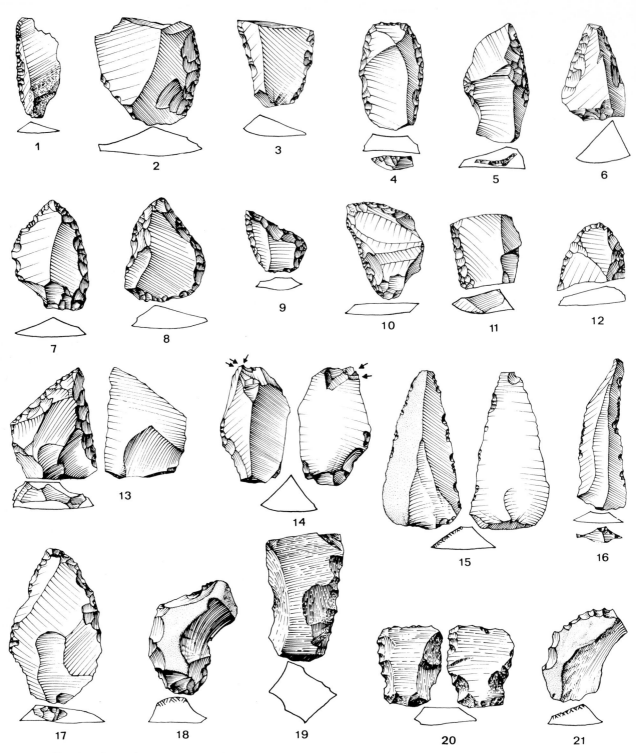

FIG. 5. — Moustérien typique, de débitage faiblement levallois, 1 à 21. Abri Breuil. (1/2 de la grandeur nature).

et avec des niveaux à petits éléments et à matrice sableuse jaune.

Ce remplissage, daté du Würmien II, correspond à un climat assez rigoureux.

L'industrie (fig. 6), très riche, est de débitage levallois (IL = 75). Le pourcentage des lames est élevé (I Lam = 29). Les éclats levallois non transformés en outils, très nombreux (61 % du total des outils) permettent de classer cette industrie parmi les faciès levalloisiens du Moustérien.

Les racloirs sont nombreux (47 %) réguliers et d'excellente facture. Les outils caractéristiques du Charentien sont rares. Signalons un pourcentage faible de racloirs transversaux, l'absence de racloirs à retouches bifaces, une seule limace.

Les outils retouchés à bords convergents sont nombreux (IRc = 26,2) ; en particulier les pointes moustériennes, courtes ou allongées sont en assez forte proportion et de bonne qualité.

Les outils à base amincie sont en proportion assez

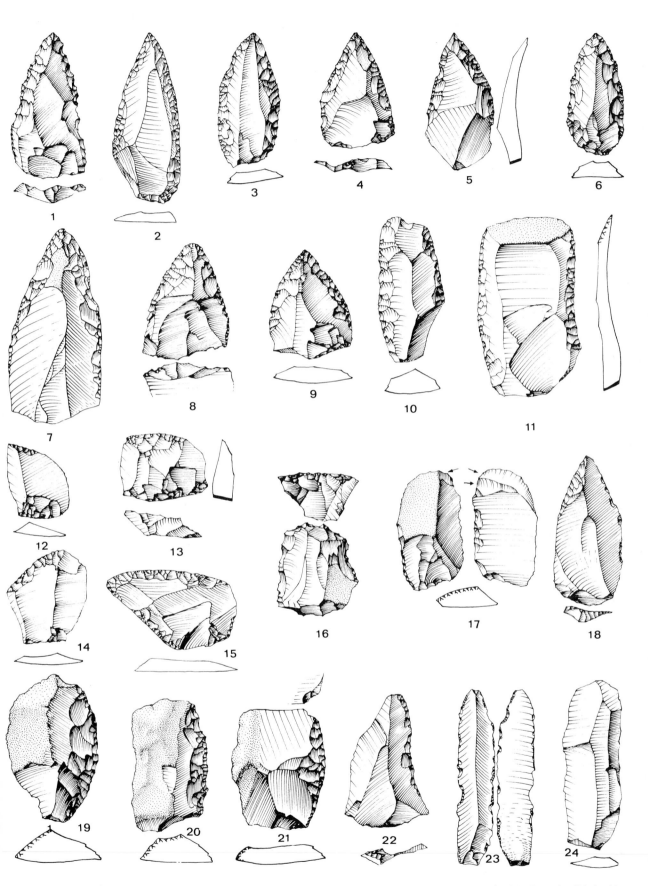

FIG. 6. — Moustérien typique, riche en racloirs et en lames du complexe de l'Aubesier. 1 à 24. Bau de l'Aubesier. (1/2 de la grandeur nature).

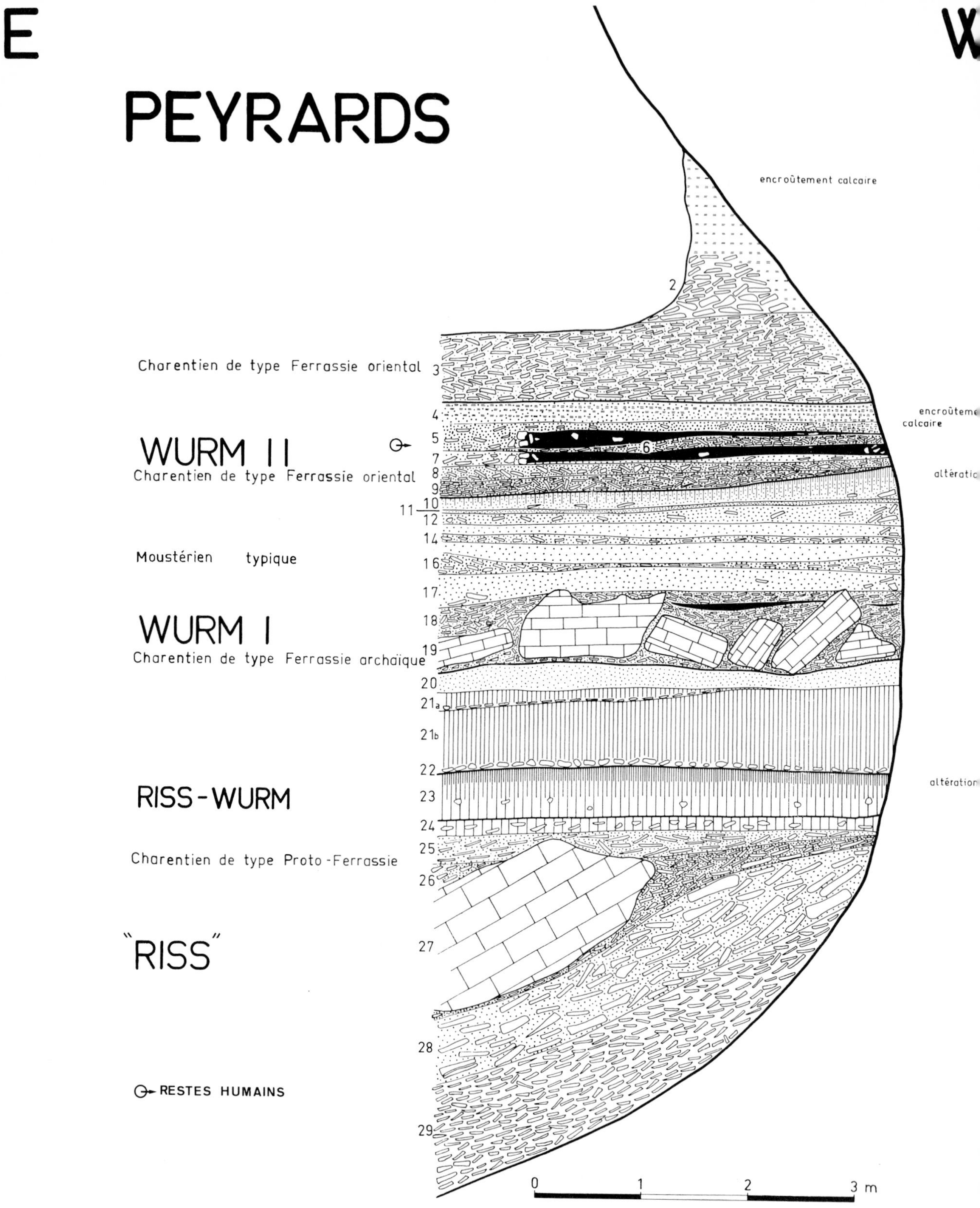

E

PEYRARDS

encroûtement calcaire

encroûteme
calcaire

Charentien de type Ferrassie oriental — 3

altératio

WURM II

Charentien de type Ferrassie oriental

Moustérien   typique

WURM I

Charentien de type Ferrassie archaïque

altération

RISS-WURM

Charentien de type Proto-Ferrassie

"RISS"

Restes humains

0   1   2   3 m

Fig. 7. — Coupe stratigraphique de la Baume des Peyrards.

forte. L'amincissement est plus souvent réalisé par retouches directes que par retouches inverses.

Les denticulés sont peu abondants (9 %). Il y a très peu d'encoches clactoniennes et de denticulés par encoches clactoniennes adjacentes.

Les outils de type paléolithique supérieur, assez nombreux, sont représentés par des grattoirs, des burins, des couteaux à dos et quelques rares perçoirs.

L'industrie du Bau de l'Aubesier peut être considérée comme un « Moustérien typique, riche en

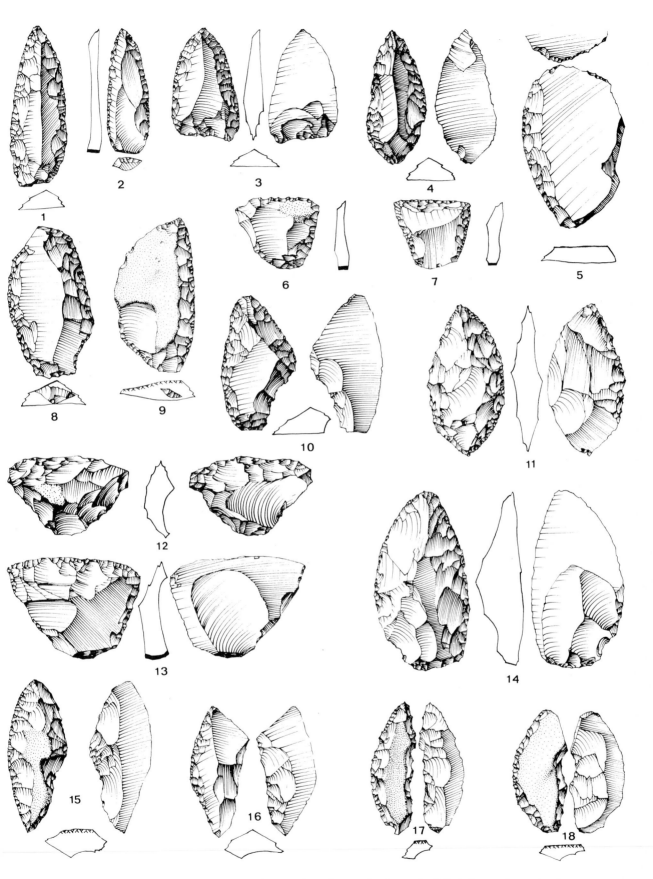

FIG. 8. — Charentien de type Ferrassie oriental. 1 à 18. Baume des Peyrards. (1/2 de la grandeur nature).

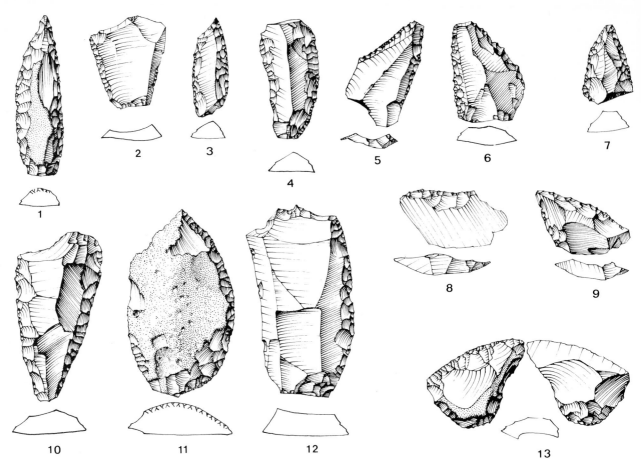

FIG. 9. — Charentien de type Ferrassie oriental. 1 à 13. Grotte du Tonneau. (1/2 de la grandeur nature).

racloirs, de faciès levalloisien », caractérisé par une forte proportion de pointes moustériennes, d'outils à base amincie par retouches envahissantes directes, une relative abondance de couteaux à dos naturel en cortex, et un indice laminaire très élevé.

CHARENTIEN DE TYPE FERRASSIE ORIENTAL.

Le Charentien de type Ferrassie oriental est principalement localisé en Provence, soit dans le Lubéron (Baume des Peyrards, abri de la Combette, Gargas, abri de la Falaise), soit dans le Bassin du Verdon (Baume Bonne, grotte du Lac, grotte Sauzade, Sainte-Maxime).

A la Baume des Peyrards, Buoux (Vaucluse), le Charentien de type Ferrassie oriental (fig. 8) a été découvert dans le remplissage du Würmien II (couches 9 à 5) (fig. 7).

Le débitage levallois est dominant (IL = 27) ; les lames sont en pourcentage moyen (I Lam = 10).

Les éclats levallois non transformés en outils sont assez nombreux et représentent 27 % de l'outillage. Le pourcentage de racloirs est élevé (57 %). Les racloirs, souvent de grande taille, sont généralement de belle venue et bien arqués. Ils ont été aménagés par retouches épaisses (29 %), minces (26 %), écailleuses scalariformes (22 %), plates (11 %) et envahissantes (8 %).

Les racloirs doubles sont beaucoup moins nombreux que les racloirs simples. Tous les outils carac-

téristiques du Charentien sont présents, limaces, racloirs à retouches bifaces dont plusieurs de type tranchoir, racloirs foliacés. Les racloirs transversaux sont en pourcentage moyen (5,5 %). Ils sont moins nombreux que dans les industries charentiennes de type Quina et surtout de moins bonne facture. Notons enfin une assez forte proportion de pointes moustériennes, de racloirs convergents et surtout de racloirs déjetés simples, doubles ou triples (triangulaires). L'indice des outils à bords retouchés convergents est moyen (IRc = 7,5).

Le trait le plus caractéristique et le plus original de cette industrie est la forte proportion de racloirs à dos aminci (13 %) et d'outils à base amincie par retouches le plus souvent envahissantes inverses.

Signalons enfin la présence d'outils pédonculés ou à cran (racloirs simples, doubles et convergents, grattoirs, etc...).

Les denticulés, en pourcentage moyen, sont parfois de bonne facture. En général aménagés par retouches minces, ils peuvent être également obtenus par retouches épaisses ou surélevées ; dans ce dernier cas, ils présentent des denticulés nettement dégagés.

Les encoches sont plus rares (4 %). Les encoches clactoniennes, les denticulés et les becs par encoches clactoniennes ont des pourcentages faibles mais non négligeables.

Les outils sur galet sont extrêmement rares et de facture médiocre. Notons la présence de quelques petits bifaces foliacés.

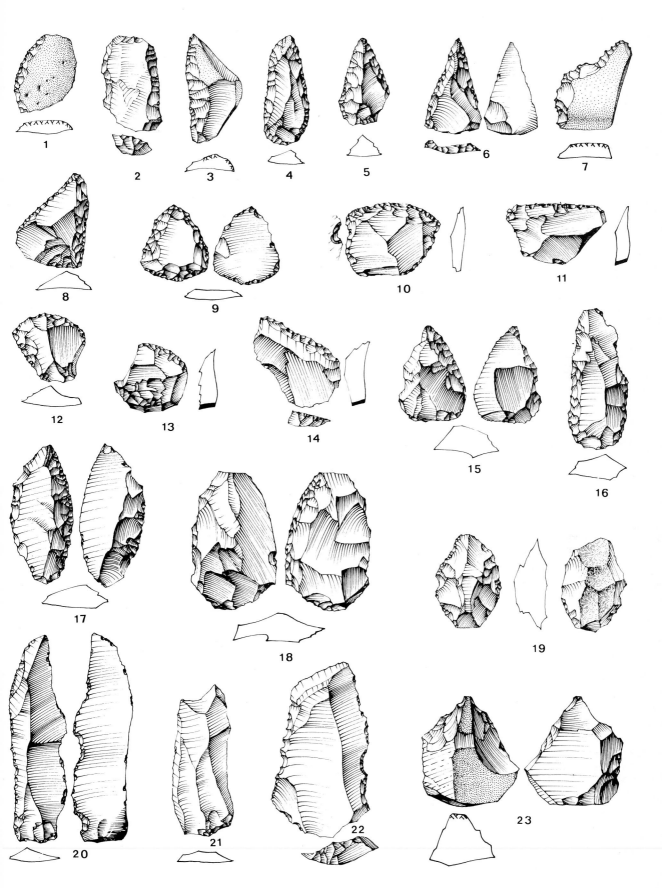

FIG. 10. — Charentien de type Ferrassie oriental, enrichi en denticulés. 1 à 23. Grotte de Sainte-Maxime.
(1/2 de la grandeur nature).

Par ses caractéristiques techniques et typologiques, l'industrie des couches 9 à 3 de la Baume des Peyrards, datée du Würmien II, peut donc être considérée comme un Charentien de type Ferrassie.

Elle se différencie du Charentien de type Quina non seulement par la présence d'un débitage levallois dominant, mais encore par une plus forte proportion de pointes et un pourcentage moins élevé de racloirs transversaux, d'encoches clactoniennes, de denticulés et de becs par encoches adjacentes. Les racloirs transversaux sont en outre de facture moins bonne que dans le Charentien de type Quina.

Ce Charentien de type Ferrassie apparaît en outre assez original en raison de ses forts pourcentages de racloirs à dos aminci et d'outils à base amincie et par la présence de pièces pédonculées ou à cran. Il mérite bien d'être individualisé sous le terme de « *Charentien de type Ferrassie oriental* ».

Le Charentien de type Ferrassie oriental a été retrouvé en Provence aux Michelles, au Tonneau (fig. 9), à la Baume Bonne, à Sainte-Maxime (fig. 10) et à la Grotte du Lac.

A la Baume Bonne, sur la rive droite du Verdon, en amont de Quinson, le Charentien de type Ferrassie oriental, daté du Würmien II, est caractérisé par un débitage levallois dominant (IL = 32), une proportion relativement élevée de lames (I Lam = 14), un pourcentage assez fort d'éclats levallois non transformés en outils. Les racloirs sont abondants (IR ess. = 55), souvent aménagés par retouches écailleuses scalariformes (23 %). Les outils caractéristiques du Charentien sont nombreux : limaces, racloirs transversaux, racloirs à retouches bifaces, tranchoirs.

Cette industrie se caractérise en outre par une proportion élevée de racloirs à dos aminci par enlèvements inverses ou directs et d'outils à retouche plate sur face plane.

Les denticulés sont assez nombreux (17 %), mais le plus souvent mal caractérisés. Signalons cependant une assez forte proportion d'encoches clactoniennes et de denticulés par encoches clactoniennes adjacentes.

Dans la grotte du Tonneau, près de la Bouilladisse (B.-du-R.), le Charentien de type Ferrassie oriental (fig. 9) se caractérise par un débitage levallois dominant (IL = 34), un fort pourcentage de racloirs (IR = 68) souvent aménagés par retouches écailleuses scalariformes (29 %).

Les racloirs à dos aminci paraissent cependant moins nombreux que dans le Charentien de type Ferrassie oriental de la Baume Bonne et de la Baume des Peyrards.

Les racloirs transversaux sont relativement rares comme dans le Charentien de type Ferrassie oriental des Michelles.

CHARENTIEN DE TYPE FERRASSIE ORIENTAL, ENRICHI EN DENTICULÉS.

Le Charentien de type Ferrassie oriental peut, dans certains sites (Sainte-Maxime, les Michelles), présenter un faciès particulier et posséder un plus grand nombre d'encoches et de denticulés.

Dans la grotte de Sainte-Maxime, située sur la rive gauche du Verdon, en aval de Sainte-Maxime, le Charentien de type Ferrassie oriental (fig. 10), présente un débitage levallois nettement dominant (IL = 44). L'indice levallois technique des éclats à retouches irrégulières, très fort (IL = 62), permet de conclure que les éclats levallois ont été choisis préférentiellement par les hommes préhistoriques pour couper et scier. Le pourcentage de lames est assez fort (I Lam = 16).

Les éclats non transformés en outils, en particulier les éclats levallois, sont nombreux.

Le pourcentage de racloirs (IR = 36) est bas pour du Charentien. Ceux-ci sont cependant d'excellente facture et bien arqués, souvent obtenus par retouches écailleuses scalariformes (24 %). Signalons un pourcentage faible de racloirs doubles par rapport aux racloirs simples et la présence d'outils caractéristiques du Charentien : racloirs transversaux, racloirs à retouches bifaces, limaces. Les pointes moustériennes sont relativement nombreuses.

Un élément caractéristique est la forte proportion de racloirs à dos aminci qui ont également été retrouvés en abondance dans les Charentiens de type Ferrassie oriental de la Baume des Peyrards et de la Baume Bonne, datés du Würmien II.

Les denticulés, relativement nombreux, sont atypiques et mal caractérisés. Obtenus le plus souvent par retouches minces ou abruptes minces. Les encoches clactoniennes sont très rares.

Aux Michelles, près de Cabasse (Var), une station de plein air a livré un Charentien de type Ferrassie oriental qui se caractérise par un débitage levallois dominant (IL = 34), un pourcentage élevé de racloirs (IR = 61), une relative abondance de racloirs déjetés (5 %) et la présence de racloirs à dos aminci (3 %). Les denticulés, assez nombreux (15 %), sont mal caractérisés et obtenus le plus souvent par retouches épaisses.

Le Charentien de type Ferrassie oriental des Michelles possède donc, comme celui de Sainte-Maxime, un pourcentage plus faible de racloirs et un plus grand nombre d'encoches et de denticulés que le Charentien de type Ferrassie oriental de la Baume des Peyrards et de la Baume Bonne.

Il ne s'agit point, en fait, d'un groupe ethnique autonome, mais d'un simple faciès industriel du Charentien de type Ferrassie oriental. L'appauvrissement en racloirs et l'enrichissement en denticulés pourraient être une conséquence directe du mode de vie : halte de chasse ou logement saisonnier.

PARA-CHARENTIEN.

Le Para-Charentien découvert en Provence sur la station de Saint-Loup et dans la grotte aux Puces est une industrie qui est restée proche typologiquement du Tayacien, souche commune du grand complexe charentien.

Il se caractérise par la survivance d'un grand nombre d'outils typiques du Tayacien : pointes de Quinson, pointes de Tayac, outils à retouches surélevées, protolimaces, racloirs adjacents à une encoche clactonienne. Il peut, cependant, être distingué typologiquement du Tayacien par une dominance des retouches Quina sur les retouches surélevées.

La station de Saint-Loup, près de Cabasse (Var), a livré, à la base d'un cailloutis anguleux emballé dans une matrice argileuse rouge (couche 3), une industrie moustérienne qui peut être attribuée à un Para-Charentien.

L'industrie n'est pas de débitage levallois (IL = 8) et une assez forte proportion d'outils (20 %) a été taillée sur des éclats naturels non obtenus par débitage. Le pourcentage de lames est très bas (I Lam = 3).

Les nuclei sont relativement nombreux et un grand nombre d'entre eux (39 %) est microlithique.

Les racloirs sont nombreux (52 %), souvent aménagés par retouches écailleuses scalariformes (18 %) ou surélevées. Les pointes de Tayac et les pointes de Quinson sont en pourcentage non négligeable.

Les encoches et les denticulés, peu abondants, sont en général bien caractérisés. Signalons quelques encoches clactoniennes et denticulés par encoches clactoniennes adjacentes.

Dans la grotte aux Puces, sur la rive gauche de l'Issole, à Cabasse (Var), les dépôts du Würmien II (couches B et D) ont livré une industrie moustérienne, de type Para-Charentien, très proche de celle découverte sur la station de Saint-Loup.

Une industrie para-charentienne proche de celle découverte à Saint-Loup et dans la grotte aux Puces a également été découverte dans les dépôts du Würmien II de la grotte de la Crouzade en Languedoc méditerranéen (cf. p. 1015).

Province archéologique et territoire de chasse en Provence pendant le Würm ancien.

Il ressort de ce bref exposé sur les industries moustériennes de Provence que plusieurs complexes industriels ont coexisté pendant tout le Würm ancien.

Ces différentes cultures moustériennes ont pu se côtoyer pendant des millénaires, sans perdre leur individualité, car chacune d'elles devait être liée à des zones géographiques bien déterminées et relativement restreintes, qui devaient correspondre à de véritables territoires de chasse, avec un habitat principal et, tout autour, des haltes de chasse ou des habitats secondaires.

Pendant le Würmien I, les habitats préhistoriques étaient généralement installés en plein air, plus rarement en grotte.

– Le Moustérien post-acheuléen est localisé au Nord du Lubéron, dans la Vallée du Calavon (Trécassats, série II).

– Le Moustérien typique de Bas Guillotte, dans la vallée de l'Ouvèze au Nord du Mont Ventoux (Bas Guillotte).

– Le Moustérien typique, riche en racloirs, de Rigabe, en Basse Provence (Rigabe G, Pié Lombard).

– Le Charentien de type Ferrassie archaïque dans le Lubéron (Baume des Peyrards 8 à 13).

– Le Charentien de type Quina archaïque dans les gorges du Verdon à la Baume Bonne, où il paraît dériver, en partie, sur place, des industries tayaciennes du « Riss ».

Pendant le Würmien II, les Néandertaliens abandonnent peu à peu les campements de plein air et se réfugient généralement dans les grottes où ils vont s'installer assez confortablement.

– Le Moustérien typique, de débitage faiblement levallois, riche en racloirs, a été découvert dans le Bassin du Verdon (Abri Breuil).

– Le Moustérien typique, riche en racloirs et en lames, de faciès levalloisien, du complexe de l'Aubesier, a occupé, vers la fin du Würmien II, les gorges de la Nesque et les Monts de Vaucluse (habitat principal : Bau de l'Aubesier ; stations secondaires : Coquillade, Pied de Sault, Baume Troucade, Vallescure).

– Le Charentien de type Ferrassie oriental était principalement localisé dans le Lubéron (habitat principal : Baume des Peyrards ; stations secondaires : abri de la Combette, Gargas, abri de la Falaise), dans le Bassin du Verdon (habitat principal : Baume Bonne ; stations secondaires : Sainte-Maxime, grotte du Lac, grotte Sauzade) et en Basse Provence (le Tonneau, les Michelles).

– Le Para-Charentien a été découvert en Basse Provence (Saint-Loup, Grotte aux Puces).

Grâce à ces territoires de chasse, les diverses ethnies moustériennes ont pu évoluer indépendamment pendant la plus grande partie du Würm ancien et conserver ainsi leur originalité. Les échanges entre ces groupes ont certainement été nombreux, mais insuffisants pour noyer dans un même complexe l'ensemble des civilisations moustériennes.

Bibliographie

[1] ESCALON DE FONTON M. et LUMLEY H. de (1960). — Le Paléolithique moyen de la grotte de Rigabe (Artigues, Var), suivi d'un aperçu sur la faune par M.F. Bonifay. *Gallia Préhistoire, Fouilles et Monuments archéologiques en France métropolitaine,* t. III, 1960 (1961), pp. 1-46, 27 fig., 42 réf. bibl., 5 tabl., (la fig. p. 29 correspond à la légende 21 et la fig. 31 correspond à la légende 19).

[2] ISETTI G., LUMLEY H. de et MISKOVSKY J.C. (1962). — Il giacimento musteriano della grotta dell'Arma presso Bussana (San Remo). *Rivista di Studi Ligure,* t. XXVIII, Gennaio-Dicembre 1962, n° 1-4, p. 5-116, 93 fig., suivi d'un appendice sur les foraminifères par Madame Laure Blanc-Vernet et d'un appendice sur l'étude palynologique par Madame Josette Renault-Miskovsky.

[3] LUMLEY H. de (1956). — Le Moustérien de la Baume des Peyrards (Vaucluse). Note préliminaire. *Bulletin de la Société d'Etude des Sciences Naturelles du Vaucluse* (1952-1956), 23-27e année, p. 19-39, 5 fig., 1 pl. h.t., 35 réf. bibl. (suivi d'une note paléontologique par S. Gagnière).

[4] LUMLEY H. de (1959). — La station moustérienne de Bas Guillotte à Buis-les-Baronnies (Drôme). *Bulletin du Musée d'Anthropologie Préhistorique de Monaco,* n° 6, 1959, pp. 151-183, 12 fig., 1 pl., 4 tabl., 32 réf. bibl.

[5] Lumley H. de (1965). — L'Abri Breuil, Vallée du Verdon (Montmeyan, Var) Miscelanea en homenaje al abate Henri Breuil, t. II Diputacion provincial de Barcelona, Instituto de Prehistoria y Arqueologia, p. 119-134, 10 fig.

[6] Lumley H. de (1969). — Les civilisations préhistoriques en France. Corrélations avec la chronologie quaternaire. *in* Etudes Françaises sur le Quaternaire, présentées à l'occasion du VIIIᵉ Congrès International de l'Inqua. Paris 1969. *Supplément au Bulletin de l'Association Française pour l'étude du Quaternaire,* p. 151-169, 2 fig., 10 tabl. chron.

[7] Lumley-Woodyear H. de (1969). — Le Paléolithique inférieur et moyen du Midi méditerranéen dans son cadre géologique, t. I, Ligurie-Provence, Vᵒ Supplément à *Gallia-Préhistoire,* 463 pages, 353 fig., 24 tabl.

[8] Lumley-Woodyear H. de (1971). — Le Paléolithique inférieur et moyen du Midi méditerra-néen dans son cadre géologique, t. II, Bas-Languedoc-Roussillon, Vᵒ Supplément à *Gallia-Préhistoire.* 445 pages, 300 fig., 901 réf. bibl., index.

[9] Lumley H. de et Berard G. (1964). — Les industries moustériennes du Bassin de Cabasse (Vallée de l'Issole, Var). *Bulletin du Musée d'Anthropologie Préhistorique de Monaco,* nᵒ 11, 1964, p. 81-119, 20 fig., dont 1 carte, 11 réf. bibl.

[10] Lumley H. de et Licht M.H. (1972). — Les industries moustériennes de la grotte de l'Hortus (Valflaunès, Hérault). *Etudes Quaternaires, Géologie, Paléontologie, Préhistoire,* Mémoire nᵒ 1, p. 387-487, 72 fig., 64 tabl. de décomptes, 48 réf. bibl.

[11] Texier P.J. (1974). — L'industrie moustérienne de l'Abri Pié-Lombard (Tourettes-sur-Loup, Alpes-Maritimes). *Bulletin de la Société Préhistorique Française,* t. 71, Etudes et travaux, fasc. 2, p. 429-448, 6 fig., 4 diagrammes, 13 tabl., 8 réf. bibl.

Les civilisations du Paléolithique moyen en Languedoc méditerranéen et en Roussillon

par

Henry de LUMLEY *

Résumé. Comme celles de la Provence, les civilisations moustériennes qui occupèrent le Languedoc méditerranéen et le Roussillon pendant tout le Würmien ancien sont assez bien connues. Plusieurs groupes peuvent également être individualisés. *Au Würmien I :* le Moustérien typique du type de Fontarèche, le Moustérien typique du type de Bourgade, le Moustérien typique du type de la Calmette, le Moustérien typique du type du Bézal-de-Souvignargues, le Moustérien typique de Macassargues et *au Würmien II :* le Moustérien typique du complexe de l'Hortus, le Paracharentien, le Charentien de type Quina, le Charentien atypique et le Moustérien à denticulés riche en couteaux à dos naturel de la grotte Tournal.

Abstract. Like those of Provence, our knowledge of the Mousterian cultures occupying the Mediterranean Languedoc and Roussillon regions during the entire Early Würm is quite good. Several groups can equally be individualized. In the Würm I : the Typical Mousterian; the Fontarèche variety, the Typical Mousterian; the Bourgade variety, the Typical Mousterian; the Calmette variety, the Typical Mousterian of the Bézal-de-Souvignargues variety, the Typical Mousterian of Macassargues; in the Würm II : the Typical Mousterian of the Hortus Complex, the Paracharentian, the Charentian of the Quina variety, the atypical Charentian and the Mousterian richly denticulated in naturally backed knives from the Grotte Tournal.

En Languedoc méditerranéen et en Roussillon, comme en Provence, l'évolution buissonnante des industries moustériennes pendant toute la durée du Würmien ancien, rend très difficile une classification logique et rigoureuse. Cette constatation est valable pour tous les groupes culturels moustériens dont chaque site présente des caractéristiques typologiques propres. Leurs outillages, particulièrement instables, paraissent avoir évolué selon deux tendances principales : enrichissement en racloirs ou enrichissement en denticulés (fig. 15 et 16).

Nous étudierons successivement les principales cultures moustériennes qui ont pu être individualisées dans le Riss-Würm, dans le Würmien I, puis dans le Würmien II.

Les industries moustériennes du Riss-Würm.

La station de Jean Thomas, Vauvert (Gard) située dans le Vallat des Marchands, en costière du Gard, a livré dans une formation colluviale caillouteuse, affectée par un sol fersiallitique attribué à un Pré-Würm, des outils moustériens.

L'industrie correspond à un Moustérien typique, de débitage faiblement levallois, riche en denticulés. Les racloirs, peu nombreux (26 %), ont souvent été aménagés par retouches envahissantes. Les outils caractéristiques du Charentien sont absents.

La station du Cros de Peyrolles, a livré des industries paléolithiques attribuables à plusieurs époques. *La série « blanc mat »,* pourrait être datée de l'interglaciaire Riss-Würm. Elle correspond à un Moustérien post-acheuléen, proche de celui de la série II des Trécassats, et qui n'est pas sans analogie avec l'Acheuléen supérieur de type micoquien de la Vallée du Largue.

Débitage levallois (IL = 37), forte proportion d'éclats levallois non transformés en outils, pourcentage élevé de racloirs (IR = 50) aménagés par retouches minces, épaisses ou plates, rarement écailleuses scalariformes. Les outils à bords retouchés convergents (pointes, racloirs déjetés) sont relativement nombreux (IRc = 8). Les outils caractéristiques du Charentien sont extrêmement rares.

Aucun biface n'a été découvert dans cette série.

Les industries moustériennes du Würmien I.

MOUSTÉRIEN TYPIQUE DU TYPE DE FONTARÈCHE.

Le Moustérien typique du type de Fontarèche est largement répandu dans le Gard : Fontarèche, Cros de Peyrolles, Foissaguet, Mas d'Espanet. Ces stations sont généralement installées sur les terrains sablonneux ocreux du Crétacé.

Le Moustérien typique du type de Fontarèche se caractérise par un débitage levallois dominant, un fort débitage laminaire, une proportion élevée d'éclats levallois non transformés en outils, un pourcentage de racloirs légèrement supérieur à celui du Moustérien typique classique, quelques outils à retouches écailleuses scalariformes, une proportion non négligeable d'outils de type paléolithique supérieur (grattoirs et perçoirs) et un assez fort pourcentage de troncatures souvent concaves et d'encoches en bout.

Sur la station de Fontarèche (Gard), *série vieille cire lustrée* (fig. 13, n°s 1 à 23), le débitage levallois est nettement dominant (IL = 41) ; l'indice laminaire faible (I Lam = 6).

Les racloirs en pourcentage moyen (IR ess = 37) sont mal venus et de mauvaise facture généralement aménagés par retouches épaisses, plus rarement par retouches écailleuses scalariformes.

* Maître de Recherche au C.N.R.S., Laboratoire de Paléontologie Humaine et de Préhistoire, URA n° 13 du CRA, Université de Provence, Centre Saint-Charles, place Victor-Hugo, 13331 Marseille Cedex 03 (France).

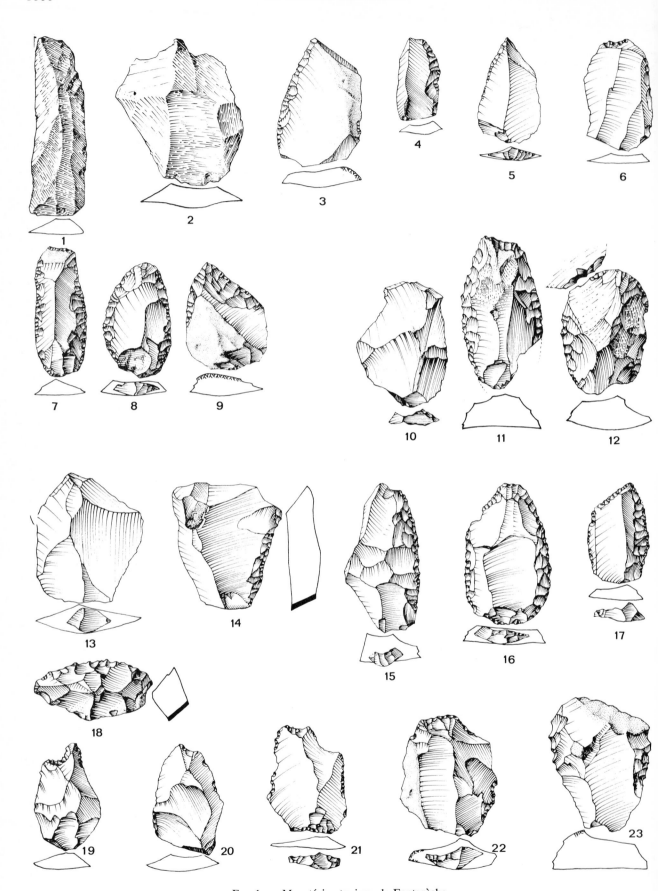

FIG. 1. — Moustérien typique de Fontarèche.
1 à 9. Station du Cros de Peyrolles, série non patinée; 10 à 12. Station du Mas d'Espanet; 13 à 23. Station de Fontarèche, série vieille cire lustrée. (1/2 de la grandeur nature).

Les denticulés sont peu nombreux (12 %) et de facture médiocre, obtenus généralement par retouches épaisses. Quelques encoches clactoniennes.

Les outils de type paléolithique supérieur en pourcentage moyen (10 %) sont représentés par des grattoirs carénés ou à museaux et par des perçoirs. Les éclats tronqués sont assez nombreux (7 %). Signalons parmi eux une forte proportion d'éclats à troncature concave.

Sur la station du Cros de Peyrolles (Allègre et Rivière, Gard), *série non patinée* (fig. 1, nᵒˢ 1 à 9) le débitage levallois est également dominant (IL = 43) ; la proportion de lames, moyenne (10,2), est plus élevée qu'à Fontarèche. Le pourcentage des éclats levallois non transformés en outils est très fort.

Les racloirs en pourcentage moyen (39 %) ont été obtenus par retouches minces, épaisses et plates. Les racloirs transversaux sont rares et de mauvaise facture, les racloirs déjetés relativement nombreux. Les outils caractéristiques du Charentien, par contre, sont absents.

Les outils denticulés en pourcentage faible (11 %) sont mal caractérisés.

Les outils de type paléolithique supérieur sont très peu nombreux et représentés par des grattoirs ou des couteaux à dos.

Sur la station de Foissaguet (Collorgues et Aubussargues, Gard) (fig. 2, nᵒˢ 1 à 13), le débitage levallois est nettement dominant (IL = 50) et l'indice laminaire fort (I Lam = 18). Le pourcentage d'éclats levallois non transformés en outils est très élevé.

Les racloirs en pourcentage moyen (42 %) ont généralement été aménagés par retouches épaisses, plus rarement minces, plates, envahissantes ou scalariformes et sont de très bonne facture. Présence d'un faible pourcentage d'outils de type charentien : limace atypique, plate et irrégulière, racloirs à retouches bifaces, tranchoir.

Les denticulés sont assez nombreux (20 %), mais peu caractéristiques. Quelques rares encoches clactoniennes.

Les outils de type paléolithique supérieur (11 %) sont représentés par des grattoirs et des burins, le plus souvent de bonne facture et quelques couteaux à dos atypiques. Notons la relative abondance de troncatures, le plus souvent concaves et d'encoches en bout.

Sur la station du Mas d'Espanet (Saint-Mamert, Gard) (fig. 1, nᵒˢ 10 à 12), l'industrie est également de débitage levallois dominant (IL = 44) et la proportion de lames est élevée (I Lam = 18). Le pourcentage d'éclats levallois non transformés en outils est fort.

Les racloirs (34 %), généralement peu arqués et de mauvaise facture, ont été aménagés par retouches minces ou épaisses, rarement par retouches plates ou envahissantes.

Les denticulés, en pourcentage moyen (25 %), sont de qualité médiocre. Les outils à encoche clactonienne sont très rares.

Les outils de type paléolithique supérieur en pourcentage faible (9 %) sont représentés par des grattoirs et des perçoirs. Présence de troncatures concaves en bout d'éclat.

MOUSTÉRIEN TYPIQUE DU TYPE DE BOURGADE.

La station de Bourgade est située dans la ville même de Montpellier. Elle se présente comme un site de plein air ou de pied de roche. Le remplissage, essentiellement constitué par des cailloutis anguleux, emballés dans une argile rouge, extrêmement concrétionné, est daté du premier stade würmien.

L'industrie (fig. 2, nᵒˢ 14 à 23) découverte dans ces dépôts correspond à un Moustérien typique. Le débitage levallois est dominant (IL = 49) ; le pourcentage de lames est médiocre (I Lam = 4).

Les racloirs en pourcentage moyen (IR = 40) ont généralement été aménagés par retouches épaisses ou minces, plus rarement par retouches plates ou envahissantes. Les outils caractéristiques du Charentien sont absents et les racloirs transversaux sont rares.

Les denticulés sont en pourcentage moyen (18 %) et d'assez bonne facture. Présence de quelques encoches clactoniennes.

Les outils de type paléolithique supérieur sont très rares (2 %).

Le Moustérien de Bourgade, qui rappelle celui de la station de Bas Guillotte en Provence, se différencie du Moustérien typique du type de Fontarèche par l'extrême rareté des outils de type paléolithique supérieur, l'absence de troncatures concaves et d'encoches en bout, et l'absence totale d'outils à retouches écailleuses scalariformes.

MOUSTÉRIEN TYPIQUE DE LA CALMETTE.

La grotte de la Calmette (Dions, Gard) contient un remplissage, essentiellement constitué d'argiles et de limons sableux, daté du Würmien I (fig. 3).

Une industrie moustérienne typique (fig. 4, nᵒˢ 1 à 13) a été découverte dans ce remplissage. Le débitage levallois est dominant (IL = 60) et le pourcentage de lames est élevé (I Lam = 16).

Des racloirs, en pourcentage assez faible (IR = 30), sont en général de mauvaise facture. Ils ont été aménagés par retouches minces, épaisses, plates ou envahissantes. Les racloirs transversaux sont rares et les outils caractéristiques du Charentien absents.

Bien que d'assez mauvaise facture, les encoches et les outils denticulés sont en pourcentage moyen (16 %). Les outils de type paléolithique supérieur sont extrêmement rares.

MOUSTÉRIEN TYPIQUE DU BÉZAL-DE-SOUVIGNARGUES.

La grotte du Bézal-de-Souvignargues (Gard), contient un remplissage essentiellement constitué d'argile plastique rouge datée du Würmien I, qui a livré une riche faune quaternaire et une industrie moustérienne typique, de débitage levallois, riche en racloirs (fig. 4, nᵒˢ 14 à 30).

Le débitage levallois est nettement dominant (IL = 51) ; le pourcentage de lames moyen (I Lam = 12). Les racloirs sont très nombreux (IR = 82) généralement aménagés par retouches épaisses, plates ou écailleuses. Les outils caractéristiques du Charentien sont absents et les racloirs transversaux relativement rares.

Il y a lieu de noter la présence de pointes

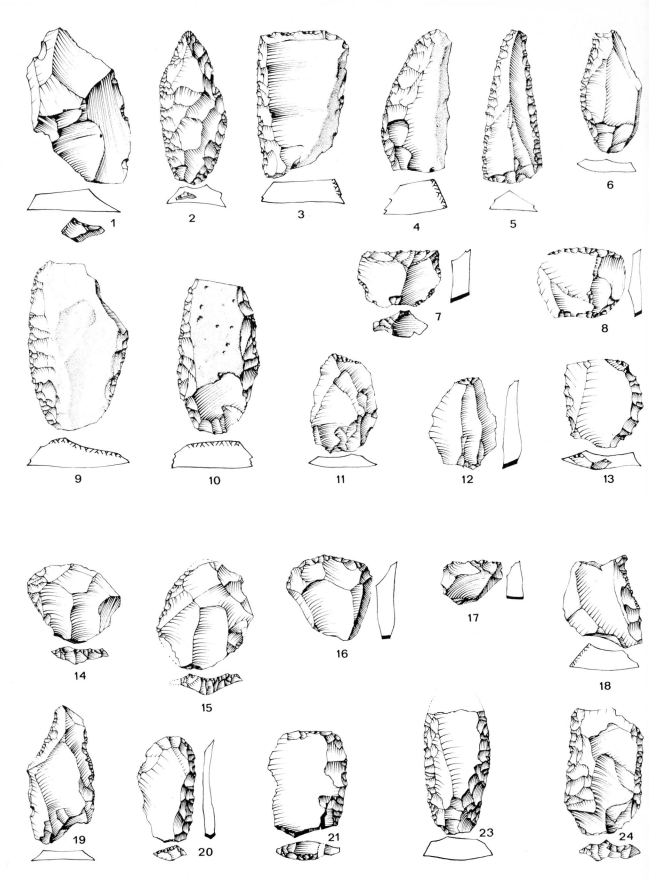

FIG. 2. — Moustérien typique du type de Fontarèche. 1 à 13. Station du Foissaguet.
Moustérien typique du type de Bourgade. 14 à 23. Station de Bourgade. (1/2 de la grandeur nature).

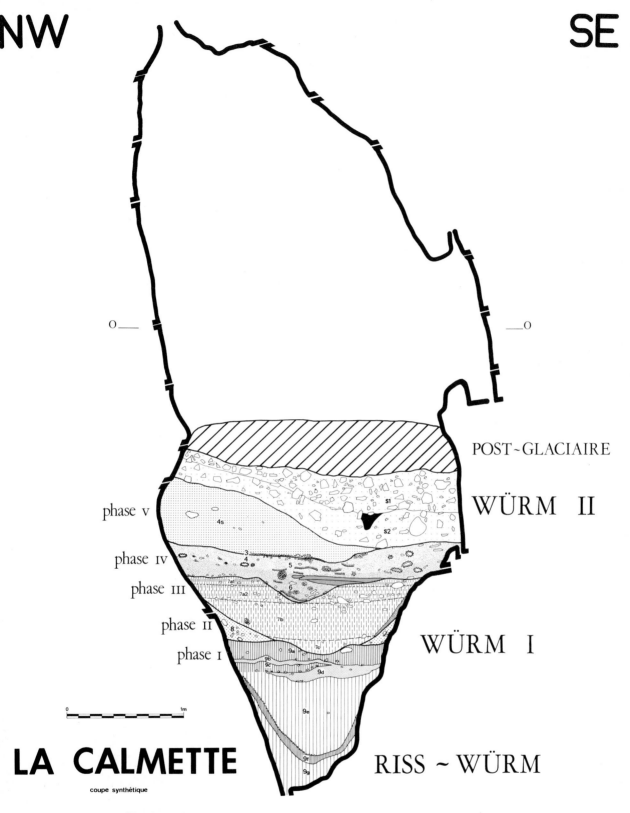

NW

SE

O—

—O

POST-GLACIAIRE

WÜRM II

phase v

phase iv

phase iii

phase ii

phase i

WÜRM I

LA CALMETTE

RISS ~ WÜRM

coupe synthétique

FIG. 3. — Coupe stratigraphique de la grotte de la Calmette (Dions, Gard).

moustériennes, étroites et allongées, très caractéristiques, qui rappellent celles des industries moustériennes de la caverne delle Fate et de la grotte du Prince, en Ligurie italienne.

Les outils denticulés et les outils de type paléolithique supérieur sont très rares.

MOUSTÉRIEN TYPIQUE DE MACASSARGUES.

La grotte de la Verrerie de Macassargues (Montmirat, Gard), contient un remplissage constitué par des argiles brun rouge à cailloux, daté du Würmien I.

L'outillage moustérien (fig. 5) découvert dans ces

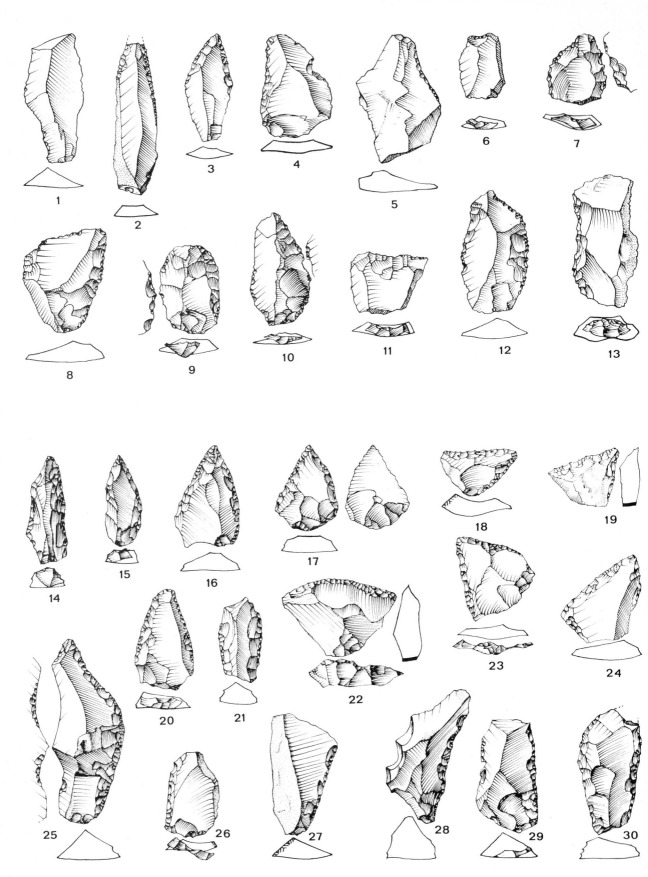

FIG. 4.— Moustérien typique du type de la Calmette. 1 à 13. Grotte de la Calmette.
Moustérien typique du type du Bézal-de-Souvignargues. 14 à 30. Grotte du Bézal-de-Souvignargues. (1/2 de la grandeur nature).

dépôts est extrêmement riche. Le débitage levallois est dominant (IL = 54). Les éclats levallois sont généralement très minces et de grande taille. Les lames sont en pourcentage faible (I Lam = 6). Le pourcentage des éclats levallois non transformés en outils est extrêmement élevé.

Les racloirs sont peu nombreux (IR = 28) mais de bonne facture, aménagés par retouches minces, épaisses ou plates. Les racloirs transversaux sont très rares et les racloirs à retouches bifaces absents.

Les denticulés sont en fort pourcentage (30 %), d'excellente facture, généralement obtenus par retouches abruptes minces directes ou inverses, avec denticules bien dégagés. Les denticulés par encoches clactoniennes adjacentes sont assez nombreux.

Les outils de type paléolithique supérieur sont extrêmement rares.

Les industries moustériennes du Würmien II.

Pendant le Würmien II, les chasseurs néandertaliens ont progressivement abandonné, comme en Provence, les habitats de plein air pour s'installer en grotte. Plusieurs cultures moustériennes ont alors poursuivi une évolution indépendante conservant leur originalité et leurs traditions techniques.

MOUSTÉRIEN TYPIQUE DU COMPLEXE DE L'HORTUS.

Plusieurs sites découverts en Languedoc méditerranéen (Hortus, Salpêtre de Pompignan, Baumasse d'Antonègue, les Ramandils) ont livré des industries moustériennes qui paraissent appartenir à un même complexe industriel que nous avons appelé *le complexe de l'Hortus.*

Toutes ces industries peuvent être réunies grâce à quelques critères communs : indice laminaire faible ou moyen, assez faible pourcentage de racloirs généralement peu arqués, dominance nette des racloirs simples sur les racloirs doubles, extrême rareté des outils à bords retouchés convergents et des racloirs transversaux, absence ou extrême rareté des racloirs à retouches bifaces et des outils à retouches écailleuses scalariformes, proportion moyenne ou forte d'outils de type paléolithique supérieur, pourcentage faible, moyen, fort et même très fort de denticulés, proportion non négligeable d'outils à encoches clactoniennes.

Les denticulés sont parfois plus nombreux que les racloirs et l'on peut alors parler de « Moustérien typique enrichi en denticulés ».

La grotte de l'Hortus est située à 21 km au Nord de Montpellier, sur le territoire de la commune de Valflaunès. Le remplissage quaternaire de cette grotte est essentiellement constitué par des dépôts du Würmien II qui atteignent près de 7 m d'épaisseur. Cinq ensembles de couches contenant des cailloux abondants et relativement gros, séparés par des niveaux à cailloux plus rares et plus petits, correspondent à cinq phases majeures plus froides du Würmien II (fig. 6).

Les dépôts du Würmien II ont livré une industrie moustérienne, relativement homogène dans tous les niveaux (fig. 7).

Le débitage levallois est dominant (IL = 24 à 42 ; en moyenne 33). Les éclats levallois ne sont jamais de grande taille et restent de qualité médiocre. Le pourcentage de lames est faible (I Lam = 6).

Les éclats levallois non transformés en outils sont nombreux. Les racloirs, en pourcentage assez faible (IR ess = 22 à 37 ; en moyenne 27), sont en général de facture médiocre, peu arqués, et aménagés par retouches épaisses, minces, plates ou envahissantes. La retouche écailleuse scalariforme a été très peu utilisée. Les outils caractéristiques du Charentien (limaces, racloirs transversaux, racloirs à retouches bifaces) sont très rares et de facture médiocre. Le pourcentage d'outils à bords retouchés convergents est très bas (IRc = 0,7).

Les outils denticulés, de facture généralement médiocre, sont, selon les niveaux, en pourcentage faible, moyen, fort et même très fort (12 à 36 ; en moyenne 26). Les outils à encoches clactoniennes, assez nombreux, ont des pourcentages qui varient fortement selon les niveaux.

Les outils de type paléolithique supérieur, principalement les grattoirs et les burins, sont assez abondants (12 %) et de facture moyenne.

Par ses caractéristiques techniques et typologiques, l'industrie moustérienne découverte dans les dépôts du Würmien II de la grotte de l'Hortus est relativement homogène de la base au sommet du remplissage. C'est un Moustérien typique de faciès levalloisien, pauvre en lames, à pourcentage faible de racloirs, extrêmement pauvre en outils à bords retouchés convergents, mais qui peut, selon les niveaux, posséder un pourcentage faible, moyen, fort et même très fort de denticulés.

La grotte du Salpêtre de Pompignan, située à 10 km au Nord de l'Hortus, contient un remplissage daté du Würmien II, essentiellement constitué par des cailloutis anguleux, qui a livré une industrie moustérienne proche de celle de l'Hortus.

Le débitage levallois est dominant (IL = 40). Les lames sont en fort pourcentage (I Lam = 40). Les racloirs sont relativement peu abondants (31 %) et faiblement arqués. Les racloirs doubles sont rares.

La Baumasse d'Antonègue (Montbazin, Hérault) est située à 32 km au Sud-Ouest de l'Hortus. Un cailloutis anguleux, à gros éléments, daté du Würmien II, a livré une industrie moustérienne appartenant au complexe de l'Hortus : débitage levallois dominant (IL = 33), pourcentage moyen de lames (I Lam = 12), pourcentage assez fort de racloirs (53 %), rares outils à bords retouchés convergents. Les outils de type paléolithique supérieur sont, comme à l'Hortus, en pourcentage moyen.

Les denticulés et les outils à encoches clactoniennes sont, par contre, contrairement à l'Hortus, en pourcentage très faible.

La station des Ramandils, située à 3 km au Sud de la Nouvelle, à mi-chemin entre l'étang de Sigean et celui de Lapalme, est établie dans un ravin creusé dans les calcaires de l'Urgonien en bordure de l'étang.

Les dépôts du Würmien II sont en partie représentés par une dune jaune, qui recouvre une plage

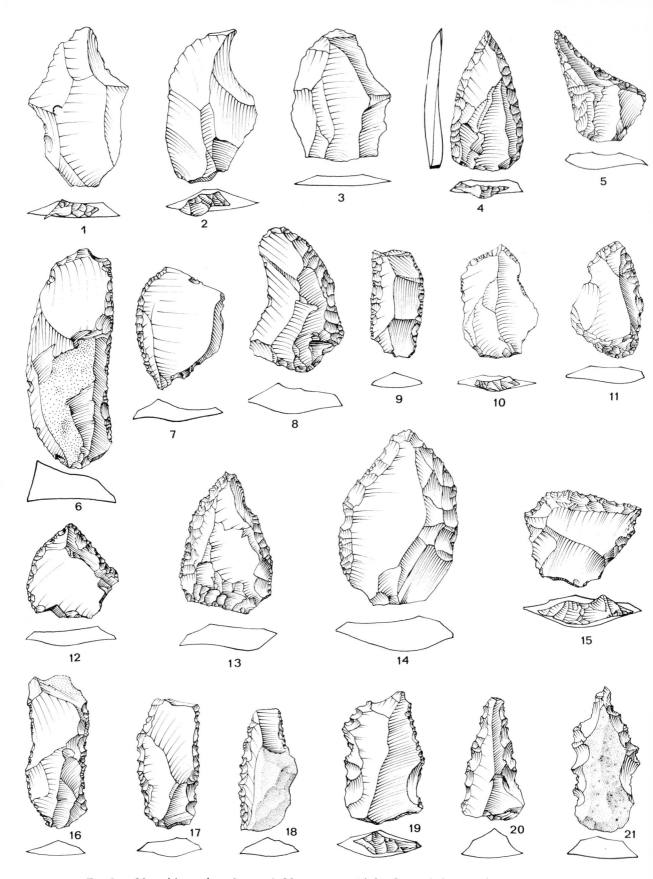

FIG. 5. — Moustérien typique du type de Macassargues. 1 à 21. Grotte de la Verrerie de Macassargues.
(1/2 de la grandeur nature).

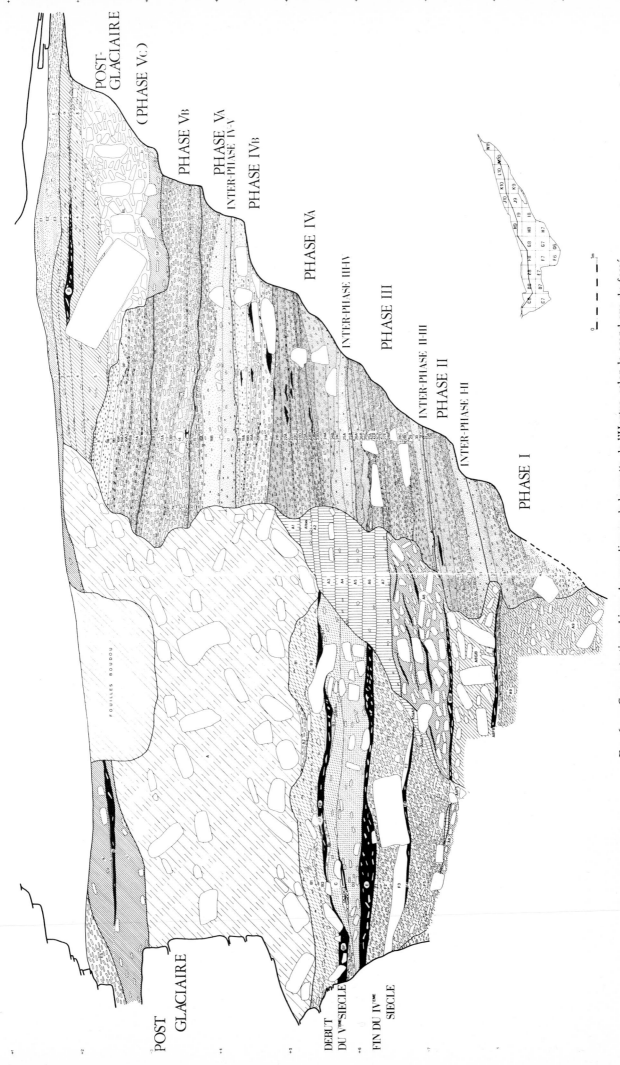

POST-
GLACIAIRE
(PHASE VC)

PHASE VB

PHASE V

INTER-PHASE IV-V

PHASE IVB

PHASE IVA

INTER-PHASE III-IV

PHASE III

INTER-PHASE II-III

PHASE II

INTER-PHASE I-II

PHASE I

FOUILLES BOUDOU

POST
GLACIAIRE

DÉBUT
DU Vᵉᵐᵉ SIÈCLE

FIN DU IVᵉᵐᵉ
SIÈCLE

Fig. 6. — Coupe stratigraphique du remplissage de la grotte de l'Hortus, selon le grand axe du fossé.

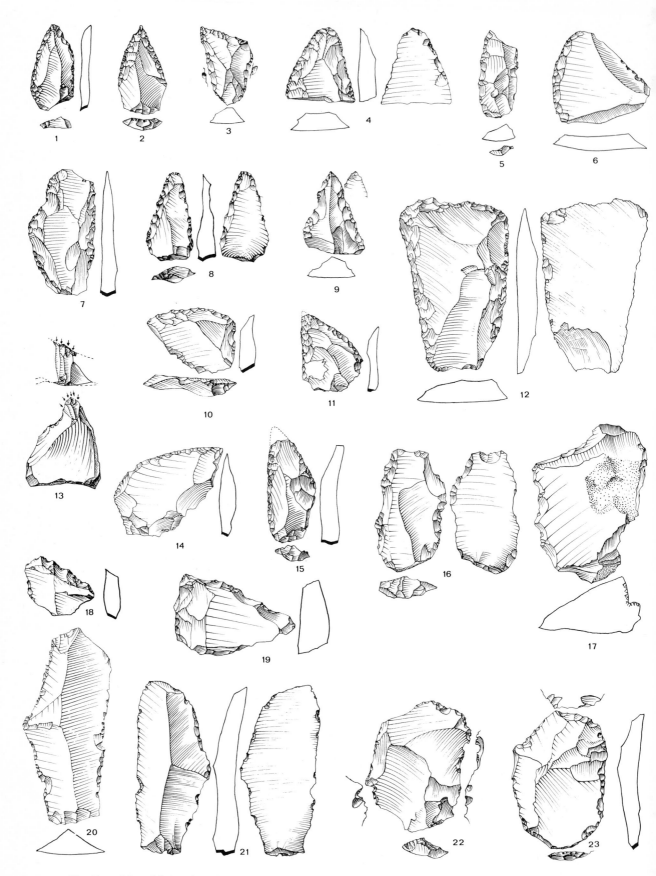

FIG. 7. — Moustérien typique du complexe de l'Hortus. 1 à 23. Grotte de l'Hortus (1/2 de la grandeur nature).

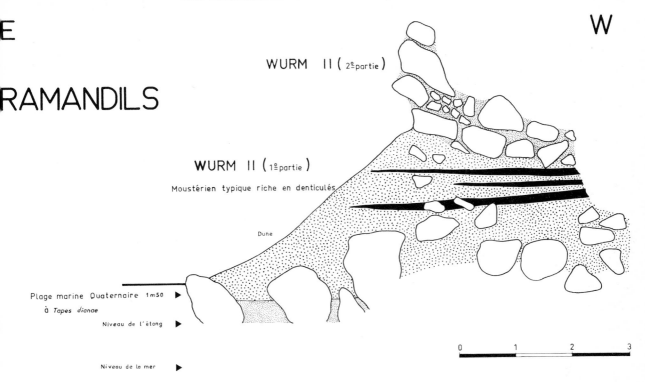

FIG. 8. — Coupe stratigraphique de la station moustérienne des Ramandils.

marine du dernier interglaciaire à *Tapes dianae* (fig. 8).

Dans la dune, a été découverte, associée à des foyers et à une faune très riche, une industrie moustérienne (fig. 9) qui peut être également rattachée au complexe de l'Hortus.

Le débitage levallois n'est pas dominant (IL = 11). Le pourcentage de lames est faible (I Lam = 7). Les racloirs, en pourcentage assez faible (27 %), sont le plus souvent petits, peu arqués et de mauvaise facture, généralement aménagés par retouches épaisses ou minces. Les racloirs doubles et les racloirs transversaux sont rares.

Les denticulés en fort pourcentage (29 %) sont de très bonne facture et leurs denticules sont bien dégagés. Signalons quelques becs par encoches clactoniennes adjacentes.

Les outils de type paléolithique supérieur, en pourcentage moyen (10 %) sont représentés par quelques grattoirs mal venus et une série relativement élevée de burins.

PARA-CHARENTIEN.

Cette industrie découverte dans la grotte de la Crouzade, se caractérise, comme celles de la station de Saint-Loup et de la grotte aux Puces en Provence, par un outillage proche typologiquement du Tayacien.

La grotte de la Crouzade (Gruissan, Aude), qui s'ouvre dans la Montagne de la Clape à 12 km au Sud-Est de Narbonne, a livré, dans des limons sableux jaunes datés du Würmien II, une industrie moustérienne qui peut être considérée comme un Para-Charentien.

L'industrie (fig. 10) est de débitage faiblement

levallois (IL = 19), le pourcentage de lames, faible, varie selon les niveaux de 4 à 8. Les racloirs, en fort pourcentage (IR = 54 à 62), sont le plus souvent épais, bien arqués et de bonne facture, aménagés par retouches minces, épaisses, plates mais aussi par retouches écailleuses scalariformes et même surélevées (7 %). Il y a lieu de noter le fort pourcentage de racloirs simples et la relative abondance de racloirs transversaux. Les racloirs doubles, convergents et déjetés sont peu nombreux. Les racloirs à retouches bifaces ne sont pas très nombreux. Un seul est du type tranchoir. Les racloirs à dos aminci sont très rares. Présence de quelques limaces ou protolimaces.

Les denticulés sont en pourcentage faible ou très faible (8 à 17 %), mais de facture médiocre. Leurs denticules ne sont pas toujours très bien dégagés. Signalons quelques denticulés et becs par encoches clactoniennes adjacentes. Présence de quelques pointes de Tayac et pourcentage relativement élevé de pointes de Quinson.

Les outils de type paléolithique supérieur sont très rares (1 à 4 %).

Quelques petits bifaces plats ou sub-discoïdes sont à signaler.

Par divers critères, l'industrie moustérienne de la Crouzade mérite d'être individualisée dans le grand groupe charentien sous le terme de « Para-Charentien ». Charentien et Para-Charentien paraissent avoir évolué parallèlement pendant tout le Würm ancien, à partir d'une même souche commune, le « Proto-Charentien » ou Charentien. Le Para-Charentien serait resté plus proche, typologiquement, de la souche commune. Le Charentien de type Quina se serait, par contre, fortement individualisé et caractérisé.

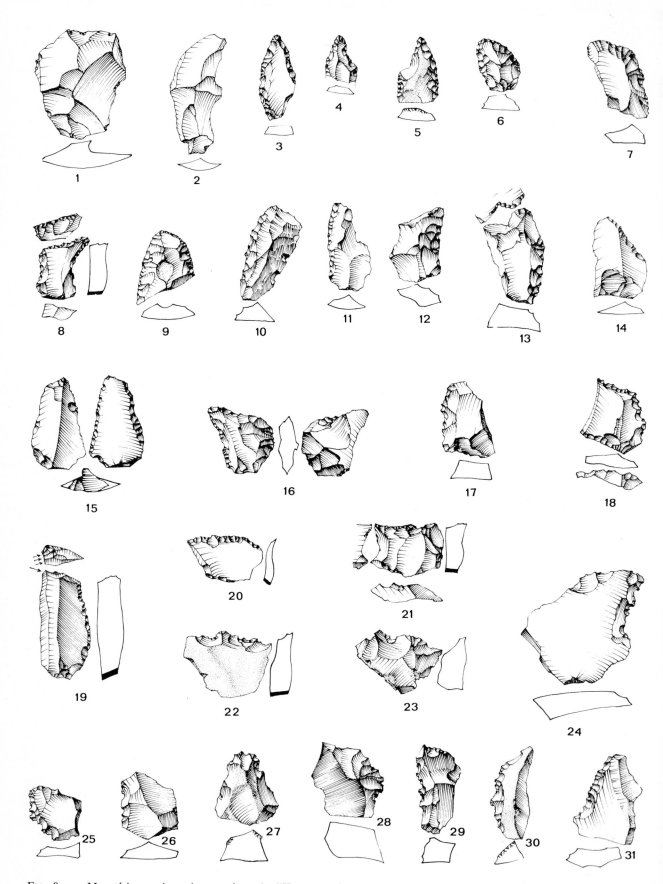

FIG. 9. — Moustérien typique du complexe de l'Hortus. 1 à 31. Station des Ramandils. (1/2 de la grandeur nature).

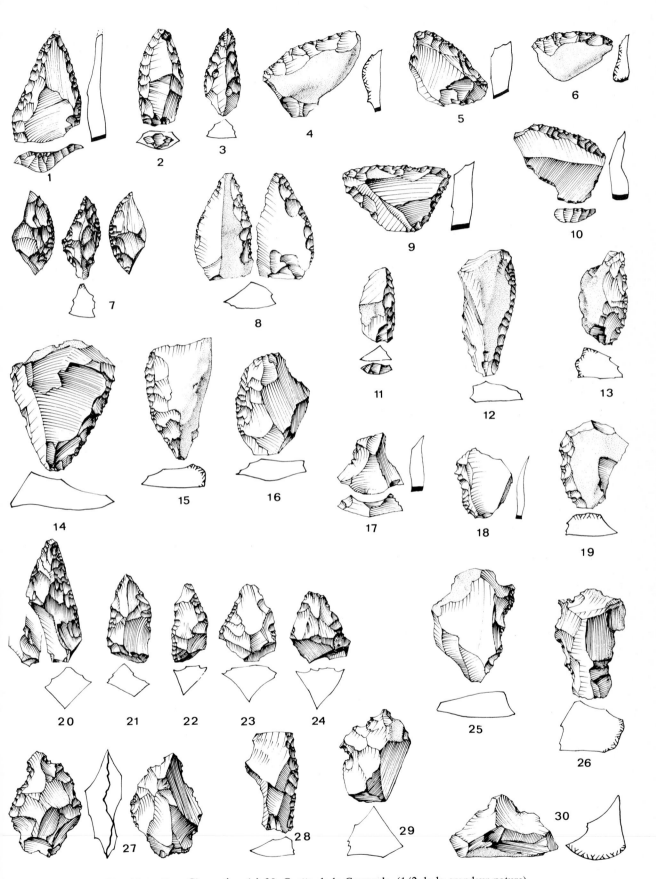

FIG. 10. — Para-Charentien. 1 à 30. Grotte de la Crouzade. (1/2 de la grandeur nature).

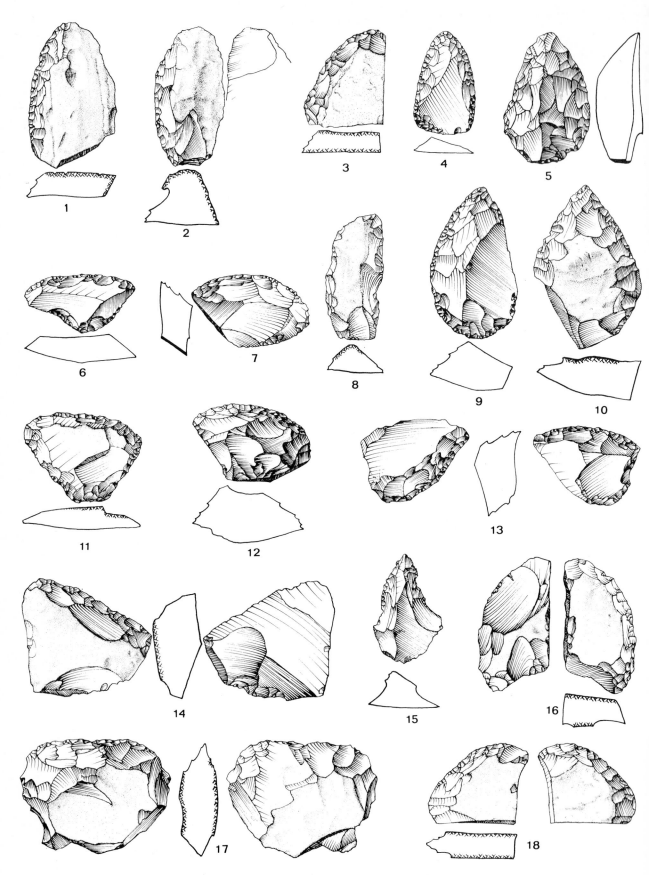

FIG. 11. — Charentien de type Quina. 1 à 18. Grotte de l'Esquicho-Grapaou. (1/2 de la grandeur nature).

CHARENTIEN DE TYPE QUINA.

Le Charentien de type Quina classique est bien représenté dans le Bassin du Gardon (Esquicho Grapaou, Saint-Vérédème, Balauzière, La Roquette). Il se caractérise par la présence de limaces, de racloirs à retouches bifaces de type tranchoir et de racloirs foliacés, par un pourcentage élevé de racloirs arqués simples et transversaux, une forte proportion d'outils à retouches écailleuses scalariformes. Les outils denticulés et de type paléolithique supérieur sont rares. La présence de quelques encoches clactoniennes, de pointes de Quinson et d'outils à retouches surélevées, témoignent de l'origine tayacienne du Charentien de type Quina. L'évolution de cette industrie a été très lente pendant toute la durée du Würmien II (Balauzière) : elle est marquée par une augmentation progressive des outils de type paléolithique supérieur et une diminution de la proportion des racloirs à retouches écailleuses scalariformes. Le racloir convergent de Russan apparaît, dans les niveaux les plus récents, à l'extrême fin du Würmien II.

La grotte de l'Esquicho Grapaou (ou de l'écrase crapaud) (Sainte-Anastasie, Gard), s'ouvre sur la rive gauche du Gardon. Le remplissage du Würmien II est constitué par des cailloutis cryoclastiques qui ont livré, associées à des foyers, une faune abondante et une industrie moustérienne.

L'industrie (fig. 11) est de débitage faiblement levallois (IL = 22). Le pourcentage de lames est faible (I Lam = 8). Les outils ont généralement été aménagés sur des éclats épais de débitage non levallois.

Les racloirs sont très nombreux (IR ess = 73) et d'excellente facture. Généralement épais et nettement arqués, ils ont souvent été aménagés par retouches écailleuses scalariformes (51 %), plus rarement par retouches, minces, épaisses ou envahissantes.

Signalons parmi les racloirs convergents, un outil très caractéristique appelé « racloir convergent de Russan ».

C'est un racloir convergent obtenu sur éclat à section triangulaire. Cet outil pourrait dériver des pointes de Quinson du Proto-Charentien. La face retouchée peut être la plus large, comme pour les pointes de Quinson, ou une face étroite. La retouche est de type écailleuse scalariforme.

Les racloirs à retouches bifaces sont relativement nombreux (4 %) et, parmi eux, signalons la présence de véritables tranchoirs.

Le pourcentage des denticulés est faible (12 %). Les outils de type paléolithique supérieur sont rares (2 %) et essentiellement représentés par des grattoirs.

La grotte de Saint-Vérédème (Sanilhac, Gard), également située sur la rive gauche du Gardon, en aval de l'Esquicho Grapaou, s'ouvre sur une étroite corniche dominant de 30 m le lit actuel de la rivière.

L'industrie est de débitage non levallois et le pourcentage de lames est très faible.

Les racloirs, très nombreux et d'excellente facture, ont été aménagés le plus souvent par retouches écailleuses scalariformes. Ils sont, le plus souvent,

simples, convexes ou transversaux convexes et fortement arqués. La présence de racloirs convergents de Russan et d'un racloir foliacé, dérivant du racloir à retouches bifaces, évoque le Charentien de type Ferrassie oriental de la Baume des Peyrards, des Michelles et de Sainte-Maxime et le Charentien de type Quina de la Balauzière.

La grotte de la Balauzière (Vers, Gard) est également située sur la rive gauche du Gardon en aval des deux grottes de l'Esquicho Grapaou et de Saint-Vérédème.

Le remplissage du Würmien II est essentiellement constitué de sables, accumulés dans un aven sur près de 10 m d'épaisseur, interstratifiés de lits d'argile entraînés sous les pieds des hommes ou des animaux.

L'industrie (fig. 12) est de débitage faiblement levallois (IL = 9 à 18 selon les niveaux) et le pourcentage de lames est faible (I Lam = 8).

Les racloirs sont très nombreux (IR ess = 77) et d'excellente facture, aménagés par retouches écailleuses scalariformes (32 %) ou épaisses (31 %), plus rarement par retouches minces (13 %), plates (10 %) ou envahissantes (10 %). Les outils caractéristiques du Charentien sont relativement nombreux : limaces, racloirs à retouches bifaces dont certains du type tranchoir, racloirs à dos aminci. Les racloirs simples convexes et transversaux convexes sont en fort pourcentage et bien arqués.

Il y a lieu de noter la dominance nette des racloirs simples sur les racloirs doubles et la relative abondance des racloirs déjetés (7 %) dont quelques-uns sont du type triangulaire. Présence d'un racloir convergent de Russan.

Signalons quelques racloirs foliacés (racloirs à retouches bifaces couvrant complètement les deux faces) et un fort pourcentage de pointes moustériennes, courtes ou allongées.

Les denticulés sont très rares. Présence de quelques encoches clactoniennes.

Les outils de type paléolithique supérieur, également très rares, sont représentés par quelques grattoirs, burins, perçoirs ou couteaux à dos souvent typiques.

La grotte de la Roquette (Conqueyrac, Gard), a livré une très belle industrie charentienne de type Quina. Les racloirs sont très abondants et de belle facture, généralement aménagés par retouches écailleuses scalariformes sur éclat épais. Les racloirs simples convexes et transversaux convexes, nettement arqués, sont en fort pourcentage.

LE CHARENTIEN ATYPIQUE.

Le Charentien atypique est bien représenté en Languedoc méditerranéen, aux Charlots, à Ioton et au Cayla. Il se caractérise par un débitage faiblement levallois, un pourcentage non dominant d'outils à retouches écailleuses scalariformes, une proportion relativement faible mais non négligeable des outils caractéristiques du Charentien, la persistance de pièces à encoches clactoniennes.

Pied de roche des Charlots (Sainte-Anastasie, Gard). Cette station en pied de roche est située sur

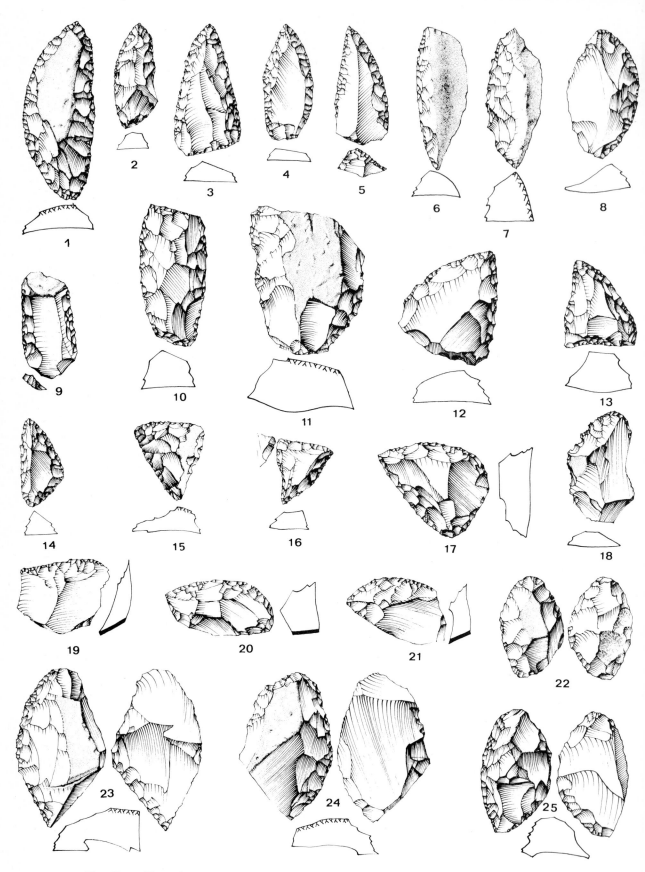

FIG. 12. — Charentien de type Quina. 1 à 25. Grotte de la Balauzière. (1/2 de la grandeur nature).

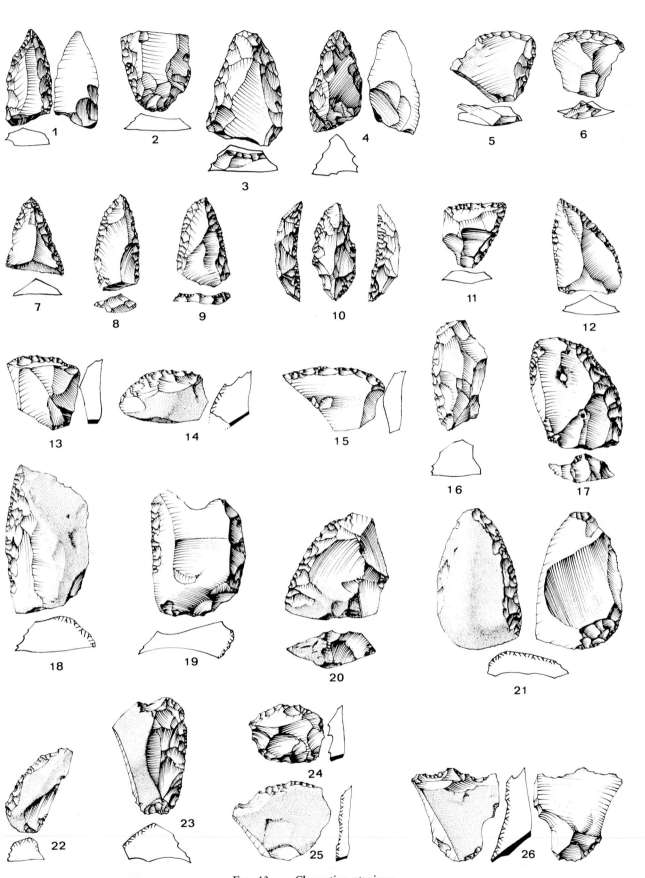

FIG. 13. — Charentien atypique.

1 à 6. Pied de roche des Charlots; 7 à 17. Pied de roche d'Ioton; 18 à 26. Grotte du Cayla. (1/2 de la grandeur nature).

la rive droite du Gardon, face à la grotte de l'Esquicho Grapaou.

Un cailloutis cryoclastique, emballé dans un sable jaunâtre, daté du Würmien II, a livré une industrie moustérienne qui peut être définie comme Charentien atypique.

L'industrie (fig. 13, nos 1 à 6) est de débitage faiblement levallois (IL = 24). Le pourcentage de lames est faible (I Lam = 7). Les outils ont souvent été aménagés sur éclats courts et épais.

Les racloirs nombreux (IR ess = 59), sont petits et de facture médiocre, aménagés par retouches épaisses (53 %), ou plus rarement par retouches minces et plates, quelquefois par retouches écailleuses scalariformes. Les racloirs convexes, assez abondants, sont peu arqués. Les limaces sont absentes et les racloirs transversaux relativement rares. Notons la présence de quelques racloirs à dos aminci et à retouches bifaces dont un de type « tranchoir ». Les racloirs déjetés ont un pourcentage faible.

Les denticulés, peu nombreux (14 %) sont le plus souvent mauvais et mal caractérisés. Leur denticules sont faiblement dégagés. Signalons quelques encoches clactoniennes et denticulés par encoches clactoniennes adjacentes.

Les outils de type paléolithique supérieur sont rares (8 %) et représentés par quelques grattoirs.

Pied de roche d'Ioton (Beaucaire, Gard). Cette station est située sur la rive droite du Rhône, à 2 km en aval de son confluent avec le Gardon.

La station est installée sur une terrasse de 50 m de long au pied d'un contrefort abrupt de 2 à 4 m de hauteur. Les sédiments quaternaires, qui ne dépassent pas un mètre d'épaisseur, sont constitués par un cailloutis à angle vif, daté du Würmien II.

L'industrie (fig. 13, nos 7 à 17) est de débitage faiblement levallois (IL = 24). Les lames sont en pourcentage moyen (I Lam = 10).

Les racloirs sont en fort pourcentage (IR ess = 65) et aménagés par retouches minces (23 %), épaisses (25 %) et plates (30 %). La retouche écailleuse scalariforme a été peu utilisée (14 %). En général, les outils sont de belle venue, réguliers et très caractéristiques. Les outils classiques du Charentien sont rares : présence de quelques limaces et absence de racloirs à retouches bifaces de type tranchoir. Les racloirs déjetés sont en pourcentage relativement faible. Les racloirs à dos aminci, par contre, sont bien représentés.

Les denticulés, le plus souvent de mauvaise facture, ont un pourcentage très faible (6 %).

Les outils de type paléolithique supérieur, rares (4 %) sont représentés par des grattoirs et quelques burins.

La grotte du Cayla (Saint-Martin-de-Londres, Hérault) s'ouvre sur la rive gauche du Lamalou, affluent de l'Hérault.

Des sables limoneux jaunâtres, datés du Würmien II, ont livré une industrie moustérienne (fig. 13, nos 18 à 26) qui peut être attribuée à un Charentien atypique.

Le débitage est faiblement levallois (IL = 19) et le pourcentage de lames moyen (I Lam = 11).

Les racloirs sont abondants (IR ess = 54) et d'assez bonne facture, généralement aménagés par retouches épaisses, plus rarement par retouches écailleuses. Les racloirs simples, convexes et transversaux convexes sont en forte proportion. Les outils les plus caractéristiques du Charentien (limaces, tranchoirs) sont absents dans la série actuelle.

Les outils denticulés sont rares (8 %). Signalons quelques encoches clactoniennes et des denticulés par encoches clactoniennes adjacentes.

Les outils de type paléolithique supérieur, en pourcentage faible (9 %) sont exclusivement représentés par des grattoirs, le plus souvent de bonne facture.

LE MOUSTÉRIEN À DENTICULÉS, RICHE EN COUTEAUX À DOS NATUREL.

Le Moustérien à denticulés, riche en couteaux à dos naturel et de faciès levalloisien, a été découvert en Languedoc méditerranéen, dans la grotte Tournal. Son industrie est très proche de celle de la station de San Francesco, en Ligurie italienne (située à 380 km de distance).

Ce Moustérien est caractérisé par un débitage levallois nettement dominant, une proportion moyenne ou forte de lames, un pourcentage élevé d'éclats levallois non transformés en outils, un grand développement des couteaux à dos naturel, une relative abondance de couteaux à dos retouchés dont certains évoluent vers le type de Chatelperron, l'apparition des couteaux à dos de type San Remo et de type Bize, une proportion non négligeable d'outils de type paléolithique supérieur, et un fort pourcentage de denticulés.

La grotte Tournal ou grande grotte de Bize, est située à une vingtaine de kilomètres au Nord-Ouest de Narbonne. Le remplissage est très important, et sous les niveaux du Würmien récent, les dépôts du Würmien II et du début de l'Inter-Würmien II-III sont essentiellement constitués par des limons sableux jaunes contenant des ossements et de nombreux quartzites taillés.

L'industrie (fig. 14) est très riche ; un abondant matériel a été recueilli par les anciens fouilleurs.

Le débitage levallois est nettement dominant (IL = 39). Les éclats levallois sont souvent grands et de bonne facture. Les lames, en pourcentage moyen (11 %), sont souvent allongées et de belle venue.

Le pourcentage d'éclats levallois non transformés en outils est très élevé.

Les racloirs, très rares (IR ess = 10), sont généralement peu arqués et de mauvaise facture souvent obtenus par retouches épaisses (48 %) plus rarement par retouches minces, plates ou envahissantes. Signalons une proportion extrêmement faible de racloirs doubles par rapport aux racloirs simples et un pourcentage relativement élevé (par rapport au total des racloirs) de racloirs simples, concaves et de racloirs sur face plane.

Les outils caractéristiques du Charentien sont rares ou absents. Il n'y a ni limaces, ni tranchoirs. Les racloirs à retouches bifaces, transversaux ou à dos aminci sont très peu nombreux. Les pointes moustériennes sont exceptionnelles.

Les denticulés sont abondants (24 %) ; taillés le

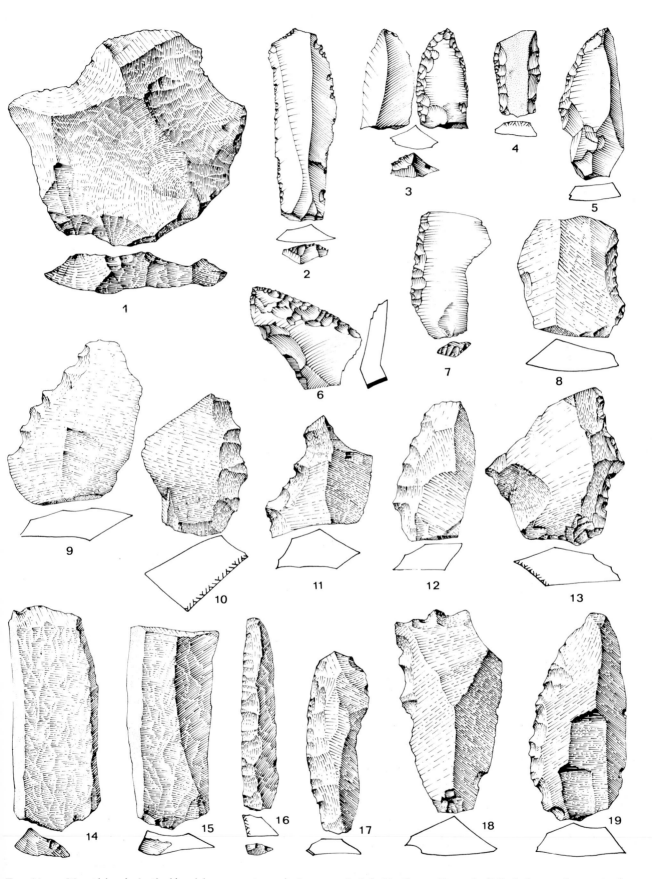

Fig. 14. — Moustérien à denticulés, riche en couteaux à dos naturel. 1 à 19. Grotte Tournal. (1/2 de la grandeur nature).

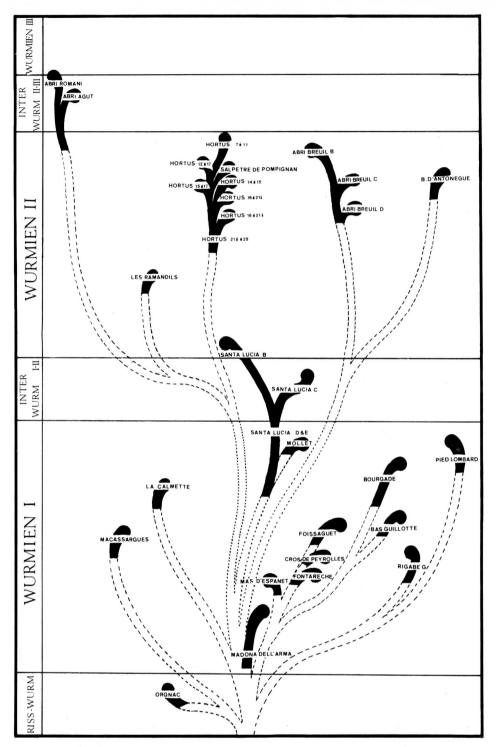

FIG. 15. — Schéma évolutif pendant le Würm ancien des industries du « complexe de l'Hortus » : Moustérien typique, à indice laminaire faible et moyen, à pourcentage assez faible de racloirs généralement peu arqués, pauvre en outils à bords convergents et en racloirs transversaux.

plus souvent sur des éclats allongés ou des lames, ils sont de bonne facture ; leurs denticules sont en général bien dégagés. Les encoches clactoniennes, les becs et les denticulés par encoches clactoniennes adjacentes sont assez nombreux et caractéristiques.

Les outils de type paléolithique supérieur, en pourcentage faible (5 %), sont essentiellement représentés par des grattoirs et des burins de bonne facture. Les perçoirs et les couteaux à dos sont très

peu nombreux. Signalons, parmi ces derniers, quelques couteaux à dos du type « San Remo ».

Un éclat très caractéristique du Moustérien de la grotte Tournal est le couteau à dos naturel avec ou sans cortex ; celui-ci est en forte proportion dans toutes les couches (30 % en moyenne). Il a été obtenu volontairement le plus souvent à partir d'un type original de nucleus « le nucleus de Bize » ou « proto-livre de beurre ». Un cas particulier est

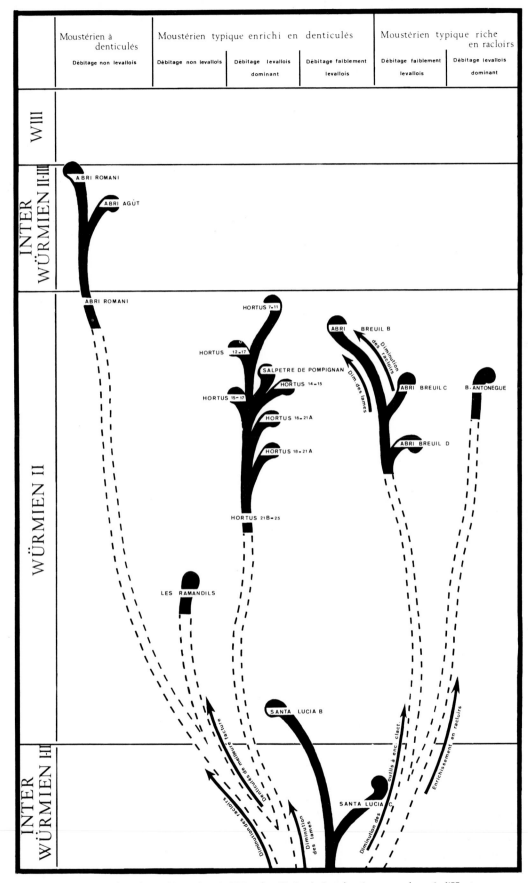

FIG. 16. — Schéma évolutif pendant le Würmien II des industries du « complexe de l'Hortus ».

représenté par le « couteau à dos naturel de Bize ». Celui-ci présente sur le bord, adjacent au dos et opposé au tranchant (face supérieure), des retouches plates obtenues avant l'enlèvement de l'éclat ; c'est en quelque sorte un couteau à dos naturel aminci avant enlèvement.

Il y a lieu de noter un pourcentage non négligeable de troncatures sur éclat, d'encoches en bout, de rabots, de pebble-tools, quelques pointes de Tayac et de Quinson.

Provinces archéologiques et territoires de chasse en Languedoc méditerranéen pendant le Würm ancien.

Comme en Provence, plusieurs complexes industriels ont coexisté en Languedoc méditerranéen pendant le Würm ancien.

Pendant le Würmien I, les habitats étaient souvent installés en plein air, plus rarement en grotte.

Le Moustérien post-acheuléen et le Moustérien typique de Fontarèche sont localisés, entre Cèze et Gardon, sur les terrains ocreux du Crétacé (Cros de Peyrolles, Fontarèche, Foissaguet, Mas d'Espanet).

Le Moustérien typique de Bourgade, sur un plateau, dominant la vallée du Lez.

Le Moustérien typique de la Calmette, dans le bassin du Gardon.

Le Moustérien typique du Bezal-de-Souvignargues, dans le bassin du Vidourle.

Le Moustérien typique de Macassargues, dans les massifs calcaires de la garrigue nîmoise entre Verdon et Vidourle.

Pendant le Würmien II, et plus particulièrement à la fin du stade, alors que le climat était devenu rigoureux et très sec, les chasseurs néandertaliens abandonnaient généralement les habitats de plein air pour s'installer dans des grottes.

Le Moustérien typique du complexe de l'Hortus, occupait un vaste territoire entre la mer et les Cévennes, qui se prolongeait vers l'Est, en bordure de la côte méditerranéenne (Hortus, Salpêtre-de-Pompignan, Baumasse d'Antonègue, Les Ramandils). Principalement chasseurs de bouquetins, ils ont généralement laissé leurs vestiges dans des grottes escarpées (Hortus, Salpêtre-de-Pompignan, Baumasse d'Antonègue), s'ouvrant parfois sur des vires étroites à flanc de falaise (Hortus, Salpêtre-de-Pompignan). En plaine, ils chassaient surtout le cheval (Les Ramandils).

Le Para-Charentien a été découvert dans la montagne de la Clappe (La Crouzade).

Le Charentien de type Quina, était largement répandu dans le bassin du Gardon (Esquicho Grapaou, Nicolas, Saint-Vérédème, La Balauzière, La Roquette).

Le Charentien atypique est localisé dans le bassin du Gardon (Les Charlots, Ioton) ou dans la vallée de l'Hérault (Le Cayla).

Le Moustérien à denticulés, riche en couteaux à dos naturel est localisé dans la vallée de la Cesse (Grotte Tournal).

L'existence de territoires de chasse expliquerait que dans certains remplissages de grottes du Würm ancien, même très épais, des industries appartenant à un même complexe culturel aient été découvertes de la base au sommet : Hortus (Moustérien typique), La Crouzade (Para-Charentien), La Balauzière (Charentien de type Quina), grotte Tournal (Moustérien à denticulés).

Des observations semblables ont été faites en Provence : Baume des Peyrards (Charentien de type Ferrassie oriental), Bau de l'Aubesier (Moustérien typique).

Rares sont les gisements, en Provence ou Languedoc méditerranéen où, dans un même site, des civilisations moustériennes différentes ont alterné. Grâce à ces territoires, les principaux groupes culturels moustériens ont pu, à travers tout le Würm ancien, conserver leur individualité et leur originalité.

Bibliographie

[1] BAZILE F. (1972). — La station paléolithique de Jean Thomas. Vauvert (Gard). Note préliminaire. *Bulletin de la Société Préhistorique Française, Compte-Rendu Sommaire des Séances Mensuelles,* t. 69, 1972, n° 9, p. 274-278, 4 fig., 9 réf. bibl.

[2] BAZILE F. et MEIGNEN L. (1974). — Le gisement moustérien de Rouziganet (Gard). *Bulletin de la Société Préhistorique Française, Compte Rendu Sommaire des Séances Mensuelles,* t. 71, 1974, n° 6, p. 170-175, 5 fig., 8 réf. bibl.

[3] LUMLEY H. de (1969). — Les civilisations préhistoriques en France. Corrélations avec la chronologie quaternaire. *in* Etudes Françaises sur le Quaternaire, présentées à l'occasion du VIII° Congrès International de l'Inqua. Paris 1969. *Supplément au Bulletin de l'Association Française pour l'étude du Quaternaire,* p. 151-169, 2 fig., 10 tabl. chron.

[4] LUMLEY-WOODYEAR H. de (1969). — Le Paléolithique inférieur et moyen du Midi méditerranéen dans son cadre géologique, t. I, Ligurie-Provence, V° Supplément à *Gallia-Préhistoire,* 463 pages, 353 fig., 24 tabl.

[5] LUMLEY-WOODYEAR H. de (1971). — Le Paléolithique inférieur et moyen du Midi méditerranéen dans son cadre géologique, t. II, Bas-Languedoc-Roussillon-Catalogne, V° Supplément à *Gallia-Préhistoire.* 445 pages, 300 fig., 901 réf. bibl. index.

[6] LUMLEY H. de et ISETTI G. (1965). — Le Moustérien à denticulés tardif de la station de San Francesco (San Remo) et de la grotte Tournal (Aude). *Cahiers Ligures de Préhistoire et d'Archéologie,* t. 64, 1965, 1re partie, p. 5-30, 10 fig.

[7] LUMLEY H. de et LICHT M.H. (1972). — Les industries moustériennes de la grotte de l'Hortus (Valflaunès, Hérault). *Etudes Quaternaires, Géologie, Paléontologie, Préhistoire,* Mémoire n° 1, p. 387-487, 72 fig., 64 tabl., 10 tabl. de décomptes, 48 réf. bibl.

[8] LUMLEY H. de et RIPOLL E. (1962). — Le remplissage et l'industrie moustérienne de l'Abri Romani (Province de Barcelone). *L'Anthropologie,* t. 66, n° 1-2, p. 1-35, 14 fig., 6 tabl., 30 réf.

[9] RIPOLL-PERELLO E. et LUMLEY H. de (1965). — El paleolitico medio en Cataluña. *Ampurias,* XXVI-XXVII, p. 1-70, 51 fig., dont 1 carte, 2 pl. h.t.

Les civilisations du Paléolithique moyen dans les Causses et le Lot

par

Jean-Marie Le Tensorer *

Résumé. Les recherches sur le Paléolithique moyen des Causses et de la vallée du Lot peu nombreuses et le plus souvent anciennes, permettent seulement de noter l'existence d'industries « pré-moustériennes » et le développement, sans doute pendant le Würm II, du Moustérien de type Quina, tandis que le Moustérien de tradition acheuléenne abondait en plein air.

Abstract. Only a few and quite outdated studies exist to date on the Middle Paleolithic period in the Causses and in the valley of Lot. This scarce evidence only permits us to state that pre-Mousterian cultures existed in the area. During Würm II an expansion of the Quina Mousterian appears to have taken place in the region. This tradition was probably coeval with the Mousterian of Acheulean tradition that is amply represented in the open-air sites.

La région concernée (fig. 1) s'étend dans sa presque totalité sur les plateaux du Quercy, formés dans les calcaires jurassiques sur la bordure orientale du Bassin d'Aquitaine, au contact du Massif Central. Dans le département du Lot, les vallées de la Dordogne et du Lot entaillent la table calcaire, isolant les Causses de Martel au Nord, de Limogne au sud et surtout de Gramat au centre, vaste plateau aride à régime karstique. Vers l'Est le Lot pénètre en Lot-et-Garonne où bientôt, dans les terrains tertiaires, il s'élargit en une large et riante vallée.

Si les gisements du Paléolithique moyen ne sont pas rares en Quercy et Haut-Agenais, bien peu ont été étudiés de façon complète et nous ne disposons pas encore de résultats de recherches systématiques associant à la fouille moderne l'étude sédimentologique, paléontologique, palynologique, etc.

Après les travaux de pionniers tels que A. Viré, la recherche préhistorique en Quercy fut essentiellement menée par l'abbé Lemozi dans la région centrale, puis par A. Niederlender et R. Lacam et dans le nord du département par les abbés Bouyssonie. Depuis 1960 un programme moderne de recherches a été entrepris en particulier sous l'impulsion de M. Lorblanchet, L. Genot et J. Clottes.

En Haut-Agenais les études sur le Paléolithique moyen sont dues essentiellement à E. Monmejean, L. Coulonges, F. Bordes et plus récemment J.-M. Le Tensorer.

Le « Prémoustérien ».

La découverte et la fouille de sauvetage du très intéressant gisement de La Borde (fig. 1, n° 15), sur le Causse de Gramat près de Livernon, vient d'apporter quelques lumières sur les plus anciennes industries à faciès moustéroïdes du Quercy (M. Lorblanchet et L. Genot, 1972). Il s'agit vraisemblablement d'un abri effondré très riche en faune qui

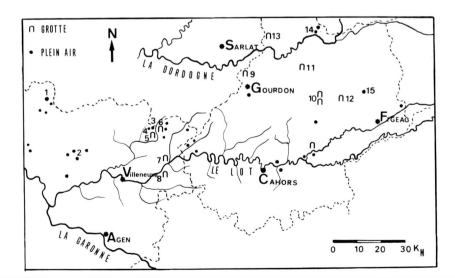

FIG. 1. — Répartition des principaux gisements du Paléolithique moyen des Causses et de la vallée du Lot.
1. Loubès-Bernac; 2. Monbahus; 3. Baillard; 4. Métayer; 5. Moulin-du-Milieu; 6. Ratis; 7. Las Pélénos; 8. La Pronquière; 9. Milhac; 10. Reilhac; 11. Rocamadour; 12. Le Mas Viel; 13. Le Pis de la Vache; 14. La Vercantière; 15. La Borde.

* Institut de Géodynamique, Université de Bordeaux, 33405 Talence (France).

comprend essentiellement des restes de grands bovidés (aurochs et bisons) et quelques rares débris de
loup et de cheval. « L'industrie, écrivent les auteurs,
à débitage en partie levallois comporte de nombreux
« choppers », racloirs, denticulés, pointes de Tayac,
nucléus, polyèdres en quartz. Les bifaces sont absents, il y a seulement une quarantaine de pièces en
silex ». En l'absence de pièces caractéristiques on ne
peut situer avec précision cette industrie qui semble
cependant appartenir à un très vieux Moustérien
(« Prémoustérien » ou « Tayacien »), vraisemblablement anté-würmien ou du tout début du Würm I.

Un autre gisement, situé sur la rive gauche du Lot,
non loin de Villeneuve-sur-Lot, la grotte de La
Pronquière, renferme une industrie particulière moustéroïde (fig. 1, n° 8).

C'est l'un des gisements les plus anciennement
connus dans cette région (L. Combes, 1855, 1874).
L. Coulonges et A. Lansac (1954) y effectuèrent une
fouille et recueillirent une industrie qu'ils qualifient
de moustérienne, avec des outils en silex très rares,
petits racloirs, petits blocs de silex (nucléus ?), l'outillage lithique étant fait essentiellement d'éclats de
galets de rivière, de galets taillés, le tout très archaïque, écrivent les auteurs. L'originalité du gisement réside, essentiellement, en la présence d'une
faune très abondante et admirablement conservée
avec *Elephas primigenius, Rhinoceros tichorhinus,
Bos primigenius, Equus caballus, Cervus megaceros,
Hyaena spelea* et très rares restes de *Rangifer tarandus*. Bon nombre de ces ossements ont été utilisés
par l'homme et les auteurs parlent d'une véritable
« industrie de l'os ».

Une étude très récente (J.-M. Le Tensorer et
R. Pineda, 1976) a permis d'établir la stratigraphie
précise de la grotte de la Pronquière (études
sédimentologique, géochimique, palynologique et
paléontologique en cours) et de recueillir dans une
série de niveaux à petits cailloutis riches en éléments
détritiques alternant avec des passées argileuses, une
faune abondante associée à une industrie sur quartzite, silex et basalte. Outre les éclats de quatzite,
basalte et silex, on rencontre des nucléus de mêmes
matières, parfois levallois, généralement globuleux
ou discoïdes, des choppers et chopping-tools, quelques rares racloirs souvent denticulés à retouche
écailleuse, des outils à encoches et denticulés et des
éclats utilisés. La faune est la même que celle décrite
par L. Coulonges et A. Lansac, avec en plus
Equus hydruntinus et un grand félin des cavernes
(détermination F. Prat et J. Chagneau).

Ce gisement qui semble donc renfermer une industrie de type moustérien ou prémoustérien encore mal
déterminée pourrait se situer dans le Würm I.

Le Moustérien.

En plein air le Moustérien de tradition acheuléenne est le plus fréquent, on le trouve en toute région
sur les plateaux (J. Bouyssonie et J. Couchard, 1961 ;
J. Clottes, 1969 ; P. Laurent, 1966 ; M. Lorblanchet,
1962, 1964, 1969, 1972 ; A. Viré, 1910), (fig. 1,
n°s 2 et 14 et tous les points figurés sans numéro).

En grotte, excepté à Milhac où existe semble-t-il
du Moustérien de tradition acheuléenne (J. Clottes,
1971), le Moustérien de type charentien et plus précisément de type Quina est à l'heure actuelle le seul
connu dans la région du Lot avec tout particulièrement les gisements du Mas Viel (fig. 1, n° 12),
fouillé par A. Niederlender, R. Lacam et le Dr.
Cadiergues, et Las Pélénos, fouillé anciennement par
L. Combes puis L. Coulonges.

Le gisement du Mas Viel est une petite grotte
du Causse de Gramat. La couche archéologique unique a livré une magnifique industrie en silex et en
quartz, se rapportant à un Moustérien de type Quina
avec, cependant, des rapports typologiques avec des
gisements plus éloignés, La Micoque et la Baume
Bonne par exemple (Niederlender, Lacam, Cadiergues et Bordes, 1956). L'étude statistique de l'outillage, réalisée par F. Bordes, permet de rapprocher
celui-ci de l'industrie de la couche 26 du gisement
moustérien classique de Combe-Grenal, Dordogne
(fouille F. Bordes) : fort pourcentage de racloirs, peu
d'encoches et de denticulés, des racloirs déjetés
abondants, un indice Quina moyen au Mas Viel et
fort à Combe-Grenal, enfin un indice levallois très
faible (fig. 2). La faune du Mas Viel est froide, assez
comparable à celle de la couche 26 de Combe-Grenal
(F. Bordes et F. Prat, 1965), avec notamment
Rangifer tarandus et *Rhinoceros tichorhinus,* et pourrait correspondre au début du Würm II.

A Las Pélénos (fig. 1, n° 7), près de Fumel (Lot-
et-Garonne), L. Coulonges et A. Lansac (1952) ont
recueilli un outillage moustérien récemment étudié
selon la méthode statistique de F. Bordes (J.-M. Le
Tensorer, 1969). C'est un Moustérien de type Quina
évolué, proche de celui de la couche 17 de Combe-
Grenal. Les caractéristiques typologiques les plus
frappantes (fig. 2) sont un indice de racloir moyen
pour un Moustérien de ce type, une abondance
d'encoches et denticulés, un faible pourcentage de
racloirs déjetés, un indice Quina fort, enfin, un
indice Levallois faible. La faune, déterminée par
J. Piveteau, est identique à celle de la couche 17 de
Combe-Grenal, avec le renne, le cheval et les bovidés
abondants, associés à quelques restes de loup. Ces
niveaux de Las Pélénos pourraient se situer dans la
deuxième période froide du Würm II. Ce gisement
a livré également les restes de quatre sujets néandertaliens, étudiés par H.V. Vallois qui les rattache au
type de Krapina (*in* L. Coulonges et al., 1952).

Il semble bien qu'avec les deux gisements du Mas
Viel et de Las Pélénos nous ayons deux types
extrêmes de Moustériens de type Quina.

D'autres gisements renferment ce type de Moustérien : en grotte dans la région de Gavaudun, le Moulin du Milieu et Ratis (fig. 1, n°s 5 et 6), en plein air
le Plateau Baillard (n° 3 et diagramme fig. 2) (J.-M.
Le Tensorer, 1973) et semble-t-il à Métayer (n° 4,
collection E. Monmejean) et Loubès-Bernac (n° 1,
J.-M. Le Tensorer, 1976).

Les autres types de Moustériens, Moustérien typique, Moustérien à denticulés et Moustérien de type
Ferrassie n'ont pas été rencontrés dans cette région,
semble-t-il, sauf peut-être à la grotte de Reilhac pour
le premier et au Moulin-du-Milieu pour le troisième.

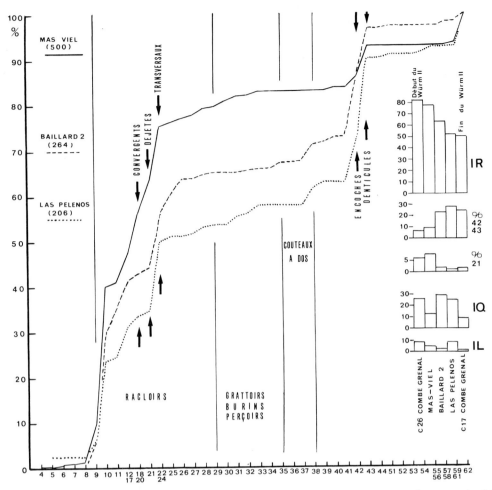

Fig. 2. — Diagrammes cumulatifs et caractéristiques typologiques principales de quelques gisements du Moustérien type Quina de la région du Lot, comparaison avec le gisement de Combe-Grenal (Dordogne).

Bibliographie

[1] Bordes F. et Prat F. (1965). — Observations sur les faunes du Riss et du Würm I en Dordogne. *L'Anthropologie*, t. 69, n° 1-2, p. 31-46, 3 fig., 4 tabl.

[2] Bouyssonie J. et Couchard J. (1955). — La grotte du Pis-de-la-Vache à la Forge, commune de Souillac. *Bull. de la Soc. Scientifique, Hist. et Arch. de la Corrèze*, t. LXXVII, p. 117-135.

[3] Bouyssonie J. et Couchard J. (1961). — Industries préhistoriques de surface de la basse-vallée de la Sourdoire, près de Vayrac (Lot). *Bull. de la Soc. Scient. Hist. et Arch. de la Corrèze*, t. LXXXIII, p. 99-111, 8 fig.

[4] Clottes J. (1969). — *Le Lot Préhistorique*. Société des Etudes Littéraires, Scientifiques et Artistiques du Lot, Cahors. 285 p., 46 fig.

[5] Clottes J. (1971). — Le Lot Préhistorique, additions et corrections. *Bull. de la Société des Etudes du Lot*, supplément au premier fascicule, p. 287-302, 8 fig.

[6] Combes J.L. (1855). — *Fumel et ses environs. Haut Agenais, recherches géologiques et paléontologiques*, Agen, Imprimerie P. Noubel, in-8° de 56 p.

[7] Combes J.L. (1874). — L'Archéologie préhistorique du Haut Agenais (Age de la pierre). *Congrès Archéologique de France*, XLIᵉ Session Agen, p. 3-12.

[8] Coulonges L., Lansac A., Piveteau J. et Val-lois H.-V. (1952). — Le gisement préhistorique de Monsempron (Lot-et-Garonne). *Annales de Paléontologie*, t. 38, p. 83-107, 6 fig., 7 pl., 1 tabl.

[9] Coulonges L. et Lansac A. (1954). — La grotte de La Pronquière, commune de Saint-Georges (Lot-et-Garonne). *Bull. de la Soc. d'Etudes et de Recherches Préhist.*, Les Eyzies, fasc. 4, p. 25-32, 5 fig.

[10] Laurent P. (1966). — Découvertes récentes de Paléolithique dans le nord du département du Lot. *L'Anthropologie*, t. 70, n° 3-4, p. 255-268, 5 fig.

[11] Le Tensorer J.-M. (1969). — Le Moustérien de Las Pélénos (Lot-et-Garonne), étude statistique. *Bull. de la Soc. Préhist. Fr.*, p. 232-236, 1 fig., 6 tabl.

[12] Le Tensorer J.-M. (1973). — Les industries moustériennes du Plateau Baillard (Lot-et-Garonne). *Bull. de la Soc. Préhist. Fr.*, C.R.S.M. n° 3, p. 73-79, 3 fig., 2 tabl.

[13] Le Tensorer J.-M. (1976). — Les industries moustérienne et aurignacienne de Loubès-Bernac (Lot-et-Garonne). *Bull. de la Soc. Préhist. Fr.* (sous presse).

[14] LE TENSORER J.-M. et PINEDA R. (1976). — Nouvelles données sur le gisement de la grotte de La Pronquière (Lot-et-Garonne) (en préparation).

[15] LORBLANCHET M. (1962). — Les industries préhistoriques du Puy d'Issolud (Lot). *Bull. de la Soc. des Etudes du Lot,* t. LXXXIII, p. 40-51, 3 fig.

[16] LORBLANCHET (M.) (1964). — Quatre bifaces des environs de la Chapelle-aux-Saints. *Bull. de la Soc. Scient. Hist. et Arch. de la Corrèze,* LXXXVI, p. 9-20, 4 fig.

[17] LORBLANCHET M. (1969). — Les bifaces de la Vercantière (St-Michel-de-Bannières) et de Duravel (Lot) et les débuts de l'occupation humaine du Haut-Quercy. *Bull. de la Soc. des Etudes du Lot,* p. 23-39, 7 fig.

[18] LORBLANCHET M. et GENOT L. (1972). — Quatre années de recherches préhistoriques dans le Haut-Quercy. *Bull. de la Soc. des Etudes du Lot,* 2ᵉ fasc., p. 71-155, 43 fig.

[19] NIEDERLENDER A., LACAM R., CADIERGUES Dr. et BORDES F. (1956). — Le gisement moustérien du Mas-Viel (Lot). *L'Anthropologie,* t. 60, n° 3-4, p. 209-235, 13 fig., 4 tabl.

[20] VIRÉ A. (1910). — Présentation de silex du département du Lot. *Bull. de la Soc. Préhist. Fr.,* t. VII, p. 641.

Les civilisations du Paléolithique moyen
dans le Jura méridional et les Alpes du Nord

Résumé. Dans le Jura méridional, l'industrie du gisement de plein air de Noblens évoque le faciès Ferrassie du Moustérien. Les recherches de ces dernières années dans les grottes à ours alpines pourraient aider à la solution du problème de l'identité des industries lithiques. La découverte récente d'une industrie moustérienne, de caractère évolué, aux Guillets, en Vercors, à la surface d'un vallum morainique würmien alpin, conduit à dater du Würm II la poussée maximale du glacier dans la région.

Abstract. The industry found in the open air site of Noblens in the southern Jura area resembles the Ferrassie facies of the Mousterian. Research conducted in the last few years in alpine bear caves will perhaps help to resolve the problems of identifying these lithic industries. An advanced mousterian industry has been recently discovered at Guillets in Vercors on the surface of Würm alpine moraine vallum. This discovery permits dating the maximal reach of alpine glaciers in the Grenoble region to Würm II.

I. Rappel des données géographiques et géologiques.

Le cadre géographique de cette étude a été décrit dans l'article consacré aux civilisations du Paléolithique inférieur du Jura méridional et des Alpes du Nord. La localisation d'une partie des gisements évoqués ici est indiquée sur la carte générale commune à toutes les industries de cette région ; on pourra consulter ce document ainsi que la carte géologique du Vercors-Nord.

Toute la zone étudiée est comprise dans le champ d'extension maximale du glacier würmien, à l'exception du versant occidental du Jura méridional qu'atteignirent, seules, les moraines rissiennes, en particulier dans la vallée du Suran. C'est le *fait glaciaire* qui donne son unité à cet ensemble de faciès divers.

II. Description des industries dans leur contexte géologique et paléontologique.

A. LES INDUSTRIES DU PALÉOLITHIQUE MOYEN DANS LE JURA MÉRIDIONAL.

1. Dans la vallée du Suran, les *Balmes-de-Ville-versure* livrèrent à Béroud, en 1882, deux lames d'allure levalloisienne associées à une faune froide würmienne (fig. 1, n° 2).
2. Près de Villeversure également, les gisements de plein air de *Meyriat* et de *Noblens* ont donné à Drognat une industrie qui comprend, entre autres, des éclats levallois (fig. 1, nos 6 et 7), des racloirs (n° 8), convergent convexe (n° 10), simple convexe (n° 11), double droit-convexe (n° 12), une pointe moustérienne (n° 14), un grattoir sur éclat laminaire retouché (n° 13) et une lame incurvée retouchée évoquant la technique levalloisienne (n° 9).
3. Boilley, en 1911, recueillit à *Malatret,* en surface, un biface subcordiforme (fig. 1, n° 1), vraisem-blablement Moustérien de tradition acheuléenne.
4. Dans les couches profondes de la grotte de *La Tessonière,* à Ramasse, Guillen et Tournier découvrirent, au début du siècle, des éclats levallois (fig. 1, nos 3 et 5) et un couteau à dos naturel (n° 4).

B. LES INDUSTRIES DU PALÉOLITHIQUE MOYEN DANS LES ALPES DU NORD.

Dans le domaine alpin français, neuf grottes ont fourni du matériel lithique attribuable à des cultures du Paléolithique moyen. On ne connaît qu'un seul gisement de plein air.

1. *Revue sommaire des gisements de grotte des Alpes françaises.*

Elles sont presque toutes situées dans les massifs subalpins, à une altitude qui varie entre 850 et 1 300 m. Sauf à la grotte des Fadas, les industries ont été découvertes dans une « terre à ours » (Koby), au contact des restes d'*Ursus spelaeus.* Rares sont les silex qui ont échappé au concassage. A Onion et très rarement ailleurs, le quartzite a été utilisé. Aucun argument n'est venu étayer les interprétations magiques, religieuses ou artisanales (tannage) d'hypothétiques groupements de crânes ou d'os d'ours. Il en est de même pour la chasse à l'ours et la pratique d'une décarnisation systématique.

a. *Des pièces lithiques isolées* ont été trouvées en grotte, hors stratigraphie comme le racloir concave inverse des *Fadas* en Vercors et l'éclat levallois typique du *Fournet,* en Diois (1 200 m d'altitude) ou associées au cheval et au bison mais non à l'ours comme le racloir sur face plane de *La Balme-les-Grottes* ou encore en Vercors, à *Marignat* (1 060 m) : un éclat levallois à talon ôté et un grand éclat épais, sous un plancher stalagmitique et à la grotte de *Tende supérieur* (1 300 m) : un éclat levallois typique, à 200 mètres de l'entrée.

---

* Centre de Recherches d'Ecologie Humaine et de Préhistoire, 07 Saint-André-de-Cruzières (France).

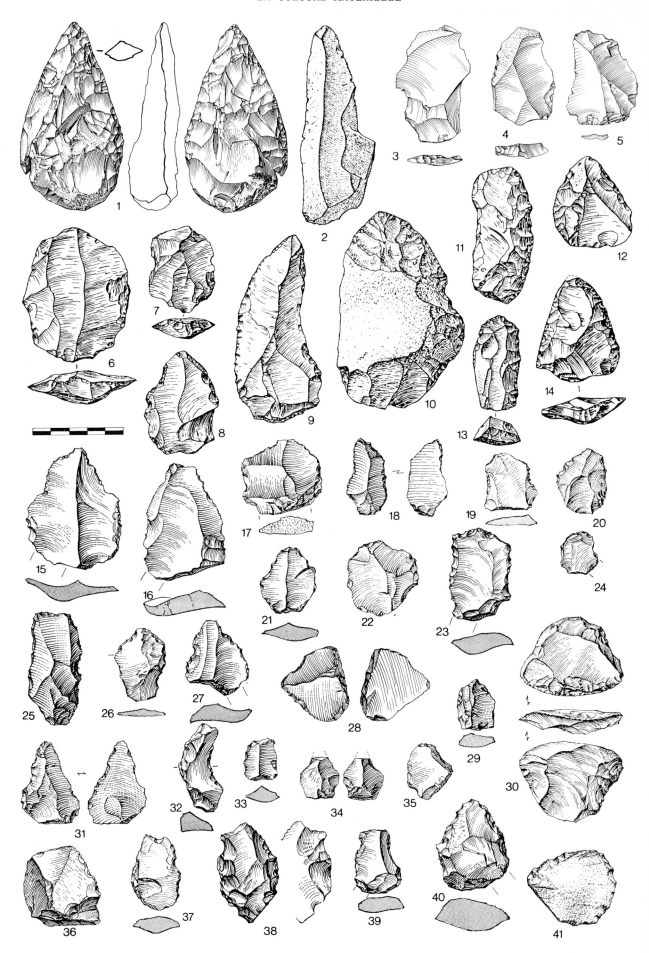

b. *Des industries lithiques. L'industrie de la grotte du Baré à Onion,* dans le massif du Faucigny, à 1 200 m, sur silexite, comprend des éclats et une lame levallois ainsi qu'un racloir convergent biconvexe associés à une faune avec l'ours et le grand félin des cavernes, le chamois, le bouquetin et le cerf élaphe (Spahni J.C. et Rigassi D., 1950, 1951).

L'industrie de la grotte des Eugles, en Grande-Chartreuse, à 850 m, est aujourd'hui forte de 33 pièces. H. Muller recueillit les premiers silex en 1922, F. Bourdier les attribua au Moustérien en 1937. A. Bocquet, P. Lequatre et M. Malenfant reprirent les fouilles en 1965. Connue depuis cette date, la stratigraphie des 80 cm de sédiments est relativement simple mais d'interprétation difficile ; la loupe noire supérieure (LNS) et la couche 3 (fig. 2) ont livré 22 silex associés à l'*Ursus spelaeus.* Les pièces levallois dominent largement l'ensemble avec 12 éclats levallois typiques et atypiques (fig. 1, nᵒˢ 15 à 20, 22 à 26), et 1 pointe levallois courte, de deuxième ordre (fig. 1, nᵒ 21). Les pointes pseudo-levallois sont au nombre de 3 (fig. 1, nᵒˢ 27, 28 et 31). Quatre éclats seulement sont retouchés : 1 coche clactonienne sur éclat ordinaire épais (fig. 1, nᵒ 32), 1 racloir transversal convexe aminci, sur éclat peut-être levallois (fig. 1, nᵒ 30) ; il présente des retouches de type Quina, 1 racloir simple convexe sur éclat ordinaire aminci (fig. 1, nᵒ 38), 1 racloir déjeté sur éclat ordinaire épais à talon lisse, oblique (fig. 1, nᵒ 40). Il existe enfin des éclats ordinaires ou de

débitage (fig. 1, nᵒˢ 29, 33 à 35, 37, 39, 41), ainsi qu'un galet de quartzite éclaté intentionnellement (fig. 1, nᵒ 36).

Le facettage est présent sur 5 des éclats levallois, 1 éclat ordinaire présente un talon lisse, un autre, un talon lisse et oblique.

L'industrie de la grotte de La Passagère en Vercors, près de Méaudre, à 1 050 m d'altitude, a donné à H. Muller, en 1913 et 1921, dans les couches profondes, des pièces que F. Bourdier et H. de Lumley qualifièrent de « moustéroïdes ». P. Bintz a repris les fouilles en 1973 et 1974. La 4ᵉ couche évoque les terres à ours, elle a subi un lessivage et a livré, avec des restes d'*Ursus spelaeus* surtout, de cerf élaphe, de marmotte et de sanglier, 6 nucleus ou fragments informes, 4 éclats levallois (fig. 3, nᵒˢ 13 et 14, à talon facetté convexe), 5 pointes pseudo-levallois (fig. 3, nᵒˢ 15 et 16) dans leur variété courte, épaisse, parfois retouchées, 3 coches ordinaires sur éclat et deux éclats utilisés avec quelques éclats ordinaires, parfois à talon lisse, oblique, éversé sur la face d'éclatement.

L'industrie de la grotte de Prélétang, sur la commune de Presles, en Vercors (altitude 1 200 m). La stratigraphie est extraordinairement complexe dans cette longue cavité ; P. Lequatre la rapporte à des phases de remplissage et de ravinements alternées. Connue pour sa richesse en *Ursus spelaeus,* la grotte a donné quelques éclats levallois depuis 1912 (M. Reynier, L. David). P. Lequatre a conduit l'étude de ce gisement et découvert plus de 180 pièces lithiques depuis 1957.

Une étude de cette industrie publiée en 1966 porte sur un échantillon de 164 silex formant *un ensemble homogène et certainement significatif de cette industrie,* dont les pièces parsemaient toutes les couches, en association avec *Ursus spelaeus* essentiellement et le lion des cavernes, le cerf élaphe, le bison priscus. Aucun nucleus n'a été découvert. Le débitage levallois tient une place considérable, l'*Ilty* atteint 76,8. On compte 126 éclats levallois (fig. 3, nᵒˢ 1 à 4), pointes levallois (fig. 3, nᵒ 5, de deuxième ordre) et lames levallois (fig. 3, nᵒ 6). Les If et Ifs sont respectivement de 82,2 et 64,8. L'Ilam est de 3. Les 16 pointes levallois représentent 11,5 % et les 6 pointes pseudo-levallois, 4,28 % du total des objets (fig. 3, nᵒ 7). 110 pièces levallois sont demeurées sans retouche, l'*Ilty est de 78,5.* Sur les 13 racloirs, 5 sont sur éclat ordinaire, 8 sur éclat levallois.

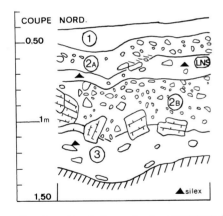

Fɪɢ. 2. — *Stratigraphie de la grotte des EUGLES (Grande-Chartreuse).* Les niveaux L N S et couche 3 ont livré des silex avec de l'*Ursus spelaeus.* Celui-ci est présent dans la couche 2 B, stérile archéologiquement. Dessin repris de A. Bocquet.

Fɪɢ. 1. — 1. Biface; 2. Lame levallois; 3. Eclat levallois à talon facetté convexe; 4. Couteau à dos naturel, talon facetté convexe; 5. Eclat levallois à talon mince; 6. Eclat levallois, talon facetté convexe; 7. Eclat levallois, talon facetté convexe; 8. Racloir; 9. Lame incurvée retouchée; 10. Racloir convergent convexe; 11. Racloir simple convexe; 12. Racloir double, droit-convexe; 13. Grattoir sur éclat laminaire retouché; 14. Pointe moustérienne, talon facetté convexe; 15 et 16. Eclats levallois déjetés, concassés, talon facetté convexe; 17. Eclat levallois épais à talon cortical. 18. Eclat laminaire levallois, concassé; 19. Eclat levallois mince; 20. Petit éclat levallois; 21. Pointe levallois, de premier ordre; 22. Eclat levallois, talon facetté, concassé; 23. Eclat levallois atypique, talon lisse, concassé; 24. Petit éclat de débitage, probablement levallois, concassé; 25. Eclat laminaire levallois talon facetté, concassé; 26. Eclat levallois mince, talon punctiforme, concassé; 27. Pointe pseudo-levallois; 28. Pointe pseudo-levallois courte, talon facetté convexe, un peu retouchée, concassé; 29. Petit éclat concassé; 30. Racloir transversal convexe sur éclat aminci à retouches de type Quina, intact; 31. Pointe pseudo-levallois, talon facetté, concassé; 32. Coche clactonienne sur éclat ordinaire épais, concassé; 33. Eclat de débitage; 34. Eclat épais; 35. Eclat concassé; 36. Petit rognon de silex grossièrement épannelé; 37. Eclat ordinaire, déjeté; 38. Racloir simple convexe sur éclat ordinaire aminci; 39. Eclat concassé; 40. Racloir déjeté sur éclat ordinaire épais, talon oblique et lisse; 41. Eclat en « silexite », concassé.
Malatret, 1; Balmes-de-Villeversure, 2; Ramasse, La Tessonière, 3 à 5; Noblens, 6 à 14; Les Eugles, 15 à 41; dessin Papé.

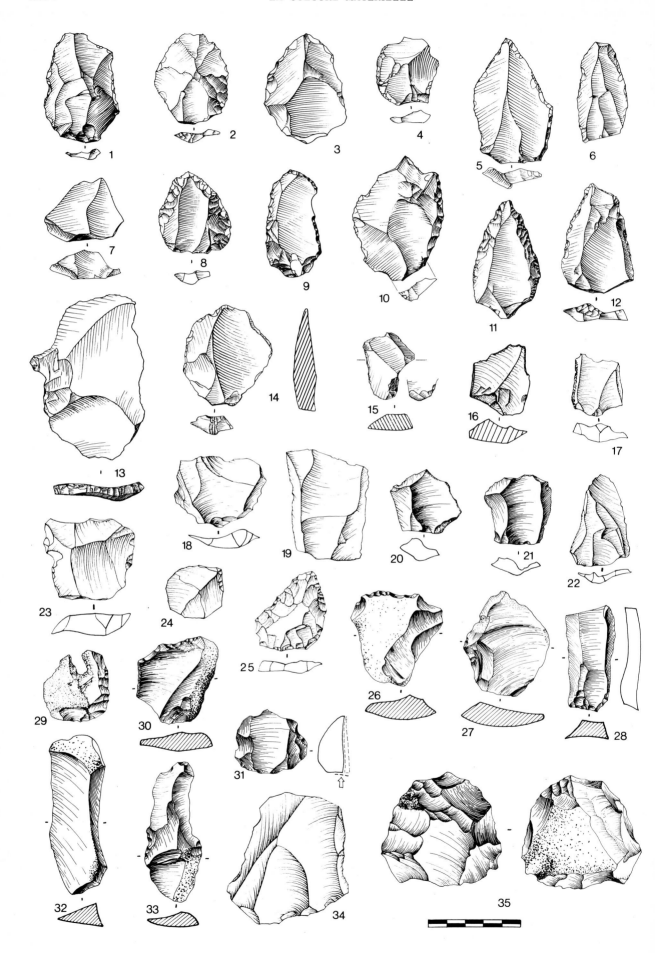

Il y a 9 racloirs simples convexes (fig. 3, n° 9 sur silex à orbitolines, et n° 10), 1 double droit-convexe, 1 double biconvexe (fig. 3, n° 8), 1 convergent-convexe à retouches semi-Quina, 1 déjeté. 5 des 6 pointes moustériennes sont, par contre, sur éclat levallois (fig. 3, n° 11). Deux couteaux à dos atypiques (fig. 3, n° 12), 1 coche et 2 denticulés complètent cette brève série de pièces retouchées. P. Lequatre a récemment observé deux sillons courts, subparallèles, dus au fil d'un silex, sur un métatarsien d'ours. Le diagramme pollinique (A. Leroi-Gourhan, 1966) donne à penser que les couches se sont déposées lors du Riss-Würm, de l'Amersfoort ou du Brörup. Une datation au ¹⁴C, réalisée par le laboratoire de Lyon sur un os provenant d'une couche toute supérieure, mais sous plancher stalagmitique, a donné une ancienneté égale ou supérieure à 32 000 B.C.

2. L'industrie de plein air, patinée, de l'aire I du plateau des Guillets, Vercors.

Découverte en 1968 (M. Malenfant), à 1 050 m d'altitude, au sommet d'un vallum morainique près de Saint-Nizier-du-Moucherotte, l'industrie repose à la surface et dans les 75 premiers centimètres d'un dépôt altéré sur une hauteur de 80 cm environ (sol brun) et probablement peu tronqué (fig. 4). Les

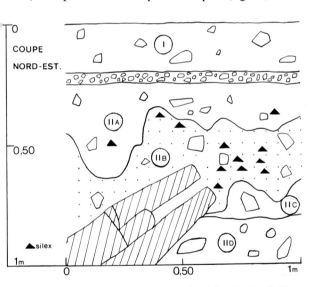

FIG. 4. — *Stratigraphie du gisement de plein air des Guillets, Vercors.* II A et II C : sédiments morainiques argilo-sableux bruns; II B, zone d'encroûtement par sels de fer et de manganèse; II D, sédiment sablo-argileux gris, morainique. En bas, à gauche, gros bloc de schiste alpin. Il n'y a pas de niveau archéologique à proprement parler.

roches alpines, donc étrangères au Vercors, sont abondantes, comme le silex. 3 nucleus levallois ont été trouvés (fig. 3, n°ˢ 31 et 35, à éclat et n° 34, cassé, à pointe, dont le plan de frappe est orné d'un fin facettage). Sur un total de 65 pièces, cet atelier a fourni 36 petits éclats de débitage, 10 éclats ordinaires dont 4 ont un talon facetté, une lame ordinaire (fig. 3, n° 32, épaisse), 6 éclats levallois (fig. 3, n°ˢ 17, 18 et 23, à talon facetté convexe, 19, à talon lisse, 20 et 21, à talon lisse éversé sur la face d'éclatement), 1 pointe levallois de mauvaise venue (fig. 3, n° 22), 2 lames levallois (fig. 3, n° 28, cassée, à section trapézoïdale, n° 33, atypique) et 1 pointe pseudo-levallois à extrémité distale épaisse (fig. 3, n° 24). Les 5 racloirs se distribuent entre un très bon convergent droit-convexe, déjeté, à retouches plates envahissantes et à talon facetté convexe (fig. 3, n° 25), 1 simple convexe à talon lisse éversé (fig. 3, n° 29), 2 transversaux (fig. 3, n°ˢ 26 et 30) et un latéral, partiel (fig. 3, n° 27).

III. Conclusions.

A. Dans le *Jura méridional,* c'est le faciès Ferrassie du Moustérien qu'évoque l'industrie de plein air de Noblens, près de Villeversure. Le biface de Malatret pourrait être l'indice qu'il existe du Moustérien de tradition acheuléenne dans la région.

B. *Les industries du Paléolithique moyen recueillies dans les grottes des massifs subalpins français* ont une caractéristique commune qu'elles partagent avec celles de plusieurs gisements suisses (1) : *le débitage levallois y occupe une place prépondérante et la proportion d'éclats levallois non retouchés est remarquablement élevée.* Le débitage levallois fut pratiqué même quand paraissait s'y opposer la médiocre qualité de la « silexite » à Onion et de l'œlquartzit au Wildkirchli et au Wildenmannlisloch. Les pointes levallois à Prélétang et les pointes pseudo-levallois presque partout constituent un pourcentage important de l'industrie.

Par contre, à Prélétang et aux Eugles, *les racloirs et les pointes moustériennes sont peu nombreux* et 8 racloirs sur 16 ont été exécutés sur éclat ordinaire. Ce qui semble mériter d'être souligné, c'est *leur rareté,* plus que leur typologie. A noter encore la disparité du matériel siliceux utilisé à Prélétang.

(1) L'industrie de la grotte de Cotencher exceptée. Ce gisement, à 659 m d'altitude, semble d'interprétation plus aisée.

FIG. 3. — 1. Eclat levallois, talon dièdre; 2. Eclat levallois, talon facetté convexe; 3. Eclat levallois; 4. Eclat levallois, talon dièdre; 5. Pointe levallois, de deuxième ordre; 6. Lame levallois; 7. Pointe pseudo-levallois; 8. Racloir double biconvexe; 9. Racloir simple convexe, sur silex à orbitolines; 10. Racloir simple convexe; 11. Pointe moustérienne; 12. Couteau à dos atypique; 13. Eclat levallois, talon facetté convexe; 14. Eclat levallois, talon facetté convexe; 15. Pointe pseudo-levallois, amincie; 16. Pointe pseudo-levallois; 17. Eclat levallois, talon facetté convexe; 18. Eclat levallois, talon facetté convexe; 19. Eclat levallois; 20 et 21. Eclats levallois, talon lisse; 22. Pointe levallois, de deuxième ordre; 23. Eclat levallois, talon facetté convexe; 24. Pointe pseudo-levallois; 25. Racloir convergent droit-convexe, déjeté; 26. Racloir transversal; 27. Racloir latéral, partiel; 28. Lame levallois, cassée; 29. Racloir simple convexe; 30. Racloir transversal; 31. Nucleus levallois à éclat, forme diminutive; 32. Lame ordinaire, épaisse; 33. Lame levallois atypique; 34. Nucleus levallois à pointe cassée; 35. Nucleus levallois à éclat.
Prélétang, 1 à 12; La Passagère, 13 à 16; Les Guillets, 17 à 35. Dessins : P. Lequatre, P. Bintz et C.R.E.P. 07 Saint-André-de-Cruzières.

Les gisements correspondent à *des habitats* ou *des haltes* dans *un environnement montagnard forestier,* d'abord et de pratique difficiles, même pour *des séjours saisonniers* et relativement *brefs.*

Quelle est l'identité de l'industrie des grottes alpines ? S'agit-il d'une anomalie dans le cadre explicatif du Moustérien ou d'une culture spécifique d'un environnement montagnard forestier ? Quel est le rôle éventuellement joué par le milieu alpin dans la composition de l'outillage ? L'indice levallois typologique, écrasant à Prélétang, est-il lié aux activités des tribus et à l'abondance du silex en Vercors ?

Une culture alpine spécifique aurait connu une existence bien fugitive, les gisements sont rares.

Dans l'état actuel des connaissances, il est impossible de se faire une idée précise de ce que furent l'écologie des tribus et la nature de leurs activités, que l'on peut présumer cynégétiques.

Cependant, à titre d'hypothèse de travail, on peut se demander si l'on est en présence d'outillages dotés d'une extraordinaire plasticité, témoins d'une adaptation saisonnière profonde d'industries définies, hors des Alpes, comme moustériennes par exemple, ou s'il s'agit d'industries qui possédaient déjà, avant d'affronter le milieu alpin, l'essentiel de leurs caractéristiques techniques et typologiques.

L'indice levallois à Prélétang a sans doute été majoré par un tri (IL = 76,8).

Le « faciès Levallois » des industries des grottes subalpines pourrait n'être pas directement lié, *originairement,* aux contraintes de l'environnement alpin ni aux activités des tribus dans ce milieu.

La richesse de *l'habitat de grotte* de Prélétang en éclats levallois non retouchés (ILty = 78,5) et en pointes levallois (14,2 % de l'outillage) ne constitue pas, en effet, une exception. Les récents travaux dans la grotte des Eugles tendent également à souligner le nombre élevé des éclats levallois bruts. A un moindre degré, les industries *de plein air* des gisements loessiques d'Oissel et du Tillet présentent, elles aussi, des indices levallois typologiques très forts. *Dans les environnements les plus divers,* en grotte ou en plein air, *l'usage électif d'éclats levallois bruts* a été constaté ; c'est le cas à la Baume-Bonne pour l'industrie datée du Riss-Würm, pour celles du niveau G de Rigabe, d'Orgnac 3, niveaux 1 et 2, de Buis-les-Baronnies, des couches 18-13 de la Baume-des-Peyrards.

D'autre part, la très grande diversité du silex utilisé pour débiter les éclats levallois de Prélétang semble s'opposer à l'interprétation selon laquelle l'importance de l'indice levallois typologique serait due à l'abondance du matériau en Vercors.

Par contre, il est possible que les activités des tribus aient conduit à l'accentuation de cet indice et nécessité l'utilisation de nombreuses pointes pseudo-levallois ; là se bornerait l'originalité typologique de ces industries.

Si l'environnement montagnard forestier a effectivement joué un rôle, c'est probablement en imposant *une sélection* parmi les cultures existant hors des Alpes à cette époque, récusant des tribus porteuses d'outillages bien adaptés à certains milieux ou à des milieux relativement neutres (à Combe-Grenal, se sont succédées, dans le même site, les cultures les

plus diverses) et autorisant l'*accès de groupes humains dont les industries étaient déjà définies pour l'essentiel et dont les caractéristiques d'ensemble, techniques et typologiques, permettaient une insertion dans les milieux les plus opposés.*

J. Combier écrivait en 1956 : « Si les industries en question comportent essentiellement des éclats et pointes levallois ou pseudo-levallois utilisés sans retouche et d'autre part proportionnellement peu de racloirs, c'est bien qu'elles sont indépendantes des faciès moustériens type Ferrassie ou Quina par exemple, où une très forte proportion de débitages levallois ou non sont traités en retouche écailleuse, plate ou scalariforme » et en 1966 : « Le site de caverne de Prélétang permet de confirmer que (la liaison entre le faciès Levallois et l'Acheuléen et le Moustérien) n'est pas rigoureuse puisque son industrie présente, à un haut degré, tout au moins quantitativement, le caractère levalloisien ».

Au-delà de la simple définition d'un faciès saisonnier dans les Alpes, il est peut-être possible de poser le problème qualitativement, aux fins d'identification culturelle d'industries d'habitat, en grotte et en plein air, d'atelier, dans et hors des Alpes.

C'est dans *l'orbe d'une culture levalloisienne* que paraît se situer la personnalité des industries du Paléolithique moyen des grottes subalpines.

On peut se demander, dans cette hypothèse, le statut de la faible note moustérienne dans ces industries, s'il ne s'avérait pas légitime d'en faire ici l'indicateur culturel décisif ?

Peut-être sera-t-il possible, un jour, d'établir un lien entre les industries des grottes subalpines et les ensembles lithiques *d'ateliers de plein air* du Val-de-Lans, en Vercors, de découverte récente, probablement de la fin du Riss III ou du tout début du Riss-Würm et que l'importance de leur débitage levallois, l'indice levallois typologique très fort (ILty = 51,40 aux Mourets), la rareté des racloirs (IR = 9,85), la présence de pièces lourdes à arête latérale et dos épais, de choppers et chopping-tools et l'absence de biface ne semblent pas permettre d'attribuer à l'Acheuléen ou au Prémoustérien.

Les industries de grottes des massifs subalpins peuvent être datées par l'étude de *la faune associée à l'Ursus spelaeus* (qui a pu perdurer jusqu'au Paléolithique supérieur), elle suggère, par la présence de *Cervus Elaphus* en particulier, un climat tempéré (Onion, Prélétang, La Passagère). La *stratigraphie,* à Prélétang comme à Onion, semble également désigner, ainsi que le *diagramme pollinique* de Prélétang (A. Leroi-Gourhan, 1966), des séquences tempérées rapportées au Riss-Würm ou aux premiers interstades würmiens. La *datation au ^{14}C* obtenue à Prélétang va dans le même sens : ancienneté égale ou supérieure à 32 000 ans pour un os d'ours d'une couche supérieure du gisement.

C. *Dans l'industrie patinée de plein air de l'aire I des Guillets,* le débitage levallois occupe une place privilégiée. La présence de plusieurs lames dans cette courte série de 65 pièces, dont 44 ont été recueillies lors de la fouille de 1969 jusqu'à 0,80 m de profondeur, contribue à donner un caractère évolué à l'ensemble où le facettage est, sur plusieurs pièces,

Paléolithique moyen dans le Jura méridional et les Alpes du Nord.

Gisement	Site	Altit.	Ind. lithique caractéristiques	Culture	Faune	Palynologie	C 14	Datation
Balmes de Villeversure (J.M.)	Grotte	320 m.	Lames levallois	Moustérien ?	*Elephas primigenius ? Rangifer tarandus Rhinoceros tichorhinus*	—	—	Würm
Noblens, Meyriat, près Villeversure (J.M.)	Plein air	—	Présence du débit. levall. Racloirs : simple convexe, doubles, droit-convexe, convergent-convexe.	Moustérien Ferrassie.	—	—	—	Würm
Malatret. (J.M.)	Plein air	—	Biface subcordiforme	Moustérien de tradition acheuléenne ?	—	—	—	—
La Tessonière Ramasse (J.M.)	Grotte	—	Présence du débit. levall.	Moustérien ?	—	—	—	—
Onion Grotte du Baré. (Faucigny. A. du N.)	Grotte	1 200 m	Présence du débit. levall.	Levalloisien ?	*Ursus spelaeus Cervus elaphus* chamois, bouquetin, grand félin des cavernes.	—	—	Riss-Würm
Les Eugles. (Grande-Chartreuse, A. du N.)	Grotte	850 m.	Débitage levallois dominant. Pointes pseudo-levallois. Peu de racloirs. Nbx éclats levallois bruts.	Levalloisien ?	*Ursus spelaeus*	—	—	Riss-Würm ? Würm I ?
Prélétang (Vercors, A. du N.)	Grotte	1 200 m.	Ind. de débitage levall. (IL = 76,8), de faciès levall. (IL ty = 76,5). Pointes levallois et pointes pseudo-levallois. Peu de racloirs. Pointes moustériennes. – Habitat –	Levalloisien ?	*Ursus spelaeus. Cervus elaphus Bison priscus* Lion des cavernes.	2 ou 3 séquences tempérées.	⩾ 32 000 B.C.	Riss-Würm ? Amersfoort ? Brorüp ?
Les Guillets (Vercors, A. du N.)	Plein air (au sommet d'un vallum morainique du maximum du glacier würmien alpin)	1 050 m	Présence du débit. lev. lames lev. et ordin. Racloirs, simple convexe et convergent droit-convexe ; racloirs partiels.	Moustérien évolué.	—	—	—	Würm II-III Début Würm III ?

d'excellente qualité. Les racloirs peuvent être de très belle venue. L'éversement des talons lisses sur la face d'éclatement de deux des éclats levallois et d'éclats ordinaires constitue une note un peu particulière. L'industrie de cet atelier comme en témoigne la présence de nucleus et de 36 petits éclats de débitage peut être rapportée à *un Moustérien évolué.*

L'intérêt de ce gisement de plein air ne tient pas seulement au fait qu'il est, pour le moment, unique dans la région, mais réside aussi dans ses rapports avec le vallum morainique sur lequel il est situé. Le dépôt des vallums morainiques des Guillets, au flanc Nord-Est du Vercors, est attribué au stade de retrait du maximum de la glaciation würmienne alpine. La pédogenèse qui les affecte est peu importante. Le sol brun a subi un encroûtement par migration de sels de fer (« niveau » II B).

L'industrie ne peut être datée, sur ses caractéristiques techniques et typologiques, postérieurement à l'interstade Würm II-Würm III de F. Bordes ou au tout début du Würm III. Le glacier würmien alpin n'ayant sans doute pas atteint Grenoble lors du Würm I, les dépôts morainiques des Guillets n'ont pu s'effectuer que pendant la poussée glaciaire du Würm II ou de celles de la seconde partie du Würm. La présence de l'industrie en position sommitale permet de penser que, *dans la région de Gre-*

noble, la poussée maximale du glacier würmien alpin doit être datée du Würm II de F. Bordes. Une large déglaciation des vallées alpines aurait ensuite permis le passage en altitude de tribus dont l'industrie fut enfouie à la profondeur actuelle lors de la destruction du sol sur lequel ils travaillèrent, par les cryoturbations des Würm III et IV. L'encroûtement pourrait dater de l'optimum climatique post-glaciaire.

Bibliographie

[1] BOCQUET A. (1968). — *L'Isère pré- et protohistorique.* Thèse de doctorat d'Université. Grenoble, Fac. des Sc., 2 fasc.

[2] BOCQUET A. (1969). — L'Isère préhistorique et protohistorique. *Gallia-Préhistoire*, t. XII, fasc. 1 et 2.

[3] BOCQUET A. et LEQUATRE P. (1968). — Le Moustérien de la grotte des Eugles en Chartreuse. *Géologie alpine*, t. 44, p. 89-93.

[4] BORDES F. (1958). — J. Combier, la grotte des ours de Chateaubourg (Ardèche) et le problème du « Moustérien alpin ». *L'Anthropologie*, t. 62, p. 296-299.

[5] BORDES F. (1961). — *Typologie du Paléolithique ancien et moyen.* Inst. de Préh. Univ. Bordeaux. 2 tomes. Imp. Delmas.

[6] BOURDIER F. (1962). — *Le bassin du Rhône au Quaternaire.* 2 tomes. Edit. du C.N.R.S.

[7] COMBIER J. (1956). — La grotte des ours à Chateaubourg (Ardèche) et le problème du « Moustérien alpin ». *Cahiers rhodaniens,* III, p. 3-14.

[8] COMBIER J. (1967). — *Le Paléolithique de l'Ardèche.* Pub. Inst. Préh. Univ. Bordeaux. Mém. 4. Imp. Delmas.

[9] JEQUIER J.P. (1975). — Le Moustérien alpin, révision critique. *Eburodunum II.* Inst. d'Arch. Yverdonnoise. Yverdon.

[10] KOBY F. Ed. (1953). — Modifications que les ours des cavernes ont fait subir à leur habitat. *Congrès International de spéléologie. 1953,* t. IV, section 4.

[11] KOBY F. Ed. (1953). — Les paléolithiques ont-ils chassé l'ours des cavernes? *Actes de la Soc. d'émulation jurasienne.*

[12] LEQUATRE P. (1966). — La grotte de Prélétang (commune de Presles, Isère). Le repaire d'ours des cavernes et son industrie moustérienne. *Gallia-Préhistoire,* t. IX, fasc. 1, p. 1-83.

[13] LEROI-GOURHAN A. (1964). — *Le geste et la parole. Technique et langage.* Ed. A. Michel, Paris.

[14] LEROI-GOURHAN A. (1966). — La grotte de Prélétang (commune de Presles, Isère). Analyse pollinique des sédiments. *Gallia-Préhistoire,* t. IX, fasc. 1, p. 85-92.

[15] LUMLEY-WOODYEAR Henry de (1969 et 1971). — *Le Paléolithique inférieur et moyen du Midi méditerranéen dans son cadre géologique,* t. I, Ligurie, Provence; t. II, Bas-Languedoc, Roussillon, Catalogne. Vᵉ Sup. à Gallia-Préhistoire. C.N.R.S.

[16] MALENFANT M. (1969). — Découverte d'une industrie moustérienne de surface sur le plateau des Guillets (massif du Vercors, Isère). Note in *C.R. Acad. Sc. Paris,* t. 268, p. 1380-1393; série D.

[17] SPHANI J.C. et RIGASSI D. (1951). — Les grottes d'Onion, par Saint-Jeoire-en-Faucigny. Premières stations moustériennes en Haute-Savoie. *Revue savoisienne.* Pub. Acad. florimontane d'Annecy.

Les civilisations du Paléolithique moyen des Pyrénées et du Bassin de la Garonne

par

André Tavoso *

Résumé. Le Paléolithique moyen est connu dans le bassin supérieur de la Garonne, par trois sites ayant livré à la fois faune et industrie : le vallon de l'Infernet, la grotte du Portel et le site de Mauran. Ils semblent appartenir à des faciès différents du Moustérien.

Abstract. The Middle Paleolithic is known in the Upper Basin of the Garonne by three sites having produced both fauna and flora : the Vallon de l'Infernet, the Grotte du Portel, and Mauran. They seem to belong to different varieties of the Mousterian.

Le bassin supérieur de la Garonne est très pauvre en industries du Paléolithique moyen qui n'y sont en général représentées que par quelques séries pauvres et isolées, dont la diagnose moustérienne est en général basée sur des critères typologiques assez vagues : présence de nucléus discoïdes associés à des éclats, typologie des bifaces.

Cette rareté est d'autant plus surprenante que la région considérée est entourée de zones où les industries moustériennes sont fréquentes et il faut peut-être l'imputer à une déficience des recherches entreprises dans cette région.

Quelques gisements ont cependant livré des outillages moustériens en stratigraphie ; citons les pauvres séries du Putois I à Montmaurin (Haute-Garonne) et les sites plus riches de l'Infernet (Haute-Garonne), du Portel (Ariège) et de Mauran (Haute-Garonne).

Gisement de l'Infernet (commune de Clermont-le-Fort, Haute-Garonne).

Ce gisement de surface est un des seuls qui ait livré à la fois faune et industrie en place.

Fouillé par J.B. Noulet dès 1851, repris à l'occasion du centenaire des premières recherches par Louis Méroc et Jacques Paloumé, il a montré une stratigraphie où les alluvions d'un petit affluent de l'Ariège, le ruisseau de Saint-Jean, sont enfouies sous des limons colluviaux issus des versants.

Méroc et Paloumet ont ainsi distingué, sur le substratum miocène :

— couche à nodules : sables ferrugineux grossiers et galets (quartz et molasse) à faune (*Rhinoceros tichorhinus,* cheval, mammouth, bouquetin). C'est à ce niveau qu'on peut attribuer un bois de renne trouvé par Noulet,

— couche bleue : limons argileux à passées sableuses,

— complexe argilo-sableux, composé de limons argilo-sableux lités, à passées plus grossières ou plus limoneuses, à lits ferrugineux,

— limon colluvial subactuel.

La faune de la couche à nodules est rapportable au Würm, en particulier par la présence du renne, espèce inconnue dans les remplissages rissiens de la région.

L'industrie a été divisée en trois séries, distinguées par l'état physique des pièces : série roulée, série éolisée et série non usée. Les deux premières, antérieures aux alluvions de la couche à nodules, sont de typologie acheuléenne. La troisième est contemporaine du dépôt et de la faune qu'il contenait.

Elle se compose de 85 pièces (60 quartzites, 22 quartz, 3 silex) de dimensions en général faibles. Il y a trois petits bifaces (dont deux sur éclat), trois nucléus disques, et 7 racloirs. Les éclats bruts (46) sont de débitage non Levallois et ont un plan de frappe préparé dans un tiers des cas environ (14).

Il n'est pas possible de tirer de conclusions précises d'une série aussi pauvre ; tout au plus la présence des bifaces permet-elle d'évoquer le Moustérien de tradition acheuléenne.

La grotte du Portel (commune de Loubens, Ariège).

Rendue célèbre par sa décoration pariétale, la grotte du Portel est fouillée, depuis 1958, par Jean Vézian qui y poursuit les travaux entrepris par son père depuis 1920.

C'est une vaste cavité, composée de galeries parallèles reliées par des diaclases perpendiculaires, dont le remplissage, très important, a révélé des niveaux moustériens en plusieurs endroits. La stratigraphie est la suivante :

Dans la grande salle :

— éboulis stalagmitisé,
— foyer rougeâtre du Magdalénien IV,

* Laboratoire de Paléontologie Humaine et de Préhistoire. Université de Provence, Centre Saint-Charles. Place Victor-Hugo, 13331 Marseille Cedex 3 et URA n° 13 du C.R.A. (France).

— éboulis argileux à ossements animaux,
— stalagmite,
— argile brune à ours et industrie pauvre,
— argile jaune à ossements d'ours.

A l'arrière fond :

Une seule couche de Moustérien très froid dont la faune est dominée par le cheval et le renne. Industrie (en majorité de quartz) à base de racloirs accompagnés de quelques pointes.

Dans l'entrée Ouest :

Cette partie du réseau est un ancien porche, obstrué par des dépôts würmiens et situé à une quarantaine de mètres de l'arrière fond. La stratigraphie y est complexe et couvre une séquence étendue du Gravettien au Prémoustérien. Dans l'ensemble, très cryoclastiques, les dépôts sont constitués de cailloutis plus ou moins corrodés (couches B, B1, B1A, B2, D, D1, F, F1, F3, G) séparés par des niveaux argileux sans cailloux (C, E) et par un plancher stalagmitique altéré (F2).

La position exacte de cette séquence dans la chronologie du Quaternaire ne pourra être fixée que lorsque son étude sera terminée, mais il semble qu'elle montre l'évolution du Würmien I (couches G à F2 ?) à l'Interwürmien II-III (couches C et D ?), d'une industrie moustérienne sans bifaces, riche en racloirs, pratiquant parfois le débitage Levallois.

Gisement de Mauran (Haute-Garonne).

Ce site, dont l'étude a été entreprise, il y a deux ans par Catherine et Michel Girard, est située dans le chaînon des Petites Pyrénées, à 60 km de Toulouse et dans la vallée de la Garonne (qui coule à 25 m en contrebas du gisement). Il est donc postérieur au dépôt de la terrasse rissienne de 30 m. La coupe, où argiles et blocailles calcaires alternent sur une dizaine de mètres d'épaisseur, permet d'y reconnaître un dépôt de pente dont la gravité semble l'agent principal de mise en place. Huit niveaux archéologiques y ont été repérés, dont trois ont été décapés. Ils correspondent à des camps de chasseurs de grands bovidés dont l'outillage lithique (quartzite et silex) comprend une forte proportion de denticulés et d'outils sur galets et a été rapproché par Catherine Girard du Moustérien à denticulés.

La faune, bien conservée, témoigne d'une chasse si spécialisée (grands bovidés et rares équidés) qu'il semble risqué de lui attribuer une valeur climatique ou chronologique.

Les pollens, étudiés par Michel Girard, montrent par contre la présence d'espèces méditerranéennes (pistachier, platane, olivier, chêne vert) dont la présence en plein domaine atlantique semble caractériser un climat interglaciaire ou interstadiaire.

Conclusion.

Des trois sites rapportables sans équivoque au Paléolithique moyen, le premier, fouillé depuis 1851, était pauvre et contenait plusieurs types d'industries mélangées dans un niveau d'alluvions würmiennes, le second, capital, n'a pas encore été étudié. La fouille du dernier commence à peine.

Toute conclusion au sujet de l'occupation humaine du bassin supérieur de la Garonne, par les artisans des cultures du Paléolithique moyen serait donc largement prématurée.

Bibliographie

[1] GIRARD Catherine (1975). — Le gisement préhistorique de Mauran (Haute-Garonne). *Livret Guide de l'excursion annuelle de l'A.F.E.Q.*, 8-9-10 mai 1975, Université de Toulouse. Institut de Géographie.

[2] MÉROC Louis et PALOUMÉ Jacques (1958). — Nouvelles fouilles à l'Infernet, commune de Clermont-le-Fort (Haute-Garonne). *Bulletin de la société d'Histoire Naturelle de Toulouse*, t. 93, 1958.

[3] VEZIAN J. (1972). — La Grotte du Portel, commune de Loubens (Ariège). *Bulletin de la Société d'Etudes et de Recherches Préhistoriques*. Les Eyzies, 1972.

Les civilisations du Paléolithique moyen dans le Bassin du Tarn

par

André Tavoso *

Résumé. La vallée du Tarn a été occupée par les artisans d'un faciès spécial du Moustérien de tradition acheuléenne, qui ont adapté leurs techniques de taille aux différents types de matière première (galets de quartz, chailles, silex) utilisés. Ces industries ne dépassent pas, vers le Sud-Est, la vallée du Tarn.

Abstract. The Tarn Valley was occupied by the artisans of a special facies of the Mousterian of the Acheulean Tradition, who adapted their stone-working techniques to the different types of raw material (quartz pebbles, chailles, flint) used. These industries do not go beyond in a southeasterly direction, the Tarn Valley.

La basse vallée du Tarn, creusée dans les dépôts tertiaires du Sud-Est aquitain est très riche en stations moustériennes de plein air (fig. 1), presque toutes liées aux gisements naturels des roches utilisées comme matière première dans la fabrication des outils : silex du calcaire de Cordes (Stampien), galets de quartz des formations détritiques continentales (argile à graviers éocène, terrasses alluviales quaternaires). Chaque type de roche impose ses caractéristiques à l'industrie qui offre donc des faciès très différents, mais que les études typologiques ou la présence (sur tous les gisements) de séries importées, taillées dans des roches étrangères à l'environnement géologique immédiat, permettent de relier les uns aux autres.

I. Les ateliers du Verdier.

Au Nord de Gaillac, sur le territoire de la commune du Verdier, le calcaire stampien de Cordes offre de nombreux affleurements d'un excellent silex qui, de l'Acheuléen au Néolithique a attiré l'Homme préhistorique. Les labours ont détruit, (sauf peut-être sous quelques bois) toute trace de stratigraphie, et le silex local offre une telle variété de teintes et de grains, qu'il serait illusoire de vouloir y isoler des séries d'après leur patine ou leur état physique. De plus, ces gisements sont connus depuis longtemps et font l'objet d'un véritable pillage de la part des collectionneurs de bifaces. Ce site défie donc toute étude statistique. On peut tout au plus tirer quelques indications typologiques de l'examen des rares collections correctement constituées, par récolte exhaustive de tous les produits de débitage (collection J.-F. Alaux à Albi). Si l'on en croit la proportion des bifaces, racloirs, éclats et nucléus Levallois, la plus importante des occupations du site est moustérienne, et, semble-t-il, correspond à un seul type de moustérien de tradition acheuléenne. Le débitage levallois devait être dominant et a livré de nombreux et très typiques éclats ovalaires ou arrondis et une grande quantité de nucléus caractéristiques. Les racloirs, nombreux, d'excellente facture, sont rarement obtenus par la retouche Quina ; les pointes sont assez rares et les denticulés peu fréquents alors que les couteaux à dos semblent absents.

Les bifaces, pour la plupart cordiformes (souvent allongés) et ovalaires, exceptionnellement triangulaires, sont, par leur finesse, absolument caractéristiques du Moustérien de tradition acheuléenne. Les stations du Verdier livrent en outre de petites séries de quartz taillés, vraisemblablement importées de la vallée du Tarn : bifaces, éclats, outils sur galets ou fragments de galets très proches, techniquement et typologiquement, des séries moustériennes de la moyenne terrasse du Tarn. Il est remarquable de constater la fréquence (50 %) parmi eux, des fragments de percuteurs.

II. Les stations de la moyenne terrasse du Tarn.

D'Albi à Giroussens, ainsi qu'au sud de Montauban, les terrasses mindéliennes du Tarn portent de très nombreuses stations moustériennes (nous en prospectons une cinquantaine) la plupart du temps concentrées sur une surface relativement restreinte (un à plusieurs hectares). Les plus riches sont au sud de Gaillac, de Cadalen à Parisot. Elles sont fréquemment associées à des gisements acheuléens mais l'état physique et la nature des roches utilisées rendent tout mélange improbable. Deux matières premières ont été utilisées par les moustériens de la moyenne terrasse :
— le quartz filonien des galets locaux,
— le silex du Verdier.
Les propriétés mécaniques de ces deux types de roches étant très différentes, elles justifient de techniques de taille particulières et la typologie des outillages qu'elles procurent n'est pas directement comparable.

A. Les quartz taillés.

Caractéristiques, par leur fraîcheur (ni patine, ni usure) de ces séries würmiennes, ils en composent la plus grande partie (80 à 100 %).

---

* Attaché de Recherche au C.N.R.S., Faculté Saint-Charles, Laboratoire de Paléontologie Humaine et de Préhistoire, 13331 Marseille Cedex (France).

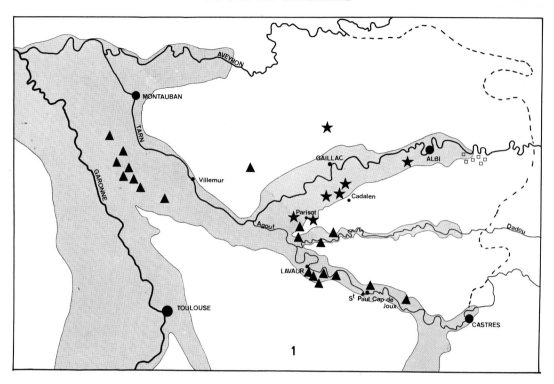

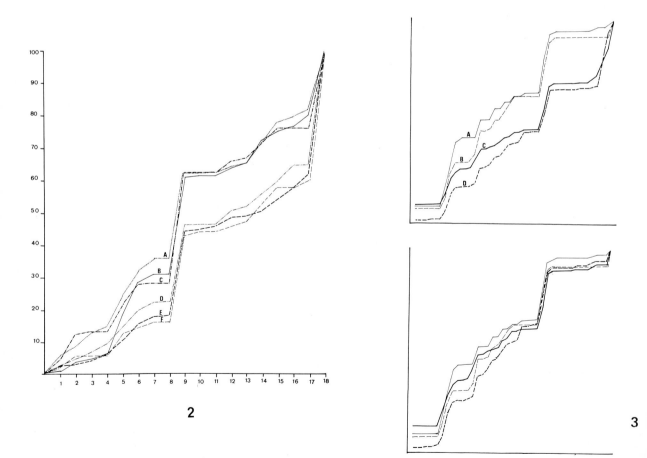

FIG. 1. — 1. Carte des couloirs alluviaux du Sud-Est aquitain (en grisé). Triangles : stations acheuléennes; étoiles : stations acheuléennes et moustériennes; carrés : stations moustériennes. — 2. Diagrammes des éclats de quartz : stations de la moyenne terrasse, A : Brens Le Rec; B : Cadalen Petit Nareye; C : Técou, stations de l'argile à graviers, D : Gouzac; E : Le Cambal; F : Foncouverte. — 3. Diagrammes cumulatifs du Moustérien tarnais, construits avec (en haut) et sans (en bas), les outils sur galets : A : Foncouverte; B : Le Cambal; C : Petit Nareye ; D. Técou.

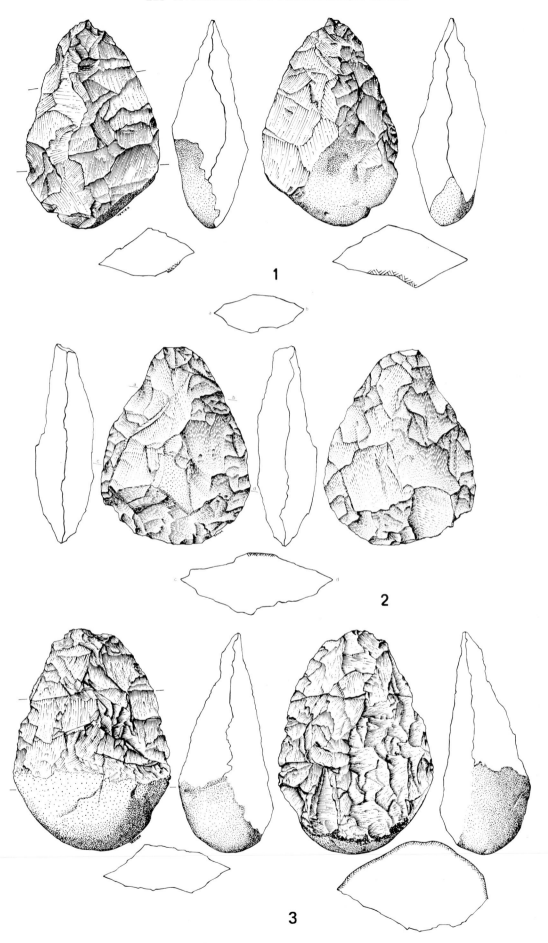

FIG. 2. — Moustérien de la moyenne terrasse : bifaces en quartz du Petit Nareye à Cadalen.
1. Amygdaloïde; 2. Cordiforme; 3. Ovalaire.

a) *Le débitage.*

Il n'est ni Levallois (IL = 3 à 8 %), ni laminaire (ILam = 0 à 2 %), ni facetté. Pour ne pas arrêter notre analyse à ces caractéristiques négatives, imputables aux difficultés de la matière première utilisée, nous avons mis au point une liste type (Tavoso, 1972) où les éclats sont classés selon la position et l'étendue des résidus corticaux qu'ils présentent. Les 18 catégories distinguées (de l'éclat entièrement cortical à l'éclat sans cortex) permettent de suivre les étapes de l'épannelage des galets utilisés.

Les histogrammes et diagrammes cumulatifs construits à partir de cette liste type (fig. 1) mettent en évidence, pour toutes ces séries, l'existence d'une technique unique de fabrication des éclats de galets de quartz : des stations situées à 10 km l'une de l'autre offrent ainsi des diagrammes superposables. Les caractéristiques essentielles de ces assemblages sont la fréquence des éclats corticaux (75 à 80 %) et, parmi eux, des éclats à talon en cortex (58 à 66 %) parmi lesquels les éclats à talon seul cortical forment la catégorie la mieux fournie (31 à 33 % des éclats). Les dos en cortex, plus ou moins abrupts, forment 1/3 à 1/4 de l'ensemble. Sur tous ces gisements, les éclats d'amorçage sont rares (1 à 3 %), ce qui montre que le débitage était presque toujours poursuivi après l'enlèvement du premier éclat.

La netteté des points d'impact, les bulbes saillants ou fissurés sont la marque de l'emploi habituel du percuteur dur et les éclats à double bulbe opposés indiquent l'emploi fréquent de la percussion bipolaire, utilisée souvent pour l'entame des galets. Quelques éclats (5 % environ) montrent deux faces bulbaires et ont été tirés de gros éclats (ou demi galets) parfois par percussion bipolaire (éclats à double face plane et quatre bulbes opposés deux à deux !). Les nucléi sont peu nombreux (1 pour 25 éclats dans l'outillage du Petit Nareye à Cadalen), et pour trois quarts d'entre eux du type discoïde, à plan de frappe cortical dans un tiers des cas.

b) *Typologie.*

Les outils sont en général nombreux : les 867 quartz taillés du Petit Nareye se répartissent en éclats bruts (58,8 %), retouchés (27,6 %), outils sur galets (6,5 %), nucléus (5,8 %) et bifaces (1,3 %). Parmi ces outils, il y a lieu de noter la proportion, extrêmement forte pour une industrie moustérienne, des outils sur galets : 20 à 25 %.

Les choppers, latéraux le plus souvent, y dominent les chopping-tools mais on peut à leur propos rappeler la rareté des nucléus et la forte proportion des éclats à talon cortical qui ont pu être tirés de ces choppers, dont une partie au moins doit être considérée comme des nucléus.

Les bifaces, peu nombreux (2 à 5 %), sont, malgré un certain archaïsme (souvent épais, ils ont presque toujours un talon en cortex), de fort belle facture et montrent des arêtes fines et rectilignes, et les contours symétriques typiquement moustériens (fig. 2 et 3). Du point de vue morphologique, ils sont amygdaloïdes, ovalaires, cordiformes ou lancéolés, mais très rarement triangulaires et quelques-

uns ont un tranchant transversal (bifaces hachereaux) (fig. 3). Les outils sur éclats sont, pour la plupart, des racloirs, qui forment un peu moins de la moitié des éclats retouchés (44,7 % à Técou, 46,3 % à Cadalen, 48 % à Brens). Ils sont presque tous simples (racloirs doubles : 0,8 à 4 %) et souvent sur face plane (jusqu'à 10 % des éclats retouchés). Les outils à bords retouchés convergents (pointes, racloirs convergents et déjetés) sont peu nombreux. Le groupe paléolithique supérieur, médiocre (7 à 9 %) est presque uniquement composé de grattoirs auxquels viennent se joindre quelques perçoirs. L'absence de tout couteau à dos est à noter. Encoches et denticulés représentent 20 à 30 % des éclats retouchés, proportion qui n'a rien d'excessif étant données les conditions de la récolte (pièces exhumées par les labours), les denticulés représentant quant à eux 16 à 17 % des éclats retouchés.

B. LES SILEX.

Toutes les stations ou presque livrent quelques silex importés du Verdier. Souvent il ne s'agit que d'un ou deux bifaces accompagnés de quelques éclats Levallois ou racloirs. Il est possible que leur nombre ait été plus élevé car leur perfection les désigna très tôt à l'attention des collectionneurs. Ils sont la plupart du temps cordiformes ou ovalaires (fig. 3, n° 1) et ne se distinguent en rien de leurs homologues du Verdier. Quelques gisements toutefois ont livré assez de pièces pour qu'en soit entreprise l'étude stratigraphique. C'est le cas du Petit Nareye à Cadalen :

a) *Le débitage.*

Le débitage Levallois est fréquent et de bonne qualité (IL = 28,7 %) mais les lames sont rares (ILam = 1,7 %). Les talons ont été assez soigneusement préparés, comme l'indiquent les indices de facettage IFs = 47,1 %, IFl = 56 %.

Relativement nombreux, les nucléus sont en majorité de types élaborés : disques et discoïdes (60 %), Levallois (20 %), finement préparés et la plupart du temps épuisés. Les éclats corticaux étant rares on peut penser qu'une partie au moins des nucléi a été ébauchée avant d'être apportée sur le site.

b) *Typologie.*

Les outils, relativement abondants (92 pour 230 éclats), sont surtout des racloirs (35,9 %) le plus souvent simples (racloirs doubles 2,2 %) et des éclats Levallois non retouchés (ILTy = 32,6 %) Les outils à bords retouchés convergents forment 7,5 % de l'outillage réel et comprennent deux pointes moustériennes courtes. Le groupe paléolithique supérieur (III réel = 6,5 %) est représenté par quelques grattoirs et burins atypiques et un perçoir. Le groupe des denticulés est bas (14,1 % et contient des outils parfois médiocres. Les encoches sont exceptionnellement rares (3 %). La station a en outre livré deux bifaces en silex, tous deux tirés d'éclats : un cordiforme allongé et un ovalaire à base amincie par enlèvement d'un grand éclat latéral (fig. 3, n°s 1 et 2).

III. Les stations de l'argile à gravier.

Entre Albi et Ambialet, les formations paléozoïques du Levèzou et du synclinal d'Albi sont nappées de dépôts continentaux éocènes, dont la composition pétrographique diffère peu de celle des terrasses (galets et graviers à matrice argileuse). Ces formations, dans lesquelles le Tarn a creusé une vallée sinueuse mais profondément encaissée (c'est un bel exemple d'antécédence) ont une surface ondulée, légèrement inclinée vers l'axe de la vallée et où l'érosion a isolé une série de petites buttes à pentes douces. C'est en général au sommet de tels reliefs que nous avons découvert une série de stations moustériennes, pratiquement pures de toute contamination et très concentrées (0,5 à 3 hectares). Les plus riches de ces gisements sont sur la rive sud du Tarn, entre Albi et Villefranche-d'Albi (Gouzac, Foncouverte, Le Cambal, La Barraque).

Outre le quartz, les moustériens ont trouvé là des chailles de bonne qualité dont l'étude, malgré leur grand nombre, est assez décevante ; les seules pièces qui soient restées sur le site sont des déchets : éclats bruts souvent corticaux, très nombreux nucléus (disques et Levallois surtout), avec de temps à autre quelques outils plus typiques : un biface cordiforme, quelques éclats Levallois, des racloirs. Il semble donc s'agir d'un faciès d'atelier, et il est possible que la plupart des outils en chaille (éclats Levallois et racloirs surtout) de la moyenne terrasse aient été importés de tels gisements : les galets de ce type de roches sont en effet extrêmement rares dans les alluvions mindéliennes.

A. LES QUARTZ.

a) Le débitage.

Comme dans ceux de la vallée du Tarn, les gisements de l'argile à gravier sont très semblables les uns aux autres (fig. 1, n° 1). Les éclats sont très nombreux, d'une qualité souvent peu ordinaire pour ce type de roche. Non Levallois (IL = 3 à 4 %), non laminaires (ILam = 0 à 2 %), ils montrent peu de talons facettés. Les éclats corticaux sont majoritaires, mais d'une façon moins nette que sur la moyenne terrasse, puisque le type le plus fréquent est celui des éclats à talon seul en cortex. La comparaison des diagrammes cumulatifs de Gouzac, du Cambal et de Foncouverte avec ceux des stations de la moyenne terrasse montre que la différence essentielle entre les deux types de débitage porte sur le pourcentage des éclats sans cortex.

On peut relier ce fait au pourcentage plus grand des nucléus (15 à 20 %) et à la quasi absence des outils sur galets (0 à 2 %). Il semble que ces différences reflètent les caractéristiques morphologiques des quartz disponibles sur chaque type de gisement : grands galets mal façonnés nécessitant un débitage plus intense, et galets réguliers (et moins grands) des terrasses, desquels on peut aisément tirer, sans préparation préalable, des éclats de forme et de taille prévisibles.

b) Typologie.

La différence la plus frappante, par rapport aux séries de Cadalen ou Técou, est la quasi absence des outils sur galets alors que par ailleurs les deux types d'outillages sont très voisins, sinon identiques : c'est ce qu'illustrent les diagrammes cumulatifs construits avec, puis sans les outils sur galets (fig. 1, n° 3). A cela, deux explications peuvent être proposées. Les deux groupes d'outillages pourraient refléter des activités différentes liées à chaque type de gisement, ou plus simplement, les choppers et chopping tools de Cadalen ne seraient que des nucléus. Les variations de la proportion des nucléus typiques semblent confirmer cette hypothèse. Les outils sur éclats, moins nombreux que sur la terrasse mindélienne (10 à 15 % des éclats) sont surtout des racloirs (IR = 47 à 53 %) parmi lesquels on note la rareté des racloirs doubles (0 à 3 %) et l'importance des racloirs sur face plane (10 à 13 %). Le groupe paléolithique supérieur (6 à 12 %), surtout composé de grattoirs, ne contient aucun couteau à dos. L'indice des denticulés est médiocre (13 à 15 %).

Les bifaces, peu nombreux (3 à 5 %), montrent la coexistence de pièces très fines, cordiformes allongés d'une très belle venue, et d'outils grossiers, épais, parmi lesquels on peut noter la fréquence de très petits (5 à 8 cm) bifaces discoïdes ou ovalaires courts.

IV. Conclusions.

Dans l'état actuel des recherches, la vallée du Tarn semble avoir été occupée par les artisans d'un seul type de Moustérien de tradition acheuléenne, qui auraient adapté leurs techniques de taille à la roche la plus fréquente à l'endroit où ils se trouvaient. Pratiquement un beau débitage Levallois lorsqu'ils disposaient de silex, ils maîtrisaient assez les difficultés de la taille du quartz pour en tirer des bifaces très fins.

Quel que soit le type de roche utilisé, on peut donner comme caractéristiques de cette industrie, le nombre assez faible des bifaces, parmi lesquels les triangulaires sont exceptionnels, la fréquence des racloirs, qui sont rarement doubles, l'absence des couteaux à dos et le pourcentage médiocre des denticulés. Ces traits s'intègrent mal dans les deux stades couramment distingués, à la suite de F. Bordes, dans cette civilisation : Type A à bifaces nombreux, Type B à bifaces plus rares mais nombreux couteaux à dos. Nous pensons qu'il pourrait s'agir d'un faciès régional dont l'âge, certainement würmien, ne peut dans l'état actuel des recherches être précisé davantage.

Un autre problème que ces séries nous permettent d'aborder est celui de l'extension géographique du Moustérien de tradition acheuléenne : connu de l'Espagne au Nord du bassin parisien, il semble totalement absent de la région méditerranéenne. La ligne de partage des eaux entre le Tarn et le Dadou ou l'Agout semble avoir constitué une véritable frontière pour les artisans de ce type d'industries : aux centaines de bifaces moustériens du Verdier et

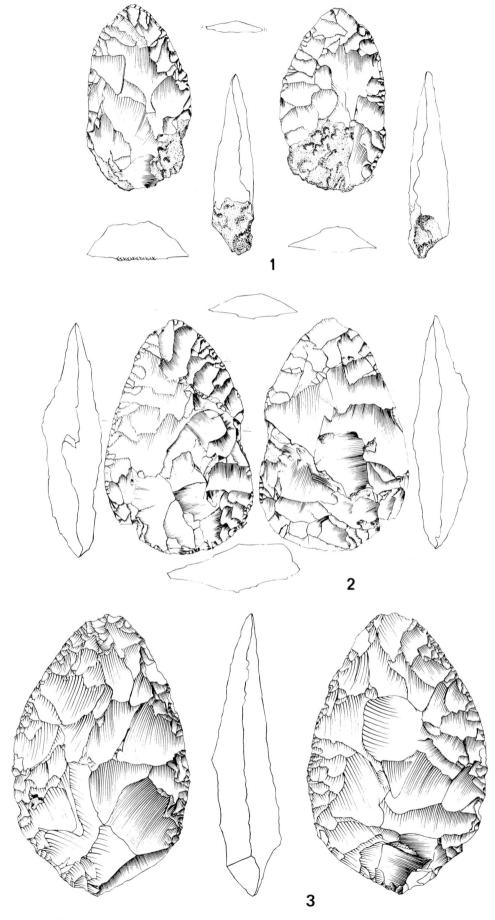

FIG. 3. — Moustérien de la moyenne terrasse du Tarn : bifaces en silex d'importation.
1 et 2 : Cadalen Petit Nareye; 3. Cadalen Le Bouy.

des terrasses du Tarn, on ne peut opposer qu'un seul biface triangulaire (très typique d'ailleurs) isolé sur la terrasse mindélienne de l'Agout près de Lavaur. Cette constatation vient donc à l'appui de l'hypothèse émise par certains auteurs, de l'existence au paléolithique moyen de véritables territoires, occupés par des groupes humains nettement définis.

Bibliographie

[1] TAVOSO A. (1972). — Les industries de la moyenne terrasse du Tarn à Técou (Tarn). *Bulletin du Musée d'Anthropologie Préhistorique de Monaco,* fasc. n° 18.

Les civilisations du Paléolithique moyen
du Sud-Ouest (Pays Basque et Béarn, Landes, Gironde)

par

Claude Thibault *

Résumé. Les gisements du Paléolithique moyen sont, en Aquitaine occidentale, principalement rassemblés dans le Sud des Landes (Chalosse) et en Pays Basque. Sauf dans cette province, où des grottes et abris sous roche ont pu être habités durant les stades glaciaires Würm I et Würm II, il s'agit presque exclusivement de sites de plein air inclus aux colluvions limoneuses superficielles ou aux terrasses fluviatiles.

Le Moustérien de tradition acheuléenne se caractérise par des bifaces partiels en silex, soit à talons globuleux (Chalosse), soit sur plaquettes (Pays Basque), auxquels sont associés des hachereaux sur éclats en quartzite ou en ophite. Le Moustérien typique, à débitage ordinaire ou levallois, a été reconnu en Chalosse. Quant au Moustérien de type Quina, s'il succède vraisemblablement au Moustérien de tradition acheuléenne dans les grottes et abris du Pays Basque, il existe également en gisements de plein air en Gironde et dans la région littorale basque.

Les idées en matière de paléoécologie au Paléolithique moyen font intervenir, en Chalosse, les données de géologie structurale et de morphologie.

Abstract. The Middle Paleolithic sites in the western Aquitaine province are located mainly in the southern part of the Landes region (the Chalosse) and in the Basque Country. Nearly all of these are open air sites and contained in surface silt colluvions or river terraces, except for those sites in the Basque Country, where some caves and rockshelters were inhabited during the Würm I and Würm II stadials.

In these regions, the Mousterian of Acheulean Tradition is characterized by partial flint handaxes with either thick butts (in Chalosse), or are made from thin slabs of tabular flint, as in the Basque Country, where these handaxes are found in association with quartzite in ophite flake cleavers. Typical Mousterian is found in Chalosse with both ordinary and Levallois debitage. The Quina Mousterian, although appearing to follow the Mousterian of Acheulean Tradition in the cave and rockshelter sequences of the Basque Country; exists also in open air sites in the Gironde and the coastal Basque region.

Structural geology and geomorphology play an important role in the paleoecology of the Middle Paleolithic of the Chalosse region.

Dans la partie de l'Aquitaine dont il est question dans cette note, le Paléolithique moyen bénéficie des bases stratigraphiques les plus sûres en Chalosse, ainsi que dans la province basque du Labourd. En Gironde certains secteurs sont actuellement l'objet de recherches actives, qui fourniront une abondante documentation dans un proche avenir. Ailleurs les récoltes de surface dispersées, qu'elles soient anciennes ou récentes, demandent à être incorporées à un milieu géologique moins imprécis que celui qui est connu à l'heure actuelle.

Pays Basque et Béarn.

Les fouilles de E. Passemard à l'abri Olha, à Cambo, ont démontré la présence de l'industrie moustérienne dès la base du remplissage (E. Passemard, 1924). Un premier ensemble de couches à faune tempérée, d'où le Renne est absent, a livré des petits bifaces en silex, assez soignés bien que le talon soit souvent réservé, et des hachereaux sur éclats abondants, en ophite ou en quartzite. L'outillage sur éclats comporte essentiellement des racloirs de bonne facture, parfois bien arqués sans être de type Quina, autant qu'on puisse en juger d'après les dessins de Passemard.

Les niveaux supérieurs, encombrés par de grands effondrements de la voûte, et caractérisés par l'appa-

rition du Renne et du Mammouth, ainsi que par le remplacement de *Rhinoceros mercki* par *Rhinoceros tichorhinus,* contiennent un outillage à racloirs de dimensions variées, souvent de type Quina, et des pointes bien traitées. A noter que bifaces et hachereaux sur éclats ne sont plus représentés.

Un sondage profond de E. Passemard dans la grande salle de la caverne d'Isturits avait été arrêté, en 1923, par un plancher stalagmitique impossible à percer. Au-dessus de ce plancher une assise de limons bruns, épaisse de 3 m, avait donné des silex « très laids », néanmoins qualifiés de moustériens par Passemard. En revanche, au-dessus des limons, la couche P est typiquement moustérienne, avec petits bifaces en silex et hachereaux sur éclats en ophite. Cette industrie lithique s'apparente manifestement à celle des niveaux inférieurs de l'abri Olha. Aucun reste de Renne ne l'accompagne.

Après un épisode d'intense occupation de la grotte par les Ours il se dépose un autre niveau moustérien (couche M) qui possède des racloirs de type Quina et des pointes en nombre important. Il semble donc y avoir identité, du point de vue de l'outillage lithique, entre ce niveau et les couches supérieures de l'abri Olha.

Au temps où Passemard (1924) prospectait les collines de Lahonce, au S de l'estuaire de l'Adour, celles-ci livraient déjà des hachereaux sur éclats et des racloirs moustériens. Les découvertes des mêmes

* Chargé de Recherche au C.N.R.S., Institut du Quaternaire (Laboratoire associé au C.N.R.S., n° 133), Université de Bordeaux, 33405 Talence Cédex (France).

types d'outils dues à Cl. Chauchat ont effectivement confirmé l'existence du Moustérien en ce point.

Plus à l'E R. Arambourou et J. Galtier ont récolté des pièces du Paléolithique moyen en assez grande quantité sur la butte de Miremont, dans la commune de Bardos, et sur les hauteurs de Tambaou, à Bidache.

Au sein des limons qui surmontent la terrasse mindélienne de la Nive près de Maignon, au S de Bayonne, A. Détroyat (en 1877) et E. Passemard (en 1920) recueillirent un Moustérien qui comportait un petit nombre de racloirs et de bifaces fabriqués à partir de plaquettes de silex du flysch crétacé. Récemment Cl. Chauchat (1) a lui aussi trouvé dans ces limons un outillage moustérien dominé par des racloirs courts et épais à retouches de type Quina, et dépourvu pour l'instant de bifaces ou de hachereaux.

Par ailleurs dans le gisement de plein air du Basté, à Saint-Pierre d'Irube, Cl. Chauchat a mis en évidence douze niveaux archéologiques étagés de la fin du Riss au Postglaciaire. Le second niveau, en partant de la base, est un Moustérien de tradition acheuléenne à débitage ordinaire, qui se situe soit vers la fin du Würm I soit au début du Würm II. Son outillage sur éclats se caractérise par une prépondérance des racloirs et la présence de raclettes obtenues par retouches d'éclats de taille de bifaces. Ces derniers sont partiels et taillés dans des plaquettes de silex zoné, parfois minces, de telle manière que le plan principal du biface coïncide avec celui de la plaquette (fig. 1, n° 2). Cette technique est à rapprocher de celle par laquelle les Moustériens, comme nous le verrons plus loin, ont confectionné les bifaces à talon de Chalosse.

On a signalé du Paléolithique moyen sur le plateau de Bidart, sur les buttes de la Forêt de Saint-Pée, et même bien plus au S sur le mont Baygoura (J. Blot, 1974). En se dirigeant vers l'Espagne par le littoral on le rencontre encore dans la région de Saint-Jean-de-Luz (2).

Revenons à l'E, en Béarn, où de nos jours les trouvailles d'outils moustériens (bifaces, hachereaux sur éclats, racloirs) sont fréquentes sur les coteaux qui se déploient au N et à l'E de Salies-de-Béarn.

On connaît également le Moustérien au S de cette région, sur les flancs de la vallée du Gave de Mauléon, ainsi qu'au pied de la montagne, dans la grotte d'Aussurucq, où P. Boucher a découvert des hachereaux sur éclats à la base des dépôts.

Landes.

Les sites du Paléolithique moyen landais existent presque uniquement en Chalosse (s.l.) (3), région enfermée dans l'ample courbe de l'Adour au N, qui l'isole de la vaste plaine sablonneuse, et séparée du Béarn au S par des nappes fluvio-glaciaires du Pléistocène moyen formant des couloirs encaissés ou bien

par des croupes allongées couvertes de hauts cailloutis du Pléistocène inférieur.

Actuellement on n'y connaît les gisements moustériens qu'en stations de plein air, à l'intérieur ou au-dessus des coulées de solifluxions marquant le début des deux premiers stades glaciaires würmiens, sur substratum du Secondaire ou du Tertiaire en dehors des nappes fluvio-glaciaires.

Le faciès du Paléolithique moyen le plus répandu en Chalosse est celui du Moustérien de tradition acheuléenne. D'après les trouvailles faites en stratigraphie en Chalosse centrale (Cl. Thibault, 1970), il se place à la base du Würm II. Ses bifaces sont courts, amygdaloïdes, bien qu'en général d'allure cordiforme et à arêtes finement redressées. Mais dans presque tous les cas leur talon a été conservé, car ils ont été fabriqués à partir de rognons de silex de petites dimensions qui imposaient une économie de la matière première (fig. 1, n° 1). Certains bifaces partiels sont même faits sur des éclats épais (fig. 1, n° 3).

Le hasard a voulu qu'aucun gisement de Moustérien de tradition acheuléenne n'ait pu encore être fouillé en Chalosse. Et pourtant les bifaces à talon y abondent, comme on peut le voir en particulier dans les anciennes récoltes de surface, provenant des régions de Montsoué et Saint-Sever, conservées au Musée Dubalen à Mont-de-Marsan.

Le fait que de tels bifaces n'aient pas été trouvés lors de fouilles étendues et méthodiques nous empêche d'avoir des données précises sur l'outillage sur éclats qui doit normalement accompagner les bifaces.

Cependant le niveau archéologique 3 a du gisement de Pennon (commune d'Eyres-Moncube) livre des éclats de taille de bifaces qui le font attribuer au Moustérien de tradition acheuléenne (fouilles Cl. Thibault). Mais ce gisement, dont l'existence en bas de versant est liée à l'accumulation de matériaux de solifluxion, où abondent les nodules siliceux, ne fut pas un lien d'habitat. En conséquence, outre le manque de bifaces, les outils sur éclats n'y sont ni nombreux, ni variés. Les rares denticulés, encoches, mauvais racloirs, couteaux à dos naturel que l'on y rencontre, au milieu d'une masse d'éclats le plus souvent corticaux, ne sont donc pas significatifs.

Tout près de Pennon un autre site, sur le territoire de la commune d'Horsarrieu, a fourni un assez grand nombre de bifaces typiquement moustériens et des racloirs de belle qualité, à la faveur de travaux de défrichage (R. Arambourou et Cl. Thibault, 1971).

Si le Moustérien de tradition acheuléenne est surtout bien représenté sur l'anticlinal d'Audignon, il est également présent au cœur de la Chalosse de Montfort, sur la ride de Tercis-Angoumé, ainsi que sur les coteaux de l'interfluve des Gaves de Pau et d'Oloron. Il semble exister aussi en Chalosse orientale ou Tursan, au vu des récoltes récentes en plusieurs points dans les terrains défrichés (Cl. Thibault, 1970).

On doit enfin mentionner la découverte de bifaces isolés, courts, partiels, de style moustérien, à la base du Würm I.

Chaque fois que des ramassages de surface, en particulier à l'E de la Chalosse centrale, fournissent des bifaces à talon moustériens, ils comportent

---

(1) Renseignement oral.
(2) R. Arambourou : renseignement oral.
(3) Un très petit nombre d'objets en silex ou en quartzite vient des buttes du S du Seignanx, à l'W de l'Adour (R. Arambourou et Cl. Thibault).

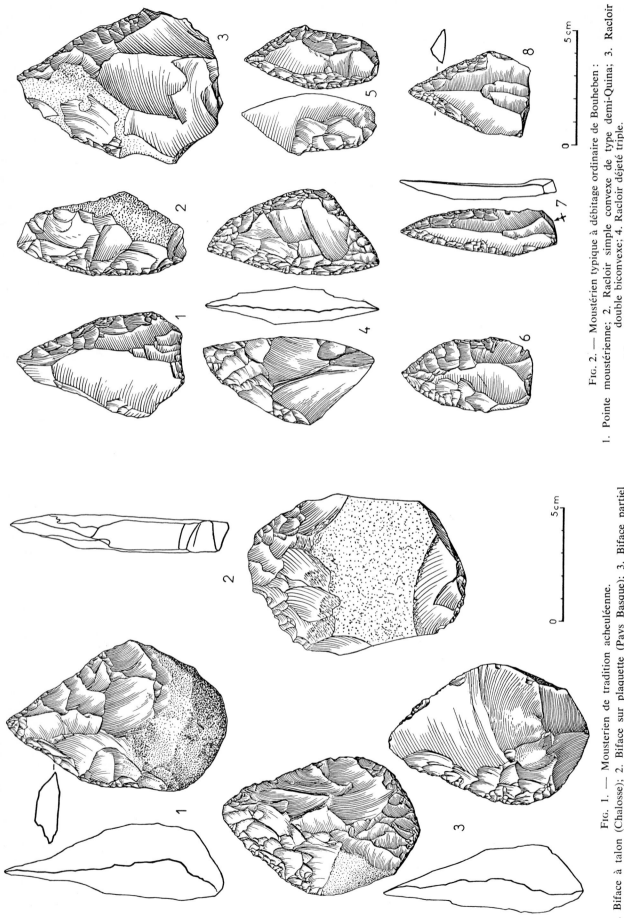

FIG. 2. — Moustérien typique à débitage ordinaire de Bouheben :

1. Pointe moustérienne; 2. Racloir simple convexe de type demi-Quina; 3. Racloir
double biconvexe; 4. Racloir déjeté triple.
Moustérien typique à débitage levallois de Bouheben :
5. Pointe moustérienne « à cran »; 6. Pointe moustérienne; 7. Pointe moustérienne
allongée. 8. Pointe moustérienne sur éclat levallois

FIG. 1. — Mousterien de tradition acheuléenne.

1. Biface à talon (Chalosse); 2. Biface sur plaquette (Pays Basque); 3. Biface partiel
sur éclat (Chalosse).

également des hachereaux sur éclats en quartzite. Toutefois aucun spécimen vraiment incontestable de cette catégorie d'outils n'a été jusqu'ici trouvé en stratigraphie dans le S des Landes.

A la base des limons würmiens du gisement de Bouheben (commune de Baigts) nous avons fouillé un Moustérien typique très riche en racloirs (IR essentiel = 54,80), à débitage levallois (IL = 19,4)(4). Les racloirs simples, droits et convexes, y constituent l'élément dominant. Notons aussi la qualité exceptionnelle des pointes moustériennes (fig. 2, nos 5 à 8).

L'industrie de la base du Würm II, dans le même gisement, est elle aussi un Moustérien typique, abondamment pourvu en racloirs (IR essentiel = 45,10) (fig. 2, nos 2 à 4). Mais, contrairement au précédent, il est à débitage ordinaire (IL = 4,19). Les indices de racloirs de type Quina, de couteaux à dos et de bifaces y sont très faibles.

Dans le gisement de Nantet (Eyres-Moncube), dont l'intérêt réside essentiellement dans son niveau d'Acheuléen moyen à « trièdres chalossiens », il existe à la base du Würm un Moustérien à denticulés, dont le débitage est levallois (IL = 21,32) à condition de tenir compte des éclats levallois atypiques. Sur le diagramme cumulatif « essentiel », construit avec seulement 71 outils, on note évidemment une montée sur les encoches et les denticulés (33,3 % de l'outillage), mais aussi une proportion non négligeable (21,7 %) d'outils de type paléolithique supérieur.

A côté de ces industries moustériennes bien définies en quelques points, il faut faire état de nombreuses trouvailles éparses ou de lots insuffisants, sinon mélangés, que des considérations de typologie ou de patine autorisent à attribuer au Moustérien sans que l'on puisse préciser davantage. (Exemples : stations du Tuc de Bénaruc et du Moulin de Bénesse en Chalosse de Pouillon). Seuls les outils de type Quina très nets permettent de supposer la présence de ce faciès du Moustérien en divers endroits, notamment au S d'Hagetmau et sur le flanc N de l'anticlinal de Tercis.

Pour l'ensemble de la Chalosse les stations du Paléolithique moyen sont considérablement plus nombreuses au sommet des coteaux que dans les bas de versants. Mais cette localisation tient peut-être au fait que les tranchées ouvertes dans les formations limoneuses superficielles, qui facilitent les observations, sont elles-mêmes plus fréquentes sur les hauteurs que dans les bas-fonds. De plus les zones hautes ont toujours été intensément cultivées, tandis que les zones basses étaient jusqu'à une époque récente laissées aux landes et aux bois, sous lesquels il y avait peu de chances de découvrir des industries lithiques.

Quoi qu'il en soit, lorsque l'on peut comparer deux sites moustériens rapprochés, l'un établi sur le plateau l'autre en bas de pente, on s'aperçoit que le gisement de plateau possède les bifaces ou les outils sur éclats bien définis, alors que celui qui se trouve en contrebas, sur les coulées de solifluxions contenant

les nodules siliceux, se caractérise par l'abondance des nucleus et des éclats corticaux, ainsi que par l'extrême rareté des outils de qualité. L'occupation humaine au Paléolithique moyen semble donc avoir été plus dense sur les plateaux et les sommets de collines que dans les fonds de vallons. Des remarques de même ordre concernent la faible fréquentation des grandes vallées ante-würmiennes du bassin de l'Adour. En effet en dehors du secteur de Saint-Sever on n'a jamais recueilli, à ce jour, d'objet lithique convaincant dans les limons jaunes qui recouvrent les nappes fluvio-glaciaires mindéliennes ou rissiennes. De même que les Acheuléens, les Moustériens ont évité ces grands épandages alluviaux mal drainés.

Enfin nous devons souligner la concentration des gisements moustériens sur les grandes unités structurales de la Chalosse (anticlinal d'Audignon, anticlinal de Tercis-Angoumé, dôme diapir de Bastennes-Gaujacq) où affleurent les assises calcaires du Crétacé, fournissant le silex nécessaire à la confection de l'outillage.

Gironde.

Les anciennes fouilles de F. Daleau dans la grotte de Pair-non-Pair, à Marcamps, ont montré la présence du Moustérien sous un niveau de Périgordien ancien.

Quoique signalés par des récoltes sporadiques, plusieurs gisements de plein air incontestablement moustériens, en raison des bifaces typiques qu'ils donnent (« Moustérien des plateaux »), sont repérés depuis longtemps en Bourgeais, grâce à F. Daleau, en Libournais par les ramassages de J.A. Garde, dans l'Entre-deux-Mers, par ceux de J. Labrie, et dans les environs de Sainte-Foy-la-Grande surtout prospectés par F. Morin. J. Ferrier (1938) a scrupuleusement rassemblé dans sa thèse tous les résultats des recherches anciennes.

D'autres chercheurs ont récemment prouvé l'existence du Moustérien de tradition acheuléenne dans le NE du département (L. Trécolle, D. Gallot, M. Lenoir), dans le Libournais (L. Moisan) (5), dans le Castillonnais et l'Entre-deux-Mers (M. Sireix, M. Lenoir, Cl. Thibault) (6), dans le Réolais (P.C. Chadelle).

Nous devons à M. Sireix et F. Bordes (1970) l'étude d'un Moustérien de type Quina très pur, en site de plein air de la région de Castillon-la-Bataille, ce qui constitue un cas relativement rare. En outre l'industrie est comparable à celle du Moustérien de type Quina des grottes ou abris sous roche du Périgord et des Charentes.

Au Sud de la Garonne un seul gisement de Paléolithique moyen, riche en outils denticulés, est connu à l'heure actuelle. Il s'agit du gisement du Gua-Mort, à Villagrains, étudié par Ph. Legigan, M. Lenoir et J. Ph. Rigaud (note sous presse).

---

(4) Chiffres ne concernant que les produits de 50 mètres carrés de fouilles. Les études portant sur les résultats de la superficie totale exploitée (125 m²) sont en cours.

(5) L. Moisan, Thèse de Doctorat d'Université en cours.
(6) M. Lenoir, Thèse de Doctorat d'Etat en cours.

Bibliographie

[1] ARAMBOUROU R. (1963). — Essai de paléogéographie du Paléolithique des Landes. *Bulletin de la Société de Borda,* Dax, 2ᵉ trim. 1963, 28 p., 4 fig.

[2] ARAMBOUROU R. et THIBAULT Cl. (1971). — Les recherches de Préhistoire landaise en 1970. *Bulletin de la Société de Borda,* Dax, 1971, 14 p., 4 fig.

[3] BLOT J. (1974). — Nouveaux vestiges mégalithiques en Pays Basque (VII). Contribution à la Protohistoire en Pays Basque. *Bulletin du Musée Basque,* Bayonne, 2ᵉ trim. 1974, nᵒ 64, p. 65-100, 1 pl., 8 photos.

[4] CHAUCHAT Cl. et THIBAULT Cl. (1968). — La station de plein air du Basté à Saint-Pierre d'Irube (Basses-Pyrénées). *Bulletin de la Société Préhistorique Française,* t. LXV, fasc. 1, p. 295-318, 12 fig.

[5] FERRIER J. (1938). — La Préhistoire en Gironde. *Monnoyer imp.,* 336 p., 31 fig., 85 pl.

[6] PASSEMARD E. (1924). — Les stations paléolithiques du Pays Basque et leurs relations avec les terrasses d'alluvions. *Thèse Sciences Université de Strasbourg, Bodiou imp.* Bayonne, 1 vol., 218 p., 9 pl., 1 carte, 127 fig.

[7] SIREIX M. et BORDES F. (1972). — Le Moustérien de Chinchon (Gironde). *Bulletin de la Société Préhistorique Française,* t. 69, Etudes et Travaux, 1972, fasc. 1, p. 324-336, 8 fig.

[8] THIBAULT Cl. (1970). — Recherches sur les terrains quaternaires du Bassin de l'Adour. *Thèse de Doctorat d'Etat ès-Sciences Naturelles, Université de Bordeaux,* 1970, Tomes I et II : 814 p. ronéot.; Tome III : 171 fig. et 1 carte; Tome IV : 68 pl.

Les civilisations du Paléolithique moyen en Périgord

par

Jean GUICHARD *

Résumé. Après une brève esquisse historique sur l'étude du Paléolithique moyen en Périgord, puis un rappel des travaux de Bordes et de Bourgon, on débouche sur les problèmes posés par l'interstratification, en Périgord, de six « types » d'industries moustériennes (y compris les types Quina et Ferrassie, et les Moustériens de tradition acheuléenne A et B), qui représenteraient des groupes ethniques contemporains vivant dans la même région sans influence mutuelle. Les principales hypothèses ▫vancées à ce sujet font l'objet d'une rapide étude critique. Ensuite, on essaie de corréler ces industries avec les séquences climato-sédimentologiques définies par H. Laville. Quelques exemples inédits viennent illustrer le débat, notamment la couche V du Roc de Marsal (Moustérien du type Quina) et les couches du Moustérien de tradition acheuléenne de Barbas et de Toutifaut, ces deux derniers gisements représentant les sites de plein-air du Bergeracois. En annexe figure la stratigrahie de Barbas.

Abstract. After a brief historic outline on the study of Middle Paleolithic in Périgord, and a summary of the works of Bordes and Bourgon, we come to the interstratification in the Périgord of six types of Mousterian industries (including the Quina and Ferrassie types, and the Mousterian of Acheulean tradition A and B) which are supposed to represent contemporary ethnic groups living in the same region without mutual influence. The main hypotheses advanced on the subject are considered in a short critical essay. Then, one tries to correlate these industries with the climatic and sedimentological sequences such as they have been defined by H. Laville. Some original examples enlighten the discussion, especially the layer V of Roc de Marsal (Mousterian of the Quina type) and the Mousterian layers of the Acheulean tradition of Barbas and Toutifaut. These last two layers represent the open-air sites of the Bergerac region. An illustration in the appendix shows the stratigraphic layer of Barbas.

I. Rappel historique.

L'étude du Paléolithique moyen se confond pour une large part avec celle des gisements du Périgord : dès 1865, E. Lartet définit « l'époque du Moustier » et en 1872, G. de Mortillet crée le terme de « Moustérien ».

1954 : année du cinquantenaire de la *Société Préhistorique Française.* Dans son numéro spécial, en restant à la *doctrine officielle,* celle d'H. Breuil et de D. Peyrony, elle entérine la bipartition exposée par ce dernier dans deux « classiques » (*Le Moustier,* 1930 ; *La Ferrassie,* 1934) : d'une part le Moustérien Typique et d'autre part le Moustérien de tradition acheuléenne, filiation de l'Acheuléen au Moustérien, par les bifaces (1).

Cependant, une évolution couvait depuis cinq ans. Dès 1949, M. Bourgon et F. Bordes, reprenant notamment des idées développées mais non systématisées par les abbés Bouyssonie entre 1903 et 1913, s'efforçaient conjointement d'introduire dans la typologie un *élément quantitatif méthodique.* Le premier travaillait sur les collections du Musée des Eyzies, le second sur les industries du Nord de la France. « Ce fut dans la maison de M. Bourgon, à Saint-Cyprien, que le premier graphique cumulatif fut tracé (...), celui de la couche J du Moustier... » (2).

En 1950, F. Bordes propose les *Principes d'une méthode d'étude des techniques de débitage et de*

typologie du Paléolithique ancien et moyen. Titre explicite : désormais l'étude des industries se fera selon deux plans, celui de la technique et celui de la typologie. Le progrès est considérable. La première « liste-type » comprenant 40 rubriques apparaît, assortie de deux « indices » techniques : « levallois » (IL) et « facettage » (IFL).

Un an plus tard, dans le *Complexe moustérien* (1951) ; F. Bordes et M. Bourgon créent l'IA^t (« indice Acheuléen ») ; l'IA^u (« indice de couteaux à dos »), l'IR (« indice de racloirs »), l'IC (« indice charentien »). Ils ajoutent 4 groupes caractéristiques, objets d'histogrammes : I : outillage « levalloisien » ; II : outillage « moustérien » ; III : types « du Paléolithique supérieur » ; IV : « denticulés ». Enfin et surtout, tous les pourcentages obtenus à partir de la liste-type seront traduits par un graphique cumulatif, sorte de carte d'identité de chaque couche.

En 1957, les *Archives de l'I.P.H.* publient la thèse posthume de M. Bourgon : *Les industries moustériennes et pré-moustériennes du Périgord,* ouvrage qui demeure fondamental. On est alors nanti d'un impressionnant outil d'analyse dont, théoriquement, la combinatoire est énorme :

— *Au plan technique,* la combinaison des débitages levallois ou non (subdivisés en éclats, pointes, lames), et des talons (lisses, facettés, dièdres, etc.), donne une batterie de 36 cases.

— *Au plan typologique,* la liste-type, portée à 62 catégories pour les outils sur éclat, est assortie d'une liste séparée : 15 rubriques pour l'outillage bifacial, soit un total de 77 cases, certaines se regroupant en indices et « groupes essentiels ».

Armé d'un tel arsenal, M. Bourgon va passer au crible 42 couches de 20 gisements du Périgord,

---

(1) D. Peyrony avait aussi isolé le Proto-Moustérien de la Micoque. J.-P. Rigaud et J. Texier étudient un site de cette industrie, dans les alluvions fluviatiles de l'Isle.

(2) F. Bordes, préface à la thèse de M. Bourgon, 1957.

Conservateur du Musée National de Préhistoire des Eyzies, 24620 Les Eyzies (France).

essentiellement les sites fouillés par D. Peyrony : la Ferrassie, le Moustier, Combe-Capelle, etc...

D'emblée, le diptyque de D. Peyrony se transforme en triptyque : Moustériens « de type le Moustier », « Moustéro-Charentien », et « à denticulés ». En effet, M. Bourgon obtient 3 graphiques cumulatifs caractéristiques :

1° *Fortement convexe,* soit à racloirs abondants (+ de 40 %) ;

2° *En diagonale,* à racloirs assez nombreux (de 10 à 40 %) ;

3° *Franchement concave,* à racloirs rares (– de 10 %).

Cependant, M. Bourgon est amené à nuancer le classement des cultures obtenu :

— Le Moustérien « type du Moustier » est subdivisé en « Moustérien Typique » et « Moustérien de tradition acheuléenne », lui-même subdivisé en M.T. A. (3) à bifaces dominant les couteaux à dos et M.T.A. à couteaux à dos dominant les bifaces.

— Le groupe « Charentien » éclate en 3 sous-groupes : le *Charentien* au sens strict, le *Para-Charentien* et le *Moustéro-Charentien* ; ébauche que F. Bordes va clarifier en la simplifiant par la bipartition du groupe charentien en Moustériens du type Quina et du type Ferrassie (du nom des gisements éponymes). Le premier est caractérisé par la faiblesse de son IL et surtout par la présence de racloirs à retouches scalariformes. La Ferrassie s'en distingue par un moindre pourcentage de racloirs Quina et surtout par un IL toujours fort.

Dans sa dernière monographie sur un site moustérien du Périgord (Pech de l'Azé Ib), F. Bordes va essayer de démontrer que, non seulement comme l'avait vu M. Bourgon, il faut distinguer les deux sous-groupes du M.T.A., qu'on appellera désormais A et B, mais encore qu'il y a évolution du groupe A (à bifaces dominant) vers le groupe B (à couteaux à dos dominant).

Cependant, l'auteur se heurte à une autre difficulté. En effet, dans la couche 4 du Pech de l'Azé Ib, souvent proposée comme prototype du M.T.A. de type A, l'indice de bifaces n'est que de 5,3 %. Mais comme, d'une part, le nombre d'éclats de taille de bifaces était considérable, et que, d'autre part, R. Vaufrey y avait antérieurement trouvé un nombre important de bifaces, il y a là l'exemple même de « concentrations » ou de localisations d'outils au sein d'un même habitat. D'autant que l'IR, sujet à des variations statistiquement significatives, passe de 34 % à l'entrée de la grotte, à 40 % vers la paroi rocheuse. Autrement dit, se pose le problème fondamental de la représentativité de l'échantillon.

Malheureusement, après la publication du Pech de l'Azé Ib (1955), F. Bordes, qui a poursuivi ses recherches, notamment dans les 28 couches moustériennes identifiables de Combe-Grenal et dans les 6 du Pech de l'Azé II, ne donnera plus que des résultats partiels. Dans l'attente des monographies à venir, toute synthèse ne peut donc être que provisoire.

Par contre, après les quelques hésitations inhé-

rentes à toute découverte, la méthode Bordes-Bourgon est, dès 1955, parfaitement passée dans les mœurs. Et partout, chacun, y compris l'auteur de ces lignes, a publié ou étudié selon ces principes.

Tel était le corps de la *nouvelle doctrine officielle* à partir de laquelle, dès 1965, des interprétations du « fait moustérien » diverses et contradictoires vont être proposées.

II. Le problème de l'interstratification.

Le projet de F. Bordes et M. Bourgon fut celui de stratigraphes : liste-type, décomptes, etc., ont été imaginés de manière à ce que des industries puissent permettre la datation d'un terrain. C'est la méthode du *comment.* Comment les choses se présentent-elles, dans un ordre donné, dans une coupe donnée ?

Pour F. Bordes, après le Pech de l'Azé Ib et jusque vers 1965, la preuve est faite que l'interstratification d'industries différentes témoigne de l'occupation du Périgord par plusieurs groupes ethniques contemporains, évoluant chacun pour son propre compte pendant 40 millénaires, sans interférence majeure et sans évolution de l'un à l'autre. La notion d'évolution, à laquelle on ne peut échapper, serait récupérée par le biais de lointaines filiations. Le Moustérien Typique dériverait sans doute d'une industrie du type de la couche 4 de la Micoque ; le Quina-Ferrassie de Hight-Lodge ou de la couche 3 de la Micoque (4), par l'intermédiaire d'industries du type d'Ehringsdorf (considérées comme interglaciaires) ; le M.T.A. (A), de l'Acheuléen supérieur, (mais pas du Micoquien, puisque celui-ci lui est contemporain au début du Würm). Pour le Moustérien à denticulés, on ne sait rien.

De 1960 environ à aujourd'hui, d'une part les progrès de la chronologie (datations absolues, analyses *fines* sédimentologiques, palynologiques, etc.), d'autre part, la montée de la jeune école américaine, plus sensible aux problèmes des Sciences humaines qu'à ceux de la Géologie, vont déplacer le centre d'intérêt. Désormais, au « comment », on superposera le *pourquoi.* La contestation va se faire selon plusieurs axes différents.

A) *Plusieurs groupes ethniques contemporains durant des dizaines de milliers d'années vivent dans la même région sans influence mutuelle.* Proposition radicalement inacceptable car contraire aux structures élémentaires de la pensée humaine, dont un invariant est que les formes et les styles ont tendance à s'agglutiner (dons et contre-dons, emprunts, etc.) et, finalement, acculturation). Il y aurait donc contradiction entre les résultats typologiques de F. Bordes et une des lois fondamentales de l'Ethnologie.

B) *On peut discerner, en Périgord, une évolution des divers Moustériens.* En 1965, P. A. Mellars propose un schéma évolutif pour 3 au moins des

(3) Désormais nous écrivons M.T.A. pour Moustérien de tradition acheuléenne, de même nous dirons « Typique », « Ferrasie » pour « de type Ferrassie », etc.

(4) La couche 3 de la Micoque s'inscrit dans l'Acheuléen. Assez riche en bifaces (45), on voit mal pourquoi elle aurait donné, à long terme, du Quina plutôt que du M.T.A.

5 groupes moustériens : Ferrassie, puis Quina, enfin M.T.A.

Le Quina au-dessus du Ferrassie :

1° A Combe-Grenal, les 9 couches Quina se placent au-dessus des 6 couches Ferrassie.

2° A Combe-Grenal, le Quina est relativement tardif : il n'y en a pas dans le Würm I.

Le M.T.A. au-dessus du Quina :

1° A Combe-Grenal le M.T.A. (couches 1, 3 et 4) surmonte les 51 couches à Moustériens variés.

2° En Périgord (et à une exception près, le Moustier abri supérieur) le M.T.A. se trouve au-dessus du Quina dans les 12 gisements contenant ces deux industries.

3° En règle générale, les niveaux du M.T.A. apparaissent immédiatement sous les dépôts des premières industries du Paléolithique supérieur.

4° Lorsque dans un site, plusieurs niveaux de M.T.A. sont superposés, ils ne sont jamais séparés par une industrie moustérienne différente.

Or, si ce schéma est vrai pour Combe-Grenal, il mérite ailleurs quelques corrections :

a) A Combe-Capelle bas, selon la stratigraphie de D. Peyrony confirmée par F. Bordes, on trouve, à la base, 4 couches de Quina, surmontées par 2 couches de Ferrassie, puis par une couche de M.T.A. (A.).

b) J. Gaussen et J.-P. Texier, ont trouvé dans le site de plein air de La Croix-du-Bost (commune de Douzillac), une couche de M.T.A. située dans la partie supérieure du cailloutis de base du Würm I. Il pourrait bien en être de même pour l'une des couches inférieures de La Plane (commune de Mazeyrolles).

C) *Les différences de milieu sont responsables des diverses industries :* il y a une réponse adaptative de l'homme à son environnement ; quand le milieu change, l'industrie change.

A quoi F. Bordes répond :

a) Les mêmes industries moustériennes ont été retrouvées dans des régions à climats nettement distincts (Espagne, Afrique du Nord, Moyen-Orient, Chine, etc.), et, en Périgord, dans des phases climatiques très contrastées.

b) Les gisements de grotte ne semblent pas présenter, en Périgord, de différences fondamentales avec ceux de plein-air.

c) Chaque groupe humain a sa manière à lui d'envisager son adaptation, et l'équilibre technico-typologique est relativement indépendant du milieu tant qu'un certain nombre de conditions écologiques se trouvent réunies.

On peut ajouter qu'effectivement, aux Würm III et IV, dans des conditions écologiques sensiblement similaires, les industries ont cependant changé.

D) *Il a dû exister des variations saisonnières du genre de vie.* Ou bien ces variations expliquent à elles seules les différences d'industries ; sinon, les décomptes de F. Bordes ne permettent pas de les retrouver. A quoi ce dernier réplique : il existe des couches épaisses, homogènes (ce qui n'est pas tou-

jours très bien prouvé), qui postulent une semi-sédentarité ; dans certaines régions, un seul type d'industrie couvre une très longue période, et les autres y sont inconnus : si le Quina domine long-temps en Charente, en Provence le M.T.A. est absent (5). De plus, il a été établi que certaines couches archéologiques contiennent les vestiges d'animaux de même race tués en différentes saisons (6).

E) Enfin, il y a *l'hypothèse d'activités différentes pratiquées pendant l'occupation d'un gisement* (concentrations d'outils), *ou dans des sites différents* (camps de base, lieux de chasse, ateliers).

Mais comment imaginer que ces activités spécialisées se réduisent durant un temps si long, à 4 ou 5 *patterns,* toujours et invariablement les mêmes ?

Comment expliquer surtout ce que l'analyse des 5 plus importants gisements moustériens du Périgord révèle : la phase V, du Würm I, ne contient qu'un seul type de Moustérien (type Ferrassie, Pech de l'Azé II, couche 2 G2) ; la phase V, du Würm II est dans le même cas (type Denticulés, couches 11 à 13). Peut-on admettre que dans ces deux cas, *tous* les autres types aient été « éparpillés » pour des tâches spécifiques, en d'autres lieux ?

Toutes ces assertions, éparses et contradictoires, restaient théoriques, aucune méthode n'ayant été proposée permettant leur vérification statistique et sur le terrain.

C'est ce que vont tenter de faire les Binford (7) qui, par un mouvement dialectique, vont chercher la solution dans l'étude de la causalité *multivariable* du phénomène social. Les facteurs qui déterminent le champ et la forme d'activités humaines d'un groupe dans un site donné, varient en fonction d'un grand nombre de « causes » possibles, au sein d'un riche système combinatoire (saisons, environnement, organisation dans l'espace ; composition, importance, structure et affiliations du groupe ethnique ; gîte, nourriture, ressources et approvisionnements, etc...). Autrement dit, les déterminants de toute situation sont multiples et certains d'entre eux peuvent contribuer de différentes manières à des situations différentes.

Dès lors, il devient essentiel de départager des ensembles d'outils en sous-ensembles qui, tout en reflétant les activités qui leurs sont propres, varient en même temps que l'ensemble. La méthode d'étude appropriée est évidemment l'analyse factorielle.

Ce n'est le lieu ici ni d'expliquer ni de résumer cette procédure statistique. On rappellera cependant que, en gros, les Binford, partant des pourcentages d'outils résultant de la méthode Bordes-Bourgon, les

---

(5) Par contre le M.T.A. représente 99 % des sites de plein-air du Périgord. Géographie physique ou humaine ?

(6) Cependant, pour J. Bouchud, se fondant sur les dents de *Cervus elaphus,* la couche 4 du Pech de l'Azé aurait été un habitat d'« été » (de mai à octobre) tandis que les (couches 5, 6, 7, A, B, C) auraient été des habitats continus (Bordes F. *Les gisements du Pech de l'Azé,* 1956, pp. 34 et 35).

(7) Leurs recherches ont porté sur : Houppeville (près de Rouen, France, F. Bordes, 1952); Jabrud (près de Damas, Syrie, A. Rust, 1950) et Mugharet es Shubbabig (Wadi Amud, Israël, S.R. Binford, 1966).

transposent au sein d'une matrice de coefficients de corrélations, et qu'ayant obtenu ainsi des « facteurs », ils font varier ces facteurs les uns par rapport aux autres selon diverses hypothèses, de manière à isoler à travers les variances et covariances des sortes de constantes qui infirment ou confirment les hypothèses de départ. On aboutit finalement à une table d'intercorrélations. Le mérite des Binford est d'avoir tenté de sortir de la simple règle de trois et d'appliquer à la Préhistoire une technique statistique par ailleurs largement utilisée, en psychologie appliquée (8), notamment.

De tous ces calculs résulte une conclusion très nette qui bouleverse toutes les données précédentes : les 4 ou 5 types de Moustériens définis par F. Bordes ne montreraient que les divers aspects d'un groupe unique. Les « types » répondraient seulement à des activités différentes (multivariables). Les problèmes, notamment de l'interstratification, ne se poseraient donc plus. Or :

1° *Représentativité de l'échantillon.* Elle est contestable (9). Sur les 62 types d'outils de la liste Bordes-Bourgon, les Binford n'ont pu trouver dans les gisements considérés que 37 d'entre eux. De l'aveu même des auteurs, « les types variés de racloirs convergents et doubles (...) sont représentés en si petit nombre (...) qu'ils ont été groupés en deux classes : convergents et doubles », etc.

2° *Procédé réductif.* La liste-type de F. Bordes est *réductrice* en ce sens que 62 types d'outils pour le Paléolithique inférieur et moyen constituent un *minimum*. Tous ceux qui ont effectué des décomptes savent quels coups de pouce il faut parfois donner pour faire entrer tel outil dans une rubrique. Une typologie fine, sans prétendre aller jusqu'à l'exhaustion sans doute impossible, doublerait peut-être ce nombre. Raisonner sur 37 types seulement, c'est procéder à une réduction de la réduction.

De plus, tout l'artifice de l'analyse factorielle est de faire passer, à titre d'hypothèse, les outils d'une catégorie technico-morphologique (la liste-type), à une autre catégorie, fonctionnelle. Dans cette dernière, ils se rassemblent dans 4 grands groupes : outils à couper, à percer, à racler, à aplanir, auxquels on peut ajouter, à la rigueur, les outils polyvalents. A ce stade, toutes les formes que cherche à préciser une typologie analytique sont hypostasiées en quelques concepts fonctionnalistes, baptisés « facteurs ».

3° *Le poids de l'hypothèse.* En tant que problématique, on cherche à comparer deux facteurs fonctionnellement distincts, se partageant des tâches spécifiques exécutées avec des outils spécifiques. « Une situation de ce genre pourrait se produire, par exemple, si l'un des facteurs était associé avec la boucherie et l'autre avec la peausserie » (p. 245). Certes, les auteurs prennent soin d'avertir : « que notre interprétation d'un facteur, en tant que fonction, soit correcte ou non, cela n'affecte pas la relation démontrable entre les variables analysées ». Certes, en termes strictement mathématico-statistiques. Mais qui ne voit que les facteurs auxquels conduit l'analyse sont *sous la dépendance* même des données fonctionnalistes qu'on y a introduites ? On ne trouve, à l'arrivée, que des rapports entre les éléments choisis au départ. Tout ce calcul confirme que l'hypothèse a une logique interne, qu'elle est *cohérente* par rapport à elle-même. Cela ne confirme pas qu'elle soit *vraie*.

4° *Vérification différée.* Quoiqu'il en soit, la seule vérification possible ne peut s'effectuer que sur le terrain. On peut imaginer que les outils impliquant le découpage de produits animaux destinés à la consommation (ceux du « facteur III ») devaient se trouver près des foyers, au cœur même du camp de base, sous l'abri rocheux, alors que ceux du « facteur IV » (les seuls denticulés) destinés à préparer les plantes, gratter les tendons et les os, seraient à la périphérie des précédents, tandis que les outils du « facteur II », qui « suggèrent très nettement la chasse ou la boucherie » se trouveraient dans des haltes de chasse.

C'est cette confirmation sur le terrain qu'étaient venus chercher à Combe-Grenal les Binford qui ont eu en main les relevés et les carnets de fouille de ce gisement. Hélas ! un mauvais sort semble s'acharner sur les sites moustériens du Périgord. F. Bordes, aux prises avec une énorme complexité stratigraphique, n'a pas fouillé en décapage horizontal et n'a positionné que les principales pièces. Les sites de plein air n'ont pas davantage été favorables. D'abord, l'absence de faune, dans un domaine où l'environnement est une des variables, est regrettable. Au Dau, J.-P. Rigaud a étudié un site remanié par des dessouchages. A Toutifaut, J. Guichard, travaillant dans un verger n'a pu procéder qu'à une suite de sondages dans des lambeaux restés *in situ* entre les arbres. A Barbas, dans la couche en place, *le sol d'habitat* lui-même n'est net que sur quelques mètres carrés laissés après décapage à titre de témoin, sans déplacer les outils, ce qui a empêché le décompte.

C'est dire qu'en Périgord, la vérification sur le terrain, est, pour le moins, différée.

5° *Le démenti des sites du Périgord.* Une des idées essentielles des Binford est qu'il existe, au Moustérien, des faciès d'atelier (exploitation des gîtes à silex), et des faciès d'habitat où les assemblages d'outils sont nécessairement différents. Malheureusement, si cela est démontré pour le Paléolithique supérieur (10), on ne connaît pas encore, pour le Moustérien, de faciès d'atelier (11).

---

(8) Cf. G.H. Thomson, *L'analyse factorielle des aptitudes humaines,* Paris, P.U.F., Bibliothèque scientifique internationale, 1960.

(9) Houppeville, *série claire,* a fourni 423 outils ; manquent les objets des rubriques 13, 14, 15, 17, 18, 19, 22, 23, 26, 28, 33, 34, 40, 45, 50, 54 à 60 de la liste type ; il y a, au total, 40 racloirs ; la collecte a été faite en grande partie par des carriers.

(10) J. Guichard a trouvé, en Bergeracois, des ateliers de lames *longues* dans lesquels il n'y avait pratiquement aucun outil fini.

(11) Il n'existe pas, en Sarladais, de site Moustérien où, à moins de 1 km, on ne puisse trouver en abondance la matière première nécessaire.

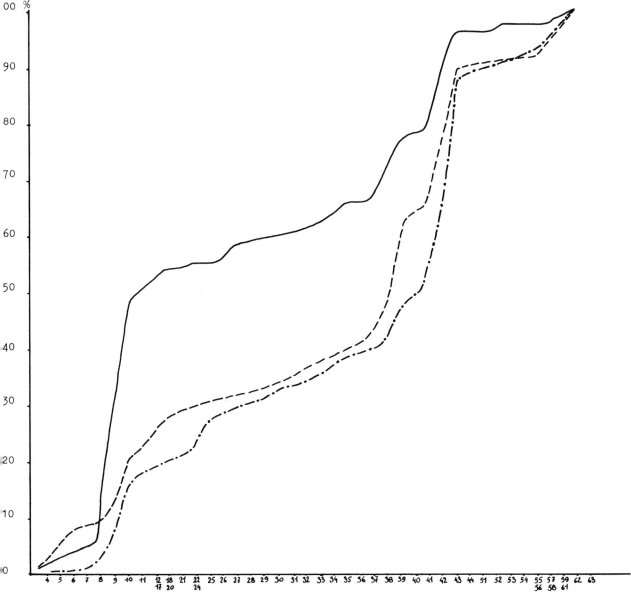

FIG. 1. — Graphiques cumulatifs des outils sur éclat. *Moustérien Quina*. Roc de Marsal, couche V : trait plein. *Moustérien de tradition acheuléenne*. Toutifaut : trait interrompu; Pech de l'Azé 1 b, couche 5, trait-point..

Mais surtout, il n'y a ni plus ni moins de différence entre un M.T.A. (A.) de plein air et un autre de grotte, qu'entre deux M.T.A. (A.), de grottes (12) (fig. 1).

En résumé, la tentative méritoire des Binford débouche sur plus de problèmes que de solutions. L'analyse factorielle est un instrument précieux, à condition de savoir à quoi l'appliquer. Depuis 1960 environ, bien d'autres chercheurs ont essayé d'utiliser pour le Paléolithique des méthodes statistiques très poussées. On a trop souvent l'impression d'assister à une sorte de greffe hétérogène faite par des mathématiciens peu préhistoriens, ou l'inverse. On perd alors de vue la réalité préhistorique. Et la valeur heuristique de cette problématique n'est pas démontrée car elle n'a même pas, en fait, débouché sur une méthode.

(12) Les principaux sites dont il est question se situent dans un rayon de 30 km environ.

III. Une nouvelle chronologie relative.

En 1973, H. Laville rénove les connaissances du Quaternaire Sarladais, grâce aux multiples analyses physico-chimiques appliquées aux sédiments des principaux sites de cette région.

Le revirement est capital. Jusque là, les industries, en tant qu'ensembles, permettaient de dater un terrain. Désormais ce sera l'inverse (13). L'apport est considérable. Jusqu'ici en effet, le Moustérien se trouvant dans le blanc des datations absolues (trop

(13) « ... au fur et à mesure que nos résultats s'accumulèrent, il apparut que la valeur chronologique des industries préhistoriques, démontrée dès 1949 par F. Bordes, incontestable à grande et moyenne échelle, devenait beaucoup plus approximative au niveau de la dissection chronologique que nous étions conduit à réaliser... » (H. Laville, 1973, p. 2).

TABLEAU I

Cam. = Caminade; C.G. = Combe-Grenal; M. = Le Moustier; P.A. = Pech de l'Azé.

	Phases	Typique	Denticulés	Ferrassie	Quina	M.T.A. (A)	M.T.A. (B)	M.T.A. (A/B)
Würm II	VIII	C.G. 6				G.G. 1-3-4 ?		
	VI	C.G. 10		Cam. M3s	Cam. M3s	P.A. Ib 3-4		
	V		C.G. 11-12-13					
	IV	M. J		Cam. M3b	C.G. 17 à 19			P.A.I. 5
	II	Cam. M1s			C.G. 23-25		M. H$_9$ à H$_3$	
	I	Cam. M1b		C.G. 27-32 à 35	C.G. 26	P.A. Ib 11-12	M. H$_2$ C-H$_1$	
Würm I	IX	C.G. 36-37		C.G. 36-37		M. G$_{3-4}$		
	VII	C.G. 40		P.A.II 2E		M. G$_1$		
	VI	C.G. 41	M. F	P.A.II 2G$_1$				
	IV	C.G. 42-43		P.A.II 2G$_3$				
	II	P.A.II 4C$_2$	P.A.II 4b			Croix du Bost La Plane Barbas (?)		
	I	C.G. 54						

vieux pour le RC[14], trop jeune pour le K[40]), ne pouvait-on proposer que des datations relatives assez grossières : « fin de l'interglaciaire » ; « à la base ou dans le Würm I » ; « dans le premier interstade », etc... Une des révélations de H. Laville est que, dans les gisements qu'il a étudiés (14), il n'y a pas trace d'industries interglaciaires ou interstadiaires : elles ont été détruites par une importante érosion. Plus capitale encore est la grille chronologique bâtie par cet auteur qui distingue en Périgord 9 phases sédimento-climatiques dans le Würm I (15) et 8 phases dans le Würm II. Il y est démontré que si ces phases sont synchrones, les différentes cultures, par contre, ne le sont pas toujours. Ce n'est donc qu'en distribuant les cultures dans leurs phases sédimento-climatiques que l'on peut obtenir le panorama du Moustérien.

Comme on le voit dans le tableau I, la première et la seule industrie qui apparaisse, dans la phase I du Würm I est le Moustérien Typique. Le Moustérien à denticulés est présent dès la phase II, et ce n'est qu'à la phase IV qu'on rencontre le type Ferrassie. Ces trois industries sont contemporaines dans la phase VI. La phase VII voit l'apparition du M.T.A. (A.). Il faut attendre la phase I du Würm II pour rencontrer le M.T.A. du type B. Cette phase est capitale puisque y sont concomitants les Moustériens Typique, Ferrassie, Quina (dont c'est l'apparition), M.T.A. (A.), M.T.A. (B.).

(14) Pour le Paléolithique moyen : Combe-Grenal, Pech de l'Azé I et II, le Moustier, Caminade.
(15) Ces 9 phases sont subdivisées en 21 oscillations majeures.

La phase IV est tout aussi significative : presque tous les Moustériens sont représentés bien que distribués dans tous les gisements.

Le Denticulé disparaît dans la phase V du Würm II, le Ferrassie au début de la VI, immédiatement suivi par le Quina, à la fin de la même phase. Enfin le Typique, qui a traversé l'ensemble des temps moustériens cesse au début de la dernière phase (VIII), juste avant que le M.T.A., qui perdure un peu, ne disparaisse à son tour.

Il faut noter que le Moustérien de tradition acheuléenne, dans les travaux de H. Laville ne commence qu'à la phase VII du Würm I. Or, à la Croix du Bost (commune de Douzillac), J. Gaussen et J.-P. Texier l'ont trouvé, sous sa forme A, dans un site de plein air. Il se trouve, comme on l'a vu, dans la partie supérieure du cailloutis de base du Würm I. Il semble qu'il en soit de même pour la couche inférieure würmienne du gisement de La Plane (commune de Mazeyrolles, fouilles J. Guichard, A. Turq, A. Morala, 1975) ; et peut-être également pour le M.T.A. de Barbas, directement posé sur un cailloutis rissien.

Ainsi, les résultats obtenus par H. Laville ouvrent la voie à quelques hypothèses :

1) Ou bien les types Ferrassie-Quina et Denticulé ont commencé plus tard et fini plus tôt, ayant une vie plus brève que le Typique et le M.T.A., et dans ce cas :

a) Soit il s'agit d'une création locale, originale et spontanée, morte sans descendance, ce qui est contredit par l'immensité de leurs aires (Afrique du Nord, Moyen-Orient, etc...).

b) Soit ils sont le témoignage d'intrusions d'ethnies

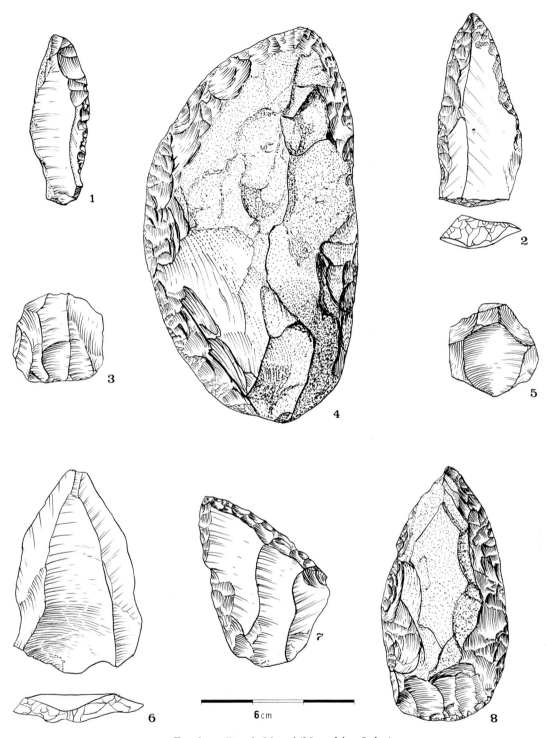

FIG. 2. — *Roc de Marsal* (Moustérien Quina).
1. Racloir à dos cortical; 2. Pointe moustérienne; 3. Eclat levallois; 4. Racloir Quina; 5. Nucleus levallois; 6. Pointe levallois; 7. Racloir convergent déjeté; 8. Racloir Quina. (Dessins G. Guichard, A. Morala).

porteuses d'industries qui leur sont personnelles. Mais on retombe alors dans une objection déjà formulée : comment et pourquoi les « occupants » n'auraient-ils eu aucune influence sur les Typiques et les M.T.A., ou n'en auraient-ils reçu aucune ?

c) Soit ils ne sont que les épiphénomènes de deux plus longues lignées (Typique et M.T.A.), ou de l'une d'entre-elles, ce qui reste à démontrer. Nous

aurions alors deux grands groupes, le Moustérien Typique et le Moustérien de tradition acheuléenne, ce qui ramène à la bipartition de D. Peyrony.

2) Ou bien, à la manière de la classification périodique des éléments, on peut prévoir que les cases vides se rempliront un jour, et que tous les types d'industries moustériennes ont traversé l'ensemble des Würm I et II. Hypothèse plausible dans

la mesure où les *connaissances* actuelles des gisements périgourdins sont très faibles. En effet, les couches dont on connaît *à la fois* les décomptes et la place dans la chronologie de H. Laville, et dont l'échantillon (le nombre d'outils) est suffisant pour être pertinent, représentent seulement 10,52 % de celles des grands sites fouillés en Périgord.

Dans cette hypothèse :

— ou l'on se trouve en face de 4 ou 5 cultures parallèles pendant 40 000 ans ;

— ou il s'agit de 3 à 4 variations sur un thème commun, qui serait une sorte de « culture-mère », mais laquelle, et pourquoi ?

Ainsi retombe-t-on dans les mêmes incertitudes.

IV. Quelques résultats inédits.

En dernière analyse, force est d'en revenir, pour l'instant, aux données numériques de la méthode Bordes-Bourgon. La lecture superficielle de la poussière de résultats publiés depuis 20 ans pourrait laisser croire qu'il est facile de discriminer à tout coup un type de Moustérien d'un autre, que ces types forment autant d'ensembles séparés (fausse impression accrue par les « graphiques-cumulatifs-étalons », par exemple la couche 4 du Pech de l'Azé I b pour le M.T.A., ou la couche J. du Moustier pour le Typique). Il n'en est rien. Chaque industrie de chaque couche a une certaine originalité. Par un côté ou un autre, il y a des franges, des marges. Ce qui ne laisse pas de poser des problèmes de diagnose.

La publication du *corpus* des graphiques montrerait sans doute que les courbes propres à un type d'industrie ne se superposent pas mais s'inscrivent dans un faisceau d'une certaine amplitude, chevauchant d'ailleurs par places le faisceau voisin.

On se bornera à donner ici deux exemples :

1) En Périgord, pour chaque industrie, l'étendue entre les pourcentages minima et maxima des principaux groupes d'outils est souvent importante. Pour ne citer que les racloirs, leurs pourcentages se chevauchent, ou prennent le relais (16) :

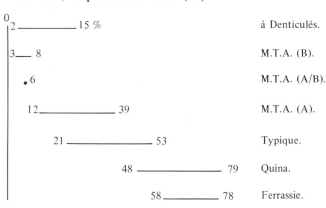

Le tableau II permet de voir qu'il en est de même

pour d'autres groupes d'outils (les denticulés, par exemple, vont de 12 à 47 % dans le M. à denticulés et de 20 à 29 % dans le M.T.A. (B.)).

Tableau II

Etendue et limites des pourcentages des groupes d'outils dans les moustériens étudiés.

Pour le M.T.A. (A/B) on donne un seul chiffre (dans le losange) puisqu'il n'y a que la couche 5 du Pech de l'Azé Ib qui appartienne clairement à ce type d'industrie. Ceux qui sont contenus dans des rectangles représentent le critère positif de chaque industrie (* m = minimum, M = maximum).

	Racloirs %		Racloirs Quina %		A^u %		Bifaces %		Denticulés %		Groupe III %	
	m*	M*	m	M	m	M	m	M	m	M	m	M
	de	à	de	à	de	à	de	à	de	à	de	à
Typique	21	53	0	3	1	3	0	1	4	17	3	18
Denticulés	2	15	0		0	5	0	3	12	47		7
Ferrassie	53	78	0	12	1	5	0	3	1	16		3
Quina	48	79	13	27	0	3	0	1	2	18		2
M.T.A.(A)	12	39	0	1	1	13	3	24	14	21	3	8
" (B)	3	8	0	1	7	17	1	2	20	29	9	17
" (A/B)	6,13				2,73		6,40		17,12		5,47	

2) Dans l'ensemble, les diagnoses s'établissent, au plan typologique (17), autour d'un critère positif nécessaire mais non suffisant, et qui doit être étayé, en conséquence, par des critères le plus souvent négatifs : « il y a... mais il n'y a pas ». Ainsi on définira le Moustérien Typique par rapport au Ferrassie de cette façon :

Critère +	Critères — communs	Critères — particuliers
Typique IR moyen, de 25 à 53%.	— Peu de denticulés (4 à 17 %) par rapport au M. à denticulés. — Très peu de A^u (de 1 à 3 %). — Bifaces absents ou presque (de 0 à 3 %) — Groupe III moyen (de 2 à 9 %). A l'exception du Pech de l'Azé II qui atteint 18%.	— Racloirs Quina absents ou presque (de 0 à 3 %). Il parfois nul
Ferrassie IR fort de 58 à 78 % Il toujours fort	— Peu de denticulés (de 1 à 16 %). Remarque identique que pour le Typique. — Très peu de A^u (de 1 à 4 %). — Bifaces absents ou presque (de 0 à 3 %). — Groupe III assez faible (de 2 à 4 %).	— Racloirs Quina parfois absents (0 %), parfois assez abondants (12,20 %) mais plus faiblement représentés que dans le type Quina (de 12,80 à 27,40 %).

---

(16) Les chiffres donnés sont arrondis. Si l'on entrait dans le détail on verrait que l'écart est quelquefois inférieur à 1 %. Par exemple dans le type La Ferrassie : l'indice maximum de racloirs Quina est de 12,20 % ; dans le type Quina, l'indice inférieur de racloirs Quina est de 12,80 %, soit une différence de 0,60 %.

(17) Bien entendu, elles sont complétées, au plan technique, par les IL forts ou faibles et de manière générale par tous les indices techniques.

Le tableau II permet de compléter cette liste comparative. On voit la difficulté. À titre d'exemple, on peut citer trois sites inédits, le premier aisé à replacer dans le schéma habituel, le second plus délicat à cerner, le troisième dont la diagnose tient à un type d'outil.

1) *Roc de Marsal,* couche V.

Ce gisement de grotte est situé presqu'au sommet d'une falaise, au flanc d'un vallon de la rive gauche de la Vézère, dans la commune de Campagne. Il a été découvert et fouillé minutieusement, en 1954, par J. Lafille qui, mort prématurément, n'a pu le publier. Grâce aux notes précises qu'il a laissées, on peut en faire l'étude, mètre carré par mètre carré.

Le gisement contient 11 couches moustériennes. Celles du bas recèlent du Denticulé, elles sont surmontées par des couches de Typique, puis par des couches de Quina. Dans la couche V (250 outils sans compter les produits levallois bruts), se trouvait la sépulture d'un enfant néanderthalien au squelette particulièrement bien conservé.

Indices techniques et typologiques (%) :

IL = 11,32   IFs = 20,50   Il = 7,47
IR = 55,2   IQ = 17,40   IA^{u} = 0   IB = 0
Groupe III = 3,20   Groupe IV = 6,8

On peut donc classer sans hésitation cette couche dans le Moustérien de type Quina [18] (cf. tableau II et fig. 1 et 2).

On note cependant quelques originalités : outre son indice de facettage strict, le plus bas connu à ce jour en Périgord et alors que son IL est très faible (11,32 %) il y a 5 pointes levallois, dont 3 retouchées, 5 pointes pseudo-levallois dont 4 servant de support à des racloirs divers, et enfin 32 nucléi levallois sur un total de 58, soit plus de 55 %. Sur les 138 racloirs il n'y a qu'un racloir à dos aminci, par contre on trouve 4 racloirs à dos cortical. Ce dernier outil se trouve en nombre non négligeable dans le gisement M.T.A. de La Plane (fig. 2, n° 1 et fig. 3, n°s 1 et 3).

Si les denticulés, notamment, sont assez peu soignés, les produits levallois transformés et les racloirs, sont excellents.

L'étude des zones de fouille, l'une parallèle et l'autre perpendiculaire à la falaise, montre une remarquable identité de tous les indices. L'ensemble est donc parfaitement homogène encore que l'on puisse déceler des concentrations : objets brûlés (silex, outils parfois défigurés, os, galets éclatés, etc.) ; accumulations d'éclats de taille ou de retouche ; sélection des éclats les plus grands comme supports d'outils près du squelette.

2) *Toutifaut,* couche du M.T.A. (A.).

Gisement de plein air situé au sommet d'un des plus hauts coteaux du Bergeracois (commune de Maurens), il a été fouillé par J. Guichard. La couche moustérienne est à environ 0,70 m de profondeur, dans des graviers fins (dits « grains de sel »). Elle est surmontée par des limons contenant, vers 0,50 m, du Paléolithique supérieur. Les contraintes d'une fouille dans un verger ont obligé à diviser le site en plusieurs loci. Les résultats donnés ici concernent le locus I complet (soit 1 623 outils).

Indices techniques et typologiques (%) :

IL = 22,30 %   IFs = 37,30 %   Il = 10,01 %
IR = 25,50 %   IA^{u} = 3,01 %   IB = 2,69 %
    G I = 0,68 %   G II = 93,08 %
    G III = 10,04 %   G IV = 11,64 %

Au seul vu de son IB très bas, Toutifaut se classerait dans du M.T.A. (B). Mais parmi les 44 bifaces, il y a 10 triangulaires typiques (dont 1 passant à la dent de requin), ce qui est considérable. Ou bien il s'agit d'un problème de « concentration », comme au Pech de l'Azé Ib, 4, ou bien les limites inférieures de l'IB du M.T.A. (A) doivent être abaissées. Quoiqu'il en soit, la fouille n'ayant porté que sur les parties encore en place de la couche, sans possibilité d'écrémage par des amateurs, ces 10 triangulaires, de très belle facture, font basculer, à eux seuls, sans discussion possible, cette industrie dans le M.T.A. (A) (fig. 4).

Autre originalité, un très fort pourcentage de raclettes (14,35 %). On notera enfin un hachereau de type africain particulièrement réussi (fig. 4, n° 2).

Pour le reste, et notamment pour le graphique cumulatif de son outillage sur éclat, Toutifaut se rapproche beaucoup du Pech de l'Azé Ib, 4, bien qu'il soit plus levallois et moins facetté (fig. 1).

Pour F. Bordes, l'IL et l'IR sont d'autant plus forts qu'on se trouve sur des lieux où la matière première se prêtant bien à la taille, et d'accès facile, abonde. C'est le cas en Bergeracois où pourtant les IL sont, jusqu'ici, toujours faibles ou très faibles. Encore un exemple où l'environnement (ici la matière première), ne dicte pas fatalement le faciès technique.

3) *Barbas,* couche du M.T.A. (A.).

La partie acheuléenne de ce site a été traitée dans un autre chapitre [19] ; la stratigraphie est donnée en annexe. Le décompte exhaustif de cet outillage n'est pas encore achevé. On dira seulement que cette industrie est dans l'ensemble particulièrement belle (fig. 3). Quant aux bifaces (153), ils sont le plus souvent sur grands éclats, façonnés par de larges enlèvements plats, en pelure, avec des arêtes parfaitement

---

(18) F. Bordes l'avait donnée pour du Typique, lors du dégagement du squelette, mais il n'avait pas eu en main la collection complète.

(19) Cf. Le paléolithique inférieur en Périgord.

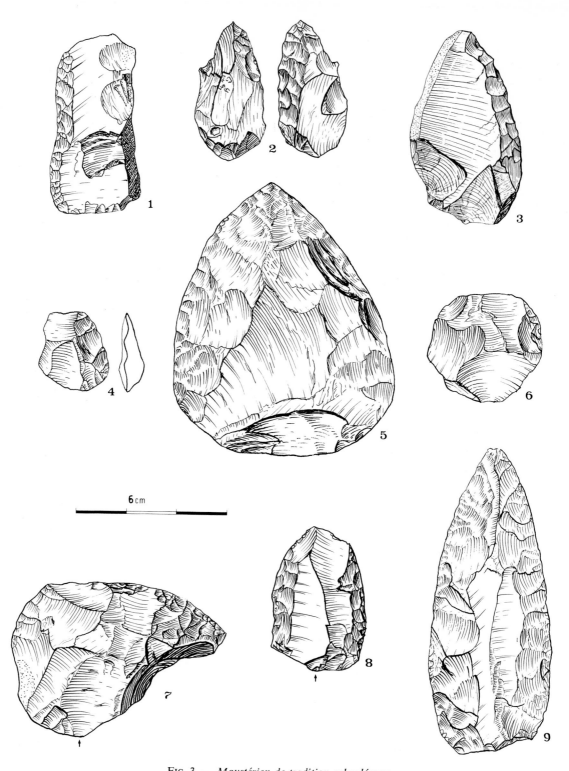

6 cm

FIG. 3. — *Moustérien de tradition acheuléenne.*
La Plane (M.T.A.). 1 et 3. Racloir à dos cortical; 4. Nucleus levallois; 5. Biface ovalaire; 6. Nucleus levallois. *Barbas supra* (M.T.A.). 7. Racloir transverse; 8. Racloir double sur éclat levallois. *Toutifaut* (M.T.A.). 9. Pointe moustérienne. (Dessins G. Guichard, A. Morala).

rectilignes reprises par de menues retouches (fig. 5). Par contre, leurs faces ventrales sont souvent partiellement taillées.

Mais le propos, ici, sera seulement de démontrer, que lorsque on possède une série pertinente de bifa-

ces, on peut, et on doit, les traiter comme il a été fait pour l'Acheuléen, ce qui permet des comparaisons avec des séries plus pauvres, pourvu que ces dernières ne descendent cependant pas au-dessous d'un seuil minimum.

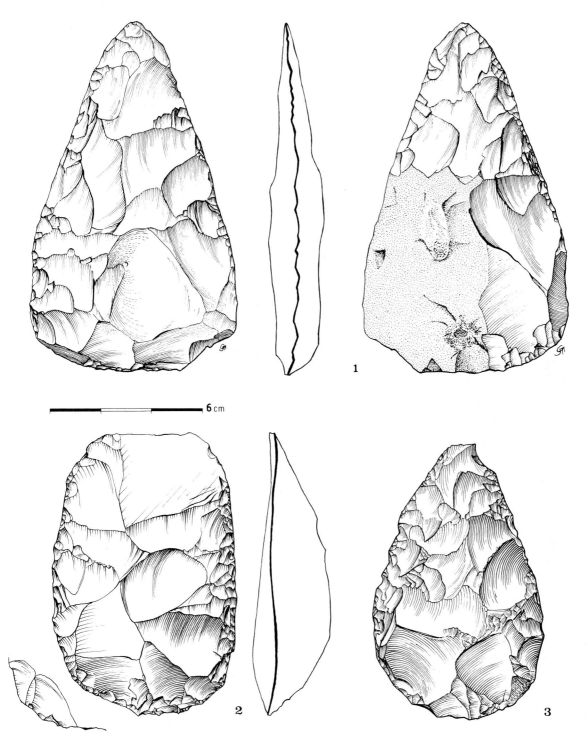

FIG. 4. — *Toutifaut* (M.T.A.).
1. Biface triangulaire typique ; 2. Hachereau de type africain; 3. Amygdaloïde. (Dessins de J.G. Marcillaud).

LES BLOCS (% sur l'ensemble identifiable de l'outillage bifacial) :

	Toutifaut 49 bifaces	Barbas supra 153 bifaces	Le Dau[20] 48 bifaces
Groupe I	5,71	3,70	0,00
Groupe II	8,57	7,40	7,50
Groupe III	85,71	88,57	92,50

Malgré l'absence totale de chopping-tools qui donne un Groupe I nul au Dau, on constate une excellente corrélation des indices pour l'ensemble de ces trois gisements de plein-air.

(20) J.-P. Rigaud, B.S.P.F., 1969. Ce gisement est évoqué afin de compléter le tableau des sites moustériens de plein-air du Périgord. Nous ne connaissons pas les résultats des fouilles de la partie moustérienne de Solvieux (Neuvic).

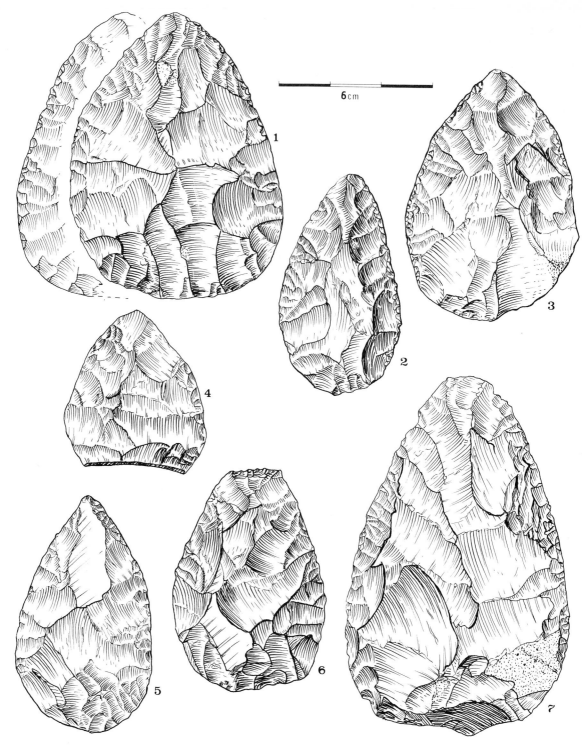

6 cm

FIG. 5. — *Barbas supra* (M.T.A.).
Bifaces : 1. Ovalaire; 2 et 5. Cordiformes allongés; 3. Cordiforme; 4. Subtriangulaire; 6. Cordiforme allongé, avec une troncature rectiligne lui donnant un tranchant transverse; 7. Amygdaloïde. (Dessins G. Guichard, A. Morala).

Quand on pousse l'analyse plus loin, il n'est pas sans intérêt de voir les variations des types principaux « acheuléen supérieur » et « M.T.A. », à l'intérieur du groupe III, qui est consacré à ces bifaces.

En effet, comme on le constate dans le tableau ci-contre :

Groupe III	% à l'intérieur du groupe		
	Toutifaut	Barbas supra.	Le Dau
Lancéolés	2,85	1,48	5,71
Cordiformes	47,50	43,90	51,35
Amygdaloïdes	13	10	27,02
Ovalaires	20,32	0	10,81
Triangulaires	33,33	8,13	2,70

La corrélation est encore bonne. Le groupe des cordiformes est cohérent. Les amygdaloïdes, sensiblement égaux à Toutifaut et Barbas sont en nombre notablement plus important au Dau, mais la proportion est inversée pour les ovalaires. Différence de représentativité des échantillons ? Difficulté pour deux décompteurs différents de départager des pièces aux divergences morphologiques subtiles ? Les lancéolés, bien sûr, sont rares dans les trois sites.

Ce que gagne le Dau sur Barbas en cordiformes, il le perd en triangulaires. Ce peut être le reflet léger d'une évolution chronologique ou culturelle aussi bien que de simples concentrations d'outils.

Quoiqu'il en soit, alors que Toutifaut est très proche des deux autres par les cordiformes, très près de Barbas par les amygdaloïdes, l'absence totale d'ovalaires, même atypiques, et la flambée des triangulaires en font un « cas ».

Quant aux graphiques cumulatifs (fig. 6) on voit qu'ils s'inscrivent dans un faisceau étroit : fortement concaves au départ, ils montent violemment à droite de la diagonale pour se terminer par une convexité plus ou moins accentuée. Le graphique de Cantalouette (Acheuléen moyen final et cependant le plus proche de ce que serait un graphique d'Acheuléen supérieur), se différencie totalement de ceux des Moustériens de tradition acheuléenne de type A, comme pouvait le faire prévoir la simple lecture des blocs (fig. 7).

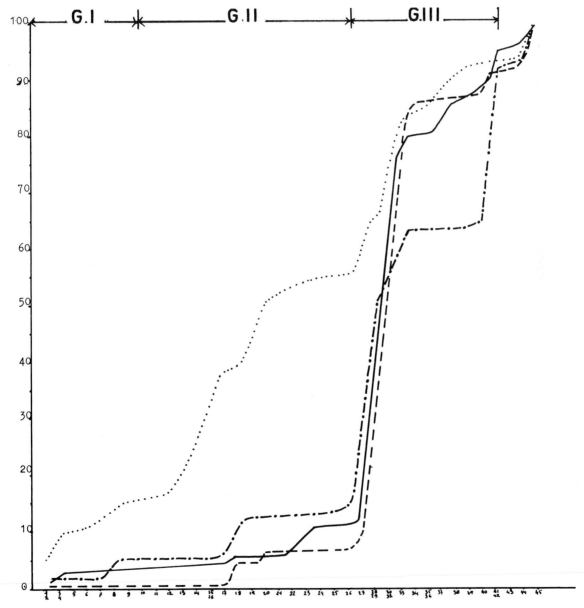

Fig. 6. — Graphiques cumulatifs des bifaces : Cantalouette (Acheuléen moyen), pointillé — *Moustérien de tradition acheuléenne :* Barbas Supra, trait plein; Le Dau, trait interrompu; Toutifaut trait-point. Sur l'axe des y les coordonnées 28/29 correspondent au groupes des cordiformes; 30 à 32 à celui des ovalaires; 33 à celui des amygdaloïdes; 34 à celui des lancéolés et 41/42 à celui des triangulaires.

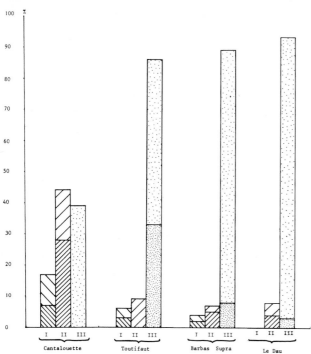

Fig. 7. — Sites du Périgord. Le groupe I donne le pourcentage des objets bifaciaux du type Acheuléen inférieur, le II celui des types de l'Acheuléen moyen et le III de l'Acheuléen supérieur. La partie plus ombrée de chaque colonne indique, pour le groupe I, les choppers et chopping-tools; pour le groupe II, les bifaces « spécifiques »; pour le groupe III les triangulaires.

V. Conclusions.

1) La méthode Bordes-Bourgon a permis de démêler l'écheveau d'une centaine de couches moustériennes du Périgord.

2) Certains buttent sur les problèmes posés par l'interstratification, alors que F. Bordes postule le primat de cultures parallèles avec, comme corollaire, la pesanteur de la tradition. Ce schéma rend-il compte de la complexité du monde moustérien ? Par exemple, J.-M. Le Tensorer a tenté de démontrer une évolution « en cercle » du Quina local.

3) Chaque fois qu'à partir des méthodes propres au *comment* les auteurs ont voulu démonter le *pourquoi,* ils ont eu recours à des arguments faibles, à des sortes de petits fabliaux (tribus errantes dans un désert humain, frontière infranchissable d'une rivière, impossibilité par les virtuoses de la taille levallois de faire de gros éclats permettant la retouche Quina, etc...).

4) La méthode du *pourquoi* (celle des Binford, par exemple), ne paraît pas avoir eu de descendance, par manque de fiabilité.

5) Il semble, finalement, qu'on s'oriente vers un refus du postulat que les méthodes typologiques auraient atteint une limite. Des analyses typologiques plus fines sont d'ores et déjà proposées, ici et là. Elles nuanceront, sinon multiplieront les diagnoses et accroîtront, de prime abord, l'impression de « désordre » des interstratifications. Les chevauchements, les relais, les faisceaux qui caractérisent les « types » d'industries ne condamnent nullement la méthode typologique. C'est probablement là qu'il faut cher-

cher les « multivariables ». A partir d'un fonds commun, le Néanderthal, par petits coups de frein ou d'accélérateur, a présidé à l'inflorescence d'industries qui répondaient à son interrelation avec le milieu. La méthode actuelle permet le repérage des plus grosses branches. A la limite, aucune couche ne ressemble, point par point, à aucune couche. Cela, on le sait déjà.

6) Une faible partie du *pourquoi* est à portée de la main grâce à l'étude microgéographique et microtypologique, après décapage horizontal, d'habitats à structures complexes. Pour l'heure, on ne peut faire état, en Périgord, d'aucun gisement ayant livré de tels résultats. Cette recherche appartient à l'avenir.

7) Quoiqu'il en soit, il n'est pas certain que puisse exister une théorie unitaire expliquant à la fois le *comment* et le *pourquoi,* une théorie où l'outil-objet permettrait de retrouver le sujet-homme en situation.

En tous cas, pour paraphraser un mot célèbre, Néanderthal n'a pas joué sa culture aux dés.

Annexe
STRATIGRAPHIE DU SITE DE BARBAS

D'après la Carte géologique, les dépôts quaternaires du Bergeracois reposent généralement sur les « sables du Périgord » d'âge Tertiaire, ou sur le Sidérolithique considéré comme un faciès de la partie inférieure de ces sables.

Des travaux que nous avons poursuivis de 1965 à 1968, avec l'aide de F. Gullentops, R. Paepe, M. Coûteaux, P. de Smedt (21), il ressort que :

1° Une partie de ce Tertiaire doit être attribuée au Quaternaire. En effet, le Tertiaire affleure (carrière Tractem-Malsentat à Lembras, carrières de Liorac, etc...) comme un sable le plus souvent gris, contenant localement des grès blanchâtres ou des bancs de lignite. L'ensemble montre un aspect homogène, non perturbé. Par contre, les argiles, sables et graviers versicolores et surtout les sables roux sus-jacents, sont séparés des couches inférieures homogènes par des cryoturbations et parfois même par des nappes de gravier incontestablement solifluées.

2° Dans ce Quaternaire on distingue finalement trois faciès :

A) *Système de base* : absence de limons. Sables grossiers hétérogènes et rubéfiés : graviers grossiers, argileux ou non, argiles verdâtres, brunâtres ou grisâtres, sables argileux, sables et graviers, nombreux rognons de silex, etc... Ce système se caractérise par une composition de quartz toujours très pure. Il n'y a pas de feldspaths. Les minéraux lourds comprennent environ 70 à 80 % d'ubiquistes (tourmaline, zircon, rutile et anatase) accompagnés de ± 20 % de staurolite. Disthène, andalousite et épidote sont constants mais peu communs.

B) *Système « intermédiaire »* : gravier moyen limoneux ou non, parfois en nappe avec « grains de sel » (22) à la base, limon sableux, etc... C'est là que l'on trouve de gros cailloutis de cryoturbations et/ou de solifluxion.

Il y a toujours un mélange d'une fraction sableuse, (jusqu'à 40 %), qui provient des niveaux sous-jacents, et d'une fraction limoneuse plus ou moins importante. Les

(21) Qu'ils veuillent trouver ici l'expression de notre gratitude.

(22) Dénomination toute locale et personnelle. Il s'agit de « poches » ou « nappes » de grains de quartz plus ou moins lavés par ruissellement ou percolation. Cette formation alors peu cohérente se fouille « au doigt » et évoque un tas de gros sel.

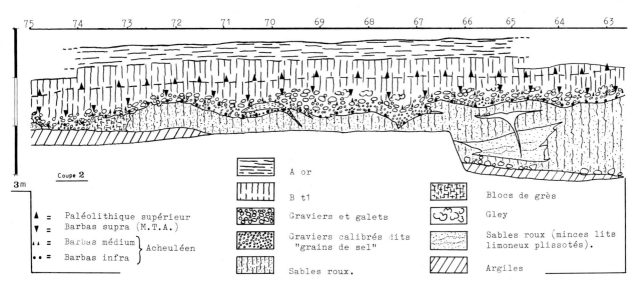

FIG. 8. — Barbas : détail de la coupe Nord-Sud.

pourcentages d'argile montent jusqu'à 30 % suivant le degré de pédogénèse. Les feldspaths sont encore rares mais existent régulièrement et peuvent provenir de l'altération des graviers granitiques des hautes terrasses. Le cortège des minéraux légers s'enrichit d'épidote, d'hornblende verte et de grenat. *Il y a apparition de grains volcaniques.*

C) *Système supérieur :* la fraction limoneuse est prépondérante (le mélange sableux n'atteint pas 20 %), bien individualisé de 62 à 20 μ, ce qui correspond parfaitement à des *limons d'apports éoliens.* Il y a jusqu'à 15 % de feldspaths dans la fraction typiquement limoneuse de 40 à 32 μ. Les ubiquistes atteignent 40 % tandis que l'hornblende verte et le grenat dépassent 30 %. *Constation particulièrement importante, il y a jusqu'à 10 % de minéraux volcaniques* parmi lesquels le sphène et l'hornblende verte dominent. Ces poussières volcaniques, témoignant d'une forte reprise d'éruptions dans le Massif Central renforcent l'idée d'apports éoliens de type lœssique.

Ce profil shématique peut être précisé en prenant comme exemple le gisement de Barbas (commune de Creysse). Situé sur un replat structural de la rive droite de la Dordogne, à une altitude correspondant, localement, à celle de la haute terrasse (fig. 8).

Un relevé stratigraphique de 250 m de long, sur une profondeur pouvant atteindre 4,5 m, montre, de bas en haut, et de manière abrégée :

A) *Système de base :*

1 - argiles versicolores; bief à silex qui a sans doute attiré les hommes préhistoriques.
2 - cailloutis très congélifracté;
3 - sables roux affectés de fentes de gel (profondeur maximum 1,50 m) provenant du niveau sus-jacent.

Ces trois niveaux sont stériles, comme partout jusqu'ici dans les sites du Bergeracois. Ils peuvent représenter n'importe quoi entre le Tertiaire et le Riss.

B) *Système intermédiaire :*

4 - ce niveau peut être subdivisé en deux faciès, on passe incessamment de l'un à l'autre et il y a quelquefois intrication :

4a - graviers lavés et calibrés dits « grains de sel », par passées ou poches.
4b - graviers et galets repris d'une haute terrasse, formant une nappe de solifluxion typiquement périglaciaire, affectée par toute une série de fentes de gel et comportant un grand nombre de silex congélifractés.
5 - Dans la partie Nord, puis ensuite par place, limon rouge fortement altéré avec des structures prismatiques, légèrement rubéfié, dont la pédogénèse pourrait être datée

du Riss/Würm. Du point de vue pédologique, c'est un Bt2. Par endroit, il devient, à la base, plus argileux avec quelques petites passées caillouteuses.

C) *Système supérieur :*

6 - Limon lœssique non altéré dans le haut, légèrement dans le bas. Bien qu'il y ait des cailloutis épars à la base, ils ne séparent pas les niveaux 5 et 6. En définitive, ce niveau est homogène. Du point de vue pédologique, il s'agit d'un Bt1.
7 - Limon remanié.

DU POINT DE VUE ARCHEOLOGIQUE : l'ensemble du niveau 4 se subdivise en 3 couches, les 2 premières appartenant à l'ensemble rissien :

4[1] - Acheuléen, près de la base mais non pas à la base. L'industrie, peu émoussée, à patine blanchâtre, n'est pas tout à fait en place. Mais les déplacements n'ont pas dépassé quelques mètres.

4[2] - Acheuléen en désordre dans la masse, les silex présentent une double patine (un côté légèrement voilé, l'autre souvent frais); les tranchants sont coupants.

4[3] - M.T.A reposant directement sur le gravier, laissant voir parfois un sol d'habitat en place. Cependant la couche plonge quelquefois dans de petites fentes de gel témoignant d'une cryoturbation qui ne saurait être rissienne car elle a provoqué, dans l'ensemble du cailloutis sous-jacent, des injections de limon non altéré du Würm. L'industrie tend à prouver que cette couche représente la première reprise du froid Wûrmien. Les silex sont d'une fraîcheur extrême.

Le niveau 6 montre, dans sa mi-hauteur, une couche d'un Paléolithique supérieur. Il s'agit d'un faciès d'atelier. Parmi des milliers de nuclei à lames, de lames et d'éclats, il n'a été trouvé qu'une quizaine d'outils du type Aurignacien.

A environ 300 m au S de Barbas, les sites de plein-air de Canaule I et II, ce dernier livrant une mince couche de Chatelperronien évolué, permettent d'autres divisions dans les parties Würm III et IV des sédiments recouvrant le plateau de Barbas.

Bibliographie succincte (23)

[1]*ALIMEN A. (1972). — Les « isthmes » hispano-marocain et siculo-tunisien aux temps acheuléens. *L'Anthropologie,* Paris, t. 79, p. 399-436.

(23) Les ouvrages marqués d'une astérisque traitent plus particulièrement de l'Acheuléen.

[2] BINFORD L.R. et BINFORD S.R. (1966). — A preliminary analysis of functionnal variability in Mousterian of Levallois facies. *American Anthropologist*, 68, 2 part. 2, p. 238-295.

[3] BINFORD S.R. et BINFORD L.R. (1969). — Stone tools and human behavior. *Scientific American*, 220, 4, p. 70-84.

[4] BINFORD S.R. (1972). — The signifiance of variability : a minority report. in : Origine de l'homme moderne. *Actes du Colloque de Paris, U.N.E.S.C.O.*, sept. 1969, p. 199-210.

[5] BORDES F. (1950). — L'évolution buissonnante des industries en Europe occidentale. Considérations théoriques sur le Paléolithique ancien et moyen. *L'Anthropologie*, t. 54, p. 393-420.

[6]*BORDES F. (1953). — Le dernier interglaciaire et la place du Micoquien et du « Tayacien ». *L'Anthropologie*, t. 57, p. 172-177.

[7] BORDES F. (1954-1955). — Les gisements du Pech de l'Azé (Dordogne). I. — Le Moustérien de tradition acheuléenne. *L'Anthropologie*, t. 58, n° 5-6, 1954, p. 401-432 et t. 59, n° 1-2, 1955, p. 1-38, 29 fig., XVI tabl.

[8] BORDES F. (1955). — La stratigraphie de la grotte de Combe-Grenal, commune de Domme (Dordogne). Note préliminaire. *Bulletin de la Société Préhistorique Française*, t. 52, p. 426-429.

[9]*BORDES F. (1966). — Acheulean cultures in Southwest France. *Studies in Prehistory Robert Bruce Foote Memorial volume*, Calcutta, p. 49-59, 2 fig., 1 carte.

[10]*BORDES F. (1971). — Observations sur l'Acheuléen des grottes en Dordogne, *Munibe*, XXIII, 1, p. 5-24, 11 fig.

[11] BORDES F. (1972). — *A tale of two caves*. Harper and Row, New York, 1972, 169 p., 43 fig.

[12] BORDES F. et BOURGON M. (1951). — Le complexe moustérien : Moustérien, Levallois et Tayacien. *L'Anthropologie*, t. 55, p. 1-23.

[13] BORDES F. et LAFILLE J. (1962). — Découverte d'un squelette d'enfant moustérien dans le gisement du Roc de Marsal, commune de Campagne-du-Bugue (Dordogne). *Compte-rendu Académie des Sciences de Paris*, t. 254, p. 714-715.

[14] BORDES F. et PRAT F. (1965). — Observations sur les faunes du Riss et du Würm I en Dordogne. *L'Anthropologie*, t. 69, n° 1-2, 1965, p. 31-46, 3 fig., 4 tabl.

[15] BORDES F., LAVILLE H. et PAQUEREAU M.M. (1966). — Observations sur le Pleistocène supérieur du gisement de Combe-Grenal (Dordogne). *Actes de la Société Linnéenne*, Bordeaux, t. 103, série B, n° 10, 19 p., 3 tabl.

[16]*BOSINSKI G. (1970). — Bemerkungen zu der Grabunq D. Peyrony in La Micoque. *Fundamenta*, série A, t. 2, p. 52-73, 16 pl.

[17] BOUCHUD J. (1966). — *Essai sur le Renne et la climatologie du Paléolithique moyen et supérieur*. Imprimerie Magne, Périgueux, 300 p., 55 fig., 13 pl., 71 tabl.

[18] BOURGON M. (1957). — Les industries moustériennes et pré-moustériennes du Périgord. *Archives de l'Institut de Paléontologie Humaine*, mémoire n° 27, 141 p., 18 fig., 6 tabl.

[19]*BREUIL H. (1932). — Les industries à éclat du Paléolithique ancien. I. Le Clactonien. *Préhistoire*, t. 1, fasc. 2, 1932, p. 125-190, 29 fig., 1 tabl. h.-t.

[20]*CHAVAILLON J. (1966). — Formes et techniques des bifaces de l'Acheuléen final au Sahara nord-occidental. *Actes du VIe Congrès International des Sciences Préhistoriques et Proto-historiques*, p. 219-225.

[21] DELPORTE H. (1963). — Le gisement paléolithique de La Rochette, (commune de Saint-Léon-sur-Vézère, Dordogne). *Gallia-Préhistoire*, t. V, 1962, fasc. 1, p. 1-22, 11 fig.

[22] GAUSSEN J. et TEXIER J.-P. (1972). — Le gisement Paléolithique moyen de la Croix du Bost, commune de Douzillac (Dordogne) : étude géologique et archéologique. *Origini*, t. VI, 27 p.

[23]*GUICHARD J. (1965). — Un faciès original de l'Acheuléen : Cantalouette (commune de Greysse, Dordogne). *L'Anthropologie*, t. 69, n° 5-6, p. 413-464, 34 fig., III tabl.

[24]*GUICHARD J. et GUICHARD G. (1966). — A propos d'un site acheuléen du Bergeracois (Les Pendus, commune de Creysse) : Bifaces-hachereaux et hachereaux sur éclat, aperçu typologique. *Actes de la Société Linnéenne*, Bordeaux, t. 103, série B, n° 5, 14 p., 18 fig.

[25]*GUICHARD J. et GUICHARD G. (1968). — Contributions to the study of the early and middle Paleolithic of Nubia. Extrait de *The prehistory of Nubia* de Fred Wendorf, 1968, vol. 1, Dallas, p. 148-193, 22 fig.

[26] HEINZELIN J. et FITTE P. (1969). — Deux sites paléolithiques de plein-air dans la vallée de la Couze (Dordogne). *Bulletin de la Société Préhistorique Française* (études et travaux), t. 66, p. 335-340, 9 fig.

[27] KERVAZO B. (1973). — Recherches sur les formations superficielles en Périgord Noir, *Multigraphié* Bordeaux, 385 p., 164 pl., 38 fig.

[28] LAVILLE H. (1973). — Climatologie et chronologie du Paléolithique en Périgord : étude sédimentologique de dépôts en grottes et sous abris. *Multigraphié*, 3 tomes, 757 p., 181 fig., (sous presse, *Etudes Quaternaires*, mémoire n° 4).

[29] LE TENSORER J.M. (1969). — Le Moustérien de Las Pélénos (Lot-et-Garonne). Etude statistique. *Bulletin de la Société Préhistorique Française* (C.R.M.), t. 66, n° 8, pp. 232-236, 2 fig., 5 tabl.

[30] MELLARS P.A. (1965). — Sequence and development of Moustérien Traditions in South Western France. *Nature*, vol. 205, p. 626-627.

[31] MELLARS P.A. (1969). — The Chronology of Mousterian industries in the Périgord region of South west France. *Proc. Prehist. Soc.*, vol. XXXV, n° 6, p. 134-171, 4 fig.

[32] MELLARS P.A. (1970). — Some comments of the notion of « functional variability » in stone-tool assemblages. *World Archeology*, vol. 2, n° 1, p. 74-88.

[33]*PATTE E. (1971). — L'industrie de La Micoque. *L'Anthropologie*, t. 75, n° 5-6, p. 369-396.

[34] PEYRONY D. (1930). — Le Moustier, ses gisements, ses industries, ses couches géologiques. *Revue Anthropologique*, n° 1-3, p. 48-76, 11 fig. et n° 4-6, p. 155-176.

[35] PEYRONY D. (1934). — La Ferrassie – Moustérien, Périgordien, Aurignacien, *Préhistoire*, t. III, p. 1-92, 89 fig.

[36] PEYRONY D. (1938). — La Micoque. Les fouilles récentes. Leurs significations. *Bulletin de la Société Préhistorique Française*, n° 6, juin 1938, p. 257-288, 14 fig.

[37] PEYRONY D. (1949). — Le Périgord préhistorique. *Publication de la Société Historique et Archéologique du Périgord.* Périgueux, 92 p., 8 cartes.

[38] RIGAUD J.-P. — (1969). — Gisements paléolithiques de plein-air en Sarladais. *Bulletin de la Société Préhistorique Française. (Etudes et Travaux),* t. 66, p. 319-334, 12 fig.

[39] SONNEVILLE-BORDES D. de (1969). — Les industries moustériennes de l'abri Caminade-Est, commune de La Canéda (Dordogne). *Bulletin de la Société Préhistorique Française (Etudes et Travaux),* t. 66, p. 293-301, 8 fig.

[40] TEXIER J.-P. (1968). — Etude sédimentologique des dépôts de pente de la vallée de la Couze (Dordogne). *Multigraphié,* 188 p., 42 pl., 1 tabl.

[41] THIBAULT Cl. (1970). — Recherches sur les terrains quaternaires du Bassin de l'Adour. *Thèse de Doctorat ès Sciences,* Bordeaux, 1970, 814 p., 171 fig., 68 pl.

Les civilisations du Paléolithique moyen en Charente

par

André DEBENATH *

Résumé. Les civilisations du Paléolithique moyen sont bien représentées dans le Bassin de la Charente. Le Moustérien de tradition acheuléenne, fréquent en plein air est plus rare sous abris (Fontéchevade, Vilhonneur et surtout grotte Marcel Clouet à Cognac).

Le Moustérien de type Ferrassie est maintenant connu dans cette région par les gisements du lycée technique de Pons et semble-t-il de Montgaudier.

Le Moustérien de type Quina est l'industrie dominante : outre la station éponyme de La Quina, ce type d'industrie est particulièrement bien représenté à Chateauneuf-sur-Charente (gisement de Hauteroche) et s'étend jusqu'en Charente-Maritime.

Parmi les autres types de Moustérien connus en Charente, citons le Moustérien à denticulés de Hauteroche et un Moustérien assez original, « primitif », du Würm I de la Chaise.

Abstract. The Middle Paleolithic cultures are well represented in the Charente basin. The Mousterian of the Acheulean Tradition, frequent in open-air sites, is rarer in rock-shelters (Fontéchevade, Vilhonneur and especially Grotte Marcel Clouet at Cognac).

The Ferrassie type Mousterian is known in this region by the sites of the technical school at Pons and, it seems, also at Montgaudier.

The Quina type Mousterian is the dominant industry. In addition to the type-side of La Quina, the type of industry is particulary well represented at Chateauneuf-sur-Charente (site of Hauteroche) and extends to the Charente-Maritime *département*.

Among the other Mousterian types known in the Charente, we mention the denticulated Mousterian of Hauteroche and a rather original Mousterian of "primitive" aspect from the Würm I of La Chaise.

Depuis plus d'un siècle que des recherches préhistoriques ont été entreprises dans le Bassin de la Charente, nombreux sont les gisements mis au jour renfermant des industries moustériennes. Il est difficile d'évaluer le nombre exact des objets recueillis, les séries ayant souvent été dispersées ou étant incomplètes car récoltées trop précocement, à une époque où l'on recherchait surtout « la belle pièce ».

Des fouilles entreprises depuis une dizaine d'années, nombreuses sont celles dont les résultats sont encore trop fragmentaires ou inédits, aussi limiterons-nous volontairement cette étude à quelques gisements dont les industries sont bien connues ou qui offrent des critères suffisants de crédibilité.

Nous considérerons successivement :
— le Moustérien de tradition acheuléenne,
— les Moustériens de type Charentien,
— le Moustérien à denticulés,
— les autres industries moustériennes.

Le Moustérien de tradition acheuléenne.

Le Moustérien de tradition acheuléenne a souvent été rencontré dans les formations superficielles, par exemple aux Planes, près d'Angoulême. Il est beaucoup plus rare sous abris, et l'on ne peut guère citer que trois gisements de ce type : Fontéchevade, La Cave à Vilhonneur (1) et la grotte Marcel Clouet à Cognac.

C'est certainement le Moustérien de tradition acheuléenne de la grotte M. Clouet qui est le mieux

(1) Renseignement oral de L. Balout.

connu, bien que le gisement ait été fortement endommagé par de nombreuses fouilles sauvages qui ont notamment détruit les niveaux renfermant des industries du Paléolithique supérieur (Périgordien supérieur et Solutréen).

La stratigraphie de ce gisement est actuellement la suivante de haut en bas :
1° couche remaniée, anciens déblais ;
2° éboulis calcaires émoussés noyés dans une matrice sablo-argileuse jaunâtre. Cette couche renferme également des blocs d'assez grandes dimensions ;
3° couche sablo-argileuse, rouge, renfermant quelques rares éléments calcaires de petites dimensions ;
4° éboulis calcaires peu différents de ceux constituant la couche 3, mais le plus souvent indurés, voire totalement bréchifiés. Cette couche présente à son sommet une importante accumulation de manganèse ;
5° couche argilo-sableuse, rouge, se subdivisant localement en trois niveaux ;
6° ensemble de niveaux sableux et argileux présentant parfois des accumulations de manganèse.

Le Moustérien de tradition acheuléenne est contenu dans la couche 4. Il se caractérise par un débitage levallois (IL = 29,87). Les indices de facettage large et de facettage strict sont élevés : respectivement 75,00 et 55,88. L'indice laminaire est très faible : 3,75.

L'indice levallois typologique qui est élevé en compte réel (35,94) est presque nul en compte essentiel : la majorité des outils levallois est représentée par les éclats. L'indice de racloirs n'est pas très élevé (24,12 en compte essentiel). Les racloirs simples convexes forment à eux seuls 50 % de

* Chargé de recherche au C.N.R.S., Institut du Quaternaire, L. A. au C.N.R.S. nº 133, 33405 Talence (France).

l'ensemble des racloirs. Les indices de couteaux à dos et de bifaces sont voisins de 3.

Le groupe II est le groupe dominant, mais on remarque un certain développement du groupe III, alors que les denticulés (groupe IV) sont peu importants.

Dans son ensemble, l'outillage est réalisé à partir d'un silex gris, fréquent dans les terrains crétacés voisins.

Les éclats levallois ainsi que la seule pointe levallois et la pointe pseudo-levallois qui proviennent de cette couche se caractérisent par des talons épais. Parmi les différents types d'outils présents, nous insisterons sur quelques-uns : c'est ainsi que les racloirs montrent une très fine retouche. Les racloirs simples convexes dominent, suivis par les racloirs simples droits. Il existe deux racloirs simples concaves. Aucun autre type n'est représenté (1).

Un seul des racloirs présente une retouche de type Quina, encore ce caractère n'est-il pas très marqué.

Deux couteaux à dos sont atypiques. Tous les autres sont des couteaux à dos naturel qui viennent en seconde position dans la composition de l'outillage. Certains d'entre eux peuvent être considérés comme des couteaux à dos naturel « atypique », le dos étant en fait obtenu à partir d'une cassure accidentelle de la pièce.

Nous signalerons également quelques raclettes et éclats tronqués dont un présente de très fortes traces d'utilisation, quelques encoches, très rarement clactoniennes, peu de denticulés et un petit chopping-tool en silex.

Les deux bifaces présents dans cette couche sont, d'une part un biface partiel triangulaire, d'autre part un biface ovalaire à talon.

Il existe d'autres bifaces se rapportant au Moustérien de tradition acheuléenne dans ce gisement :

— dans la couche 5 : un biface cordiforme et un biface ovalaire de très bonne facture, réalisés sur un silex gris, très proche de celui utilisé dans l'industrie de la couche 4. Ces bifaces sont accompagnés d'une industrie sur éclat très pauvre, mais dont la morphologie ne diffère pratiquement pas de celle de l'industrie de la couche 4 ;

— dans la couche 6 : un biface sub-triangulaire à talon réservé.

La faune correspondant à la couche 4 se compose principalement de cheval, de grands bovidés, de hyène et d'*Equus hydruntinus*. Plusieurs autres espèces sont représentées, tel le Rhinocéros, le Mammouth, le Cerf, le Megaceros, etc. Nous remarquerons la très faible représentation du Renne (moins de 1 %), ce qui est souvent le cas dans les Moustériens de tradition acheuléenne.

Sur le plan chronologique, il est difficile de dater avec précision cette couche 4, nous pensons cependant qu'elle peut être rapportée à la fin du Würm II.

Les Moustériens de type charentien.

La presque totalité des abris sous roche du Bassin de la Charente a livré des industries moustériennes se

rapportant à l'un des types charentiens. Nous n'en rappellerons pas ici la liste qui serait fort longue mais étudierons quelques séries types de ces industries.

A. LE MOUSTÉRIEN DE TYPE FERRASSIE.

1° *Gisement du Lycée technique de Pons (Charente-maritime).*

Des travaux d'aménagement entrepris au Lycée technique de Pons ont mis au jour, voici une dizaine d'années, un important gisement paléolithique (Lassarade et al., 1969).

La stratigraphie est la suivante (de bas en haut) :

A - argile rouge jaunâtre (*Acheuléen* à débitage levallois, très probablement) ; B - cailloutis calcaire stérile ; C - argile gris-vert (*Moustérien* de type charentien) ; D - argile rouge, stérile ; E - éboulis calcaire, stérile ; F - argile rouge et cailloutis calcaires (*Moustérien* de type Ferrassie) ; G - Paléolithique supérieur.

● *L'industrie de la couche F.*

Le débitage est nettement levallois (IL = 36,38). Les indices de facettage large et strict sont élevés (respectivement 54,84 et 46,85). L'indice laminaire est faible : 5,34.

L'indice levallois typologique est élevé en compte réel (31,63), faible en compte essentiel (0,85). L'indice de racloirs est très élevé (69,69) (2). Les indices acheuléens sont faibles. Le groupe dominant est le groupe moustérien (groupe II : 72,76 ; groupe I : 0,85 ; groupe III : 5,32 ; groupe IV : 5,76).

L'indice charentien est de 16,86, mais l'indice Quina est très faible : 2,86.

La forte montée sur les racloirs donne au diagramme cumulatif un profil arrondi caractéristique des moustériens de type charentien. Nous sommes ici en présence d'un Moustérien de type Ferrassie dans lequel les denticulés sont toutefois bien développés.

L'outillage est, dans son ensemble, de fort bonne facture, c'est le cas notamment des éclats levallois qui sont souvent de grande taille. Les pointes levallois sont bien venues, l'une d'elles atteint 75 mm de longueur. Il en est de même des pointes moustériennes, ordinaires et allongées (l'une atteint 110 mm de longueur). La seule limace de cette série est légèrement asymétrique.

Les racloirs sont de qualité très diverses, leurs retouches sont, en général, très fines, à la limite parfois de la simple retouche d'utilisation Certains ont conservé un dos naturel. Les racloirs simples convexes dominent largement les autres types : ils représentent 19 % de l'outillage sur éclats et 42 % de l'ensemble des racloirs. Ils sont de grande taille : leur longueur est le plus souvent supérieure à 40 mm. La retouche Quina est peu développée : 9 % d'entre eux présentent une retouche de type Quina atypique et 2 % une retouche de type Quina, encore faut-il souligner que si la retouche est bien écailleuse, la pièce support est en général très mince et l'on est assez éloigné de la retouche de type Quina «classique ».

---

(1) Nous soulignerons ici que cette série renferme moins de 100 outils en compte essentiel.

(2) Lorsqu'une seule valeur d'indice est donnée, elle correspond au compte essentiel.

Les autres types de racloirs n'appellent pas de remarques particulières, nous signalerons toutefois la bonne qualité des racloirs déjetés dont un est double, et le caractère « atypique » des racloirs transversaux qui sont le plus souvent à la limite du racloir transversal et du racloir « dévié ».

Les grattoirs sont les outils les mieux représentés au sein du groupe des outils de type paléolithique supérieur, les 11 exemplaires sont typiques.

Parmi les autres types d'outils, il convient de citer les raclettes, de bonne facture. Les encoches sont caractérisées par la rareté des encoches clactoniennes. Nous signalerons enfin l'existence de 2 chopping-tools et de 3 bifaces dont un subcordiforme et un hachereau.

2° Montgaudier, abri Lartet.

Situé à quelques kilomètres de Montbron, non loin des grottes de La Chaise et de celle de Fontéchevade, le gisement de Montgaudier est l'un des premiers que l'on rencontre en descendant la vallée de la Tardoire. C'est peu en amont de Montgaudier que la rivière cesse de couler dans les terrains cristallophylliens pour pénétrer dans les calcaires bajociens dans lesquels s'est creusé l'ensemble de grottes constituant le gisement. L'abri Lartet s'ouvre dans la partie supérieure de cet ensemble. Il a été découvert en 1968 (L. Duport, 1972).

● *Stratigraphie.*

On distingue de haut en bas :

1. terre végétale ; 2. couche rouge, bréchifée, renfermant quelques blocs calcaires (Moustérien) ; 2'. couche rouge, légèrement bréchifiée, renfermant quelques fragments stalagmitiques (Moustérien) ; 3. couche sablo-argileuse brune, stérile ; 4. couche jaune, bréchifiée contenant de la faune ; 5. couche argilo-sableuse, jaune, stérile ; 6. brèche très dure renfermant de la faune et une industrie indéterminée.

● *L'industrie de la couche 2.*

La couche 2 est la plus riche de cet abri : 532 objets ont pu être étudiés.

Le débitage est très faiblement levallois (IL = 7,92). Les indices de facettage large et strict sont respectivement de 30,27 et 21,10. L'indice laminaire est de 1,21.

Sur le plan typologique, l'indice de racloirs est très élevé : 75,24. Les indices acheuléens sont nuls. Le groupe dominant est le groupe moustérien (groupe II : 77,22), le groupe I est nul, les groupes III et IV sont peu importants : 1,98 et 2,97.

L'indice charentien est voisin de 20, mais l'indice Quina est faible : 3,84.

Le diagramme cumulatif présente l'aspect caractéristique des Moustériens entrant dans le groupe charentien.

L'outillage est réalisé sur un silex de bonne qualité, très différent du silex local qui se prête mal à la taille. Encore qu'il faille attendre que la fouille de ce gisement soit plus avancée pour établir une diagnose précise de l'industrie, nous pouvons raisonnablement penser être ici en présence d'un Moustérien de type Ferrassie.

B. LE MOUSTÉRIEN DE TYPE QUINA.

1° *Gisement de Hauteroche à Châteauneuf-sur-Charente.*

Ce gisement a été fouillé dès 1906 par G. Chauvet et de nombreux préhistoriens s'y sont succédés depuis cette date. La stratigraphie la plus complète se présente ainsi, de haut en bas (A. Debénath, 1974) :

Couche 1 : subdivisée en 4 niveaux : 1 a - petites plaquettes solifluées avec quelques blocs au sommet ; 1 b - plaquettes moins solifluées que précédemment, noyées dans un sédiment sableux jaunâtre ; 1 c - plaquettes de plus grandes dimensions non solifluées. Quelques blocs marquent le sommet de ce niveau ; 1 d - petites plaquettes non solifluées.

Couche 2 : gros blocs dont certains atteignent plusieurs décimètres de diamètre, noyés dans une matrice sablo-argileuse brune.

Couche 3 : constituée de petits éléments calcaires plus ou moins anguleux, elle repose directement sur le substratum rocheux dans la partie Nord du gisement.

Couche 4 : subdivisée en 3 niveaux : 4 a - petites plaquettes noyées dans une matrice argileuse grise ; 4 b - les éléments cailouteux sont plus anguleux que dans le niveau susjacent et la matrice est plus rouge ; 4 c - ce niveau se différencie des précédents par la plus grande taille des éléments cailouteux. Substratum rocheux (Turonien).

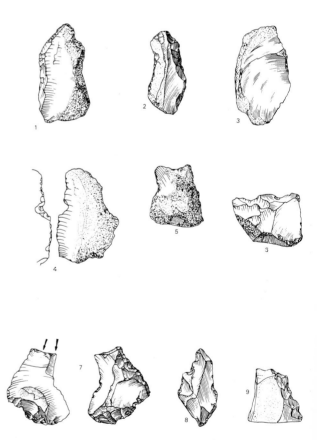

FIG. 1. — Hauteroche (foyer aménagé, Moustérien à denticulés).

1 à 3. Couteaux à dos naturel, 4 et 5. Encoches 6. Encoche en bout, 7. outil composite associant une encoche et un burin, 8 et 9. Denticulés.

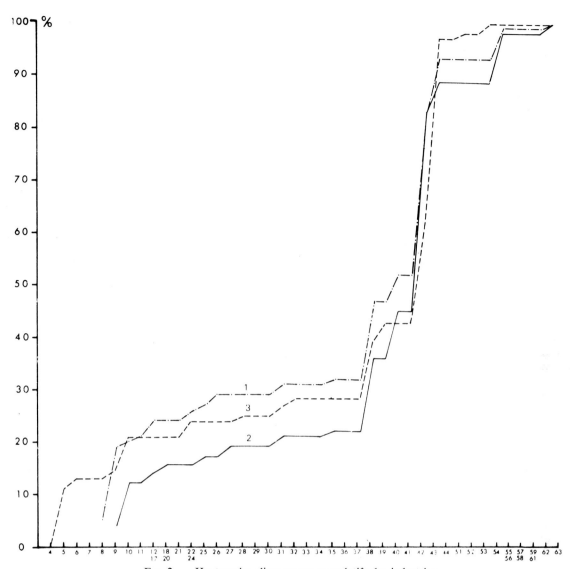

FIG. 2. — Hauteroche, diagrammes cumulatifs des industries.
1. Couche 3 (fouilles Debénath); 2. Foyer aménagé (fouilles Debénath); 3. Couches 1 + 2 (fouilles Cauvin).

● *L'industrie de la couche 4.*

Le niveau 4 c renfermait une industrie assez riche (195 objets sur une superficie de 1 m²) ; cependant, les outils bien caractérisés sont peu nombreux : 43. Sur ces 43 outils, 33 sont des racloirs dont 13 présentent une retouche de type Quina et 10 une retouche Quina atypique, liée le plus souvent à la morphologie des pièces supports qui sont assez plates. L'outillage est réalisé à partir d'un silex gris-blanchâtre. Plusieurs pièces sont à double patine. Les outils sont, en général, de petites dimensions. Le débitage est très peu levallois et aucun outil n'a été fabriqué sur éclat levallois. En dépit du petit nombre d'objets, le fort pourcentage de racloirs et la retouche Quina bien développée nous conduisent à placer cette industrie dans le Moustérien de type charentien et plus précisément dans le sous-type Quina.

2° L'abri supérieur de La Vauzelle.

Situé sur le territoire de la commune de Saint-Porchaire (Charente-Maritime), l'abri supérieur de La Vauzelle s'ouvre dans la vallée du Bruant, petit

affluent de la Charente. Il fait partie d'un vaste complexe d'habitats préhistoriques (La Vauzelle, La Roche-Courbon, La Fléterie) qui ont été pratiquement détruits par les fouilles anciennes ou sauvages.

Ce petit abri dont la plus grande dimension n'excède pas trois mètres présente l'intérêt d'être le seul fouillé méthodiquement dans cette vallée. Il a livré un Moustérien de type Quina, peu riche mais intéressant.

Sur le plan technique, le débitage est évidemment faiblement levallois (IL = 9,80), l'indice de facettage large est élevé, mais l'indice de facettage strict s'abaisse fortement. L'indice laminaire est très faible.

L'indice levallois typologique qui est très faible en compte réel est nul en compte essentiel. L'indice de racloirs est élevé (69,24). Les racloirs simples convexes représentent près de 40 % de l'ensemble des racloirs. L'indice charentien est très élevé : 56,89, l'indice Quina est voisin de 15.

Les indices acheuléens sont très faibles.

Le groupe moustérien est évidemment dominant et le diagramme cumulatif présente l'allure convexe ty-

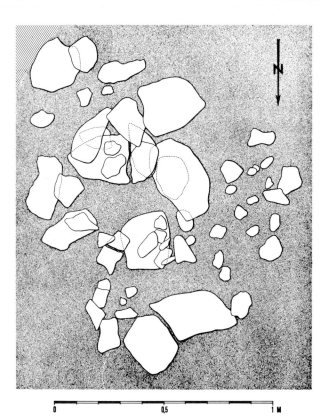

FIG. 3. — Hauteroche. Le foyer aménagé.

pique du Moustérien de type Quina.

Le groupe III prend une certaine importance (9,06) alors que le groupe IV n'est que faiblement représenté (2,27).

Sur le plan typologique, nous remarquerons qu'un tiers des racloirs simples convexes présente une retouche Quina typique ou atypique. Les racloirs transversaux sont, après les racloirs simples convexes, les outils les plus souvent représentés. Il faut souligner l'importance que prennent les racloirs déjetés (plus de 7 % de l'ensemble de l'outillage sur éclats).

A l'exception de deux couteaux à dos atypiques, tous les couteaux sont à dos naturel. Parmi les autres types d'outils, nous remarquerons deux chopping-tools de très mauvaise facture et un biface de petite taille, nucléiforme, mal venu, présentant une épine latérale.

C'est avec le Moustérien Quina de Hauteroche à Châteauneuf que cette industrie peu le mieux être comparée.

Toutefois, elle en diffère par sa forte proportion de racloirs déjetés ainsi que par la présence de couteaux à dos, de raclettes et d'éclats tronqués qui n'existent pas dans le Moustérien de Hauteroche.

Le Moustérien à denticulés.

Le Moustérien à denticulés est assez peu répandu en Charente. Sans doute en existe-t-il au Placard, mais surtout dans la couche 3 du gisement de Hauteroche à Châteauneuf-sur-Charente (cf. *supra*).

Il est caractérisé par un très faible indice levallois

(5,88), des indices de facettage large et strict également faibles (respectivement 14,20 et 11,52) et un indice laminaire pratiquement nul.

L'indice de racloirs n'est pas très élevé : 29,40. L'indice charentien est très faible, les indices de couteaux à dos et de bifaces sont nuls.

L'outillage est fabriqué à partir d'un silex gris et présente souvent une double patine. Les outils sur galets sont assez fréquents. Dans son ensemble, cette industrie est de mauvaise facture et les outils sont de petites dimensions (fig. 1). Les éclats levallois sont peu nombreux et le plus souvent très atypiques. Les racloirs simples convexes dominent l'ensemble des racloirs, ils sont de mauvaise qualité. Les racloirs simples droits sont bien représentés, les autres racloirs se répartissent, en petit nombre, dans presque tous les autres types, mais il faut remarquer que les racloirs transversaux sont pratiquement absents et qu'il n'y a pas de racloirs déjetés.

Les outils du groupe paléolithique supérieur sont peu nombreux, il existe deux grattoirs très atypiques et quelques éclats tronqués par des retouches irrégulières, en général assez fines.

Les couteaux à dos naturel sont très nombreux (15 % de l'outillage, en compte essentiel) mais il n'y a pas de couteaux à dos typique ou atypique.

Les denticulés vrais sont assez peu nombreux, mais les encoches sont très développées (29 %), elles sont souvent clactoniennes ou en bout.

C'est certainement la forte proportion des encoches par rapport aux denticulés qui donne à ce Moustérien « à denticulés » son caractère original (fig. 2).

Cette couche renfermait en outre un foyer aménagé (fig. 3) constitué par une soixantaine de pierres calcaires disposées sur deux épaisseurs (Debénath, 1973). L'industrie récoltée dans ce foyer est très proche de celle de l'ensemble de la couche et se rapproche également de celle trouvée par M.C. Cauvin (1971) dans la banquette Nord, industrie à laquelle étaient associés les restes d'un enfant néandertalien.

Les autres industries moustériennes.

Nous ne saurions terminer ce rapide survol des industries du Paléolithiqupe moyen de Charente sans nous arrêter quelque peu sur les industries du Würm I de La Chaise.

Les couches 8 à 10 de l'abri Bourgeois-Delaunay ont pu être datées avec certitude du Würm I (A. Debénath, 1974). Seule, la couche 9 est vraiment riche : elle a livré plus de 15 000 objets dont 2 539 outils. Cette industrie est caractérisée, sur le plan typologique, par un indice levallois faible, un indice de facettage large et un indice de facettage strict assez élevés (respectivement 54 et 44). L'indice laminaire est peu élevé : 6,94.

En compte essentiel, l'indice levallois typologique est pratiquement nul. L'indice de racloirs est voisin de 48. Les racloirs simples convexes représentent près de 40 % de l'ensemble des racloirs. L'indice charentien est moyen, mais l'indice Quina est très faible.

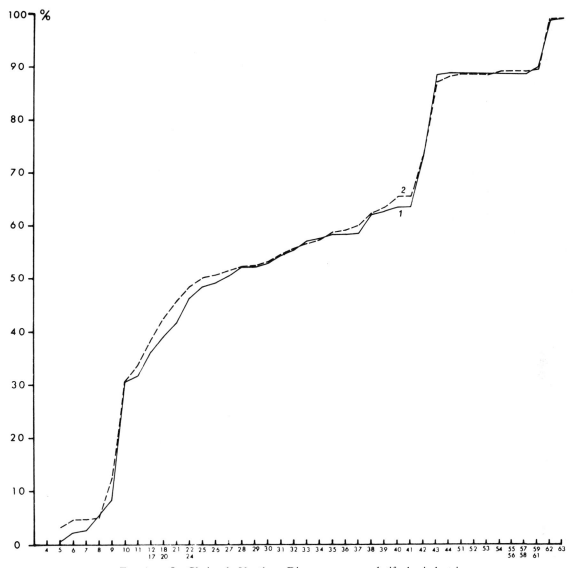

FIG. 4. — La Chaise de Vouthon. Diagrammes cumulatifs des industries.
1. Abri Suard (coucheII, fouilles David), 2. Abri Bourgeois-Delaunay (couche 9, fouilles David).

Les indices acheuléens, sans être très élevés, ne sont cependant pas négligeables. Le groupe dominant est le groupe moustérien (groupe II) (52,37) mais les denticulés (groupe IV) sont bien développés (14,45). Les outils du groupe paléolithique supérieur ne sont pas très nombreux (groupe III = 9,49).

Le diagramme cumulatif de cette industrie montre une première montée assez importante sur les racloirs, puis une montée beaucoup plus faible sur les outils de type paléolithique supérieur et enfin une montée plus importante au niveau des denticulés et des encoches. Ce diagramme est très proche de celui de l'industrie de la couche II de l'abri Suard (fouilles P. David) (fig. 4).

Sans entrer dans le détail de la typologie, nous signalerons l'existence d'une pièce foliacée ainsi que de plusieurs bifaces (Indice de bifaces = 1,69) en général de petite taille et fort mal venus.

Ainsi, cette industrie caractérisée par un indice levallois faible, un facettage assez bien marqué, une forte proportion de racloirs et de denticulés, mais aussi de nombreux outils de type acheuléen, nous

semble être intermédiaire entre un Acheuléen et un Moustérien. La forte dominance des racloirs et l'importance des denticulés nous conduisent à en faire un Moustérien de facture primitive.

L'industrie de la couche 6 de cette même grotte Bourgeois-Delaunay (Würm II), est, elle aussi, difficile à inclure dans un groupe bien défini de Moustérien. Très peu laminaire, elle se caractérise par un faible débitage levallois, un facettage moyen, des indices de couteaux à dos et de bifaces très faibles.

La couche 5 qui est très pauvre renferme une industrie proche de celle de la couche 6 avec un débitage encore moins levallois et une plus faible proportion de denticulés.

Nous conclurons en soulignant la richesse et la variété des industries du Paléolithique moyen en Charente. Le Moustérien de type Quina est l'industrie la plus représentée, que ce soit à La Quina, dans la vallée des Eaux-Claires ou à Châteauneuf-sur-Charente où il est surmonté d'un Moustérien à denticulés d'un type un peu particulier.

Le Moustérien de type Ferrassie est plus rare. Le

Moustérien de tradition acheuléenne est assez peu connu dans les gisements sous abris ou en grottes. La position chronologique de celui de Fontéchevade est mal précisée et il semble que celui de la grotte M. Clouet à Cognac soit très tardif.

Enfin, le Würm I, assez peu étudié en Charente, renferme, tout au moins à La Chaise (grotte Bourgeois-Delaunay), un Moustérien assez particulier, de facture primitive, qui semble dériver directement des industries du Riss III de l'abri Suard.

Bibliographie

[1] CAUVIN M.C. (1971). — L'industrie moustérienne du niveau supérieur de Hauteroche. *Bull. de la Soc. Arch. et Hist. de la Charente,* 179-188, 4 fig.

[2] DEBENATH A. (1973). — Un foyer aménagé dans le Moustérien de Hauteroche à Châteauneuf-sur-Charente. *L'Anthropologie,* 77, 329-338, 7 fig.

[3] DEBENATH A. (1974). — Recherches sur les terrains quaternaires et les industries qui leur sont associées. *Thèse Doctorat ès Sciences,* Bordeaux, 678 p., 209 pl., 64 tab.

[4] DUPORT L. (1972). — Découverte d'un sol aménagé à l'abri E. Lartet, grotte de Montgaudier, commune de Montbron (Charente). *C.R. Acad. Sc.,* Paris, 274, 818-821, 1 fig., 1 pl.

[5] LASSARADE L., ROUVREAU M. et TEXIER A. (1969). — Le gisement paléolithoque du Lycée à Pons (Charente-Maritime). *Bull. Soc. Préhist. Fr.,* 66, 341-354, 11 fig.

Les civilisations du Paléolithique moyen en Limousin

par

Guy MAZIÈRE * et Jean-Paul RAYNAL **

Résumé. En Limousin, les sites du paléolithique moyen ne sont pas répartis uniformément : la plupart se situent sur la bordure ouest et sud-ouest. On distingue :
— des industries du groupe Charentien (Quina, Ferrassie),
— du Moustérien de tradition acheuléenne,
— une industrie de débitage Levallois, riche en racloirs (Moustérien typique ?).

Abstract. Mousterian sites in the Limousin are not uniformely distributed. Most of them are situated on the western and south-western border. One can note :
— Industries of the Charentian group (Quina, Ferrassie);
— Mousterian of the Acheulian tradition;
— Industry with Levallois debitage, rich in side scrapers (Typical Mousterian ?).

Le Limousin comprend trois départements : la *Haute-Vienne,* la *Creuse* et la *Corrèze.*

Le sous-sol des deux premiers est essentiellement formé de roches éruptives et cristallophilliennes (1).

La *Corrèze,* appelée aussi « *Bas-Limousin* », plus riche en vestiges préhistoriques, voit affleurer plus largement les terrains sédimentaires au Sud-Ouest (*Bassin permo-triasique de Brive*). Une étroite bande calcaire jurassique assure une liaison naturelle avec le *Bassin d'Aquitaine, sensu-stricto.*

Les principaux cours d'eau sont du Nord au Sud : la *Creuse,* la *Vienne,* la *Charente,* la *Vézère* et la *Dordogne* (fig. 1). Ils ont vraisemblablement joué un rôle important en tant que voie de pénétration du *plateau limousin* au paléolithique.

Malgré tout, dans l'état actuel des recherches, cette région semble avoir été surtout fréquentée sur la bordure Ouest et Sud-Ouest, à proximité des terrains sédimentaires. L'absence de bonne matière première justifie peut-être la faible densité des habitats plus à l'intérieur du massif. Remarquons que cette région ne présente, comme abri naturel, que de rares *pieds de roche* (B. Malissen et J.P. Raynal, à paraître) en dehors de la zone riche en grottes et abris du *Bassin de Brive* (Voir J.P. Raynal. Recherches sur les dépôts quaternaires des grottes et abris du Bassin permo-triasique de *Brive*). De plus nous ne devons pas oublier l'importance des phénomènes géologiques des deux derniers stades würmiens et du post-glaciaire ayant vraisemblablement entraîné la destruction de nombreux sites de plein air et la dispersion du matériel. Ces faits, joints à la quasi-absence de prospections rationnelles sur l'ensemble des trois départements, expliquent peut-être le nombre important des découvertes de pièces isolées.

(1) Cartes géologiques de la France au 1/80000. Feuilles de Eygurande, Guéret, Limoges, Tulle, Périgueux, Rochechouart, Confolens, Brive, Aurillac, Mauriac, Ussel et Aubusson.

L'ensemble des données permet de distinguer :
— les moustériens du groupe charentien,
— les moustériens de tradition acheuléenne,
— un moustérien de débitage Levallois plus ou moins riche en racloirs, sans biface ; moustérien typique (?).

I. Les industries du groupe charentien.

A. LE MOUSTÉRIEN DE TYPE QUINA.

Le seul site ayant livré en stratigraphie une industrie de type Quina est celui de la *Chapelle aux Saints,* célèbre par la découverte d'une sépulture de néandertalien.

a. *Situation.*

Cette petite cavité s'ouvre à 200 mètres environ en aval du village du même nom, sur la rive gauche de la *Sourdoire,* dans un banc de calcaires dolomitiques de l'infralias, à une altitude de 150 mètres environ.

b. *Topographie et stratigraphie.*

Après dégagement, la grotte se présentait comme une salle sub-circulaire de « quelques mètres de diamètre », sa voûte n'étant qu'à « hauteur d'homme » (fig. 2 a).

La stratigraphie est la suivante (fig. 2 b, c, d) de bas en haut (J. Bouyssonie, 1908) :

1 - couche archéologique avec son squelette humain dans une fosse;
2 - couche limoneuse stérile;
3 - couche végétale moderne;
4 - roche naturelle calcaire;
5 - fosse.

Quelques précisions supplémentaires peuvent être données : la couche archéologique, puissante de 0,30 à 0,40 m a paru homogène aux auteurs. Les pièces archéologiques, silex et os divers, étaient emballés dans une terre argileuse peu concrétionnée.

* Assistant à la Direction Régionale des Antiquités Préhistoriques du Limousin, 2 ter, rue Haute de la Comédie - 87000 Limoges (France).
** Docteur de 3e Cycle, Institut du Quaternaire, Université de Bordeaux I, 33405 Talence (France).

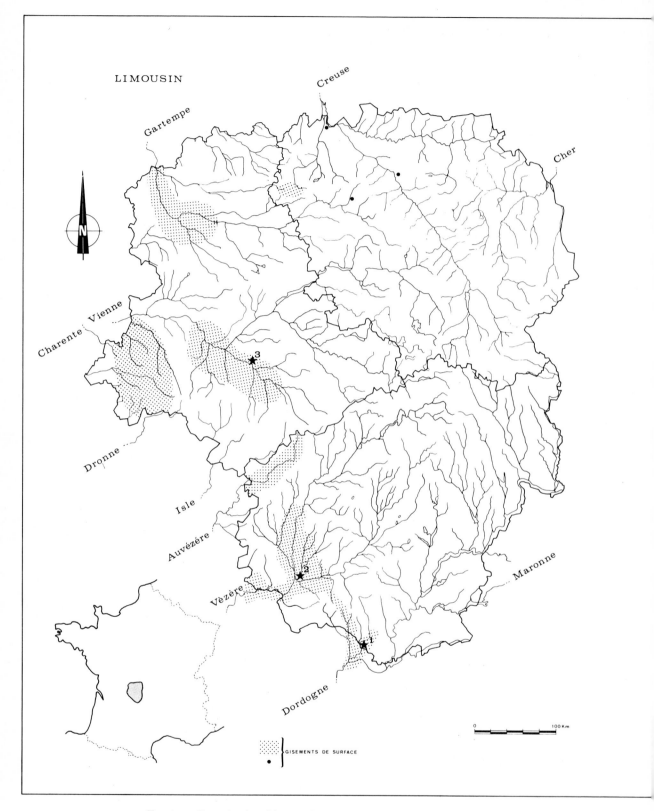

Fig. 1. — Carte de répartition des industries du Paléolithique moyen en Limousin.
1. La Chapelle-aux-Saints; 2. Chez-Pourré; 3. La Croix-du-Mas. Sites divers (partie tramée).

c. L'industrie.

Elle a été réalisée dans les matériaux suivants : jaspe, silex, quartz et basalte. Le jaspe utilisé semble d'origine locale (affleurements de la région de *Puy d'Arnac*) (Travaux en cours de P.Y. Demars) ; il en est de même pour le silex gris clair qui se trouve en rognons dans les alentours au sommet du Bajocien du *Puy d'Issolud*. Le quartz est fréquent dans les alluvions de tous les cours d'eau descendant du Massif Central, quant aux basaltes, ils sont présents dans les alluvions de bas niveau de la *Cère* et de la *Dordogne,* en aval de son confluent avec la *Cère*.

Une bonne description de l'outillage a été donnée par les inventeurs (Bouyssonie et al., 1913, 1958). Une étude en cours de l'outillage des diverses séries (G. Mazière et J.P. Raynal, à paraître) permet de dégager les quelques faits suivants :

— le débitage est très faiblement levallois, très faiblement laminaire ; les talons lisses dominent très largement les autres types. Par importance décroissante on trouve les talons en cortex, les talons ôtés volontairement, les talons dièdres, les talons facetés droits et facetés convexes ayant une importance égale (1).

— Les outils sont essentiellement réalisés en jaspe et silex, ceux en quartz restant peu nombreux (2). Les racloirs sont les mieux représentés ; il faut noter la nette dominance des racloirs simples droits et simples convexes sur les racloirs transversaux ; les outils à bords retouchés convergents sont assez bien représentés (pointes, limaces, racloirs doubles, etc...). Les outils de type paléolithique supérieur sont peu

nombreux mais il faut noter la présence de très beaux grattoirs. Les encoches et les denticulés représentent 1/6 environ de l'outillage. Signalons enfin la présence de deux pièces bifaces ainsi que celle de quelques pièces à double patine qui peuvent avoir été ramassées dans les sites de surface acheuléens voisins (*Lot*).

Si cet outillage est à rattacher incontestablement au groupe charentien, nous attendrons la fin de notre étude pour essayer de préciser sa place par rapport aux autres gisements voisins de Moustérien de type Quina (*Charente, Dordogne, Lot*).

d. La faune.

Elle comprend surtout du renne, des bovidés (bison), peu de cheval, ainsi que de rares restes de bouquetin, loup, rhinocéros, marmotte. Cet assemblage semble indiquer un âge würmien II.

Les auteurs ont noté la dominance des os longs, des apophyses vertébrales et des mandibules. Rares étaient les vertèbres, côtes et bois de renne. Ils ont également attiré l'attention sur le très grand nombre de pièces osseuses fracturées mais n'ont pu séparer celles résultant de l'action des carnassiers de celles brisées volontairement. Un certain nombre d'os étaient calcinés et un portait des traces de couleur rouge.

e. La sépulture.

Une fosse rectangulaire de 1,00 m × 1,45 m, profonde de 0,30 m au plus avait été creusée dans la grotte. Elle contenait les restes bien conservés d'un néandertalien ; « le corps orienté à peu près Est-Ouest, couché sur le dos, la tête à l'Ouest appuyée contre le bord de la fosse et calée par quelques pierres. Le bras droit était probablement replié, ramenant la main vers la tête ; le bras gauche était étendu. Les jambes aussi étaient repliées et renversées sur la droite » (J. Bouyssonie, 1908).

(1) A titre d'exemple, les divers types de talons se répartissent de la manière suivante dans la série conservée au Musée de Brive : cassés : 21,7 % ; lisses : 4,2 % ; corticaux : 8.9 % ; dièdres : 4,2 % facetés convexes : 2,5 % ; facetés droits : 2,5 % ; ôtés volontairement : 17 %.
(2) dans la série du Musée de Brive.

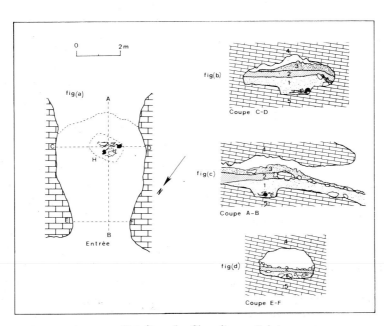

FIG. 2. — La Chapelle-aux-Saints.

2 (a, b, c, d). Plans et coupes relevés par les Abbés Bouyssonie lors des fouilles.

Au voisinage de la tête, ainsi qu'aux pieds, de nombreux outils et fragments osseux étaient disposés (?).

Une seconde fosse, située en avant de la précédente, a livré une corne de bison, des os du crâne et de la colonne vertébrale d'un même animal, et une pointe en silex. Etait-elle en relation avec la sépulture ?...

Pour l'étude anthropologique du squelette, nous renvoyons aux travaux de M. Boule (1908, 1909, 1911) et à la bibliographie de ce site dans le travail de J. Couchard ,1970).

En conclusion, si quelques pièces à retouche quina ont été découvertes sur des sites de plein air, elles ne justifient pas pour autant le classement de ces gisements dans le groupe charentien.

B. LE MOUSTÉRIEN DE TYPE FERRASSIE.

Le gisement de « *Chez-Pourré* »-« *Chez-Comte* », retiendra seul notre attention, par sa puissante stratigraphie et la grande richesse de son outillage lithique.

a. Situation.

Au nord de *Brive,* légèrement en contrebas du plateau de *La Pigeonnie,* à 235 mètres d'altitude, s'ouvrent dans les grès du Trias, des cavités devant lesquelles s'étend le gisement sur plus d'un hectare de superficie.

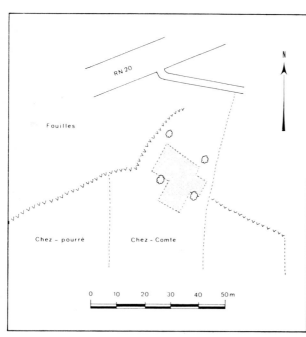

FIG. 3. — Chez-Pourré - Chez-Comte. Plan d'ensemble.

b. Historique.

Dès 1866, les chercheurs locaux récoltèrent dans les champs labourés un grand nombre de silex. Avant la première guerre mondiale, O. Hauser fit procéder à des fouilles dans une grotte, mais le résultat de ses recherches ne fut jamais publié. A partir de 1934, L. Lejeune, A. et J. Bouyssonie, H. Delsol et J.

Pérol organisèrent des fouilles « *notables et profondes* » qui devaient durer plus de dix ans. Après 1939, P. Pérol achèvera la fouille (fig. 3).

c. Stratigraphie.

Nous donnons (fig. 4) trois coupes successives réalisées par Bouyssonie (1944), Bouyssonie, P. Pérol (1953), Bouyssonie et Pérol (1958).

Une coupe identique à celle de Bouyssonie et Pérol (1958) a été publiée récemment par P. Pradel (1973).

De 1972 à 1974, une campagne de sondage a été effectuée (fig. 5) mais n'a pas permis de retrouver la stratigraphie décrite par les précédents fouilleurs (P.-Y. Demars, G. Mazière et J.-P. Raynal, à paraître).

d. Industrie.

L'outillage est réalisé par ordre d'importance dans les matériaux suivants : silex, quartz, quartz hyalin, jaspe, divers (gneiss, calcaire, schiste, etc.).

Les silex noirs et gris prédominent. On note également la présence de silex blond et beige.

Le niveau inférieur comporte des racloirs transversaux déjetés, triangulaires, des disques, des pointes, des limaces atypiques, quelques pointes de Tayac, des grattoirs, des perçoirs et des denticulés. Il s'agit sans doute, vue l'importance du débitage Levallois, de moustérien de type Ferrassie.

Le niveau moyen semble appartenir au même groupe. Le niveau supérieur comporte des bifaces avec un outillage sur éclat mal défini (F. Bordes, 1960). Les racloirs semblent épais. Le mélange est possible avec le Moustérien de tradition acheuléenne existant sur le plateau voisin de *La Pigeonnie* (cette abondance de bifaces, en surface, avait conduit les anciens auteurs à dénommer *Moustérien du type de Chez Pourré* le moustérien de tradition acheuléenne tel qu'il a été défini par F. Bordes).

Un seul essai d'étude statistique a été publié (A.-J. Bouyssonie et P. Pérol, 1958).

Fouille systématique de l'Ecole américaine, 1937 « ... sur environ 1 m² de surface ».

	Racloirs Nbre %	Pointes Nbre %	Disques Nbre %	Divers Nbre %	Total des pièces
Niveau inférieur	38 (33)	42 (36)	24 (22)	10 (9)	114
Niveau moyen	51 (42)	23 (18)	24 (19)	26 (21)	124
Niveau supérieur	8 (38)	4 (19)	3 (15)	6 (28)	21

Fouille P. Pérol, 1943, plus au sud, sur environ 10 m² de surface, le niveau supérieur ayant disparu.

	Racloirs Nbre %	Pointes Nbre %	Disques Nbre %	Divers Nbre %	Total des pièces
Niveau inférieur	227 (37)	224 (36)	96 (16)	72 (11)	621
Niveau moyen	75 (38)	71 (35)	81 (16)	22 (11)	199

Il est malheureusement difficile, compte tenu de la dispersion des collections, du non-ramassage de la totalité des éclats bruts de débitage, de se faire une idée précise des caractéristiques techniques et de la composition typologique de cet outillage.

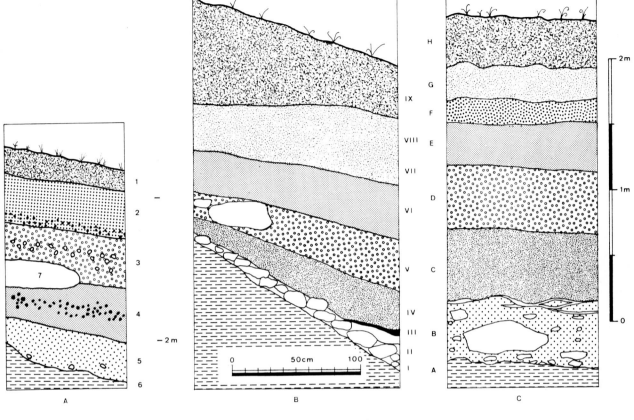

FIG. 4. — Chez-Pourré - Chez-Comte.
A. Coupe Bouyssonie, 1944; B. Coupe Bouyssonie et Pérol, 1953; C. Coupe Bouyssonie et Pérol, 1958.

A — *Coupe Nord-Sud* (1944).

1. Terre végétale : 0 m 60;
2. Limon sableux rougeâtre, très dur surtout à la base (alvéoles) quelques quartz et silex = niveau III : 0 m 90;
3. Couche sableuse brune avec quartz et silex = niveau II : 0 m 60;
4. Couche sableuse noire, avec silex et quartz (débris d'os calcinés abondants) = niveau I : 0 m 60 à 0 m 80;
5. Couche sableuse grise à peu près stérile. : 0 m 60;
6. Substratum grès;
7. A gauche, bloc de grès.

B — *Coupe Nord-Sud* (1953).

I. Sol rocheux de grès grossier triasique, gris plutôt clair;
II. Eboulis ancien;
III. Sorte de croûte (ancien sol battu ?) avec dépôts ferrugineux;
IV. Niveau archéologique sableux noirâtre outillage moustérien, Foyer I;
V. Strate sableuse grise plutôt stérile avec des éboulis;
VI. Niveau archéologique sableux brun avec outillage moustérien, beaucoup de quartz : Foyer II;
VII. Strate limoneuse très dure gris clair plutôt stérile (avec cavités minuscules);

VIII. Niveau archéologique limoneux moins dur, un peu rubefié, outillage moustérien avec bifaces : couche III.
IX. Terre végétale, quelques silex d'âge très récent.

C — *Coupe Est-Ouest* (1958).

A. Sol rocheux (grès triasique grossier, gris clair, dit « brasier »).
B. Sable et blocailles de grès : dans les interstices et jusqu'au roc, quelques silex taillés (disques), surtout des quartz : galets plus ou moins épannelés et éclats vers la surface, concrétions de sable ferrugineux entrainées, parfois très dures.
C. Foyers noirs (surtout en haut) mouchetés de blanc (débris d'os) : niveaux archéologique riche en silex (et quartz) bien taillés.
D. Sable gris, avec quelques poches cendreuses (?), à peu près stérile.
E. Niveau archéologique moyen; sableux, couleur brune avec abondance de quartz taillés en plus des silex.
F. Couche limoneuse très dure, un peu rougeâtre parcourue de perforations vermiculaires.
G. Niveau archéologique supérieur, limoneux, rubéfié; plutôt pauvre (quelques bifaces).
H. Terre végétale sableuse, avec silex et quartz épars.

A titre indicatif, une série remaniée par les travaux de construction en 1972, présentait les caractéristiques suivantes : indice Levallois IL = 43 ; indice laminaire I LAM = 12,3 ; indice de facetage élevé IFl = 56,4 ; indice de racloirs très fort IR ess. = 66,5 ; indice charentien IC ess. = 25,9 ; indice Quina fort IQ = 16,4 dominance des racloirs simples convexes sur les racloirs transversaux (J.-P. Raynal, 1972).

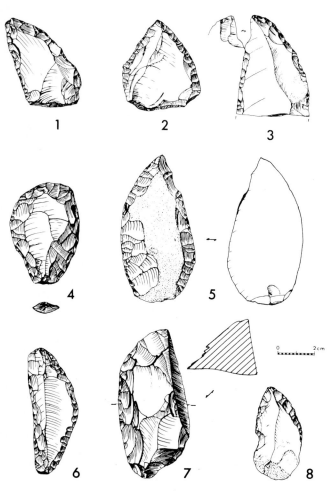

Fig. 5. — Chez-Pourré. Industrie lithique provenant du sondage 1973. (dessins G. Mazière).

II. Le Moustérien de tradition acheuléenne.

a. En Creuse.

Il s'agit uniquement de découvertes sporadiques. Citons les gisements de :

Gisement	Commune	Outillage
Le Grand-Bressac	St-Maurice--Souterraine	2 cordiformes
Bridiers	La Souterraine	1 cordiformes
Claverolles	St-Sulpice-le-Gueretois	1 cordiforme
Peu-la-Perche	St-Priest-la-Feuille	1 cordiforme
Moulin-du-Prat	Jouillat	1 cordiforme
Le Ribois	Crozant	1 cordiforme

b. En Haute-Vienne.

Les indices sont un peu plus nombreux :

Champrigaud-la-Besse	Mézières-s/Issoire	2 cordiformes
La Croix-des-Villettes	St-Jean-Ligoure	4 cordiformes
Les quatre-Vents	St-Jean-Ligoure	1 triangulaire
Le pin	St-Sornin-la-Marche	1 triangulaire
Le Buis	La Croix-s/Gartempe	1 cordiforme
Les Blads	Meilhac	1 cordiforme
La Roche	St Yriex-sous-Aixe	1 cordiforme
La Gudet	St-Junien-les-Combes	1 cordiforme
Le Moyard	Peyrat-de-Bellac	1 cordiforme
La Grange Florent	Bellac	1 triangulaire
Le pommier	Bellac	1 subtriangulaire
Le Monteil	Branzac	1 cordiforme

Seul le gisement de la Croix-du-Mas (commune de Saint-Jean-Ligoure) a livré à H. Sazerat une série suffisamment importante pour être étudiée statistiquemment (P. Fitte et H. Sazerat, 1971 (fig. 6). Les matériaux utilisés sont le silex gris noir, les jaspes jaunes mouchetés de noir, le silex pressignien jaune cire (1), les quartz, quartzite. L'indice Levallois est fort (32,09), l'indice Levallois typologique faible (4,81), l'indice de racloir est très élevé (IR ess. = 71,79), l'indice de biface (IB = 8,23) n'est pas très important.

Le groupe paléolithique supérieur est peu développé (2,56). Il existe peu d'encoches et de denticulés. Il faut noter la présence de couteaux à dos typiques.

P. Fitte apparente cet outillage à celui de Font-Maure (2) (couche inférieure).

Il s'agirait d'un M.T.A. de type A, mais on ne peut que s'interroger sur l'anormale abondance des racloirs, le faible développement du groupe paléolithique supérieur ainsi que des encoches et des denticulés (fig. 6).

c. En Corrèze.

Mis à part le biface de Lontrade (commune de Meymac) découvert sur le plateau de Millevaches, tous les sites du M.T.A. sont concentrés dans la partie sud-ouest du département et représentent une grande partie des gisements de surface.

On dénombre 32 sites ayant livré un ou plusieurs bifaces. Un inventaire exhaustif serait fastidieux, la répartition typologique s'effectue de la façon suivante :

Nom des sites	Triang.	sub. triang.	cordif.	discoïde limande ovalaire	Total
La Pigeonnie	5	12	19	16	52
Bassaler	2	3	10	5	20
Ressaulier	3	5		4	12
Champs		1	1	5	7
Puy d'Aly	1		3		4
Divers	2		16	9	27
Total	13	21	49	39	122
Pourcentages	10,6	17,2	40,2	32	100

(1) Des outils appartenant au M.T.A. confectionnés dans le même matériau ont été trouvés à Bellac, Saint-Sornin-la-Marche, la Croix-sur-Gartempe. Tous ces sites appartiennent aux vallées de la Gartempe et de ses affluents, voie possible de pénétration à partir du Grand Presssigny (P. Fitte 1970).

(2) Il s'agit là aussi d'un site de plein air.

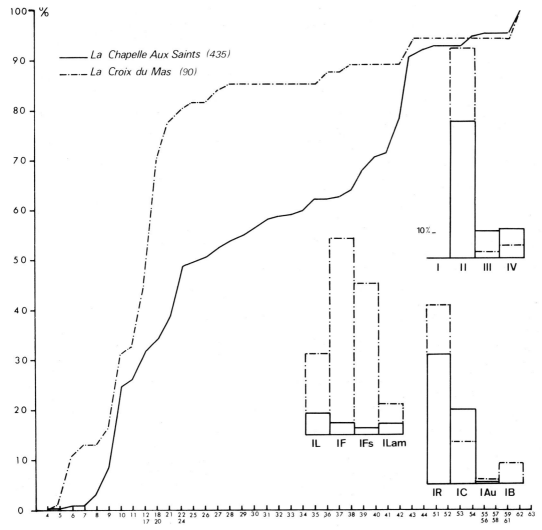

FIG. 6. — Diagrammes cumulatifs : La Croix-du-Mas, La Chapelle-aux-Saints.

Le M.T.A. n'a jamais été découvert en stratigraphie, il est par conséquent impossible de lui assigner une position chronologique précise à l'intérieur des deux premiers stades würmiens. De plus, de fréquents mélanges avec les industries antérieures (biface micoquien de *Bassaler*) et postérieures (paléolithique supérieur et néolithique) interdisent toute appréciation de l'équilibre des différents groupes typologiques.

La grande ressemblance avec certains sites du Périgord (*Saint-Crépin, la Lande-d'Auriac*), les indices d'un possible apport de matière première sur d'assez grandes distances (silex pressignien en *Haute-Vienne*) montrent l'étroite dépendance du Limousin à l'égard des territoires limitrophes.

III. Autres industries du Paléolithique moyen.

Elles ne sont connues que par des découvertes sporadiques fournissant le plus souvent quelques éclats de débitage Levallois et de rares outils parmi lesquels les différents types de racloirs l'emportent très largement (moustérien typique ?). Elles semblent fréquemment mélangées à des industries postérieures (mésolithiques, néolithiques).

Aucune série ne permet une étude statistique.

Nous renvoyons le lecteur aux publications régionales et à la figure 1 du présent article.

Le manque des données fiables, inhérentes le plus souvent au mode de gisement (sites de plein air sur lesquels ont été effectué des ramassages sélectifs, manque de données stratigraphiques, ancienneté des rares fouilles) et la mauvaise conservation du document archéologique (dispersion et dégradations successives des collections) ne permettent pas actuellement, de situer précisément les industries du Paléolithique moyen du Limousin par rapport aux complexes industriels classiques du Sud-Ouest de la France.

Bibliographie

[1] BORDES F. (1960). — Le gisement moustérien de Chez-Pourré, Chez-Comte (près de Brive, Corrèze). Mémoires de la Société Préhistorique Française, t. 5, 1958, 22 p., 38 pl. h.-t. ; *L'Anthropologie*, t. 64 (mouvement scientifique), p. 319-321.

[2] Boule M. (1908). — L'homme fossile de la Chapelle aux Saints (Corrèze). *L'Anthropologie,* t. 19, 1908, p. 519-525.

[3] Boule M. (1909). — L'homme de la Chapelle aux Saints. *L'Anthropologie,* t. 20, p. 257-271.

[4] Boule M. (1911). — Les hommes fossiles. *Annales de Paléontologie Humaine* (3ᵉ édition), p. 40.

[5] Bouyssonie J. et A. et Bardon L. (1908). — Découverte d'un squelette humain moustérien à la bouffia de la Chapelle-aux-Saints (Corrèze), *L'Anthropologie,* t. 19, 1908, p. 513-518, 4 fig.

[6] Bouyssonie J. et A. et Bardon L. (1913). — La station moustérienne de la bouffia Bonneval à la Chapelle aux Saints (Corrèze). *L'Anthropologie,* t. 24, p. 609-634, 7 fig.

[7] Bouyssonie J. (1944). — La préhistoire en Corrèze. *Bulletin de la Société Archéologique de la Corrèze,* Brive, 1944, p. 37-53, 1 fig., 1 carte.

[8] Bouyssonie J. et Perol P. (1953). — La station moustérienne « Chez-Pourré » - « Chez-Comte », près de Brive. *Bulletin de la Société d'Etudes et de Recherches Préhistoriques,* Les Eyzies, nº 3, 1953, p. 23-27, 2 fig.

[9] Bouyssonie A. et J. (1958). — Le gisement moustérien de « Chez-Pourré » - « Chez-Comte », près de Brive (Corrèze). *Mémoire de la Société Préhistorique Française,* t. 5, 1958, p. 1-60, 38 pl. h.-t., 22 p.

[10] Bouyssonie A. (1958). — La découverte de la Chapelle-aux-Saints, aperçu d'ensemble. *Bulletin de la Société Archéologique de la Corrèze,* t. 80, p. 45-82, 16 fig.

[11] Couchard J. (1970). — Atlas d'archéologie préhistorique de la Corrèze. *Publication de la Société Archéologique de la Corrèze,* p. 1-63.

[12] Fitte P. (1968). — Contribution à l'étude du préhistoire en Limousin. Industries en quartz du Paléolithique ancien et moyen. *Bulletin de la Société Archéologique du Limousin,* t. XCV, p. 9-20, 7 pl.

[13] Fitte P. et Texier J.P. (1969). — Etude du site de la Chapelle Blanche, commune de Saint-Victurnien (Haute-Vienne). *Bulletin de la Société Préhistorique Française,* t. 66, Etudes et travaux, p. 311-317.

[14] Fitte P. et Desroches A. (1972). — La station préhistorique de la Croix-des-Villettes, commune de Saint-Jean-Ligoure (Haute Vienne). *Bulletin de la Société Archéologique du Limousin,* t. XCIX, p. 15-21, 5 fig.

[15] Fitte P. et Sazerat H. (1971). — Le gisement moustérien de la Croix-du-Mas, commune de Saint-Jean-Ligoure (Haute-Vienne). *Bulletin de la Société Archéologique du Limousin,* p. 13-25, 9 pl.

[16] Mazière G. (1973). — Le Paléolithique en Corrèze. 131 pages dactylographiées, fig., tabl., diplôme E.P.H.E., *inédit.*

[17] Patte E. (1941). — Le paléolithique dans le Centre-Ouest de la France. Paris, Masson et Cie, 1941, 207 p., 1 carte.

[18] Patte E. (1970). — La collection Deschamps et la Préhistoire dans la région de Bellac. *Bulletin de la Société d'Ethnographie du Limousin et de la Marche,* nº 38 et 39, p. 79-100.

[19] Pradel H. et L. (1973). — Une fouille américaine dans le moustérien de « Chez-Pourré » - « Chez-Comte », commune de Brive (Corrèze). *L'Anthropologie,* t. 77, 1973, nº 5-6, p. 621-636.

[20] Raynal J.P. (1972). — Contribution à l'étude du Paléolithique en Corrèze. Note III. *Bulletin de la Société Scientifique, Historique et Archéologique de la Corrèze,* t. 94, 1972, p. 27-36, 2 fig.

[21] Raynal J.P. (1975). — Influence du milieu physique sur l'habitat préhistorique, au Würm dans le bassin de Brive (Corrèze). L'homme et son environnement pendant le Würm en Europe de l'Ouest. *Union internationale pour l'Etude du Quaternaire,* p. 49-50.

[22] Raynal J.P. (1975). — Recherches sur les dépôts quaternaires des grottes et abris du Bassin permo-triasique de Brive. *Thèse de 3º cycle,* Université de Bordeaux I, nº d'ordre 1198, 2 volumes ronéotés : tome I, texte : 165 p., tome II : 101 planches.

[23] Roussot A. (1966). — Amédée et Jean Bouyssonie, préhistoriens, p. 1-46, *Pierre Fanlac,* Périgueux.

[24] Sonneville-Bordes D. de (1966). — Le Paléolithique en Corrèze d'après les recherches de A. et J. Bouyssonie, *Pierre Fanlac,* Périgueux, p. 11-17.

Les civilisations du Paléolithique moyen en Auvergne

par

Henri Delporte *

Résumé Encore relativement mal connues, les civilisations du Paléolithique moyen auvergnat semblent se présenter sous deux faciès nettement différenciés :
1) dans la partie Nord de l'Auvergne, dans les stations de surface de la vallée de l'Allier et de ses affluents, un Moustérien de tradition acheuléenne à nombreux bifaces et à débitage Levallois; ce faciès est à rapprocher de ceux du Bassin parisien;
2) dans les hautes vallées de la Loire et de l'Allier, et presque exclusivement sous abri basaltique, un Moustérien de type charentien, à débitage Levallois rare et à nombreux racloirs, surtout latéraux; il existe des rapprochements avec le Moustérien de la vallée du Rhône.

Abstract. Although still relatively poorly known, the Middle Paleolithic cultures in the Auvergne seem to be present under two clearly differentiated facies :
1) in the surface sites of the Allier valley and its tributaries in the Northern part of Auvergne, a Mousterian of the Acheulean Tradition rich in bifaces and of Levallois debitage; this facies resembles those of the Paris Basin;
2) in the Upper valleys of the Loire and Allier, and almost exclusively under basaltic rock-shelters, a Charentian type Mousterian, poor in Levallois debitage and rich in side-scrappers, especially lateral; it has affinities to the Mousterian of the Rhone Valley.

Le peuplement des bassins supérieurs de la Loire et de l'Allier au Paléolithique moyen a été naturellement conditionné d'une part par le relief assez élevé de cette région, d'autre part par l'existence de phases assez rigoureuses dans son histoire climatique ; on peut donc supposer *a priori* que l'occupation humaine n'y a pas été d'une grande densité. L'Auvergne n'a cependant pas été un « désert humain » au Paléolithique moyen, l'habitat se présentant sous deux formes bien différentes : d'une part, des installations de plein air, plus ou moins importantes et plus ou moins dispersées, dans le Nord de l'Auvergne (département de l'Allier), mais aussi sur les terrasses du département du Puy-de-Dôme ; d'autre part, des occupations en abris-sous-roche dans les régions volcaniques des hautes vallées de la Loire et de l'Allier.

Sans qu'il soit actuellement possible de les séparer chronologiquement, il est légitime de distinguer deux groupes nettement différents, qui se rattachent d'ailleurs tous deux au grand ensemble moustérien :

I. Le Moustérien de tradition acheuléenne.

D'une façon générale, il est caractérisé par l'existence de nombreux bifaces, triangulaires et subtriangulaires, ovalaires mais le plus souvent cordiformes ; ils sont accompagnés par de nombreux racloirs, souvent assez épais et par une série plus réduite de pointes variées (Levallois, moustériennes, pseudo-levalloisiennes). Le débitage est d'assez grande taille, avec un nombre élevé d'éclats et de lames Levallois, à talon dièdre ou facetté.

Ce Moustérien de tradition acheuléenne est particulièrement abondant dans le département de l'Allier : ses gisements forment une large zone de

direction Est-Ouest, qui se prolonge vers l'Ouest dans la Creuse, la Haute-Vienne et les Charentes. La région de la Montagne Bourbonnaise, sise à l'Est du département, a été intensément prospectée au siècle dernier par le Dr. G. Bailleau (H. Delporte, 1968) : le site principal se trouve à *Tilly,* commune de *Saligny,* où Bailleau a récolté près de 300 bifaces, une soixantaine de racloirs et des pointes, ainsi qu'une série, plus faible, de pièces du Paléolithique supérieur ; la majeure partie des objets de Tilly a été façonnée sur un silex en plaquettes local, contenant de nombreuses impuretés, et qui a néanmoins été utilisé dans un rayon d'une dizaine de kilomètres autour de Tilly. Il a été notamment retrouvé dans la Grotte des Fées de *Châtelperron,* où le Moustérien de tradition acheuléenne a pu être distingué stratigraphiquement du Castelperronien sus-jacent (H. Delporte, 1956).

C'est un Moustérien de tradition acheuléenne de même type que Maurice Piboule a recueilli, au cours des dernières années, dans les sites de plein air de la région de Montluçon, à l'Ouest du département de l'Allier ; le plus important, celui de *Saint-Bonnet-de-Four,* a livré plus de 700 pièces, parmi lesquelles des bifaces triangulaires et cordiformes, des racloirs variés souvent épais et des pointes ; le débitage Levallois est également assez développé dans cette industrie.

Dans l'Allier et le Puy-de-Dôme, des récoltes de silex moustériens sont connues depuis longtemps (A. Perreau, 1944) : elles se situent sur la très haute terrasse (120 à 150 mètres) à *Rocart, Ravel, Laps,* etc. ou sur la basse terrasse würmienne (12 à 20 mètres) à *Billy* et *Vichy,* à *Cournon,* aux *Martres-de-Veyre,* à *Vic-le-Comte,* etc. ; les silex sont souvent plus ou moins roulés, mais il est des cas, par exemple à *Sarliève,* où leur fraîcheur suggère une position

---

* Musée des Antiquités Nationales de Saint-Germain-en-Laye, B.P. 30, 78103 Saint-Germain-en-Laye (France).

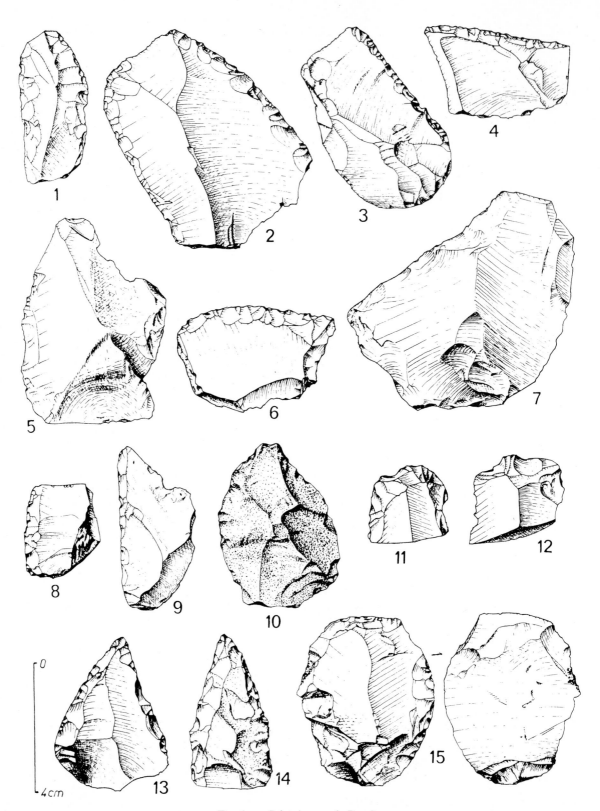

FIG. 1. — Saint-Arcons, le Rond.
1-2. Racloirs doubles; 3. Racloir oblique; 4 et 6. Racloirs transversaux; 5. Racloir simple; 7. Racloir oblique; 8 et 9. Racloirs simples; 10. Eclats en basalte; 11-12. Grattoirs atypiques; 13-14. Pointes; 15. Racloir sur éclat esquillé.
dessins de P.Y. Genty.

primaire ou proche de la position primaire. Les séries recueillies récemment, par exemple par Pierre Daniel à *Mirefleurs* ou à *Laps* (étude de François Carré) s'accordent avec l'hypothèse d'un Moustérien de tradition acheuléenne : celle de *Laps* en particulier comprend des bifaces, des racloirs et des éclats Levallois. Plus au Sud, Roger de Bayle des Hermens a publié la petite collection de *Madriat* (Puy-de-Dôme), qui possède un débitage Levallois très affirmé et, à défaut de bifaces, des éclats qui peuvent très bien être de taille de bifaces (R. de Bayle des Hermens, 1966).

Au Moustérien de tradition acheuléenne du Nord de l'Auvergne, il est permis, avec prudence, de comparer certaines des industries du bassin d'Aurillac. En effet, parmi les objets que les auteurs du XIXᵉ siècle (Jean-Baptiste Rames, Jean-Baptiste Delort) et même Marcellin Boule appellent « haches du type de Chelles ou de Saint-Acheul », il en est « de forme sub-triangulaire élargie et de faible épaisseur... taillés avec soin » (M. Boule, 1889) qui appartiennent vraisemblablement à un Moustérien de tradition acheuléenne et qui s'accordent d'ailleurs parfaitement avec les racloirs, pointes, éclats et lames Levallois figurés dans les ouvrages (P. Girod et A. Aymar, 1903) et conservés en particulier au Musée d'Aurillac. Il s'agit malheureusement de trouvailles anciennes et dispersées, sans qu'aucune association ou stratigraphie sérieuse ne vienne nous permettre de leur accorder un statut autre que typologique.

II. Le Moustérien de type charentien.

C'est récemment qu'une importante série moustérienne, recueillie au cours de fouilles de qualité, a été publiée (R. de Bayle des Hermens et A. Laborde, 1965) : dans l'abri de la *Baume-Vallée*, à *Solignac* (Haute-Loire), une séquence stratigraphique de plusieurs mètres d'épaisseur a livré une industrie d'assez petite taille et dans laquelle le débitage Levallois est rare sans être totalement absent ; à la grande différence du Moustérien de tradition acheuléenne, il faut noter l'absence complète de bifaces ; plus de la moitié de l'outillage, par contre, est représentée par les racloirs, parmi lesquels les racloirs latéraux convexes sont les plus abondants, tandis que les racloirs transversaux n'apparaissent que rarement ; il faut ajouter quelques pointes moustériennes, des pièces à encoches et denticulées, ainsi que des éclats diversement retouchés.

A la différence du Moustérien de tradition acheuléenne qui se rencontre surtout en stations de surface, les gisements de Moustérien de type charentien des hautes vallées de la Loire et de l'Allier se trouvent souvent sous des abris basaltiques ; l'étude des sédiments formant le remplissage de ces abris, entreprise par François Moser, a permis d'établir une première esquisse climatologique du Moustérien auvergnat (F. Moser, 1971). Des industries assez proches de celle de la Baume-Vallée ont été rencontrées dans des abris de la vallée de l'Allier : à l'abri du *Rond,* commune de *Saint-Arcons* (Haute-Loire), l'industrie, riche en racloirs comme à la Baume-Vallée, possède un débitage Levallois plus important ; le silex y est

employé conjointement avec le quartz et le basalte ; à l'abri des *Battants,* commune de *Blassac* (Haute-Loire), les séries récoltées par Jean-François Alaux puis par François Carré — qui a effectué des observations géologiques précieuses — sont encore trop sommaires pour qu'une détermination décisive puisse être proposée ; rappelons enfin les silex des niveaux inférieurs des *Rivaux,* commune d'*Espaly-Saint-Marcel* (Haute-Loire), qui avaient d'abord été considérés comme aurignaciens, mais qui appartiennent en fait à un Moustérien assez voisin de celui de la Baume-Vallée.

S'il est possible de suggérer un rapprochement du Moustérien de tradition acheuléenne avec les industries du Nord du Massif Central et, d'une façon plus générale, du Bassin Parisien, il est intéressant de signaler la parenté qui existe entre le mobilier de la Baume-Vallée et celui du gisement *Grand,* commune de *Saint-Maurice* (Loire), situé dans la vallée de la Loire, plus en aval, mais à proximité cependant de l'Auvergne : le débitage Levallois y est aussi très faible, et le groupe des racloirs, souvent latéraux, important avec un pourcentage de 70 % de l'industrie (J. Combier, M. Larue et A. Popier, 1957). Vers l'Est, dans la vallée du Rhône, séparée de celle de la Loire par les monts du Lyonnais et du Vivarais, on observe l'absence du Moustérien de tradition acheuléenne à bifaces et la présence de Moustériens de type charentien (*Ranc Pointu, abri du Maras*), quelquefois de tendance Ferrassie (grotte du *Figuier*), chez lesquels les industries de la haute Auvergne trouvent facilement des analogies (J. Combier, 1967). On commence donc à distinguer comment les civilisations du Paléolithique moyen de l'Auvergne se sont développées et se sont articulées avec celles des régions situées au Nord et à l'Est du Massif Central.

Bibliographie

[1] BAYLE DES HERMENS R. de (1966). — Le gisement moustérien de Madriat (Puy-de-Dôme). *Congrès préhistorique de France, Ajaccio,* 1966, p. 100-108.
[2] BAYLE DES HERMENS R. de et LABORDE A. (1965). — Le gisement moustérien de la Baume-Vallée (Haute-Loire). Etude préliminaire. *Bulletin de la Société préhistorique française,* t. LXII, p. 512-527.
[3] BOULE M. (1899). — Sur les alluvions quaternaires à silex taillés d'Aurillac. *Bulletin de la Société philomatique de Paris,* 1889.
[4] COMBIER J. (1967). — Le Paléolithique de l'Ardèche. Bordeaux, Delmas, 462 p.
[5] COMBIER J., LARUE M. et POPIER A. (1957). — Un gisement moustérien dans le Massif central à Saint-Maurice-sur-Loire (Loire). Prise de date et observations préliminaires. *Bulletin de la Société préhistorique française,* t. LIV, p. 763-769.
[6] DELPORTE H. (1956). — La Grotte des Fées de Châtelperron (Allier). *Congrès préhistorique de France,* Poitiers-Angoulême, 1956, p. 452-477.
[7] DELPORTE H. (1968). — Le Paléolithique dans le Massif Central : II. Le Paléolithique de la Montagne bourbonnaise d'après la collection Bailleau. *Revue archéologique du Centre,* n° 25, 1968, p. 53-80.

[8] Girod P. et Aymar A. (1903). — *Stations moustériennes et campigniennes des environs d'Aurillac.* Paris, Baillière, 1903, 60 p., 20 pl.

[9] Moser F. (1971). — Contribution à l'étude du remplissage des abris sous-basaltiques de la Haute-Loire : Gisement de Baume-Vallée, 43 Solignac-sur-Loire. Mémoire de diplôme d'études supérieures, Clermont-Ferrand, 40 p., 15 pl.

[10] Perreau A. (1944). — L'Age du Renne, en Auvergne, dans le bassin de l'Allier. *Revue des Sciences naturelles d'Auvergne,* vol. IX, 1943, 31 p.

Les civilisations du Paléolithique moyen dans les Pays de la Loire

par

Michel Gruet *

Résumé. Le Moustérien sous toutes ses formes, mais particulièrement sous celle du Moustérien de tradition acheuléenne, est uniformément répandu dans le bassin moyen et bas de la Loire, ceci dans des conditions variées : un peu dans des grottes, dans les très basses terrasses würmiennes peu apparentes, scellé par des limons ou des sables éoliens, dans les cryoturbations et les dépôts de pente.

Abstract. In the Loire the Mousterian industries, especially those of Acheulean tradition, are found in a wide variety of locales : in a few caves, in nearly covered Wurm terraces, inserted in eolian silt and deposits, and in slope deposits affected by cryoturbation. Charentian industries are less numerous.

I. On est peu documenté sur le Moustérien des rares grottes de cette région de la Loire. Certaines sont très pauvres, deux attendent leur monographie, trop ont été épuisées sans publications suffisantes. C'est le cas de la petite cavité de Vallières-les-Grandes, 36 (1), à l'E d'Amboise, qui contenait du Moustérien de tradition acheuléenne avec petits bifaces et couteaux à dos. Dans sa faune, où cheval et bovidés dominent, on peut encore citer un rhinocéros, un grand félin, l'hyène et deux cervidés dont le mégacéros.

La grotte de la Roche-Cotard à Langeais, 14, dominant la Loire en rive nord a été vidée en 1912. Scellés par une épaisse couche stérile, une centaine d'outils ont été récoltés, dont beaucoup de petits bifaces parmi des pointes, n° 20, et des racloirs. Les dessins, qui nous restent seuls, signent le Moustérien de tradition acheuléenne. Le cheval y est très abondant, il y a des bovidés, du rhinocéros, de l'ours, de l'hyène, un grand félin, et la marmotte.

L'abri Reignoux, à Abilly, près du Grand-Pressigny, 15, au pied d'une falaise crayeuse, qui n'a plus que 4 m, a donné trois couches archéologiques nettement séparées par des éboulis stériles, n° 30. Les deux couches inférieures contiennent en abondance un Moustérien typique remarquable par la très grande taille de tous les objets et la qualité de leurs retouches, n° 1. Le renne est dominant dans la faune et ses jarrets ne sont presque jamais désarticulés. Cheval, bœuf et loup sont présents. C'est un gisement d'avenir, à peine entamé, dont on attend la publication. Sur la même commune, l'abri des Roches, 16, est plus connu par son Solutréen que par le très mince et très pauvre niveau de Moustérien de tradition acheuléenne qui est à sa base, n° 26.

C'est aussi du Moustérien de tradition acheuléenne que l'on trouve, 40 km plus au sud, près de la grotte des Roches de Pouligny, 26, sur la Creuse. Presque

(1) Les chiffres dans le texte renvoient à la carte de situation des sites. Les numéros renvoient aux figures d'objets et coupes.

à la même latitude, mais un peu à l'O, à Angles-sur-l'Anglin, 25, plus célèbre par ses sculptures magdaléniennes, les abris Rousseau et Sabourin ont donné du Moustérien d'allure charentienne. En amont, le Moustérien de l'abri de la Guignoterie, très dilapidé, reste imprécisé.

Sur l'autre rive, dans l'abri des Cottés en Saint-Pierre-de-Maillé, les couches aurignaciennes et périgordiennes reposaient sur une couche de 30 cm, livrant un Moustérien de type charentien, 24.

Vers le sud, à 35 km de là, de tout le groupe des grottes préhistoriques de Lussac-lès-Châteaux, seule celle de l'Hermitage a donné du Moustérien, 23. Cette industrie d'un millier d'objets retouchés comporte 63 % de racloirs dont beaucoup sont transverses ; il y a une dizaine de limaces. Ceci, avec un indice de débitage levallois assez élevé atteignant 20, signe un Charentien de type Ferrassie (n°s 5, 9 et 12).

Un saut vers le nord, jusqu'en Mayenne, nous amène au groupe très isolé des grottes dites de Saulges, 8, bien malmenées il y a un siècle et souvent épuisées. De l'examen d'anciennes collections en désordre et de la fouille par R. Daniel de quelques minuscules lambeaux subsistants, on peut conclure que, sous les niveaux de Paléolithique supérieur, quatre grottes au moins contenaient du Moustérien. Il était, probablement de tradition acheuléenne, n° 27, pour les grottes de La Chèvre et de Rochefort, mais on trouve en collection des pièces d'allure très Quina. Il subsiste du Moustérien sous le niveau phréatique à la grotte de la Bigotte ou Derouine.

L'abri sous roche de Roc-en-Pail en Chalonnes-sur-Loire, 4 (Maine-et-Loire), est situé sur le Layon mais presque au bord de la Loire. Un cône de sédiments en forte pente, matrice du contenu archéologique est adossé au rocher, n° 29. La base est constituée par la terrasse caillouteuse würmienne, à un niveau à peine supérieur à la surface de l'holocène voisin. Sur ce gravier diverses couches de sable, argile, lœss colluvionnés, semblent avoir été, vers le haut, de moins en moins atteintes par les niveaux d'inondation. Par-dessus, un lœss franc calcaire, à

* Docteur, 86, rue de Frémur, 49000 Angers (France). Institut de Recherches Fondamentales et Appliquées d'Angers.
Des renseignements utilisés pour la rédaction de cette note ont été fourni par MM. J. Despriée, G. Richard, G. Cordier, G. Bellancourt, R. Rioufreyt, qu'ils soient remerciés.

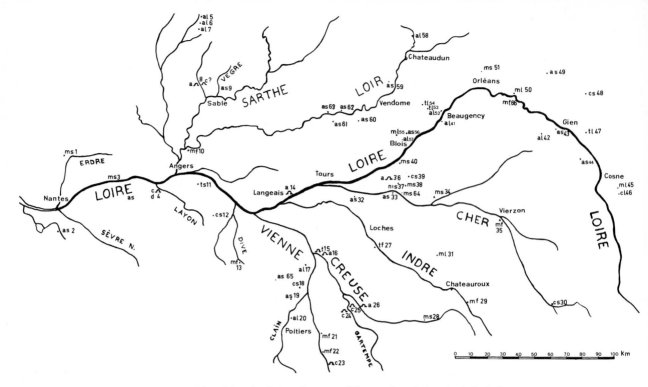

FIG. 1. — Répartition des industries moustériennes dans le bassin de la Loire.

a   Moustérien de tradition acheuléenne;   f   En alluvions fluviatiles;
c   Moustérien charentien;   Ω   En grotte;
t   Moustérien typique;   l   En limons, sables ou cryoturbations;
d   Moustérien à denticulés;   s   En surface.
m   Moustérien indéterminé;

1. Nort-sur-Erdre; 2. Montbert; 3. Saint-Géréon; 4. Roc-en-Pail; 5. Hambers; 6. Chellé; 7. Mézangers; 8. Grottes de Saulges; 9. Vallée de la Vègre; 10. Villevêque; 11. Coutures; 12. Doué; 13. Pas de jeu; 14. Grotte de la Roche-Cotard; 15. Abri Reignoux; 16. Abri des Roches d'Abilly; 17. Fontmaure-en-Vellèches; 18. Scorbé-Clairvaux; 19. Marigny; 20. Saint-Georges-de-Baillergeau; 21. Chauvigny; 22. Salles-en-Toulon; 23. Mazerolles et l'Hermitage-en-Lussac; 24. Les Cottés; 25. Angles-sur-l'Anglin; 26. Les Roches-de-Pouligny; 27. Fléré-la-Rivière; 28. Chasseneuil; 29. Ardentes; 30. La Guerche-sur-l'Aubois; 31. Moulins-sur-Céphon; 32. Plateau d'Athée; 33. Angé; 34. Billy; 35. Bellon; 36. Grotte de Vallières; 37. Pontlevoy; 38. Thenay; 39. Sambin; 40. Les Montils; 41. Saint-Laurent-des-Eaux 42. Coullons; 43. Poilly-lès-Gien; 44. Pierrefitte-es-Bois; 45. Saint-Quentin-sur-Nohain; 46. La Mouillée; 47. Ouzouer-sur-Trézée; 48. La Chapelle-sur-Aveyron; 49. Ouzouer-des-Champs; 50. Chateauneuf-sur-Loire; 51. Chevilly; 52. Les Hauts-de-Lutz à Beaugency; 53. Roches; 54. Marchenoir; 55. Landes-le-Gaulois; 56. Averdon; 57. Maves; 58. Bonneval 59. Pezou; 60. Villiers-Faux; 61. Artins; 62. Troo; 63. Sougé; 64. Monthou-sur-Cher; 65. Coussay; 66. Tigny;

FIG. 2.

1. Pointe du Moustérien typique de l'abri Reignoux, Abilly (I et L); 2. Racloir convergent du Moustérien typique de Fléré-la-Rivière (I et L); 3. Racloir transverse du Charentien de La Mouillée, Saint-Quentin (Nièvre); 4. Racloir convergent de Mazerolles (Vienne); 5. Pointe du Charentien de la grotte de l'Hermitage à Lussac (Vienne); 6. Racloir convergent du Moustérien de tradition acheuléenne de Fontmaure-en-Vellèches (Vienne); 7. Deux triangles à encoche du Charentien Ferrassie de Roc-en-Pail en Chalonnes-sur-Loire (Maine-et-Loire); 8. Racloir transverse du Charentien Quina de Roc-en-Pail (Maine-et-Loire); 9. Convergent épais du Charentien Quina de l'Hermitage-en-Lussac (Vienne); 10. Racloir convergent des Hauts-de-Lutz à Beaugency; 11. Limace du Charentien de Roc-en-Pail (Maine-et-Loire); 12. Pointe double du Charentien Quina de l'Hermitage-en-Lussac (Vienne); 13. Denticulé du Moustérien à denticulés de Roc-en-Pail (Maine-et-Loire); 14. Denticulé du Moustérien à denticulés de Roc-en-Pail (Maine-et-Loire); 15. Racloir transverse du Moustérien de Chevilly (Loiret); 16. Troncature du Moustérien évolué à lames de Fontmaure (Vienne); 17. Burin du Moustérien de tradition acheuléenne de Fontmaure (Vienne); 18. Biface du Moustérien de tradition acheuléenne de Montbert (Loire-Atlantique); 19. Denticulé du Moustérien à denticulés de Roc-en-Pail (Maine-et-Loire); 20. Racloir convergent du Moustérien de tradition acheuléenne de la Roche-Cotard, grotte près de Langeais (Indre-et-Loire); 21. Racloir double droit du Charentien Ferrassie de Roc-en-Pail en Chalonnes-sur-Loire (Maine-et-Loire); 22. Couteau à dos du Moustérien à lames de Fontmaure (Vienne); 23. Nucleus levallois de Fléré-la-Rivière (Indre-et-Loire); 24. Biface du Moustérien de tradition acheuléenne des Hauts-de-Lutz à Beaugency (Loiret); 25. Grand racloir du Moustérien de tradition acheuléenne de Montbert (Loire-Atlantique); 26. Biface du Moustérien de tradition acheuléenne de l'abri des Roches-d'Abilly (Indre-et-Loire); 27. Eclat levallois retouché du Moustérien de la terrasse de la grotte de la Chèvre à Saulges (Mayenne); 29. Coupe de l'abri de Roc-en-Pail en Chalonnes-sur-Loire (Maine-et-Loire); 30. Coupe de l'abri Reignoux à Abilly (Indre-et-Loire). d'après G. Cordier.

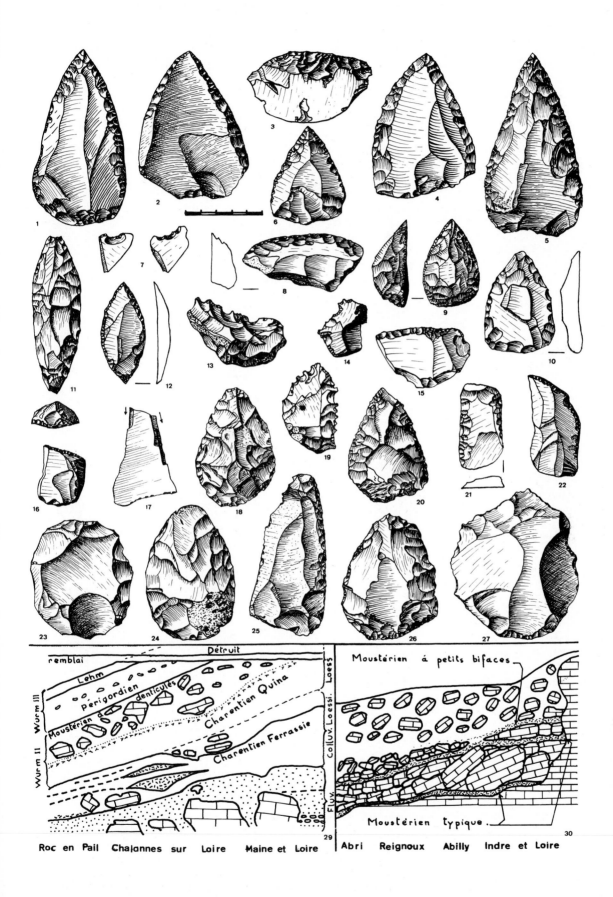

Roc en Pail Chalonnes sur Loire Maine et Loire   Abri Reignoux Abilly Indre et Loire

poupées, est resté nettement hors d'eau. Il est recouvert d'une coulée lœssique englobant de gros blocs calcaires (head). Les faibles lœss qui lui succèdent appartiennent au Paléolithique supérieur. Après un Moustérien indéterminé situé sur les graviers, les colluvions contiennent trois niveaux de Charentien de type Ferrassie, n° 21, n° 7 ; le lœss possède, au sommet, un Charentien de type Quina, n° 8, n° 11. Le head comporte un Moustérien à denticulés, n° 13, n° 14, n° 19. La faune est bien conservée ; elle permet de voir les ossements de renne croître en abondance jusque dans le lœss à Charentien Quina, tandis que le cheval, au contraire, décroît ; les bovidés, dont le bison certain, restant presque stationnaires. Comme espèces rares il y a le bœuf musqué, le chamois, le castor, le mammouth et le rhinocéros tichorhinus. L'étude des pollens en cours, montre déjà, pour la base, un boisement important de climat tempéré, appartenant à un interstade de l'Eowürm, puis le climat se dégrade vers le froid et l'apparition de plantes steppiques.

II. Dans les alluvions, le Moustérien se situe dans la plus basse des terrasses climatiques, celle du Würm : terrasse si basse qu'elle est totalement masquée par le Flandrien argileux dans toute la partie inférieure du fleuve. Ce n'est qu'à partir de Langeais que les draguages pour graviers l'atteignent régulièrement et, seulement dans la région d'Orléans, et sur son bord sud seulement, qu'elle se dégage un peu des alluvions fines de l'Holocène, à Tigy, 66. Dans cette région l'industrie éparse y est assez fréquente mais on ne peut s'appuyer que sur des observations de patine, d'émoussé, et de typologie pour séparer le Moustérien des bifaces et éclats levallois appartenant à l'Acheuléen que l'on y rencontre couramment remaniés.

La situation est moins mauvaise sur les affluents où la terrasse würmienne est souvent plus dégagée et où certains campements sur alluvions se sont trouvés scellés sans être trop dispersés. Le meilleur site est certainement celui de Fléré-la-Rivière, 27, sur l'Indre, où le sable à industrie würmienne remanie la surface de l'alluvion rissienne à bifaces acheuléens et est recouvert d'un sable éolien, étalé par l'eau, qui contient le Paléolithique supérieur. La série moustérienne sans patine totalise 42 beaux outils, n° 23 ; l'attribution au Moustérien typique à débitage levallois est des plus probable. Tout près, en aval, Bridoré est dans les mêmes conditions et Ardentes aussi, 29, beaucoup plus en amont, au-delà de Châteauroux, avec du Moustérien non roulé bien en place dans cette terrasse.

Les alluvions du Cher ont aussi donné du levallois non patiné, à Bellon, 35, près de Vierzon.

Sur la Vienne à Mazerolles, 23, puis à Salles-en-Toulon, 22, on a trouvé, conjointement, dans ces très bas niveaux, pointes moustériennes, n° 4, et molaires de mammouth, avec continuité de la terrasse jusqu'à Chauvigny, 21, où faune froide et Moustérien sont aussi associés.

Plus à l'ouest, on a récolté quelques éclats levallois très frais dans les très bas niveaux de la Dive, à Pas-de-Jeu, 13, et dans ceux du Loir, à Villevêque, 10.

III. Milieu d'élection pour la conservation des industries moustériennes, les limons lœssiques würmiens n'ont pas, en Orléanais, les grandes épaisseurs que l'on trouve, plus au nord, vers Paris et la Normandie, aussi les niveaux cailloteux archéologiques y sont plus difficilement repérables. En amont sur la rive droite du fleuve, nous pouvons citer, non loin de Cosne, les minces lambeaux de Saint-Quentin-sur-Nohain, 45, qui contiennent du Moustérien, et sur un point de cette commune, la Mouillée, 46, on peut même préciser Charentien type Quina, n° 3. A Ouzouer-sur-Trézée, 47, près de Gien, c'est du Moustérien typique avec pointes et éclats levallois abondants que l'on trouve dans les limons. Plus en aval, sur la terrasse de Châteauneuf, 50, c'est encore dans le limon que l'on a recueilli un bon nucleus levallois.

Les lœss minces et très lehmifiés de la Petite Beauce à l'O d'Orléans ont donné, dès le nord de Blois, 56, par zônes ponctuelles, du Moustérien de tradition acheuléenne à petits bifaces cordiformes ou isocèles et éclats Levallois. Mais aussi parfois comme aux Roches, 53, et à Marchenoir, 54, c'est un Moustérien typique assez laminaire qui est recueilli dans ou sous des limons minces. Plus au nord, des faciès plus fins et plus épais annoncent la Normandie : à Bonneval, 58, près Châteaudun, deux limons sont superposés : l'inférieur, rissien, contient l'Acheuléen, le supérieur un Moustérien à bifaces et éclats levallois.

Au sud du fleuve les limons sont souvent moins caractéristiques et des sables éoliens tiennent parfois leur place chronologique : à Coullons, 42, en lisière de Sologne, on a trouvé des bifaces moustériens. A Moulin-sur-Céphon, 31, NO de Châteauroux, un Moustérien de faciès levallois repose sur une argile et un gravier mais est scellé par un limon. A Saint-Laurent-des-Eaux, 41, entre Orléans et Blois, de petits bifaces épais et cordiformes sont englobés dans un sable éolien.

IV. Les cryoturbations würmiennes ont souvent brassé, superficiellement et sur de grandes surfaces, de minces résidus tertiaires avec les débris gélifractés du substratum et des sables soufflés. Dans ce milieu encore du Moustérien de traditon acheuléenne, comme aux Hauts-de-Lutz, 52, de Beaugency, n° 10 n° 24 ou à Landes-le-Gaulois, 55, près de Blois, du Levallois dans un sol polygonal. Probablement même situation pour les Moustériens de tradition acheuléenne d'Averdon, 56, et de Maves, 57.

V. Un cas spécial est celui des grès intraformationnels, plus ou moins noyés, en bancs discontinus, dans les sables tertiaires. L'utilisation de cette matière première abondante, gaspillable, se traduit par une profusion de déchets et par maintes excavations recomblées où il est bien difficile de savoir ce qui est en place. A Montbert, au sud de Nantes, le Moustérien de tradition acheuléenne est ainsi fait de grès lustrés (n°s 18 et 25). La même roche éocène est utilisée, pour le même type d'industrie en Mayenne à Hambers, 5, Chellé, 6, Mésangers, 7. Même type de gisement, mais avec, comme roche, un jaspe magnifique, à Fontmaure-en-Vellèches, 17, dans la Vienne, où le Moustérien de tradition acheuléenne recouvre un niveau plus acheuléen et est, par endroit, coiffé d'un lambeau de Moustérien à lames annonçant le Paléolithique supérieur (nᵒˢ 6, 16, 17 et 22).

VI. Des dépôts de pente, parfois, livrent des industries moustériennes. Tels sont les dépôts de calcaire gélivés, *grouines,* dépôts de nivation qui, masquant partiellement une terrasse rissienne, contiennent en limons intercalés, un peu de Moustérien de tradition acheuléenne à Saint-Georges-de-Baillergeau, au nord de Poitiers, 20.

VII. Il y a, évidemment, un grand nombre de stations superficielles. Nous pouvons citer, dans la vallée de la Loire, le Moustérien de tradition acheuléenne de Poilly-lès-Gien, 43, du Trocadero (à Gien même), et plus au sud, déjà sur le plateau berrichon, celui de Pierrefitte-les-Bois, 44 ; le long des petits thalwegs de la forêt d'Orléans un semis de stations d'un Moustérien original avec pointes, racloirs, débitage levallois, et minuscules bifaces cordiformes, par exemple près de Chevilly, 51, nᵒ 15.

Dans le Vendômois, en descendant la vallée du Loir, nous citerons : le Moustérien de tradition acheuléenne de Villiers-Faux, 60, d'Artins, 61, de Troo, 62, de Sougé, 63 ; dans la Sarthe, non loin de Sablé, le Moustérien de tradition acheuléenne des sites de la vallée de la Vègre, 9 ; enfin une station à outils de grès à Nort-sur-Erdre non loin de Nantes, 1.

Dans les bassins des affluents de rive sud et sur les plateaux des interfluves nous citerons, en descendant, le Charentien type Quina de la Guerche-sur-l'Aubois près St-Amant, 30, le Moustérien de tradition acheuléenne d'Angé, 33, dans la vallée du Cher ; sur les plateaux entre Cher et Loire les grands outils levallois de Thenay, 38, Pontlevoy, 37, ceux de type Quina de Sambin, 39, le Micoquien des Montils, 40, et celui de Monthou, 64 ; entre Cher et Indre le plateau d'Athée et son Moustérien de tradition acheuléenne, 32 ; dans la vallée de la Creuse, Chasseneuil et son Moustérien levallois dont l'étude méthodique a montré que les traces d'éolisation cessaient, dans cette région, après le Würm II ; dans la Vienne, au nord de Poitiers, le Moustérien de tradition acheuléenne de Marigny, 19, et de Coussay, 65, le Charentien de Scorbé-Clairvaux, 18 ; en Maine-et-Loire le Charentien Quina de Doué, 12, et le Moustérien typique de Coutures, 11 ; en Loire-Atlantique le Moustérien à bifaces de Saint-Géréon, 3.

On voit, au total, que le Moustérien est assez uniformément répandu et que les divers types n'ont pas de localisations particulières, que le Moustérien de tradition acheuléenne est le plus fréquent, peut-être parce que le biface attire l'œil, comme le Moustérien à denticulés est le moins fréquent parce que le moins spectaculaire.

Les civilisations du Paléolithique moyen en Armorique

par

Pierre-Roland GIOT * et Jean-Laurent MONNIER **

Résumé. De nombreux sites du Paléolithique moyen d'Armorique se trouvaient abrités au pied des falaises marines alors abandonnées par la mer en régression. Les niveaux à industrie sont recouverts par les dépôts de head et lœss du Weichsel, maintenant en cours d'érosion. Le Moustérien typique est bien représenté par plusieurs sites : le Mont-Dol, Piégu (Pléneuf), Goareva (Bréhat). Le Moustérien de tradition acheuléenne est connu, dans l'arrière pays, par deux grands gisements de plein air, à industries en quartzites : Bois-du-Rocher (Saint-Hélen) et Kervouster (Guengat).

Abstract. Numerous sites of the Armorican Middle Paleolithic were sheltered at the foot of marine cliffs and then abandonned by the regressive sea. The levels with industries are covered by Weichselian deposits of head and loess; they are now undergoing erosion. Typical Mousterian is well represented by several sites : le Mont-Dol, Piegu (Pleneuf), Goareva (Brehat). Mousterian of Acheulean tradition with quartz tools, is known from two important open-air sites in the hinterlands : Bois-du-Rocher (Saint-Hélen) and Kervouster (Guengat).

I. Introduction.

La carte de répartition du Paléolithique moyen en Armorique (figure 1) montre une extraordinaire densité des sites sur la côte nord, là où les dépôts limoneux pléistocènes sont les plus développés. Tous ne correspondent pas à de gros gisements, mais indiquent une fréquentation à cette période. Certains ne sont plus que des témoins très érodés par la mer.

II. Les grandes stations en pied de falaise marine.

L'abaissement du niveau marin, au début de la dernière glaciation, a considérablement modifié le paysage : les falaises rocheuses que nous connaissons actuellement étaient totalement exondées et offraient un abri relatif. C'est à leur pied, et en partie recouverts par les coulées de gélifluxion et le loess, que nous retrouvons les principaux gisements moustériens. Presque tous sont remarquablement bien exposés, c'est-à-dire vers le Sud ou le Sud-Ouest.

Le célèbre gisement du Mont-Dol (Ille-et-Vilaine) fut découvert et fouillé vers la fin du siècle dernier (S. Sirodot, 1873-1874). La stratigraphie relevée à l'époque se présente comme suit : 1° le substrat rocheux ; 2° un gravier à grain fin ; 3° une faible couche de « terre végétale » (sol fossile ?) ; 4° une forte couche d'argile sablonneuse renfermant le gisement ; 5° un sable marin (?) extrêmement fin, légèrement argileux, jaunâtre ; 6° un sable granitique ; 7° une terre végétale noirâtre. L'observation des échantillons de sédiments conservés donne un nouvel intérêt au gisement dans la perspective de pouvoir le situer stratigraphiquement à la lumière des études récentes. Le gravier de la base qui semble contenir de nombreux débris de coquilles marines (*Cardium,*

Littorina) est un dépôt littoral rapporté à l'Eemien. La couche de « terre végétale » pourrait correspondre à un interstade du début de la dernière glaciation. Le gisement se trouve scellé dans un head recouvert lui-même par un soi-disant « sable marin » qui n'est autre qu'un *limon sableux et calcaire* semblable à celui des coupes de la région de Pléneuf (J.-L. Monnier, 1974). Ce dépôt éolien contient une faune malacologique de climat rude et aride (Pléniglaciaire inférieur). Quant au sable granitique, il représente le matériel usuel des coulées de gélifluxion du Pléniglaciaire moyen et supérieur.

L'industrie en silex est associée à une riche faune de mammifères comprenant *Elephas primigenius, Equus caballus, Rhinoceros tichorinus, Bos primigenius, Cervus megaceros, Cervus tarandus, Arctomys sp., Ursus spelaeus, Canis lupus, Felis leo, Meles taxus.* L'industrie est un Moustérien typique riche en racloirs (IR = 47,84). Le débitage levallois est très utilisé (IL = 24,10) (P.-R. Giot et J.L. Monnier, 1975).

Le site nord de l'îlot Saint-Michel (Erquy, Côtes-du-Nord) est bien plus modeste : au pied de la falaise de grès ont été récoltés des éclats de silex très émoussés ; il ne reste rien en place du gisement qui semble avoir appartenu au Moustérien (P.-R. Giot, 1969). Celui de Piégu (Pléneuf-Val-André, Côtes-du-Nord) est à peine mieux conservé mais a livré une belle industrie à racloirs et pointes levallois (J.-L. Monnier, 1974). Les silex taillés proviennent d'un head lavé par la mer et qui surmontait la plage éemienne.

Les silex récoltés, en grande partie sur l'estran, à la Pointe de la Trinité (Ploubazlanec, Côtes-du-Nord) proviendraient du sommet d'un sol humifère fossile correspondant au début de la dernière glaciation (J.-B. et M. Cornelius, 1969 ; P.-R. Giot, 1969). L'industrie est un Moustérien de faciès non levalloisien se rapprochant du type La Quina. Le site de

* Directeur de Recherche au C.N.R.S.
** Attaché de Recherche au C.N.R.S., Equipe de Recherche n°27, Laboratoire « Anthropologie-Préhistoire-Protohistoire et Quaternaire Armoricains », Université de Rennes, B.P. 25 A., 35031 Rennes-Cedex (France).

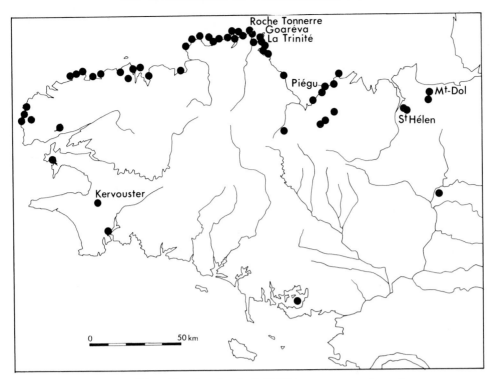

FIG. 1. — Répartition des sites du Paléolithique moyen en Armorique.

l'Arcouest est à deux kilomètres au Nord de la Trinité. Il se caractérise par l'abondance des éclats et outils en microgranite local. C'est un Moustérien à bifaces dont l'un, cordiforme, fut découvert en place dans la coulée de head qui recouvre le sol fossile du Goëlo (Brørup) (P.-R. Giot, 1971 a, 1971 b).

L'Ile de Bréhat n'était qu'une colline lorsque les hommes occupaient l'abri de Goaréva. Actuellement le gisement est recouvert par plus de quatre mètres d'eau à marée haute. Une riche industrie a été découverte au pied d'un léger surplomb de la falaise de granite, dans une dépression allongée correspondant à un filon de dolérite (P.-R. Giot, 1968 ; 1970). Le sédiment est un limon arénacé grossièrement feuilleté surmontant un head et recouvert lui-même par un limon fin, loessique à l'état de reliques. La dolérite du filon a été largement utilisée (50 % des éclats). Le débitage levallois semble avoir été plus employé que pour le silex ; cette technique reste néanmoins beaucoup moins fréquente qu'au Mont-Dol. L'indice de racloir est aussi plus faible que dans le gisement d'Ille-et-Vilaine mais dans l'un comme l'autre site il n'y a pas de biface. Il semblerait, d'après des critères stratigraphiques, que l'industrie de Goaréva soit un peu plus récente que celle du Mont-Dol (P.-R. Giot et J.-L. Monnier, 1975).

Le gisement de la Roche-Tonnerre (Ploubazlanec) est aussi très érodé par la mer. Il appartient à un Moustérien typique avec une industrie essentiellement en silex (P.-R. Giot, 1973 a ; 1973 b).

III. Les stations de plein air.

Les deux grandes stations de plein air connues jusqu'à présent se trouvent dans l'arrière-pays, sur des affleurements de quartzite lustré qui remplacent le silex. Toutes deux appartiennent essentiellement à un Moustérien de tradition acheuléenne.

Le gisement du Bois-du-Rocher à Saint-Hélen (Côtes-du-Nord) fut découvert en 1869 (E. Fornier et V. Micault, 1872). Des sondages effectués par le Dr Gruet montrèrent l'existence d'un gisement en place en profondeur avec possibilité de stratigraphie. Les instruments retouchés sont noyés dans une masse d'éclats de débitage et les bifaces sont relativement moins abondants que les récoltes de surface pouvaient le laisser croire (P.-R. Giot, 1961). Ce sont des pièces cordiformes, sur éclats et généralement de belle facture.

Le site de Kervouster (Guengat, Finistère) est également connu depuis le siècle dernier (baron Halna du Fretay, 1888). Les fouilles en cours (J.-L. Monnier, 1975) montrent qu'en profondeur le gisement est en place et non mélangé. Sous un limon loessique contenant de nombreux éclats viennent des couches de sable argileux avec une alternance de niveaux stériles et de niveaux à industrie. Enfin se trouve un dépôt de sable fluviatile qui serait à la base du gisement (Eemien ou interstade de la dernière glaciation). L'outillage est peu typique ; comme à Saint-Hélen les bifaces sont moins nombreux dans les couches fouillées qu'en apparence. Ce sont des pièces de petite taille, cordiformes, avec une face nettement mieux retouchée que l'autre et qui tendent vers des racloirs convergents ou racloirs bifaces. Ils semblent moins élaborés que ceux de Saint-Hélen. Le reste de l'industrie comprend une forte proportion d'encoches et de denticulés ; mais il y a des burins et des grattoirs, parfois assez typiques, qui annoncent le Paléolithique supérieur. C'est un Moustérien de tradition acheuléenne se rapprochant du « type B ».

IV. Autres indices témoignant d'une fréquentation moustérienne.

En de nombreux points du littoral, principalement au Nord de la Bretagne, des pièces isolées ou peu abondantes témoignent d'une occupation humaine au Paléolithique moyen. Elles sont fréquemment associées aux dépôts limoneux périglaciaires. Citons, dans les Côtes-du-Nord, les silex contenus dans le head au-dessus de la plage fossile à la Heussaye (Erquy), quelques éclats sur l'estran près de la grande coupe de Port-Morvan (Planguenoual), le petit gisement de Longueroche (Morieux) qui a livré un grand couteau à dos naturel, le site de Saint-Quay-Portrieux (Porte-leu, grève de la Comtesse), la Pointe de Guilben à Paimpol (industrie moustérienne sur la plage ancienne, dans les limons weichseliens), le biface en silex de l'Ile Coalen (Lanmodez) (P.-R. Giot, 1972), des silex taillés dans les limons du début du Weichsel à Pors-Ran, Port-la-Chaîne, Port-Béni, sur les Iles d'Er (Pleubian), un éclat levallois dans le head à Port-Scaff (Plougrescant) (P.-R. Giot, 1965). A la pointe du Squewel (Perros-Guirec), c'est un gros racloir à retouche scalariforme ainsi que d'autres éclats (P.-R. Giot, 1965 ; 1967). A l'Ile-Grande (Pleumeur-Bodou) on a trouvé des éclats et des pièces (dont un racloir)

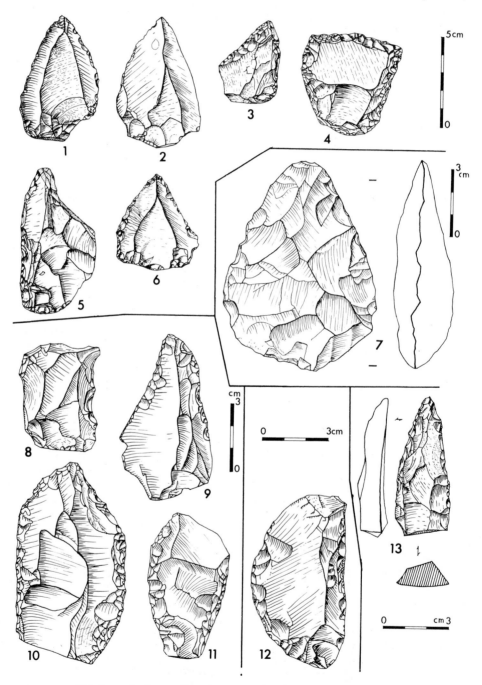

FIG. 2. — Quelques pièces du paléolithique moyen en Armorique.

1 à 6. Industrie de Piégu, Pléneuf-Val-André (d'après J.L. Monnier, 1974); 7. Biface moustérien de Saint-Pol-de-Léon; 8 à 11. Industrie de Bréhat : abri en pied de falaise de Goareva; 12. Racloir de la Chapelle-Guévroc, Tréflez (d'après P.R. Giot et al., 1973); 13. Pointe moustérienne de Sibiril (Finistère).

du Paléolithique moyen. Dans le Finistère les sites ne sont pas moins nombreux : un racloir dans les coupes pléistocènes de la pointe de Barnenez Perron (Plouézoc'h) (P.-R. Giot, 1970), un racloir à retouche alterne à l'Ile Callot (Carantec) et d'autres éclats dans les limons, un racloir convergent sur pointe levallois au-dessus de la plage éemienne à Sainte-Anne (Saint-Pol-de-Léon) (P.-R. Giot et al., 1973), des éléments d'une industrie en silex sur l'estran de l'anse de Cornic (Sibiril) avec racloirs et pointe moustérienne, un racloir déjeté au pied des rochers de Roc'hou Bras (Plouescat), un racloir double à la Chapelle-Guevroc (Tréflez), une industrie en silex sur l'estran à Pontusval (Brignogan), dans les coupes de périglaciaire à Enez-Amon-ar-Ross (Kerlouan), un racloir à Mentiby et un biface subcordiforme sur éclat de quartzite au Gratz (Porspoder). Quelques indices de fréquentation moustérienne existent encore à Crozon, près de Combrit et dans le Morbihan, sur l'île Bailleron, mais beaucoup moins abondants que sur le littoral septentrional. A l'intérieur du pays, les sites sont rares. Nous trouvons un biface en quartzite lustré de type moustérien de tradition acheuléenne à Baguer-Morvan (Ille-et-Vilaine), des éclats et des fragments de bifaces en silicifications locales et phtanites à la Poterie, quelques éclats de phtanite dans les limons du début du Weichsel à Bréhand-Moncontour, une pièce à encoche à Saint-Brandan (Côtes-du-Nord).

V. Conclusion.

L'étude du Paléolithique moyen armoricain est à envisager dans le cadre de la stratigraphie des limons périglaciaires à laquelle de nombreux gisements ou même des pièces isolées peuvent être rapportés. L'habitat moustérien se manifeste surtout par des abris en pied de falaises marines (alors abandonnées par la mer) et colmatées ensuite par les dépôts de gélifluxion et le loess.

Bibliographie

[1] CORNELIUS J.B. et M. (1969). — Le gisement moustérien de la Pointe de la Trinité, Commune de Ploubazlanec (Côtes-du-Nord). Mém. Inst. de Préhistoire et d'Archéologie des Alpes-Maritimes, t. XII, p. 55-81.

[2] FORNIER E. et MICAULT V. (1872). Atelier préhistorique du Bois-du-Rocher en Pleudihen et Saint-Hélen. Congrès scientifique de France, Saint-Brieuc, p. 243-273.

[3] GIOT P.-R. (1961). — Informations archéologiques. Gallia-Préhistoire, t. III, p. 157-170.

[4] GIOT P.R. (1965). — Informations... Gallia-Préhistoire, t. VIII, p. 33-50.

[5] GIOT P.-R. (1967). — Informations... Gallia-Préhistoire, t. X, p. 333-364.

[6] GIOT P.-R. (1968). — Chronique de Préhistoire et de Protohistoire des Côtes-du-Nord. Bull. Soc. Emul. Côtes-du-Nord, t. XCVI, p. 105-111.

[7] GIOT P.-R. (1969). — Chronique... Bull. Soc. Emul. Côtes-du-Nord, t. XCVII, p. 143-157.

[8] GIOT P.-R. (1970). — Informations... Gallia-Préhistoire, t. XII, p. 439-463.

[9] GIOT P.-R. (1971a). — Informations... Gallia-Préhistoire, t. XIV, p. 339-361.

[10] GIOT P.-R. (1971b). — In : Delumeau, Documents de l'Histoire de la Bretagne, Toulouse, Privat, p. 10-14.

[11] GIOT P.-R. (1972). — Chronique... Bull. Soc. Emul. Côtes-du-Nord, t. C, p. 3-11.

[12] GIOT P.-R. (1973a). — Informations... Gallia-Préhistoire, t. 16, p. 401-426.

[13] GIOT P.-R. (1973b). — Chronique... Bull. Soc. Emul. Côtes-du-Nord, t. CI, p. 3-11.

[14] GIOT P.-R., HALLEGOUET B. et MONNIER J.L. (1973). — Le Paléolithique ancien du pays de Léon (Finistère). L'Anthropologie, t. 77, p. 497-518.

[15] GIOT P.-R. et MONNIER J.L. (1975). — Deux sites du Paléolithique moyen en Bretagne : le Mont-Dol et Bréhat-Goareva. Nouvelles données et comparaisons. C.R. Acad. Sc. Paris, t. 280, p. 1433-1435.

[16] HALNA DU FRETAY baron (1888). — Silex quaternaires en Guengat (Finistère). Bull. Soc. Polym. Morbihan, p. 177-188.

[17] MONNIER J.L. (1974). — Les dépôts pléistocènes de la région de Saint-Brieuc. Stratigraphie et Préhistoire. Bull. Soc. Géol. Minéral. Bretagne, (C), t. VI, p. 43-62.

[18] MONNIER J.L. (1975). — Mise en évidence d'une stratigraphie remarquable dans le gisement paléolithique de Kervouster en Guengat (Finistère). C.R. Acad. Sc., Paris, t. 280, p. 1341-1343.

[19] SIRODOT S. (1873-1874). — Fouilles exécutées au Mont-Dol (Ille-et-Vilaine) en 1872. Mém. Soc. Emul. Côtes-du-Nord, t. 11, p. 59-108.

Les civilisations du Paléolithique moyen dans la région parisienne et en Normandie

par

Alain Tuffreau *

Résumé. La présence, dans l'Ouest du Bassin Parisien, de bonnes séquences de limons récents recelant à différents niveaux des industries, permet de suivre l'évolution du Paléolithique moyen.
A la base des limons récents sont conservées des industries appartenant à l'Acheuléen final, ou Moustérien de tradition acheuléenne, au Moustérien typique ou au Moustérien à denticulés. Toutes ces industries présentent un net faciès levalloisien.
A un niveau stratigraphique plus élevé, il existe des industries du Moustérien typique.
Un Moustérien final, proche des premières industries du Paléolithique supérieur a été découvert sous le Sol de Kesselt.

Abstract. Indutries found in recent loams in the Western part of the parisian Basin permit us to follow the evolution of the Middle Paleolithic.
Late Acheulian, Mousterian of Acheulian tradition, typical Mousterian and Mousterian rich in denticulate industries are found at the bottom of recent loams. All these industries are of Levallois facies. Typical Mousterian industries come from upper levels.

I. Introduction.

Dans l'Ouest du Bassin Parisien, le Paléolithique moyen, comme le Paléolithique inférieur, est connu par de nombreuses pièces mises au jour lors de l'exploitation des briqueteries. La plupart des collections, qui nous son parvenues, ont été réunies à la fin du XIXᵉ siècle ou durant la première moitié du XXᵉ siècle. Elles ont été enrichies en « belles pièces » particulièrement prisées par les collectionneurs et leur intérêt scientifique est souvent limité. Cependant, A. Laville (1898), A. Dubus (1916), L. Cayeux (1971) ont laissé des indications précieuses concernant la provenance des silex taillés et H. Kelley (1954 a et b) a publié d'utiles contributions aux études techniques et typologiques des industries moustériennes.

La majeure partie des connaissances que nous avons sur les industries du Paléolithique moyen de l'Ouest du Bassin Parisien est due aux travaux de F. Bordes (1952, 1954) qui a pu réunir plusieurs séries importantes dont la provenance stratigraphique a été clairement définie. La présence de séquences de limons récents, localement bien développées lui a permis d'établir un cadre chronologique des industries du Paléolithique moyen, ce qui est plus difficile au Nord du Bassin Parisien où les lacunes sédimentaires sont plus fréquentes.

En dehors de quelques séries assez pauvres (M. Daniel et al., 1962 ; R. Daniel et A. Vinot, 1963), les découvertes récentes attribuables au Paléolithique moyen demeurent rares : Glos (G. Verron, 1973), peut-être aussi Lorrez-le-Bocage (G. Bailloud, 1969). Il convient également de signaler la présence d'une riche couche moustérienne à Verrières-le-Buisson (M. Daniel et al., 1973) et la reprise de l'étude du gisement moustérien final de Goderville (G. Verron, 1973).

II. Les industries du début Glaciaire.

A. La survivance de l'Acheuléen final de faciès levalloisien.

De la base des limons récents de Houppeville provient une série qui, par son outillage biface, appartient à la lignée acheuléenne. Les bifaces (IBess. = 6,38) sont de type micoquien, acheuléen (lancéolé, limande) ou indéterminable (1). Le débitage est nettement levallois (IL = 43,3) avec une certaine tendance laminaire (Ilam. = 23,1). L'outillage sur éclat comprend, outre de nombreux éclats levallois (IL ty réel = 44,49), un groupe moustérien assez important (II ess. = 47,87). Les racloirs sont surtout simples. Il existe aussi quelques convergents. Les autres types sont rares et représentés par un seul exemplaire : double, déjeté, sur face plane. Le groupe paléolithique supérieur (III ess. = 21,48) est particulièrement fort mais son importance est due à la présence d'abondants couteaux à dos (I Au ess. = 18,08). Comme pour la plupart des autres industries des régions loessiques, les encoches (5,31 % en ess.) et les denticulés (IV ess. = 8,51) sont assez rares.

La série rousse de Houppeville ne se différencie des industries du Moustérien de tradition acheuléenne, de type A, que par ses bifaces, exclusivement de type micoquien ou acheuléen. Elle indique la présence à la base de limons récents, d'une industrie fortement marquée de traditions acheuléennes qui, typologiquement, s'apparente à l'Acheuléen final interglaciaire et à certaines séries de l'Acheuléen supérieur (F. Bordes, 1954).

---

(1) Les indices typologiques ont été calculés d'après les décomptes publiés par les auteurs des différentes études selon la méthode statistique de F. Bordes.

---

* Equipe de recherche associée au C.N.R.S. nᵒ 423, Musée des Antiquités Nationales, 78100 Saint-Germain-en-Laye (France).

B. LE MOUSTÉRIEN DE TRADITION ACHEULÉENNE, DE TYPE A, DE FACIÈS LEVALLOISIEN.

La présence du M.T.A. est attestée, en de multiples endroits, par la découverte de pièces caractéristiques de cette industrie (bifaces asymétriques, taillés sur des éclats, triangulaires ou cordiformes), notamment à Mesnil-Esnard, Saint-Jacques-sur-Darnetal, Mont-Saint-Aignan, Bihorel, Le Havre, Glos, Le Tillet, L'Hay-les-Roses. Mais, dans la partie occidentale du Bassin Parisien, il existe peu de séries permettant de saisir les caractéristiques du M.T.A., de type A. Elles sont souvent trop pauvres ou résultent d'achats à des ouvriers ou de ramassages partiels dans des briqueteries.

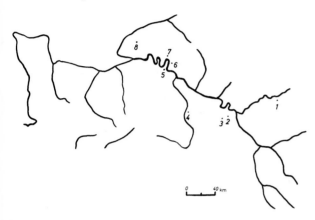

FIG. 1. — Carte de localisation des principaux gisements du Paléolithique moyen de la région parisienne et de Normandie.
1. Le Tillet; 2. Villejuif (Bervialle I); 3. Verrières-le-Buisson; 4. Evreux; 5. Oissel; 6. Mesnil-Esnard; 7. Houppeville; 8. Goderville.

Au Tillet, la série café au lait (F. Bordes, 1954) est conservée à la base d'une couverture limoneuse würmienne assez pauvre. Les bifaces de type moustérien (63,7 %) dominent les types acheuléens (16,5 %) : lancéolé, cordiforme allongé, limande. L'outillage retouché sur éclat est peu abondant par rapport aux éclats levallois. Il offre les caractéristiques de la plupart des séries du M.T.A. des régions loessiques : importance du groupe moustérien aux nombreux racloirs, nombreux outils de type paléolithique supérieur dont des couteaux à dos, faiblesse des denticulés et des encoches.

A. Glos (G. Verron, 1973), un cailloutis enrobé dans un limon colluvié situé sous un limon attribué au Würm ancien, a livré de l'industrie. C'est de ce niveau que doit provenir une petite série comprenant un biface cordiforme, un subtriangulaire, quelques éclats, lames et pointes levallois, ainsi que quelques outils retouchés.

C. LE MOUSTÉRIEN TYPIQUE DE FACIÈS LEVALLOISIEN.

La carrière Rucquier, à Oissel, a livré à la base des limons récents, sur un limon rougeâtre résultant probablement d'un remaniement du sol interglaciaire, une importante série de 506 outils (F. Bordes, 1954). Un seul biface, de type subtriangulaire, est présent.

Le très grand nombre des pièces à débitage levallois (IL = 80,8) et des éclats levallois (ILty réel = 61,9) semble indiquer un tri, peut-être par les moustériens. Les racloirs sont modérément représentés (IR ess. = 32,51), assez variés, mais les racloirs simples dominent nettement. Le groupe paléolithique supérieur est assez faible (III ess. = 9,85), guère plus important que celui des denticulés (IV ess. = 8,86) ou des encoches (7,78 % en ess.).

Cette série conserve des éléments marquant une certaine influence acheuléenne ou moustérienne de tradition acheuléenne, avec la présence d'un biface et de couteaux à dos (I Au ess. = 7,38) qui représente les trois quarts des outils de type paléolithique supérieur. Une exceptionnelle richesse en pointes levallois retouchées (15,27 % en ess.) confère à la série claire de Oissel-Rucquier une certaine originalité.

C'est peut-être à une industrie similaire qu'il convient de rattacher la petite série des Gros Monts que les auteurs pensent pouvoir attribuer au M.T.A. malgré l'absence des bifaces (M. Daniel et al., 1962).

D. LE MOUSTÉRIEN À DENTICULÉS DE FACIÈS LEVALLOISIEN.

Une série trouvée dans la carrière d'Evreux II, sous un complexe de limons du Début Glaciaire, diffère nettement des autres industries connues dans l'Ouest du Bassin Parisien. Cette série présente la particularité de posséder, en dehors d'abondants éclats levallois (IL ty réel = 55,6), une très forte proportion d'encoches (43,2 % en ess.) et de denticulés (IV ess. = 32,8). Malgré la pauvreté de l'outillage sur éclat retouché, il semble bien qu'une industrie moustérienne à denticulés de faciès levalloisien, soit présente à Evreux II (F. Bordes, 1954).

Les industries conservées à la base des limons récents dans l'W du Bassin Parisien ne se différencient entre elles que par l'absence ou la répartition des types de bifaces. Ceux-ci comprennent encore ou exclusivement des types acheuléens ou micoquiens. L'outillage sur éclat possède des caractéristiques communes :
— faciès levalloisien,
— pourcentage assez important des racloirs,
— outils de type paléolithique supérieur assez nombreux mais comprenant surtout des couteaux à dos,
— pauvreté des encoches et des denticulés, sauf à Evreux II.
Ces industries donnent l'impression d'être marquées à des degrés divers, par un substrat acheuléen.

III. Les industries du Pléniglaciaire inférieur.

Le cailloutis situé au-dessus des formations du début de la dernière glaciation, sous les limons du Pléniglaciaire moyen (loess récent II de F. Bordes), recèle des industries moustériennes connues par quelques bonnes séries comme celles de Bervialle I et de Houppeville (série claire) (F. Bordes, 1954). L'industrie de la couche 2 de Verrières doit également remonter à la même période (M. Daniel et al., 1973).

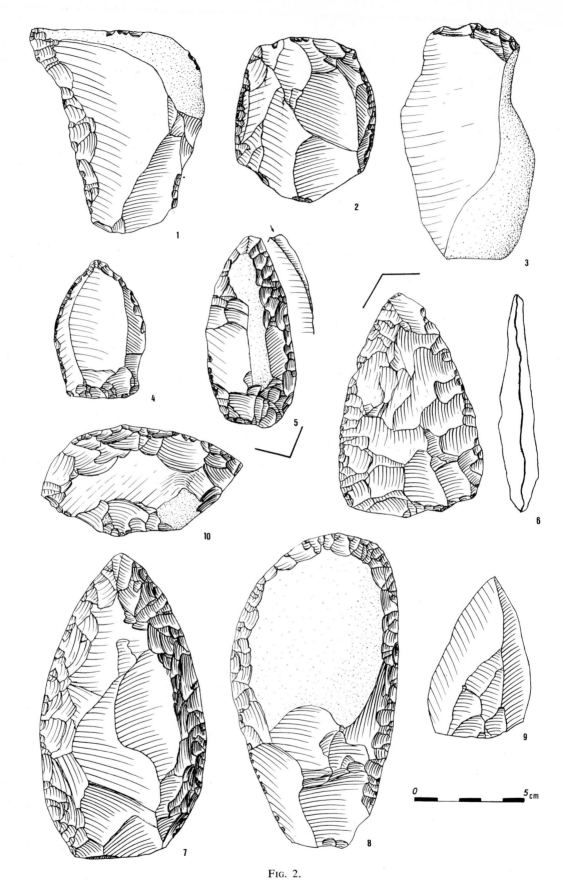

Fig. 2.

Acheuléen final, outillage sur éclat : 1 à 5. Houppeville, série rousse; (1. Racloir simple; 2. Racloir double; 3. Grattoir;
4. Racloir convergent; 5. Burin); 6 à 9. Moustérien de tradition acheuléenne : (6. Biface triangulaire, Saint-Jacques-sur-Darnétal;
7. Racloir convergent, Le Tillet; 8. Grattoir, Bihorel; 9. Pointe levallois, Bihorel). *D'après F. Bordes.*

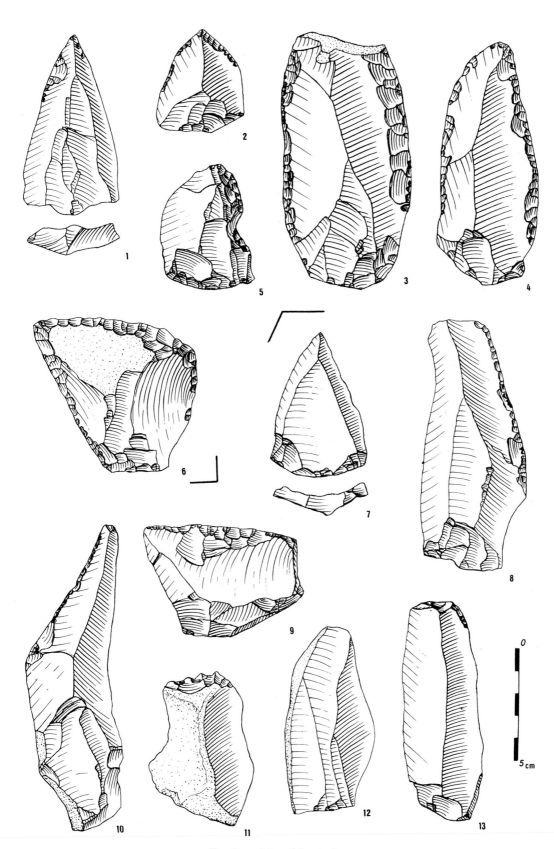

Fig. 3. — Moustérien typique.

1 à 6. Oissel (1 et 2. Pointes levallois retouchées; 3 et 4. Racloirs doubles; 5. Encoche; 6. Racloir déjeté); 7 à 13. Houppeville (7. pointe levallois; 8. Racloir simple; 9. Racloir transversal; 10. Couteau à dos retouché; 11. Denticulé; 12. Couteau à dos naturel; 13. Grattoir). *D'après F. Bordes.*

A Houppeville, la série claire (423 outils) ne possède aucun biface. Les éclats levallois sont nombreux (IL ty réel = 57,7) et le débitage est nettement levallois (IL = 52,2). L'outillage sur éclat est très diversifié, avec un pourcentage moyen de racloirs (IR ess. = 25,47), des pointes pseudo-levallois (6,36 % en ess.), quelques pointes moustériennes et pointes levallois retouchées, des denticulés (15,28 % en ess.) et des encoches (12,10 % en ess.). Comme pour les industries antérieures, l'importance des outils de type paléolithique supérieur est surtout due à la présence des couteaux à dos (I Au ess. = 13,37).

A Bervialle I, par contre, les couteaux à dos sont rares et l'importance relative des groupes d'outils est sensiblement différente avec un plus grand nombre de racloirs (IR ess. = 32,95), de pointes pseudo-levallois (10,22 % en ess.). Les encoches (13,63 % en ess.) et les denticulés (IV ess. = 11,36) ne sont pas rares.

L'industrie de Verrières-le-Buisson n'est guère comparable aux séries précédentes. Cependant, son aspect évolué rend probable son appartenance à une phase assez tardive du Moustérien. Le débitage levallois est un peu moins affirmé (IL = 37,6) et les éclats levallois ne dominent pas le reste de l'outillage (IL ty réel = 37,67). Cette série est marquée par l'importance des outils de type paléolithique supérieur qui, en décompte essentiel, représentent près du tiers de l'outillage. Ils comprennent des burins de bonne facture, en pourcentage exceptionnellement élevé (9,5 % en ess.), de très nombreux éclats tronqués (11,36 % en ess.), de bons perçoirs, grattoirs, et seulement quelques rares couteaux à dos (I Au ess. = 1,16). Parmi les racloirs

(22,96 % en ess.), les simples sont moins nombreux que dans la plupart des autres séries du Bassin Parisien, mais les convergents et les racloirs à retouche abrupte sont bien développés. Le pourcentage des denticulés est très faible (IV ess. = 5,56) par rapport à celui des encoches (24,12 % en ess.). La série de la couche 2 possède aussi de nombreuses pointes retouchées sur lame ou pointe levallois. Certaines s'apparentent à des pointes moustériennes ou à des racloirs convergents très élancés.

Les séries de Houppeville et de Bervialle I appartiennent au Moustérien typique de faciès levalloisien. A Bervialle I, les couteaux à dos sont nettement moins nombreux qu'à la base des limons récents. Ce caractère s'accentue à Verrières-Le-Buisson, dans la mesure où le Moustérien de ce gisement est bien contemporain de ceux de Houppeville et de Bervialle I. L'industrie de la couche 2 de Verrières, par l'abondance de ses burins et de ses éclats tronqués, semble déjà proche du Paléolithique supérieur. La richesse et la variété de son outillage ne permettent pas de le comparer au Moustérien à denticulés malgré une certaine richesse en encoches.

IV. Le Moustérien final.

La briqueterie de Goderville a fourni, à F. Bordes (1954), de l'industrie à un niveau très élevé dans la séquence des limons récents. Les silex taillés proviennent d'un limon brun granuleux, recouvert par une couche composée d'un niveau sableux et d'un limon brunâtre. Au-dessus, se trouve un limon lité. Ce complexe correspondrait au loess récent III de F. Bordes (Pléniglaciaire supérieur). Des niveaux des loess récents I et II sont observables au-dessus du sol interglaciaire. L'industrie lithique se situerait donc à la base du loess récent III.

Cette interprétation revêt une grande importance car les industries recueillies peuvent ainsi appartenir à un stade final du Moustérien ou à un Paléolithique supérieur ancien.

J. de Heinzelin (1961) situe plus haut dans la coupe le bilan sédimentaire du Pléniglaciaire supérieur. Les limons lités correspondraient au loess récent II avec, à sa base, les silex taillés.

Récemment, l'étude du gisement a été reprise par G. Fosse, J.-P. Lautridou et G. Verron (G. Verron, 1973). Malheureusement, les coupes actuellement observables ne sont pas situées dans le même secteur que celles levées par F. Bordes. J.-P. Lautridou a pu reconnaître, probablement au niveau du limon 3 de F. Bordes, le niveau de Kesselt. Dans la moitié nord de la France, ce niveau d'érosion est sous-jacent au limon de couverture du Pléniglaciaire supérieur. En-dessous, la partie sommitale du limon 6 recèlant l'industrie lithique, correspondrait au Sol de Kesselt.

Des silex taillés ont été découverts quelques dizaines de centimètres sous le sol de Kesselt.

Ces nouvelles recherches confirment que l'industrie peut appartenir à une phase très tardive du Paléolithique moyen.

L'état physique du matériel a permis à F. Bordes

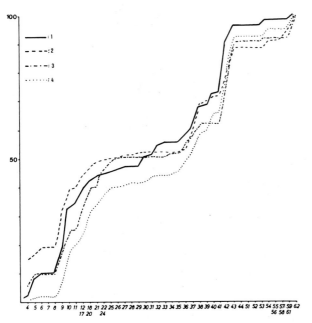

FIG. 4. — Graphiques cumulatifs essentiels de quelques industries du Paléolithique moyen de l'Ouest du Bassin Parisien et de Picardie.
1. Saint-Just-en-Chaussée, Atelier Kelley; 2. Oissel, Moustérien de tradition acheuléenne; 3. Le Tillet, série café au lait; 4. Catigny. *D'après F. Bordes et A. Tuffreau.*

Stratigraphie des limons, d'après F. Bordes et J.P. Lautridou (A : zone séquanienne; B. zone occidentale; Normandie), *et position des industries,* d'après F . Bordes.

Datations B.P.	Stratigraphie des limons				Industries
	Bordes		Lautridou		Bordes
			A	B	
30 000	Würm IIIa	loess récent IIIa	loess 1	limon à doublets	Moustérien final (Goderville)
		cailloutis	Kesselt ou cailloutis	Kesselt	
	Interstade II/III	colluvions ? lehmification			
40 000	Würm II	Loess récent II	loess oxydé	limon à doublets	
			Pléniglaciaire		
50 000			inférieur	nassboden	
		fort cailloutis			Moustérien typique (Houppeville, Bervialle I)
60 000 ?	Interstade I/II	colluvion lehmification	cailloutis	cailloutis	
70 000 ?	Würm Ib	loess récent Ib cailloutis loess récent Ia paléosol cailloutis	niveau humifère niveau humifère niveau humifère niveau humifère cailloutis	solifluxion cailloutis	Moustérien à denticulés M.T.A. de type A (le Tillet, série café au lait) Moustérien typique (Oissel)
	Würm Ia				
	Riss-Würm	limon fendillé	Elbeuf I		Acheuléen final (Houppeville, série rousse)

de distinguer deux séries : une série mate qui appartient déjà au Paléolithique supérieur et une série lustrée du Moustérien final. La série lustrée possède un débitage levallois et les éclats et lames levallois sont plus nombreux que les outils retouchés. Ceux-ci comprennent de très nombreux couteaux à dos (I Au ess. = 33,60), peu d'encoches (8,80 % en ess.) et de denticulés (IV ess. = 6,60). Les racloirs sont assez faiblement représentés (IR ess. = 17,60). La série lustrée possède aussi quelques grattoirs, burins et bifaces.

V. Conclusion.

A la base des limons récents, il existe des industries relativement variées : Acheuléen final, Moustérien de tradition acheuléenne de type A, Moustérien typique, Moustérien à denticulés. Elles présentent toutes un faciès levalloisien et sont toutes plus ou moins marquées par des caractères rappelant l'Acheuléen supérieur : bifaces de type lancéolé ou micoquien, couteaux à dos.

Les séries plus récentes sont moins nombreuses et il est difficile de suivre avec précision l'évolution du Paléolithique moyen. Le Moustérien typique possède un pourcentage variable de grattoirs, burins, éclats tronqués. Parfois sa richesse en outils de ce type semble annoncer le Paléolithique supérieur. Mais c'est une industrie du Moustérien final, apparenté au M.T.A. de type B, qui paraît la plus proche du Paléolitique supérieur.

Bibliographie

[1] BAILLOUD G. (1969). — Informations archéologiques. Circonscription de la Région Parisienne. *Gallia-Préhistoire,* t. XII, p. 361-399, 46 fig.

[2] BORDES F. (1952). — Stratigraphie du loess et évolution des industries paléolithiques dans l'Ouest du bassin de Paris. *L'Anthropologie,* t. LVI, p. 1-39, 8 fig. et p. 405-452, 28 fig.

[3] BORDES F. (1954). — Les limons quaternaires du bassin de la Seine. *Archives de l'Institut de Paléontologie humaine,* mémoire n° 26, 472 p., 175 fig., 34 tabl., 1 carte h.-t.

[4] BORDES F. (1963). — Le loess de Goderville (Seine-Maritime) et la stratigraphie du Quaternaire récent. *Bulletin de la Société géologique de France,* 7ᵉ série, t. V, p. 443-445.

[5] CAYEUX L. (1971). — Les industries paléolithiques de la forêt de Montgeon (Le Havre). *Bulletin de la société normande d'archéologie préhistorique et historique,* t. XL, fasc. 2, p. 63-113, 20 pl.

[6] DANIEL M. et R., BONIFAY E. (1962). — La station moustérienne des Gros Monts (Nemours, Seine-et-Marne). *L'Anthropologie,* t. LXVI, p. 255-261, 3 fig.

[7] DANIEL M. et R., DEGROS J. et VINOT A. (1973). — Les gisements préhistoriques du Bois de Verrières-le-Buisson (Essonne). I. Le site paléolithique du Terrier. *Gallia-Préhistoire,* t. XVI, p. 63-103, 13 fig.

[8] DANIEL R. et VINOT A. (1963). — Moustérien du limon loessique de l'Hay-les-Roses (Seine) *Bulletin de la société préhistorique française,* t. LX, p. 291-298, 3 fig.

[9] DELPORTE H. (1968). — Le passage du Moustérien au Paléolithique supérieur. *L'Homme de Cro-Magnon*, p. 129-139, 3 fig.

[10] GIRARD M. et TAMAIN G. (1964). — Les loess des « Hautes Bruyères », Villejuif (Seine). Palynologie et Géologie. *Bulletin de la société préhistorique française*, t. LXI, p. 261-270, 3 fig.

[11] GIRAUD E. (1942). — L'industrie moustérienne de Villejuif (Seine). Fort des Hautes Bruyères. *Bulletin de la société préhistorique française*, t. XLVI, p. 220-227, 6 fig.

[12] HEINZELIN J. DE (1961). — Révision du gisement de Goderville (Seine-Maritime, France). *Bulletin de l'Académie royale de Belgique, Classe des Sciences*, p. 1053-1068.

[13] KELLEY H. (1954 a). — Contribution à l'étude de la technique de la taille levalloisienne. *Bulletin de la société préhistorique française*, t. LI, p. 149-169, 13 fig.

[14] KELLEY H. (1954 b). — Burins levalloisiens. *Bulletin de la société préhistorique française*, t. LI, p. 419-428, 6 fig.

[15] LAUTRIDOU J.P. (1973). — Les loess du Würm dans la moitié nord de la France. *Le Quaternaire, Géodynamique, Stratigraphie et Environnement*, IXe Congrès Inqua, Christchurch, p. 68-73, 1 fig., 1 tabl.

[16] LAVILLE A. (1898). — Etude sur les limons et graviers quaternaires à silex taillés de la Glacière, Bicêtre et Villejuif, suivie d'une note sur un gisement de silex taillés dans les limons de la briqueterie de Mantes-la-Ville. *L'Anthropologie*, t. IX, p. 278-297, 23 fig.

[17] VERRON G. (1973). — Informations archéologiques. Circonscription de Haute et Basse Normandie. *Gallia-Préhistoire*. t. XVI, p. 361-399, 46 fig.

Les civilisations du Paléolithique moyen
dans le Bassin de la Somme et en Picardie

par

Alain Tuffreau *

Résumé. En Picardie, le Paléolithique moyen est connu par de nombreux gisements conservés le plus souvent à la base des limons récents. Les industries représentées, généralement de faciès levalloisien, appartiennent à l'Acheuléen final, au Moustérien de tradition acheuléenne ou de Moustérien typique.

Abstract. In Picardy, the Middle Palaeolithic is well known from numerous sites, more often in the base of the recent loams. These industries, generally of Levalloisian facies, belong to the Mousterian of Acheulian Tradition, and to the Typical Mousterian.

I. Introduction.

En Picardie, l'exploitation de la couverture limoneuse par d'abondantes carrières a permis la découverte dès le siècle dernier (J. Pilloy, 1875) de nombreux gisements du Paléolithique moyen. Pour le bassin de la Somme, la plupart d'entre eux furent décrits dans leur cadre stratigraphique par V. Commont (1913), dont les observations gardent tout leur intérêt. Plus au S, dans le Nord du Bassin Parisien, les recherches de F. Bordes, P. Fitte et H. Kelley permirent de réunir d'intéressantes séries. Dans l'E de la Picardie, malgré quelques découvertes récentes, le Paléolithique moyen demeure moins bien connu

II. Position stratigraphique des industries.

En dehors de certaines pièces des nappes alluviales, dans la vallée de l'Aisne, notamment, qui sont parfois attribuables au Paléolithique moyen (H. Jouillé et H. Kelley, 1961 ; J. Debord, 1972), la plupart des séries sont conservées dans des séquences limoneuses.

Elles peuvent provenir d'un cailloutis remaniant la partie supérieure du sol interglaciaire éémien (Acheuléen final de Saint-Acheul, V. Commont, 1913, d'Allonne, F. Bordes et P. Fitte, 1949 ; Moustérien de tradition acheuléenne de Roisel, V. Commont, 1913, de Marle, M. Jamagne et C. Mathieu, 1971). Ce cailloutis est parfois recouvert, comme à Saint-Acheul, par un horizon humifère, correspondant au limon gris de Ladrière (1890), qui a livré du Moustérien de tradition acheuléenne (niveau supérieur de Roisel) ou du Moustérien typique (cailloutis C1 de la carrière Bultel-Tellier à Saint-Acheul). La briqueterie de Saint-Just-en-Chaussée a conservé localement une stratigraphie exceptionnelle, du Début Glaciaire, avec la présence de deux horizons humifères (coupe inédite de H. Kelley, A. Tuffreau, 1974). Le « niveau humifère supérieur » a livré un Moustérien de tradition acheuléenne (F. Bordes,

1954) et le niveau inférieur, fouillé par H. Kelley, récelait un atelier du Moustérien typique (A. Tuffreau, 1974).

Aucune industrie moustérienne n'est connue dans les formations du Pléniglaciaire moyen, si ce n'est l'industrie du cailloutis C de la moyenne terrasse de Saint-Acheul (V. Commont, 1913), qui pourrait appartenir à un Moustérien final, peut-être comparable à celui de Goderville (F. Bordes, 1954). Parfois, comme à Catigny (V. Commont, 1916 ; A. Tuffreau, 1974 a), ou à Ronchères (R. Parent et M. Savy, 1963), la pauvreté de la couverture limoneuse ne permet pas de situer l'industrie dans le cadre stratigraphique des limons récents.

III. L'Acheuléen final.

Un cailloutis affectant le sol interglaciaire éémien et recouvert lui-même par un limon argileux provenant d'un remaniement du sol interglaciaire a livré, à Allonne, de nombreux bifaces élancés de type acheuléen ou micoquien. Certaines de ces pièces présentent la particularité d'avoir été taillées au percuteur dur alors que dès l'Acheuléen supérieur les bifaces sont le plus souvent taillés au percuteur tendre. Cette industrie pourrait remonter au tout début de la dernière glaciation ou à un épisode climatique relativement froid de l'interglaciaire éémien (F. Bordes et P. Fitte, 1949 ; F. Bordes, 1954). Elle marque la survivance des industries acheuléennes jusqu'à l'apparition des industries moustériennes.

IV. Le Moustérien de tradition acheuléenne.

En dehors de nombreuses trouvailles isolées de bifaces à section asymétrique, cordiformes ou triangulaires (V. Commont, 1913 ; G. Lobjois, 1960), cette industrie est représentée par plusieurs séries de qualité variable.

* Equipe de recherche associée au C.N.R.S. n° 423, Musée des Antiquités Nationales, 78100 Saint-Germain-en-Laye (France.)

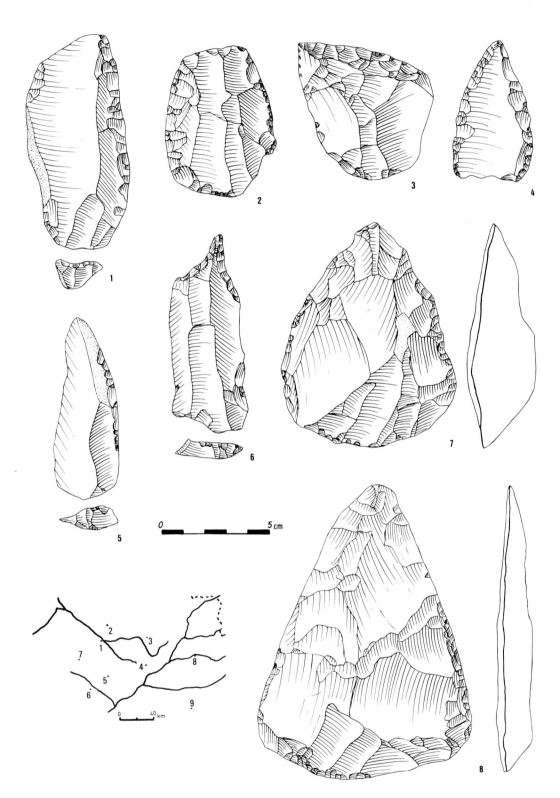

FIG. 1. — Catigny, Moustérien de tradition acheuléenne.
1. Racloir simple; 2. Racloir double; 3. Racloir transversal; 4. Racloir convergent; 5. Couteau à dos; 6. Perçoir; 7. Biface subtriangulaire; 8. Biface triangulaire.
En bas, à gauche, carte de localisation des principaux gisements du Paléolithique moyen de Picardie.
1. Saint-Acheul; 2. Villers-Bocage; 3. Roisel; 4. Catigny; 5. Saint-Just-en-Chaussée; 6. Allonne; 7. Marlers; 8. Marle; 9. Ronchères.

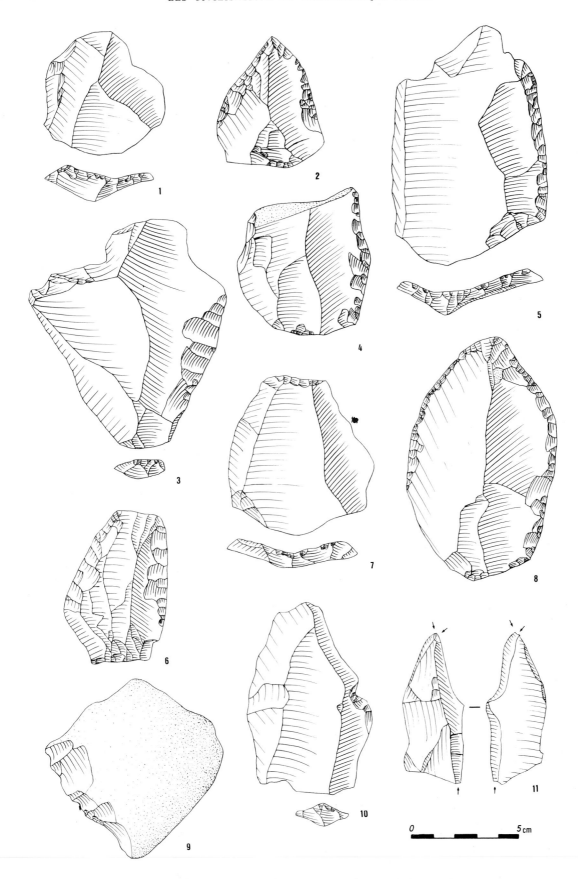

FIG. 2. — Saint-Just-en-Chaussée, « Atelier Kelley », Moustérien typique.
1. Eclat levallois 2. Pointe Moustérienne; 3, 4 et 5. Racloirs simples; 6. Racloir double; 7. Eclat tronqué; 8. Racloir convergent; 9. Denticulé; 10. Encoche; 11. Burin.

Position stratigraphique des industries du Paléolithique moyen dans le Nord de la France et en Picardie.

Datations B.P.	Stratigraphie				Industries
	Bordes Bassin Parisien		Somme région loessique orientale du Nord de la France		Bordes Tuffreau
30 000	Würm IIIa	loess récent IIIa cailloutis	Pléniglaciaire supérieur	cailloutis et petites fentes de gel	
				sol cryoturbé (Kesselt)	
	Interstade II/III	colluvions ? lehmification	Pléniglaciaire moyen	loess lité zone tachetée	
40 000	Würm II	Loess récent II		formations limoneuses litées	
50 000				zone tachetée	Moustérien typique (Corbehem)
		fort cailloutis	Pléniglaciaire inférieur	grandes fentes de gel cailloutis	Moustérien de tradition acheuléenne de type B (Hamel)
60 000 ?	Interstade I/II	colluvion lehmification	Début Glaciaire		
	Würm Ib	loess récent Ib cailloutis		niveau humifère (limon gris de Ladrière)	Moustérien de tradition acheuléenne de type A (Marcoing, Saint-Just-en-Chaussée)
70 000 ?	Würm Ia	loess récent Ia paléosol cailloutis		limon cailloutis	Moustérien typique (Saint-Just-en-Chaussée) Acheuléen final (Allonne)
	Riss-Würm	limon fendillé	Interglaciaire éemien	limon fendillé (sol de Rocourt)	

A Marle, plusieurs séries moustériennes de tradition acheuléenne, ont été découvertes à la base des limons récents (M. Jamagne et C. Mathieu, 1971). Par contre, à Ronchères (R. Parent et M. Savy, 1963), à Roisel (V. Commont, 1913), à Saint-Just-en-Chaussée (F. Bordes, 1954), les industries paraissent homogènes. Toutefois, dans ce dernier gisement, le M.T.A. a été quelque peu enrichi en « belles pièces » par les conditions de récolte. Toutes ces séries présentent des caractéristiques communes au M.T.A., de type A, des régions loessiques : pourcentage variable de bifaces avec prédominance des formes moustériennes, faciès levalloisien, outillage retouché typologiquement varié.

La meilleure série moustérienne de tradition acheuléenne est certainement celle qui a été recueillie à Catigny (A. Tuffreau, 1974 a et b), par J.C. Blanchet et A. Prévost, dans le gisement publié par V. Commont (1916). Le débitage levallois est important (IL = 47,6) et les éclats levallois non retouchés, généralement débités à partir de grands nucleus, sont nombreux (ILty réel = 40,7). En décompte essentiel, cette série se caractérise par la présence d'assez nombreux racloirs (IR ess. = 39,45), typologiquement variés, et de bons outils de type paléolithique supérieur (III ess. = 17). Le pourcentage de denticulés, assez faible (IV ess = 8,84), est nettement moins important que celui des encoches (17,68 % en ess.) (fig. 1).

Les bifaces (IB ess. = 16) comprennent une majorité de formes moustériennes (64 %), qui dominent les types acheuléens (32 %) et micoquiens (4 %). Tous les bifaces de type moustérien ont été taillés sur des éclats et offrent une section asymétrique. Certains d'entre eux présentent un méplat ce qui semble être l'une des caractéristiques stylistiques de l'industrie de Catigny.

Sur les lambeaux tertiaires, à faible couverture limoneuse, les industries possèdent un outillage de petites dimensions, notamment en ce qui concerne les bifaces qui ne comprennent généralement pas de types triangulaires. Il en est ainsi le cas pour les stations de Villers-Bocage (R. Agache, 1958) et de Guillaucourt dont les industries sont probablement à rattacher au M.T.A.

V. Le Moustérien typique.

En Picardie, le Moustérien typique semble représenté à Marlers. Malheureusement, l'industrie de ce gisement n'est connue que par les dessins de V. Commont (1913).

La seule série importante pour laquelle on possède des indications statistiques est celle de l'« Atelier » fouillé par H. Kelley à Saint-Just-en-Chaussée dans le paléosol inférieur de la base des limons récents (A. Tuffreau, 1974 b). La série, qui possède 3 586 pièces dont 1 126 outils et 237 nucleus, présente un débitage nettement levallois (IL = 30,98). Plusieurs remontages d'éclats levallois sur leur nucleus purent être tentés (H. Kelley, 1954 a). Les éclats levallois représentent près des 4/5 de l'outillage (ILty réel = 78,95). En décompte essentiel, l'outillage ne comprend plus que 182 pièces. Le groupe moustérien est important (II ess = 43,40) avec des racloirs assez nombreux (IR ess = 35,16), surtout des simples. Le groupe paléolithique supérieur, très important, se compose notamment de burins (H. Kelley, 1954 b), de grattoirs et de couteaux à dos (I Au ess. = 5,50). Les denticulés sont rares, nettement dominés par les encoches (19,78 % en ess.) (fig. 2).

Il est probable que la série remaniée et quelque peu concassée de Laigny s'apparente au Moustérien typique et non au Moustérien à denticulés (C. Mathieu, 1972).

VI. Conclusion.

Le Paléolithique moyen de Picardie, comme celui du Nord de la France (A. Tuffreau, 1974) et du Bassin Parisien (F. Bordes, 1954), présente généralement un net faciès levalloisien. Il apparaît marqué de traditions acheuléennes présentes non seulement dans le Moustérien de tradition acheuléenne, mais aussi dans le Moustérien typique, riche en couteaux à dos. Mais il possède aussi des caractères qui annoncent le Paléolithique supérieur avec la présence, en nombre relativement important, de burins, grattoirs et éclats tronqués. L'évolution du Paléolithique moyen dans cette région ne pourra être précisé que par la découverte d'une ou de plusieurs séries de Moustérien final.

Bibliographie

[1] AGACHE R. (1958). — Polyèdres subsphériques du Levalloisien de Villers-Bocage et du Nord de la France. *Bulletin de la société préhistorique française*, t. LV, p. 216-219, 1 fig.

[2] BORDES F. (1954). — Les limons quaternaires du bassin de la Seine. *Archives de l'Institut de Paléontologie humaine*, mémoire n° 26, 472 p., 175 fig., 34 tabl., 1 carte h.-t.

[3] BORDES F. et FITTE P. (1949). — Contribution à l'étude des limons et de leurs industries primitives. La briqueterie d'Allonne (Oise). *Bulletin de la société préhistorique française*, t. XLVI, p. 52-63, 6 fig.

[4] COMMONT V. (1909). — L'industrie moustérienne dans le Nord de la France. *Congrès préhistorique de France*, Beauvais, p. 115-157, 34 fig.

[5] COMMONT V. (1913). — Les hommes contemporains du Renne dans la vallée de la Somme. *Mémoires de la société des antiquaires de Picardie*, XXXVII, extr., 438 p., 154 fig., 1 carte h.-t.

[6] COMMONT V. (1916). — Les terrains quaternaires des tranchées du nouveau Canal du Nord. *L'Anthropologie*, t. XXVII, p. 309-350 et p. 517-538, 38 fig.

[7] DEBORD J. (1972). — Le Paléolithique ancien et moyen de la vallée de l'Aisne. Note n° 4 : le Levalloiso-Moustérien. *Cahiers d'archéologie du Nord-Est*, t. XV, p. 61-82, 21 fig. h.-t.

[8] JAMAGNE M. et MATHIEU C. (1971). — Contribution à l'étude de la stratigraphie des loess dans le NE du bassin de Paris. Quelques observations dans le Marletois. *Bulletin de l'association française pour l'étude du Quaternaire*, t. VIII, p. 209-233, 7 fig., 2 pl.

[9] JOULLIE H. et KELLEY H. (1961). — Recherches récentes sur le Paléolithique de la région de Vailly-sur-Aisne. *Bulletin de la société préhistorique française*, t. LVIII, p. 440-449, 5 fig.

[10] KELLEY H. (1954 a). — Contribution à l'étude de la technique de la taille levalloisienne. *Bulletin de la société préhistorique française*, t. LI, p. 149-169, 13 fig.

[11] KELLEY H. (1954 b). — Burins levalloisiens. *Bulletin de la société préhistorique française*, t. LI, p. 419-428, 6 fig.

[12] LOBJOIS G. (1960). — Répartition du Levalloiso-Moustérien de tradition acheuléenne dans le bassin inférieur de la Serre. *Travaux de l'Institut d'Art préhistorique*, Université de Toulouse, III, p. 63-77, 5 fig.

[13] MATHIEU C. (1972). — Contribution à l'étude du Paléolithique moyen en Thiérache et en Marletois. Un gisement moustérien à denticulés à Laigny (Aisne). *L'Anthropologie*, t. LXXVI, p. 209-228, 6 fig.

[14] PARENT R. (1971 et 1972). — Le peuplement préhistorique entre la Marne et l'Aisne (du grade I au grade 1,60 Est). *Travaux de l'Institut d'Art préhistorique*, Université de Toulouse - Le Mirail, XIII, 377 p. et XIV, p. 1-199, 105 fig., 35 cartes.

[15] PARENT R. et SAVY M. (1963). — Un gisement levalloiso-moustérien à Ronchères (Aisne). *Bulletin de la société préhistorique française*, t. LX, p. 205-214, 6 fig.

[16] PATTE E. (1937). — Le Quaternaire de la vallée de l'Aisne. *Mémoires de la société géologique de France*, nouvelle série, t. XIV, fasc. 4, mémoire n° 32, 48 p., 2 pl.

[17] PILLOY J. (1875). — L'atelier quaternaire de Cologne, commune d'Hargicourt (Aisne). *Le Vermandois, Revue d'Histoire locale*, extr., 26 p., 6 fig.

[18] TUFFREAU A. (1974 a). — Contribution à l'étude du gisement moustérien de Catigny (Oise). *Cahiers archéologiques de Picardie*, p. 11-18, 5 fig.

[19] TUFFREAU A. (1974 b). — *Contribution à l'étude du Paléolithique ancien et moyen dans le Nord de la France et le bassin oriental de la Somme.* Université de Paris I, thèse de 3ᵉ cycle, 2 vol., 324 p., 77 fig. h.-t.

[20] VIGNARD E. (1957). — Les gisements levalloiso-moustériens de la tranchée du nouveau Canal du Nord à Catigny, Béhancourt, Sermaize, près de Noyon (Oise). *Bulletin de la société préhistorique française*, t. LIV, p. 606-611, 1 fig., 2 pl.

Les civilisations du Paléolithique moyen en Artois et dans le Cambrésis

par

Alain TUFFREAU *

Résumé. Dans l'Artois et le Cambrésis, les trouvailles du Paléolithique moyen sont souvent découvertes dans un limon humifère (limon gris de Ladrière), à la base des limons récents. Ces industries, qui présentent un faciès levalloisien, sont attribuables au Moustérien de tradition acheuléenne et au Moustérien typique. Pour cette dernière industrie, certaines séries possèdent de nombreux racloirs.

Abstract. The Middle Palaeolithic discoveries in Artois and Cambresis are often found in a humiferous loam "limon gris de Ladrière" in the base of the weichselian loesses. These industries, which include numerous levallois flakes, are attributed to the Mousterian of Acheulian Tradition and to the Typical Mousterian. A Typical Mousterian Industry, rich in side-scrapers has also been discovered.

I. Introduction.

Le Paléolithique moyen est représenté dans l'Artois et le Cambrésis par de nombreuses découvertes de pièces attribuables au Moustérien (R. Félix, 1968; R. Prévost, 1958) mais seules les séries recueillies au cours de fouilles ou de prospections systématiques se prêtent à des études statistiques. Ces industries moustériennes sont surtout abondantes sur les lambeaux tertiaires dominant les vallées du bassin de l'Escaut et dans les séquences limoneuses du Bas-Artois et du Cambrésis.

Sur le littoral, en dehors de l'Abri de la Grande Chambre, à Rinxent, fouillé anciennement (E.T. Hamy, 1899), le Paléolithique moyen n'est encore attesté que par des découvertes isolées (A. Lefebvre, 1969; R. Ringot, 1965).

II. Position stratigraphique des industries.

Dans les séquences limoneuses du Bas-Artois et du Cambrésis, les industries sont conservées dans un cailloutis remaniant le limon gris de Ladrière, horizon humifère marquant le bilan sédimentaire du Début Glaciaire (J. Ladrière, 1890; J. Sommé, 1971). Mais le plus souvent, comme c'est le cas à Marcoing (J. Sommé et A. Tuffreau, 1971), il n'est pas possible de déterminer si l'industrie est contemporaine du dépôt du limon gris, de sa pédogénèse ou de son remaniement.

Les industries rencontrées au niveau du limon gris de Ladrière peuvent appartenir au Moustérien typique (Hermies; V. Commont, 1916) ou au Moustérien de tradition acheuléenne (Marcoing) (1).

(1) Pour plus de détails sur la stratigraphie du gisement de Marcoing, voir l'article de J. Sommé sur les limons du Nord de la France, dans le présent ouvrage. Les indices techniques et typologiques ont été calculés d'après la méthode statistique de F. Bordes.

Parfois, un niveau archéologique est présent dans le cailloutis sous-jacent du limon gris de Ladrière et remaniant le sol interglaciaire éémien (niveau moustérien de Bapaume). La découverte à Corbehem (fouilles A. Tuffreau) d'une industrie conservée *archéologiquement en place* à la base des limons lités du Pléniglaciaire moyen, à quelques centimètres au-dessus de l'horizon humifère du début Glaciaire, demeure exceptionnelle.

Sur les lambeaux tertiaires, en l'absence du limon gris, les industries proviennent d'un cailloutis (Pléniglaciaire inférieur) ravinant directement le sol interglaciaire éémien (Hamel, Busigny).

La faiblesse de la couverture limoneuse récente de la partie orientale du Nord de la France n'a pas encore permis de découvrir des séries moustériennes dans les formations du Pléniglaciaire moyen.

III. Le Moustérien de tradition acheuléenne.

A. Le M.T.A. de type A, de faciès levalloisien.

Les caractéristiques techniques et typologiques sont connues par la série de la Briqueterie Debus à Marcoing, qui possède un débitage levallois (IL = 37,38) et présente un faciès levalloisien (ILty = 43,78). L'outillage sur éclat comprend d'abondants racloirs aux types très variés (IR ess. = 41,48). Les outils de type paléolithique supérieur (III ess. = 13,82) sont plus nombreux que les denticulés (IV ess. = 9,57). Les bifaces très abondants (IB ess. = 31,88) sont en majorité de type moustérien, cordiformes ou triangulaires taillés sur des éclats (fig. 1).

Cette série du Début Glaciaire s'apparente aux industries du M.T.A. trouvées en position stratigraphique comparable dans le Bassin Parisien (Tillet; F. Bordes, 1954) et en Picardie (Catigny, V. Commont, 1916; A. Tuffreau, 1974).

* Equipe de Recherche associée au C.N.R.S. n° 423. Musée des Antiquités Nationales, 78100 Saint-Germain-en-Laye (France).

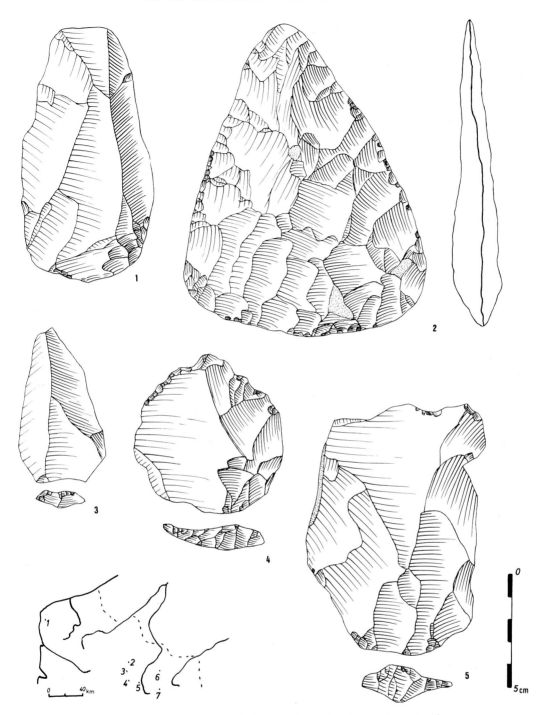

FIG. 1. — Marcoing, briqueterie Debus, Moustérien de tradition acheuléenne.
1. Eclat levallois; 2. Biface triangulaire; 3. Pointe levallois; 4. Eclat levallois retouché; 5. Eclat levallois.
En bas, à gauche, carte des principaux gisements du Paléolithique moyen de l'Artois et du Cambrésis :
1. Rinxent; 2. Corbehem; 3. Hamel; 4. Hermies; 5. Marcoing; 6. Solesmes; 7. Busigny.

B. LE M.T.A., DE TYPE B (?), DE FACIÈS LEVALLOISIEN.

La série moustérienne de Hamel (A. Tuffreau, 1972, 1974) possède plusieurs caractéristiques du M.T.A., de type B, de faciès levalloisien : nombreux éclats levallois (ILty réel = 34,14), bifaces rares et absence de triangulaires plats (IB ess. = 4,06), nombreux couteaux à dos retouché et autres outils de type paléolithique supérieur (III ess. = 15,85), fort indice laminaire (I Lam = 26,72). Les racloirs sont toutefois abondants (IR ess. = 48,37) et les denticulés rares (IV ess. = 5,38). Il faut sans doute voir dans cette série, assez comparable à la série vermiculée de Solesmes (J. Sommé, J. Vaillant et J.P. Fagnart, 1972), une industrie pouvant correspondre au « Levalloisien VI » de H. Breuil.

Le bilan sédimentaire des gisements de Hamel et de Solesmes ne permet pas de déterminer l'âge de leurs industries.

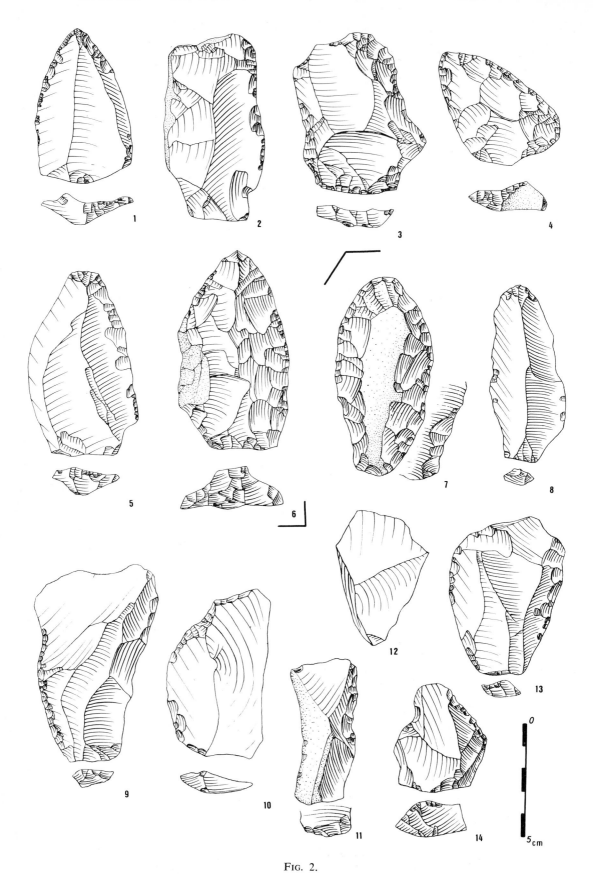

FIG. 2.

Busigny : 1 à 6, Corbehem : 7 à 14 — 1. Pointe moustérienne; 2. Racloir simple; 3. Racloir double; 4. Racloir déjeté; 5. Grattoir; 6. Racloir convergent; 7. Limace; 8. Grattoir 9. Racloir simple; 10; Couteau à dos 11. Denticulé; 12. Pointe pseudo-levallois; 13. Racloir double; 14. Denticulé et encoche.

C. LES TROUVAILLES ISOLÉES.

Le M.T.A., de type A, attesté par de nombreuses trouvailles isolées (R. Félix, 1968; R. Prévost, 1958) est également connu dans l'abri de la Grande Chambre (E.T. Hamy, 1890).

IV. Le Moustérien typique.

A. LE MOUSTÉRIEN TYPIQUE DE FACIÈS LEVALLOISIEN.

Il est bien connu par les industries de Hermies (V. Commont, 1916) et de Corbehem (fouilles A. Tuffreau) (fig. 2). Cette dernière présente un faciès levalloisien accentué (IL = 26,43; ILty réel = 67,87). L'outillage, assez diversifié, comprend notamment des racloirs en pourcentage moyen (IR ess. = 35,77), d'assez nombreuses pointes pseudo-levallois, des outils de type paléolithique supérieur moins bien développés que les denticulés (IV ess. = 14,67) ou les encoches (17,43 % en ess.). La série vermiculée de Blairville et la série blanche de Solesmes, qui appartiennent également à un Moustérien typique de faciès levalloisien, se différencient respectivement par un pourcentage plus élevé de racloirs (IR ess. = 49,46 à Blairville) et un plus grand nombre d'outils de type paléolithique supérieur (III ess. = 22,15 à Solesmes), caractéristique qui se retrouve dans certaines séries du Bassin Parisien où les couteaux à dos sont abondants (Houpeville, série claire; Atelier Kelley à Saint-Just-en-Chaussée, F. Bordes, 1954; A. Tuffreau, 1974).

B. LE MOUSTÉRIEN TYPIQUE, DE FACIÈS LEVALLOISIEN, RICHE EN RACLOIRS.

Les séries moustériennes de Bapaume (A. Tuffreau, 1974) et de Busigny (A. Tuffreau et J. Vaillant, 1974) se différencient nettement des industries du Moustérien typique du Bassin Parisien et du Nord de la France par un pourcentage exceptionnellement élevé des racloirs, en majorité simples (Bapaume : IR ess. = 54,03 ; Busigny, fouilles 1972 : IR ess. = 71,03). La rareté des retouches écailleuses ne permet pas de les attribuer aux industries charentiennes de type Ferrassie.

V. Conclusion.

Le Paléolithique moyen est représenté dans le Nord de la France par des industries moustériennes. Aucune série indubitablement attribuable à un Acheuléen final d'âge weichsélien n'a encore pu être étudiée. En raison de la faiblesse de la couverture limoneuse du Dernier Glaciaire, et de ses lacunes sédimentaires, dans la région orientale, la plus riche en industries, il est difficile de dresser un tableau chronologique du Paléolithique moyen. Hormis la découverte exceptionnelle à Corbehem, d'un niveau conservé archéologiquement en place, le Moustérien provient le plus souvent d'un cailloutis remaniant un horizon humifère du Début Glaciaire ou ravinant directement le sol interglaciaire éémien. Plusieurs industries, assez comparables à celles du Bassin Parisien ont pu être reconnues : M.T.A., de faciès levalloisien, de type A; M.T.A. de faciès levalloisien, de type B. Moustérien typique de faciès levalloisien, à pourcentage de racloirs très variable.

Bibliographie

[1] AGACHE R. (1968, 1971). — Informations archéologiques, circonscription de Nord-Picardie. *Gallia-Préhistoire*, t. XI, p. 267-309, 49 fig.; t. XIV, p. 272-310, 39 fig.
[2] BAUDET J.L. (1971). — *La Préhistoire ancienne de l'Europe septentrionale*. Paris, 257 p., 120 fig., 4 tabl.
[3] BORDES F. (1954). — Les limons quaternaires du bassin de la Seine. *Archives de l'Institut de Paléontologie humaine*, mémoire n° 26, 472 p., 175 fig., 34 tabl., 1 carte h.-t.
[4] COMMONT V. (1916). — Les terrains quaternaires des tranchées du nouveau Canal du Nord. *L'Anthropologie*, t. XXVII, p. 309-350 et p. 517-538, 38 fig.
[5] FÉLIX R. (1968). — Répertoire bibliographique des découvertes préhistoriques du département du Nord. *Mémoires de la société d'agriculture, sciences et arts de Douai*, 5ᵉ série, t. II, 119 p., 29 fig.
[6] HAMY E.T. (1899). — Le Boulonnais préhistorique. *Boulogne-sur-Mer et la région boulonnaise*, t. I, p. 3-27, 11 fig.
[7] LADRIÈRE J. (1890). — Etude stratigraphique du terarin quaternaire du Nord de la France. *Annales de la société géologique du Nord*, t. XVIII, p. 93-149 et p. 205-276, 22 fig.
[8] LEFEBVRE A. (1969). — Aperçu sur quelques gisements préhistoriques de la région côtière du Nord de la France. *Septentrion*, t. I, p. 57-67, 13 fig.
[9] PRÉVOST R. (1958). — Répertoire bibliographique des recherches préhistoriques dans le département du Pas-de-Calais. *Mémoires de la commission départementale des monuments historiques du Pas-de-Calais*, t. IX, fasc. 1, 136 p., 1 pl. h.-t., 3 cartes h.-t.
[10] RINGOT R. (1965). — Vestiges lithiques de la période finale du Paléolithique moyen en Ardrésis (Pas-de-Calais). *Bulletin de la société préhistorique française*, t. LXII, p. 70-76, 3 fig.
[11] SOMMÉ J. (1971). — Stratigraphie des limons weichséliens dans la région du Nord de la France. *Etudes sur le Quaternaire dans le monde*, VIIIᵉ Congrès Inqua, Paris, volume I, p. 549-556, 3 fig.
[12] SOMMÉ J. et TUFFREAU A. (1971). — Stratigraphie du Pléistocène récent et Moustérien de tradition acheuléenne à Marcoing (Cambrésis, Nord de la France). *Bulletin de l'association française pour l'étude du Quaternaire*, t. VIII, p. 57-74, 6 fig.
[13] SOMMÉ J. VAILLANT J. et FAGNART J.P. (1972). — Contribution à l'étude du gisement moustérien de Solesmes (Nord). *Bulletin de la société préhistorique française*, t. LXIX, p. 481-491, 8 fig.
[14] TUFFREAU A. (1972). — Les industries moustériennes du Nord de la France (Nord, Pas-de-Calais). *Septentrion*, t. II, p. 37-45, 6 fig., 1 tabl.

[15] Tuffreau A. (1974). — *Contribution à l'étude du Paléolithique ancien et moyen dans le Nord de la France et le bassin oriental de la Somme.* Université de Paris I, thèse de 3ᵉ cycle, 2 vol., 324 p., 77 fig. h.-t.

[16] Tuffreau A. et Vaillant J. (1974). — La sta-tion moustérienne de Busigny. Nouvelles recher-ches. *Bulletin de la société préhistorique fran-çaise,* t. LXXI, p. 295-305, 9 fig.

[17] Vaillant J. (1968). — Le site préhistorique des sablières de Bavay. *Mémoires de la société aca-démique d'Avesnes,* t. XXII, 19 p., 14 fig.

Les civilisations du Paléolithique moyen en Basse-Bourgogne (Yonne)

Catherine GIRARD *

Résumé. Le Paléolithique moyen est assez bien représenté dans le département de l'Yonne. Les gisements de plein air découverts au cours de prospections de surface sur les plateaux du Sénonais révèlent la présence de Moustérien typique et de tradition acheuléenne. Les grottes d'Arcy-sur-Cure qui renferment jusqu'à dix horizons de Moustérien, montrent une évolution particulière de celui-ci : de la fin du dernier interglaciare au Würm II on passe insensiblement d'un Moustérien typique à un Moustérien à Denticulés, qualifié en raison de ses caractères originaux, de Post-Moustérien.

Abstract. The Middle Paleolithic is fairly well represented in North Burgundy. The open air sites discovered on the Senonais plateau during surface survey show the presence of Typical and Acheulean Tradition Mousterian. The caves of Arcy-sur-Cure, with up to 10 Mousterian levels, show an unusual evolution of the industry. Between the end of the last interglacial and Würm II, there is a gradual change from Typical Mousterian to Denticulate Mousterian. The latter has been termed Post-Mousterian because of its uniqueness.

L'extrémité sud-est du département de l'Yonne est formée, jusqu'à Avallon, des granites du Morvan dont les croupes boisées culminent à 609 m. Situé d'abord dans le Lias puis dans le Bajocien-Bathonien jusqu'à Arcy-sur-Cure ,l'Avallonnais forme un petit pays humide. L'Auxerrois et le Tonnerrois, pays de collines (220 m à 280 m d'altitude) se trouvent dans le Jurassique. Au-delà vers le Nord, le Crétacé forme la région de Joigny; à l'Ouest, les limons tertiaires de la Puisaye sont sans pente et mal asséchés. Les terrains tertiaires formant le Sénonais sont posés sur le Crétacé qui apparaît à nu dans les vallées. Ils sont bordés à l'Est par le rebord de la falaise de l'Ile-de-France (alt. 265 m).

Le quaternaire est essentiellement, pour ces régions, la période de formation du limon des plateaux et des alluvions de rivière; ces dernières alternent avec des remplissages détritiques pour combler les grottes.

Dans les grottes les premières industries rencontrées (pré-würmiennes, peu abondantes) sont sous-jacentes à un épais dépôt de sable fin ; au-dessus, les argiles à cailloutis du Würm I et II renferment le Moustérien.

Terrasses et sablières ont fourni, en divers points du département, des bifaces ; mais il semble que ce soit sur les plateaux que les campements aient été les plus nombreux.

I. Le Moustérien de plein air.

Des trouvailles sporadiques sont signalées un peu partout dans le département de l'Yonne (fig. 1), plus souvent sur les plateaux — aux abords de dépressions ayant maintenu l'eau — que le long des rivières, mais c'est la région de Sens qui nous est le mieux connue grâce aux abondantes récoltes de surface et aux travaux écrits d'Augusta Hure (1).

(1) A. Hure (1926). — *Le Sénonais préhistorique.*

Trois types d'assemblages, d'industrie moustérienne sur silex, ont été distingués :

— Un outillage épais et peu varié, à débitage Levallois et à bifaces nombreux est attesté sur les plateaux de la rive gauche de l'Yonne par seulement quelques sites assez pauvres, situés sur les communes de Paron, de Nailly et de Marsangy. Cette industrie, attribuée à un Moustérien ancien a peut-être été distinguée trop catégoriquement de l'Acheuléen, fréquent dans la région.

Des stations de plein air beaucoup plus riches, comportant d'abondants déchets de taille et une grande variété d'outils, et témoignant ainsi d'habitats prolongés, ont fourni :

— pour certaines, un outillage moustérien classique, de taille moyenne, comprenant de nombreuses pointes (pointes Levallois retouchées, et surtout pointes moustériennes), des racloirs, des outils de type Paléolithique supérieur, des couteaux à dos et des denticulés, mais d'où les bifaces sont absents et où le débitage Levallois semble atténué (commune de Vaumort : station du Mont, commune de St-Martin-du-Tertre : station des Glaciers, 250 outils, commune de Collemiers : station de la Motte, 250 outils).

— pour les autres, une industrie légère, très évoluée semble-t-il, où les grands éclats Levallois font défaut (bien que les petits nucleï Levallois et leurs déchets abondent) et sont supplantés par des lames et lamelles, retouchées ou non, accompagnées de racloirs à belle retouche Quina, d'abondants grattoirs et perçoirs, de couteaux à dos typiques. Enfin de petits bifaces sont présents en quantité variable. Les principales stations ayant livré cette industrie sont situées sur les communes de Malay-le-Petit (Bosquet, fig. 2 ; Bocrand), Marsangy (Les Glands) et Collemiers (Les Billots).

S'il est difficile de classer le premier lot dans la nomenclature actuelle du Paléolithique moyen, il semble que l'on puisse aisément rattacher le second assemblage au Moustérien typique et le dernier à un Moustérien de tradition acheuléenne évolué

* Docteur en Préhistoire, ERA 52, Laboratoire du Professeur A. Leroi-Gourhan, Musée de l'Homme, Place du Trocadéro, 75016 Paris (France).

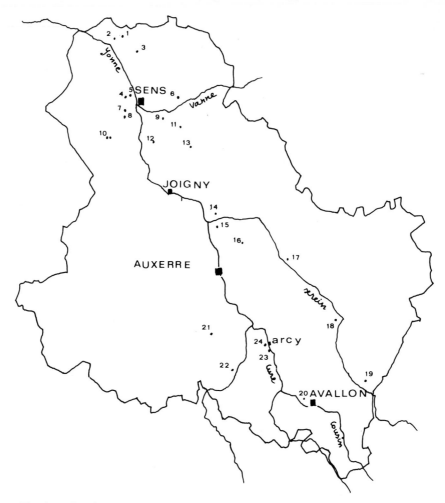

FIG. 1. — Le département de l'Yonne; principaux gisements de Paléolithique moyen.

Moustérien de plein air. 1. Courlon, bifaces isolés; 2. Vinneuf, bifaces; 3. Sergines, bifaces; 4. Nailly, outils moustériens et débitage; 5. Saint-Martin-du-Tertre, Moustérien « typique » sans bifaces; 6. Les Clérimois, quelques outils; 7. Paron, plusieurs types de Moustérien sont représentés; 8. Collemiers, Moustérien typique abondant; 9. Malay-le-Petit, Moustérien évolué, abondant; 10. Marsangis, vieux Moustérien et Moustérien évolué; 11. Vaumort, Moustérien sans bifaces; 12. Beaujard, Moustérien à bifaces et débitage abondant; 13. Dixmont, bifaces isolés; 14. Bonnart, Moustérien ancien; 15. Beaumont, id.; 16. Montigny-la-Resle, bifaces; 17. Chablis, Moustérien à bifaces; 18. Puits-de-Bon, quelques outils et un biface; 19. Guillon, Moustérien à pointes et racloirs; 20. Sauvigny-les-bois, un biface et quelques racloirs; Charentenay, outils du Paléolithique moyen. Moustérien des grottes; 22. Merry-sur-Yonne, deux niveaux de Paléolithique moyen dont un ancien; 23. Saint-Moré; 24. Arcy-sur-Cure.

(d'où certains caractères aurignaciens ne sont pas absents à moins que des mélanges ne se soient produits ?).

II. Le Moustérien des abris et des grottes.

C'est à la limite entre l'Avallonnais et l'Auxerrois que se trouvent les célèbres massifs calcaires (Rauracien de faciès récifal) de Saint-Moré et d'Arcy-sur-Cure, massifs dans lesquels la Cure a creusé une multitude de grottes dont plus d'une dizaine ont été habitées — en alternance avec l'hyène, l'ours et le loup — par les hommes du Paléolithique moyen.

La richesse de ces grottes provoqua de premières fouilles dès 1853. A la suite du Marquis de Vibraye, l'abbé Parat entreprit — de 1898 à 1930 — l'exploration de la majorité des grottes de la région, nous laissant de minutieuses descriptions et de clairvoyantes stratigraphies. Grâce à ses travaux et à ceux que le Professeur Leroi-Gourhan poursuivit de 1949 à

1963 dans ces mêmes lieux, les grottes de la vallée de la Cure sont les mieux connues (2).

Si quelques grottes du massif de Saint-Moré ont livré des vestiges du Paléolithique moyen dans des éboulis calcaires enrobés d'argile (grotte des Blaireaux, quelques racloirs en silex et de rares chailles ; grotte du Mammouth, un niveau à bifaces et rhinocéros surmonté d'un niveau à pointes du Moustier), ce sont toutefois celles du massif d'Arcy-sur-Cure qui ont été les plus fréquentées. On rencontre en effet le Moustérien à l'entrée de la grotte du Cheval (quelques outils sont accompagnés du mammouth, du castor, de l'ours et de l'hyène), dans la grotte du Trilobite, dans la grotte de l'Ours (un niveau renferme quelques bifaces, des pointes moustériennes et quelques burins et perçoirs en chaille), dans la grotte des Fées (dans des alluvions au-dessus d'un ossuaire d'ours).

(2) Une vieille industrie moustérienne a cependant été rencontrée par l'abbé Parat dans la vallée de l'Yonne (grotte de la Roche-au-Loup, Merry-sur-Yonne).

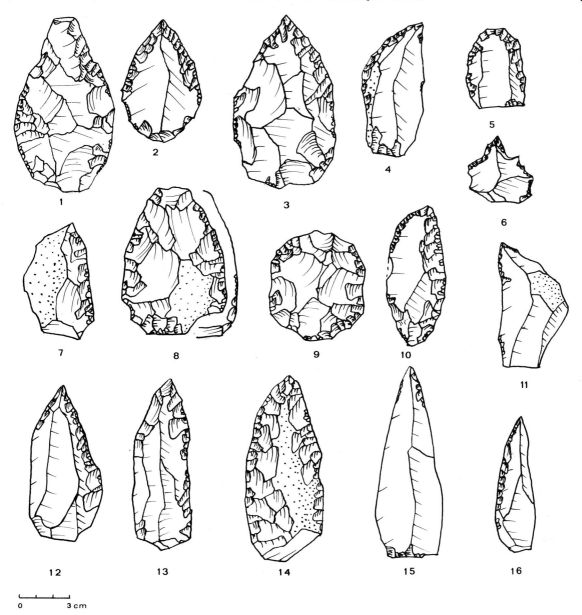

0   3 cm

FIG. 2. — Le Moustérien de plein air du Sénonais : industrie des stations du Bosquet-du-Lys (Malay-le-Petit) d'après A. HURE 1926.

Enfin, les grottes du Loup, du Bison, du Renne et de l'Hyène présentent de 3 à 10 niveaux d'habitat moustériens, témoignages d'occupation plus ou moins assidue mais prolongée, semble-t-il, dans le temps puisque depuis le Moustérien ancien les industries se succèdent — dans leur identité il est vrai, mais aussi sans jamais se ressembler vraiment — pour laisser place au Moustérien supérieur (post-Moustérien) puis immédiatement après au Chatelperronien.

Les grottes de la vallée de la Cure recèlent pour le Paléolithique moyen une industrie d'aspect « fruste », de dimension moyenne, faite de roche locale (chaille) plus que de silex.

La grotte du Loup.

Cette grotte comprend quatre niveaux à industrie dont trois sont moustériens. L'outillage (très restreint) des deux premiers niveaux (V et IV) rappelle celui des couches moyennes de la grotte de l'Hyène

(b6 à b4), tandis que celui du niveau III, accompagné du bœuf et du cheval, et comprenant outre quelques racloirs, grattoirs, burins, bifaces et raclettes, une majorité d'éclats denticulés est à rapprocher du Moustérien à denticulés des niveaux supérieurs de l'Hyène. Signalons que ce même niveau III a livré une molaire paléanthropienne.

La grotte du Renne.

Les couches inférieures du porche n'ont été vues que par d'étroits sondages. Elles sont constituées par des sédiments fluviatiles, d'épaisseur indéterminée, vers la surface desquelles se différencie un horizon bien caractérisé par une industrie moustérienne soignée où le silex est abondant, ce qui permet de la rapprocher de celle du Moustérien typique de l'Hyène.

Dans les couches suivantes (XIII à XI) à l'industrie lithique presqu'exclusivement sur petits éclats

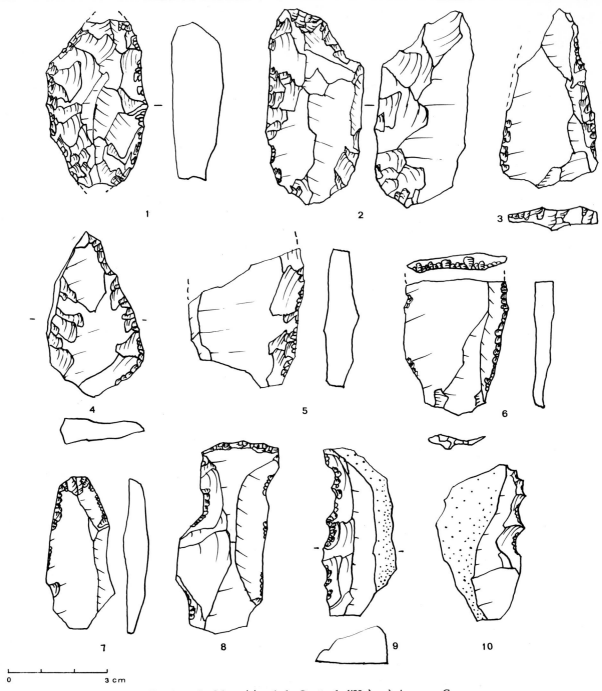

0   3 cm

Fɪɢ. 3. — Le Moustérien de la Grotte de l'Hyène à Arcy-sur-Cure :
1 à 6. Niveau IV b 4, Moustérien typique; 7 à 10. Niveau IV b 1, Moustérien à denticulés.

de chaille et formée de nombreux denticulés, d'abondants racloirs, de quelques burins et de pièces à dos, s'ajoutent deux poinçons d'os, finement exécutés et fortement polis par le frottement. On peut certainement attribuer ces couches au Post-Moustérien. L'étude de la flore révèle des oscillations rapides à dominante froide ; la faune est marquée par la présence de l'âne.

La désobstruction de la partie profonde de la grotte du Renne a livré une portion de galerie (Galerie Schoepflin) au sol Moustérien intact, laissé en place sur une moitié. Un sondage effectué à l'entrée du boyau d'accès à cette galerie a permis de mettre en évidence une succession stratigraphique importante puisqu'une dizaine d'horizons ont été observés, ne livrant malheureusement pour les plus profonds (couches 10 à 6) que quelques pièces. Il semble (en tenant compte du nivellement) que l'ensemble rencontré ici soit assis sur des sédiments alluviaux relativement récents (A. Leroi-Gourhan, 1956, p. 683).

On observe pour l'outillage des couches 4 à 0, une diminution de l'emploi du silex et une augmentation du débitage Levallois. Les outils moustériens restent en quantité proche (30 à 33 %) tandis que les outils de type Paléolithique supérieur augmentent. Cette industrie, marquée par la dominance des racloirs, par un débitage Levallois et un facettage relativement élevés est, malgré la présence de nombreux grattoirs et perçoirs, très comparable à celle du niveau IVb4 de la grotte de l'Hyène et on est tenté de reconnaître dans l'industrie de la Galerie la continuation du Moustérien typique des premières couches würmiennes de la grotte de l'Hyène.

La grotte de l'Hyène.

Cette grotte offre la plus belle stratigraphie de Paléolithique moyen d'Arcy.

Au-dessus de deux niveaux probablement rissiens dont il ne reste que quelques traces mais qui ont livré, du moins pour le second, une poignée de beaux outils de chaille (deux bifaces, huit racloirs et deux grattoirs) accompagnés de faune froide archaïque ; un épais manteau de sable s'est déposé, assez lentement pour que quelques niveaux d'occupation — dont l'industrie, essentiellement représentée par un débitage laminaire, est difficile à caractériser — aient pu s'y trouver.

Les dépôts würmiens, formés de matériaux empruntés au cailloutis du plateau et aux argiles de décalcification, contiennent huit niveaux d'habitation (IVb7 à IVa) renfermant outillage, ossements et galets. Les industries de cette série (fig. 3) revêtent un aspect particulier en raison de leur petite taille et de leur degré d'usure souvent avancé, qui leur confère, comme à toutes les industries moustériennes d'Arcy, une étroite ressemblance. Elles présentent des paramètres techniques qui les distinguent de beaucoup d'industries classiques : assez riches en lames et très riches en pièces à dos naturel, elles sont par contre très pauvres en talons facettés et le débitage Levallois y est très rare. La typologie est marquée par l'abondance des éclats à retouche partielle et par la qualité généralement moyenne du façonnage. A l'absence de bifaces s'ajoutent la rareté des couteaux à dos typiques, des limaces et des pointes.

Au niveau IVb7, pauvre, succède le niveau qui a livré, outre une faune abondante encore tempérée et une industrie de chaille et de silex annonçant par ses formes celles des niveaux suivants, les importants vestiges humains.

Dans les couches suivantes, IVb5 et IVb4, la faune devient catégoriquement froide ; l'industrie a pu être rapportée à un Moustérien typique de débitage non Levallois à indice charentien relativement élevé, et comparée à celle de la couche J du Moustier et du Pech de l'Azé IIb.

Un niveau de transition (IVb3) marqué par des caractéristiques industrielles originales et par la présence d'outils de meilleure qualité, mais se rattachant encore au Moustérien typique, montre une diminution du facettage, du nombre de racloirs et des outils moustériens en général, annonçant le Moustérien récent.

Le dernier ensemble (IVb1 et IVa), séparé du précédent par une couche d'inondation pauvre en vestiges, reflète une densité d'occupation de la grotte beaucoup plus importante, offrant un outillage abondant et varié dont les caractéristiques générales — faciès non Levallois, non facetté ; absence de bifaces ; industrie à façonnage médiocre, pauvre en

racloirs, en pointes, en couteaux à dos typiques et dominée par les denticulés — sont celles d'un Moustérien à denticulés. L'abondance de lames, de couteaux à dos naturel et d'outils de type Paléolithique supérieur ont permis à A. Leroi-Gourhan de qualifier ce Moustérien récent, empreint de grands particularismes, de Post-Moustérien ; cette même industrie est rencontrée dans la grotte du Renne immédiatement au contact du Chatelperronien.

Il semble ainsi que les grottes d'Arcy-sur-Cure offrent le reflet de cultures du Paléolithique moyen ayant évolué légèrement à l'écart des grands courants moustériens.

Cette brève étude permet de constater que plusieurs types de Moustérien — de débitage Levallois ou non — sont présents dans cette région du Nord de la Bourgogne qui semble avoir été très fréquentée pendant le Paléolithique moyen. Le Moustérien typique et le Moustérien de tradition acheuléenne (probablement dans ses deux phases si l'on en juge par les sites de la région de Sens) sont attestés dans les sites de plein air des régions de plateaux ; tandis qu'un Moustérien typique (à tendance Quina pour certains niveaux) et le Moustérien à denticulés sont bien représentés dans les grottes de la vallée de la Cure.

Bibliographie

[1] PARAT A. (1901). — Les grottes de la Cure et de l'Yonne; recherches préhistoriques. *Compte rendu du congrès international d'anthropologie et d'archéologie préhistorique*, 12ᵉ session, Paris, 1900, p. 63-78, 1 fig.

[2] PARAT A. (1901). — La grotte de l'Ours, le trou de l'Hyène et la grotte du Cheval. *Bulletin de la société des siences historiques et naturelles de l'Yonne.*

[3] HURE A. (1922). — *Le Sénonais préhistorique.* Sens. Duchemin et Mondou, 550 p., 1037 fig.

[4] LEROI-GOURHAN A. (1950). — La grotte du Loup, Arcy-sur-Cure. *Bulletin de la société préhistorique française*, t. 47, fasc. 5, p. 268-280, 6 fig.

[5]) LEROI-GOURHAN A. (1952). — Stratigraphie et découvertes récentes dans les grottes d'Arcy-sur-Cure (Yonne). *Revue de géographie de Lyon*, vol. 27, nº 4, p. 425-433, 2 fig.

[6] LEROI-GOURHAN A. (1953). — L'interprétation des vestiges osseux. *Congrès préhistorique de France*, Strasbourg-Metz, 14ᵉ session, p. 377-394, 9 fig.

[7] LEROI-GOURHAN A. (1956). — La galerie moustérienne de la grotte du Renne (Arcy-sur-Cure, Yonne). *Congrès préhistorique de France*, Poitiers-Angoulême, 15ᵉ session, p. 676-691, 8 fig.

[8] LEROI-GOURHAN A. (1958). — Etude des restes humains fossiles provenant des grottes d'Arcy-sur-Cure. *Annales de Paléontologie*, t. 44, p. 87-148, 31 fig.

[9] LEROI-GOURHAN A. (1961). — Les fouilles d'Arcy-sur-Cure (Yonne). *Gallia-Préhistoire*, t. 4, p. 3-16, 8 fig.

[10] LEROI-GOURHAN Arl. et A. (1964). — Chronologie des grottes d'Arcy-sur-Cure (Yonne). *Gallia-Préhistoire*, t. VII, p. 1-64, 28 fig.

[11] GIRARD C. (1974). — *Les industries moustériennes de la grotte de l'Hyène à Arcy-sur-Cure (Yonne).* Thèse ronéotée, 298 p., 96 pl., à paraître.

Les civilisations du Paléolithique moyen en Franche-Comté

par

Jean-François PININGRE * et Marcel VUILLEMEY **

Résumé. Le Paléolithique moyen de Franche-Comté (Jura, Plaine et Plateaux de la Haute-Saône, Trouée-de-Belfort) n'est connu que par des recherches récentes qui n'ont donné lieu à aucun travail de synthèse. La plupart des sites et grottes ont fourni un outillage souvent défiguré par le passage des ours et des séries lithiques numériquement pauvres difficiles à étudier typologiquement, longtemps regroupées sous le vocable de Moustérien alpin. Un Moustérien à denticulés proche du Tayacien est présent à Echenoz-la-Méline. L'outillage de la grotte de Gigny, à rapprocher de certains faciès méridionaux montre une évolution d'un Moustérien typique riche en racloirs vers un Moustérien à denticulés puis à nouveau vers un Moustérien riche en racloirs. D'autres sites ont fourni des séries attribuables au Moustérien typique (Rurey, Rochefort-sur-Nenon). Casamène a donné une industrie de faciès levalloisien. Les Moustériens de tradition acheuléenne semblent attestés dans la Vallée de la Saône mais ne se retrouvent pas à l'extérieur de ce secteur. Les faciès de transition avec le Paléolithique supérieur sont inconnus. Ces nombreuses lacunes sont à imputer aux conditions de dépôts et à la mauvaise conservation des gisements résultant d'un environnement climatique particulier.

Abstract. The Middle Paleolithic has been studied only recently in Franche-Comté (Jura mountains, Plain and Plateau of the Haute-Saône departement, The Belfort-Gap) and no publications synthesizing data exist to date. Most of the cave sites have produced an industry, long named Alpine Mousterian, that has been disfigured by bears and with quantitatively poor lithic series unusable for typological studies. A denticulate Mousterian, similar to Tayacian, was found in Echenoz-la-Méline. The industry in Gigny cave, similar to certain southern facies, shows the evolution of typical Mousterian (with abundant side-crappers) to : 1) Denticulate Mousterian and 2) Typical Mousterian with abundant scrapers. Other sites have produced assemblages that can be attributed to typical Mousterian (Rurey, Rochefort-sur-Nenon). Casamene contained an industry with Levallois facies. Mousterian of Quina and Ferrassie traditions as well as the Mousterian of Acheulean tradition seem to exist in the Saône river valley but are not found outside this region. Assemblages in transition to Upper Paleolithic are not in evidence. Numerous blanks found can be attributed to conditions of sedimentation and to poor preservation of sites-both due to particular climatic conditions in the area.

L'implantation des paléolithiques a été profondément conditionnée par l'environnement géographique qui fait de la Franche-Comté, pendant les périodes glaciaires, une vaste dépression bien ouverte à l'Ouest et au Sud et drainée de trois rivières importantes (Saône - Ognon - Doubs) encadrée au Nord et au Sud de deux massifs montagneux, l'un primaire (Vosges), l'autre secondaire (Jura) culminant à 1 200/1 300 m et recouverts de glaces. Ces deux barrières laissent subsister un couloir rétréci vers l'Est au niveau de la trouée de Belfort. Ces deux massifs semblent avoir constitué des secteurs de répulsion et n'ont pas été fréquentés.

En bordure du Jura les rivières (Doubs - Loue - Seille - Suran) ont disséqué les premiers plateaux calcaires en vallées étroites dont les puissantes falaises recèlent de nombreux sites (grottes et abris). Cette zone est largement ouverte au Sud-Ouest par la basse vallée du Doubs et la Bresse et au Sud par la vallée du Suran et de l'Ain.

Au centre, la vallée de l'Ognon, moins encaissée dans les plateaux calcaires aux reliefs peu accentués, offre une voie de passage Est-Ouest qui débouche naturellement sur la plaine d'Alsace par la Trouée de Belfort ; les sites de grottes y sont plus rares.

Au Nord, encadrée par les plateaux calcaires de l'Ognon et de la Haute-Saône, la plaine supérieure de la Saône, vaste dépression argileuse offre un relief peu contrasté. Les affleurements de silex tertiaires sont abondants, les cavités habitables inexistantes, les stations de plein air fréquentes.

Au pied du massif vosgien, de vastes épandages de matériaux cristallins apportés par les glaciers semblent avoir fourni en matière première (quartzites) les occupants les plus septentrionaux de ce secteur.

Vers 1960 le Paléolithique moyen est à peu près inconnu en Franche-Comté si ce n'est par quelques travaux ponctuels de Chantre qui signale à Gondenans-les-Moulins « plusieurs pointes de flèches en silex grossièrement taillées dans la forme dite du moustier (1901) », de Piroutet au Trou de la Vieille Grand-Mère à Mesnay, de F.E. Koby sur les cavernes à ours du Doubs et du Jura, et les prospections de Gasser, des Drs. Bouchet et Perron sur les sites de plein air des plateaux de Haute-Saône.

L'occupation humaine et le problème des grottes à ours.

J. Combier, en 1956, caractérise les maigres industries des grottes à ours du Jura et des Alpes françaises par la présence de « petits éclats Levallois plus ou moins typiques et de pointes triangulaires courtes, peu ou pas retouchées ». Une carence en racloirs et pièces retouchées en général, caractériserait ce moustérien « alpin » interglaciaire Riss-Würm, pour la plupart des sites, proches des faciès levalloisiens. Ces remarques qui constituaient des hypothèses de travail sont reprises en 1962 par F. Bourdier et feraient long feu en Franche-Comté

* 8, rue des Chevenières, 70400 Héricourt (France).
** 60, rue du Commerce, 39000 Lons-le-Saunier (France).

puisque de récentes synthèses faisaient encore état de l'existence de Moustérien alpin en Franche-Comté, « il ne s'agit que d'une industrie très pauvre de style moustérien alpin » (A. Thévenin à propos de Gondenans).

Le problème auquel se heurte l'étude du Moustérien en grotte de Franche-Comté est celui de l'occupation des mêmes cavités par l'homme et par l'ours qui se trouve être le dénominateur commun — les grottes d'Echenoz-la-Méline, de Casamène, de Gondenans-les-Moulins ont fourni une faune où l'ours est présent à 90 % dans tous les niveaux, ce pourcentage est peut-être inférieur à Rurey mais les restes peu nombreux ne permettent pas d'en tirer des conclusions. Ces cavernes profondes et spacieuses ont été profondément marquées par l'occupation de cet animal (poli des parois - griffades) (Gondenans, Echenoz) et surtout remaniement des vestiges osseux. J.P. Jéquier reprend de façon objective et critique toutes les possibilités d'altération des ossements en milieu souterrain et conclut : « incontestablement le charriage à sec permet d'expliquer les faits suivants mieux que ne le font les autres processus... qu'ils soient de nature chimique ou mécanique ». A Casamène dans le niveau 2, 10 % des vestiges osseux étaient déterminables — aucune connexion anatomique n'a été observée et les ossements les mieux conservés étaient situés au pied des parois surplombantes, protégées par de gros blocs ; le pourcentage d'esquilles lustrées augmente en proportion inverse de la largeur de la galerie. P. Pétrequin, J.F. Piningre et J.P. Urlacher concluent à un passage intense de l'ours à toutes les phases d'occupation de la cavité.

Des remarques analogues ont été faites par Lequatre à Préletang. Jéquier remarque, à propos de Contencher, « un concassage différencié en fonction de la nature du remplissage, 92 % dans la couche à galets, 62 % dans la couche sableuse brune, et à propos de Gondenans « un sol dur et caillouteux en place exposé longtemps au va-et-vient des ours recélait une industrie d'autant plus concassée qu'elle se trouvait au milieu du passage obligatoirement emprunté par les animaux et plus à l'intérieur de la grotte, c'est-à-dire plus éloignée de son lieu de gisement primaire » (p. 105). L'outillage n'est pas resté indemne de tout remaniement ; le concassage, bien caractérisé par des enlèvements alternes abruptes, le lustrage de certaines pièces, sont autant de facteurs attribuables à l'ours ; il a également contribué à donner une fausse ressemblance aux séries provenant de sites semblables qui avaient subi des détériorations analogues. A Rurey ne subsistent, des racloirs, que les pièces à retouches très envahissantes, les denticulés et les encoches repris par le concassage sont indécelables, etc. A ce remaniement animal viennent s'ajouter des conditions naturelles (cf. les remplissages en grotte de M. Campy) qui rendent ces industries particulièrement difficiles à étudier. Le niveau XXVI de Gigny a livré une maigre industrie associée à des restes osseux d'ours très concassés. Les quelques éclats de silex recueillis étaient tous transformés en pseudo-outils à retouche abrupte alterne oblitérant totalement la nature des produits de débitage sur lesquels les talons ont, de plus, souvent disparu.

Une seconde constante caractérise les occupations moustériennes franc-comtoises : la pauvreté des séries lithiques. Cet argument a également été avancé pour caractériser le Moustérien alpin (F. Bourdier, p. 275).

Casamène a fourni en totalité 73 pièces provenant de 7 couches, pour une stratigraphie de 10 couches géologiques distinctes s'échelonnant sur tout le Würm ancien, la couche 2 de Gondenans-les-Moulins 23 pièces, éclats et déchets de taille compris. Aucun niveau de Casamène, Gondenans, Echenoz ou Rurey n'a fourni matière à une étude typologique statistique.

Plusieurs explications ont été fournies : le matériel retrouvé, comme à Gondenans, loin dans les galeries, aurait été dispersé par l'ours à partir d'un habitat situé sous le porche d'entrée de la grotte (Jéquier).

A Casamène, P. Pétrequin, J.F. Piningre et J.P. Urlacher ont montré que la falaise encaissante, et par conséquent le porche, avait pu reculer d'une dizaine de mètres depuis l'occupation des niveaux les plus inférieurs.

De même à Echenoz l'industrie peu remaniée du niveau V d'Echenoz diminue très rapidement en densité vers l'extérieur de la grotte; toute la partie postérieure présente des stigmates d'une érosion certaine. La série de 35 pièces provenant de ce niveau ne serait qu'une partie d'un ensemble plus important situé plus en avant et actuellement détruit. La pauvreté des séries peut donc s'expliquer par des conditions de conservation des sites très particulières, plus que par la théorie d'hypothétiques haltes de chasse pendant lesquelles les moustériens n'auraient abandonné que quelques outils. Il en résulte donc que les séries moustériennes du Nord de la Franche-Comté sont particulièrement difficiles à caractériser : il est cependant indubitable qu'elles n'appartiennent pas toutes au même faciès.

Gonvillars.

La Baume de Gonvillars a permis d'observer une séquence des plus anciennes connues, actuellement, en Franche-Comté. Sur des dépôts bréchifiés du Riss, particulièrement repris par l'érosion au Riss-Würm, des niveaux argileux alternant avec des éboulis de gravité renfermaient deux éclats atypiques et un pic en chaille ainsi qu'une faune variée de type tempéré où l'ours de caractère archaïque était minoritaire. Les dépôts largement entamés sur plusieurs mètres par une reprise d'érosion ne subsistent plus qu'en fond de porche à l'état résiduel et dateraient selon P. Petrequin de la fin du Riss-Würm ou du début du Würm ancien.

Casamène.

L'industrie de la couche VIII, attribuable au début du Würm II, est très difficile à caractériser du fait du concassage qui affecte le bord de toutes les pièces et de la faiblesse numérique de celle-ci.

Techniquement le débitage laminaire domine (7/18 soit : IL = 38) il est essentiellement levallois (6/18 soit IL = 33). Du fait de l'extrême fragmentation, bon nombre de pièces ne présentent plus de talon. Trois sont facettés. Un racloir latéral simple sur lame et un couteau à dos naturel constituent le seul outillage de ce niveau.

Les couches I c et II appartenant à la séquence du Würm ancien sont les seules à avoir fourni plus de 10 pièces. Techniquement le débitage levallois y est majoritaire (15/23 et un nucléus, soit IL = 65). Le facettage des talons est élevé (11/23 soit IF1 = 47). Les talons lisses sont assez rares (4/23 soit 17 %). Une lame à retouche bilatérale scalariforme à troncature distale complète cette modeste série.

La grotte de la Piquette à Rurey.

Contrairement aux autres grottes moustériennes du Nord de la Franche-Comté, la grotte de la Piquette a fourni un outillage abondant sans être pléthorique. Cependant un profond remaniement post-Würmien dû à d'innombrables terriers de gros fouisseurs a totalement bouleversé la stratigraphie. De ce fait les lambeaux de couches demeurés en place, difficiles à situer dans le Würm ancien, ont fourni un outillage impossible à étudier statistiquement.

Le débitage a été pratiqué à plus de 90 % sur les chailles de l'Argovien local. Il semblerait y avoir une certaine uniformité de technique ; le débitage Levallois y est faiblement représenté ainsi que les lames, les talons facettés sont peu nombreux (malgré le concassage qui a tendance à augmenter cet indice 9 % (IFs = 9 et IF = 17) par rapport aux talons lisses (40 %) et corticaux (11 %). Les pointes pseudo-levallois sont en proportion très forte, de même les réavivages de nucléus. D'après les observations de J.F. Piningre il ne serait pas impossible que l'industrie lithique de La Piquette appartienne à un Moustérien typique ; en effet des racloirs bien représentés ne sont pas en quantité écrasante, les denticulés et outils à encoches ne sont pas rares, mais n'atteignent pas les proportions d'un moustérien à denticulés. Les couteaux à dos naturel sont très nombreux et sont révélateurs du style de débitage pratiqué sur de petits blocs de chailles. Les outils du groupe paléolithique supérieur sont rares — une pièce biface très mince à talon réservé et pointe déjetée évoqueraient certains outils du moustérien d'Allemagne. Certains racloirs ont une retouche Quina très nette mais les racloirs bifaces et spéciaux sont absents, plusieurs pièces présentent de larges enlèvements d'amincissement sur la face inférieure.

L'outillage des Moustériens de Rurey n'est pas de faciès Levalloisien et n'appartient pas au Moustérien de tradition acheuléenne et vraisemblablement pas à un Moustérien à denticulés — ni le débitage ni l'outillage type paléolithique supérieur ne nous permettent de supposer la présence d'un faciès évolué tendant typologiquement au Paléolithique supérieur.

Echenoz-la-Méline.

Pour Michel Campy les niveaux d'Echenoz-la-Méline s'échelonnent stratigraphiquement de l'interglaciaire Riss-Würm à la fin du Würm ancien. Les vestiges d'occupation anthropique se retrouvent dans les couches II, III, IVb - V, VI, VII, VIIIᵃ ils ont fourni un outillage numériquement très faible. Le concassage, sans atteindre les proportions de Casamène et Rurey est variable suivant les couches, sans qu'il soit possible d'établir une relation avec la nature des remplissages ; ces industries clairsemées se rencontrent à toutes les profondeurs à l'intérieur d'une même couche géologique et ne paraissent pas appartenir, pour autant qu'il nous soit permis de juger, à un même ensemble technologique.

La couche V présente, par la technique de son débitage et l'état de conservation de ses pièces, une homogénéité indéniable. Tirés de blocs de chailles locales, plus rarement de silex et de quartzites, les éclats sont courts, trapus, le débitage Levallois est totalement absent, les talons sont lisses pour 80 % des pièces lisibles dont 60 % larges, de type clactonien. Les talons corticaux, dièdres, ponctiformes, linéaires et facettés se partagent par ordre d'importance décroissante les 20 % restants. Le nombre des talons illisibles, parce que cassés, est important 30 % des éclats supports des outils. Le débitage laminaire est insignifiant.

L'outillage comporte un nombre écrasant de denticulés 17/33 (51 %) et d'outils à encoches 7/33 (21 %).

La morphologie générale du débitage, ainsi que l'outillage, tendent à donner à cette industrie un caractère archaïque que l'on pourrait rapprocher du tayacien ; la valeur du groupe moustérien est faible et les pointes manquent — les racloirs peu nombreux sont de types simples. La couche V d'Echenoz se rattacherait à un Moustérien à denticulés de débitage non Levallois ; certaines retouches surélevées qui avec des encoches clactoniennes constituent les deux principales techniques employées, pourraient tendre au type Quina bien que les formes caractéristiques de ce groupe soient absentes et

PLANCHE I.
Grotte de Casamène : couche I c et II nº 1 à 11; couche VIII : nº 13 à 20.
Grotte de la Piquette à Rurey : nº 21 à 33.
Grotte de Gondenans-les-Moulins : nº39 à 43.

1 et 3 à 10. Eclats levallois; 2. Nucleus levallois; 11. Racloir bilatéral sur lame à troncature distale; 12. Racloir transversal très concassé; 13 à 18. Lames et lames levallois; 19. Couteau à dos naturel; 20. Racloir latéral simple sur lame; 21. Pièce foliacée biface à talon réservé; 22. pointe pseudo-levallois typique; 23. Pointe moustérienne; 24. Racloir déjeté 25. Racloir convergent biconvexe; 26. Eclat levallois; 27. Racloir simple sur face plane; 28. Grattoir typique 29. Racloir simple convexe à retouche Quina; 30. Encoche; 31. Racloir déjeté; 32. Racloir convergent droit-convexe; 33. Racloir transversal convexe; 34. Racloir simple droit sur face plane; 35. Pointe levallois (partie proximale); 36 à 38. Eclats levallois; 39. Nucleus discoïde; 40. Racloir déjeté; 41. Racloir simple convexe; 42. Racloir transversal convexo-concave;43. Racloir double à retouche alterne.

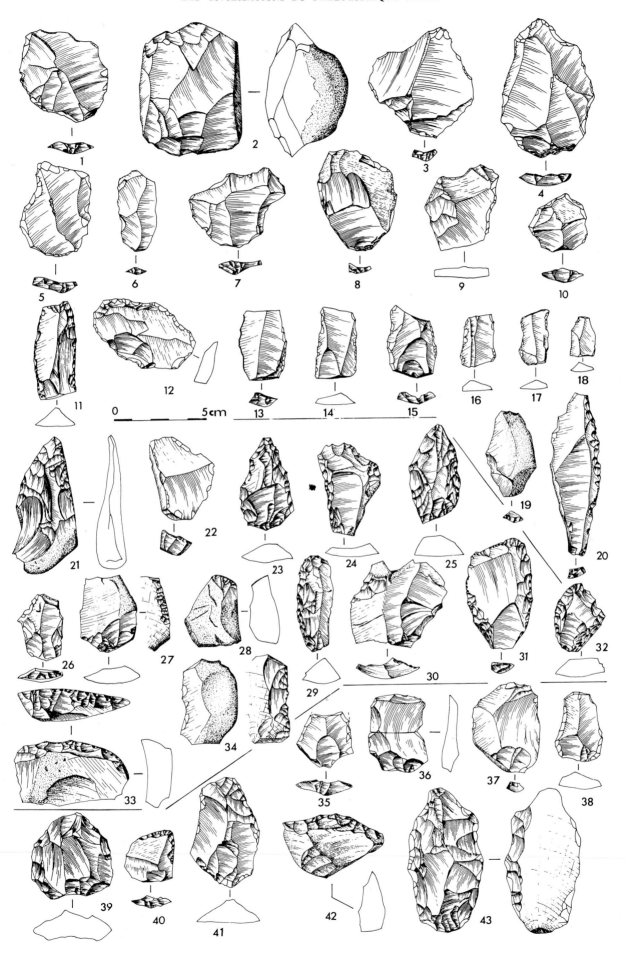

qu'aucune pièce ne soit reprise sur la face plane ; le pourcentage élevé de denticulés et d'encoches peut être exagéré par la petitesse numérique de la série.

Une occupation moustérienne a encore été notée dans plusieurs autres grottes. A Chenecey l'outillage recueilli en surface, extrêmement concassé, est impossible à analyser. Nahin et Liebvillers ont également fourni un outillage sur éclats attribuable au moustérien.

Trou de la Vieille Grand-Mère à Mesnay.

Bien que fragmentaire la série d'éclats et les quelques outils provenant des fouilles Piroutet est intéressante par son homogénéité et sa localisation précise au sommet d'un dépôt de loess raviné. Toutes les pièces sont intactes sans trace d'usure ni de concassage, parfois recouvertes d'un dépôt de calcite jaunâtre. Les éclats courts et épais contrastent avec quelques belles lames parmi lesquelles une lamelle très étroite à talon ponctiforme. Un seul éclat Levallois, un racloir simple sur éclat tronqué complètent cette série qui a toutes les chances d'avoir été amputée des plus belles pièces avant sont dépôt au Musée de Lons-le-Saunier.

Trou de la Mère Clochette à Rochefort.

Le mobilier des deux niveaux Moustérien et Aurignacien provenant de fouilles anciennes paraît avoir été mélangé à la suite de classements successifs. Cependant il semble que la plupart des éclats légèrement concassés soient minces à talon lisse rarement Levallois. La retouche Quina fait défaut. La présence d'encoches doubles adjacentes sur éclats courts et épais, de racloirs simples à retouche denticulée, de quelques denticulés simples rappellent le moustérien typique riche en denticulés des niveaux XIX et XV de Gigny.

Sites de plein air.

Contrairement aux sites de grottes cités ci-dessus les stations de plein air, largement prospectées dans la haute vallée de la Saône depuis la fin du siècle dernier ont fourni un matériel abondant. Quelques outils isolés trouvés dans la vallée de l'Ognon pourraient être rattachés au Moustérien.

Bon nombre de ces sites sont liés à l'existence d'affleurements de silex de l'Oligocène, le mieux connu, celui de Mont-les-Etrelles offre sur plusieurs hectares des ateliers de débitage dont les phases d'occupation se chevauchent et s'échelonnent de la fin du Paléolithique final au Néolithique final voire même au bronze ancien ; certains prospecteurs ont publié quelques sites qu'ils pensent moins pollués chronologiquement, se fondant sur l'absence d'outils typologiquement étrangers au paléolithique moyen et également sur certaines uniformités de patines :

Station du Boulot à Mont-les-Etrelles.

J. Claudel et Sainty présentent une petite série où les racloirs dominent ; on peut noter un racloir transversal biface et deux transversaux amincis sur la surface plane.

Sauvigney-les-Gray.

G. Huguenin y a recueilli un matériel plus conséquent caractérisé par un fort débitage Levallois, une forte proportion de pointes moustériennes, des racloirs simples bien représentés ainsi que les déjetés — peu de denticulés, les grattoirs sont en pourcentage non négligeable. A. Thevenin et G. Huguenin attribuent cette station au Moustérien Ferrassie.

Deux stations peu distantes l'une de l'autre, Frettes (Haute-Marne) et Pierrecourt (Haute-Saône) ont fourni à G. Huguenin un matériel à débitage Levallois prédominant qui pourrait également appartenir au Charentien.

Aucune de ces stations de plein air n'a fourni de stratigraphie, ce qui laisse planer un doute sérieux quant à l'homogénéité du matériel récolté qui ne peut être considéré comme appartenant à une seule et même occupation et dont le caractère forcément sélectif des ramassages de surface peut travestir la réalité.

Plusieurs bifaces de caractère moustérien ont laissé penser à A. Thevenin, dans plusieurs études, à l'existence d'un moustérien de tradition acheuléenne à Etrelles, Fédry, Chevigney, Mantoche, Argillères, Beaujeu.

En bordure du Revermont une série de gisements de plein air repris par les phénomènes périglaciaires ont été dispersés au sein des limons plaqués en bordure de la plaine de Bresse dans la zone dite du Vignoble. Quelques outils et éclats de silex y ont été recueillis par J. Combier à Balanoz par J.L. Audouze à Mantry. Des découvertes du même ordre ont été faites par Vuillemey à l'Etoile et à Montmorot, où à l'occasion de la fouille d'un tumulus

---

PLANCHE II.
Grotte d'Echenoz-la-Meline.
1. Racloir simple convexe sur face plane; 2. Encoche sur pointe pseudo-levallois; 3. Encoches adjacentes; 4. Bec distal à retouches bifaces; 5. Bec à retouches alternes; 6. Bec à retouches unifaces abruptes; 7. Eclat levallois; 8. Denticulé; 9. Encoche clactonienne en bout; 10. Denticulé simple à retouches surélevées; 11. Denticulé simple à encoche clactoniennes; 12. Denticulé simple à encoches clactoniennes; 13. Denticulé simple à encoches clactoniennes; 14. Grattoir à museau dégagé par deux encoches clactoniennes; 15. Denticulé simple à encoches clactoniennes; 16. Eclat à retouches abruptes; 17. Denticulé simple à retouches surélevées; 18. Denticulé simple à retouches surélevées; 19. Racloir simple convexe; 20. Encoches adjacentes 21-22. Denticulés transversaux à encoches clactoniennes; 23. Racloir simple concave; 24. Eclat concassé; 25. Hachereau biface sur éclat de quartzite; Nucleus discoïde; 27. Racloir simple convexe à retouches bifaces.

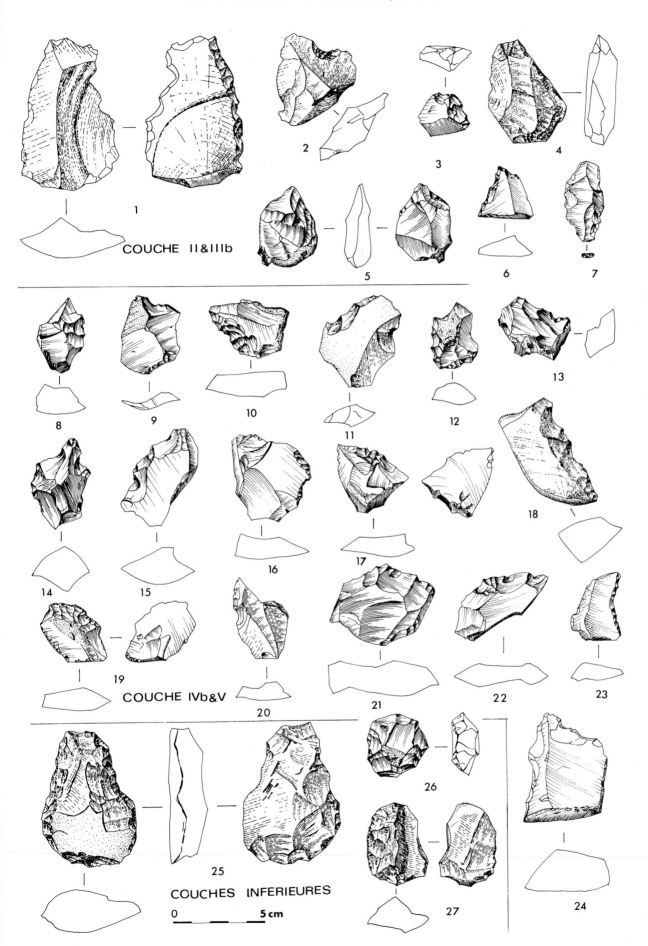

COUCHE II & IIIb

COUCHE IVb & V

COUCHES INFERIEURES

0   5 cm

il a recueilli une série d'éclats de chaille jaspoïde de couleur caramel à talon le plus souvent facetté, dont certains sont de techniques Levallois.

Signalons enfin les grands éclats Levallois à talon facetté trouvés par Feuvrier à la carrière Carle à Montmorot. Toutes ces découvertes faites dans des milieux similaires pourraient indiquer que c'est au Würm ancien que s'est déposée la partie supérieure tout au moins de la couverture limoneuse et les cailloutis de solifluxion d'où proviennent plus particulièrement l'industrie de Balanoz et de l'Etoile.

Baume de Gigny.

Dans cet ensemble de sites d'un incontestable intérêt, la grotte de la Baume de Gigny paraît être un gisement clé dont les divers stades d'occupations moustériennes et la complexité de la stratigraphie étalée sur 11 m d'épaisseur permettront de préciser les données culturelles et paléo-climatiques du Würm ancien de l'Est de la France.

L'interprétation chronologique de son remplissage pose divers problèmes encore difficiles à résoudre par manque de point de comparaison proche. Trois ensembles majeurs peuvent être mis en évidence dans les dépôts quaternaires de cette grotte creusée dans le calcaire rauracien.

1°) Reposant sur le socle rocheux, une série de niveaux pris en brèche avec à la base un niveau de galets très altérés surmontés d'une série de petits niveaux provenant de planchers stalagmitiques désagrégés (épaisseur 1 m). Niv. XXVIII à XXIII.

2°) Une nappe de cailloutis anguleux à structure open work pris en brèche à sa partie supérieure supportant par endroit un plancher stalagmitique très épais (épaisseur 1,20 m). Niv. XXII à XXI.

3°) Un ensemble de niveaux argileux (VII à XX) emballant un cailloutis plus ou moins dense présentant des degrés d'altération variés. Il est scellé, à sa partie supérieure, par un niveau de gros blocs calcaires pris en brèche (épaisseur 5,50 m).

4°) Argile à ours surmontée d'un niveau à cailloutis assez anguleux (épaisseur 1,50 m). VI et V.

5°) Une série de niveaux post würmiens et modernes (épaisseur 1,50 m). IV à I.

Six périodes distinctes d'occupation y ont été mises en évidence. L'ensemble du mobilier est d'une fraîcheur remarquable, les phénomènes de brassage qui ont détruit les sols d'occupation n'ont pas été accompagnés de l'action brisante bien connue et fréquemment observée sur certaines industries des Alpes et du Jura.

L'absence quasi totale de l'ours et surtout la grande vitesse de sédimentation ne semblent pas étrangères à cet état. Les différentes industries ont en commun un certain nombre de caractères leur donnant un incontestable air de famille qu'accentue l'emploi des mêmes matières (silex et chaille) dans les mêmes proportions. Elles ne sont pas de faciès Levallois (sauf dans le niveau XX) bien que les éclats Levallois soient de belle venue et le plus souvent laminaire, conservés tels quels sans retouches d'aménagement. Les indices laminaires compris entre 7 et 13 ne traduisent pas l'impression élancée des

séries XX, XIX, XV et VIII dont le module d'allongement des éclats est souvent voisin de 2. Le facettage des talons est largement utilisé, principalement dans les niveaux XX et XIX où il est voisin de 60. Dans l'ensemble les éclats sont minces et la valeur basse des indices clactoniens voisine de 10, confirme bien le caractère assez particulier qui originalise quelque peu les industries des niveaux VIII, XV, XIX et XX. Dans le niveau XVI l'indice Levallois (IL = 6,8) très faible et l'indice clactonien relativement fort traduisent l'aspect archaïque d'un débitage très différent à première vue de celui des autres horizons. Hormis le fait qu'on ait à faire à des industries de faciès non Levalloisien (IL ty<25), l'étude des autres indices typologiques fait apparaître une incontestable similitude entre les niveaux XX et VIII d'une part, XIX et XV d'autre part. Le niveau XVI s'originalise par la présence d'un très fort pourcentage de pointes pseudo-Levallois (44 %) dont un certain nombre transformé en outils (encoches ou denticulés) ne figure pas dans ce pourcentage. Les racloirs y sont rares (IR = 5,9) les denticulés nombreux (Moustérien à denticulés), rappelant de façon frappante la composition typologique de l'industrie des niveaux de la série B de l'Abri Breuil (Lumley, 1972).

Dans les séries des niveaux XX et VIII, les racloirs sont en proportion écrasante (IR. ess. voisin de 75). Tous les types sont représentés, mais les racloirs simples latéraux dominent. Les racloirs déjetés, absents dans le niveau VIII, font une timide apparition dans le niveau XX. La rareté des denticulés des encoches, l'indice de racloirs très fort, permettent de classer ces industries dans le Moustérien de type charentien ; toutefois l'absence des outils caractéristiques incite à rattacher ces industries au groupe moustérien typique, riche en racloirs de faciès non Levalloisien dont on trouve de nombreux exemples dans le Sud-Est de la France et en particulier à l'abri Breuil Série D. Les industries des niveaux XIX et XV, très proches typologiquement, se différencient de celles des niveaux XX et VIII par un enrichissement en denticulés au détriment des racloirs qui, bien que moins nombreux (I R. ess. 40 environ) regroupent les différents types dans des proportions assez semblables. Ces industries rappellent les Moustériens typiques enrichis en denticulés du midi méditerranéen (Hortus, Abri Breuil). L'absence de racloirs déjetés et la rareté des transversaux, des limaces, des racloirs à retouche biface paraît être un caractère commun à tous les niveaux.

Conclusion.

En conclusion un ensemble de conditions de conservation médiocre (ours, gélifraction, érosion) ne doit cependant pas masquer une occupation peut-être moins limitée qu'on ne pourrait le croire de prime abord de la Franche-Comté au Moustérien. Cette occupation semble plus diffuse vers l'Est bien qu'un silex ait été signalé, accompagné de faunes würmiennes dans une petite grotte de la région d'Héricourt. Il n'est guère possible actuellement d'essayer de rapprocher les faciès franc-comtois (Gigny ex-

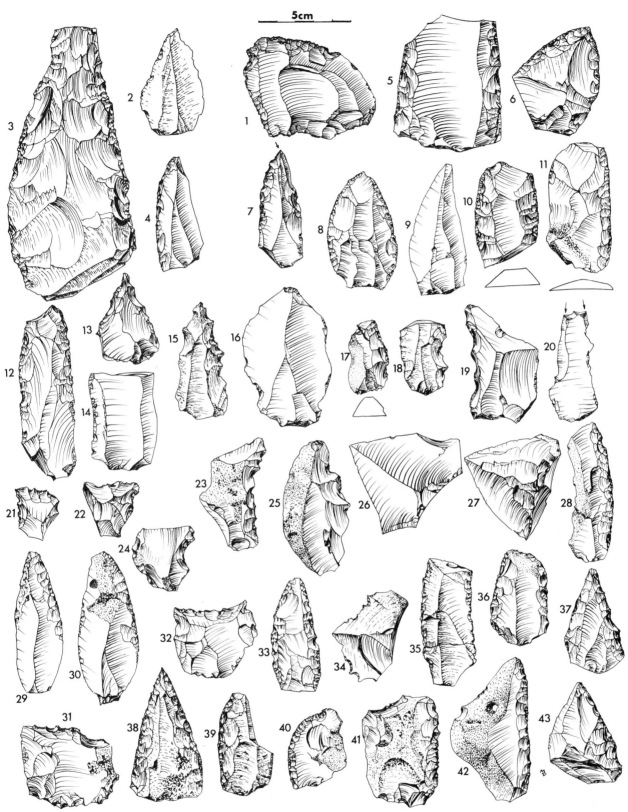

5cm

PLANCHE III.
Station de Saint-Amour n° 1.

Grotte de Gigny : Niveau XXVIII : n° 2; Niveau XXI-a : n° 3 à 4; Niveau XX : n° 5-7 à 11; Niveau XIX : n° 12 à 20; Niveau XVI : n° 21 à 28; Niveau XVII : n° 29 à 31; Niveau VIII-XII : n° 6-38 à 43.
1. Racloir déjeté; 2-9. Pointes levallois; 3. Biface micoquien; 4-28-29-30-39-40. Racloirs latéraux simples convexes; 5-12-36. Racloirs doubles droits; 7. Burin sur troncature retouchée; 8. Racloir double convexe; 10-33-35. Racloirs doubles droits convexes: 11-41-42. Racloirs simples droits; 13. Perçoir; 14. Eclat levallois retouché; 15-18-19-23-25. Denticulés; 16. Eclat levallois; 17. Racloir simple convexe à retouche denticulée; 20. Burin double; 21-22-34. Denticulés convergents sur pointes pseudo-levallois; 24. Encoche; 26-27. Pointes pseudo-levallois; 32. Becs multiples; 37-6. Racloirs convergents; 31. Racloir transversal à front festonné; 38. Pointe moustérienne; 41. Racloir convergent alterne.

Gisement	Niveau	Site	Dépot	Culture	Faune	C 14	Datation
Echenoz (H^{te} Saône)	VIII VII VI	Grotte		Moustérien indéterminé	*Ursus spelaeus. Crocuta spelaea Felis spelaea Cervus elaphus Equus caballus Rangifer tarandus*	?	W$_I$
Echenoz	V IV	Grotte		Moustérien à denticulé	*U. spelaeus Crocuta spelaea Vulpes vulpes Canis lupus Rangifer tarandus*	?	W$_I$
Echenoz	III	Grotte		Moustérien indéterminé	*U. spelaeus Vulpes vulpes Crocuta spelaea Cervus elaphus Canis lupus E. Caballus. ger.*	≥ 32 000 BP	inter W$_I$ W$_{II}$
Echenoz	II I	Grotte	Blocaille heterogène très corrodée à matrice argileuse	Moustérien indeterminé	*U. spelaeus Vulpes vulpes Crocuta spelaea Canis lupus Equus caballus Caeledonta anti. Rangifer tarandus*		W$_{II}$
Baume de gigny (Jura)	XXI	Grotte	Cailloutis noyé dans un épais plancher stalagmitique	Acheulén supérieur ?	*Cervus elaphus Equus caballus*		Riss-Würm
Baume de Gigny	XX	Grotte	argile "varvée" avec rares éléments calcaire très altérés	Moustérien typique très riche en racloirs	*Cervus elaphus Equus caballus*	≥ 31 500 BP	début W$_I$
Baume de Gigny	XIX	Grotte	Cailloutis crioclastique émoussé à matrice argileuse	Moustérien typique riche en denticulés	*Ursus spelaeus Equus caballus Vulpes vulpes Cervus elaphus*	?	W$_I$
Baume de Gigny	XVI	Grotte	Rare cailloutis très altéré-argile brun rouge	Moustérien denticulé	*Rangifer tarandus Rupicapra Lepus Capra Ibex.*		W$_I$W$_{II}$
Baume de Gigny	XV	Grotte	Petit cailloutis matrice argileuse	Moustérien typique riche en denticulé	*Ursus spelaeus Cervus elaphus Marmota marmota Equus caballus Canis lupus Rangifer tarandus*	?	W$_{II}$
Baume de Gigny (Jura)	VIII	Grotte	Cailloutis rare et altéré argile brun rouge	Moustérien typique riche en racloirs	*Cervus elaphus Capreolus capreolus Rupicapra rupicapra Rangifer tarandus Rhinoceros tichorhinus*	27 500 BP	W$_{II}$ – W$_{III}$

Gisement	Niveau	Site	Dépot	Culture	Faune	C 14	Datation
Casamène (Doubs)	II	Grotte		Moustérien à débitage levallois	Ursus spelaeus Sus scrofa Cervus elaphus Canis lupus Crocuta spelaea		W$_{II}$
Casamène (Doubs)	II	Grotte		Moustérien à débitage levallois	Ursus spelaeus Sus scrofa Cervus elaphus Canis lupus Crocuta spelaea		W$_{II}$
Casamène	III IV	Grotte	gelifraction corrodé à matrice argileuse		Ursus spelaeus Cervus elaphus Capra ibex		W$_{II}$
Casamène	V	Grotte		Moustérien indéterminé	Ursus spelaeus Cervus elaphus		
Casamène	V	Grotte			Ursus spelaeus Capra ibex Cervus elaphus Rupicapra U. Arctos		
Casamène	VII VIII			Moustérien à débitage levallois laminaire.	U. spelaeus Cervus elaphus Corus Pupus		
Casamène	X		éboulis de gélifraction à arêtes mousses — lessivés	industrie sur éclats indéterminée	Capra ibex U. spelaeus		W$_{I}$

cepté), mal isolé d'ailleurs, de ceux connus en Bourgogne ou dans la haute vallée de la Saône. Il en est de même du côté suisse où la communauté culturelle du « Moustérien alpin » n'est plus du tout justifiée. Les imprécisions stratigraphiques des grottes du Jura Suisse (Cotencher, St-Brais) et la faiblesse numérique des séries, de part et d'autre du Jura, interdisent de pousser plus avant toute comparaison. S'il y a eu contact cela n'a pu se faire que par la vallée du Doubs, seule jalonnée de sites (Liebvillers, St Brais) en période climatique favorable ou par le Sundgau et la région Bâloise.

Le faciès de tradition acheuléenne existe et ne déborde pas la plaine de la Haute-Saône et les plateaux et semblerait en continuité d'un acheuléen supérieur cantonné dans cette zone. Il en est de même pour le type Quina bien connu dans le Mâconnais (Vergisson) qui a pu exister dans la haute vallée de la Saône (Vergisson, Pierrecourt, Mont les Etrelles). Il ne s'étendrait pas au delà de ce secteur.

Les faciès de transition avec le Paléolithique supérieur sont inexistants et toujours sous réserves de découvertes de séries importantes ; cette lacune pourrait s'expliquer par une régression de l'habitat vers l'Ouest. Les sites du Paléolithique supérieur ancien connus étant actuellement : Rochefort sur Nenon (Basse vallée de la Saône), Cuiseaux (contact avec la Bresse) peut-être Etrelles (plateau de la Saône), cependant bon nombre de sites peuvent encore se trouver masqués par des éboulis de base de pente, de la fin du Würm.

Par la richesse et la diversité de ses industries, le site de Gigny n'a pas jusque là d'homologue dans l'Est de la France. Son isolement et l'unité de style du mobilier des différents faciès appuieraient l'hypothèse d'une évolution en circuit fermé. Toutefois la similitude frappante avec les Moustériens typiques riches en racloirs ou en denticulés du Sud-Est résulte vraisemblablement de contacts étroits avec ces groupes culturels, à moins qu'ils n'en soient directement issus.

Bibliographie

[1] ARNOULD B. (1969). — Le Moustérien du porche de Chenecey. Canton de Quingey, Doubs. *Bulletin de la Société préhistorique française*, t. 66, n° 5.

[2] ARNOULD B. (1971). — Gisements paléolithiques, mésolithiques, néolithique de l'atelier de Mont-les-Etrelles (Hte-Saône). *Diplôme d'études supérieures* dactylographié. Faculté des Sciences de Besançon.

[3] BOURDIER F. (1962). — *Le bassin du Rhône au Quaternaire*. Edition du C.N.R.S., t. I, p. 145 à 156.

[4] CAMPY M. (1932). — La grotte de la baume à Echenoz-la-Méline. Compte rendu préliminaire après deux années de fouilles. *Annales scientifiques de l'université de Besançon*, 3e série, fasc. 18.

[5] CAMPY M., FRACHON J.C., PÉTREQUIN P. (1970). — Dépôts quaternaires du Jura français. Corrélations avec les données de la paléonthologie et

de la préhistoire. *Revue archéologique de l'Est,* t. XX, fasc. 3-4.

[6] CHALINE J. (1972). — *Les rongeurs du Pléistocène moyen et supérieur de France.* Cahiers de Paléonthologie. Editions du C.N.R.S., p. 236 à 240.

[7] COMBIER J. (1956). — La grotte des ours à Châteaubourg (Ardèche) et le problème du « Moustérien alpin ». *Cahiers Rhodaniens,* III.

[8] HUGUENIN G. (1969). — La station moustérienne de Chenecey. Canton de Quingey, Doubs. *Bulletin de la Société préhistorique française,* t. 66, n° 5.

[9] JÉQUIER J.P. (1975). — *Le Moustérien alpin.* Eburodunum II. Recueil de travaux publiés par l'Institut d'archéologie yverdonnoise.

[10] KOBY F.E. (1945). — Les cavernes du cours moyen du Doubs et leur faune pléistocène. *Actes de la société jurassienne d'émulation,* 47 p. 11 fig.

[11] DE LUMLEY-WOODYEAR (1970). — *Le Paléolithique inférieur et moyen du midi méditerranéen dans son cadre géologique,* t. I, p. 271-291.

[12] MOURER-CHAUVIRÉ C. (1975). — *Les oiseaux du Pléistocène moyen et supérieur de France.* Docum. Labo. Géol. Fac. Sci. de Lyon, n° 64, 2 fasc., 624 p., 72 fig., 89 tabl., 22 pl.

[13] PÉTREQUIN J.P. (1970). — *La grotte de la baume de Gonvillars.* Annales littéraires de l'université de Besançon.

[14] PÉTREQUIN P., PININGRE J.F., UHRLACHER J.P. — La grotte moustérienne de Casamène à Besançon. A paraître. *Gallia préhistoire.*

[15] PIROUTET (1932). — Essai sur les connaissances relatives au préhistorique de la Franche-Comté. *Bulletin archéologique.*

[16] THÉVENIN A. (1965). — *L'outillage paléolithique et mésolithique du bassin supérieur de la Saône.* Annales scientifiques de l'université de Besançon, 3° série, géologie 1.

[17] THÉVENIN A. (1972). — Du Paléolithique ancien au Néolithique dans l'Est de la France — Actualité de recherches. *Revue archéologique de l'Est,* t. XXIII, fasc. 3-4.

[18] SAINTY J., CLAUDEL J. (1970). — Une nouvelle station du Paléolithique moyen au sud du village de Mont-lesEtrelles. *Bulletin de la Société préhistorique française,* t. 67, n° 3, p. 68 à 70.

Les civilisations du Paléolithique moyen
en Champagne-Ardenne

Résumé. Par suite de l'absence presque totale de grottes, les gisements du Paléolithique moyen découverts en stratigraphie sont rares en Champagne-Ardenne. Seuls, Vallentigny (Aube) et Champvoisy (Marne) méritent d'être signalés. Une seule trouvaille a été faite en grotte, à Morancourt (Haute-Marne).

Par contre, les gisements de plein air sont nombreux. Ils se situent essentiellement dans les Ardennes, la Brie Champenoise, le Pays d'Othe et sur les plateaux haut-marnais.

Abstract. Because of the almost total absence of caves, the Middle Paleolithic stratified sites are rare in the Champagne-Ardenne region. Only Vallentigny (Aube) and Champvoisy (Marne) merit being pointed out. One find was made in a cave, at Morancourt (Upper Marne).

On the other hand, open-air sites are numerous. They are situated essentially in the Ardennes, the Brie sector of Champagne, the Pays d'Othe, and on the Upper Marne plateaus.

Si les civilisations du Paléolithique moyen sont assez bien représentées en Champagne-Ardenne, c'est essentiellement grâce aux nombreuses prospections de surface effectuées dans les secteurs cultivés où les labours mettent souvent au jour un mobilier relativement abondant. Les zones couvertes de forêts ou de prairies ne peuvent naturellement livrer aucun gisement de ce type ; c'est le cas pour une vaste superficie des départements des Ardennes et de la Haute-Marne et pour les parties boisées de l'Aube (Forêt d'Orient, Forêt d'Aumont) et de la Marne (Forêt de la Montagne de Reims, Forêt d'Argonne). Malheureusement les objets provenant de ces récoltes de surface ne peuvent être utilisés que pour des études typologiques ou pour l'établissement d'une carte de répartition des gisements de plein air.

Trois groupes du Paléolithique moyen peuvent être distingués en Champagne-Ardenne : le Moustérien de tradition acheuléenne ou acheuléo-moustérien, le Moustérien de faciès levalloisien et le Moustérien typique. Par suite du très petit nombre de gisements trouvés *in situ* et en raison de l'absence presque totale de grottes naturelles, il est encore très difficile de définir de véritables faciès régionaux, les sites de plein air ayant souvent livré un mobilier appartenant à chacun de ces groupes.

Les deux gisements les plus importants découverts en stratigraphie sont celui de Vallentigny (Aube) et celui de Champvoisy (Marne).

Les couches supérieures du gisement paléolithique ancien de Vallentigny, lieu-dit La Côte d'Ossignoux (Tomasson R. et J., 1963, Joly, 1965, Joffroy, 1966, Joffroy, 1968) ont livré une abondante industrie moustérienne de tradition acheuléenne et de débitage Levallois, à usage très diversifié, associée à une faune comprenant, entre autres, bisons, bovidés et équidés.

Ce vaste dépôt, formé d'alluvions graveleuses et argilo-sableuses, nous révèle, en outre, plusieurs types de phénomènes périglaciaires. L'étude sédimentologique et, en particulier, l'étude morphoscopique des grains de quartz met en évidence la présence d'une forte proportion de grains ronds et mats montrant la prédominance du vent (Miskovsky, 1963).

Le site de Champvoisy (Marne), lieu-dit « Les Petits Bâtis », s'étend en outre sur le territoire de la commune voisine de Ronchères (Aisne) où ce gisement de plein air avait été découvert en 1954 par René Parent et Marcel Savy qui lui ont consacré un article en 1963 (Parent et Savy, 1963).

Les auteurs avaient déjà remarqué que le site se poursuivait en direction de l'est sur le territoire de Champvoisy où il fut récemment étudié par Jacques Hinout et Maurice Jonot à l'occasion d'une fouille de sauvetage nécessitée par l'ouverture d'une carrière.

Pour la première fois, un ensemble clos, exempt de tout mélange, était fouillé dans le Tardenois et la Brie champenoise. Une coupe, établie au nord du site, a permis de trouver la stratigraphie suivante :

1) de 0 cm à 25 cm, labour ;
2) de 25 cm à 100 cm, abondant dépôt d'argile de décalcification des lœss se subdivisant en trois couches :
   a) de 25 cm à 40 cm, percolation de la couche végétale ;
   b) de 40 cm à 60 cm, traces de racines d'arbres ;
   c) de 60 cm à 90 cm, industrie moustérienne ;
   d) de 90 cm à 100 cm, passage nuancé du limon à l'argile rouge à meulières et silex ;
3) dépôt de pente constitué par des meulières et des silex cryoclastés.

MM. Hinout et Jonot pensent que la position anormale de l'industrie de cette coupe, industrie qui n'est pas en contact avec les meulières, mais emballée dans le limon qui lui est logiquement postérieur, prouve qu'il y a eu des interventions naturelles, dues vraisemblablement aux glaciations. Le mobilier, très

* Directeur des Antiquités Préhistoriques de Champagne-Ardenne, 20, rue de Chastillon, 51000 Châlons sur Marne (France).

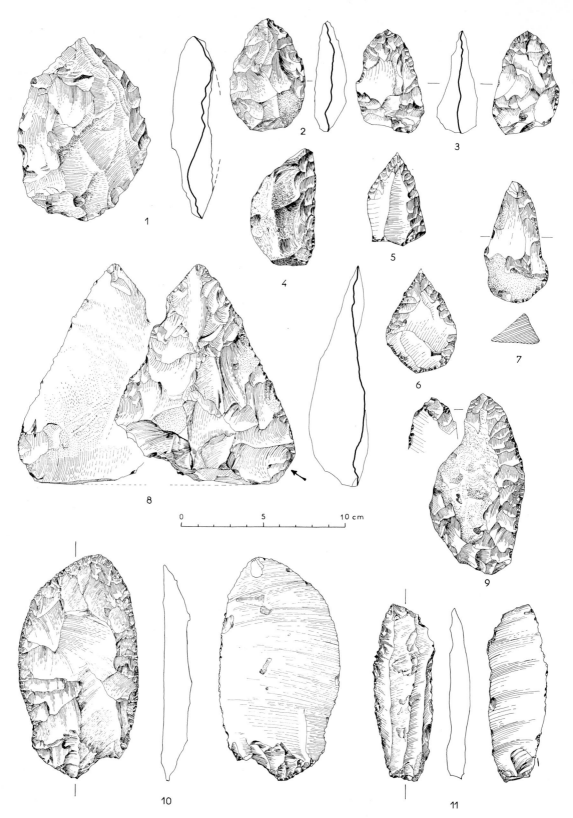

Fig. 1. — Mobilier du Paléolithique moyen (bifaces, pointes, racloirs et couteaux à dos).
1. Crenay (Haute-Marne); 2. Frettes (Haute-Marne); 3. Dommery (Ardennes); 4. Frettes (Haute-Marne); 5. Crenay (Haute-Marne); 6. Dommery (Ardennes); 7. Dommery (Ardennes); 8. Jorquenay (Haute-Marne); 9. Dommery (Ardennes); 10. Champvoisy (Marne); 11. Champvoisy (Marne).

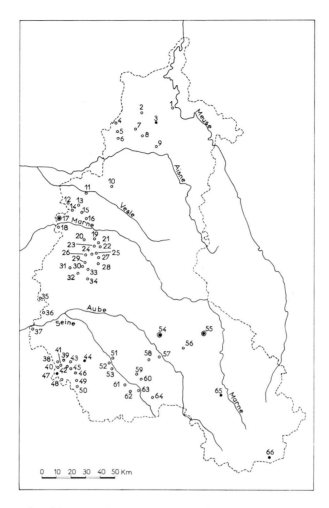

FIG. 2. — Carte de répartition des principaux sites du Paléolithique moyen en Champagne-Ardenne.
⊙ Gisement en place;   ● Gisement très important;   ○ Gisement de moindre importance.

Ardennes : 1. Mézières; 2. Marlemont; 3. Dommery; 4. Renneville; 5. Seraincourt; 6. Saint-Fergeux; 7. Wasigny; 8. Novion-Porcien; 9. Alland Huy.

Marne : 10. Berru; 11. Muizon; 12. Lagery; 13. Ville-en-Tardenois; 14. Romigny; 15. Champlat; 16. Belval; 17. Champvoisy; 18. Dormans; 19. Cuis; 20. Brugny; 21. Cramant; 22. Oger; 23. Grauves; 24. Villers-aux-Bois; 25. Gionges; 26. Chaltrait 27. Vertus; 28. Bergères-les-Vertus; 29. Etoges; 30. Ferebrianges; 31. Bannay; 32. Villevenard; 33. Toulon-la-Montagne; 34. Broussy-le-Grand; 35. Bouchy.

Aube : 36. La Saulsotte; 37. Courceroy; 38. Planty; 39. Pâlis; 40. Vulaines; 41. Saint-Benoist-sur-Vanne; 42. Paisy-Cosdon; 43. Villemaur; 44. Fontvannes; 45. Aix-en-Othe; 46. Villemoiron; 47. Rigny-le-Ferron; 48. Bérulle; 49. Saint-Mards-en-Othe; 50. Nogent-en-Othe; 51. Saint-Julien; 52. Bréviandes; 53. Isle-Aumont; 54. Vallentigny; 56. Thil; 57. Jessains; 58. Amance; 59. Villy-en-Trodes; 60. Magnant; 61. Rumilly-les-Vaudes; 62. Jully-sur-Sarce; 63. Bar-sur-Seine; 64. Landreville.

Haute-Marne : 55. Morancourt; 65. Crenay; 66. Frettes.

abondant (plusieurs centaines de pièces), est caractérisé par un débitage Levallois bien affirmé. L'outillage comprend des pointes, de nombreux racloirs de grandes dimensions (fig. 1, 10) et très peu de bifaces. Les lames sont rares, mais cependant présentes. L'une d'entre elles a été utilisée comme couteau à dos (fig. 1, n° 11). Seules les conclusions de l'étude en cours permettront de préciser à quel moustérien doit se rattacher exactement ce site important.

Des sondages récents ont permis de localiser plusieurs gisements dont l'importance n'est pas négligeable. Citons, par exemple, Marlemont (Ardennes), lieu-dit « La Butte », où le docteur Rozoy a recueilli une série d'outils profondément patinés (racloirs, lames, éclats Levallois et quelques grattoirs sur éclat) (Joffroy, 1968, p. 337), La Saulsotte (Aube), lieu-dit « Les Masures » où Serge Ochietti a mis au jour

quelques objets dont un biface et des éclats Levallois typique (Joffroy, 1968, p. 337).

Il faut, d'autre part, faire une place particulière au site de Dommery (Ardennes), lieu-dit « Le Rottoy », où des sondages ont été entrepris à la suite des découvertes de Jean-Pierre Pénisson qui a ramassé un mobilier très abondant dans le lit d'un ruisseau temporaire. Il comprend de nombreuses pointes et racloirs, des grattoirs, des perçoirs et des couteaux à dos (fig. 1, n°s 3, 6, 7 et 9). Les nuclei, de type Levallois, sont en général de faibles dimensions (Chertier, 1974).

Une seule découverte du Paléolithique moyen a été faite en grotte. Il s'agit du « Perthuis de Roche » de Morancourt (Haute-Marne) (Mouton et Joffroy, 1948) qui a livré, entre autres, un petit biface de faciès acheuléo-moustérien ainsi que plusieurs centaines de kilogrammes d'os rongés par les hyènes et comprenant essentiellement de l'*Elephas primigenius,* du *Rhinoceros tichorinus,* du Cheval, des Bovidés, du *Cervus megaceros* et de l'*Hyenaea crocuta* ce qui, selon les auteurs, indique bien « un paléo moyen assez ancien » (Mouton et Joffroy, 1948, p. 259).

Il est matériellement impossible d'énumérer tous les gisements de plein air de Champagne-Ardenne ayant fourni un outillage pouvant être daté du Paléolithique moyen.

Quatre zones de concentration peuvent cependant être déterminées, les Ardennes, la Brie Champenoise, le Pays d'Othe et les plateaux haut-marnais. Chacun de ces secteurs possède d'ailleurs quelques sites remarquables comme Dommery (Ardennes), Etoges-Fèrebrianges (Marne), Fontvannes (Aube), Crenay et Frettes (Haute-Marne).

Le site d'Etoges-Fèrebrianges avait déjà été signalé en 1869 par le baron de Baye qui fondait beaucoup d'espoir sur cette station où il pensait pouvoir retrouver une stratigraphie du Paléolithique régional (de Baye, 1882 et 1886). Les couches d'alluvions intactes contenaient des « haches retaillées d'un seul côté seulement ». Ces pointes moustériennes étaient accompagnées de nuclei et de bifaces. Robert Doublet, qui a longtemps prospecté ce gisement, y a récolté de nombreux bifaces acheuléo-moustériens, des pointes, des racloirs, de nombreuses lames et même des burins qui, mêlés à une abondante industrie néolithique (haches taillées et polies), prouvent une longue occupation (Doublet, 1962).

La région des marais de Saint-Gond, située quelques kilomètres au sud, a livré deux gisements intéressants : l'un d'eux, situé le long de la face sud du marais, sur la butte-témoin du Mont Août, a permis à André Brisson de récolter en surface quelques pointes et racloirs moustériens ; l'autre, situé sur la commune de Villevenard, au nord du marais, a livré les vestiges d'un atelier de taille partiellement fouillé par Pierre Hu.

Le site de Fontvannes (Aube) fait partie des gisements du Pays d'Othe, prospectés de tout temps (Rigny le Ferron, Villemaur, par exemple). Reprise récemment par Jean Bienaimé avec l'aide de Gabriel Groley et d'Emile Berthier (Chertier, 1974), cette station, qui comprend plusieurs points d'occupation, a livré une centaine de bifaces acheuléo-moustériens, en général peu épais, souvent ovalaires et à tendance cordiforme, de nombreux racloirs, des pointes à talon facetté ainsi que des lames.

Quant aux sites de plein air du sud de la Haute-Marne, ils sont bien représentés par les importants gisements du Paléolithique moyen de Crenay (environ 700 pièces) et de Frettes (environ 450 pièces) prospectés par Paul Garnier (Joffroy, 1970, Chertier, 1974). Cette industrie est essentiellement composée d'outils en chaille et en quartzite, l'origine géographique de cette dernière restant à préciser. Signalons d'ailleurs que les nuclei et les éclats Levallois semblent être exclusivement en chaille tandis que les pointes et les racloirs sont en quartzite.

La carte des principaux gisements (fig. 2) donne une idée de la répartition des industries du Paléolithique moyen en Champagne-Ardenne.

Bibliographie

[1] BAYE Joseph de (1882). — L'industrie quaternaire stratigraphique comparée avec les produits de la même époque répandus sur le sol de la Marne. *Revue Champagne et Brie,* p. 442-445.

[2] BAYE Joseph de (1886). — La réunion de plusieurs époques de la pierre sur le même plateau. *Compte- rendu de l'Association Française pour l'avancement des sciences,* session Nancy, I, p. 181 et II, p. 673-675.

[3] MOUTON P. Abbé et JOFFROY R. (1948). — Paléolithique moyen et repaire d'hyènes au « Perthuis de Roche » de Morancourt (Haute-Marne). *Bulletin de la société préhistorique française,* t. XLV, 1948, n° 6-7-8, p. 256-259.

[4] DOUBLET R. (1962). — Contribution à l'étude du Paléolithique de la région d'Epernay, Marne. *Cahiers d'archéologie du nord-est,* t. V, n° 1, p. 11-22.

[5] MISKOVSKY J. C. (1963). — Les sédiments du gisement paléolithique de Vallentigny (Aube). *Bulletin de la société préhistorique française,* t. LX, n° 7-8, p. 512-527.

[6] PARENT R. et SAVY M. (1963). — Un gisement levalloiso-moustérien à Ronchères (Aisne). *Bulletin de la société préhistorique française,* t. LX, n° 3-4, p. 205-214.

[7] TOMASSON R. et J. (1963). — Le gisement du Paléolithique moyen de la Côte d'Ossignoux, Vallentigny (Aube). *Bulletin de la société préhistorique française,* t. LX, n° 7-8, p. 489-511.

[8] JOLY J. Abbé (1965). — Informations archéologiques. Circonscription de Bourgogne. *Gallia Préhistoire,* Vallentigny, t. VIII, p. 57-60.

[9] JOFFROY R. (1966). — Informations archéologiques. Circonscription de Champagne-Ardenne. *Gallia Préhistoire,* t. IX, fasc. 2, p. 494.

[10] JOFFROY R. (1968). — Informations archéologiques. Circonscription de Champagne-Ardenne. *Gallia Préhistoire,* t. XI, fasc. 2, p. 337-338.

[11] JOFFROY R. (1970). — Informations archéologiques. Circonscription de Champagne-Ardenne. *Gallia Préhistoire,* t. XIII, fasc. 2, p. 390-392.

[12] CHERTIER B. (1974). — Informations archéologiques. Circonscription de Champagne-Ardenne. *Gallia Préhistoire,* t. 17, fasc. 2, p. 503-539.

Les civilisations du Paléolithique moyen en Lorraine

par

Christine GUILLAUME

Résumé. Le Paléolithique moyen est mal représenté en Lorraine, principalement pour des raisons géomorphologiques. La terrasse de Metz-Frescaty est la seule nappe würmienne qui a livré de l'industrie lithique en quartzite, de même que des lentilles limono-argileuses remaniées au Würm, à Ludres (Meurthe-et-Moselle). L'habitat en grotte est rare vu l'absence de cavités et l'industrie y est pauvre (Rebeuville, Vosges). Après l'abondance de documents à l'Acheuléen supérieur, on peut penser qu'il s'agit d'une réalité paléoethnologique qui se retrouve dans les régions limitrophes.

Abstract. The Middle Paleolithic is poorly represented in Lorraine primarily due to Geomorphological factors. The Metz-Frescaty (Moselle and Meurthe and Moselle) terrace is the only Würm layer that produced traces of lithic industry of Quartzite. This industry is the same as found at Ludres (Meurthe and Moselle) made of boulders from silt/clay deposits disturbed in Wurm. In Rebeuville (Vosges) cave sites are rare due to the absence of caves. There are few signs of industry in this area. There is an abundance of late Acheulean Data, we can explain the paucity of Middle Paleolithic remains by Paleoethnological factors also found in the adjoining regions.

Les industries à quartzites taillées de Lorraine, trouvées en surface, reconnues paléolithiques dès le XIXe siècle par F. Barthélémy (F. Barthélémy, 1890), ont cependant été classées dans le « Campignien » par G. Goury (G. Goury, 1914). Ce domaine étant moins étudié en général, les recherches sur le Paléolithique inférieur et moyen de Lorraine sont restées longtemps inactives. Ce sont les découvertes de R. Dézavelle, dans la vallée de la Seille (Meurthe-et-Moselle), attribuées par l'Abbé Breuil (R. Dézavelle, 1935) au Moustérien de tradition acheuléenne qui fit sortir le Paléolithique lorrain de l'oubli. Depuis de multiples jalons sont posés par de patients chercheurs bénévoles.

Il est difficile de cerner, dans le temps, les limites de l'Acheuléen tardif et du Moustérien, en Lorraine. Nous n'avons que la géologie et de maigres trouvailles lithiques pour nous guider. Aussi, il nous est difficile d'esquisser une synthèse. Nous nous bornerons à constater les faits.

Les alluvions würmiennes ont été peu entaillées par les rivières lorraines qui coulent en général sur le sommet de cette nappe, lui faisant subir ainsi d'importants remaniements fluviatiles. Cependant en aval de Gondreville (Meurthe-et-Moselle), la Moselle a formé une terrasse à *E. primigenius* (terrasse dite de Metz-Sablon-Frescaty : nappe C de Tricart) bien déterminée, de la glaciation du Würm.

I. Les stations de surface du Paléolithique moyen de Lorraine.

Seules deux stations y ont été découvertes : l'une à Pont-à-Mousson (Meurthe-et-Moselle) (pl. I, carte point n° 21) sur le niveau supérieur des alluvions, en surface, l'autre à Marly-sur-Seille (Moselle) (pl. I,

carte, point n° 22) dans la partie médiane du dépôt mis au jour par la Seille qui a entamé ce niveau, à son confluent avec la Moselle. Leurs mobiliers sont pauvres et ne permettent pas de préciser à quel Moustérien ils appartiennent. Les éclats bruts de taille sont de petite taille, en rapport avec le calibre moyen de ces alluvions würmiennes, plus réduit que celui des alluvions plus anciennes. L'outillage très rare, continue la lignée de l'Acheuléen supérieur : racloir simple convexe sur entame de galet (pl. I, n° 3) et racloir transversal convexe sur tranche de galet (pl. I, n° 4).

Il faut peut-être rattacher au Paléolithique moyen les diverses découvertes de la région de Thionville (J.-M. Petot, 1970). Aucun document du Paléolithique supérieur n'a été trouvé sur ou dans cette basse terrasse.

Dans l'axe principal : la Moselle (des Vosges au Rhin) où se concentrent ces industries à quartzites taillées, matériel roulé provenant du massif des Vosges, les rares outils en silex importé sont principalement des pointes moustériennes, trouvées isolément, rarement dans un contexte à quartzites : Vaudémont (Meurthe-et-Moselle) (J. Tixier, 1973), Blainville, Burthécourt-aux-Chênes (Meurthe-et-Moselle), etc.

Le reste de la Lorraine semble vide de traces du Paléolithique moyen, mis à part aussi quelques pointes moustériennes en silex : Tilly-sur-Meuse (pl. I, n° 5), Savonnières-en-Perthois (J. Bouyssonnie, 1931) (Meuse). Cette absence de population au Würm ancien est peut-être due à plusieurs causes qu'il reste à déterminer : la détérioration progressive du climat ou, une mauvaise conservation des vestiges due à des conditions géomorphologiques difficiles (alluvions non exondés et remaniés, etc.) ou perduration de l'Acheuléen tardif au cours du Würm ?

---

* Assistante aux Antiquités Préhistoriques de Lorraine, 40, rue de la Côte, 54000 Nancy (France).

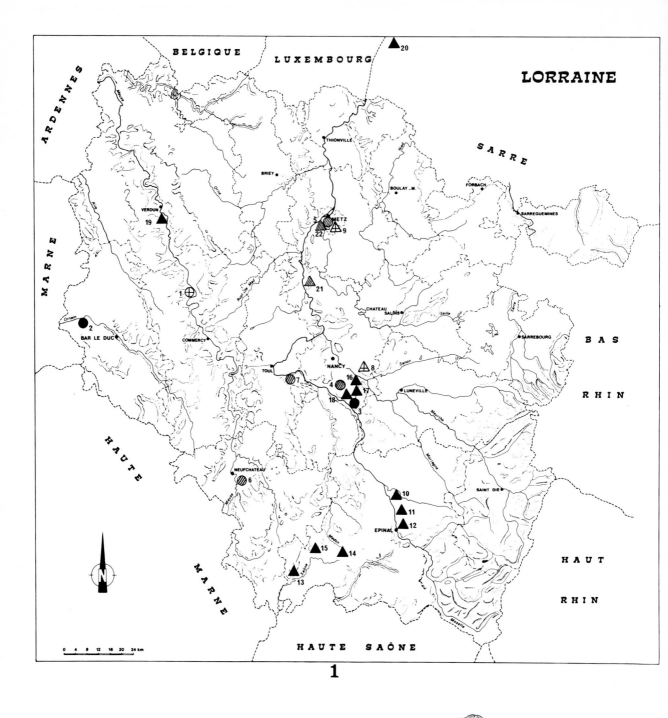

1

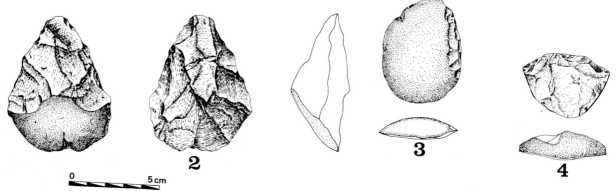

II. Les gisements lorrains du Paléolithique moyen.

La terrasse würmienne de Frescaty a livré dans des sablières : un biface cordiforme allongé à base réservée en quartzite, à Metz-Sablon (Moselle), premier biface trouvé en Lorraine en 1890 (Ch. Guillaume, 1974, fig. 7, n° 6) et un artefact (A. Bellard, 1955, p. 6) indéterminé voisinant des ossements de mammouths. Ce biface illustre bien la continuité sans rupture de la tradition acheuléenne en Lorraine, à moins qu'il n'ait été repris d'un niveau antérieur (pl. I, carte, point n° 5).

Dans cette même vallée de la Moselle, à Ludres (Meurthe-et-Moselle) (pl. I, carte, point n° 4), au « Bois Chauvémont », des travaux de l'E.D.F. ont permis de découvrir, également en stratigraphie (à — 1,70 m) des quartzites taillées. Cette séquence quaternaire située avant l'étranglement de Pont-Saint-Vincent présente des lentilles de limons mêlées à des formations résiduelles sur calcaire ocreux (P. Hubert, 1973). Ces dépôts, entrecoupés de placages de galets vosgiens probablement rissiens, ont glissé et ont été remaniés au Würm, par ruissellement. Ils proviennent vraisemblablement d'un débordement de la Moselle vers la Meurthe, au cours de sa capture par cette dernière, au Riss. L'industrie lithique, en quartzite uniquement, a glissé avec l'ensemble des lentilles dont elle est contemporaine. Les éclats bruts de taille corticaux, un chopper et un biface subcordiforme à base réservée (pl. I, n° 2) sont peu patinés. Le biface peut se placer dans un Moustérien de tradition acheuléenne. A ces trouvailles en quartzite s'ajoutent deux gisements où l'on constate l'emploi de la matière première locale.

Deux niveaux d'occupation humaine ont pu être mis en évidence dans le remplissage würmien d'une résurgence du Mouzon (bassin supérieur de la Meuse), à la grotte de Jeannué, à Rebeuville (Vosges). La base du dépôt, composé uniquement d'alluvions du Mouzon et de dalles d'effondrement, s'est constituée sous un climat assez tempéré et humide (étude de Th. Poulain) probablement au Würm ancien : présence de Bos primigenius et de cervidés (Renne ?). Dans la partie médiane de cette séquence, un niveau archéologique diffus, halte temporaire de chasseurs, est attribuable au Moustérien par son industrie lithique. Très pauvre, cette dernière

est représentée par un raloir simple convexe en chaille locale et une pointe déjetée en silex importé. Le niveau sus-jacent a pu être daté par la microfaune (étude de J. Chaline) et non par le mobilier également très pauvre, de la fin du Paléolithique supérieur. Cette grotte, creusée dans une falaise bajocienne en un grand porche qui domine le Mouzon, est le seul gisement, actuellement connu en Lorraine où il y a deux niveaux archéologiques d'âge différent et le seul habitat paléolithique lorrain en grotte. Cela reflète bien l'extrême pauvreté en cavités des quatre départements lorrains (Meuse, Meurthe-et-Moselle, Moselle et Vosges), et en conséquence le peu de documents préhistoriques trouvés en stratigraphie.

A Pierre-la-Treiche (Meurthe-et-Moselle) (pl. I, carte, point n° 7) lors d'un dégagement d'un conduit souterrain au « Fond de Thuiset », plusieurs lamelles de dents d'E. primigenius ont été dégagées. Cette fissure dont une lèvre a été détruite par des travaux d'exploitation de carrière dans la falaise bajocienne, révéla un remplissage würmien argilo-sableux lessivé du plateau de « La Treiche » (lui-même riche en quartzites et chailles locales taillées) avec un éclat Levallois en chaille.

La disparité entre l'Acheuléen supérieur, très bien représenté notamment au Riss-Würm et le Moustérien mal défini et très clairsemé au cours du Würm ancien, suivi de la quasi absence des divers faciès culturels du Paléolithique supérieur, à part le Magdalénien, révèle peut être une réalité paléoethnologique. Cette progression vers un « dépeuplement » des civilisations paléolithiques de Lorraine se retrouve dans tout le Nord-Est de la France (A. Thévenin, 1972, p. 186) et dans les pays de l'Europe moyenne qui nous sont limitrophes. Cette tendance est peut-être à mettre en parallèle avec les conditions climatiques de plus en plus dures, bien que la faune de Rebeuville nous révèle un climat tempéré humide. Les fouilles actuelles et les gisements futurs apporteront certainement de nouvelles données qui nous permettront d'atteindre une meilleure connaissance des premiers groupes humains de notre région. Mais pour le Paléolithique moyen de Lorraine, il ne faut surtout pas négliger les conditions défavorables de la morphologie quaternaire de cette région qui ne se prête pas aisément à des investigations préhistoriques et qui ont pu être par là une source d'erreurs dans nos appréciations.

PLANCHE 1

1. Carte des gisements et stations de surface (décomptées typologiquement) du Paléolithique inférieur et moyen de Lorraine (fond de carte de L. Walterspieler).
gisements mindéliens.
gisements acheuléens.
gisements moustériens.
stations de surface antérieures au Riss.
stations de surface acheuléennes décomptées.
stations de surface moustériennes.
point n° 1 : Saint-Mihiel. n° 2 : Vassincourt (Meuse). n° 3 : Tonnoy (Meurthe-et-Moselle). n° 4 : Ludres (M.-et-M.). n° 5 : Metz-Sablon et Marly-sur-Seille. n° 6 : Rebeuville (Vosges). n° 7 : Pierre-la-Treiche (M.-et-M.). n° 8 : Lenoncourt (M.-et-M.). n° 9 : Metz. n° 10 : Zincourt (Vosges). n° 11 : Girmont (Vosges). n° 12 : Dogneville (Vosges). n° 13 : Bleurville (Vosges). n° 14 : Jésonville-devant-Darney (Vosges). n° 15 : Provenchères-lès-Darney (Vosges). n° 16 : Ville-en-Vermois (M.-et-M.). n° 17 : Manoncourt-en Vermois (M.-et-M.). n° 18 : Burthécourt-aux-Chênes (M.-et-M.). n° 19 : Dugny (Meuse). n° 20 : Oberbillig (Allemagne). n° 21 : Pont-à-Mousson (M.-et-M.). n° 22 : Marly-sur-Seille (M.-et-M.).
Paléolithique moyen. 2. Biface subcordiforme à base réservée, Ludres (Meurthe-et-Moselle). 3. Racloir simple convexe, Pont-à-Mousson (Meurthe-et-Moselle). 4. Racloir transversal convexe, Pont-à-Mousson (Meurthe-et-Moselle).

Bibliographie

[1] BARTHÉLÉMY F. (1890). — Outil acheuléen découvert dans les alluvions de la Moselle. *Congrès de l'Association française pour l'Avancement des Sciences,* 1re session, Limoges, p. 225.

[2] BELLARD A. (1955). — *Le Paléolithique au Bassin de Moselle.* Mosellans d'avant l'Histoire. IVe Contribution à la Préhistoire lorraine. Ed. Even, Metz, 15 p., 5 pl.

[3] DÉZAVELLE R. (1935). — Communication sur les quartzites d'Eply et Morville-sur-Seille. *Bulletin de la Société préhistorique française,* t. 32, p. 613-614.

[4] GOURY G. (1914). — Le Paléolithique en Lorraine. *Etudes archéologiques,* t. II, Nancy, p. 25 à 52, 2 photos.

[5] GUILLAUME C . (1974). — Bifaces en quartzite du Paléolithique ancien en Lorraine. *Bulletin de la Société préhistorique française,* t. 71, Etudes et Travaux, fasc. 1, p. 279 à 294, 3 tableaux, 1 carte, 7 fig. Bibliographie régionale.

[6] HUBERT P. (1973). — Carte des formations superficielles. Nancy au 1/50 000e. T. V : Evolution morphologique. *Mémoire de Géographie,* Lettres, Nancy, 31 p., tableaux et cartes.

[7] PETOT J.-M. (1970). — Les galets éolisés des stations paléolithiques mosellanes. *Etudes mosellanes,* n°s 2-3, p. 110-115, 3 photos.

[8] THÉVENIN A. (1972). — Du Paléolithique ancien au Néolithique dans l"Est de la France : actualités des recherches. *Revue archéologique de l'Est et du Centre-Est,* fasc. 3-4, p. 163 à 204, 14 fig. et cartes.

[9] TIXIER J. (1973). — Informations archéologiques de la Circonscription des Antiquités préhistoriques de Lorraine. *Gallia-Préhistoire,* t. 16, fasc. 2, p. 439 à 461, 30 fig.

Les civilisations du Paléolithique moyen en Alsace

par

André Thévenin *

Résumé. Le Paléolithique moyen n'a fourni jusqu'à présent que peu d'indices en Alsace. Ce fait est dû aux puissantes formations de loess dans lesquelles sont interstratifiées les industries. Sur le site d'Achenheim cependant, en 1974, a été dégagée une aire de dépeçage de rhinocéros et de chevaux du Würm I ou II (Sol 74).

Abstract. The Middle Paleolithic seems at this writing very poorly represented in Alsace. This fact is due to the heavy loess formations in which the industries are stratified. In 1974, a butchering area of rhinoceroses and horses was discovered at the site of Achenheim and dated to the Würm I or II (Lens 74).

I. Le Paléolithique moyen à Achenheim.

Contrairement à l'opinion de P. Wernert (1957), et comme l'avait suggéré F. Bordes (1960 et 1969), le loess ancien supérieur doit être considéré comme Würmien. En effet le grand lehm comblant le grand ravinement GR 2 (se reporter à la figure 4 de la notice : « Les plus anciennes industries humaines d'Alsace ») est daté d'un interstade du Würm (Lyon 761 : 36700 ± 2200. 1700 B.P. ou 34750 B.C., datation obtenue à partir d'une importante quantité de charbons de bois d'un seul foyer mais sans industrie ; cette datation semble confirmer le point de vue de F. Bordes mais il faut attendre une deuxième mesure d'âge en cours. Le Paléolithique moyen correspond de ce fait au loess ancien supérieur et au limon humique de base du loess récent.

A. INDUSTRIE DU LOESS ANCIEN SUPÉRIEUR.

Elles sont rares et elles ont été trouvées principalement dans le loess sableux basal : un uniface sur éclat à talon lisse (fig. 1, n° 1); un racloir à retouche bifaciale (fig. 1, n° 2), un racloir alterne (fig. 1, n° 3). Le lehm rouge brun de surface a fourni également quelques rares outils : par exemple le racloir n° 8. Bosinski (1967) range toute l'industrie de cette séquence dans le groupe Achenheim IV ou « Moustérien de tradition acheuléenne ».

B. INDUSTRIE DU LIMON DE BASE DU LOESS RÉCENT.

Ce niveau a fourni plusieurs nucléus Levallois, dont un à lame (fig. 1, n°s 6 et 10), une pointe moustérienne typique, un racloir à pointe (fig. 1, n° 7), un racloir convergent (fig. 1, n° 9), etc. Il est difficile de se faire une idée précise à partir de ces seuls éléments dispersés dans une telle masse de sédiments. Bosinski (1967) compare cette industrie (Achenheim V) à celle du Moustérien de Balve IV en Allemagne.

C. L'INDUSTRIE DU SOL 74 D'ACHENHEIM.

En 1974, était repéré et mis au jour un sol de plus de 200 m² où les hommes préhistoriques s'étaient installés : dans la zone nord, des animaux, rhinocéros, chevaux avaient été abattus et dépecés ; les carcasses avec les mandibules avaient été abandonnées sur le sol. L'outillage manque totalement à cet endroit. En revanche, dans la partie sud, racloirs, choppers, chopping-tools étaient concentrés sur une aire très restreinte, associés à de très menus fragments osseux. Le matériel du sol 74 paraît archaïque (fig. 1, n°s 12 à 15) mais le silex manque totalement dans la plaine alsacienne et la plupart du temps, l'homme préhistorique s'est rabattu sur les galets de rivière (Thévenin A. et Sainty J., 1974). Ce sol 74 ou aire de dépeçage est reltivement bien daté. Pour Cl. Guérin de Lyon, les rhinocéros (*Coelodonta antiquitatis*) sont würmiens. Pour F. Prat, de Bordeaux, les chevaux sont également würmiens (Würm I ou II).

II. Autres documents alsaciens.

Il faut signaler quelques trouvailles de surface à Pfulgriesheim, Dingsheim (Bas-Rhin), gisements proches d'Achenheim (P. Wernert, 1957), un biface triangulaire à Hochfelden (Bas-Rhin) (fig. 1, n° 16), et quelques instruments roulés en calcédoine, recueillis par E. Dillmann dans les alluvions récentes de la Moder (Dillmann E., 1969) près de Kaltenhouse.

Un important gisement moustérien, détruit en extrayant des pierres, avait été découvert en 1887 à Voegtlinshofen (Haut-Rhin) (Bosinski, 1967). La loessière Hartmann à Risdisheim, étudiée par G. Mazenot (1963) pour sa faune malacologique, a fourni quelques rares silex et jaspes, dont un éclat Levallois de 2e ordre en jaspe. L'horizon à industrie préhistorique peut être rattaché en début du Würm par sa faune (cheval et cerf) (Thévenin, 1972 a et b).

* Directeur des Antiquités préhistoriques d'Alsace et de Lorraine, Palais du Rhin, 3, place de la République 67000 Strasbourg (France).

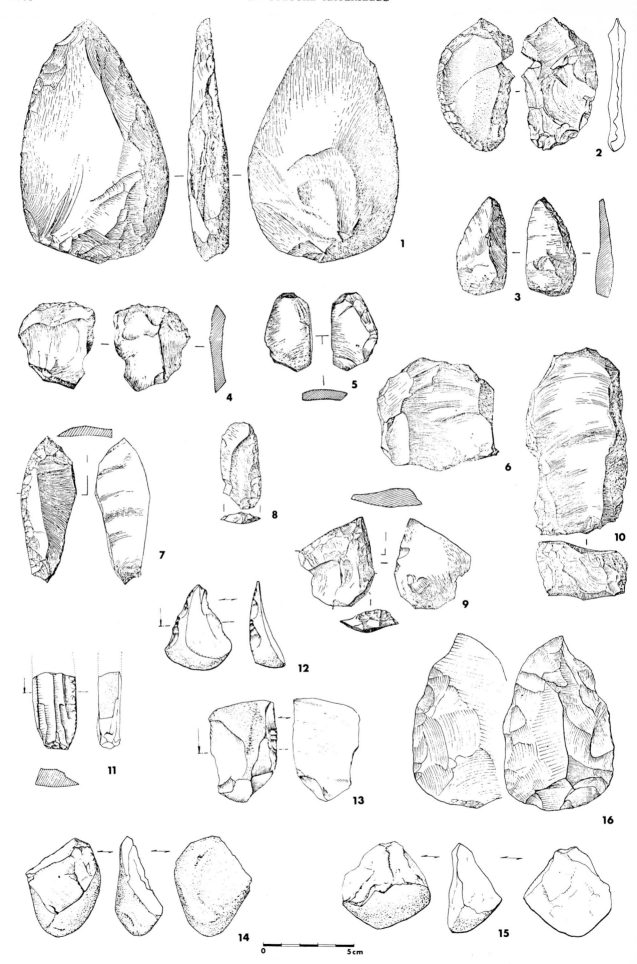

0   5cm

Pour la localisation de certains de ces silex ou gisements, voir la figure 1 de la notice : « Les plus anciennes industries humaines d'Alsace ».

Bibliographie

[1] BORDES F. (1960). — (Compte rendu de la thèse de P. Wernert, 1957). *L'Anthropoloige,* t. 64, n° 1-2, p. 77-85.

[2] BORDES F. (1969). — Le loess en France. *Etudes françaises sur le Quaternaire.* VIII° Congrès INQUA, p. 69-76, 4 fig.

[3] BOSINSKI G. (1967). — Die Mittelpaläolithische Funde im westlichen Mitteleuropa. *Fundamenta,* série A, volume 4, 205 p., 16 fig., 15 + 197 pl., 7 cartes.

[4] DILLMANN E. (1969). — Outillage de caractère paléolithique de la vallée de la Moder, près de Haguenau (Bas-Rhin). *Bull. soc. préhist. franç.,* t. 66, C.R.S.M. n° 9, p. 267-269, 2 fig.

[5] MAZENOT G. (1963). — Recherches malacologiques sur les loess et les complexes loessiques d'Alsace. *Bull. service carte géol. Als.-Lorr.,* t. 16, fasc. 1, 69 p., 3 fig.

[6] RASSAI G. (1971). — Feinstratigraphie Untersuchungen der Lössablagerungen des Gebietes um Hangenbieten südwestlich von Strasburg im Elsass. *Quartär,* Bd. 22, p. 17-53, 3 fig.

[7] THÉVENIN A. (1972 a). — Du Paléolithique ancien au Néolithique dans l'Est de la France : actualité des recherches. *Revue archéo. de l'Est et du Centre-Est,* t. 23, fasc. 3-4, p. 163-204, 14 fig.

[8] THÉVENIN A. (1972 b). — Informations archéologiques. Circonscription d'Alsace. *Gallia Préhistoire,* t. 15, fasc. 2, p. 423, 2 fig.

[9] THÉVENIN A. (1973). — Aperçu général sur le Paléolithique et l'Epipaléolithique de l'Alsace. *Annales scientifiques de l'Université de Besançon,,* Géologie, 3° série, fas. 18, p. 255-265, 6 fig.

[10] WERNERT P. (1957). — Stratigraphie paléontologique et préhistoire des sédiments quaternaires d'Alsace, Achenheim. *Mémoires serv. carte géol. Als.-Lorr.,* n° 262 p., 118 fig., 24 planches photo.

FIG. 1. — Achenheim : lœss supérieur - lœss sableux basal : 1. Uniface, quartzite; 2. Racloir à retouche bifaciale, phtanite; 3. Racloir alterne, phtanite; 4. Nucléus, phtanite; 5. Racloir, phtanite;
— lehm rouge brun : 8. Racloir, calcédoine;
— lœss récent : limon humique de base : 6. Nucléus, Levallois, schiste grauwackeux; 7. Racloir à pointe, calcédoine; 9. Racloir convergent, calcédoine; 10. Nucléus Levallois à lames, hornstein.
— Sol 74, Würm I ou II : 11. Fragment de racloir simple droit, sur lame épaisse régulière; 12. Pointe à denticulé latéral sur bord cortical; 13. Racloir simple droit sur éclat cortical; 14. Chopper; 15. Chopping-tool à pointe; Hochfelden; 16. Biface (1 à 10, d'après P. Wernert).

IV

LES CIVILISATIONS
DU PALÉOLITHIQUE SUPÉRIEUR

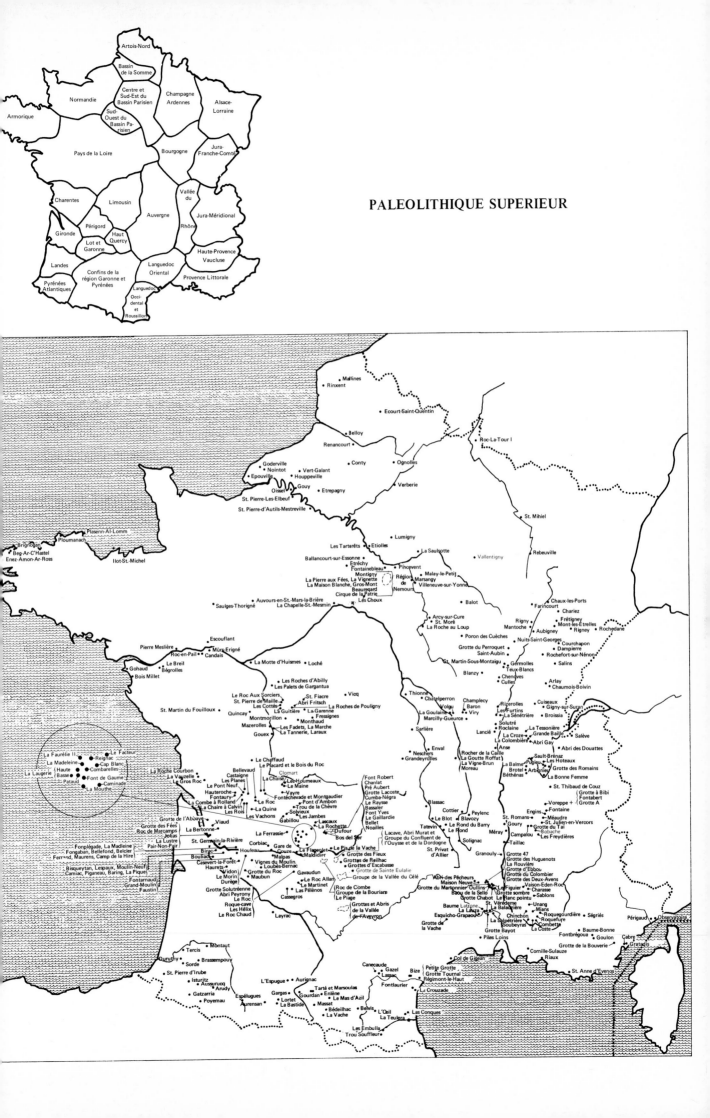

PALEOLITHIQUE SUPERIEUR

Les civilisations du Paléolithique supérieur en Provence littorale

Max ESCALON DE FONTON * et Gérard ONORATINI **

Résumé. Le Périgordien ancien n'a jamais été rencontré en Provence. L'Aurignacien y est extrêmement rare. Le Solutréen y est inconnu. Le Périgordien supérieur, Gravettien et épigravettien, est assez fréquent dans le Var oriental, mais très rare ou absent ailleurs. Le Magdalénien est plus abondant, surtout le Magdalénien supérieur ainsi que l'Azilien et ses équivalents. La cause de la rareté du Paléolithique supérieur ancien est l'érosion qui arracha les sédiments contemporains de cette phase.

Abstract. The Lower Perigordian is never encountered in the Provence. The Aurignacian is extremely rare. The Solutrean is unknown. The Upper Perigordian, Gravettian and Epi-Gravettian, fairly common in the Eastern Var, is very rare or absent altogether elsewhere. The Magdalenian is very abundant, particulary Upper Magdalenian. The Azilian and it's equivalents are also abundant. The rarity of old Upper Paleolithic industries is due to erosion that swept away sediments of that period.

I. Les conditions géologiques et géographiques.

Lorsque l'on parcourt la Provence littorale, on est frappé de voir que le rocher est nu presque partout, et que les basses plaines sont comblées par d'épais sédiments dont les formations se prolongent quelquefois assez loin sous le niveau actuel de la mer. Dans les zones escarpées des collines, la couche néolithique repose le plus souvent sur le substratum rocheux. Dans les basses terres, ce Néolithique est en surface ou très près de la surface.

Cela montre bien que des érosions très violentes et très poussées ont lessivé et arraché tous les sédiments des régions escarpées, pour les déposer beaucoup plus bas, comblant les débouchés fluviaux, et indique clairement que ces érosions eurent lieu avant le Néolithique.

Par ailleurs, on sait (Escalon, 1966, 1969) qu'au Paléolithique supérieur le niveau de la mer était beaucoup plus bas qu'il n'est actuellement. Nous sommes donc privés de tous les gisements qui se situaient au-dessous du rivage actuel. Or, la plupart des grottes et abris-sous-roche se trouvent précisément au-dessous du rivage actuel de la Méditerranée.

Il est donc normal que le Paléolithique supérieur soit rare dans la Provence littorale, car la plupart des gisements furent arrachés par l'érosion, et les quelques-uns qui ont pu y échapper sont recouverts par d'épais sédiments sous-marins et encore inaccessibles.

Les gisements actuellement connus se trouvent dans des cavités à pente rentrante ou sous les énormes blocs des surplombs effondrés des porches de grottes ou d'abris-sous-roche. Quant aux stations de plein air, ce n'est guère que dans le Var oriental non calcaire qu'on en rencontre sur des terrasses anciennes qui sont à l'abri des érosions, dans ces zones où les sables perméables et le relief semblent s'opposer à un trop grand ruissellement torrentiel.

Sans doute, faut-il aussi remarquer qu'au Paléolithique supérieur, le climat y était moins froid que dans l'axe de la vallée du Rhône, et qu'une couverture végétale plus dense devait s'opposer à ces érosions qui furent beaucoup plus violentes dans la Provence occidentale.

II. Les industries dans leur cadre géo-chronologique.

Comme on l'a vu, le niveau de la mer étant beaucoup plus bas au Paléolithique supérieur qu'aujourd'hui, la côte, surtout dans les régions plates, était assez éloignée du rivage actuel. D'autre part, les vents constants du Nord repoussaient l'influence méditerranéenne, surtout dans l'axe de la vallée du Rhône. Il ne faut donc pas s'étonner de ne point rencontrer cette tendance méditerranéenne régulatrice en dehors de la Provence orientale, qui est déjà la Ligurie, et où les influences italiques se font nettement sentir.

A. PÉRIGORDIEN ET AURIGNACIEN.

Le Périgordien ancien n'a jamais été rencontré en Provence. Les dépôts contemporains sont, soit stériles, soit occupés par un Moustérien tardif (Lumley, 1971).

L'Aurignacien paraît tout aussi rare, mais les dépôts synchrones du début du Würmien III furent partout arrachés par les érosions violentes qui se sont produites aux différents interstades. A Ste-Anne-d'Evenos (Var), à environ 8 km au N-W de Toulon, une colluvion dans les sables siliceux issus d'une colline très érodée, livra quelques silex de l'Aurignacien (Escalon, 1966). Cette industrie n'est pas assez abondante pour donner lieu à une analyse plus précise (fig. 1).

* Directeur de Recherche au C.N.R.S., Laboratoire de Préhistoire Méditerranéenne, E.R. N° 46, 34, rue Auguste Blanqui 13006 Marseille (France).
** E.R. n° 46 du C.N.R.S. Laboratoire de Préhistoire Méditerranéenne, 34, rue Auguste Blanqui, 13006 Marseille (France).

Tableau des industries du Paléolithique supérieur du Midi de la France.

Séquences climatiques	Languedoc oriental		Provence rhodanienne	Provence orientale
Allerod	Azilien, Valorguien		Azilien, Valorguien	
	Magdalénien terminal		Magdalénien terminal	Bouverien
	Magdalénien VI		Magdalénien VI	
	Magdalénien V		Magdalénien V	Bouverien
Bolling	Salpétrien supérieur		Magdalénien IV	Bouverien
	Salpétrien ancien		Arenien	Arenien
Lascaux	Solutréen supérieur			
	Solutréen moyen		Arenien	Arenien
	Solutréen ancien			
	Aurignacien V		Arenien	Arenien
Tursac	Aurignacien IV		Périgordien final	
	Aurignacien III	Périgordien V		Périgordien V
Salpetrière	Aurignacien II	Périgordien IV		Périgordien IV
			Aurignacien	
Arcy	Aurignacien I			Aurignacien
Quinson	Aurignacien 0		?	?

Dans les Alpes-Maritimes, à Tourette-Levans, près de Nice, la Baume-Périgaud (Stecchi et Bottet, 1950) livra un curieux assemblage de silex typiquement gravettien et de sagaies en os aurignaciennes. D'après les fouilleurs, trois niveaux contenaient chacun une industrie lithique exclusivement gravettienne. Cependant, au niveau inférieur, ce Gravettien était associé à des Pointes d'Aurignac à base fendue, de l'Aurignacien I. Le niveau sus-jacent livra des pointes en os de l'Aurignacien II, tandis que le niveau supérieur était caractérisé par des pointes en os de l'Aurignacien III. Dans l'industrie lithique, il n'y avait aucun élément pouvant être rapporté à l'Aurignacien et ce problème n'a pas encore trouvé sa solution (Escalon, 1966).

Le Périgordien supérieur, ou Gravettien, est encore inconnu dans la zone occidentale de la Provence, qu'il s'agisse de la côte ou de l'intérieur. Mais il est bien développé dans la zone orientale, où le site de La Bouverie, à la limite des communes de Bagnols-en-Forêt et de Roquebrune-sur-Argens (Var) recèle une stratigraphie du plus grand intérêt, car elle permet le raccord géochronologique entre le Gravettien classique du S-W de la France et celui de l'Italie (fig. 2 et 3).

Des travaux de sédimentologie très détaillés (Onoratini 1974-1975) ont permis de préciser la position des industries : après l'interstade Salpêtrière, qui vidangea les dépôts antérieurs, un premier niveau débute au Würmien III C 1, avec un Périgordien IV encore indifférencié. Cette industrie passe au Périgordien V et présente un niveau noaillien au moment de l'interstade de Tursac. Au Würmien III C 2 A, ce Gravettien commence à accuser une tendance au faciès particulier. Pendant un court épisode de rémission du froid, oscillation Bouverie (Onoratini, 1974), on voit apparaître sur des pointes du type lame appointée gravettienne, une retouche nettement plus couvrante. Pendant le Würmien III C 2 B, ce *Gravettien de tradition noaillienne se transforme et se fixe en un faciès bien particulier : l'Arenien* (Escalon, 1966). La pointe Arenienne devient plus fréquente, et il y a toujours des gravettes, des pointes à cran, etc... C'est l'interstade de Lascaux. Après

cette oscillation climatique, au début du Dryas I, l'Arenien, qui conserve son outillage de tradition gravettienne, se charge en rectangles, le plus souvent courts, qui sont des lamelles à dos et double troncature. Certaines de ces pièces sont presque carrées. Dans le courant du Dryas I, les Pointes aréniennes diminuent en nombre, ainsi que les pièces tronquées, mais la pointe à cran est toujours présente. Les vraies gravettes cèdent peu à peu la place aux microgravettes en même temps que l'on voit apparaître le grattoir court, unguiforme. C'est alors l'interstade de Bölling. A partir de ce moment, un nouveau stade industriel va prendre forme sur ce fond proto-romanellien contemporain du Magdalénien IV-V.

C'est, semble-t-il, ce qui se passe aussi en Italie, et il ne faut pas confondre cette industrie romanelloïde de tradition gravettienne avec l'Azilien ou le Valorguien qui sont de tradition magdalénienne et qui se forment à partir de l'interstade d'Alleröd. Puisqu'il faut réserver désormais le terme de Romanellien pour les industries de l'Italie orientale, nous nommerons *Bouverien* cet épigravettien post-noaillien, caractérisé par de petites pointes à cran périgordiennes, des pointes de la Gravette, des pointes à face plane grossières, des microgravettes, des grattoirs longs rares, et des grattoirs courts abondants, sur lame et sur éclat. Cette industrie présente nettement des caractères de style gravettien, et l'on n'y rencontre pas de pointes aziliennes, ni aucun élément de la tradition magdalénienne.

En somme, dans la Provence orientale, comme en Italie, le Gravettien évolué ne donne ni le Solutréen ni le Magdalénien, mais l'Arenien, puis le Bouverien qui en sont les contemporains. Il sera intéressant de noter une certaine convergence de forme (assez superficielle d'ailleurs) entre le Bouverien tardif d'Alleröd et l'Azilien ou le Valorguien. D'autre part, il faut remarquer que l'Arénien du Würmien III C 2 B, contemporain du Solutréen, possède à ce moment-là les pointes aréniennes dont la retouche est la plus couvrante. Il ne s'agit pas d'un phénomène de solutréanisation à proprement parler, mais il y a là le reflet d'une tendance à la véritable pointe à face plane au sens large. Il y a

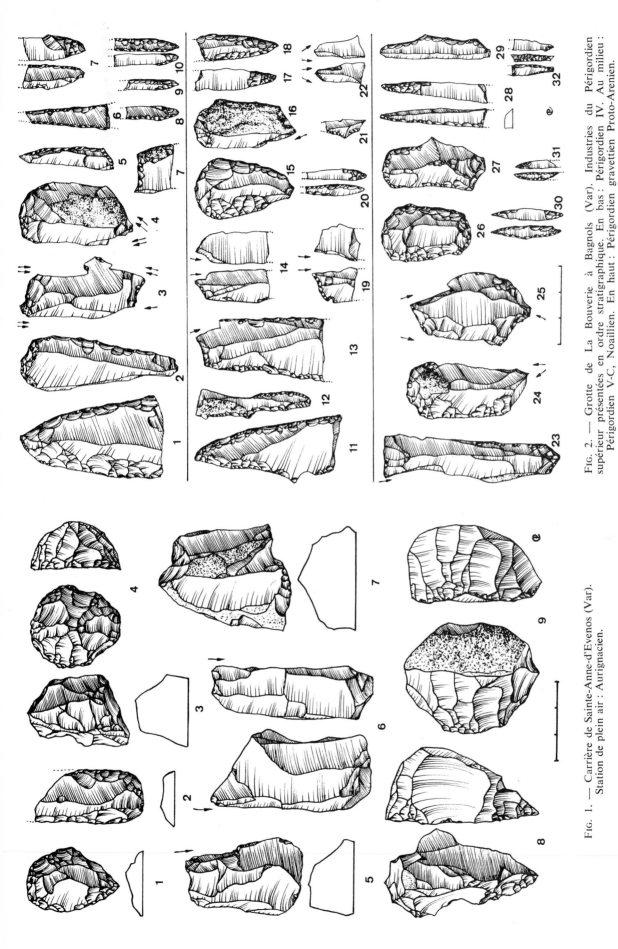

FIG. 2. — Grotte de La Bouverie à Bagnols (Var). Industries du Périgordien supérieur présentées en ordre stratigraphique. En bas : Périgordien IV. Au milieu : Périgordien V-C, Noaillien. En haut : Périgordien gravettien Proto-Arenien.

FIG. 1. — Carrière de Sainte-Anne-d'Evenos (Var). Station de plein air : Aurignacien.

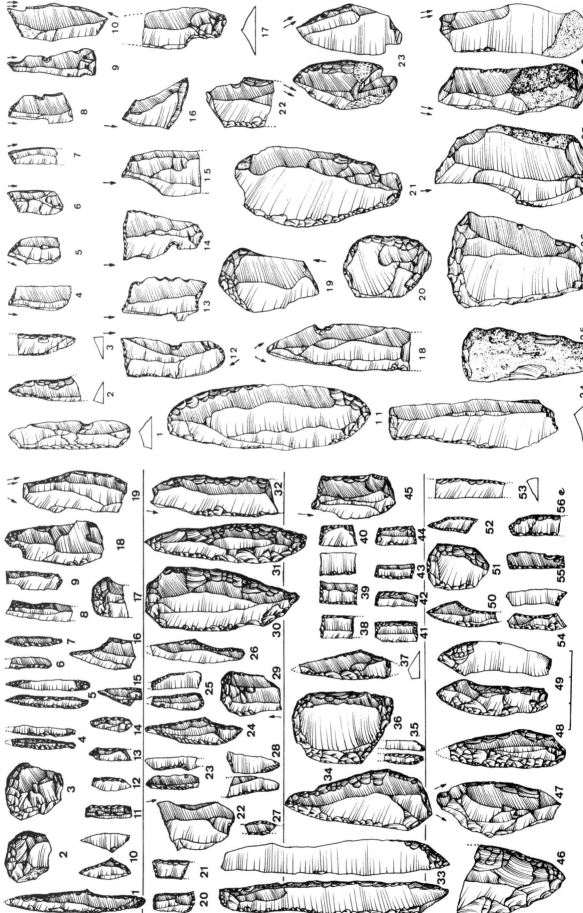

FIG. 3. — Grotte de La Bouverie à Bagnols (Var). Industries de l'Arenien présentées en ordre stratigraphique. A la base : 46 à 56. Arenien ancien. Plus haut : 33 à 45. Arenien moyen. Au-dessus : 20 à 32. Arenien supérieur. Au sommet : 1 à 19. Epi-Arenien (Bouverien).

FIG. 4. — Le Gratadis à Agay (Var). Station de plein-air : Perigordien V-C, Noaillien.

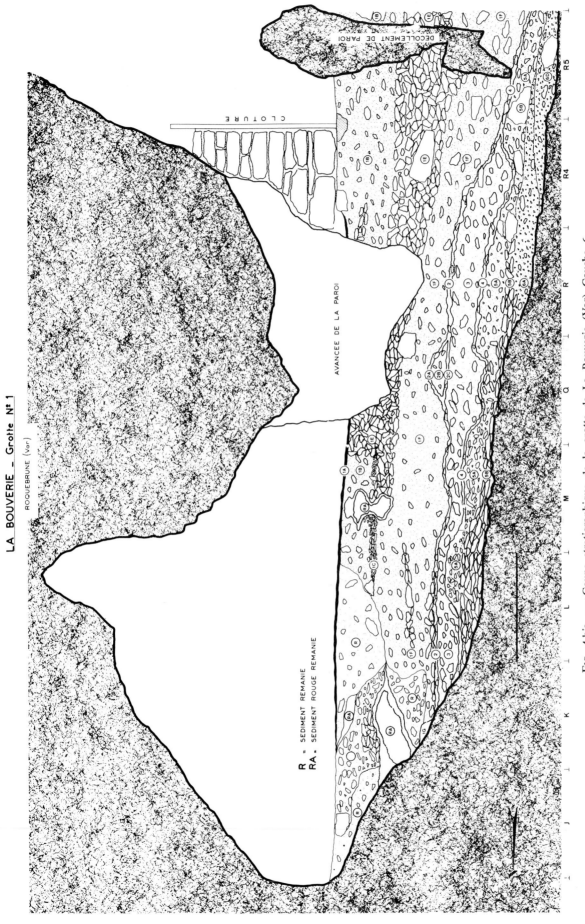

Fig. 4 bis. — Coupe stratigraphique de la grotte de La Bouverie (Var) Couche 6,
A et B : Périgordien IV. Couche 5, A et B : Périgordien V Noaillien. Couche 3 :
Périgordien V évolué. Couches 1 H à 1 L : Arénien ancien. Couches 1 F et 1 E :
Arénien final. Couches 1 B, C, D : Bouverien (Proto-Romanellien).

TABLEAU SYNOPTIQUE DES STRATIGRAPHIES
ET SEQUENCES PALEOCLIMATIQUES
DU PALEOLITHIQUE SUPERIEUR ET DE L'EPIPALEOLITHIQUE
DE PROVENCE

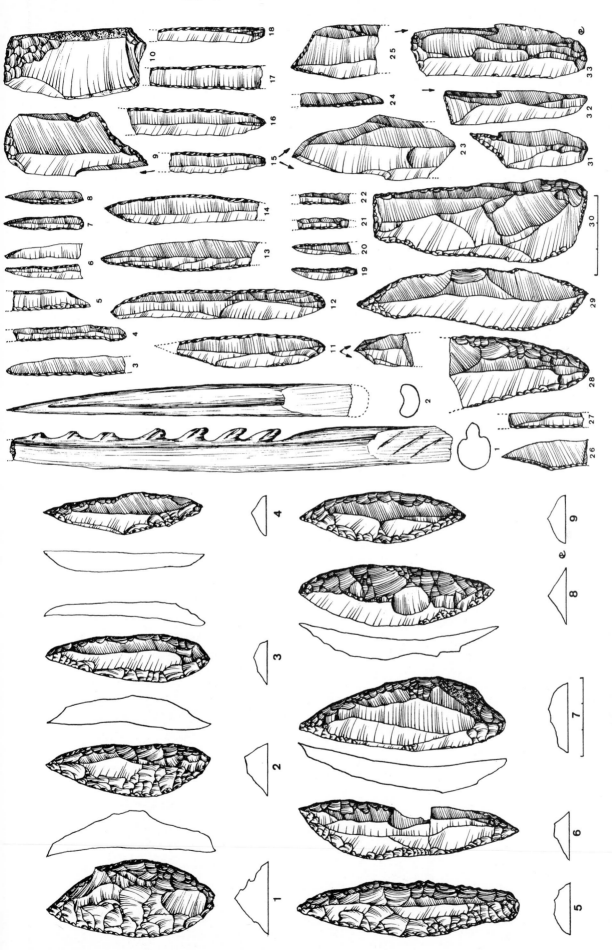

FIG. 6. — Grotte de l'Adaouste à Jouques (Bouches-du-Rhône) : 10 à 33. Couche 17 : Magdalénien IV. 1 à 9. Couche 12. Magdalénien V.

FIG. 5. — La Baume-Bonne à Quinson (Alpes-de-Haute-Provence) : Pointes aréniennes du niveau Arénien.

bien quelquefois une retouche distale sur face plane, mais il s'agit toujours d'une retouche de style gravettien, comme, par exemple, sur des pointes des Vachons.

Le Périgordien final est bien représenté dans les stations de plein air du Var oriental, où le niveau noaillien paraît fréquent. Il semble que ce Périgordien V-c ait connu une véritable expansion, probablement à l'occasion du réchauffement de l'oscillation de Tursac. La station du Gratadis (Onoratini, 1974 et 1975) en est un exemple (fig. 4).

L'Arénien était déjà connu à La Baume-Bonne (Escalon, 1966), par les fouilles Bottet (fig. 5).

B. MAGDALÉNIEN.

Le Magdalénien ancien typique n'a jamais été trouvé en Provence. Dans la zone occidentale, il est bien rare de rencontrer des sédiments datant de cette séquence dans les grottes et les abris-sous-roche, car les érosions très violentes de Lascaux et de Bölling ont déblayé ce qui pourrait s'être déposé alors. Et cela d'autant plus que les dépôts du Dryas I-a sont souvent des sables éoliens que l'érosion a facilement emportés. Mais il faut remarquer que l'on n'a pas pu encore explorer les cavités dont les surplombs, totalement effondrés, présentent de très grandes difficultés de sondage. Dans la zone

orientale, comme on l'a vu plus haut, le Magdalénien n'a pas pénétré. L'évolution des industries est tout autre, et c'est l'Arénien final et le Bouverien qui remplacent le Magdalénien, comme en Languedoc oriental, le Salpêtrien remplace le Solutréen terminal et le Magdalénien ancien.

Dans la zone rhodanienne de la Provence, le Magdalénien moyen et supérieur existe, et il ne présente pas de faciès locaux nettement différenciés du Magdalénien classique. On rencontre, comme d'ailleurs partout en France, le Magdalénien IV au-dessus de gros blocs d'effondrement qui recouvrent normalement le Magdalénien III (Escalon, 1966, 1969, 1971).

La grotte de l'Adaouste, à Jouques (B.-du-Rh.) a donné une stratigraphie du Magdalénien IV et V (fig. 6). Au-dessus des blocs de l'effondrement de la fin du Dryas I, le Magdalénien IV apparaît avec la phase humide et moins froide de Bölling. Il y a de nombreuses lames à dos et des gravettes atypiques, des lames appointées, des burins dièdres et des burins d'angle sur troncature droite ou très peu oblique, des burins transversaux sur encoche. C'est la couche 17 qui a livré aussi des aiguilles à chas en os. Ce Magdalénien IV se développe pendant la fin de la phase humide de Bölling et pendant la phase sèche qui lui fait suite au Dryas II-a. Un effondrement de blocs sépare ce niveau de celui

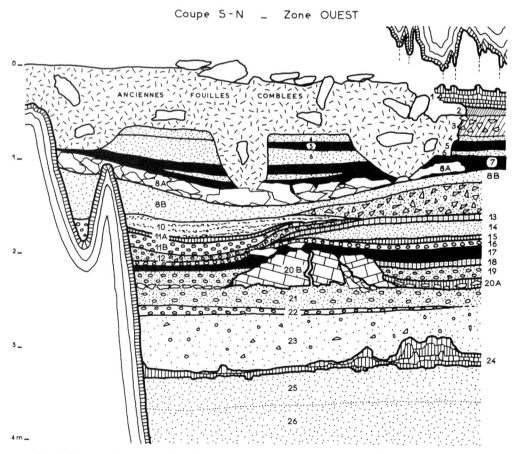

Grotte de l'ADAOUSTE

Coupe S-N _ Zone OUEST

FIG. 5 bis. — Coupe stratigraphique de la grotte de l'Adaouste (B.-du-R.). Couche 17 : Magdalénien IV. Couche 12 : Magdalénien V. Couches 10, 11 : Magdalénien VI.

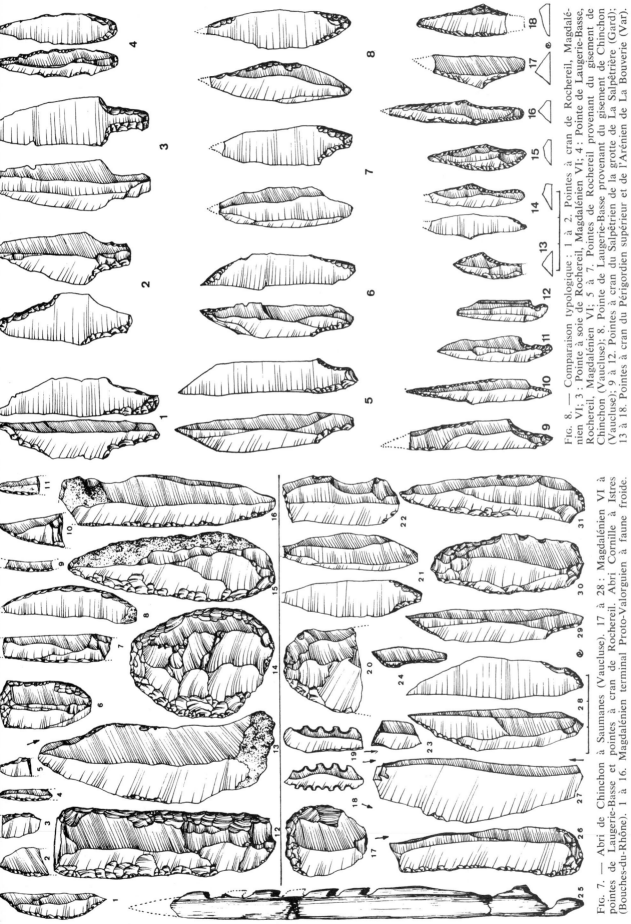

FIG. 8. — Comparaison typologique : 1 à 2. Pointes à cran de Rochereil, Magdalénien VI; 3 : Pointe à soie de Rochereil, Magdalénien VI; 4 : Pointe de Laugerie-Basse, Rochereil, Magdalénien VI; 5 à 7. Pointes de Rochereil provenant du gisement de Chinchon (Vaucluse); 8. Pointe de Laugerie-Basse provenant du gisement de Chinchon (Vaucluse); 9 à 12. Pointes à cran du Salpêtrien de la grotte de La Salpêtrière (Gard); 13 à 18. Pointes à cran du Périgordien supérieur et de l'Arénien de La Bouverie (Var).

FIG. 7. — Abri de Chinchon à Saumanes (Vaucluse). 17 à 28 : Magdalénien VI à pointes de Laugerie-Basse et pointes à cran de Rochereil. Abri Cornille à Istres (Bouches-du-Rhône). 1 à 16. Magdalénien terminal Proto-Valorguien à faune froide.

du Magdalénien V sus-jacent de la couche 12. Ce niveau, qui n'est pas bien riche, a tout de même livré, avec une industrie lithique classique, un harpon (ou sagaie à barbelures) dont le style est caractéristique du Magdalénien V, et une sagaie longue à biseau simple. Le Magdalénien VI sus-jacent est totalement lessivé et colluvié par les érosions de l'interstade d'Alleröd (Escalon, 1966, 1969, 1971).

Le Magdalénien VI est d'ailleurs partout lessivé et colluvié en Basse-Provence où les érosions de l'Alleröd furent torrentielles, mais on peut suivre l'évolution de cette culture immédiatement au Nord de la Durance où les conditions de conservation des dépôts sont plus favorables.

L'Abri de Chinchon à Saumanes, en Vaucluse (Paccard, 1964), permet de raccorder et d'étudier cette évolution du Magdalénien typique (Bonifay, 1962). Au-dessus des grands effondrements de blocs contemporains du Magdalénien III-IV, les dépôts sont caractéristiques d'une courte phase humide (Escalon, 1971). La couche 15-c recèle des traces du Magdalénien V. Au-dessus, la couche 15-A (foyer C) contient une industrie typique du Magdalénien classique VI-a, à pointes à cran du type Rochereil (Escalon, 1966 ; Jude, 1960). Il y a des pointes de Laugerie-Haute, des lamelles appointées magdaléniennes, et l'outillage lithique habituel (fig. 8). Au-dessus, la couche 13 (Foyer B1) contient un Magdalénien VI-b à harpon typique et baguettes demi-rondes. Il y a toujours les grandes lames magdaléniennes, les gros grattoirs dont quelques-uns sont courts. Le grand segment de cercle fait partie de l'outillage, comme dans le Magdalénien classique. Au-dessus, la couche 11 (Foyer B) recèle une industrie du Magdalénien VI terminal. Elle est surmontée par un niveau azilien ancien de filiation autochtone (fig. 7).

L'Abri Cornille, dans le vallon de Sulauze, à Istres, B.-du-Rh. (Escalon et Onoratini, 1976), à donné un niveau de Magdalénien terminal proto-valorguien dans une formation sédimento-climatique de la fin du Dryas II. La faune comporte encore des éléments froids, comme par exemple, l'antilope Saïga (Bonyfay, M.F., 1976). L'industrie, caractéristique de cette phase terminale du Magdalénien, ne diffère pas sensiblement du Magdalénien terminal du Sud-Ouest de la France : il y a les grandes lames magdaléniennes, les lames appointées, les burins dièdres, les lamelles à dos. Les grattoirs en bout de lame courts apparaissent, mais subsistent encore les grands grattoirs ovalaires du Magdalénien final. Il faut noter la présence de grands segments de cercle, prélude à la pointe azilienne. Certains de ces segments présentent un dos à deux courbures, et cet élément paraît caractériser le Magdalénien final rhodanien. Il y a des microburins d'assez grande taille qui sont probablement les déchets de fabrication des segments. Au stade d'évolution suivant, cette industrie devient le Valorguien inférieur de transition, à l'aurore de la phase d'Alleröd (fig. 7).

En dehors du vallon de Sulauze, le Magdalénien est fort rare dans la zone côtière. Il faut signaler les restes d'un petit gisement tranché par l'érosion, la grotte de Riaux à Marseille-L'Estaque (Escalon,

1956, 1969), et quelques silex typiques dans des lambeaux de sédiments épargnés par l'érosion violente du début Alleröd, à Carro près Martigues (B.-du-Rh.) sur une bordure de doline, à la Sainte-Baume (Var), près de Lamanon (B.-du-Rh.). Ces deux derniers sites étant d'ailleurs déjà assez éloignés de la côte.

On a donc, après le Dryas I, le réchauffement humide de l'interstade de Bölling pendant lequel débute le Magdalénien IV. Au Dryas II-a, le climat s'assèche fortement alors que se développe ce Magdalénien IV dans des dépôts éoliens. On rencontre ensuite, entre le Magdalénien IV et le Magdalénien V, des blocs d'effondrement de porche. Au Dryas II-b, oscillation de l'Adaouste (couche 13), le climat devient très humide et froid au Magdalénien V. Au Dryas II-c, il se produit un nouvel assèchement de courte durée au Magdalénien VI Chinchon 14 à 16 (Bonifay, 1962 ; Escalon, 1966, 1971). Pendant cette période sèche et éolienne, on constate encore un effondrement dont les blocs séparent le Magdalénien VI-a du VI-b. C'est ensuite l'oscillation d'Istres et un léger réchauffement humide au Magdalénien terminal (Escalon, 1971; Onoratini, 1973), suivi immédiatement d'un assèchement momentané. Ensuite, on note la présence d'un nouvel effondrement de porches et de surplombs au moment du Proto-Azilien et du Valorguien ancien. Puis, c'est le réchauffement humide de l'interstade d'Alleröd.

Bibliographie

[1] BLANC J.J. (1966). — Le Quaternaire marin de la Provence et ses rapports avec la géologie sous-marine. *Bulletin du musée d'Anthropologie préhistorique de Monaco,* n° 13, p. 5-27.

[2] BLANC J.J., FROGET C., GUIEU G. (1967). — Géologie littorale et sous-marine dans la région de Marseille. Relations avec les structures de la Basse-Provence. *Bulletin de la société géologique de France,* (7), IX, p. 561-571, 1 fig.

[3] BONIFAY E. (1962). — Recherches sur les terrains quaternaires dans le sud-est de la France. *Publications de l'Institut de préhistoire de l'Université de Bordeaux,* Mémoire 2, 194 p., 48 fig., 9 tabl.

[4] BONIFAY E. (1967). — La tectonique récente du bassin de Marseille dans le cadre de l'évolution postmiocène du littoral méditerranéen français. *Bulletin de la Société géologique de France,* (7), IX, p. 549-560, 3 fig.

[5] BONIFAY M.F. (1968). — La faune de l'abri Cornille (Istres, B.-du-Rh.). *La Préhistoire, problèmes et tendances.* C.N.R.S., p. 47-57, 5 fig.

[6] BONIFAY M.F. (1974-1976). — Les faunes de l'abri Cornille à Istres (B.-du-Rh.) : fin du Dryas II, Alleröd, Dryas III. *Congrès préhistorique de France. Martigues.* XXᵉ Session, juillet 1974.

[7] BORDES F. (1968). — La question périgordienne : *La Préhistoire, problèmes et tendances.* C.N.R.S. Paris, p. 59-70, 3 fig.

[8] BOTTET B. et B. (1947). — La Baume Bonne à Quinson (B.-A.). *Bulletin de la société préhistorique française,* p. 152-170, 2 fig., 4 pl.

[9] BOURDIER F. (1962). — *Le bassin du Rhône au Quaternaire.* Géologie et Préhistoire. 2 vol. Centre national de la Recherche scientifique, édit.

[10] BOURDIER F. (1967). — *Préhistoire de France.* Flammarion, édit., 412 p., 152 fig.

[11] CHAMLEY H. (1968). — Sur le rôle de la fraction sédimentaire issue du continent comme indicateur climatique durant le Quaternaire. *Compte-rendu de l'Académie des Sciences,* Paris, t. 267, p. 1262-1265, 1 fig.

[12] COMBIER J. (1967). — Le Paléolithique de l'Ardèche. *Institut de préhistoire. Université de Bordeaux.* Mémoire n° 4, 465 p., 178 fig., 21 tabl.

[13] DELPORTE H. (1968). — L'abri du Facteur à Tursac (Dordogne). *Gallia-Préhistoire,* t. XI, fasc. 1, p. 1-112, 63 fig.

[14] DELPORTE H. (1970). — Le passage du Moustérien au Paléolithique supérieur. *Colloque : l'homme de Cro-Magnon,* p. 129-139.

[15] ESCALON DE FONTON M. (1956). — Préhistoire de la Basse-Provence. Etat d'avancement des recherches en 1951. *Préhistoire,* t. XII, 154 p., 110 fig.

[16] ESCALON DE FONTON M. (1966). — Du Paléolithique supérieur au Mésolithique dans le Midi méditerranéen. *Bulletin de la société préhistorique française,* t. LXIII, fasc. 1, p. 66-180, 73 fig., 10 pl. et 1 tabl.

[17] ESCALON DE FONTON M. (1967). — Les séquences climatiques du midi méditerranéen, du Würm à l'Holocène. *Bulletin du Musée d'Anthropologie préhistorique de Monaco,* n° 14, p. 125-185, 29 fig., 3 tabl.

[18] ESCALON DE FONTON M. (1968). — Préhistoire de la Basse-Provence occidentale. Syndicat d'Initiative - Office du Tourisme de la région de Martigues, t. 1, 71 p., 56 fig., et tabl.

[19] ESCALON DE FONTON M. (1968). — Problèmes posés par les blocs d'effondrement des stratigraphies préhistoriques du Würm à l'Holocène dans le midi de la France. *Bulletin de l'Association française. Etude du Quaternaire* (A.F.E.Q.), n° 4, p. 289-296, 2 tableaux synoptiques stratigraphiques.

[20] ESCALON DE FONTON M. (1970). — Le Paléolithique supérieur de la France méridionale. Congrès 1968 : L'Homme de Cro-Magnon, p. 177-195, 6 fig., 2 tabl.

[21] ESCALON DE FONTON M. (1971). — Stratigraphies, effondrements, climatologie des gisements préhistoriques du Sud de la France, du Würm III à l'Holocène. *Bulletin de l'Association française des études du Quaternaire,* n° 29, p. 199-207, 2 tabl.

[22] ESCALON DE FONTON M. (1972). — Le Paléolithique supérieur ancien dans le midi de la France. Colloque de Paris, Unesco 1971 : *Origine de l'homme moderne.* (Ecologie et conservation, 3), p. 147-151, 1 tabl.

[23] ESCALON DE FONTON M. (1973). — La question des différents faciès de l'Azilien et du Romanellien. *Estudios dedicados al Profesor Dr Luis Pericot.* Instituto de arqueologica y prehistoria (Barcelona), p. 85-100, 10 fig.

[24] ESCALON DE FONTON M. et BROUSSE R. (1972). — Corrélation entre les phases d'effondrement dans les grottes préhistoriques et les phases d'activité volcanique. *Congrès préhistorique de France.* Auvergne, 1969, p. 200-223, 16 fig., 1 tabl.

[25] ESCALON DE FONTON M. (1974-1976). — Dates C. 14 et données stratigraphiques de quelques gisements du midi de la France. *Congrès préhistorique de France, Martigues.* XXe Session, juillet 1974.

[26] JUDE P.E. (1960). — La grotte de Rochereil, Station magdalénienne et azilienne. *Archives de l'Institut de Paléontologie humaine,* Mémoire 30, p. 1-74, 28 fig.

[27] LAPLACE G. (1964). — Les subdivisions du Leptolithique italien. Etude de typologie analytique. *Bolletino di paletnologia italiana,* XV, vol. 73.

[28] LAVILLE H. (1964). — Recherches sédimentologiques sur la paléoclimatologie du Würm récent en Périgord. *L'Anthropologie,* t. 68, n° 1-2; t. 68, n° 3-4.

[29] LEONARDI P., BROGLIO A. (1962). — Le Paléolithique de la Vénétie. *Università degli studi di Ferrara.*

[30] LEROI-GOURHAN Arl. (1959). — Flores et climats du Paléolithique récent. *Congrès préhistorique de France,* Monaco, p. 1-6, 1 tabl.

[31] LEROI-GOURHAN Arl. (1968). — L'abri du Facteur à Tursac (Dordogne), analyse pollinique. *Gallia-Préhistoire,* t. XI, fasc. 1, p. 123-131, 4 fig.

[32] LEROI-GOURHAN Arl. (1968). — Dénomination des oscillations würmiennes. *Bulletin de l'association française de l'Etude du Quaternaire,* vol. 4, p. 281-288.

[33] LUMLEY H. de (1971). — Le Paléolithique ancien et moyen du midi méditerranéen dans son cadre géologique, t. I et II, V^e supplément à *Gallia-Préhistoire.*

[34] MISKOVSKY J.C. (1970 et 1975). — Stratigraphie et paléoclimatologie du Quaternaire du midi méditerranéen d'après l'étude sédimentologique du remplissage des grottes et abris sous-roche. *Etudes quaternaires,* n° 3, Université de Provence.

[35] MOIRENC A., VAYSON DE PRADENNE A. (1931). — La grotte de la Combette à Bonnieux. *Compte rendu de la Xe session du Congrès préhistorique de France,* p. 427-434, 1 fig., 3 pl.

[36] ONORATINI G., CHAMLEY H., ESCALON DE FONTON M. (1973). — Note préliminaire sur la signification paléoclimatique des minéraux argileux dans le remplissage de l'abri Cornille (B.-d.-Rh.). *Bulletin de la Société géologique de France.* Supplément du t. XV, n° 2, fasc. 2, p. 59-61, 1 fig.

[37] ONORATINI G. (1974-1976). — La grotte de la Bouverie (Var). *Congrès préhistorique de France. XXe session. Martigues 1974.*

[38] ONORATINI G., WEDERT P., ESCALON DE FONTON M. (1974). — Caractères granulométriques et faciès sédimentaires des dépôts quaternaires de la zone nord de l'abri Cornille à Istres (B.-du-Rh). *Bulletin de la Société géologique de France.* Supplément au t. XVI, n° 2, fasc. 2, p. 31-33, 2 fig.

[39] PACCARD M. (1956). — Du Magdalénien en Vaucluse, l'abri Soubeyras à Ménerbes. *Cahiers ligures de préhistoire et d'archéologie,* n° 5, p. 3-33, 17 fig.

[40] PACCARD M. (1963). — Le gisement préhistorique de Roquefure. Commune de Bonnieux, Vaucluse. *Cahiers Rhodaniens,* n° 10, p. 3-36, 19 fig.

[41] PACCARD M. (1964). — L'abri de Chinchon n° 1 (Saumane, Vaucluse). *Cahiers ligures de préhistoire et d'archéologie,* n° 13, t. 1, p. 3-67, 36 fig.

[42] RENAULT-MISKOVSKY J. (1972). — Contribution à la Paléoclimatologie du midi méditerranéen pendant la dernière glaciation et le post-glaciaire d'après l'étude palynologique de remplissage des grottes et abris sous-roche. *Bulletin du musée d'anthropologie préhistorique de Monaco,* n° 18, p. 145-210.

[43] Smith Ph. E.L. (1966). — Le Solutréen en France. *Publication de l'Institut de préhistoire de Bordeaux*, Mémoire n° 5.

[44] Sonneville-Bordes D. (1960). — *Le Paléolithique supérieur en Périgord*, t. I et II (Imprimerie Delmas à Bordeaux).

[45] Stecchi et Bottet (1950). — La Baume Périgaud. Commune de Tourette-Levens (A.-M.). *Bulletin de la société préhistorique française*, n° 1-2, p. 89-93, 1 fig.

[46] Vernet J.L. (1973). — Etude sur l'histoire de la végétation du Sud-Est de la France au Quaternaire d'après les charbons de bois principalement. *Paléobiologie continentale*.

Les civilisations du Paléolithique supérieur en Haute-Provence et dans le Vaucluse

par

Michel LIVACHE *

Résumé. Après un long hiatus couvrant le Würm III, se développe dans le Vaucluse des industries du Tardigravettien ancien suivant trois phases : 1) phase à pointes à face plane (la Font Pourquière), phase à cran du Dryas I (Chinchon C), phase à dos et troncatures (Soubeyras n6). Le Magdalénien est bien attesté dans de nombreux gisements où il évolue par un processus d'azilianisation décrit ici vers l'Azilien dont le niveau A de Chichon pourrait servir de type (présence de harpon).

Abstract. After a long hiatus covering the Würm III, there occurs in the Vaucluse a development in three phases of the Lower Tardi-Gravettian industries : 1) ventrally retouched points (la Font Pourquière), 2) notched pieces of the Dryas I (Chinchon C), 3) backed and troncated pieces (Soubeyras N°6). The Magdalenian is well attested in the numerous sites where it evolves by a process of azilianization towards the Azilian of which level A of Chinchon may serve as a prototype (presence of the harpoon).

Situé au S-E de la France en la zone climatique méditerranéenne, le Vaucluse en Haute-Provence, s'étend à l'Est du Rhône et au Nord de la Durance. Trois ensembles calcaires du Crétacé présentent un relief karstique. Au Sud c'est le massif du Luberon (altitude maximale : 1 125 m), au centre-Est les Monts du Vaucluse (alt. max. : 1 242 m) au Nord-Est le massif du Ventoux, le « Géant de Provence » (1 912 m). Ce relief est entouré, parfois recouvert,

parfois en décrochement, par des molasses Miocènes (Burdigalien, Helvétien). Ces lieux sont très favorables à la conservation des vestiges préhistoriques, les grottes et les abris sous roche y sont nombreux. Les régions d'Apt et de Mormoiron qui correspondent à des synclinaux sont constitués des sables ocreux de l'Aptien et de l'Albien. L'érosion actuelle de ces surfaces a permis de déceler l'existence de gisements préhistoriques. Les plaines alluviales quaternaires du

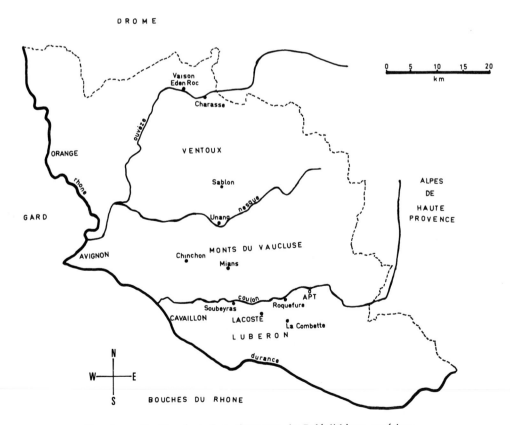

FIG. 1. — Le Vaucluse. Les gisements du Paléolithique supérieur.

* Quartier di Roio, 84220 Cabrières d'Avignon (France).

Rhône et de la Durance par contre ont une constitution moins favorable. Les rivières Ouvèze, Nesque, Coulon... et leurs affluents creusent de nombreuses gorges et vallons.

Il existe dans cette région un long hiatus entre les cultures préhistoriques représentées. En effet, si le Moustérien est bien attesté : Bau de l'Aubesier, Baume des Peyrards, La Combette, les industries contemporaines du Würm III, par contre, font totalement défaut (sauf dans un cas probablement en station de plein air à la Font Pourquière).

I. Le Tardigravettien ancien à pointes à face plane (fig. 2, 3, 4).

Michel Livache et Albert Carry ont mis à jour, au lieu-dit La Font Pourquière sur la commune de Lacoste, une industrie originale. A 80 cm en moyenne sous la surface actuelle du sol, s'étendait un campement de plein air. La production lithique seule a été conservée, les sables du substratum Ludien ont en effet détruit les matières osseuses. Le débitage de grands éclats et de lames larges au percuteur dur lui donne un aspect original. Les Magda-

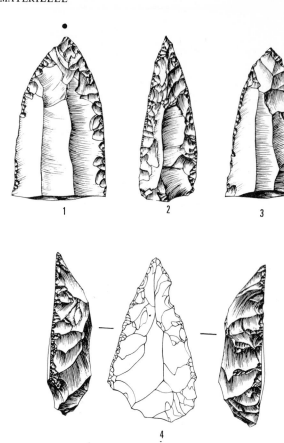

FIG. 3. — La Font Pourquière. Pointes à retouche plate.

léniens voisins (Soubeyras, la Combe Buisson) sont plus microlithiques.

L'industrie est caractérisée par l'*association* des pointes à dos rectilignes à retouche plate inverse du bulbe ou de la pointe (fig. 2) (variété des Vachons), des pointes à face plane à retouche simple ou plate envahissante/couvrante et des lamelles à dos tronquées. Les lamelles à dos tronquées qui représentent 18 % de l'outillage sont d'un type particulier. Ce sont des lamelles à dos bitronquées ouvertes, l'angle du dos et de la troncature est de 104° en moyenne (fig. 4). Cette association permet de rapprocher cet ensemble des niveaux inférieurs (Foyers 5 à 3) des Arene Candide et des niveaux 18 et 17 de la grotte Paglicci en Italie. En France M. Escalon de Fonton la retrouve à la Bouverie dans le Var. A la Font Pourquière les grattoirs sont peu représentés (1 %), les burins moyennement (5,7 %). Les pièces à retouche plate (6 %), les lamelles à dos tronquées (18 %) et les encoches (20 %) contribuent à particulariser l'ensemble. Il fait partie de *la grande diversité des cultures* qui de la France du S-E à la péninsule italique sont contemporaines du phénomène solutéen et perpétuent la tradition du Gravettien (Laplace, 1964 b).

II. Le Tardigravettien ancien à crans.

Le niveau C de l'abri n° 1 de Chinchon, commune de Saumane, qu'a fouillé Maurice Paccard, a été

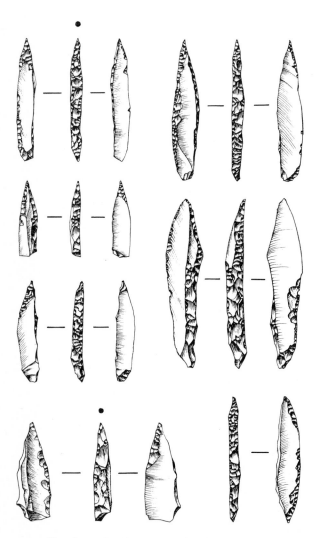

FIG. 2. — La Font Pourquière. Pointes à dos.

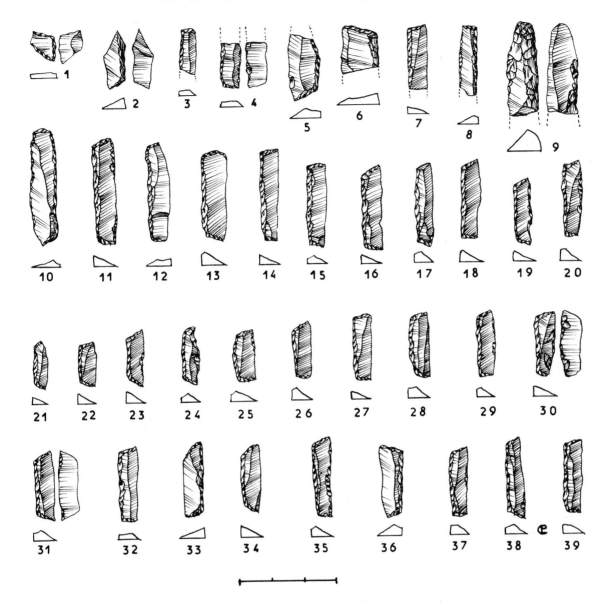

FIG. 4. — La Font Pourquière. Lamelles à dos bitronquées.

diversement interprété. En effet si le fouilleur (Paccard, 1964) et Georges Laplace (Laplace, 1964) l'ont classé soit comme Salpêtrien soit comme Tardigravettien ancien à crans, par contre Max Escalon de Fonton et Denise de Sonneville-Bordes en font un Magdalénien VI.

La position stratigraphique de ce niveau sous deux niveaux magdaléniens (B' et B) et la position chronologique : Dryas I attribuée par Jacques Brochier qui effectua les analyses sédimentologiques, empêchent le classement dans le Magdalénien VI.

En fait, la présence de 16,1 % de pièces à cran et de 12,4 % de lamelles à dos tronquées assurent l'originalité du niveau C par rapport aux niveaux magdaléniens régionaux connus. Les pièces à cran sont de deux types : pointes à cran court et retouche abrupte distale formant la pointe et pièces à cran peu marqué, à retouche inverse qu'on assimila à des pointes de Laugerie Basse. Les tests statistiques (khi$_2$) appliqués pour son étude montrent l'isolement du niveau C de Chinchon.

III. Le niveau 6 de Soubeyras.

A l'abri Soubeyras, commune de Ménerbes, fouillé par M. Paccard, existe, localisé sur la terrasse alluviale de base, séparé par un intervalle stérile de la phase magdalénienne de ce site, un niveau pauvre mais caractérisé par l'abondance (18,8 %) des lamelles à dos tronquées. L'indice des burins (7,5 %), en particulier, contraste avec les indices des niveaux magdaléniens supérieurs qui évolueront progressivement : 20,7 % pour le n4, 15,8 % pour le n3d ...

La phase industrielle antémagdalénienne est donc essentiellement marquée par le net développement des industries à lamelles à dos tronquées, ce qui ne se reproduira plus avec cette intensité, même à l'approche des séquences aziloïdes. L'évolution, à la vue des trois sites, se fait par le jeu des associations : pointes à dos rectiligne et lamelles à dos tronquées, crans et lamelles à dos tronquées et lamelles à dos tronquées.

La phase « magdalénienne » du Vaucluse tire peut

être l'originalité qu'on lui a attribuée de cette ascendance particulière, homomorphe de l'évolution des industries ligures ou italiques méridionales.

IV. Le Magdalénien.

D 1 - A Chinchon.

Localisés dans les couches cryoclastiques 13 et 11 deux niveaux magdaléniens succèdent au niveau C. Le niveau B' contenait un harpon à un rang de barbelures anguleuses et dégagées. Le niveau B précède le niveau A au harpon azilien.

Si les indices des burins et des grattoirs sont constants dans les deux séquences (B' : burins = 11,3 %, grattoirs = 4 % ; B : burins = 10,4 %, grattoirs = 5,1 %), la différence s'opère par la dégression des lamelles à dos (56,5 % et 38,5 %) et la progression des lames retouchées (10,5 % et 16 %) et des encoches (4 % et 7 %). Les pointes à dos progressent également (3,2 % et 7,5 %), ces pointes à dos deviennent courbes (pointes aziliennes). Le niveau B annonce bien l'Azilien et pourrait être un Magdalénien VI.

D 2 - A La Combette.

Cette petite grotte creusée dans la molasse budigalienne fut fouillée par M. Paccard puis par M. Livache. Le niveau inférieur où le Bouquetin est présent, a donné une industrie à burins à deux pans droits et à lamelles à dos. Ces deux types d'outils constituent l'essentiel de ce complexe. Ce pourrait être un Magdalénien supérieur ancien. Cette grotte avait fourni à Vaison-de-Pradennes un profil d'oiseau découpé en roche dure allogène.

D 3 - A Soubeyras.

Cet abri a fourni une série de 5 niveaux magdaléniens : n4, n3d, n3c, n3b et n3a en série homogène suivant les tests statistiques. L'évolution vers l'Azilien du niveau 2 se fait par progression des groupes typologiques suivants : Grattoirs : de 7 % à 22,1 % ; Pointes à dos : de 5,2 % à 7,3 % et par la dégression : Burins : 20,7 % à 14,5 % ; Lamelles à dos : de 46,4 % à 32,8 %. Les autres groupes sont stables. Les burins et les grattoirs sont mieux représentés dans ce site qu'à Chinchon 1.

D 4 - A Roquefure.

Le niveau 9 de l'abri de Roquefure, commune de Bonnieux, fouillé par M. Paccard, est un Magdalénien de transition vers l'Azilien. Le graphe 2 montre les rapports qu'il entretien avec l'Azilien de Soubeyras n2 et par là avec Chinchon 1 nA. La bonne représentation des pointes à dos et des lames retouchées sont à l'origine de cette homogénéité statistique.

D 5 - A Charasse 1.

L'abri de Charasse 1 à Entrechaux a été fouillé par différentes personnes : Sylvain Gagnière, M.

Paccard, M. Escalon de Fonton. G. Laplace a étudié la collection conservée au Musée Calvet en Avignon (Laplace, 1967). Les trois niveaux sont statistiquement homogènes. Il est à remarquer la faible importance des industries à dos et le développement des encoches et denticulés relativement à l'ensemble.

D 6 - A Eden Roc.

Un bel abri détruit, dans le jardin de la villa Eden Roc à Vaison-la-Romaine a fourni à M. Paccard, Christian Dumas et M. Livache un niveau magdalénien : c3j. Des structures d'habitat : dallages, trous appareillés, ocrage du sol, reposaient sur un sable jaune alluvial, l'Ouvèze coule au pied du gisement. L'industrie du niveau 3j est homogène à celle des foyers inférieurs et moyens de Charasse 1 située quelques kilomètres en aval. L'outillage à dos, de bonne facture, est inférieur en nombre aux lames retouchées et aux encoches. On note, ici, la présence du Lièvre variable et de la Perdrix blanche.

V. Les niveaux de transition et l'Azilien.

Nous présentons l'Azilien dans ce chapitre réservé au Paléolithique Supérieur car les niveaux attribués à cette séquence, en Vaucluse du moins, sont la continuation directe des niveaux magdaléniens. Par exemple, le niveau 2 de Soubeyras et le niveau 3a sont quasiment homogènes, les pointes à dos, seules, créent une différence statistique. En outre le niveau aziloïde du Sablon-Aymes est daté du Dryas II par J. Brochier et est homogène au niveau 2 de Soubeyras.

E 1 - Au Sablon.

Au lieu-dit le Sablon à Mormoiron, M. Livache et A. Carry ont fouillé une petite parcelle appartenant à M. Aymes, ceci explique la nomination du Sablon-Aymes. Cette récolte voit s'établir l'équilibre entre les pointes à dos et les lamelles à dos (22 %). Les pointes à dos sont courbes et ressemblent aux pointes d'Istre de M. Escalon de Fonton. Notons que les burins (12 %) sont mieux représentés que les grattoirs (7 %). Les troncatures sont nombreuses (7 %). L'importance des pointes à dos et des troncatures rattachent ce niveau à Soubeyras n2.

E 2 - A La Combe-Buisson.

Située à Lacoste cette petite grotte fut fouillée par M. Paccard. Le niveau 4 pourrait être daté de la fin du Dryas II et le niveau 3 être contemporain de l'Alleröd. Les deux industries ont plus de grattoirs que de burins (n4 : burins = 6,4 %, grattoirs = 14,2 % et n3 : burins = 6,3 %, grattoirs = 19,1 %). Le niveau 4 possède plus de pointes à dos que de lamelles à dos, l'inverse est vrai au niveau 3. Les lames retouchées sont très bien représentées (n4 = 19,7 %, n3 = 22 %). Ces deux niveaux sont homogènes avec le niveau 9 de Roquefure, le niveau 3 avec le niveau A, Azilien à harpon de Chinchon 1.

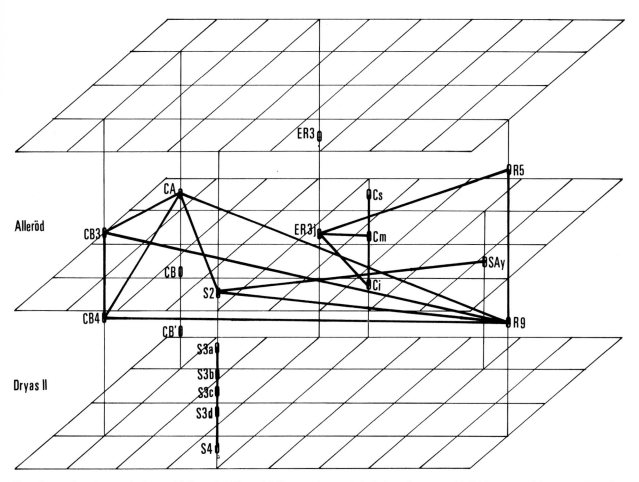

Fig. 5. — Graphe. Evolutions sérielles (familles sérielles) et homogénéité des niveaux paléolithiques supérieurs en Vaucluse.

E 3 - A Soubeyras.

Continuant la série magdalénienne sous-jacente le niveau 2 de cet abri voit s'accentuer l'inversion du couple burin-grattoir (burins = 11,5 %, grattoirs 20,3 %) commencée au niveau 3a. De plus les pointes à dos (souvent courbes) deviennent elles aussi plus nombreuses (13,2 %). L'indice des lamelles à dos tend à régresser (20,5 %) pendant que celui des lames retouchées progresse (14,3 %).

E 4 - A Chinchon 1.

Fait exceptionnel dans cette région, le niveau A de Chinchon 1 a fourni un harpon plat perforé. Ici les grattoirs (15,6 %) sont à peine plus nombreux que les burins (13,3 %). Les pointes à dos sont en régression par rapport au niveau B. L'indice des lamelles à dos continue la régression amorcée en B. Comme il semble général dans cette phase culturelle en Vaucluse, les lames retouchées sont très bien représentées (20 %). Ce niveau est contemporain ou légèrement antérieur à Alleröd. J. Brochier a pu le trouver en couche non ravinée dans le fond de l'abri. Les tests statistiques nous permettent de rapprocher le niveau A des niveaux 4 et 3 de la Combe Buisson, du niveau 2 de Soubeyras et du niveau 9 de Roquefure, tous gisements du Sud vauclusien.

E 5 - Aux Mians.

Un petit sondage limité, dans le vallon des Mians à Gordes, a permis à M. Livache de mettre à jour une stratigraphie de foyers d'où proviennent des grattoirs courts et des pointes à dos courbes. Il pourrait s'agir de complexes voisins des complexes aziliens nommés.

On peut, à partir des données vauclusiennes, résumer l'évolution des complexes magdalénoïdes et Aziloïdes de la manière suivante :

Progression :

1) des grattoirs, par les grattoirs courts d'abord cassés puis sur éclats (Soubeyras) ;
2) des pointes à dos, par les pointes à dos courbes ;
3) des troncatures d'une manière irrégulière ;
4) des lames retouchées.

Dégression :

1) des burins ;
2) des lamelles à dos.
C'est le processus d'azilianisation déjà décrit (Laplace, 1964 a).

Nota.

Nous résumons cet aperçu des industries du Vaucluse dans un graphe. L'espace relatif est marqué par le plan, la diachronie par les verticales. Les

lettres : CB = Combe Buisson, C (A, B, B')
chinchon 1, S = Soubeyras, ER = Eden Roc, C
(s, m, i) = Charasse 1, SAy = Sablon-Aymes et R
= Roquefure. Les traits épais marquent l'homogénéité statistique obtenue par le test du Khi2 ou la
méthode exacte de Fisher, pour les effectifs des
groupes typologiques : burins, grattoirs, troncatures,
becs, pointes à dos, lamelles à dos, dos et troncatures, géométriques, foliacés, pointes, lames-racloirs
et racloirs, abrupts indifférenciés et denticulés.

Bibliographie

[1] Laplace G. (1964 a). — Recherche sur l'origine
et l'évolution des complexes leptolithiques. Ecole Française de Rome, Mélanges d'Archéologie
et d'Histoire, supplément 4, De Boccard, Paris.

[2] Laplace G. (1964 b). — Les subdivisions du paléo-
lithique italien. Etude de typologie analytique.
Bulletino di Paletnologia Italiana, nueva serie
XV, vol. 73.

[3] Laplace G. (1967). — Le Magdalénien du Grand
Abri Charasse (Vaucluse). Revista da Faculdade
de letras de Lisboa, III serie, n° 10.

[4] Paccard M. (1958). — L'Abri Charasse I, (Entre-
chaux-Vaucluse). Cahiers Ligures de Préhistoire
et d'Archéologie, vol. 7, p. 118.

[5] Paccard M. (1963). — Le gisement préhistorique
de Roquefure (commune de Bonnieux-Vaucluse).
Cahiers Rhodaniens, X, p. 3-36, 19 fig.

[6] Paccard M. (1964 a). — La grotte de la Combe
Buisson. Cahiers Rhodaniens, XI, p. 6-29.

[7] Paccard M. (1964 b). — L'abri n° 1 de Chinchon
(commune de Saumanes-Vaucluse). Cahiers Ligures de Préhistoire et d'Archéologie, vol. 13,
part 1, p. 3-67, 36 fig.

Les civilisations du Paléolithique supérieur en Languedoc oriental

par

Max ESCALON DE FONTON * et Frédéric BAZILE **

Résumé. Comme en Provence, le Périgordien ancien semble manquer en Languedoc oriental. Par contre, l'Aurignacien y est bien développé, et, à partir de l'Aurignacien moyen, il est interstratifié avec le Périgordien supérieur ou Gravettien. On y rencontre ensuite le Solutréen ancien, moyen et supérieur, puis le Salpêtrien qui est un épi-Solutréen. Le Magdalénien ancien est rare surtout parce qu'il est représenté par des stations de plein air sensibles aux érosions. Le Magdalénien supérieur est assez abondant dans ses formes typiques, et les faciès locaux n'apparaissent qu'à partir de l'épi-Magdalénien. Comme en Provence, la zone côtière, lessivée par l'érosion, est plus pauvre.

Abstract. The Lower Perigordian is absent in the eastern part of Languedoc; as it is in the Provence. The Aurignacian, on the other hand, is well developed. This industry, with the exception of Middle Aurignacian, is found interstratified with Upper Perigordian or with Gravettian Lower, Middle and Upper Solutrean is found above, these industries, followed by Salpetrian — a type of Epi-Solutrean. The Lower Magdalenian phase is rare in this area because it is represented by open-air sites suceptible to erosion. The Upper Magdalenian is fairly abundant in all it's typical forms. There are also no facies that diverge from the Epi-Magdalenian. The coastal zone which is subject to greater erosion, as in the Provence, is poorer in sites.

1. Les conditions géologiques et géographiques.

La zone côtière actuelle du Languedoc oriental est pauvre en cavités, et le relief, peu accusé, montre la roche dénudée par l'érosion. Seules les cavités à pente rentrante ont conservé les sédiments qui, partout ailleurs, furent arrachés à différentes époques. Comme en Provence, le Néolithique repose le plus souvent sur la roche dénudée, ou sur une couche de sédiment dont le dépôt est postérieur au Paléolithique supérieur. Dans bien des cas, on a la preuve que l'érosion cryoclastique et les éboulements supprimèrent des cavités qui furent habitées. On voit, par exemple, à Frontignan (Hérault), dans les collines qui dominent la mer, des restes de cavités dont seul le fond est conservé par un encroûtement calcaire. Dans les concrétions furent recueillis des vestiges de Solutréen et de Magdalénien, mais le gisement fut arraché par l'érosion après la disparition des surplombs protecteurs.

Dans la zone côtière du Languedoc et de Provence, le cryoclastisme fut très intense, surtout au Magdalénien supérieur. Lorsque l'érosion torrentielle de l'interstade d'Alleröd déblaya les dépôts cryoclastiques, il se produisit de très importantes colluvions dans lesquelles on retrouve, mêlés, les sédiments des époques précédentes. On a ainsi des zones amont dénudées et stériles, et des zones aval engorgées par les colluvions récentes. Les régions méditerranéennes sont, dans l'ensemble, beaucoup plus perturbées que celles du Sud-Ouest de la France, par exemple. La plupart des cavités des hautes terres sont vidées par l'érosion, tandis que celles des basses terres sont recouvertes par d'énormes accumulations des sédiments colluviés pendant et après l'interstade d'Alleröd. C'est ainsi, par exemple, qu'à Valorgues-St-Quentin, dans le Gard, le Magdalénien final est recouvert par 18 m de sédi-

ments colluviés et d'alluvions. Le long des cours d'eau, qui sont toujours torrentiels dans les hautes terres, les abris inférieurs sont vidés par l'érosion directe, et les abris supérieurs par l'érosion de ruissellement. Seuls, les abris à pente rentrante et ceux qui, comme la grotte de La Salpêtrière, furent osbtrués par les éboulis de pente, conservèrent leurs dépôts de remplissage et les industries qu'ils contiennent.

II. Les industries dans leur cadre géo-chronologique.

A. AURIGNACIEN ET PÉRIGORDIEN.

Après les derniers froids du Würmien II, le radoucissement du climat de l'interstade de Quinson a provoqué l'altération des dépôts moustériens. Les colluvions déposent des sables limoneux qui présentent une forte altération. Pendant la première partie de cette phase tempérée, le Charentien de type Quina semble avoir perduré à la grotte de la Balauzière (Gard). Cependant, il semble bien que, pendant la deuxième partie de l'interstade de Quinson, se soit développée une industrie de type Aurignacien originel riche en lamelles Dufour.

Cet Aurignacien « zéro » occupe en Languedoc la position géochronologique du Périgordien ancien, qui est absent. Dans l'état actuel des recherches, on peut poser comme hypothèse de travail que les industries de cet Aurignacien zéro découlent par filiation mutationnelle du Moustérien de type Quina dans sa phase terminale (fig. 1).

La Costière du Gard. Dans la région de Vauvert, il faut signaler la découverte récente (F. Bazile) de plusieurs stations de surface. La plus importante,

* Directeur de Recherche au C.N.R.S., Laboratoire de Préhistoire Méditerranéenne, E.R. n° 46, 34, rue Auguste-Blanqui, 13006 Marseille (France).
** 23, rue J.-J. Rousseau, 30600 Vauvert (France).

Tableau des industries du Paléolithique supérieur du Midi de la France.

Séquences climatiques	Languedoc oriental		Provence rhodanienne	Provence orientale
Allerod	Azilien, Valorguien		Azilien, Valorguien	
	Magdalénien terminal		Magdalénien terminal	Bouverien
	Magdalénien VI		Magdalénien VI	Bouverien
	Magdalénien V		Magdalénien V	
Bolling	Salpétrien supérieur		Magdalénien IV	Bouverien
	Salpétrien ancien		Arenien	Arenien
Lascaux	Solutréen supérieur			
	Solutréen moyen		Arenien	Arenien
	Solutréen ancien			
	Aurignacien V		Arenien	Arenien
Tursac	Aurignacien IV	Périgordien V	Périgordien final	Périgordien V
Salpetrière	Aurignacien III	Périgordien IV		Périgordien IV
	Aurignacien II		Aurignacien	
Arcy	Aurignacien I			Aurignacien
Quinson	Aurignacien 0		?	?

les Piles-Loins, a livré une industrie attribuable à cet Aurignacien zéro : dominance des grattoirs (IG = 34) sur les burins (IB = 19) ; présence de grattoirs carénés (9,9 %), de grattoirs-museau (5,2 %) ; dominance des burins dièdres (8 %) ; burins d'angle sur cassure et aussi de type caréné (2,6 %). Les lames aurignaciennes sont rares (3,9 %) et les lames étranglées encore davantage. Dans l'ensemble, l'industrie est moins laminaire que celle de l'Aurignacien I du Gardon, et elle est encore chargée d'éléments moustéroïdes (Bazile, 1974).

La vallée du Gardon. Sur la rive gauche du Gardon, l'abri-sous-roche de La Lauza, à Sanilhac (Gard) recélait un lambeau de remplissage. Une intéressante stratigraphie a pu être exploitée méthodiquement (Bazile, 1974). La couche archéologique, un cailloutis fortement émoussé, emballé dans une matrice concrétionnée en surface, s'est formée pendant une période tempérée postérieure à une phase froide. La faune est uniquement représentée par le Cheval et on remarque l'absence du Renne.

L'industrie est un Aurignacien zéro où l'on remarque la quasi absence de la retouche aurignacienne si abondante dans les phases suivantes de l'Aurignacien I. On remarque le fort pourcentage des grattoirs (IG = 40), qui l'emportent sur les burins (IB = 13,6). Les grattoirs sur lame retouchée dominent (20,9 %). Les carénés sont abondants (15,45 %) et les museaux rares (2,7 %). L'ensemble des grattoirs aurignaciens donne 23 %. Parmi les burins on note la nette dominance des dièdres. L'un des traits caractéristiques de l'industrie est la présence de nombreuses lamelles Dufour qui représentent 21,8 % de l'outillage. Par ailleurs, la retouche Dufour se retrouve, partiellement, sur certaines lames utilisées.

L'épisode tempéré pendant lequel se déposait cette couche contient donc un Aurignacien zéro antérieur à l'Aurignacien I de l'Interstade d'Arcy. Il doit donc s'agir de l'interstade de Quinson, c'est-à-dire de l'aurore du Würmien III.

Toujours sur la rive gauche du Gardon, à 400 m en aval de Russan, la grotte de l'Esquicho-Grapaou à Ste-Anastasie (Gard) n'était connue que pour son gisement Moustérien daté de la deuxième partie du Würm II (Lumley, 1971). De récents travaux (F. Bazile) ont permis la découverte, là aussi, d'un Aurignacien originel : à la base, un cailloutis cryoclastique du Würmien II final contient un Moustérien de type Quina à faune froide. Il est fortement concrétionné au sommet, et surmonté par des sables limoneux jaunes et altérés séparés en deux niveaux par un sol de cailloutis hétérométriques. Le niveau supérieur de ces sables limoneux contient une industrie de l'Aurignacien originel accompagné d'une faune à Cheval abondant. Cette industrie est tout-à-fait comparable à celle du gisement précédent à nombreuses lamelles Dufour (fig. 1).

La phase climatique suivante, le Würmien III-a 2 voit se développer l'Aurignacien I classique dont les foyers sont souvent lessivés par les ruissellements de l'interstade d'Arcy. C'est le cas à la grotte de la Salpêtrière, à la grotte de la Balauzière, à l'Esquicho-Grapaou. L'importance de l'interstade d'Arcy a dû être assez considérable en Languedoc. Pendant cette phase, l'Aurignacien poursuit son expansion. Il continue ensuite son évolution jusqu'au Würmien III-c 2, et on le retrouve, notamment à la grotte de la Salpêtrière, interstratifié avec le Périgordien supérieur Gravettien (fig. 2).

La grotte de La Salpêtrière (Escalon, 1966, 1969, 1971) montre, en stratigraphie sûre, une intercalation de Périgordien IV entre deux niveaux d'Aurignacien ancien, juste après l'interstade Salpêtrière (cf. Stilfried B) et une autre intercalation de Périgordien V (Font-Robert) au Würmien III-c 1 c un peu avant l'interstade de Tursac. Dans ce gisement, c'est un Aurignacien moyen qui occupe la phase de Tursac. Il est surmonté, au Würmien III-C 2, par un Aurignacien terminal (cf. Aurignacien V) immédiatement sous-jacent au Solutréen ancien. Le Périgordien supérieur paraît rare en Languedoc (il est surprenant de le rencontrer si abondant en Provence orientale), on ne l'identifie valablement qu'à la grotte de Pâques à Collias (Gard), où il s'agit vraisemblablement d'un Périgordien V, type Font-Robert (Ravoux et Bazile, 1967).

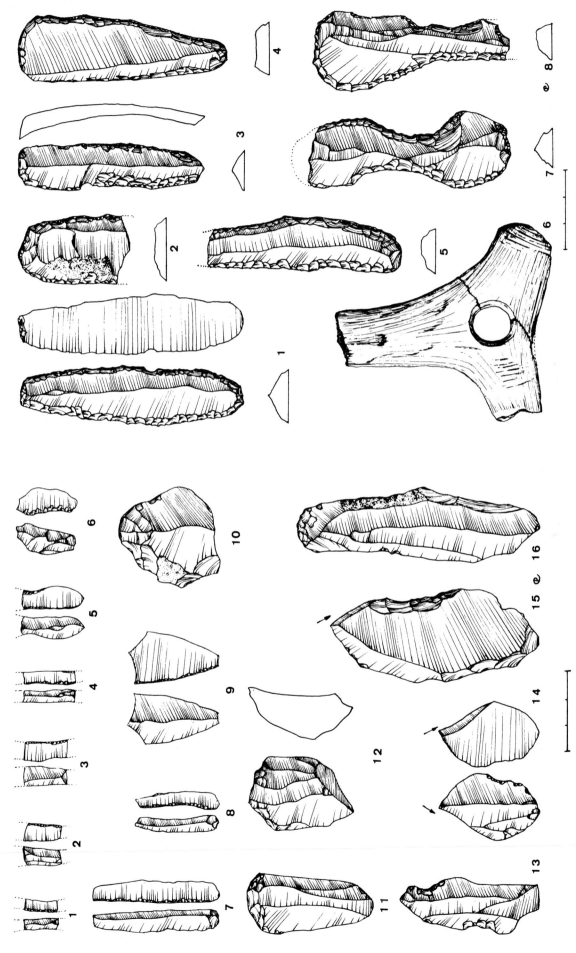

Fig. 2. — Grotte de La Salpêtrière. Remoulins (Gard). Aurignacien ancien de la couche 32-C.

Fig. 1. — Aurignacien initial antérieur à l'Aurignacien I typique : 1 à 8 : Abri de la Laouza (Gard). 9 à 16. Grotte de l'Esquicho-Grapaou (Gard).

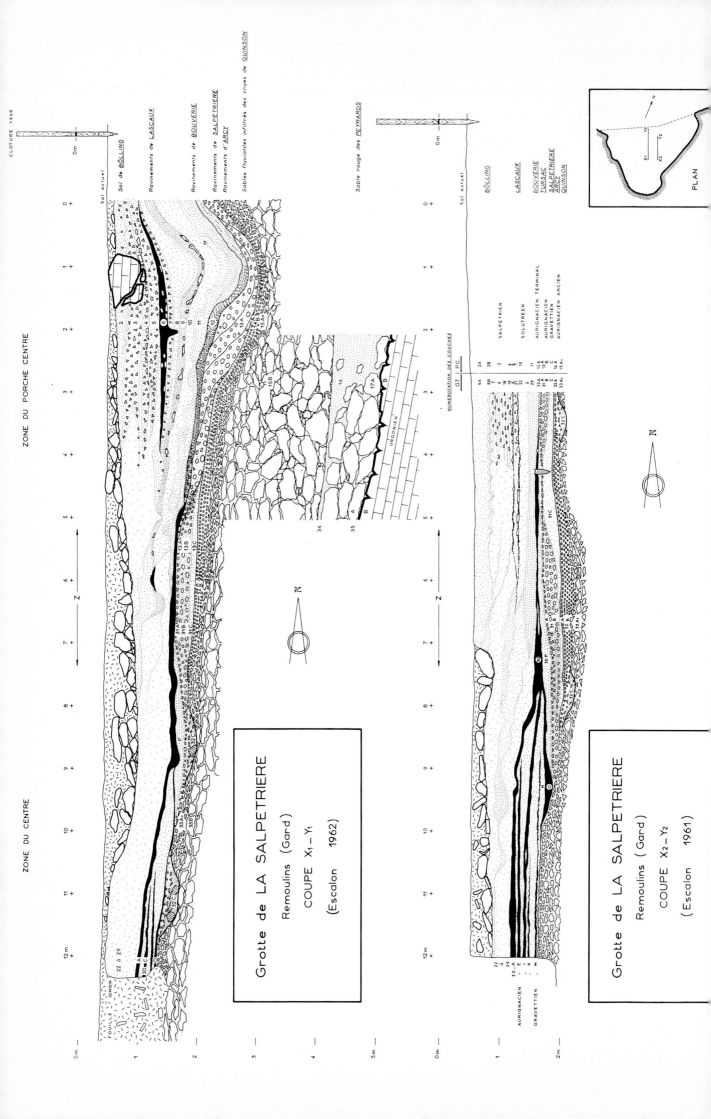

ZONE DU PORCHE CENTRE

CLOTURE 1960

Sol actuel
Sol de BÖLLING
Ravinements de LASCAUX

Ravinements de BOUVERIE
Ravinements de SALPETRIERE
Ravinements d'ARCY

Sables fluviatiles infiltrés des crues de QUINSON

Sable rouge des PEYRARDS

Sol actuel

ZONE DU CENTRE

FOUILLE GIMON
22 à 29
AURIGNACIEN
GRAVETTIEN

Grotte de LA SALPETRIERE
Remoulins (Gard)
COUPE X₁–Y₁
(Escalon 1962)

NUMEROTATION DES COUCHES

	GT	PC	
	6A	2A	
	6B	2B	
	7	3	SALPETRIEN
	8		
	9	10	SOLUTREEN
	22	11	AURIGNACIEN TERMINAL
	30A	12A	AURIGNACIEN
	31A	13B	GRAVETTIEN
		14C	
	32A	14A	AURIGNACIEN ANCIEN
	33A₁	15A₁	

BÖLLING

LASCAUX

BOUVERIE
TURSAC
SALPETRIERE
ARCY
QUINSON

PLAN

Grotte de LA SALPETRIERE
Remoulins (Gard)
COUPE X₂–Y₂
(Escalon 1961)

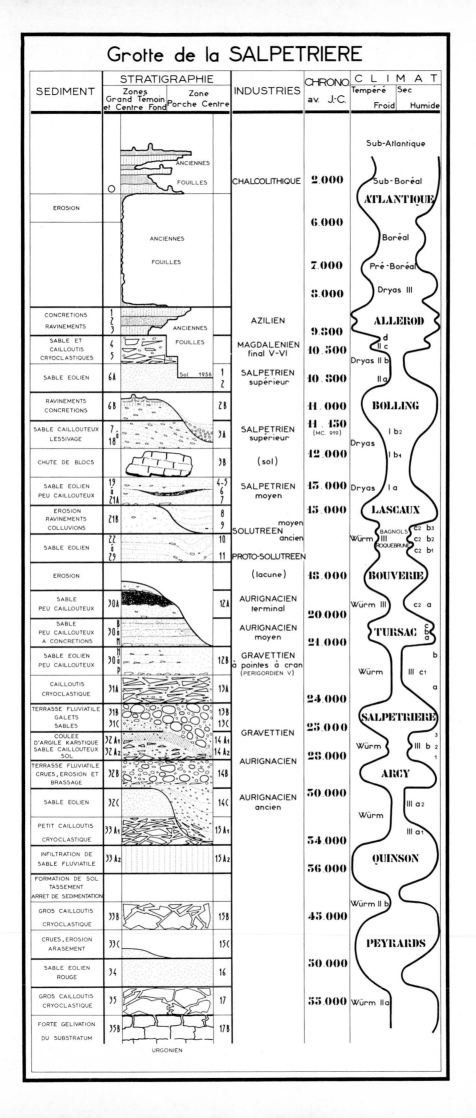

Grotte de la SALPETRIERE

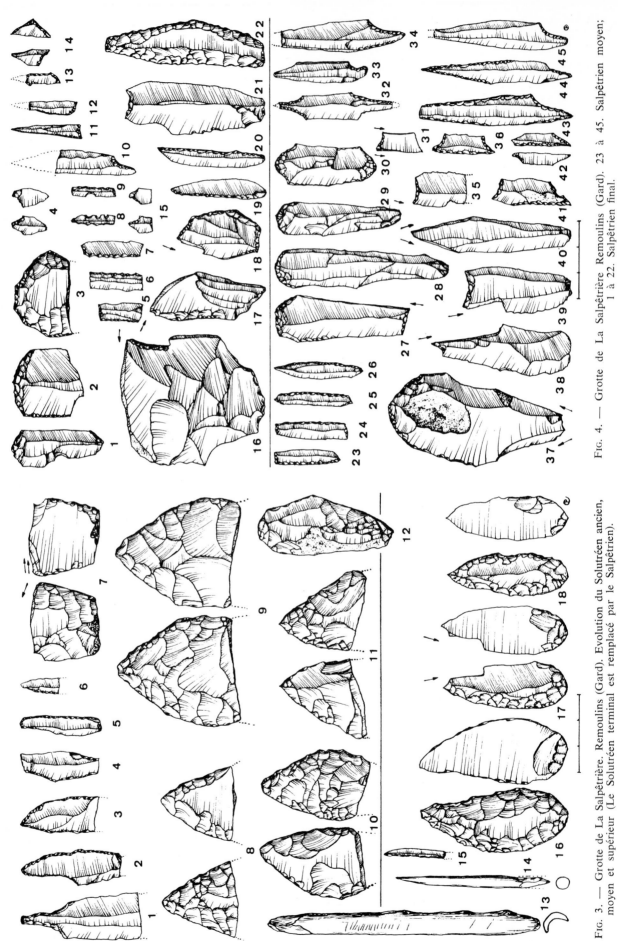

Fig. 4. — Grotte de La Salpêtrière Remoulins (Gard). 23 à 45. Salpêtrien moyen; 1 à 22. Salpêtrien final.

Fig. 3. — Grotte de La Salpêtrière. Remoulins (Gard). Evolution du Solutréen ancien, moyen et supérieur (Le Solutréen terminal est remplacé par le Salpêtrien).

B. Solutréen.

Le seul gisement actuellement connu donnant du Solutréen en stratigraphie est la grotte de La Salpêtrière (fig. 3). A partir du Würmien III-C 2, on a la série classique pour le Solutréen ancien et moyen. Le Solutréen supérieur est érodé par les ruissellements de l'interstade de Lascaux-Laugerie. Le Würmien III-C 2 est composé de deux phases en Languedoc. La première phase (sable limoneux peu caillouteux), fraîche et peu humide, voit se terminer l'Aurignacien V. La deuxième phase (sable éolien) tend à l'aridité pendant le développement du Solutréen. Il y a formation de dunes, et ensablement des grottes, des abris, des vallons. Lors des ruissellements de l'interstade de Lascaux-Laugerie, les gisements installés sur le sable seront balayés et dispersés facilement par l'érosion violente due au réchauffement. C'est à cause de ces conditions sédimento-climatiques qu'il est si rare de rencontrer du Solutréen en place. On le signale cependant sous forme de traces à la grotte du Figuier, à Ste-Anastasie (Gard) (Ravoux, 1967), à la grotte de Pâques à Collias (Ravoux et Bazile, 1967). En dehors de la vallée du Gardon : grotte du col de Gigean à Frontignan (Hérault) et grotte de La Roque à Ganges (Hérault) (Smith, 1966) (fig. 3).

C. Salpêtrien.

C'est le faciès languedocien du Solutréen terminal et de l'Epi-Solutréen. Le Salpêtrien ancien fut, à la grotte de La Salpêtrière (site éponyme), arraché presque complètement par les ruissellements de l'interstade de Lascaux-Laugerie, mais on en a un bon exemple non loin, en Ardèche, près de Vallon.

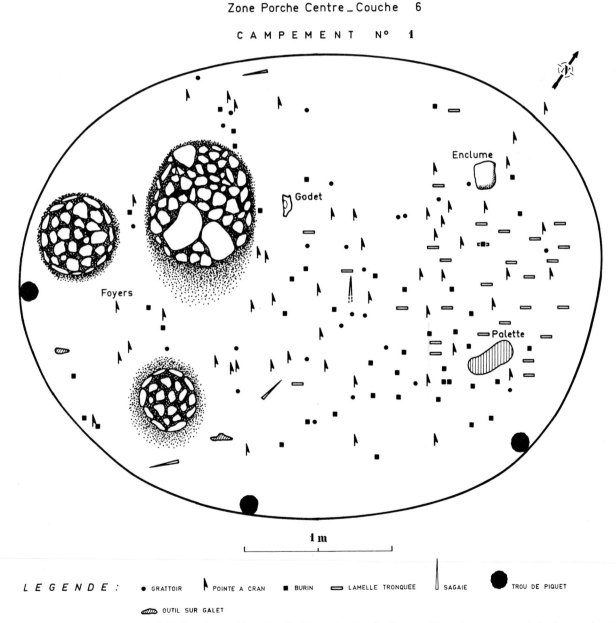

Zone Porche Centre _ Couche   6

CAMPEMENT   N° 1

1 m

LEGENDE :   • GRATTOIR   ⋏ POINTE A CRAN   ■ BURIN   ⊐ LAMELLE TRONQUEE | SAGAIE   ● TROU DE PIQUET

⬭ OUTIL SUR GALET

Fig. 4 bis. — Grotte de La Salpêtrière, Remoulins (Gard). Zone du Porche-Centre. Plan du campement de la couche 6 : Salpêtrien.

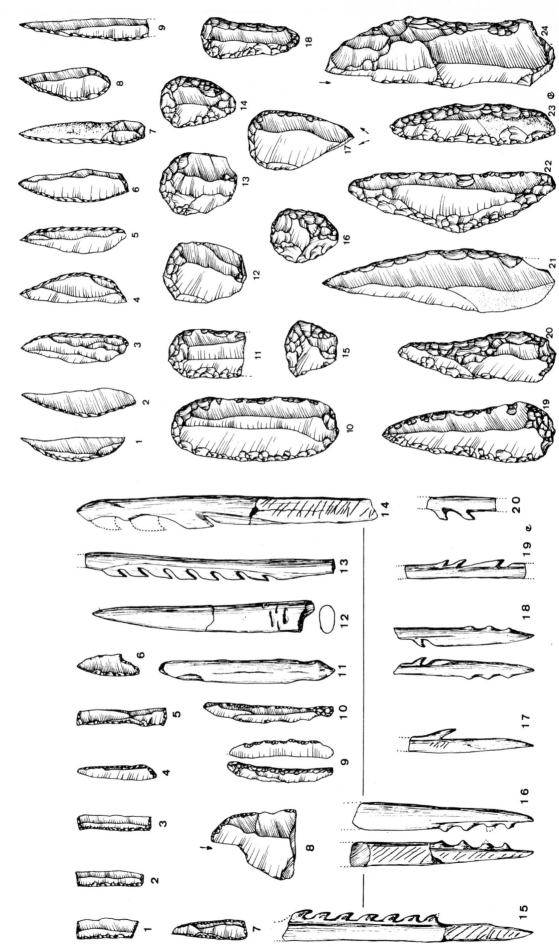

Fig. 6. — Baume de Valorgues (Gard), couches 12 à 25 : Magdalénien terminal (Proto-Valorguien).

Fig. 5. — Magdalénien final. 1. Grotte de St-Vérédème (Gard). 2 à 14. Grotte de La Roque (Hérault). 15 à 20. Grotte de La Salpêtrière (Gard).

C'est le site de plein air de La Rouvière (Gallet, 1971). On y voit notamment des pointes à cran solutréennes accompagnant des outils composant le Salpêtrien. Ce sont les phases suivantes seulement — c'est-à-dire le Salpêtrien moyen et supérieur — qui sont bien représentées et en place à La Salpêtrière (fig. 4).

On ignore encore de façon précise quel est le Gravettien final qui s'est solutréanisé et comment cela s'est réalisé dans le détail. Mais on peut saisir ici le processus de désolutréanisation qui va transformer le Solutréen terminal et l'amener à une sorte de Magdalénien primitif. Le Salpêtrien ancien et moyen comporte beaucoup de pointes à cran. Ces objets se raréfient dans les phases finales de ce faciès, alors qu'apparaissent les microlithes géométriques : triangles scalènes, dont certains sont encochés comme ceux du Magdalénien II.

Il faut remarquer que la généralisation des triangles microlithiques (avec microburins) coïncide avec l'abondance des restes de poisson, pendant que le renne persiste.

Il existait un campement Salpêtrien non loin de La Salpêtrière. C'est la station de Cadenet à Gaujac (Gard).

Le Salpêtrien se développe depuis l'interstade de Lascaux-Laugerie jusqu'au Dryas II-a. Il est donc contemporain du Magdalénien I, II et III, et probablement IV. Comme il semblerait que le Magdalénien II-IV du Languedoc soit issu du Salpêtrien, le problème du Magdalénien I reste posé, d'autant plus qu'il est très rare, toujours absent des grottes et des abris-sous-roche, et qu'on le trouve le plus souvent en plein air remanié par les labours.

D. MAGDALÉNIEN.

Les grandes érosions de l'interstade de Lascaux-Laugerie n'ont pas remanié uniquement le Solutréen final. Le Magdalénien ancien fut, lui aussi, lessivé car il se trouvait en plein air. Le Languedoc oriental a donné de tels vestiges, et notamment, du Badegoulien sur les terrasses limoneuses de l'Alzon à Collias (Gard). Originairement protégé par les limons de haute crue, le gisement fut labouré lors de la mise en culture de cette région. L'industrie comporte des raclettes typiques.

Si l'on accepte l'hypothèse de la filiation salpêtrienne du Magdalénien, le Salpêtrien ancien serait un faciès languedocien du Solutréen terminal, tandis que les Salpêtrien moyen et supérieur seraient des faciès du Magdalénien II, III et IV. D'ailleurs, le Magdalénien II à IV classique présente beaucoup d'affinités avec ces faciès languedociens. Cette hypothèse expliquerait alors pourquoi le Magdalénien *typique* de nos grottes languedociennes commence toujours au Magdalénien V. Ce Magdalénien V existait à La Salpêtrière, sus-jacent au Salpêtrien, mais enlevé par les fouilles de Cazalis de Fontdouce, Gimon, Bayol, Sallustien, etc... comme l'attestent des harpons typiques de cette phase conservés au Muséum de Nîmes. Ce sont des harpons à barbelures unilatérales serrées et récurrentes, et dont les deux côtés présentent des rainures longitudinales. Parfois, le corps du harpon, de section ronde ou légèrement ovalisée, est strié. Certains de ces harpons présentent des protubérances basilaires (fig. 5).

Le Magdalénien VI-a est caractérisé notamment à la grotte de La Roque (Hérault) et à St-Vérédème (Gard) par des harpons à barbelures unilatérales anguleuses et serrées (fig. 5).

Le Magdalénien VI-b était présent à la grotte de La Salpêtrière qui a donné (fouilles Gimon, Nîmes) entre autre, un harpon à deux rangs de barbelures.

Dans son ensemble, le Magdalénien VI du Languedoc est conforme à son homologue du Périgord. Il comporte des lamelles à dos et des tronquées, des grattoirs longs, courts, et des unguiformes en moins grand nombre, de grands segments, des lames retouchées (lame magdalénienne), des grattoirs ronds de grande dimension. Le burin bec-de-perroquet y est aussi rare que le harpon à deux rangs de barbelures.

Alors que le Magdalénien ancien se trouve dans des sables limoneux interstadiaires, le Magdalénien II à III est emballé dans les formations sableuses éoliennes du Dryas I, souvent ravinées par les ruissellements de l'interstade de Bölling. Le Magdalénien IV se rencontre toujours dans les sables éoliens du Dryas II-a, alors que le Magdalénien VI est emballé dans les puissants cailloutis cryoclastiques du Dryas II-b. C'est au sommet de ces cailloutis que se trouve le Magdalénien terminal transitionnel.

Ce Magdalénien terminal, proto-Azilien dans la zone continentale et proto-Valorguien dans la zone méditerranéenne, occupe la phase terminale du Dryas II. C'est une phase à climat instable, où le climat, par à-coups, se réchauffe. Cette transition, entre le grand froid humide de la fin du Dryas II et le climat tempéré humide de la période d'Alleröd, ne fut pas régulière, mais elle favorisa l'installation de microclimats dans les zones protégées. D'où la naissance des faciès régionaux et même locaux. On rencontre le Magdalénien terminal proto-valorguien à Valorgues (gisement éponyme) près St-Quentin (Gard). Il n'y a plus de harpon, et les sagaies sont bien frustes. Les burins se raréfient aussi. Il y a encore des lames magdaléniennes, des grands segments ou pointes aziliennes. Les grattoirs courts et les unguiformes sont un peu plus fréquents. C'est une industrie en pleine mutation où les faciès locaux sont nombreux (fig. 6).

La phase suivante, interstade d'Alleröd, verra ce Magdalénien terminal se transformer soit en Azilien, soit en Valorguien. Ce sera alors l'Epipaléolithique.

Bibliographie

[1] BAZILE F. (1972). — La station des Piles Loins à Vauvert. *Bulletin de la société d'études de sciences naturelles de Nîmes,* vol. 52, p. 169-175, 2 fig.

[2] BAZILE F. (1976). — Nouvelles données sur le Paléolithique supérieur ancien en Languedoc oriental. *Congrès préhistorique de France. Martigues,* juillet 1974.

[3] BAZILE F., ROBERT-BAZILE E. (1973). — Paléolithique supérieur et Epipaléolithique en Costière du Gard. *Bulletin de la société préhistorique française,* t. 70, C.R.S.M., n° 9, p. 265-272, 4 fig.

[4] BONIFAY E. (1962). — Recherches sur les terrains quaternaires dans le sud-est de la France. *Publications de l'Institut de préhistoire de l'Université de Bordeaux*, Mémoire 2, 194 p., 48 fig., 9 tabl.

[5] BORDES F. (1968). — La question périgordienne : *La Préhistoire, problèmes et tendances*. C.N.R.S. Paris, p. 59-70, 3 fig.

[6] BOURDIER F. (1962). — *Le bassin du Rhône au Quaternaire*. Géologie et Préhistoire, 2 vol. Centre national de la recherche scientifique, édit.

[7] BOURDIER F. (1967). — *Préhistoire de France*. Flammarion, édit., 412 p., 152 fig.

[8] CHAMLEY H. (1968). — Sur le rôle de la fraction sédimentaire issue du continent comme indicateur climatique durant le Quaternaire. *Compte rendu de l'Académie des Sciences*, Paris, t. 267, p. 1262-1265, 1 fig.

[9] COMBIER J. (1967). — Le Paléolithique de l'Ardèche. *Institut de préhistoire. Université de Bordeaux*. Mémoire nᵒ 4, 465 p., 178 fig., 21 tabl.

[10] COULONGES L. (1935). — Les gisements préhistoriques de Sauveterre-la-Lémance. *Archives de l'Institut de paléontologie humaine*. Mémoire nᵒ 14.

[11] DELPORTE H. (1970). — Le passage du Moustérien au Paléolithique supérieur. *Colloque : l'homme de Cro-Magnon*, p. 129-139.

[12] ESCALON DE FONTON M. (1956). — Préhistoire de la Basse-Provence. Etat d'avancement des recherches en 1951. *Préhistoire*, t. XII, 154 p., 110 fig.

[13] ESCALON DE FONTON M. (1966). — Du Paléolithique supérieur au Mésolithique dans le midi méditerranéen. *Bulletin de la société préhistorique française*, t. LXIII, fasc. 1, p. 66-180, 73 fig., 10 pl. et 1 tabl.

[14] ESCALON DE FONTON M. (1967). — Origine et développements des civilisations néolithiques méditerranéennes en Europe occidentale. *Paleohistoria*, vol. XII, p. 209-248, 26 fig., Congrès de Groningen, 1964.

[15] ESCALON DE FONTON M. (1967). — Les séquences climatiques du midi méditerranéen, du Würm à l'Holocène. *Bulletin du Musée d'Anthropologie préhistorique de Monaco*, nᵒ 14, p. 125-185, 29 fig., 3 tabl.

[16] ESCALON DE FONTON M. (1968). — Le Romanellien de la Baume de Valorgues. St-Quentin-la-Poterie (Gard). La Préhistoire, problèmes et tendances (C.N.R.S. Paris), p. 165-174, 3 fig.

[17] ESCALON DE FONTON M. (1968). — Problèmes posés par les blocs d'effondrement des stratigraphies préhistoriques du Würm à l'Holocène dans le midi de la France. *Bulletin de l'Association française Etude du Quaternaire* (A.F.E.Q.), nᵒ 4, p. 289-296, 2 tableaux synoptiques stratigraphiques.

[18] ESCALON DE FONTON M. (1970). — Le Paléolithique supérieur de la France méridionale. Congrès 1968 : L'Homme de Cro-Magnon, p. 177-195, 6 fig.. 2 tabl.

[19] ESCALON DE FONTON M. (1971). — Un décor gravé sur os dans le Mésolithique de la Baume de Montclus (Gard). *Bulletin de la Société préhistorique française*, t. 68, C.R.S.M., fasc. 9, p. 273-275, 2 fig.

[20] ESCALON DE FONTON M. (1971). — La stratigraphie du gisement préhistorique de la Baume de Montclus (Gard). *Mélanges de préhistoire, d'archéocivilisation et d'ethnologie offerts à M. Varagnac*. Paris, Ecole pratique des Hautes Etudes, p. 263-278, 5 fig., 2 tabl.

[21] ESCALON DE FONTON M. (1971). — Stratigraphies, effondrements, climatologie des gisements préhistoriques du Sud de la France, du Würm III à l'Holocène. *Bulletin de l'Association française des études du Quaternaire*, nᵒ 29, p. 199-207, 2 tabl.

[22] ESCALON DE FONTON M. (1972). — La Pointe d'Istres. Note typologique. *Bulletin de la société préhistorique française*, t. 69, C.R.S.M., fasc. 1, p. 13-14, 2 fig.

[23] ESCALON DE FONTON M. (1972). — Le Paléolithique supérieur ancien dans le midi de la France. Colloque de Paris Unesco, 1971 : *Origine de l'homme moderne* (Ecologie et conservation, 3), p. 147-151, 1 tabl.

[24] ESCALON DE FONTON M. (1973). — La France de la Préhistoire (Talandier, Paris). Le Mésolithique et le Néolithique ancien, p. 60-99, 63 fig.

[25] ESCALON DE FONTON M. (1973). — La question des différents faciès de l'Azilien et du Romanellien. *Estudios dedicados al Profesor Dr Luis Pericot*. Instituto de arqueologica y prehistoria (Barcelona), p. 85-100, 10 fig.

[26] ESCALON DE FONTON M. et BROUSSE R. (1972). — Corrélation entre les phases d'effondrement dans les grottes préhistoriques et les phases d'activité volcanique. *Congrès préhistorique de France*. Auvergne, 1969, p. 200-223, 16 fig., 1 tabl.

[27] ESCALON DE FONTON M. (1974-1976). — Dates C. 14 et données stratigraphiques de quelques gisements du midi de la France. *Congrès préhistorique de France, Martigues*. XXᵉ Session, juillet 1974.

[28] ESCALON DE FONTON M. (1974-1976). — Le Montadien terminal de Ponteau, à Martigues, B.-du-Rh. *Congrès préhistorique de France*. XXᵉ Session, juillet 1974.

[29] ESCALON DE FONTON M., ONORATINI G. (1974-1976). — L'abri Cornille à Istres (B.-du-Rh.). *Congrès préhistorique de France. XXᵉ session. Martigues, 1974*.

[30] ESCALON DE FONTON M. (1956 à 1976). — Information archéologique *in Gallia-Préhistoire*. Provence et Languedoc.

[31] ESCALON DE FONTON M. (1956 à 1976). — Comptes rendus des travaux *in Cahiers Ligures de préhistoire et d'archéologie*.

[32] GALLET M. (1971). — Note préliminaire sur un gisement paléolithique de plein air dans les gorges de l'Ardèche. *Bulletin de la Société préhistorique française*, t. 68, fasc. 1 (Etudes et travaux).

[33] JUDE P.E. (1960). — La grotte de Rochereil, Station magdalénienne et azilienne. *Archives de l'Institut de Paléontologie humaine*. Mémoire 30, p. 1-74, 28 fig.

[34] LACAM, NIEDERLENDER, VALLOIS (1944). — Le gisement mésolithique du Cuzoul de Gramat. *Archives de l'Institut de Paléontologie humaine*. Mémoire 21, Masson, Paris.

[35] LEROI-GOURHAN Arl. (1959). — Flores et climats du Paléolithique récent. *Congrès préhistorique de France*. Monaco, p. 1-6, 1 tabl.

[36] LEROI-GOURHAN Arl. (1968). — L'abri du Facteur à Tursac (Dordogne), analyse pollinique. *Gallia-Préhistoire*, t. XI, fasc. 1, p. 123-131, 4 fig.

[37] LEROI-GOURHAN Arl. (1968). — Dénominations des oscillations würmiennes. *Bulletin de l'association française de l'Etude du Quaternaire*, vol. 4, p. 281-288.

[38] LUMLEY H. de (1971). — Le Paléolithique ancien et moyen du midi méditerranéen dans son cadre géologique, t. I et II. V⁰ supplément à *Gallia-Préhistoire*.

[39] MISKOVSKY J.C. (1970 et 1975). — Stratigraphie et paléoclimatologie du Quaternaire du midi méditerranéen d'après l'étude sédimentologique du remplissage des grottes et abris sous-roche. *Etudes quaternaires* n° 3. *Université de Provence*.

[40] ONORATINI G., CHAMLEY H. ESCALON DE FONTON M. (1973). — Note préliminaire sur la signification paléoclimatique des minéraux argileux dans le remplissage de l'abri Cornille (B.-du-Rh.). *Bulletin de la Société géologique de France*. Supplément du t. XV, n° 2, fasc. 2, p. 59-61, 1 fig.

[41] RAVOUX G. (1966). — La grotte magdalénienne de La Roque (Hérault). *Bulletin de la Société préhistorique de France*, t. LXIII, *Etudes et Travaux*, fasc. 2, p. 239-259, 7 fig.

[42] RAVOUX G. (1967). — La grotte paléolithique du Figuier ou des Oules (Ste-Anastasie, Gard). *Cahiers Ligures de préhistoire et d'archéologie*, n° 16, p. 5-14, 4 fig.

[43] RAVOUX G., BAZILE F. 1966). — L'outillage paléolithique osseux dans le Gard. *Cahiers Ligures de préhistoire et d'archéologie*, n° 15, p. 37-78, 22 fig.

[44] RAVOUX G., BAZILE F. (1967). — Le Paléolithique de la grotte de Pâques (Collias, Gard). *Cahiers Ligures de préhistoire et d'archéologie*, n° 16, p. 15-26, 3 fig.

[45] RENAULT-MISKOVSKY J. (1972). — Contribution à la Paléoclimatologie du midi méditerranéen pendant la dernière glaciation et le post-glaciaire d'après l'étude palynologique de remplissage des grottes et abris sous-roche. *Bulletin du musée d'anthropologie préhistorique de Monaco*, n° 18, p. 145-210.

[46] SMITH Ph. E.L. (1966). — Le Solutréen en France. *Publication de l'Institut de préhistoire de Bordeaux*. Mémoire n° 5.

[47] SONNEVILLE-BORDES D. (1960). — *Le Paléolithique supérieur en Périgord*, t. I et II (Imprimerie Delmas à Bordeaux).

[48] VERNET J.L. (1968). — Etude des charbons de bois préhistoriques de la Baume de Valorgues (Gard). La Préhistoire, problèmes et tendances (C.N.R.S.), p.473-474.

[48] VERNET J.L. (1973). — Etude sur l'histoire de la végétation du Sud-Est de la France au Quaternaire d'après les charbons de bois principalement. *Paléobiologie continentale*.

Les civilisations du Paléolithique supérieur
en Languedoc occidental (Bassin de l'Aude) et en Roussillon

Dominique SACCHI *

Résumé. Les recherches entreprises sur le Paléolithique supérieur du Languedoc occidental (Bassin de l'Aude) et du Roussillon depuis une dizaine d'années complètent de façon notable les données souvent imprécises et partielles révélées par les fouilles anciennes.

L'auteur tente d'en exposer brièvement les résultats en s'attachant principalement à l'examen des industries qui, pour certaines d'entre elles, ont été datées par la méthode du radiocarbone.

Abstract. The research undertaken on the Upper Paleolithic of the Western Languedoc region (Aude Basin) and of the Roussillon during the last ten years significantly complete the often imprecise and partial data gathered from the old excavations.

The author tries to briefly present the results by concentrating principally on a examination of the industries, certain ones of which have been dated by the Carbon 14 method.

La région dont il est question ici est limitée à l'Est par la basse vallée de l'Orb et la côte méditerranéenne, au Nord par le versant méridional de la Montagne Noire, à l'Ouest par une ligne joignant le seuil du Lauragais à la frontière espagnole, cette dernière formant la limite sud.

Ce territoire, qui recoupe une grande partie de la zone occidentale de l'ancienne province du Languedoc et la totalité de la Catalogne française, correspond administrativement aux départements de l'Aude, des Pyrénées orientales et à la frange sud-ouest du département de l'Hérault.

Sur les vingt deux gisements recensés, seize sont localisés dans des grottes et sept en plein air (fig. 1).

La plus grande concentration s'observe au Nord de l'espace géographique désigné, le long d'une ligne qui, d'Ouest en Est, joint le Cabardès au Minervois, à plus ou moins égale distance du cours de l'Aude.

La seconde zone de densité se situe dans les Corbières méridionales dans un secteur drainé par l'Agly et ses affluents.

D'autres gisements sont fixés, par petit groupe ou isolément dans le sud narbonnais (Massif de la Clape) et les bassins supérieurs de l'Aude (Pays-de-Sault) et de la Têt (Conflent).

Les plus anciennes traces.

Dans un récent compte rendu, A. Tavoso (cf. J.-L. Roudil, 1975, p. 632), faisant état de ses recherches dans la grotte Tournal ou grande grotte de Bize, signale à la base de la coupe stratigraphique établie à l'entrée de la grande salle (fig. 2, n° 1) un niveau paléolithique supérieur à fines lamelles de silex.

Cet horizon (couches G à GF), qui repose directement sur un niveau moustérien tardif à quartzites

taillés, daterait de l'Interwürmien II-III et a été qualifié d'Aurignacien précoce par son inventeur.

Quelque soit son identité, qui ne peut encore être établie avec certitude en raison de sa pauvreté en nombre et en types, cet outillage, s'il était confirmé dans son âge, appartiendrait à la plus ancienne industrie leptolithique jamais mise au jour dans la région considérée.

L'Aurignacien typique.

L'Aurignacien typique est connu aussi bien en stratigraphie qu'en habitat de plein air.

A la Crouzade (Ph. Héléna, 1928) il apparaît à la base du remplissage würmien III, intercalé entre un puissant niveau de limons stériles (couche 11), daté de l'inter-würm II-III par H. de Lumley (1971), et un mince cailloutis anguleux (couche 9) (fig. 2, n° 3).

L'industrie de la couche 10 est peu nombreuse mais parfaitement typique (D. Sacchi, 1973). L'outillage lithique est logiquement dominé par les grattoirs (IG = 53,33 %).

Ceux-ci sont carénés (fig. 3, n° 22) ; simples sur bout de lame ou d'éclat ; sur lame ou éclat retouché (fig. 3, n° 25) ; sur lame aurignacienne ; doubles (fig. 3, n° 24) ; à museau (fig. 3, n° 23 et 24) ; ogivaux (fig. 3, n° 24) ; sur éclat.

Parmi les burins, assez rares (IB = 6,66 %), il faut signaler un specimen busqué, sans encoche (fig. 3, n° 27).

Les lames retouchées, relativement abondantes, regroupent des pièces entièrement façonnées sur un bord, appointées ou encochées (fig. 3, n° 28). Leur retouche correspond généralement à la définition de la retouche aurignacienne qui affecte également d'autres types d'objets et notamment des grattoirs

---

* Chargé de Recherche au C.N.R.S., 25, allée du Parc, 11000 Carcassonne (France).

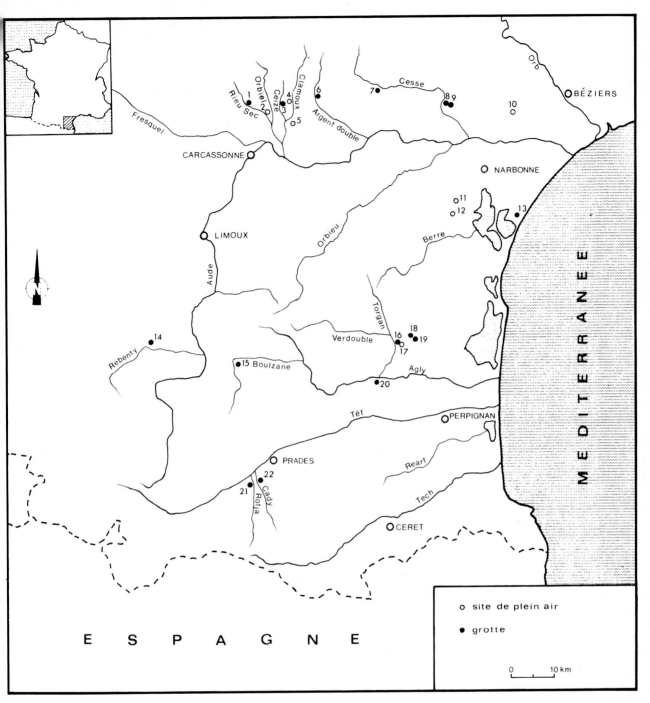

Fig. 1. — Carte des gisements du Paléolithique supérieur du Languedoc occidental (Bassin de l'Aude) et du Roussillon.
1. Canecaude I (Aude); 2. Lassac (Aude); 3. Gazel (Aude); 4. Les Cauneilles-Basses (Aude); 5. La Rivière (Aude); 6. Balmo-dal-Carat (Aude); 7. Aldène (Hérault); 8 et 9. Grottes de Bize (Aude); 10. Régismont-le-Haut (Hérault); 11. Fontlaurier (Aude); 12. L'Aragnon (Aude); 13. La Crouzade (Aude); 14. La Cauna de Belvis (Aude); 15. La grotte de l'Œil (Aude); 16. La Cova d'Arago (Pyr. Orient.); 17. La Teulera (Pyr. Orient.); 18. Grotte de Vingrau (Pyr. Orient.); 19. Las Conques (Pyr. Orient.); 20. Grotte d'Estagel (Pyr. Orient.); 21. Le Trou Souffleur (Pyr. Orient.); 22. Les Embulla (Pyr. Orient.).

(fig. 3, n° 24), des grattoirs-burins (fig. 3, n° 26) et des racloirs. Cette dernière catégorie d'outils (fig. 3, n° 29) compte pour plus de 10 %.

L'outillage en matière dure animale n'est illustré que par une seule pièce, un tronçon de sagaie d'un type peu banal à section polygonale (fig. 3, n° 30).

L'art mobilier n'est pas absent.

Sur une plaquette de grès cassée on déchiffre peut-être une patte de grand quadrupède gravée,

alors qu'un fragment de perche en bois de renne offre un décor de fines et nombreuses incisions (Ph. Héléna, 1973, fig. 10).

Ces restes, auxquels s'ajoutent un élément de côte ornée d'un décor géométrique en champlevé et un débris de diaphyse grossièrement gravée de trois chevrons, comptent parmi les plus vieux témoins de l'art quaternaire du midi de la France.

Parmi les vestiges fauniques, attribués par Ph. et

Th. Héléna à l'ours des cavernes, au lion, à l'hyène, au renne, au grand bœuf et au cheval, gisaient des restes humains dont deux fragments d'un frontal et un morceau de maxillaire supérieur (1).

Les fouilles de G. Maurin, sur la station de Régismont-le-Haut, ont révélé une aire d'habitat dotée de neuf foyers dont certains étaient limités par des structures de pierres plates (Escalon, 1963).

L'industrie recueillie, exclusivement lithique, est semblable à celle de la couche 10 de la Crouzade, quoique de moins bonne facture.

Les grattoirs constituent l'essentiel de la série (IG = 53 %). Les plus nombreux d'entre eux sont sur éclat et lame retouchés ; simples (fig. 3, n° 16) ; doubles ; carénés (fig. 3, n° 17 et 18) ; sur lame aurignacienne et à museau.

Les burins, presque inexistants (IB = 2,18 %) sont dièdres d'angle (fig. 3, n° 20) et sur troncature.

Les lames retouchées abondent, qu'il s'agisse de pièces façonnées sur un ou deux bords ou appointées, à retouche aurignacienne (fig. 3, n° 21) ou non.

---

(1) A propos des deux premiers fragments, récemment retrouvés, M. Boule déclarait à Th. Héléna dans une lettre datée du 11 janvier 1918 : « Le crâne me paraît avoir été dolicocéphale. Il est possible qu'il ait appartenu à la race de Cro-Magnon dont il présente quelques caractères secondaires (nasion déprimé, largeur minimum du frontal, etc.). Mais il est impossible d'affirmer quoique ce soit avec de tels fragments ».

Les pièces à encoche ou denticulées et les racloirs figurent également en bonne place ; les perçoirs et les becs (fig. 3, n° 19) comptent quelques specimens. Ici comme à la Crouzade les lamelles brutes ou retouchées font défaut.

Malgré l'absence de données stratigraphiques ou d'outillage en os, L. Méroc (1963) et G. Laplace (1966) ont conclu à l'ancienneté de l'Aurignacien de Régismont-le-Haut. M. Escalon (1966), d'accord avec le premier pour situer cet habitat de plein air dans une phase de réchauffement, opte pour l'oscillation de Paudorf.

A Canecaude I, les deux couches d'occupation humaine les plus anciennes (couches III et IV), séparées l'une de l'autre par un mince niveau discontinu de coprolithes (couche C) (fig. 2, n° 4), livrent une industrie aurignacienne (D. Sacchi, 1975 b).

La couche IV a été datée de 24510 ± 400 ans B.P. (Gif - 2710).

Son industrie, pauvre mais bien caractéristique, comporte pour la partie lithique des grattoirs carénés à front large ou étroit (fig. 3, n° 9) ; des pièces à museau à mi-chemin entre le grattoir (fig. 3, n° 10) et le bec (fig. 3, n° 12) ; des lames retouchées dont un beau specimen appointé (fig. 3, n° 14); des pièces à encoche passant parfois au racloir concave (fig. 3, n° 13) et une lamelle à retouche inverse (fig. 3, n° 11).

L'équipement osseux est illustré par une petite

FIG. 2. — Principales stratigraphies des gisements paléolithiques supérieurs du Languedoc occidental (Bassin de l'Aude).
1. Grande grotte de Bize (d'après A. Tavoso); LB1 à G. Paléolithique supérieur; FC-LB1. Magdalénien final; PL. Magdalénien IV; LJ à L6. Aurignacien; F à G. Aurignacien précoce (?); RC à BC. Moustérien tardif à quartzites.
2. Petite grotte de Bize (d'après Ph. et Th. Héléna); 5. Néolithique et plus récent - ép. : 1,50 m à 2,50 m; C. cailloutis anguleux; 4. sédiments cendreux gris - Azilien - ép. : 0,90 m; 3. Terres grises et jaunâtres, sableuses ou graveleuses - Magdalénien supérieur - ép. : 0,75 m; 2. Sables fauves - Magdalénien moyen (?) - ép. : 0,75 m; b. Sédiment argilo-sableux stérile - ép. : non précisée; 1. Sable limoneux - Magdalénien ancien - ép. : 0,85 m.
d : zone concrétionnée; f : foyer; x : sable.
3. La Crouzade, coupe schématique (d'après Ph. Héléna). Les lettres inscrites dans un cercle correspondent à la désignation des couches selon Ph. Héléna.
O. Cailloutis anguleux; 1. Sédiment sombre - Age du Fer et plus récent; 2. Sédiment noir et gluant - Néolithique; 3. Sédiment cendreux blanchâtre - Sauveterrien; 4. Sédiment cendreux et terre brûlée rougeâtre - Azilien; 5. Foyer supérieur - Magdalénien VI; 5'. Foyer inférieur - Magdalénien V (?); 6. Limon jaune archéologiquement stérile; 7. Foyer - Gravettien; 8. Limon jaune archéologiquement stérile; 9. Cailloutis anguleux archéologiquement stérile; 10. Sédiment sableux jaunâtre et onctueux avec foyer - Aurignacien typique; 11. Limon jaune à cailloux roulés contenant des restes de faune à l'exclusion de tous vestiges archéologiques; 12. Sédiment de couleur fauve contenant un important foyer - Moustérien; 13. Limon jaune stérile.
4. Canecaude I (relevé de l'auteur).
O. Sédiment grisâtre - vestiges protohistoriques et historiques; F. Foyer médiéval; II. Cailloutis cryoclastique emballé dans un sédiment plus ou moins argileux (II₁. Concrétionné; II₂. Meuble; II₂ₐ. Sédiment d'emballage de couleur grise; II₂ᵦ. Sédiment d'emballage de couleur jaune) - Magdalénien moyen; III. Graviers et cailloux émoussés emballés dans une matrice argileuse jaune - Aurignacien; C. Ligne discontinue de coprolithes; IV. Graviers et cailloux émoussés emballés dans une matrice argileuse rouge - Aurignacien; V. Gravier corrodé emballé dans une matrice argileuse grise - achéologiquement stérile; VI. Argile karstique fauve archéologiquement stérile reposant sur le substratum rocheux.
5. La Cauna de Belvis (relevé de l'auteur).
1. Sédiment grisâtre remanié - Magdalénien VI; 2. Sédiment argilo-sableux jaunâtre - Magdalénien VI; 3. Sédiment argilo-sableux brunâtre - Magdalénien VI; 4. Cailloutis anguleux emballé dans un sédiment argileux jaunâtre - Magdalénien VI; 5. Argile gris-jaune archéologiquement stérile; 6. Argile karstique jaune archéologiquement stérile; 7. Poche de cryoturbation (?) contenant des cailloux anguleux, des fragments de plancher stalagmitique emballés dans une argile jaune-grise - Paléolithique supérieur indéterminé; 7a. Passée argilo-sableuse brunâtre archéologiquement stérile; 8. Poche de cryoturbation (?) contenant des cailloux anguleux souvent dressés verticalement et emballés dans une argile sableuse jaune; 9. Poche de cryoturbation (?) contenant des cailloux et blocs anguleux emballés dans une argile sableuse jaune-gris - vestiges de faune; 10. Poche d'argile sableuse jaune emballant des cailloux anguleux.
6. Grotte Gazel (relevé de l'auteur).
2. Sédiment beige-sale - Cardial ancien; 3. Sédiment grisâtre - Epimagdalénien remanié par le Cardial; 4. Croûte de calcite pourrie; 5. Sédiment de couleur fauve-sale - Epimagdalénien; 6. Sédiment fauve-brun - Epimagdalénien; 7. Sédiment noirâtre contenant deux foyers (F7 et F7') - Magdalénien IV; 8. Sable grossier jaunâtre contenant des graviers - archéologiquement stérile; 9. Limon sableux archéologiquement stérile; 10. Sable grossier jaunâtre contenant des granules et galets - archéologiquement stérile; 11 à 16. Alternance de limons sableux et argileux archéologiquement stériles; 17. Paroi rocheuse.

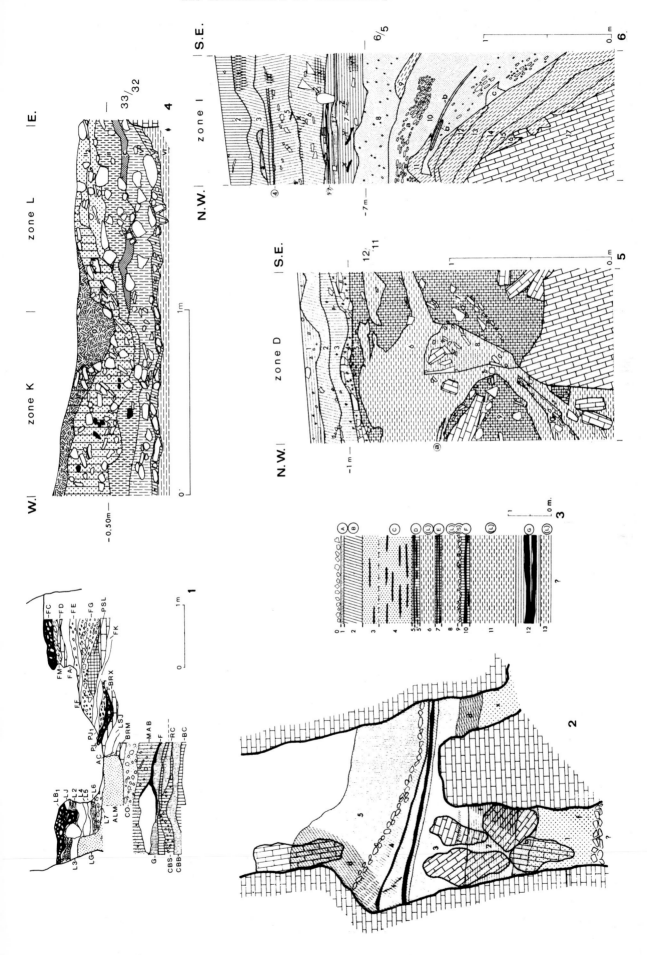

armature de sagaie à section ovale et base en languette (fig. 3, n° 15).

La faune, actuellement à l'étude, fait une large part à *Ursus spelaeus*.

Datée de 22980 ± 330 ans B.P. (Gif 2709), la couche III, tout aussi pauvre que la précédente, renferme également des grattoirs carénés (fig. 3, n° 1), des museaux atypiques (fig. 3, n° 2), des pièces tronquées (fig. 3, n° 3) et des racloirs (fig. 3, n° 4).

L'outillage lamellaire est plus abondant et les lamelles Dufour (fig. 3, n° 5) côtoient quelques lamelles à dos parfois dotées d'une retouche inverse sur le bord non abattu (fig. 3, n° 6).

L'outillage en matière dure animale se compose de deux fragments d'armatures de sagaies à section ronde dont une biconique (fig. 3, n° 8).

L'ours des cavernes règne sur la faune.

En dépit de l'absence quasi complète de burin (un seul specimen transversal plan, opposé à une troncature, a été retrouvé), les datations absolues et les sagaies, semblables aux pointes biconiques de la couche H″ de La Ferrassie (D. Peyrony, 1934), témoignent en faveur de l'âge récent de l'Aurignacien de Canecaude I.

A Bize les nouvelles recherches entreprises dans la grande grotte préciseront sans doute la position et la nature de l'Aurignacien sur lequel les fouilles anciennes n'avaient donné que des renseignements confus.

L'Aurignacien était également présent dans la Balmo Pretchadouiro Basse et peut-être dans la grande salle de la grotte Gazel (D. Sacchi, 1969).

Le Gravettien.

La couche 7 de la Crouzade (fig. 2, n° 3), mise au jour par Th. Héléna au sein d'un puissant niveau de limon stérile (Ph. Héléna, 1928), contenait une industrie typique du Gravettien.

Largement dominée par les lamelles à dos (fig. 4, n° 31), la petite série lithique subsistante comporte notamment des pointes de la Gravette (fig. 4, n° 27, 28), des microgravettes, une curieuse petite pointe à cran (fig. 4, n° 33) et un grattoir unguiforme (fig. 4, n° 32).

L'industrie de l'os est attestée par un poinçon cassé aux deux extrémités (fig. 4, n° 34) et quelques dents animales percées.

Pour ce qui est de la faune, Ph. Héléna (1928) a énuméré le bœuf, le cheval, le cerf élaphe et le renne, ce dernier prédominant.

Le matériel regroupé sous la rubrique couche 2 et provenant des recherches d'E. Genson dans le même gisement n'est sans doute pas homogène mais révèle la présence de pièces typologiquement gravettiennes et particulièrement une pointe de la Gravette crantée (fig. 4, n° 26), une microgravette (fig. 4, n° 29) et un fragment de fléchette (fig. 4, n° 30).

Si rien ne permet d'étayer la présence du Périgordien supérieur dans la brèche Tournal de la grande grotte de Bize, il n'est pas impossible qu'il ait occupé l'assise inférieure de la petite grotte,

dans laquelle E. Genson a recueilli des pointes à dos et des fléchettes.

Le Solutréen.

La révision de matériaux souvent difficiles d'accès a montré que le Solutréen n'était absent ni dans le bassin de l'Aude ni en Roussillon.

C'est ainsi que, comme l'avait pressenti Ph. Smith (1966), le protosolutréen signalé par Genson (1933) dans la grande salle de la grande grotte de Bize n'est en fait que du Solutréen supérieur.

L'outillage lithique, bien caractérisé par deux pointes à cran, un specimen du sous-type A (2) (fig. 4, n° 22) et une pièce cassée limitée à la tige (fig. 4, n° 23), contient de nombreuses lames retouchées, souvent appointées (fig. 4, n° 19), passant parfois à la pointe à face plane (fig. 4, n° 18) et même à la pointe moustérienne (fig. 4, n° 20).

Les burins nombreux (IB = 23,61 %) et presque exclusivement dièdres, les lamelles à dos relativement abondantes (ILd = 13,88 %) (fig. 4, n° 24) et les grattoirs (IG = 8,33 %), dont un specimen à retouche plate (fig. 4, n° 21), complètent le gros de l'outillage façonné.

Parmi les objets en matière osseuse il faut signaler un lot d'armatures de sagaies. L'une d'entre elles présente l'amorce d'un biseau simple et une courte et large rainure (fig. 4, n° 25).

Outre les restes très abondants de faune montrant, selon E. Genson, la prédominance du cheval, il faut signaler quelques restes humains, dont un fragment de calotte crânienne, qui n'avaient pas jusqu'ici retenu l'attention.

La couche 6 de la petite grotte de Bize, malgré la vraisemblable intrusion d'éléments gravettiens signalés plus haut, est elle aussi bien typique du Solutréen supérieur.

Parmi les outils typologiquement définis, il convient de mentionner une belle série de pointes à cran. A l'exception d'un hypothétique fragment à retouche en ruban (fig. 4, n° 2), il s'agit de pièces de type méditerranéen, généralement à cran dextre (fig. 4, n°ˢ 3 à 7), fréquemment retouchées sur la face inverse du pédoncule.

Une petite feuille de laurier du sous-type K (fig. 4, n° 1) et une pointe à face plane déjetée augmentent le stock des outils morphologiquement solutréens.

L'outillage osseux est riche en armatures de sagaies généralement longues et biconiques, plus rarement à biseau simple (fig. 4, n° 8).

L'art animalier est figuré sous la forme d'un galet en roche verte, gravé sur une face d'une encolure et d'une tête de cheval et sur le revers d'une silhouette d'éléphant surchargé d'un protome de bouquetin ou de cervidé.

Le style de ces figures animales rappelle certaines œuvres d'art du Parpalló (Pericot, 1942) et pourrait confirmer le caractère méditerranéen de l'industrie.

Si l'on excepte la feuille de laurier du type de Montaut, signalée par E. Genson dans les déblais

----

(2) Selon la classification de Ph. Smith.

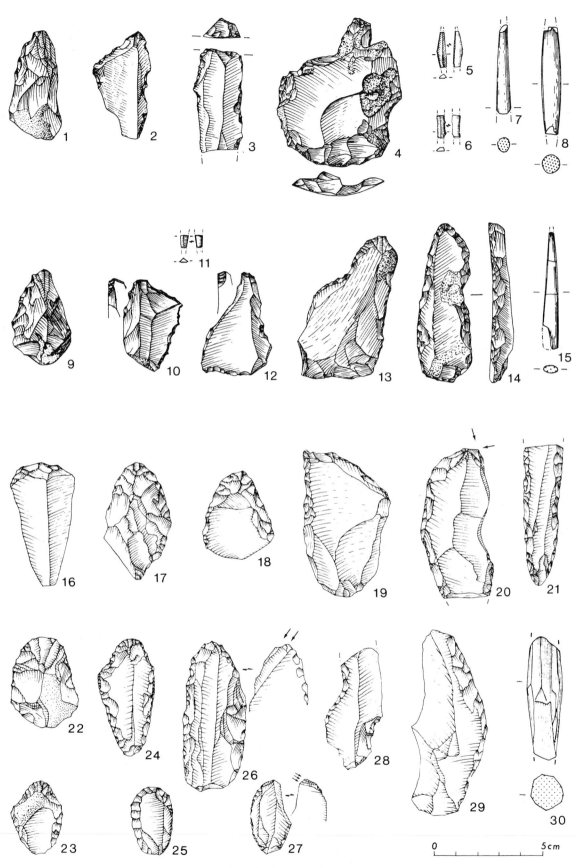

FIG. 3. — Industrie aurignacienne.
1 à 8. Canecaude I, couche III; 9 à 15. Canecaude I, couche IV; 16 à 21. Régismont-le-Haut (d'après des dessins aimablement communiqués par M. Escalon de Fonton); 22 à 30. La Crouzade, couche 10.

remaniés de la Crouzade (1933-1934) et aujourd'hui disparue, le troisième gisement ayant livré du Solutréen est la grotte des Embulla (Sacchi et Abélanet, 1969).

Les recherches de J. Abélanet ont porté sur un petit boyau dont la totalité du remplissage avait subsisté. L'unique niveau archéologique mis au jour contenait, parmi les objets les plus significatifs, d'assez nombreux burins le plus souvent dièdres (fig. 4, n° 15) ; quelques lamelles à dos et des pointes à face plane du type E (fig. 4, n° 10 à 12), qui ne se différencient guère de simples lames appointées, et du type C (fig. 4, n° 13).

Une longue sagaie biconique et une aiguille à chas (fig. 4, n° 16 et 17) forment l'essentiel de l'outillage en os.

Dans un autre diverticule de la même cavité, R. Ribes a récupéré un matériel archéologique dont les pièces maîtresses sont une feuille de laurier du type Roquecourbère (fig. 4, n° 9), une pointe à cran mal venue, mais semble-t-il du type méditerranéen (fig. 4, n° 14) et une armature de sagaie identique à celle précédemment signalée (3).

Des restes humains appartenant à un adulte et un enfant auraient également été recueillis ainsi que des vestiges fauniques appartenant au loup, à l'hyène, au lynx, au cheval, au chamois et au bouquetin (4).

Rien ne s'oppose à ce que la feuille de laurier, la pointe à cran et la série de pointes à face plane proviennent du même horizon industriel, attribuable au Solutréen supérieur.

Le Magdalénien ancien.

Le Magdalénien à raclettes est désormais connu dans le Midi de la France (D. Sacchi, 1968).

A Lassac, vaste gisement de plein air aujourd'hui détruit, l'unique couche archéologique (couche 2) était constituée dans le secteur fouillé d'une aire pavée de galets (couche 2 a) reposant sur le substratum rocheux jonché d'ossements animaux (couche 2 b), presque tous attribuables au renne.

C'est à partir de ces restes osseux qu'a été obtenue une datation radiocarbone : Gif - 2981 = 16750 ± 250 ans B.P., tout à fait conforme à la position chronologique admise pour le Magdalénien primitif.

Mis à part quelques rares fragments de pointes et d'aiguilles en os (fig. 5, n° 29 et 28), l'outillage façonné, très abondant, est en silex.

Par sa richesse en lamelles à dos (ILd = 44,04 %) (fig. 5, n° 20 à 22) et la faible représentativité des grattoirs (IG = 5,05 %), cette industrie se distingue du Badegoulien du Bassin Parisien et du Bassin Aquitain. En revanche, elle leur est tout-à-fait semblable par le mode de débitage souvent grossier, dû à la prédominance des nucleus informes et globu-

leux, la présence de nombreuses raclettes (9,29 %) (fig. 5, n° 11 à 16), de grattoirs carénés (fig. 5, n° 1 à 3) et à museau, de burins transverses sur encoche (fig. 5, n° 6), de perçoirs multiples (fig. 5, n° 4), de lames retouchées et appointées (fig. 5, n° 8, 9 et 18), de racloirs (fig. 5, n° 17) et de pièces esquillées (fig. 5, n° 10).

L'abondance des lamelles à dos, qui est peut-être le fait d'une concentration exceptionnelle dans un espace réduit (5), la très nette domination des burins sur les grattoirs peuvent être interprétées comme des signes d'évolution annonçant déjà le Magdalénien « classique ».

Dans le même secteur géographique la station de La Rivière a elle aussi livré un mobilier lithique qui rappelle celui de Lassac et lui est sans doute contemporain.

Là aussi l'industrie comporte un contingent appréciable de lamelles à dos (ILd = 18,64 %), dont certains specimens sont dotés d'une retouche presque abrupte et croisée (fig. 5, n° 34) que l'on retrouve aussi sur un specimen de lame à bord abattu (fig. 5, n° 33) et qui n'est pas sans évoquer la retouche des pointes de la Gravette. Les burins, qui forment le groupe d'outils le plus nombreux, sont en majorité dièdres (fig. 5, n° 32), mais comptent quelques exemplaires tranversaux (fig. 5, n° 31). Les grattoirs (IG = 14,40 %) sont fréquemment carénés (fig. 5, n° 30) ou à museau, et on note à peu près 7 % de raclettes (fig. 5, n° 35 et 36). Les pièces à encoche et denticulées (fig. 5, n° 37) sont quasiment aussi fréquentes qu'à Lassac.

Si la station de Lassac a fourni un utile et incontestable repère chronologique absolu, la petite grotte de Bize apporte des données sur la position stratigraphique du Magdalénien ancien en Languedoc occidental.

D'après les recherches de Th. et Ph. Héléna, le Magdalénien ancien occupe l'assise archéologique inférieure (couche 1), prenant appui sur un cailloutis anguleux et supportant un niveau argileux stérile (fig. 2, n° 2).

Selon E. Genson, la couche 5 « à silex à contour découpé » s'intercale entre la couche 6 attribuable au Solutréen supérieur, comme nous l'avons vu précédemment, et une couche magdalénienne.

Il s'agit dans les deux cas de la même industrie, qu'elle ait été attribuée à « l'Aurignacien supérieur » par les deux premiers auteurs ou au Magdalénien par le troisième (D. Sacchi, 1969). Toutefois, les deux séries ne coïncident pas statistiquement (6).

Les grattoirs, qui occupent la première place dans la série Héléna (IG = 28,36 %), comprennent de nombreux specimens sur éclat (fig. 5, n° 36) mais aussi des museaux (fig. 5, n° 39) et quelques carénés. Les burins, qui dans les deux séries tournent autour de 23 %, sont généralement dièdres et les burins « badegouliens » sont peu nombreux (fig. 5, n° 44). On note des perçoirs (fig. 5, n° 47)

---

(3) Toutes les précisions sur cette industrie nous ont été aimablement communiquées par R. Ribes et plus particulièrement par le Prof. Ph. Smith qui nous en a adressé un inventaire et des dessins.

(4) Selon R. Ribes *in litteris* du 12 mars 1968.

(5) Il est nécessaire de préciser que la fouille n'a porté que sur six mètres carrés, ce qui est très peu en comparaison des hectares que couvrait le gisement.

(6) Rappelons que la série Héléna comporte moins de 100 pièces alors que celle de Genson compte plus de 250 outils.

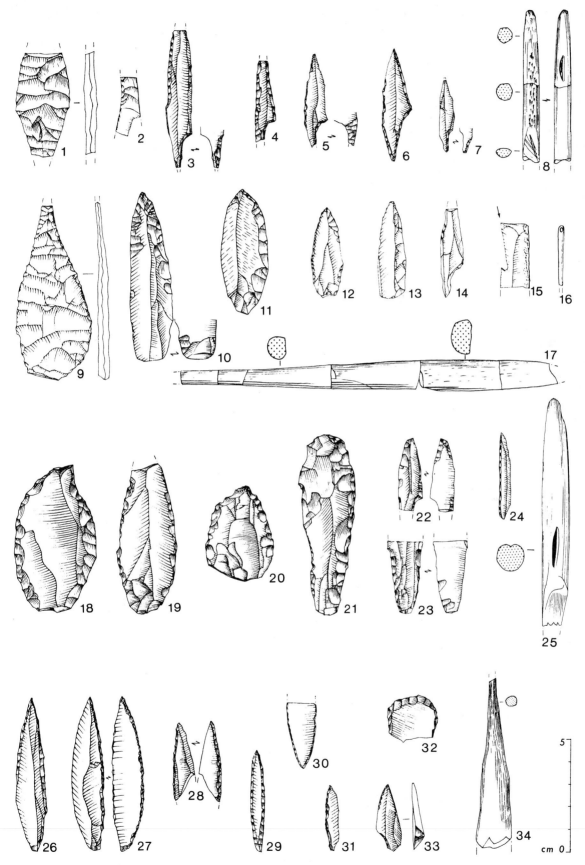

FIG. 4. — Industrie gravettienne. 26 à 34. La Crouzade, couche 7. Industrie solutréenne; 18 à 25. Grande grotte de Bize; 9 à 17. Les Embulla; 1 à 8. Petite grotte de Bize, couche 6. (9 et 14 d'après des dessins aimablement communiqués par Ph. Smith.)

dont un multiple ; des lames retouchées (fig. 5, n° 46) ; des pièces esquillées (fig. 5, n° 40) et de très nombreuses raclettes (fig. 5, n° 41 à 43) qui atteignent 50 % dans la série Genson. Enfin, les lamelles à dos (fig. 5, n° 45), constantes dans le Magdalénien archaïque languedocien, constituent 8 % des récoltes Héléna.

Dans l'outillage en matière dure animale on remarque une aiguille à chas (fig. 5, n° 48), des armatures de sagaies, la plus complète étant courte, épaisse et à biseau simple (fig. 5, n° 49), et des poinçons.

La faune, selon Ph. et Th. Héléna, serait dominée par le renne.

Le Magdalénien moyen.

A Bize, dans la grande grotte, comme le confirment les nouvelles fouilles de A. Tavoso, et vraisemblablement dans la petite grotte et à la Crouzade, le Magdalénien moyen apparaît en stratigraphie. Mais ce sont les gisements de Canecaude I et de Gazel, à la base du versant méridional de la Montagne Noire, qui fournissent actuellement les meilleures données.

La couche 7 de la salle centrale de la galerie supérieure de la grotte Gazel (D. Sacchi, 1974), qui repose sur un puissant niveau stérile (fig. 2, n° 6) a été datée : Gif-2655 = 15070 ± 270 ans B.P.

Elle livre une belle industrie lithique riche en lamelles à dos (ILd = 45,55 %) (fig. 6, n° 32), parfois microlithiques (fig. 6, n° 37) ; en burins (IB = 21,20 %) très souvent dièdres (fig. 6, n° 33 et 35) mais aussi sur troncature (fig. 6, n° 34) ; en perçoirs (IP = 7,16 %) (fig. 6, n° 38) ; en outils multiples (IOm = 6,59 %) (fig. 6, n° 27 et 28) mais pauvre en grattoirs (IG = 4,58 %) (fig. 6, n° 24 et 25).

Parmi les objets qui constituent le reste de l'outillage, il faut mentionner les pièces à encoche (fig. 6, n° 26), les lames à retouche alterne (fig. 6, n° 29) et inverse (fig. 6, n° 30), quelques pièces tronquées (fig. 6, n° 31), de rares lamelles à cran (fig. 6, n° 36) et quelques segments de cercle et triangles.

L'outillage osseux, bien illustré par un propulseur sculpté (fig. 6, n° 39), une tête de proto-harpon (fig. 6, n° 22), des baguettes demi-rondes décorées (fig. 6, n° 19), de longues armatures de sagaies à biseau simple (fig. 6, n° 20), et un contour découpé, est tout-à-fait caractéristique du Magdalénien IV tel qu'il a été identifié et défini dans le Bassin Aquitain. Par ailleurs, la trouvaille de coquilles marines non méditerranéennes, comme *Littorina obtusata* (fig. 6, n° 23), montre l'étroite relation des magdaléniens de Gazel avec le domaine atlantique (7).

La faune mammalienne, dans l'état actuel des

recherches, est principalement représentée par *Equus caballus* et *Rangifer tarandus* (8).

L'art mobilier animalier n'est pas absent et il faut citer en plus du propulseur, qui était orné d'une sculpture représentant un herbivore dont ne subsiste que les quatre pieds (fig. 6, n° 39), et du contour découpé figurant une tête de cheval, un galet gravé d'un ours et d'une belle figure d'auroch. Cette dernière, qui correspond aux critères du style IV ancien de la classification de A. Leroi-Gourhan (1965), rappelle très précisément, en particulier par la position des membres « flottants », certaines figures gravées sur les parois du sanctuaire établi dans une partie profonde de la même cavité. Cette identité stylistique milite en faveur de l'âge commun de la couche 7 et des gravures pariétales. Cette hypothèse semble confirmée par les données de la stratigraphie, un seul horizon magdalénien ayant été identifié à ce jour.

Ainsi les premiers habitants de la salle centrale seraient les auteurs des gravures pariétales, qui, par voie de conséquence, se trouveraient datées par la chronologie radiocarbone.

La couche II de Canecaude I (fig. 2, n° 4), datée de 14230 ± 160 ans B.P. (Gif - 2708), fournit une industrie numériquement dominée par les lamelles à dos (ILd = 54,59 %) (fig. 6, n° 10) et pauvre en grattoirs (IG = 3,78 %).

L'indice de burin, quoique relativement peu élevé (IB = 12,43 %), est le second en importance et concerne une majorité de specimens dièdres (fig. 6, n° 1). Néanmoins les burins sur troncature ne manquent pas (fig. 6, n° 2) et quelques exemplaires transversaux sur encoche ont été mis au jour (fig. 6, n° 4).

On trouve ensuite, par ordre d'importance décroissante, des pièces à encoche (fig. 6, n° 8) ; des outils multiples (fig. 6, n° 5) ; des lames retouchées (fig. 6, n°s 6 et 7) et des perçoirs (IP = 4,32 %), parfois microlithiques (fig. 6, n° 13), sans omettre les triangles scalènes (fig. 6, n°s 11 et 12).

L'outillage en os comprend essentiellement des armatures de sagaies qui se répartissent en trois groupes : des pièces courtes, à biseau simple et rainures profondes opposées, bien connues dans le Magdalénien III de la région Périgord-Poitou-Charente (fig. 6, n° 15) ; des pièces allongées, souvent arquées, appointées aux deux extrémités, à section subtriangulaire (fig. 6, n° 16) ; et plus rarement, des pointes à section subtriangulaire à base épaisse (fig. 6, n° 14). Deux bâtons percés, dont un miniature qui pourrait entrer dans la catégorie des objets à suspendre (fig. 6, n° 17), et un fragment de propulseur complètent la série. Ce dernier objet, d'une qualité exceptionnelle, reproduit en ronde-bosse les traits d'un mammouth (D. Sacchi, 1975 a) et constitue l'unique pièce d'art mobilier animalier découverte dans ce gisement (fig. 6, n°s 18 et 18' et fig. 7).

Enfin, les nombreux ossements animaux retrouvés dans la couche II montrent qu'une des principales activités des magdaléniens qui séjournèrent à Canecaude I fut la chasse au renne.

---

(7) Comme il est aisé de s'en rendre compte sur la fig. 1, la grotte Gazel est actuellement distante de 60 km à vol d'oiseau du littoral méditerranéen, alors que plus de 300 km la séparent de l'océan.

(8) Toutes les déterminations fauniques signalées ici sont dues à M. Maurel.

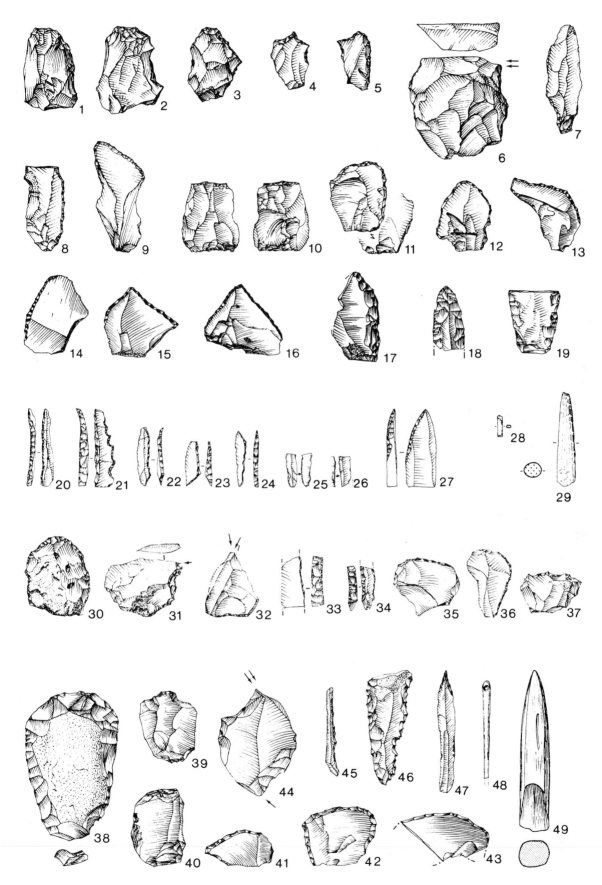

FIG. 5. — Industrie magdalénienne ancienne. 1 à 12 et 18 à 29. Lassac, locus I, couche 2; 13 à 17. Lassac, surface; 30 à 37. La Rivière; 38 à 49. Petite grotte de Bize, couche 5.

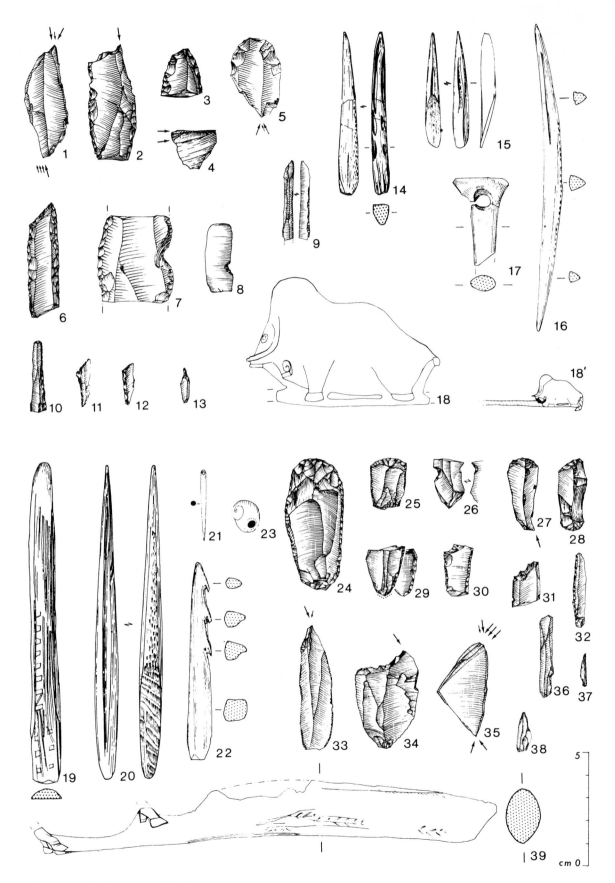

Fig. 7. — Canecaude I _ couche II₁ : fragment de propulseur en bois de renne orné d'une figure de mammouth en ronde-bosse. Magdalénien moyen. (Références de la pièce : Canec. I - L32 - CII₁ - m).

Le Magdalénien supérieur.

Les sites du Magdalénien supérieur sont les plus nombreux et cette multiplication des habitats paraît bien correspondre ici comme ailleurs à une poussée démographique.

Dans la petite grotte de Bize, la couche 3 de la stratigraphie Héléna (fig. 2, n° 2) est caractérisée par un lot de beaux harpons à barbelures unilatérales (fig. 8, n° 44) du type « Sud-Est » (J. Combier, 1967).

Une pièce de même facture, privée de contexte, fut recueillie dans la grande grotte voisine (Ph. Héléna, 1937) et la base de la couche 5 (C5') de la Crouzade (fig. 2, n° 3) contenait elle aussi un harpon à un rang de barbelures (fig. 8, n° 28).

Une petite cavité du territoire de Vingrau aurait également livré un harpon à barbelures unilatérales.

Le niveau supérieur (couches 1 à 4) de la grotte pyrénéenne de Belvis (fig. 2, n° 5), dont la couche 3 a été datée, Gif - 2950 = 12270 ± 280 ans B.P., est spécifique du Magdalénien VI (D. Sacchi, 1973a).

L'industrie de la pierre, nettement microlithique, comporte une grande majorité de lamelles à dos (ILd = 72,62 %) (fig. 8, n°ˢ 56 à 60). Les principaux outils sont ensuite les burins (IB = 6,46 %) généralement dièdres (fig. 8, n° 50) ; les lamelles à retouche inverse (3,80 %) ; les triangles scalènes (3,04 %), souvent hypermicrolithiques (fig. 8, n°ˢ 61 à 63) ; les outils multiples (IOm = 3,04 %) (fig. 8, n°ˢ 51 et 54) et les perçoirs (1,90 %) (fig. 8, n° 55). Les grattoirs, pratiquement absents, comptent quelques jolis spécimens unguiformes (fig. 8, n° 52).

L'outillage en os indique clairement la coexistence des harpons à double et simple rangées de barbelures (fig. 8, n°ˢ 45 et 46) qui sont accompagnés de sagaies à biseau double (fig. 8, n° 48), de petites pointes à base taillée (fig. 8, n° 47) et de nombreuses aiguilles à chas (fig. 8, n° 49).

La faune est surtout composée, comme il est normal pour un site d'altitude (960 m), de *Capra*

pyrenaïca et *Rupicapra rupicapra,* mais la présence du renne est attestée.

Parmi les quelques objets d'art mobilier, souvent très fragmentés, on compte un morceau de côte, gravée d'une figure d'échassier fantastique (D. Sacchi, 1972-1973).

Le gisement bouleversé de la grotte de l'Œil a lui aussi livré un mobilier caractéristique du Magdalénien VI, avec un petit harpon à barbelures bilatérales (fig. 8, n° 31), une pointe de sagaie à double biseau (fig. 8, n° 32) et des aiguilles à chas (fig. 8, n° 33).

L'outillage lithique, très proche de celui de Belvis tant par sa facture que par les matériaux utilisés (silex, lydienne, etc.), n'en diffère que statistiquement (9).

C'est ainsi que les lamelles à dos (fig. 8, n°ˢ 41 à 43) sont moitié moins nombreuses et que les burins (fig. 8, n°ˢ 34 et 38) sont beaucoup plus abondants (IB = 24,02 %). Les grattoirs (fig. 8, n°ˢ 35 et 36) restent faiblement représentés (IG = 3,14 %). Le nombre des perçoirs (fig. 8, n° 39) augmente (IP = 4,74 %) alors que les triangles régressent (fig. 8, n° 40). Il faut aussi noter la présence d'une pièce à cran (fig. 8, n° 37).

Des harpons à barbelures bilatérales ont également été extraits du sommet de la couche 5 (fig. 2, n° 3) de la Crouzade (fig. 8, n° 29), ainsi que d'un secteur remanié de la petite grotte de Bize.

C'est encore au Magdalénien supérieur qu'il faut attribuer les couches 1 et 2 de la petite grotte de Las Conques à Vingrau, sondée par P. Campmajo, ainsi que la station de la Teulera à Tautavel.

L'abondant matériel lithique recueilli par J. Abélanet (Escalon, 1966; Sacchi et Abélanet, 1969) sur ce dernier gisement offre de belles séries de lamelles à dos (ILd = 37,15 %) (fig. 8, n°ˢ 23 à 25) ; de burins (IB = 31,26 %) (fig. 8, n°ˢ 18 et 19), dont moins de 3 % sont sur troncature (fig. 8, n° 19) ; et un lot assez important de grattoirs (IG = 9 %), parmi lesquels de beaux specimens en éventail (fig. 8, n° 17). Les outils multiples, essentiellement des grattoirs-burins (fig. 8, n° 21) forment aussi un groupe conséquent (IOm = 8,51 %). Il faut encore signaler les lames tronquées (fig. 8, n° 20), les perçoirs (IP = 2,78 %) (fig. 8, n° 22), quelques triangles (fig. 8, n° 26) et un segment de cercle (fig. 8, n° 27).

L'outillage lithique façonné de Fontlaurier peut lui aussi être rapporté au Magdalénien supérieur. Tiré de beaux nucléus prismatiques en silex, parfois convertis en rabots (fig. 8, n° 1), il est très lamellaire.

Les lamelles à dos, nombreuses (ILd = 40,36 %), sont longues (fig. 8, n°ˢ 11 et 12) et offrent parfois une belle denticulation (fig. 8, n° 16) que l'on rencontre aussi sur les lamelles simples (fig. 8, n° 15). Comme cela est fréquent dans ce type d'industrie, on trouve des lamelles à retouche alterne semi-abrupte (fig. 8, n° 10), des pointes et des pièces à cran (fig. 8, n°ˢ 14 et 13) et de jolis perçoirs (fig. 8,

(9) Les variations de pourcentage sont peut-être le reflet des déprédations dont a souffert le remplissage de faible volume de cette petite cavité.

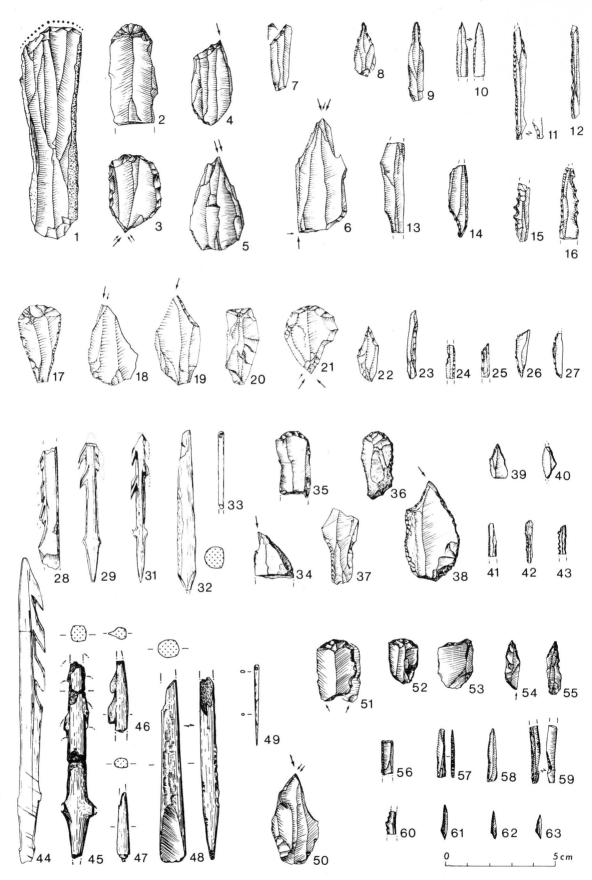

FIG. 8. — Industrie magdalénienne supérieure. 1 à 16. Fontlaurier; 17 à 27. La Teulera; 28. La Crouzade, couche 5; 29. La Crouzade, couche 5'; 31 à 43. Grotte de l'Œil; 44. Petite grotte de Bize, couche 3; 45, 47, 48, 50 à 52, 54, 56 à 60, 63. Belvis, couche 3; 49, 55, 61. Belvis, couche 2; 46, 53, 62. Belvis, couche 1.

n°s 8 et 9). Les burins, qui constituent le deuxième indice en importance (IB = 35,86 %), sont dièdres (IBd = 21,31 %) (fig. 8, n°s 5 et 6), plus rarement sur troncature (fig. 8, n° 4). Quant aux grattoirs (fig. 8, n° 2) ils n'atteignent pas 4 %.

Parmi les outils minoritaires on doit signaler les pièces multiples, singulièrement les grattoirs-burins (fig. 8, n° 3), et les pièces à encoche.

C'est sans doute aussi au Magdalénien supérieur qu'appartient le matériel recueilli au sommet du puissant remplissage du Trou Souffleur et qui se compose notamment de nombreux burins, généralement dièdres, de grattoirs, de lamelles à dos, d'abondantes pièces à encoche et de deux armatures de sagaies à biseau simple.

⁎⁎⁎

Selon le schéma classique, l'Azilien succéderait au Magdalénien supérieur dans la petite grotte de Bize et à la Crouzade. Les fouilles en cours dans la grotte Gazel montrent toutefois l'existence d'un Epimagdalénien en Languedoc occidental (D. Sacchi, 1975 d), mais la question des industries épipaléolithiques sera traitée plus loin.

Bibliographie

[1] COMBIER J. (1967). — Le Paléolithique de l'Ardèche dans son cadre paléoclimatique. Institut de Préhistoire de l'Université de Bordeaux, mémoire n° 4, 462 p., 178 fig.

[2] DONNEZAN A. (1895). — Grotte d'Estagel. Bulletin de la société agricole scientifique et littéraire des Pyrénées orientales, n° XXXVI, p. 5-31, 4 fig.

[3] ESCALON DE FONTON M. (1963). — Informations archéologiques de la Circonscription de Montpellier. Gallia-Préhistoire, Paris, C.N.R.S., t. VI, p. 235-273, 50 fig.

[4] ESCALON DE FONTON M. (1966). — Du Paléolithique supérieur au Mésolithique dans le Midi méditerranéen. Bulletin de la société préhistorique française, t. LXIII, n° 1, p. 66-180, 1 tabl., 73 fig., 5 pl.

[5] GENSON E. (1933). — Notre plus vieux Languedoc méditerranéen. I. — La grande salle de la grande grotte de Bize. Bulletin de la société d'études des sciences naturelles de Béziers, 36° vol., 1932, 7 p., 1 fig., 2 pl. h.-t.

[6] GENSON E. (1933-1934). — Contribution à l'histoire du plus vieux Languedoc méditerranéen (région Béziers-Narbonne). Communication au X° Congrès préhistorique de France. Nîmes-Avignon, 1931, p. 117-119.

[7] HÉLÉNA Ph. (1928). — La stratigraphie de la grotte de la Crouzade (commune de Gruissan, Aude). Extrait du Bulletin de la commission archéologique de Narbonne, t. XVII, 1926-1927, 50 p., 5 fig.

[8] HÉLÉNA Ph. (1933-1934). — Nouvelles fouilles aux cavernes de Bize (Aude). Communication au X° Congrès préhistorique de France.. Nîmes-Avignon, 1931, p. 192-195.

[9] HÉLÉNA Ph. (1937). — Les origines de Narbonne. Toulouse-Paris, Privat et Didier, 489 p., 292 fig.

[10] LAPLACE G. (1966). — Recherches sur l'origine et l'évolution des complexes leptolithiques. Ecole française de Rome, mélanges d'archéologie et d'histoire, supplément n° 4. Paris, E. de Boccard, 586 p., 24 tabl., 39 fig., 25 pl. h.-t.

[11] LEROI-GOURHAN A. (1969). — Préhistoire de l'Art occidental. Paris, Mazenod, 482 p., 804 fig.

[12] LUMLEY H. de (1971). — Le Paléolithique inférieur et moyen du Midi de la France dans son cadre géologique, tome II, V° supplément à Gallia-Préhistoire, Paris, C.N.R.S., 443 p., 299 fig., 1 dépl.

[13] MÉROC L. (1963). — L'Aurignacien et le Périgordien dans les Pyrénées françaises et dans leur avant-pays. In Aurignac et l'Aurignacien, centenaire des fouilles d'Edouard Lartet, 1861-1961. Bulletin de la société méridionale de spéléologie et de préhistoire, t. VI à IX, p. 63-74, 3 fig.

[14] PERICOT L. (1942). — La Cueva del Parpalló (Gandía). Consejo superior de investigaciones científicas. Instituto Diego Velasquez. Madrid, 351 p., 650 fig., 32 pl.

[15] PEYRONY D. (1934). — La Ferrassie. Préhistoire, t. III, fasc. unique, p. 1-92, 89 fig.

[16] ROUDIL J.-L. (1975). — Informations archéologiques de la circonscription de Languedoc-Roussillon. Gallia-Préhistoire, t. 17, 1974, fasc. 2, p. 629-664, 44 fig.

[17] SACCHI D. (1968). — Données nouvelles sur le Paléolithique du département de l'Aude. Atacina 3, Carcassonne, 32 p., 12 fig., 4 pl. h.-t.

[18] SACCHI D. (1969). — Observations sur la stratigraphie de la petite grotte de Bize (Aude). Atacina 4, p. 3-25, 6 fig.

[19] SACCHI D. (1972-1973). — Une curieuse gravure d'oiseau dans le gisement magdalénien de Belvis (Aude). Zephyrus, Salamanca, XXIII-XXIV, p. 189-192, 1 fig., 2 pl. h.-t., 1 dépl.

[20] SACCHI D. (1973 a). — Les Pyrénées audoises et roussillonnaises au Paléolithique supérieur, in Préhistoire et protohistoire des Pyrénées françaises. Musée pyrénéen, Lourdes, p. 51-56, 3 fig., 1 pl.

[21] SACCHI D. (1973b). — Les civilisations du Würmien récent dans le narbonnais. Communication au XLV° congrès de la Fédération historique du Languedoc méditerranéen et du Roussillon. Narbonne archéologie et histoire, 1972, p. 9-18, 3 fig.

[22] SACCHI D. (1974). — Recherches sur le Paléolithique en Languedoc occidental (1969-1970). Cahiers ligures de préhistoire et d'archéologie, n° 19, 1970, p. 87-96, 7 fig.

[23] SACCHI D. (1975a). — Découverte d'un propulseur sculpté magdalénien dans la grotte de Canecaude I (Villardonnel, Aude). Compte rendu de l'Académie des Sciences, Paris, t. 280, série D, p. 1075-1078, 4 fig.

[24] SACCHI D. (1975b). — Travaux et recherches en 1973 dans les gisements de l'Aude. Etudes préhistoriques, n° 7, 1973, p. 21-24, 7 fig.

[25] SACCHI D. (1975c). — Chronologie absolue de quelques industries préhistoriques du Languedoc occidental, du 14° au 7° millénaire avant l'ère chrétienne. Bulletin de la Société languedocienne de Géographie, t. 8, fasc. 3-4, 1974, p. 301-308, 4 fig.

[26] SACCHI D. (1975d). — Recherches sur le Paléolithique supérieur et le Mésolithique en Languedoc occidental (campagne de fouilles 1972). Cahiers ligures de préhistoire et d'archéologie, n° 21, 1972, p. 153-166, 9 fig.

[27] SACCHI D. (à paraître). — Le Paléolithique supérieur et l'Epipaléolithique, in Charles R.-P., Guilaine J. et Sacchi D., les collections Héléna au Musée de Narbonne. *Monographie n° VIII de l'Institut international d'études ligures,* Bordighera.

[28] SACCHI D. et ABELANET J. (1969). — Le Paléolithique supérieur dans les Pyrénées orientales. *Cahiers ligures de Préhistoire et d'Archéologie,* 18, p. 9-12, 1 fig.

[29] SMITH Ph. (1966). — *Le Solutréen en France.* Institut de Préhistoire de l'Université de Bordeaux, mémoire n° 5, 449 p., 81 fig., 6 tabl. 3 cart., 3 pl., 24 graph.

Les civilisations du Paléolithique supérieur dans le Haut-Quercy

par

Michel LORBLANCHET *

Résumé. — Un coup d'œil rapide sur le Paléolithique supérieur du Haut-Quercy qui est encore mal connu, et en n'utilisant parmi les publications que les documents sûrs et significatifs, fait apparaître :

1) Des phénomènes d'interstratification ou de symbiose traduisant la contemporanéité de diverses civilisations (Chatelperronien et Aurignacien, Périgordien supérieur et Solutréen, Solutréen supérieur et Magdalénien ancien).

2) L'importance de l'implantation du Solutréen supérieur et surtout du Magdalénien supérieur caractérisé par un éclatement en plusieurs faciès contemporains dont l'un d'eux au moins aboutit progressivement à l'Azilien.

Abstract. A brief review of poorly known Upper Paleolithic of Upper Quercy. The report utilizes published and unpublished data to show :

1) Interstratification and/or symbiosis of industries that point to contemporaneity of different cultures (Chatelperronian and Aurignacian: Upper Perigordian and Solutrean: Upper Solutrean and Lower Magdalenian).

2) The importance of the spread of Upper Solutrean and especially of the Upper Magdalenian. The later is characterized by division into several contemporary cultures, one of which evolves into the Azilian.

La région étudiée ici s'étend de la Bouriane (région de Gourdon) à l'Ouest, au rebord du Massif central à l'Est, et couvre principalement les plateaux calcaires des causses du Quercy. La région de Bruniquel (Bas-Aveyron) n'est pas comprise dans les limites de cet exposé.

L'Aurignacien et le Périgordien.

Les stratigraphies.

Nos connaissances sur l'Aurignacien et le Périgordien du Haut-Quercy reposent essentiellement sur deux gisements : Le Roc de Combe fouillé par F. Bordes et J. Labrot (1967) et Le Piage (St-Cirq-Madelon) fouillé par F. Champagne et R. Espitalié (1967). Ce sont des abris voisins l'un de l'autre, situés dans la Bouriane au NO du département du Lot. Cette petite région argilo-calcaire au milieu naturel différent de celui des causses est un prolongement géographique du Périgord.

Les deux stratigraphies montrent une *interstratification du Chatelperronien et de l'Aurignacien*.

Le Chatelperronien du Piage (couche F1) et du Roc de Combe (couche 8) est riche en pointes de Chatelperron (25,2 % au Piage et 20,4 %) au Roc de Combe), le restant de l'outillage étant composé de grattoirs parfois de morphologie aurignacienne, de burins, de lames tronquées et de pièces moustéroïdes. Au Piage le Chatelperronien est pris en sandwich entre un ensemble aurignacien très riche formé de trois couches différentes reposant sur le substratum rocheux et un niveau aurignacien plus pauvre (couche F).

L'ensemble de base est caractérisé par l'abondance des grattoirs carénés et grattoirs museau, la rareté des lames aurignaciennes et lames à étranglement, un pourcentage de burins élevé au début

(15,1 %) et décroissant à la fin (2,8 %) et l'abondance des lamelles Dufour et pointes de Font Yves qui disparaissent ensuite ; l'outillage osseux est pauvre.

Dans le niveau aurignacien recouvrant le Chatelperronien les lamelles Dufour réapparaissent.

Au Roc de Combe le Chatelperronien est intercalé entre un Aurignacien pauvre à la base (couche 9) et trois niveaux riches attribués à l'Aurignacien I (pointes à base fendue), l'Aurignacien II (pointes losangiques) et un Aurignacien évolué où les lamelles Dufour sont nombreuses.

Le Périgordien supérieur est bien représenté dans le Haut-Quercy. Trois gisements stratifiés sont connus : les abris du Roc de Combe — déjà cité — et de Cavart (Montcabrier) situés dans la Bouriane et la grotte des Escabasses (Thémines) située sur le causse de Gramat.

Le Roc de Combe a livré quatre niveaux riches (couches 1 à 4) superposés à l'Aurignacien évolué.

L'industrie du niveau périgordien supérieur de Cavart publiée par L. Coulonges a « une allure microlithique et géométrique » ; elle comprend beaucoup de gravettes et microgravettes, des burins de Noailles et de nombreuses pièces tronquées.

La faune associée étant identique à celle du Solutréen sus-jacent et indiquant un climat tempéré (cerfs et chevaux), L. Coulonges considère le Périgordien supérieur de Cavart « comme très tardif et contemporain du Solutréen et du Proto-Magdalénien » (L. Coulonges, 1949).

L'hypothèse d'une contemporanéité du Périgordien évolué et du début du Solutréen pourrait être confirmée par la séquence stratigraphique de la grotte des Escabasses bien que les travaux que j'ai entrepris dans cet important gisement aux couches supérieures riches soient encore à leur début (1974).

Le premier sondage d'une superficie de 2 m² seulement a révélé sous une couche mésolithique un

---

* Attaché de Recherche C.N.R.S., Thémines 46120 Lacapelle Marival (France).

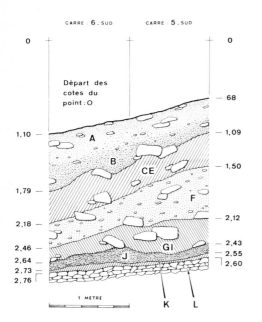

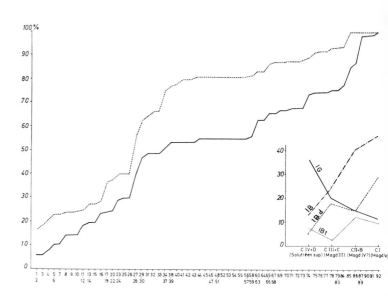

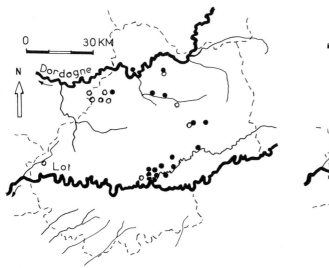

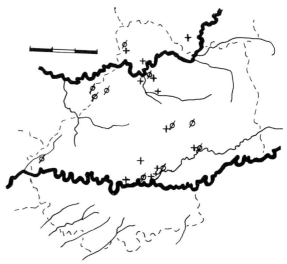

Fig. 1. — *En haut à gauche :* Stratigraphie de l'abri du Piage publiée par MM. Champagne et Espitalié.
En haut à droite : Diagrammes cumulatifs de la couche III+C de Sainte Eulalie (trait continu) et de la couche I‴ de Laugerie Haute-Est (tiretés). Magdalénien III pour les deux couches. En bas à droite, variations des indices dans les différentes couches de Sainte Eulalie (M. Lorblanchet).
En bas à gauche : carte de répartition des gisements aurignaco-périgordiens (cercles) et des grottes ornées (point noir) du Haut Quercy. Remarquer l'existence de deux groupements indépendants : groupement des sites aurignaco-périgordiens de la Bouriane à l'Ouest et groupement de grottes ornées à l'Est dans la vallée du Célé.
En bas à droite : carte des gisements solutréens (cercle barré) et magdalénien (croix) du Haut-Quercy. Remarquer l'absence (provisoire ?) de Magdalénien dans la Bouriane à l'Ouest alors que le Solutréen y est bien représenté.

Fig. 2. — Outillage osseux de la grotte (ornée) de Sainte Eulalie.
a : couche I; Magdalénien VI daté par le radiocarbone de 8880 ± 200 et 8450 ± 300 BC.
b : couche II+ B; Magdalénien, probablement Magdalénien IV.
c : couche III + C; Magdalénien moyen daté de 13150 ± 270 et 13250 ± 300 BC.
d : couche IV + D; Solutréen supérieur.

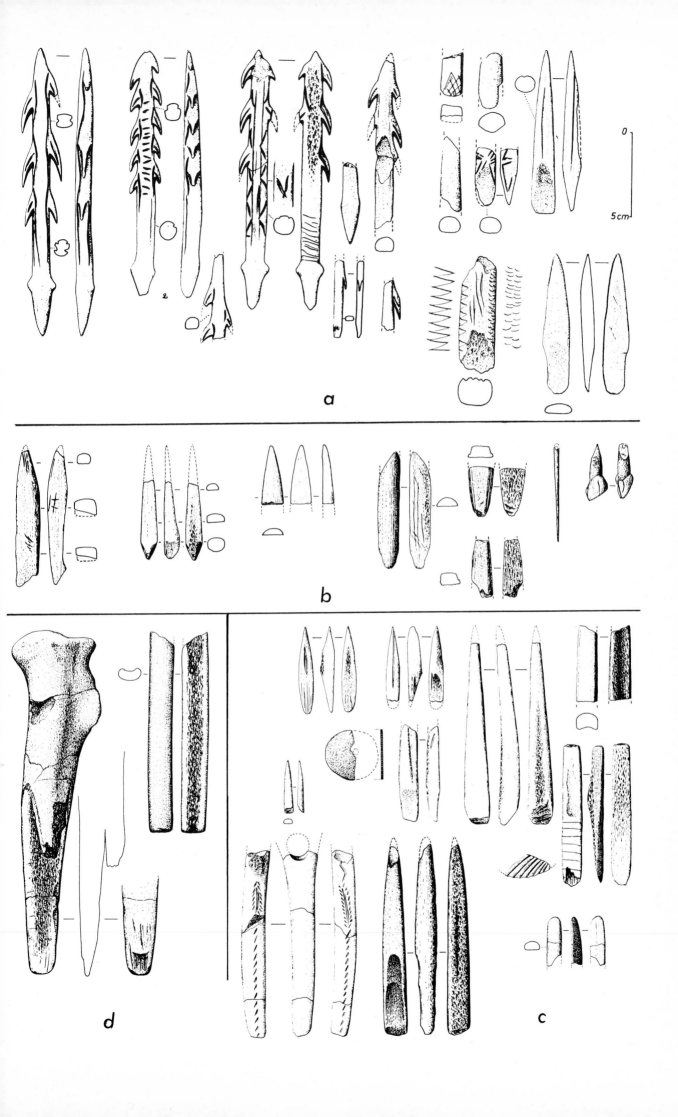

a

b

d

c

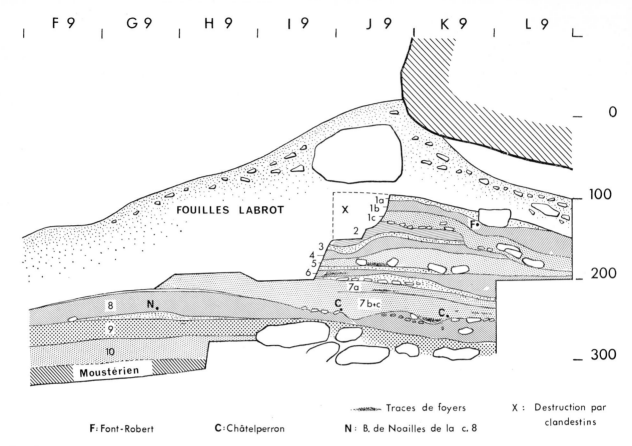

F : Font-Robert   C : Châtelperron   N : B. de Noailles de la c. 8   X : Destruction par clandestins

Traces de foyers

FIG. 3. — Coupe du gisement du Roc de Combe vers l'entrée de la grotte, d'après F. Bordes et J. Labrot (1967, p. 16).

petit outillage périgordien à gravettes associé à un foyer et à quelques centimètres *au-dessous,* dans un même horizon sédimentologique (couche *e*) un groupe de 15 pièces indiscutablement solutréennes (dont une pointe à face plane). La couche *e* des Escabasses contient donc soit une industrie à caractères mixtes périgordien et solutréen soit réellement deux niveaux distincts avec un Périgordien évolué surmontant un Solutréen peut-être ancien. L'exiguïté de ce sondage profond n'autorise aucune précision supplémentaire.

Répartition géographique.

Dans l'état actuel des recherches, seulement une dizaine de gisements aurignaco-périgordiens *importants et sûrs* peuvent être signalés dans le Haut-Quercy. Ils semblent être situés principalement dans la partie occidentale, c'est-à-dire dans la Bouriane au contact du Périgord et semblent plus rares sur les causses et dans les vallées.

Le Solutréen.

Les stratigraphies.

Le riche gisement d'entrée de la grotte de La Cave fut jadis mal fouillé et mal publié par A. Viré qui distinguait au moins 4 niveaux à pointes à cran et feuilles de laurier. P. Smith dans sa synthèse sur le Solutréen attribue le gisement principalement au

Solutréen final en émettant l'hypothèse d'un niveau solutréen moyen à la base.

Le niveau supérieur de l'abri de Cavart fouillé par L. Coulonges appartient aussi au Solutréen final de même que plusieurs niveaux de l'abri de Cabrerets sommairement fouillé et publié par A. Lemozi.

Dans l'entrée de la grotte de Sainte-Eulalie (Espagnac, Lot) ornée de gravures magdaléniennes, j'ai personnellement découvert sous trois niveaux magdaléniens une couche de Solutréen récent contenant 36,5 % de grattoirs, 13,4 % de burins, quelques racloirs et choppers et un outillage solutréen où les pointes à cran voisinent avec les pointes à face plane (1973). Les découvertes de Sainte-Eulalie ont été faites sur un espace restreint et l'utilisation statique de nombres de pièces réduits est délicate (1).

Tout ce que nous savons des relations entre le Solutréen final et le Magdalénien ancien du Haut Quercy est fourni par la couche C-E du Piage qui a livré un mélange de Solutréen et de Magdalénien. MM. Champagne et Espitalié précisent : « la couche est parfaitement homogène dans toute son épaisseur ; l'outillage lithique typiquement solutréen se compose de 113 outils dont 54 % de fragments ou feuilles

(1) A Laugerie Haute où elles manquaient dans le Solutréen supérieur des fouilles de Peyrony, le niveau 28 de Laugerie Haute Est a livré 5 pointes à face plane sur un total de 75 outils et elles étaient associées aux pointes à cran. D'ailleurs les pointes à face plane existent dans le Solutréen supérieur de Cabrerets où elles n'ont pas été reconnues par A. Lemozi.

de laurier et 20,4 % de fragments de pointes à cran. Sur l'ensemble des 955 outils récoltés les raclettes représentent 19,6 % alors que les autres outils caractéristiques du Magdalénien ancien, en particulier les burins, sont très rares » (1967).

Nous avons donc ici une nouvelle indication de contemporanéité de civilisations différentes, les Solutréens supérieurs ayant été pendant assez longtemps en contact avec les premiers Magdaléniens.

Répartition géographique.

Le nombre des gisements (11 au total) et surtout la richesse des outillages traduisent une forte implantation solutréenne dans les causses du Quercy. Le nombre de gisements sûrs est supérieur même à celui des gisements aurignaco-périgordiens qui s'échelonnent pourtant sur une période beaucoup plus longue. La Bouriane demeure peuplée mais il semble que le peuplement des vallées et des causses s'intensifie ; Cabrerets et la vallée du Célé semblent être occupés pour la première fois au Solutréen.

Il faut remarquer, comme le soulignait J. Clottes en 1969, que ce n'est « qu'au Solutréen supérieur ou final que des groupes de quelque importance se sont répandus sur le causse de Gramat ». Les débuts du Solutréen sont en effet peu apparents en Quercy.

Le Magdalénien.

Son évolution d'après les stratigraphies.

Seules parmi les publications, les stratigraphies suivantes précisant l'évolution du Magdalénien du Haut-Quercy peuvent être retenues : l'abri Murat (Rocamadour) d'après les fouilles de A. Lemozi (1924), la grotte du Pis de la Vache (Souillac) dont la séquence a été contrôlée par J. Bouyssonie et J. Couchard (1955) et la grotte de Sainte-Eulalie (Espagnac) d'après mes travaux personnels (1973).

Magdalénien ancien : aucun gisement, aucun niveau homogène à raclettes et burins n'est connu avec certitude en Quercy. Il peut s'agir d'une lacune provisoire ; il se peut aussi que cette absence soit significative puisque la couche CE du Piage semble présenter une *symbiose* du Solutréen final et du Magdalénien ancien et à Sainte-Eulalie le Magdalénien III est en continuité directe avec le Solutréen supérieur Doit-on évoquer une longue persistance du Solutréen telle que l'envisageait D. Peyrony dans certaines régions du Périgord et telle que Ph. Smith l'admet encore localement ?

Le Magdalénien III et IV est bien caractérisé à Sainte-Eulalie. Le Magdalénien III de la couche III-C de Sainte-Eulalie daté par le ^{14}C de 13 150 ± 270 BC et 13 250 ± 300 BC présente un diagramme cumulatif de même type que celui du Magdalénien III de la couche I''' de Laugerie Haute Est. L'outillage microlithique (lamelles à dos parfois tronquées ou denticulées et lamelles à coches) est le plus abondant et les sagaies, dont quelques-unes sont de classiques sagaies de Lussac-Angles, sont à biseau simple et rainure sur le fût.

Le Magdalénien supérieur et final est particulièrement riche dans le Haut-Quercy. Nous constatons dans notre région à la fin du Magdalénien au moins deux ensembles différents sans doute contemporains :

a) Un important groupe de Magdalénien V-VI classique caractérisé par sa grande stabilité, sa fixité même comme l'indiquent les datations basses de la couche I de Sainte-Eulalie (8 880 ± 200 BC et 8 450 ± 300 BC). Cette couche a livré un matériel magdalénien VI riche mais sans surprise avec un outillage osseux de type habituel.

Tout se passe comme si à Sainte-Eulalie une tribu s'était installée sur les bords du Célé à la fin des temps magdaléniens et s'était en quelque sorte pétrifiée dans des traditions millénaires à la faveur peut-être de conditions locales particulières. Ces hommes étaient depuis longtemps spécialisés dans la chasse du renne (le renne occupe encore 58,7 % des restes osseux contre 85 % et 86 % dans les niveaux sous-jacents), des hardes de rennes ayant quitté le Périgord ont dû persister durant le Dryas III sur les limites du Massif central dont nous ne sommes ici qu'à une quinzaine de kilomètres.

Le cas de Saint-Eulalie ne fut certainement pas unique ; une partie du Magdalénien supérieur quercynois a dû se prolonger et disparaître sans évoluer, c'est-à-dire soit s'éteindre sur place, soit s'exiler.

b) Un groupe plus varié et plus original se caractérisant (2) :

— par l'*apparition brusque et éphémère d'éléments* analogues à ceux de l'épipaléolithique germanique (pointes à soie et pointes à cran) qui ont une existence très courte et n'auront aucun avenir dans notre région,

— et par une *mésolithisation* sur place profonde et durable. Une très nette tendance azilienne se manifeste en particulier au Pis de la Vache, dans l'abri Murat et dans la grotte de Reilhac, aussi bien dans l'outillage lithique (microlithes géométriques, petits grattoirs, pointes aziliennes) que dans la morphologie des harpons (passage insensible du harpon magdalénien au harpon azilien); l'abri Murat montre dans ses couches supérieures que cette *tendance est dynamique* et se renforce progressivement. Le passage à l'Azilien a dû se faire sur place, en particulier dans la grotte de Reilhac et dans la vallée de l'Ouysse où le matériel de l'abri Pagés prolonge directement celui de l'abri Murat.

Répartition.

La densité est nettement plus forte que précédemment puisqu'une quinzaine de gisements magdaléniens sûrs sont connus dans notre région. Ici

(2) Il est possible même que ce second groupe magdalénien final donnant naissance à l'Azilien soit hétérogène et comporte en fait plusieurs courants aboutissant à différents faciès de l'Azilien; une forte tendance au microlithisme géométrique, par exemple, semble aboutir au faciès azilien de l'abri Malaurie (voir l'article sur le Mésolithique du Haut Quercy).

(3) Les fouilles en cours dans des gisements du Paléolithique supérieur dans le Haut-Quercy sont effectuées par MM. Flies, Champagne et Espitalié, Séronie Vivien, Lorblanchet.

TABLEAU I

Comparaisons des séquences stratigraphiques des gisements des abris du Roc de Combe et du Piage (publications préliminaires de MM. Bordes et Labrot et Champagne et Espitalié) *et de la grotte de Sainte-Eulalie (Lot)* (publication de M. Lorblanchet).

ROC DE COMBE		LE PIAGE		SAINTE EULALIE			
Couches n°	Industries	Industries	Couches	Couches	Industries	Dates C14	Faune (pourcentages)
					Surface		
					Plancher stalagmitique		
				I	Magdal. VI	8 880 ± 200 et 8 450 ± 300 B.C.	Renne 58,87 Cerf 3,73 Bouquetin 4,67 Chamois 9,34 Cheval 6,54
				II + B	Magdal. IV		rare
				III + C	Magdal. III	13 150 ± 270 et 13 250 ± 300 B.C.	Renne 85,10 Bouquetin 5,26 Chamois 3,19
		Solutréo-Magdalénien (reposant sur L'Aurignacien)	CE	IV + D	Solutréen sup		Renne 86,66 Bouquetin 5
					Argile stérile		
I à 4	Périgordien sup. Gravettes et Noailles (4 niveaux)						
5 à 7	Aurignacien I, II, évolué (3 niveaux)	Aurignacien	F				
	Blocs calcaires altérés						
8	Chatelperronien	Chatelperronien	FI				
9	Aurignacien	Aurignacien (3 niveaux)	GI J K				
10	Chatelperronien						
		Roc	L				

comme ailleurs l'essor démographique correspond au Magdalénien supérieur. Leur répartition montre d'une part un vide étonnant pour la Bouriane (quelques indices seulement) cependant riche en gisements pré-magdaléniens, et d'autre part une concentration marquée le long des rivières et autour des confluents. La surface des plateaux caussenards est aussi fréquentée, de même que le rebord du Massif central, au Magdalénien final (grotte du Ro del Dra, Végennes-Corrèze, située dans la Châtaigneraie).

L'art paléolithique en Quercy.

L'art mobilier apparaît dans le Haut-Quercy dès le Périgordien supérieur et le Solutréen (plaquettes et os gravés de la Bergerie, de La Cave, de Cabrerets) ; il est parfois très abondant dans le Magda-lénien final : l'abri Murat par exemple a livré plus d'une centaine de plaquettes gravées. L'étude approfondie de cet art mobilier en relation avec ses contextes industriels apportera des données de base permettant en particulier une meilleure datation de l'art pariétal.

Nous nous contenterons ici de rappeler que 21 grottes ornées sont connues en Quercy dont 18 dans le seul département du Lot : elles se répartissent le long des vallées mais quelques-unes se trouvent en outre en plein causse à l'écart des rivières (Les Fieux, Roucadour, Les Escabasses).

Les éléments de datation dont nous disposons pour le moment sont les suivants :

a) Les grottes ornées sont très rares dans la Bouriane, c'est-à-dire dans une zone où les gisements aurignaco-périgordiens sont les plus nombreux. Elles abondent par contre dans les régions les plus fréquentées par les Solutréens et les Magdaléniens. Nous en concluons provisoirement que la plupart des grottes ornées quercynoises appartiennent au Solutréen et au Magdalénien.

b) Mes recherches (fouilles et relevés) dans la grotte de Saint-Eulalie ont permis de dater stratigraphiquement ses gravures pariétales au Magdalénien III (début du 14e millénaire d'après le 14C), certains niveaux magdaléniens recouvrant en effet la paroi ornée. Or les gravures de Sainte-Eulalie ne sont pas isolées ; tout un ensemble de grottes à peintures et gravures (notamment Pergouset, Christian, etc...) présentent un style identique dans les moindres détails, en particulier une série de conventions, permettant d'étayer les comparaisons.

Cet ensemble du Magdalénien moyen se distingue d'un autre groupe de grottes ornées (Pech Merle, Roucadour, Cougnac) plus archaïques, que divers facteurs invitent à rapporter à une période *centrée* sur le Solutréen.

Conclusions.

Dans l'état actuel des recherches les cadres chronologiques et culturels valables en d'autres régions, notamment en Périgord, ne semblent pas s'appliquer toujours parfaitement aux civilisations et aux gisements du Haut-Quercy. Les premières constatations que l'on puisse faire invitent d'abord à envisager une évolution plus buissonnante que celle du schéma classique. L. Coulonges, dans l'Agenais tout proche, a mis l'accent avec vigueur sur des phénomènes de persistance et de contemporanéité. Ses hypothèses, parfois excessives dans leur exposé, reposent néanmoins sur des observations dont quelques-unes peuvent être faites aussi dans notre région.

Pour tenter d'expliquer ces apparentes anomalies dans l'évolution, faut-il considérer le Haut-Quercy comme une lointaine marge du Périgord, « une zone refuge » où des vagues culturelles parfois tardives et affaiblies se superposent et se mêlent à de tenaces résistances du passé ?

Cette hypothèse facile n'est pas entièrement satisfaisante. Certes les influences du Périgord et de la Corrèze sont évidentes et fortes, aussi bien dans les industries que dans l'art, mais bien des nuances et des différences échappent encore que certains indices seulement laissent pressentir. Le déséquilibre entre l'état des recherches en Périgord et celui des recherches en Quercy est trompeur.

Il est probable que dans un avenir plus ou moins proche le Haut-Quercy apparaîtra clairement comme une région originale avec sa richesse et ses caractères particuliers au Paléolithique supérieur, entretenant un système complexe de relations non seulement avec l'ouest du bassin Aquitain mais aussi, par delà le relais du Bas-Aveyron (Bruniquel), avec les Pyrénées et le Midi méditerranéen.

Bibliographie

[1] BORDES F. et LABROT J. (1967). — La stratigraphie du gisement de Roc Combe (Lot) et ses implications. *Bulletin de la Société Préhistorique Française*, LXIX, p. 15-28.

[2] BOUYSSONIE J. et COUCHARD J. (1955). — La grotte du Pis de Vache à La Forge, commune de Souillac (Lot). *Bulletin de la Société Scientifique Historique et Archéologique de la Corrèze*, LXXVII, p. 117-135.

[3] CHAMPAGNE F. et ESPITALIE R. (1967). — La stratigraphie du Piage ; note préliminaire. *Bulletin de la Société Préhistorique Française*, LXIV, p. 28-34.

[4] CLOTTES J. (1970). — Le Lot préhistorique ; inventaire des gisements préhistoriques du département du Lot ; 3e et 4e fascicules 1969 du *Bulletin de la Société des Etudes du Lot.*

[5] COULONGES L. (1949). — Le gisement paléolithique de Cavart, commune de Moncabrier (Lot). *L'Anthropologie*, LIII, p. 558-560.

[6] LEMOZI A. (1924). — Fouilles dans l'abri sous roche de Murat commune de Rocamadour. *Bulletin de la Société Préhistorique Française*, XLV, p. 17-59.

[7] LORBLANCHET M. (1969). — Aperçu sur le Magdalénien moyen et supérieur du Haut Quercy. Communication au XIXe Congrès de la Société Préhistorique Française, Session Auvergne, p. 256-283.

[8] LORBLANCHET M. (1973) avec la collaboration de DELPECH F., RENAULT Ph. et ANDRIEUX C. — La grotte de Sainte-Eulalie à Espagnac (Lot). *Gallia-Préhistoire*, t. 16, fasc. 1, p. 3-62 et fasc. 2, p. 233-325.

[9] LORBLANCHET M. (1974) avec la collaboration de RENAULT Ph. et MOURER C. — *L'art préhistorique en Quercy ; la grotte des Escabasses (Thémines-Lot)*, Morlaas, PGP Ed., 104 p. et 43 fig.

[10] LORBLANCHET M. et GENOT L. (1972). — Quatre années de recherches préhistoriques dans le Haut Quercy. *Bulletin de la Société des Etudes du Lot*, p. 71-153.

Les civilisations du Paléolithique supérieur
dans le Jura méridional et dans les Alpes du Nord

par

René Desbrosse *

Résumé. Dans les Alpes du Nord et le Jura méridional, particulièrement touchés par les pulsations des glaciers quaternaires, un tour d'horizon des sites attribuables au Paléolithique supérieur — classés ici selon l'artificiel découpage administratif des départements français — montre leur localisation dans les régions calcaires, riches en abris et grottes ayant facilité la prospection. Leur intérêt est très inégal : les fouilles de quelques-uns remontent à plus d'un siècle. A l'exception de La Croze-sur-Suran et de La Colombière dans la basse vallée de l'Ain, il semble qu'ils doivent tous être attribués aux phases terminales du Magdalénien. Il est encore trop tôt pour fixer précisément les facteurs évolutifs qui ont influencé ce Magdalénien régional assez peu diversifié : influences rhodaniennes dont J. Combier a déjà souligné les origines et affinités atlantiques, influences nordiques ou orientales que suggèrent quelques fossiles-indicateurs ou certains pourcentages des outillages lithiques. Les prochaines années devraient permettre de préciser ces multiples nuances.

Abstract. In the Northern Alps and Southern Jura, regions that were especially affected by the pulsations of the Quaternary glaciers, a survey of the sites belonging to the Upper Palaeolithic — classified here according to the arbitrary administrative subdivisions of French *départements* — shows that they are localized in limestone regions, rich in shelters and caves, wich have made prospecting easier. Their interest value varies : some of them were excavated more than a century ago. Apart from La Croze-sur-Suran and La Colombière in the lower valley of the Ain river, they all seem to belong to the final phases of the Magdalenian. It is still too early to determine accurately the evolutionary factors that have influenced this rather unvaried local Magdalenian, i.e. Rhodanian influences, the Atlantic origins and similarities of which have already been underlined by J. Combier, and Nordic or Eastern influences suggested by indicatory fossils or certain percentages in lithic assemblages. In the coming years it should be possible to define these various distinctions more precisely.

Cadre géographique.

Le Jura méridional est la seule partie du Jura entièrement située en territoire français. Il se distingue aussi du Jura central et septentrional parce qu'il est plissé sur toute sa largeur (les plateaux y sont rares) ; il possède une assez vaste dépression : le bassin de Belley. Sa limite nord suivrait approximativement une ligne Bourg-Genève. Les collines du Revermont qui dominent la plaine de Bresse, l'Ile Crémieu (son prolongement tabulaire) lui servent de limites occidentales. Vers l'Est et le Sud, historiens et surtout géographes ou géologues lui ajoutent, au-delà du Rhône, de petits massifs en bordure des Préalpes savoyardes ou même dauphinoises : Salève, Vuache, Gros Foug, Charvaz, Mont du Chat, l'Epine jusqu'au synclinal molassique de Voreppe. Souvent les historiens assimilent plus modestement le Jura méridional à l'ancienne province du Bugey qui ne déborde guère de l'actuel département de l'Ain (le petit Bugey savoyard couvre les quatre cantons de Yenne, St-Genis-sur-Guiers, Pont-de-Beauvoisin, Les Echelles).

Les Alpes du Nord considérées ici se limiteraient aux trois départements de Haute-Savoie, Savoie, Isère. Il faut y ajouter, pour englober la totalité du massif calcaire du Vercors et les terrasses de la Basse Isère, le Nord du département de la Drôme.

Historique des recherches.

En Haute-Savoie, aux portes de Genève, les abris-sous-blocs des pentes du Salève (improprement appelés de Veyrier, nom de la commune suisse voisine) sont, comme le rappelle F. Bourdier, « le gisement magdalénien le plus justement célèbre de tout le bassin du Rhône ». La première des œuvres d'art paléolithiques connues y fut trouvée en 1833, avant l'os gravé de Chaffaud. Les récoltes se faisaient en suivant l'exploitation des carrières ouvertes dans les dépôts de pente ; l'essentiel est exposé au Musée d'Art et d'Histoire de Genève. En 1929, E. Pittard et L. Reverdin en fournirent un inventaire détaillé ; Ad. Jayet propose, en 1943, la première interprétation chronostratigraphique. E. Pittard et M.R. Sauter ont publié, en 1946, une minutieuse étude anthropologique du squelette de la station des Grenouilles.

Dans le même département, l'abri magdalénien des Douattes fut découvert en 1931 puis publié en 1943 par le genevois Ad. Jayet. De 1956 à 1958, L. et J.H. Pradel y conduisent une fouille limitée au secteur occidental. Ils qualifient d'azilien le pauvre niveau sus-jacent aux foyers du Magdalénien final.

A partir de 1865 E. Chantre puis Ch. Lortet firent connaître leurs premières observations sur les « cavernes à ossements et à silex taillés du Dauphiné », essentiellement les grottes de La Balme, Brotel et Béthenas à l'Ouest de l'Ile Crémieu. La première citée — aux dimensions et au remplissage impressionnants — fut l'objet, par la suite, de fouilles désordonnées et incomplètement publiées.

* Laboratoire de Préhistoire du M.N.H.N., Institut de Paléontologie humaine, 1, rue René Panhard, 75013 Paris (France).

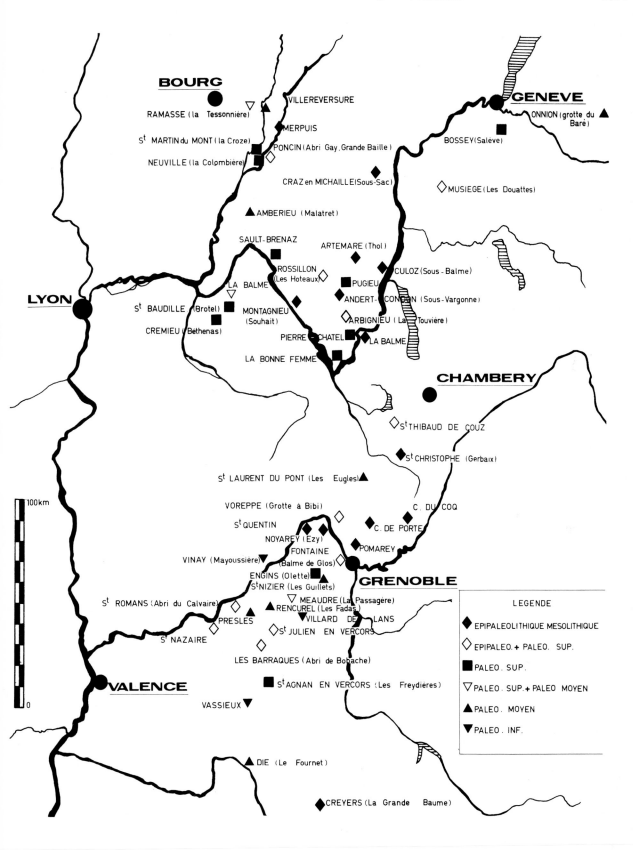

Dans l'Ain, Ad. Arcelin signalait, dès 1867, le bel abri de La Colombière qui nous valut, en 1915, la monographie de L. Mayet et J. Pissot (1 000 mètres cubes fouillés en quinze mois) puis celle de 1956, consécutive aux travaux américains de 1948. En 1884, l'abri de La Croze, au bord du Suran,

était découvert et fouillé à trois reprises la même année ; J. Tournier et T. Costa de Beauregard y conduisirent une vaste excavation en 1913.

L'activité archéologique de l'abbé Tournier (1853-1938) fut intense. Avec Ch. Guillon il commença l'exploration de La Tessonière, des Hoteaux, de

La Bonne Femme. Il acheva seul la fouille des Hoteaux et, en 1910, reprit, en compagnie de J. Déchelette, celle de La Bonne Femme.

Avant 1904, le Dr H. Martin avait exploré un abri à Pugieu qui ne fit l'objet d'aucune publication. Nous figurons quelques-unes des pièces les plus intéressantes parmi la petite collection dont il fit don au Muséum de Lyon.

Commencées à la fin du siècle dernier, les minutieuses recherches du Grenoblois H. Müller en Chartreuse et Vercors fournirent, de 1904 à 1927, une vingtaine de publications d'inégale valeur. Le matériel recueilli permit, en 1956, à F. Bourdier et H. de Lumley d'individualiser, pour quelques gisements dauphinois, un Romanello-Azilien (industrie à petits grattoirs ronds et pointes aziliennes) qui aurait évolué parallèlement au Magdalénien et aurait présenté trois stades successifs : Romanellien proprement dit, Proto-Azilien, Azilien.

A part les travaux américains de l'université de Harvard à La Colombière et les recherches limitées des Pradel aux Douattes, les années de l'après-guerre n'avaient pas été marquées, en cette région, par de nouvelles fouilles (dignes de ce nom) dans des gisements du Paléolithique supérieur. La décade écoulée vient combler cette lacune.

Essayant d'utiliser toutes les méthodes modernes d'investigation du Quaternaire, les recherches actuelles s'orientent vers l'étude des anciens gisements lorsqu'ils ont conservé des lambeaux de couches en place : grotte de La Passagère à Méaudre en Vercors, La Tessonière près des célèbres Balmes de Villereversure, La Colombière et Les Hoteaux dans l'Ain, abris-sous-blocs du Salève.

Les fouilles sont trop souvent imposées par la menace de destruction d'un site : Salève (carrières et projet d'autoroute), abri Gay à Poncin (travaux routiers), St-Thibaud-de-Couz (carrière), St-Nazaire-en-Royans (construction dans l'abri de Campalou), Les Freydières. Ces impératifs perturbent tout programme de recherche à long terme mais ne sont pas hélas propres à la région.

En Chartreuse et Vercors des programmes de prospection méthodique permettent depuis peu l'étude d'importants sites de plein air parmi lesquels le Paléolithique supérieur n'est pas encore bien représenté.

Inventaire des sites.

Nous conservons l'artificiel cadre administratif des départements français avec indication des communes :

Ain

La Tessonière (Ramasse).

Petite grotte étroite mais, semble-t-il, profonde. Ch. Guillon et J. Tournier lui consacrent deux pages (congrès de l'A.F.A.S., Angers, 1903). Les quelques silex conservés au musée de Belley font penser (Desbrosse, 1974) qu'il existe un niveau du Paléolithique moyen (éclats Levallois) et un horizon à lamelles à bord abattu qui pourrait être magdalé-

nien. La proximité de la vallée du Suran où Moustérien (Villereversure, Gigny) et Magdalénien (La Croze, Broissia) sont bien connus, le voisinage immédiat des Balmes de Villereversure (dont F. Bourdier pense qu'il s'agit d'un des remplissages les plus complexes et les plus intéressants signalés jusqu'à présent en France), confèrent à cette cavité, qui n'aurait pas trop souffert des anciennes excavations, un très grand intérêt chronostratigraphique pour la région.

La Croze (St-Martin-du-Mont).

Abri-sous-roche de la rive droite du Suran. La fouille de 1913 fut peut-être exhaustive (Tournier et Costa de Beauregard, 1922). La présence de sagaies coniques courtes à biseau simple et concave, analogues à celles du niveau I′″ de Laugerie-Haute, incite à dater cet horizon du Magdalénien III, avec toutes les réserves qu'exigent les comparaisons à grande distance (Desbrosse, 1965). L'industrie lithique ne manque pas d'originalité : silex de bonne qualité, saveur aurignacienne de certaines lames retouchées, absence de lamelles à bord abattu, abondance de lames appointies et de gros perçoirs, souvent doubles (fig. 1 et 2).

Manifestations artistiques : os et galets gravés dont l'authenticité a été mise en doute.

A part un crâne de bubale (probablement le seul signalé en France, pense F. Bourdier) disparu depuis les premières fouilles de 1884 et « une côte de grand cétacé » déterminée par M. Boule (il s'agit en réalité d'une côte de mammouth), la faune comprend un grand félin, mammouth, renne, cheval, bison, hyène, mégacéros, marmotte, petits rongeurs, oiseaux.

Deux datations au ^{14}C effectuées sur grosse esquille osseuse ont donné :

Ly 357 : 14 440 ± 260 B.P.
Ly 434 : 14 850 ± 350 B.P.

La Grand'Baille (Poncin).

Petite cavité double, hameau de Leymiat, au-dessus du ruisseau du Veyron, elle a été saccagée depuis le début du siècle. Nous avons recueilli, par tamisage des déblais anciens, 200 outils statistiquement utilisables si l'on avait la preuve d'un niveau unique. Méritent une mention spéciale quelques pièces à dos anguleux et une pointe de type Lingby.

Abri Gay (Poncin).

Assez vaste abri de la rive gauche de l'Ain, quelque 700 m en aval de La Colombière, orienté au Nord. Partiellement bouleversé entre les deux guerres, il avait livré un riche matériel protohistorique déposé au Muséum de Lyon. Son intérêt réside surtout en la présence d'un important niveau azilien avec galets peints découvert récemment et qu'une datation radiométrique situe au début d'Alleröd (Ly 725 : 11 660 ± 240 B.P.).

Immédiatement sous-jacent, mais dans un contexte sédimentologique différent, le Magdalénien a été reconnu sur quelques mètres carrés seulement. Sa position stratigraphique ainsi que la présence de bases de sagaies à double biseau et surtout de

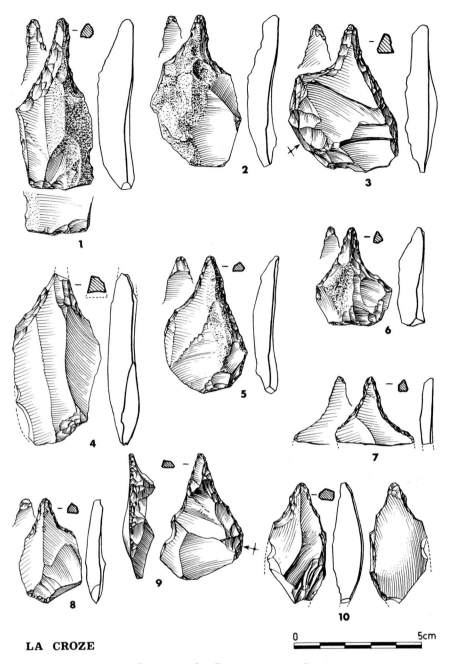

LA CROZE

FIG. 1. — La Croze : gros perçoirs.

lamelles à dos courbe (fig. 3) laissent à penser qu'il s'agirait d'une des phases terminales d'un Magdalénien évoluant vers un Azilien très semblable à celui du Sud-Ouest. Renne, cheval, loup et glouton caractérisent la faune des grands mammifères ; l'étude de la microfaune est en cours.

La Colombière (Neuville-sur-Ain).

Ce bel abri de la rive droite de l'Ain est universellement connu par les œuvres d'art mobilier (neuf galets gravés recueillis en place ainsi que deux grosses esquilles de mammouth) qu'il a livrées. La stratigraphie fut clairement établie : interstratifiés avec le sommet de la terrasse de 23 m de l'Ain, les horizons archéologiques D1, D2, D3 étaient des niveaux épais de 45 à 50 cm composés d'éboulis cryoclastiques enrobés de sable fin. Avaient existé un niveau B, incontestablement magdalénien, et au moins un niveau néolithique ; en 1913, il ne restait déjà plus grand'chose du niveau B, réduit, en 1948, à une poche de gravier logée dans une fissure de la paroi.

Riche d'un peu moins de 700 outils de silex, le complexe des niveaux D (et plus particulièrement D1), d'où proviennent les célèbres gravures, fut daté par L. Mayet et J. Pissot (1915) de l'Aurignacien supérieur puis, par H.L. Movius (1956) du Périgordien supérieur. En 1958, J. Allain a montré que, malgré sa pauvreté, l'industrie osseuse de ces couches pouvait être rapportée au Magdalénien. L'année suivante, L. Pradel voulut confirmer cette attribution

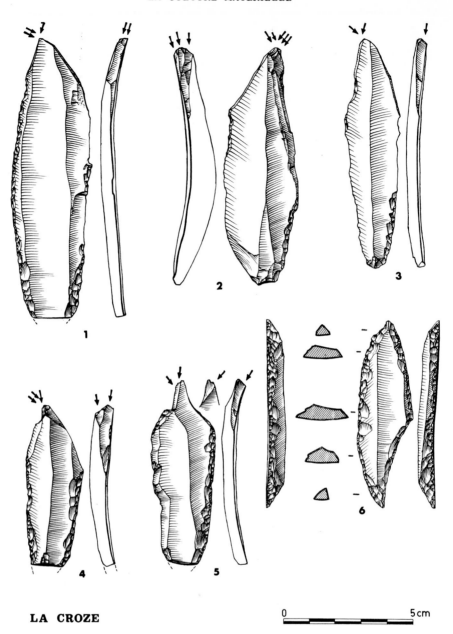

LA CROZE

0 _____ 5 cm

FIG. 2. — La Croze : burins (1 à 5) et perçoir double (ou pointe à cran ?).

par une critique de l'industrie lithique. Enfin, A. Leroi-Gourhan (1965) rappelle que les « pièces à bord abattu du type de La Gravette » sont, dans 83 % des cas, des lamelles à bord abattu et non des lames. Son étude des œuvres d'art (« ... le nombre des rhinocéros — au moins sept individus — dépasse le total de ce qui est connu pour tout le reste de l'art mobilier paléolithique ») l'amène à trouver des « rapports sensibles » avec l'ensemble du Saut-du-Perron ; il est probable que des comparaisons avec le site d'Arlay, encore moins éloigné et appartenant à la même province géographique, auraient conduit à d'intéressantes remarques. Il pense que « Les dates du Carbone 14 sont peu précises (9600, 11400, 12500, 12900 et 13500 avant notre ère), mais si l'on voulait, sur le seul fait que les gravures sont indiscutablement du style IV, leur donner une date, c'est précisément entre 9000 (Mag-

dalénien VI) et 13000 (Magdalénien III) qu'on les situerait approximativement. La date moyenne de 12000 ans, correspondant au Magdalénien IV, est, en définitive, très vraisemblable ». Et, pour terminer : « En conclusion, ni le contenu, ni le style ne semblent faire des figures de La Colombière des œuvres gravettiennes. Elles sont plus anciennes que le Magdalénien récent du Jura et de Suisse ou d'Allemagne du Sud, mais ne s'écartent pas de ce qu'on peut attendre dans un Magdalénien moyen. »

La dernière datation absolue concernant le site (Desbrosse et Evin, 1973) a été effectuée sur une très grosse esquille de mammouth récoltée en 1913 dans le niveau D1. Son résultat, Ly 433 : 13 390 ± 300 B.P., rappelle la première datation obtenue à la demande de H.L. Movius par J. Laurence Kulp, du Lamont Geological Observatory, Université de Columbia : La 177 : 13 400 ± 400 B.P.

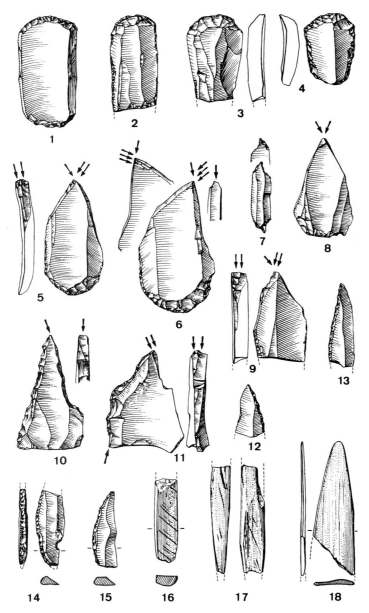

FIG. 3. — Abri Gay : niveau magdalénien, industrie lithique et osseuse.

Au cours de l'été 1975, des recherches limitées au secteur occidental ont été reprises en vue de préciser le contexte palynologique et sédimentologique des dépôts qui subsistent. Souhaitons qu'elles permettent de dater définitivement un des gisements les plus célèbres du Centre-Est de la France.

La Raillarde (Sault-Brénaz).

Etroite mais profonde cavité sur la rive droite du Rhône, son porche a subi hélas d'anciens aménagements. Récemment un vaste sondage a livré à J. Reymond un grand nombre de silex que nous n'hésitons pas à attribuer au Magdalénien final (abondance des lamelles à bord abattu). Industrie osseuse : aiguilles et débitage du bois de renne. (Desbrosse, 1974). L'intérêt de ce gisement est de confirmer la pénétration magdalénienne le long du cours supérieur du Rhône français, pour laquelle on ne connaissait que les sites de La Balme (Isère),

Brégnier-Cordon, Pierre-Châtel et les abris-sous-blocs du Salève.

Les Hoteaux (Rossillon).

La grotte s'ouvre au midi, dans la cluse des Hôpitaux. Les premières fouilles avaient déjà livré le célèbre bâton à trou, gravé d'un cervidé bramant (entre le 4e et le 5e foyer) et le squelette d'un adolescent dans le 6e foyer (Tournier et Guillon, 1895). J. Tournier y reprit, seul, des travaux, peut-être exhaustifs, de 1917 à 1919 et publia, en 1924, une étude complète et définitive.

« Le fond de l'excavation est tapissé d'une couche légère de sables éocènes reposant sur la roche vive, sur une épaisseur moyenne de 10 cm. Au-dessus, en contact avec les sables siliceux éocènes et parfois avec la roche vive, s'étend le dépôt glaciaire englué dans une terre argileuse jaunâtre, sur une épaisseur

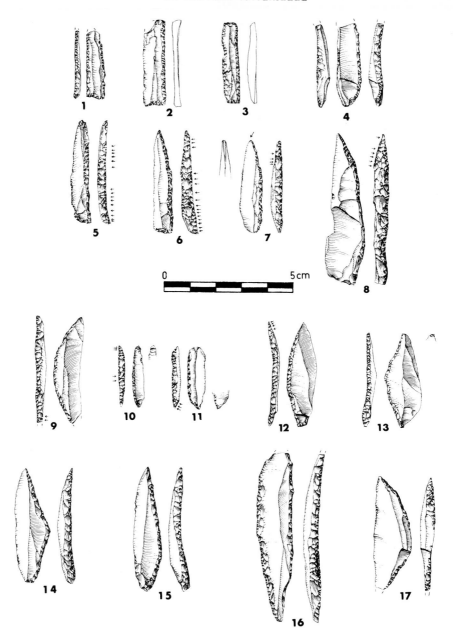

FIG. 4. — Les Hoteaux : foyers supérieurs ?

moyenne de 15 cm. Depuis le départ du glacier, des blocs tombent de la voûte et des parois et forment un amas de 65 cm d'épaisseur au centre, lorsque l'homme découvre pour la première fois la grotte des Hoteaux, s'y installe pendant un temps qui a dû être très court, si l'on en juge par les cendres réduites de son foyer et par les maigres reliefs de son repas. » A partir de cette première occupation, J. Tournier décrit neuf couches d'habitat avec foyers, presque superposés, qui furent observées (et numérotées à partir de la plus récente) sous le porche des Hoteaux. Les deux premiers niveaux furent considérés comme néolithiques et les suivants comme magdaléniens. Le contexte sédimentologique de ces derniers fut assez bien observé : blocs et sable (foyer 9), cailloutis et sable fin (foyer 8), blocs et argile (foyer 7), terre argileuse et cailloutis (foyers 6 et 5), sable tuffeux (4 et 3). Il

est fort regrettable que l'on ne puisse plus distinguer les récoltes des différents niveaux car il y avait là la plus belle stratigraphie du Magdalénien supérieur pour cette région. Les pièces évolutives les plus caractéristiques de l'industrie lithique ont été regroupées sur la figure 4 ; elles laissent à penser que l'évolution interne du Magdalénien final des Hoteaux a pu se faire en direction de l'Azilien.

Pour la faune (renne, bouquetin, élaphe, sanglier, marmotte, castor), il faut noter l'absence du cheval.

Le crâne et la mandibule du squelette des Hoteaux furent volés au musée de Bourg, ces dernières années. H.V. Vallois (1972) vient de publier l'étude du crâne qu'il attribue à un adolescent de 15 à 18 ans, très probablement masculin, de type cromagnoïde atténué et dont le profil cérébral se superpose presque exactement à ceux des crânes de Saint-Germain-la-Rivière et du Cap-Blanc.

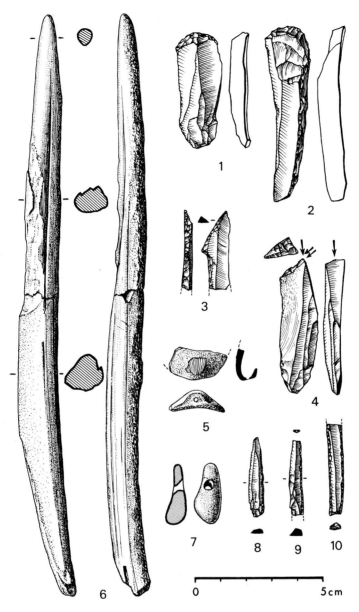

FIG. 5. — Pugieu : industrie lithique, osseuse et éléments de parure.

Abri de Pugieu.

Bien que les travaux du Dr H. Martin dans ce site mal localisé n'aient fait l'objet, à notre connaissance, d'aucune publication, nous avons tenu à figurer quelques pièces caractéristiques choisies dans la série offerte par l'inventeur à Cl. Côte pour le Muséum de Lyon (fig. 5). Le débitage du bois de renne est attesté par une très belle baguette, longue de 22 cm; la parure, par un coquillage percé et une crâche perforée. Dans l'outillage lithique sont représentés grattoirs, burins et lamelles à bord abattu ; une petite pointe à cran (n° 3) évoque un Paléolithique final plus nordique.

Abris de Thoys (Arbignieu).

Découverts en 1962. S. Morelon vient de consacrer une excellente monographie à l'abri de La Touvière dont les couches supérieures ont livré des horizons tardenoisiens et sauveterriens ; il existe « un

niveau qui date sans doute du Paléolithique supérieur, dans les couches les plus profondes de l'abri, au-dessus d'un éboulis à gros blocs. » De l'abri voisin TH. 2, J. Reymond a extrait, sous des horizons plus récents, une abondante série lithique, qu'on peut, sans peine, attribuer au Magdalénien final (inédit).

La Bonne-Femme (Brégnier-Cordon).

La grotte s'ouvre au bord du petit lac de Pluvis. Les fouilles de 1884 avaient livré « plus de mille silex ouvrés » associés à la faune suivante : bouquetin, élan, marmotte, cerf, hyène, renne, cheval. Les foyers magdaléniens apparaissaient sous une couche tuffeuse d'épaisseur variable (30 à 80 cm), elle-même surmontée d'une couche de terre végétale. Les fouilles de 1910 avaient montré la même stratigraphie. N'y aurait-il pas eu possibilité de subdiviser plus finement l'important foyer exploité alors ? « La richesse et la nature des débris archéo-

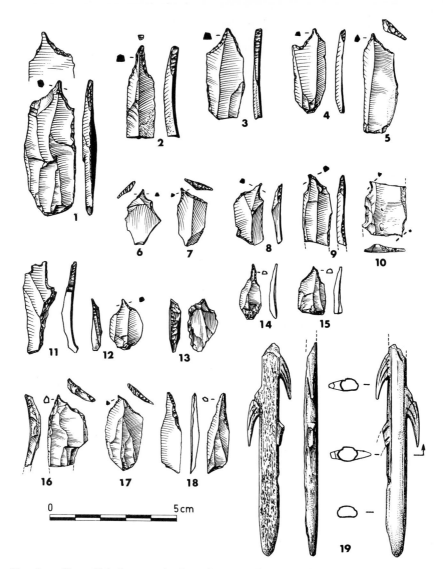

Fig. 6. — Pierre-Châtel, grotte des Romains : perçoirs magdaléniens et fragment de harpon.

logiques variaient avec la profondeur. Dans la partie supérieure, le renne était plus rare, le cerf plus commun, les lames de silex, empruntées pour une partie aux chailles jurassiques, étaient moins fines et moins abondantes. Vers la partie inférieure, les lames étaient meilleures ; les débris du bouquetin et du renne, plus nombreux, constituaient la totalité des dents et ossements, avec quelques vestiges rares du sanglier et du cheval. Comme aspect extérieur, cette couche est caractérisée par un terreau gras et noir, se développant sur une largeur de 4 m, à la profondeur de 0,70 m, avec une épaisseur de 20 cm à gauche, de 30 cm au milieu, et de 40 cm à droite. Ce terreau s'incline comme le talus de l'abri, suivant une pente de 45 degrés. A noter que nous sommes à 5 m du surplomb, en avant de la partie abritée. Dans cette couche sont enveloppés des os brisés, des dents, des détritus de la roche, des plaques de foyer, des quartzites rebutés, des nucléus, des éclats de silex, des lames, des poinçons, des grattoirs, des burins, des petites lames retouchées, en somme, le matériel ordinaire et l'outillage de l'époque magdalénienne. » (Tournier, 1911).

Parmi le matériel emporté à Roanne par J. Déchelette, figure une pointe de Teyjat dont nous avons souligné l'importance comme élément de comparaison avec la province classique et excellent fossile-indicateur d'un Magdalénien final, en association avec de petites pointes de la Gravette (Combier et Desbrosse, 1964). Dans les 619 silex répertoriés au musée de Belley, l'outillage lamellaire est surtout représenté par des lamelles à bord abattu et quelques rectangles.

Pierre-Châtel (*Virignin*).

La vaste grotte des Romains s'ouvre au Sud, 60 m au-dessus du fleuve et sur sa rive droite. D'autres gisements sont connus dans ce même défilé : l'immense grotte des Sarrasins, presque contiguë ; sur la rive gauche savoyarde (communes de Yenne et La Balme), les abris de La Maladière, la Grande Gave, la petite grotte du Seuil des Chèvres figurent sur la liste des sites épipaléolithiques.

Bien protégé par un épais plancher stalagmitique, le Magdalénien de la grotte des Romains n'a été découvert qu'en 1964. Les cinq étés suivants per-

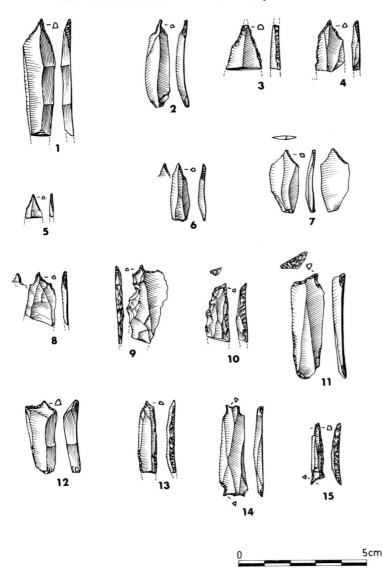

Fig. 7. — Pierre-Châtel, grotte des Romains : perçoirs magdaléniens.

mirent de dégager une partie seulement de cet habitat dont on a voulu conserver de substantiels témoins.

A la base du plancher stalagmitique (autrefois surmonté d'importants horizons protohistoriques, totalement bouleversés, regroupés dans le complexe du niveau I), fut individualisé un premier niveau magdalénien : IIa ; blocs et cailloutis encore très concrétionnés ; la faune y est très mal conservée ; l'industrie, peu abondante. Immédiatement sous-jacent, le niveau IIb (blocs, cailloutis et sables) surmonte directement le niveau III, riche foyer (blocs, cailloutis et sables) séparé des sables, qui constituent l'essentiel du remplissage de la grotte, par une couche d'ocre. Explorés en profondeur sur plusieurs mètres (Bocquet, Desbrosse, Perriaux, Uselle, 1970), ces sables de base semblent totalement stériles ; leur dépôt pourrait dater de la dernière phase du retrait glaciaire, entre 14 000 et 18 000 B.P. Le plancher stalagmitique qui scelle l'horizon magdalénien est attribué à une pulsation de l'Alleröd. L'analyse pollinique montre un réchauffement peu humide (ce qui est surprenant pour un dépôt stalagmitique) avec accroissement très sensible du couvert forestier qui atteint 41,2 % et dominance des pins. Des os du niveau III ont fourni : Ly 356 : 12 980 ± 240 B.P. alors que trois analyses polliniques indiqueraient le Dryas II avec faible représentation arbustive. Il faut regretter l'absence de datations absolues des niveaux IIa et IIb car de multiples indices laissent à penser qu'il s'agit, pour les trois horizons distingués à la fouille, d'une même période d'occupation assez courte.

Peu de restes humains : esquilles, dents, phalanges. Sauf dans la strate supérieure, la faune est très bien conservée. Le cheval et l'ours spéléen sont rares, l'élan (Desbrosse et Prat, 1974) et l'élaphe représentés dans chaque niveau. Le travail de l'ivoire peut indiquer la présence du mammouth. Bouquetin et renne dominent dans les restes alimentaires tandis que la marmotte fut surtout utilisée en pelleterie. Renard, lièvre, lapin, petits carnassiers ne manquent pas. Parmi les poissons consommés (une dizaine de milliers de vertèbres), la lotte d'eau douce (80 %), le corégone (15 %), quelques truites et anguilles. La riche faune de rongeurs, étudiée qualitativement

Fig. 8. — Pierre-Châtel, grotte des Romains : les oiseaux du niveau III.

par J. Chaline (1972, tableau 45), lui permet de conclure : « Les derniers dépôts qui renferment une industrie magdalénienne sont associés à une faune de forêt-steppe sous climat froid qui se modifie rapidement en une faune de forêt sous un climat tempéré humide. »

Pour une soixantaine d'espèces d'oiseaux, seize n'avaient jamais été signalées en France, dix étaient considérées comme rarissimes tandis que le bruant ortolan et la phragmite aquatique semblent n'avoir jamais été reconnus au Quaternaire (fig. 8). La variation des pourcentages des différents groupes indique une extension des formes arboricoles associée à un réchauffement progressif du climat (Desbrosse et Mourer-Chauviré, 1972-1973).

Industrie osseuse : aiguilles, poinçons, lissoirs, bâtons percés, sagaies ; chez ces dernières dominent les bases à double biseau et les fûts cylindriques. Le fragment de harpon figuré ici offre bien des analogies avec celui des Freydières. Industrie lithique : les comparaisons avec d'autres sites ne sont pas faciles : les lamelles à bord abattu représentent respectivement 80, 81 et 82 % de l'outillage de chacun des trois niveaux. Si les microperçoirs sont relativement abondants (fig. 6 et 7) et les petits grattoirs ne manquent pas, des pièces évolutives comme les pointes à dos courbe (un fragment) ou pédonculées (un seul exemplaire) font presque totalement défaut. Quelques outils sont en cristal de roche. Manifestations artistiques : ivoire sculpté, pré-

sence d'ambre, esquilles osseuses gravées d'un motif géométrique à rectangles emboîtés, crayons d'ocre, nombreux éléments de parure : os hyoïde et crâche percés, dents incisées, coquillages du Lutétien.

HAUTE-SAVOIE

Abris-sous-blocs du Salève (Bossey).

Outre les études énumérées dans l'historique initial, il faut citer celles de R. Feustel (1961) puis D. de Sonneville-Bordes (1963).

Cette dernière nous fournit une étude statistique d'une série lithique riche de 251 outils avec, comme principaux indices, IG = 23,87 IB = 16,27 IP = 11,14 ; l'outillage lamellaire représente presque 40 % avec une proportion assez importante de rectangles.

F. Bourdier (1961) rappelle la stratigraphie sommaire des dépôts : « Cet éboulement repose lui-même sur une moraine alpine de retrait würmien dans une dépression au fond de laquelle se sont accumulés les limons bleus des marais de Troinex à mollusques arctiques (*Pisidium laponicum*) et à flore de graminées et d'armoise ; le Pin et le Bouleau n'y sont que faiblement représentés ; au-dessus de ces argiles bleues, une tourbe à *Goniodiscus ruderatus,* mollusques fréquents dans les forêts alpines de conifères, contient une flore pollinique avec le Pin et l'Aulne. Aux abords du gisement, un limon jaune loessoïde a livré aussi, à sa base, une faune malacologique nettement froide..., ; dans sa partie supérieure apparaissent *Goniodiscus ruderatus* et des fragments de charbon indiquant la proximité des foyers magdaléniens. »

Un programme franco-suisse de recherches a été établi en 1975 pour ce site menacé de destruction totale.

Les Douattes (Musiège).

Modeste abri orienté au Sud, sur la rive droite du torrent des Usses. La collection Jayet fut aussi annexée aux deux études précitées. D. de Sonneville-Bordes fournit les indices suivants : IG = 15,78 IB = 25,39 IP = 6,32 ; relativement important pour des fouilles anciennes, l'outillage lamellaire (47,88 %) a livré un assez grand nombre de pièces tronquées mais un seul rectangle. La totalité de l'outillage recueilli par les Pradel a été figuré récemment (Desbrosse et Girard, 1974) dans un article consacré surtout à l'étude palynologique de deux échantillons prélevés l'un par les Pradel, l'autre par Ad. Jayet dans leur niveau magdalénien. En effet, deux datations discordantes avaient été obtenues pour le Magdalénien de ce site :

niveau b Pradel : Ly 453 : 10 680 ± 450 B.P.
niveau 7 Jayet : Ly 435 : 12 480 ± 260 B.P.

L'étude paléobotanique fournit des pourcentages légèrement différents des spectres polliniques des deux prélèvements mais il semble bien que l'occupation magdalénienne du site se situe au début de l'amélioration climatique d'Alleröd.

SAVOIE

Grottes Jean-Pierre 1 et Jean-Pierre 2 (St. Thibaud-de-Couz).

Historique des recherches et stratigraphie de ces deux gisements très voisins, détruits par des exploitations de carrière, sont traités en détail dans le chapitre consacré à l'Epipaléolithique de la région.

De J.P. 1, nous n'évoquerons que les couches 9A et 9B, typologiquement identiques, aux indices regroupés suivants :

IG = 3,84 % IB = 16,40 % (pourrait même dépasser 20 % à l'examen des chutes)
IBd = 8,47 % IBt = 3,84 % IP = 5,78 %

Les microlithes représentent 57,87 %, les microlithes géométriques 2,31 % et les pointes aziliennes 1,15 %.

Dans cet horizon magdalénien, il faut noter la présence de rectangles (parfois associés à un bord denticulé) et d'un triangle, l'apparition de pointes aziliennes petites et minces, la présence de deux lamelles à charnière retouchée (type Couze), un pourcentage élevé de troncatures. La figure 9 donne un échantillonnage des outils en 9A et 9B.

Le lièvre variable est abondant, renne et marmotte sont rares. Présence de l'élan, du cerf et du bouquetin ; des espèces marécageuses boréales ou de steppes continentales figurent en assez grand nombre parmi les rongeurs ; nombreux lagopèdes. Sept datations au radiocarbone s'échelonnent, selon les secteurs nord ou sud,

de : Ly 628 : 8 490 ± 190 B.P.
à : Ly 830 : 13 070 ± 210 B.P.

et fournissent une moyenne de 11 381 B.P. qui peut être relevée à 11 863 si l'on ne tient pas compte de Ly 628, la plus inattendue de cette série.

J.P. 2 n'avait conservé qu'une couche d'habitat, contemporaine des niveaux 9A et 9B de J.P. 1 (deux remontages ont pu être effectués avec des silex de l'une et l'autre cavité). Sur la très petite surface qui a pu être étudiée, 40 outils :

grattoirs : 4
burins : 4 (mais nombreuses chutes)
perçoirs : 5 (1 avec bord denticulé)
rectangles : 3 (2 partiellement Couze)
lamelles à bord abattu (l.b.a) : 17 (dont 1 du type Couze)
l.b.a. tronquées : 4
l.b.a. tronquées et denticulées : 2
lamelle tronquée : 1
Pas de pointe azilienne. La dimension des microlithes (80 à 90 de la liste-type) est, en général, plus grande que dans J.P. 1.
Faune : renne, bouquetin, renard polaire.
Deux datations discordantes au ^{14}C :
Ly 390 : 13 300 ± 280 B.P.
Ly 828 : 12 470 ± 200 B.P.

ISÈRE

Grotte de La Balme (La-Balme-d'Isère).

Bien connue des touristes pour son immense porche et son lac souterrain. Des fouilles d'E. Chantre (1866 et 1901), E. Jacquemet (1895) et L. Chapuis, seules les secondes, conduites près de l'entrée jusqu'à 2,50 m de profondeur, permettent d'avoir une vague idée de la stratigraphie et de l'âge des dépôts paléolithiques. La première couche reconnue contenait trois foyers avec du renne ; l'un d'eux livra 306 silex, dont 90 outils qui permirent à F. Bourdier et H. de Lumley (1956) de les comparer aux couches 10 et 11 de la Balme de Glos et de les rattacher au « Stade II proto-azilien de la civilisation romanello-azilienne ». La deuxième couche avec bison, cheval et un silex retouché serait moustérienne.

Grottes de Béthenas (Crémieu).

Deux cavernes superposées, au voisinage de la ville. Selon E. Chantre (1901) : « Ce sont les deux premières stations qui ont fourni, dans le bassin du Rhône, des preuves de la contemporanéité de l'homme et des espèces émigrées ou éteintes ». Brèche et foyer de la cavité supérieure ont fourni industries lithique et osseuse attribuables à « la fin de l'époque magdalénienne » en compagnie du renne, élaphe, cheval, auroch, bison, chat, sanglier.

L'âge paléolithique des restes humains, de la faune et de l'outillage extraits de la cavité inférieure et dispersés depuis longtemps n'est pas clairement établi.

Grotte de Brotel (St. Baudille-de-la-Tour).

Petite cavité du pittoresque vallon d'Amby. Nous citerons encore Chantre (1901) : « Comme la grotte de Béthenas inférieur, celle de Brotel a servi non d'habitation permanente, mais de sépulture. Les fouilles que j'y ai pratiquées, en 1866, m'ont fourni

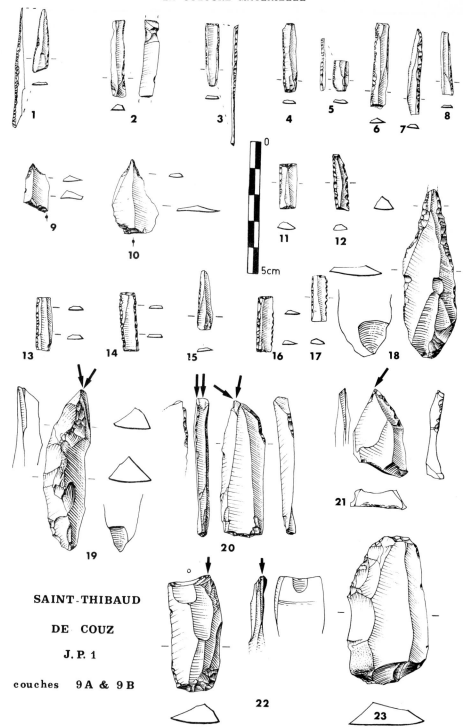

FIG. 9. — Saint-Thibaud-de-Couz, grotte J.P. 1 : outillage lithique des couches 9 A et 9 B.
dessins de J. Krzepkowska (fig. 4), P. Notteghem (fig. 8) et P. Laurent.

des ossements de trois enfants de dix à douze ans. Leur mauvais état de conservation ne m'a pas permis de les recueillir. Ils étaient associés à des silex taillés du genre de ceux des grottes de La Balme et de Béthenas, et à des ossements nombreux de renne, d'élaphe, de cheval et de sanglier. »

Malgré des fouilles plus que centenaires, ces trois sites les plus inférieurs dans le bassin supérieur du Rhône français ne nous fournissent pas beaucoup de renseignements sur le peuplement préhistorique de cette région.

Grotte de l'Ermitage (Voreppe).

Parfois nommée, dans la littérature, grotte à Bibi, c'est la plus grande cavité des balmes de La Buisse-Voreppe ouvertes au débouché nord de la cluse de l'Isère sur la plaine du Bas-Dauphiné. Assez près du banc rocheux et sous 3 m d'anciens déblais, H. Müller retrouve en 1911 des couches intactes et attribue la plus inférieure au Magdalénien final. F. Bourdier et H. de Lumley (1956) ont revu ce matériel : « L'ensemble de l'outillage (129 outils) se rapporte au Magdalénien : burins dièdres (12,4 %), quelques burins sur troncature retouchée (3,1 %), plusieurs outils multiples (grattoir-burin, burin-lame tronquée), des grattoirs sur bout de lame (26 %), des lamelles à dos (28 %). Il faut signaler une pointe à doubles coches opposées basilaires, une pointe pédonculée, une pointe à cran atypique, quelques perçoirs et l'absence totale de grattoirs ronds, de grattoirs unguiformes et d'industrie de l'os. Notons une coquille de pétoncle perforée. »

Pour ces auteurs, le graphique cumulatif de l'outillage présente toutes les caractéristiques du Magdalénien final du Sud-Ouest ; il évoque les séries II et III de St. Romans, les couches 3 et 4 de Bobache mais s'apparente véritablement aux couches supérieures de la Balme de Glos ; d'après eux, « ... on serait en présence d'un Epi-Magdalénien (post-Würm ?) non sans analogie avec l'Epi-Magdalénien d'Allemagne et d'Europe Centrale. »

Balme de Glos (Fontaine).

Aux portes de Grenoble et au pied du Vercors, cette cavité fut visitée en 1904 et 1905 par H. Müller qui y distingua une douzaine de couches. Comme le rappellent les auteurs précités : « L'intérêt de ce gisement tient surtout à la présence, déjà signalée par H. Müller, d'une industrie à petits grattoirs ronds placée stratigraphiquement sous le Magdalénien ». Ils regroupent les couches 8 et 9 qui ont livré 27 outils attribuables au Magdalénien : IG = 37 IB = 22 IBd = 14,8 IBt = 3,7.

L'industrie lithique regroupée des couches 10-11 et du foyer K leur fournit 65 outils :

grattoirs sur bout de lame longue ...	7,2 %
grattoirs sur bout de lame courte ...	4,5 %
grattoirs ronds	7,2 %
grattoirs unguiformes	1,8 %
grattoirs semi-circulaires	0,9 %
pointes aziliennes	1,8 %
lamelles à dos (couche 10)	22,5 %

pour 111 silex.

La faune est très riche : renne, bouquetin, chamois, bœuf, sanglier, marmotte, castor. Dans le complexe précédent (couches 8-9), la présence du mouton aux côtés du renne et de l'élaphe est attestée par J. Bouchud (1956).

Abri de l'Olette (Engins).

En Vercors, dans la haute vallée du Furon qu'il domine de quelques mètres, il fut fouillé par G. Flusin et H. Müller en 1902 et 1903. F. Bourdier et H. de Lumley (1956) fournissent de 48 outils la répartition suivante :

grattoirs sur bout de lame longue ...	1,6 %
grattoirs sur bout de lame courte ...	1,5 %
grattoirs ronds	0,78 %
grattoirs semi-circulaires	0,78 %
burins	1,2 %
pointes aziliennes	0,8 %
lames à dos	1,2 %
lamelles à dos	1,9 %

pour 257 silex.

C'est 47 outils que décrit A. Bocquet (1969) : 7 lames tronquées, 3 lames à dos, 5 lamelles à dos, 2 burins, 1 pointe burinante, 3 burins grossiers,

8 grattoirs en bout, 2 grattoirs semi-circulaires, 1 grattoir romanellien, 2 grattoirs ronds, 2 grattoirs sur éclat, 2 pointes aziliennes, 9 outils divers. De légères nuances sont aussi à signaler avec le décompte de M. Escalon de Fonton et H. de Lumley (1956).

La marmotte constitue l'essentiel des rares restes osseux conservés à l'Institut Dolomieu de Grenoble.

Il semble bien qu'on soit là dans l'Epipaléolithique.

Grottes de la Passagère et Colomb (Méaudre).

Distantes de 200 m environ, elles s'ouvrent vers 1 050 m d'altitude. Leurs noms évoquent l'activité des paléolithiques chasseurs de marmottes puisque Colomb livra en trois ans à H. Müller 1 300 mandibules de ce rongeur qui vivait là en compagnie du renne, du bouquetin, du bœuf, du chamois et du lièvre. C'est l'industrie lithique de Colomb (229 outils pour 597 pièces !) qui permit à F. Bourdier, M. Escalon de Fonton, H. de Lumley (1956) de définir le faciès romanellien d'où dériverait le Romanello-Azilien du Vercors.

De 1914 à 1921, la couche 2 de la Passagère fournit à H. Müller 50 outils pour 239 pièces. Le chevreuil mis à part, sa faune était identique à celle de Colomb. P. Bintz a repris récemment l'étude de ces deux sites et dirigé une fouille de contrôle dans la Passagère puisque Colomb est épuisé. Une coupe stratigraphique simplifiée donne :

1. tuf où les rongeurs indiquent une forêt tempérée (optimum climatique)
2. tuf argileux ; à sa base, niveau d'habitat du Paléolithique supérieur
3. cailloux et blocs
4. niveau à industrie moustérienne, souvent éliminé par ruissellement
5-6. sables blancs et argilites rouges de la fin du Tertiaire.

Les 174 outils réunis, comparés aux 348 recensés dans le matériel de Colomb, donnent ce tableau des indices :

	Colomb	La Passagère
IG	28,40	22,4
IB	20,00	10,5
IBd	13,77 (69 %)	7,0 (68 %)
IBt	4,50 (23 %)	1,7 (18 %)
IOc	2,20	0
IP	6,60	1,1
IM	6,60	14,4
IMg	0,30	0
Pointes aziliennes	2,00	2,9
Rapport G/B	1,40	2,1

où les valeurs entre parenthèses sont calculées par rapport à l'ensemble des burins. Les différences soulignées par ce tableau sont probablement liées à une spécialisation des activités dans chacune des grottes car de nombreuses observations (remontages de silex, matériaux utilisés, éléments de parure, etc.) prouvent la contemporanéité des deux habitats.

Les restes des rongeurs recueillis en abondance dans la couche 2 de la Passagère (fouilles 1973 et 1974) indiqueraient la transition Dryas II - Alleröd.

La datation absolue Ly 430 : 8 960 ± 420 B.P. semble totalement aberrante ; elle a été effectuée sur des os de marmotte recueillis en 1921 à la grotte Colomb par H. Müller ; il est probable que ces ossements furent contaminés par d'autres provenant de marmottes des niveaux plus récents.

Abri du Calvaire (St. Romans).

« Lors de l'extension maximum du glacier würmien, se déposa la haute terrasse fluvio-glaciaire de Saint-Marcellin ; si l'on admet une synchronisation entre les avancées glaciaires de la région lyonnaise et de la basse Isère, cette terrasse serait contemporaine de l' « Epi-Périgordien » de la Colombière ; ultérieurement, le glacier würmien, stationnant à 3 ou 4 km plus en aval, déposa, en contre-bas de la terrasse de Saint-Marcellin, la terrasse de Rovon ; entre les deux existe un niveau intermédiaire moins développé : la terrasse du cimetière de Saint-Romans... » (Bourdier, 1961). Sur cette terrasse, un pointement de molasse domine le cimetière et servit d'abri aux campements magdaléniens.

C'est F. Bourdier qui effectua les meilleures observations dans le cimetière et au voisinage immédiat. 4 séries furent individualisées : la série 1 (ramassage de surface) est un mélange de Magdalénien et d'Azilien, les suivantes se rattachent au Magdalénien. F. Bourdier et H. de Lumley (1956) pensent que « ... d'après les données statistiques, la série IV, la plus ancienne, aurait des affinités avec les niveaux supérieurs de la Madeleine, tandis que les séries sus-jacentes III et II, assez proches du Magdalénien de Villepin, couche B, pourraient être attribuées à un faciès terminal du Magdalénien propre à la vallée du Rhône, faciès que nous retrouvons dans les couches inférieures de la grotte de Bobache ».

La faune des récoltes Müller fournit à Cl. Gaillard (1938) huit espèces d'oiseaux (chocard des Alpes, lagopède blanc, tétras à queue fourchue, pigeon biset, pigeon ramier, perdrix rouge, chevalier sylvain, un rapace nocturne) et dix de mammifères (taupe, renard polaire, lièvre commun, lièvre des neiges, campagnol amphibie, campagnol des champs, marmotte, cheval, bœuf, renne). F. Bourdier signale un bouquetin énorme, de la taille d'un petit bœuf.

Nous possédons deux datations absolues effectuées sur esquilles osseuses :
Ly 431 : 12 970 ± 300 B.P. pour la série III
Ly 432 : 13 450 ± 300 B.P. pour la série IV

DRÔME

Station du Calvaire (St-Julien-en-Vercors).

L'infatigable prospecteur du Vercors, M. Malenfant, nous signale ce gisement de plein air tout récemment découvert et qu'il faut rattacher, selon lui, au Paléolithique final ; il aurait aussi livré des industries mésolithiques.

Abri de Bobache (La-Chapelle-en-Vercors).

A 700 m d'altitude, fouillé en 1904, 1907 et 1912 par H. Müller qui y distingua 4 couches regroupées par F. Bourdier et H. de Lumley (1956) : les deux couches supérieures (86 outils) sont rattachées à l'Azilien tandis que le complexe inférieur (30 outils) est daté du Magdalénien terminal. Le niveau 4 a livré un harpon disparu depuis la dernière guerre. « Probablement en bois de renne, il a une rangée de sept barbelures portant des incisions, mesure 21 cm de long et possède à sa base, du côté des barbelures, trois petites protubérances délimitant deux crans successifs ; lors de sa découverte, les incisions contenaient de l'ocre rouge ». J. Combier (1967) le fait figurer avec d'autres harpons (Oullins, Chinchon, St-Vérédème, Laroque) caractéristiques, selon lui, du Magdalénien du Sud-Est ; les trouvailles de Pierre-Châtel (fig. 6) et des Freydières prouvent que les types « classiques » existent aussi dans la panoplie des derniers Magdaléniens de cette région.

Faune mal conservée : lièvre et bouquetin.

Grotte des Freydières (St-Agnan-en-Vercors).

A 800 m d'altitude, bien orientée dans la vallée de la Vernaison, cette petite cavité n'a pu fournir de stratigraphie au cours des fouilles de 1965. Dans l'industrie lithique — une quarantaine d'outils — il faut signaler deux lames appointies et une lamelle à bord abattu convexe qui pourrait être un fragment de pointe azilienne. Outre un petit poinçon sur esquille, l'industrie osseuse compte un fragment de harpon à double rang de cinq barbelures qui évoque, par sa taille et sa morphologie, celui de Pierre-Châtel. La faune ne compte pas d'éléments arctiques (absence du renne, marmotte et bouquetin dominants) ; elle évoque l'amélioration climatique d'Alleröd, attribution confirmée par une datation au ^{14}C à partir d'esquilles osseuses :

Ly 451 : 11 380 ± 180 B.P.

Vers la même époque se situe le niveau azilien à galets peints de l'abri Gay à Poncin (altitude 260 m):
Ly 725 : 11 660 ± 240 B.P. qui est aussi l'âge de l'Azilien de St-Remèze en Ardèche.

Grotte du Taï et abri de Campalou (St-Nazaire-en-Royans).

Fouillés minutieusement de 1967 à 1972 par J.E. et J.L. Brochier (1973) auxquels nous empruntons les renseignements suivants : « La grotte s'ouvre au milieu même des maisons du village ; l'abri-sous-roche est situé 1 km en aval, au pied d'un pointement de calcaire urgonien, sur une terrasse dominant l'Isère d'une dizaine de mètres ». Les fouilleurs regroupent leurs découvertes en deux grandes phases : « La plus ancienne, que nous appellerons Phase I, se rapporte aux couches inférieures de l'abri de Campalou. Là, après un premier niveau d'occupation reposant sur des dépôts alluviaux de la Bourne, affluent de l'Isère, se succèdent une quinzaine de sols d'habitat. L'industrie recueillie dans ces différents niveaux appartient à un Magdalénien supérieur qui par certains points rappelle le Magdalénien V de la province classique. Ce premier remplissage, d'une épaisseur de 1,50 m, comprend des niveaux d'éboulis cryoclastiques ravinés et fréquemment entrecoupés de niveaux d'inondation. Le sédiment, les pollens, la faune évoquent un paysage de steppe froide et la proximité de la rivière. On chassait alors surtout le cheval. Vient ensuite le renne dont les ossements sont peu nombreux par rapport au nombre des bois. Les autres espèces, quelquefois représentées par un petit nombre d'individus, sont le bison, la marmotte, le bouquetin, l'élan, le loup, l'ours et le mammouth. Les pollens n'ont encore été étudiés que dans la partie supérieure de cette série où l'on observe un taux de boisement très faible (4 à 5 %) et dû à la seule présence du pin et du bouleau. Les couches CIII, C'II et CII de la grotte du Taï, dont l'industrie peu abondante est plus proche de ces niveaux inférieurs de l'abri de Campalou que des suivants, peuvent être rattachés à cette phase I.

A la plus récente, la Phase II, se rattachent les couches supérieures de l'abri de Campalou et les couches C'I et C''I de la grotte du Taï. Dans les deux gisements ces couches prennent, sans intercalation de niveaux stériles, la suite des couches de la phase I. A une industrie de type Magdalénien supérieur, fait suite une industrie de type Azilien. Les lamelles à dos et les burins étaient les éléments dominants de l'industrie lithique de la phase I ; ce sont ici les grattoirs souvent très courts qui prolifèrent. Les burins et lamelles à dos sont très mal représentés. Les pointes aziliennes et les segments de cercle apparaissent, accompagnés de lames retouchées. A l'abri de Campalou ces niveaux, auxquels on peut rattacher la couche C''I du Taï, sont datés de 12 800 ans ± 300 B.P. (Ly 436) ».

Dans les deux sites l'art mobilier est abondamment représenté : principalement à Campalou pour la phase I et surtout au Taï pour la phase II. Animalier dans la phase ancienne (chevaux, bouquetin, cervidés, bison) mais schématique aussi (sur galets, bâton percé, sagaie, baguette demi-ronde, lame osseuse), il devient totalement schématique en phase II. Nos collègues concluent :

« La grotte du Taï et l'abri de Campalou nous renseignent sur l'évolution de l'art à la fin du Paléolithique supérieur dans la région rhodanienne. Aux couches du Magdalénien supérieur de l'abri de Campalou correspondent des œuvres de style IV ancien et de style III. On ne semble donc pas avoir ici le synchronisme, style IV ancien - Magdaléniens III et IV, observé dans le Sud-Ouest de la France. Le même phénomène se produit aux Deux-Avens où l'on trouve également des œuvres d'aspect archaïque avec du Magdalénien final. Les gravures découvertes à la grotte des Deux Avens se rapportent par leur style au mobilier de la phase I du gisement de Campalou. Or la date ¹⁴C des Deux-Avens (Deux-Avens : 12 320 ± 300 B.P., Campalou phase II : 12 800 ± 300 B.P.) semble établir que son mobilier est au moins contemporain, peut-être postérieur, à celui de notre phase II. Sur la base des datations ¹⁴C, il semble que, dans cette partie du Dauphiné, une « azilianisation » précoce se produit. Immédiatement au-dessus des couches de la phase I se trouvent les niveaux de la phase II à industrie de type azilien. L'art mobilier y est tout différent. Les représentations figuratives disparaissent. On ne trouve plus que des motifs géométriques ou des os cochés. L'étude d'un de ces os par A. Marschack a montré que les séries d'encoches qu'il porte pouvaient indiquer un procédé de numération séquentielle. La petite spatule pourrait en indiquer l'existence dès la phase I. Il sera intéressant d'obtenir de nouvelles dates pour les phases I et II. Tout semble évoluer rapidement et selon un schéma différent de celui connu dans la province classique. Le style IV ancien perdure ici dans le Magdalénien supérieur. Puis, très vite, l'art figuratif disparaît pour laisser la place aux thèmes abstraits et aux systèmes de notations aziliens ».

Signalons une certaine ressemblance entre l'étrange os 450 du Taï, décrit par A. Marshack (1973), et une dizaine d'esquilles (appartenant peut-être au même os) de Pierre-Châtel gravées d'un motif géométrique à rectangles emboîtés, mais, à Pierre-Châtel, les lignes de ces rectangles ne sont pas ponctuées des fines incisions qui, au Taï, représentent une numération séquentielle.

Faut-il admettre, comme le font J.E. et J.L. Brochier, une « azilianisation » aussi précoce au pied du Vercors ? Il s'agirait là d'une antériorité de plus d'un millénaire par rapport aux deux sites aziliens évoqués à propos des Freydières : l'abri Gay à Poncin et St-Remèze en Ardèche. Basée sur une seule datation au radiocarbone, cette hypothèse mériterait quelques autres contrôles radiométriques pour mieux juger de sa valeur.

Bilan.

Ce rapide panorama des sites dans une aussi vaste région fait apparaître un peuplement assez tardif où manquent les premiers stades du Paléolithique supérieur. Hormis le cas — irritant parce qu'unique — de La Colombière dont les œuvres d'art sont d'un style magdalénien mais dont l'industrie lithique suggérerait un Gravettien ultra-final, les gisements évoqués n'ont été fréquentés qu'au Magdalénien. Les plus anciens seraient La Croze et La Colombière que leur situation géographique, en marge du glacier würmien, a rendus habitables plus tôt et que l'on pourrait comparer aux Magdaléniens III et IV de la province classique. Quelques indices permettraient de situer dans le Magdalénien V les foyers inférieurs des Hoteaux et les niveaux inférieurs de Campalou. C'est au Magdalénien final qu'il faut rapporter tous les autres.

Ces sites ont en commun leur situation à proximité des cours d'eau ou des lacs (à deux exceptions près), en grottes ou sous abris, mais pas toujours une bonne orientation. Leur occupation a suivi de peu le retrait du glacier : souvent les niveaux archéologiques reposent directement sur le dépôt morainique ou fluvioglaciaire ; l'âge exact de ce retrait n'a pas encore fait l'unanimité chez les quaternaristes. Ces niveaux se développent fréquemment sous ou au milieu d'énormes blocs et sont coiffés de dépôts tuffeux ou de planchers stalagmitiques.

Les datations absolues ne sont pas assez nombreuses : une douzaine pour les horizons magdaléniens des 26 gisements précités ; il faut souhaiter leur multiplication. Font aussi cruellement défaut à ce jour les analyses sédimentologiques et polliniques.

Ce Madgalénien supérieur ou final, très proche

30

géographiquement de celui que J. Combier (1967) a étudié un peu plus au Sud, ne s'en éloigne guère non plus par ses caractéristiques techniques. Son originalité serait peut-être que, par le cours supérieur du Rhône français, la vallée de la Saône ou les plateaux comtois, il a pu subir des influences nordiques ou orientales qu'évoquent, dans les outillages lithiques, l'abondance des perçoirs, des rectangles, des microgravettes, la discrète présence de pièces à dos anguleux ou pédonculées (et aussi, à Pierre-Châtel, l'abondance des coquilles de parure du Lutétien du Bassin Parisien). Typologiquement, l'examen des outillages lamellaires, que les méthodes actuelles permettent de recueillir en totalité, pourrait aider à l'élaboration de fines distinctions technologiques et peut-être chronologiques alors que les autres types d'outils présentent souvent une moins grande originalité. Les harpons de Pierre-Châtel et des Freydières confirment les origines et affinités atlantiques qui caractérisent, selon J. Combier, le Magdalénien rhodanien, mais le style des gravures géométriques de Pierre-Châtel ne doit pas faire sous-estimer les influences méditerranéennes tout au long du Rhône.

Son évolution s'est faite, le plus souvent, en direction de l'Azilien et il faudrait revoir, à la lumière de fouilles modernes, la définition du Romanello-Azilien.

L'étude des faunes a pu, grâce aux fouilles récentes, connaître une nouvelle impulsion. L'exemple de l'avifaune magdalénienne est éloquent : F. Bourdier (1961) avait dénombré 21 espèces pour tous les gisements du bassin rhodanien, celui de Pierre-Châtel a permis d'en étudier le triple.

En cours d'élaboration, les publications, sous forme de monographie, de fouilles récentes (Pierre-Châtel, St-Thibaud-de-Couz, St-Nazaire-en-Royans) aideront bientôt à combler quelques lacunes dans des secteurs aussi distincts que le Bugey, la Chartreuse et le Vercors. Elles seront d'utiles documents pour les synthèses futures et apporteront des vues nouvelles ou complémentaires aux travaux de base que sont l'irremplaçable thèse de F. Bourdier ou celle, plus modeste mais aussi précieuse, d'A. Bocquet.

A cheval sur le cours supérieur de notre Rhône, les deux régions étudiées ici ont été parcourues intensément dans les ultimes stades du Paléolithique supérieur. Les tribus magdaléniennes ont eu des contacts avec le Sud-Est et la province méditerranéenne comme en témoignent harpons ou os gravés, avec la Suisse ou l'Allemagne comme l'attestent certains outils de silex mais aussi avec le Bassin de Paris d'où proviennent bon nombre de coquillages de parure.

Bibliographie

[1] Bocquet A. (1969). — L'Isère préhistorique et protohistorique. *Gallia-Préhistoire*, t. 12, fasc. 1 et 2, p. 121-258 et 273-400, 119 fig.

[2] Bocquet A., Bouchud J., Desbrosse R., Lequatre P. (1973). — La grotte et la faune des Freydières à St. Agnan-en-Vercors (Drôme). Gisement du magdalénien final. *S.P.F.*, t. 70, p. 324-336, 5 fig., 6 tabl.

[3] Bocquet A., Desbrosse R., Perriaux J., Uselle J.P. (1970). — Etude du remplissage de la grotte des Romains à Virignin (Ain). *Revue de Géographie Alpine*, t. 58, fasc. 4, p. 671-677, 1 fig., 5 pl.

[4] Bouchud J. (1956). — La faune épimagdalénienne et romanello-azilienne en Dauphiné. *Bull. du Musée d'Anthrop. Préhist. Monaco*, n° 3, p. 177-187.

[5] Bourdier F. (1961). — *Le bassin du Rhône au Quaternaire. Géologie et Préhistoire*. Paris, Editions du C.N.R.S., 2 tomes.

[6] Bourdier F. et de Lumley H. (1956). — Magdalénien et romanello-azilien en Dauphiné. *Bull. du Musée d'Antrop. Préhist. Monaco*, n° 3, p. 123-176, 18 fig.

[7] Brochier J.E. et J.L. (1973). — L'art mobilier de deux nouveaux gisements magdaléniens à St. Nazaire-en-Royans (Drôme). *Etudes Préhistoriques*, n° 4, p. 1-12, 15 fig.

[8] Chaline J. (1972). — *Les rongeurs du Pléistocène moyen et supérieur de France*. Cahiers de Paléontologie. Editions du C.N.R.S., 410 p., 72 fig., 187 tabl.

[9] Chantre E. (1866). — Note sur des cavernes à ossements et à silex taillés du Dauphiné. *Bull. Soc. Géol. de France*, t. 23, p. 532-536.

[10] Chantre E. (1901). — *L'homme quaternaire dans le bassin du Rhône. Etude géologique et anthropologique*. Lyon, Rey, 193 p., 74 fig.

[11] Combier J. (1967). — *Le Paléolithique de l'Ardèche dans son cadre paléoclimatique*. Publications de l'Institut de Préhistoire de l'Université de Bordeaux, mém. n° 4.

[12] Combier J. et Desbrosse R. (1964). — Magdalénien final à pointe de Teyjat dans le Jura méridional. *L'Anthropologie*, t. 68, p. 190-194, 1 fig.

[13] Desbrosse R. (1965). — Les sagaies magdaléniennes de La Croze (Ain). *Revue archéologique du Centre*, n° 15-16, p. 327-334, 3 fig.

[14] Desbrosse R. (1970). — Les gisements magdaléniens du Jura méridional français. *Actes 7e Congrès U.I.S.P.P. Prague 1966*, p. 319-321, 1 fig.

[15] Desbrosse R. (1974). — Préhistoire dans l'Ain et le Bugey : 1972-1974. *Le Bugey*, t. 14, p. 717-728, 4 fig.

[16] Desbrosse R. et Evin J. (1973). — Datations au ^{14}C de gisements magdaléniens du Jura et des Préalpes du Nord. *Actes 8e Congrès U.I.S.P.P. Belgrade 1971*, t. 2, p. 179-187, 1 carte.

[17] Desbrosse R. et Girard M. (1974). — Azilien et Magdalénien des Douattes (Haute-Savoie). *L'Anthropologie*, t. 78, p. 481-498, 7 fig., 1 tabl.

[18] Desbrosse R. et Mourer-Chauviré C. (1972-1973). — Les oiseaux magdaléniens de Pierre-Châtel (Ain). *Quartär*, bd. 23-24, p. 149-164, 5 fig., 4 tabl., 2 pl.

[19] Desbrosse R. et Prat F. (1974). — L'élan magdalénien de Pierre-Châtel (Ain). *Quartär*, bd. 25, p. 143-157, 1 fig., 3 tabl., 5 pl.

[20] Escalon de Fonton M. et de Lumley H. (1956). — Les industries romanello-aziliennes. *S.P.F.*, t. 53, p. 504-517, 3 fig., 3 tabl.

[21] Jacquemet E. (1895). — Contribution à l'étude géologique de l'Ile Crémieu. *Annales de la Société Linnéenne de Lyon*, t. 42, p. 206-218.

[22] Jayet Ad. (1943). — Le Paléolithique de la région de Genève. *Le Globe*, t. 82, 71 p., 19 fig.

[23] Leroi-Gourhan A. (1965). — *Préhistoire de l'art occidental*. Paris, Mazenod, 482 p., 804 fig., 739 pl.

[24] MARSHACK A. (1973). — Analyse préliminaire d'une gravure à système de notation de la grotte du Taï (Drôme). *Etudes Préhistoriques,* n° 4, p. 13 à 16, 6 fig.

[25] MAYET L. et PISSOT J. (1915). — *Abri-sous-roche préhistorique de La Colombière près Poncin (Ain).* Lyon, Rey, 205 p., 25 pl., 102 fig.

[26] MOVIUS H.L. & JUDSON Sh. (1956). — The rock-shelter of La Colombière. *American School of Prehistoric Research, Peabody Museum, Harvard University,* bull. n° 19, 176 p., 52 fig.

[27] PITTARD E. et REVERDIN L. (1929). — Les stations magdaléniennes de Veyrier. *Genava,* t. 7, p. 43-104,, 56 fig.

[28] PITTARD E. et SAUTER M.R. (1945). — Un squelette magdalénien provenant de la station des Grenouilles (Veyrier, Haute-Savoie). *Arch. Suisses d'Anthrop. Générale,* t. 11, n° 2, p. 149-200, 12 fig., 14 tabl.

[29] SONNEVILLE-BORDES D. de (1963). — Le Paléolithique supérieur en Suisse. *L'Anthropologie,* t. 67, p. 205-268, 23 fig., 4 tabl.

[30] TOURNIER J. (1911). — Les premiers habitants du Bugey. Epoque paléolithique. La grotte abri de La Bonne Femme. Brégnier-Cordon (Ain). *Le Bugey,* t. 2, p. 273-286, 2 fig., 2 pl.

[31] TOURNIER J. (1924). — *La grotte des Hoteaux (Ain).* Belley, Chaduc, 84 p., 10 pl.

[32] TOURNIER J. et COSTA de BEAUREGARD T. (1922). — Deux stations préhistoriques du Jura occidental de l'Ain dans la vallée du Suran. *L'Anthropologie,* t. 32, p. 383-408, 8 fig.

[33] TOURNIER J. et GUILLON CH. (1895). — *Les hommes préhistoriques dans l'Ain.* Bourg, Villefranche, 104 p., 7 pl.

[34] VALLOIS H.V. (1972). — Le crâne magdalénien des Hoteaux : notes anthropologiques. *Bull. et Mém. de la Soc. d'Anthrop. de Paris,* t. 9, série 12, p. 7-25, 7 fig., 3 tabl.

Les civilisations du Paléolithique supérieur dans les Pyrénées

par

Jean Clottes *

Résumé. Le Périgordien inférieur, bien représenté, est à présent connu depuis l'Ariège jusqu'aux bords de l'Atlantique. L'Aurignacien I dure longtemps et les stades supérieurs de l'Aurignacien n'ont pas jusqu'à présent été mis en évidence dans les Pyrénées centrales. Le Périgordien supérieur comprend presque exclusivement des couches à nombreux burins de Noailles. Le Solutréen inférieur n'est toujours pas connu dans les Pyrénées, non plus que le Magdalénien ancien. A partir du Magdalénien moyen et surtout du Magdalénien final, l'Homme pour la première fois depuis le début du Paléolithique supérieur, occupe les hautes vallées pyrénéennes. La plus grande densité des habitats, pendant la majeure partie du Paléolithique supérieur, se situe dans les Pyrénées centrales. De nouvelles et parfois très importantes grottes ornées ont été récemment découvertes.

Abstract. Lower Perigordian is both well-known and well-represented in the area from Ariège to the Atlantic Ocean littoral. Aurignacian I lasted a very long time. Upper Aurignacian levels have not been found to date in the center of the Pyrenees. Upper Perigordian consists mostly of levels with numerous Noailles burins. Lower Solutrean and Lower Magdalenian are still unknown in the Pyrenees. In the Middle-Late Magdalenian time, Man, for the first time since the start of the Upper Paleolithic, occupied the highlands, explored Pyrenean valleys, and inhabited some extensive caves. During the major part of the Upper Paleolithic, human settlement was densest in the center of the French Pyrenees. During the last few years some new painted caves of major importance have been discovered.

Le cadre fixé est celui des Pyrénées françaises. Néanmoins, la présente note (1) fera surtout état des sites des Pyrénées centrales et ariégeoises, afin de ne pas empiéter sur les domaines d'étude de nos collègues qui doivent traiter les Pyrénées orientales et le Pays Basque, régions auxquelles il sera simplement fait allusion si besoin est.

Le seul travail de synthèse non seulement sur le Paléolithique supérieur mais sur la préhistoire pyrénéenne dans son ensemble est aujourd'hui encore l'article que L. Méroc consacra en 1953 à « La Conquête des Pyrénées par l'Homme » ; au même auteur l'on doit une importante étude sur l'Aurignacien et le Périgordien de nos Pyrénées (1963). Outre de nombreuses monographies, d'importantes synthèses ont également vu le jour dans le cadre de travaux de plus grande envergure : le Solutréen pyrénéen, étudié par P. Smith (1966), et les grottes ornées par H. Breuil (1952) et par A. Leroi-Gourhan (1965) essentiellement.

Depuis ces études fondamentales, les recherches et les découvertes se sont multipliées : travaux de C. Chauchat, R. Arambourou, C. Thibault, G. Laplace dans les Pyrénées-Atlantiques ; de A. Clot dans les Hautes-Pyrénées ; de S. Gratacos, C. Barrière, L. Méroc, G. Simonnet dans la Haute-Garonne ; de J. Vézian, A. Alteirac, R. Simonnet, J. Clottes dans les Pyrénées ariégeoises ; de J. Abelanet dans les Pyrénées-Orientales et de D. Sacchi dans l'Aude. D'importants gisements, comme Brassempouy, ont été revus (H. Delporte, 1968) à la lumière des connaissances modernes, ou ont fait l'objet d'analyses (Isturitz), des grottes ornées ont été découvertes, quelques datations par le radiocarbone ont été publiées.

Le Périgordien inférieur (Châtelperronien) (fig. 2, n° 3).

En 1963, L. Méroc faisait état de 6 gisements châtelperroniens (fig. 1 (III), n°ˢ 4-9), tous groupés au centre de la chaîne.

Dans la grotte de Gargas, le Périgordien inférieur a été trouvé directement au contact d'un niveau moustérien, dans une couche argileuse (H. Breuil et A. Cheynier, 1958). Bien que le matériel lithique ne soit guère abondant, il compte, associés à 6 lames à dos parfois proches de celles de l'abri Audi, un bon nombre de racloirs et d'outils en quartzite, au point que H. Breuil estimait que ce niveau châtelperronien était « plus moustéroïde » que celui du gisement éponyme (J. Bouchud, 1958, p. 384). L'outillage osseux est absent, alors qu'il deviendra abondant dans les niveaux supérieurs aurignaciens. La faune est la même que celle de la couche moustérienne et comprend surtout de l'Ours et du Cerf, auxquels s'ajoute un peu de Renne. Selon J. Bouchud, la couche moustérienne, très froide et humide au début, se réchauffe progressivement et serait à la fin d'une phase froide du Würm II et dans l'interstade Würm II-III, tandis que le niveau châtelperronien serait à la fin de l'interstade et au début du stade würmien suivant.

Le vaste gisement de plein air des Tambourets (Couladère, H.-G.) est constitué par une seule couche en place, sous un limon jaune clair d'épaisseur variable, qui repose sur un paléosol fait d'une croûte ferrugineuse. L. Méroc attribue son industrie à une phase plus tardive que Gargas, en insistant sur son affranchissement des formes moustériennes. En raison de l'absence d'éclats de gel sur les pièces et du carac-

* Direction des Antiquités Préhistoriques de Midi-Pyrénées, 11, rue du Fourcat, 09000 Foix (France).

(1) Je remercie bien vivement Mlle C. Juge et M R. Fauré qui ont dessiné les figures 2 et 5, ainsi que les collègues et amis qui m'ont aimablement communiqué les photographies qui illustrent l'art mobilier pyrénéen : MM. H. Delporte (pl. 6 et 7), R. Bégouën (pl. 8), G. Simonnet (pl. 9) et L. Pales (pl. 10 et 11).

tère permanent de cet habitat de surface, il le place pendant l'interstade Würm II-III (L. Méroc, 1963). La station de Rachat, située dans la même région, serait tout à fait semblable à celle des Tambourets.

Une lame de Châtelperron isolée a été découverte à Bouzin, et 4 autres dans une mince couche

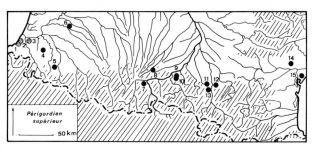

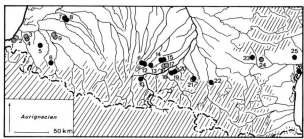

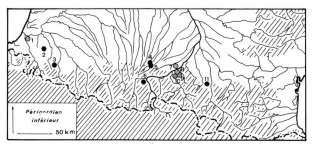

FIG. 1. — Répartition du Périgordien et de l'Aurignacien dans les Pyrénées françaises.

Les cercles pleins représentent les grottes; les cercles hachurés représentent les sites de surface. Les hachures obliques délimitent les zones situées à plus de 400 m d'altitude.

I. *Sites gravettiens (Périgordien supérieur).*
1. Bidart; 2. Mouligna (Biarritz); 3. Le Basté (Saint-Pierre-d'Irrube); 4. Isturitz; 5. Gatzarria (Ossas-Suhare); 6. Brassempouy; 7. Gargas (Aventignan); 8. Les Rideaux (Lespugue); 9. Téoulé (Cassagne); 10. Tarté (Cassagne); 11. Le Portel (Loubens); 12. La Tuto de Camalhot (Saint-Jean-de-Verges); 13. La Carane (Foix); 14. Petite Grotte de Bize; 15. La Crouzade (Gruissan).

II. *Sites aurignaciens.*
1. Bidart; 2. Chabiague I (Biarritz); 3. Le Basté (Saint-Pierre-d'Irrube); 4. Villefranque; 5. Isturitz; 6. Gatzarria (Ossas-Suhare); 7 et 8. Grottes du Pape et des Hyènes (Brassempouy); 9. Salies-de-Béarn; 10. Gargas (Aventignan); 11. Les Abeilles (Montmaurin); 12. Coupe-Gorge (Montmaurin); 13. Les Rideaux (Lespugue); 14. Aurignac 1; 15. Aurignac 2; 16. Boussens; 17. L'Hôpital (Martres-Tolosane); 18. Tarté (Cassagne); 19. Marsoulas (?); 20. Couteret (Cérisols); 21. Le Maz d'Azil; 22. La Tuto de Camalhot (Saint-Jean-de-Verges); 23. Canecaude I (Villardonnel); 24. Les Cauneilles-basses (Villeneuve-Minervois); 25. Grande Grotte de Bize; 26. La Crouzade (Gruissan).

III. *Sites châtelperroniens (Périgordien inférieur).*
1. Le Basté (Saint-Pierre-d'Irrube); 2. Isturitz; 3. Gatzarria (Ossas-Suhare); 4. Gahuzère I (Montmaurin); 5. Coupe-Gorge (Montmaurin); 6. Gargas (Aventignan); 7. Bouzin; 8. Les Tambourets (Couladère); 9. Rachat; 10. Roquecourbère (Betchat); 11. Le Portel (Loubens).

sableuse sous-jacente à de l'Aurignacien et superposée à une couche micoquienne dans la grotte du Coupe-Gorge, à Montmaurin (L. Méroc, 1963, p. 67).

Enfin, une station de surface, attribuée à l'Aurignacien *sensu lato* par H. Breuil et au faciès de l'abri Audi par J.T. Russell, située à Roquecourbère (Betchat, Ariège), a fait l'objet de plusieurs sondages par C. Barrière en 1971. Ils ont été entièrement négatifs, et le fouilleur a émis l'hypothèse que les mobiliers anciennement récoltés provenaient de l'une des cavités situées immédiatement au-dessus du champ où les outils avaient été trouvés.

Depuis 1963, 5 nouveaux gisements châtelperroniens ont été signalés, qui étendent la répartition de cette civilisation légèrement vers l'Est, mais surtout vers l'Ouest jusqu'aux bords de l'Atlantique (fouilles Chauchat à St-Pierre-d'Irrube ; fouilles Laplace à Gatzarria ; Isturitz, base de la couche S III (Salle St-Martin), tardivement reconnue comme châtelperronienne après la découverte de 3 pointes de Châtelperron typiques et sur la base de l'analyse pollinique (A. Leroi-Gourhan, 1959).

Dans les Pyrénées centrales, la grotte de Gahuzère I, à Montmaurin, a révélé la présence d'un habitat de très courte durée, peut-être châtelperronien, à la surface d'une couche argileuse. Le gisement a été rapidement balayé par le passage de l'eau et le mobilier était remanié à l'intérieur de la couche (C. Barrière, 1968) : il comprenait 2 burins dièdres sur larges lames, 3 grattoirs dont un caréné, un racloir sur éclat, une pointe de Châtelperron.

Peut-être faudrait-il citer aussi le plus ancien niveau de Tarté (Cassagne, H.-G.), sous-jacent à l'Aurignacien I dans la seconde entrée (fouilles Cazedessus), dont l'industrie, selon le Comte Bégouën, rappelait celle de Roquecourbère et était riche en éléments moustériens (J. Bouyssonie, 1939, p. 184). Mais ce malheureux gisement a été si mal fouillé que toutes les réserves sont permises.

La couche B1 du Portel (Loubens, Ariège) présente un tout autre intérêt : elle repose sur un éboulis localisé, lui-même superposé à une couche moustérienne faite d'une argile jaune avec peu d'éléments cryoclastiques à propos de laquelle le fouilleur évoque la possibilité de l'interstade (J. Vézian, 1972). La couche châtelperronienne est également une argile jaune, mais à éléments calcaires un peu corrodés et nombreux petits graviers. Faune : Hyène, Ours, Renne, Cerf. L'industrie est peu abondante, mais comprend des pointes de Châtelperron et un couteau type Audi, ainsi qu'une lamelle Dufour, des racloirs et grattoirs. J. Vézian estime qu'elle est « très mal dégagée du Moustérien ».

En 1963, L. Méroc insistait sur l'existence depuis peu solidement établie du Périgordien inférieur des Pyrénées, dont l'évolution serait comparable à celle des autres régions françaises. Les fouilles en cours ou prévues (Gatzarria, le Portel, les Tambourets) préciseront le sens de cette évolution, qui se situerait entièrement à la fin de l'interstade Würm II-III, sous un climat relativement doux et humide.

Les fouilles de Gatzarria et de St-Pierre-d'Irrube infirment les conclusions de L. Méroc sur la répartition du Périgordien ancien « groupé dans le bassin

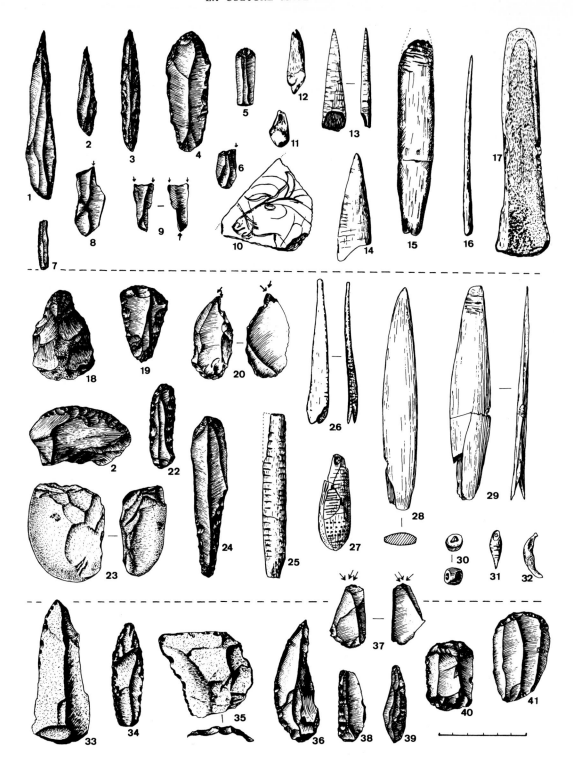

Fig. 2. — Outillages périgordiens et aurignaciens des Pyrénées centrales.

1-17. Périgordien supérieur (Gravettien).

1-6. Grotte de Tarté (niveau supérieur), à Cassagne (Haute-Garonne) (d'après Bouyssonie, 1939); 7-14, 16, 17. Grotte de Gargas (niveau 6), à Aventignan (Hautes-Pyrénées) (d'après Breuil et Cheynier, 1958); 15. Abri de Téoulé, à Cassagne (Haute-Garonne) (d'après Thomson, 1939).

18-32. Aurignacien typique.

18, 19, 21, 22, 24. Grotte de Tarté (niveau inférieur) (*id.*); 20, 23 (quartzite), 24, 25, 27-32. Grotte dite Tuto de Camalhot à Saint-Jean-de-Verges (Ariège) (d'après Vézian, 1970); 26. Grotte de Gargas (niveau 4) (*op. cit.*).

33-41. Périgordien inférieur (Châtelperronien).

33-36. Grotte de Gargas (*op. cit.*); 33 et 35. En quartzite; 34. En quartz; 37-41. Station de surface des Tambourets, à Couladère (Haute-Garonne). 37 et 41 : d'après H. Bricker; 38 et 39 : (d'après Méroc, 1963).

supérieur de la Garonne », et cette extension vers l'extrémité occidentale de la chaîne rend probable la découverte de nouveaux témoins châtelperroniens dans le Nord de la Péninsule ibérique, entre Santander (Cueva Morin, niveau X) et les sites français. Par contre, toute la partie orientale de la chaîne est encore vide, bien qu'en Catalogne espagnole deux pointes de Châtelperron aient été découvertes avec un petit ensemble d'Aurignacien typique à Reclau-Viver (D. de Sonneville-Bordes, 1972 b).

La grande question reste celle du passage du Paléolithique moyen au Paléolithique supérieur (cf. H. Delporte, 1963). L. Méroc estimait en 1963 que « la preuve formelle d'un lien de filiation entre, d'une part, l'un quelconque des faciès moustériens représentés, et, d'autre part, l'Aurignacien ou le Périgordien » n'était pas établie dans les Pyrénées. Dix ans plus tard, R. Simonnet (1963) partage la

même opinion. Une preuve formelle est évidemment très difficile à établir en l'absence d'un ensemble aussi bien connu que les grottes d'Arcy-sur-Cure par exemple, mais de très fortes présomptions peuvent exister lorsque des habitats du Périgordien ancien livrent un fort pourcentage d'outils moustériens (Gargas, le Portel, St-Pierre-d'Irrube, Gatzarria) ou que des outils annonçant le Paléolithique supérieur apparaissent dans des gisements moustériens (couteaux de Châtelperron à Eyres-Moncube (Landes), proto-carénés du Portel et de Lario, dans l'Ariège). Enfin, la superposition pratiquement constante des couches châtelperroniennes et moustériennes (St-Pierre-d'Irrube, Isturitz, Gatzarria, le Portel), parfois sans séparation aucune (Gargas) et dans la même phase climatique générale (Gatzarria), constitue un indice supplémentaire, qui permet de penser que la meilleure connaissance des gisements cités établira, dans un avenir peut-être très proche, une filiation conforme à ce que l'on sait ailleurs en France de ces civilisations.

L'Aurignacien (fig. 2, n° 2).

Outre 6 habitats aurignaciens mal définis (Aurignac II, couche inférieure de Marsoulas, stations de Rivière à Tercis (Landes) (?), de Boussens (H.-G.), de l'Hôpital à Martres-Tolosane (H.-G.) et de Couteret à Cérisols, dans l'Ariège), L. Méroc (1963) a cité 10 gisements attribuables à l'Aurignacien I, civilisation « qui triomphe » d'Est en Ouest de la chaîne pyrénéenne. Il remarque que la seule évolution décelable dans l'Aurignacien se situe à Isturitz où, dans la Salle St-Martin, la couche à Aurignacien I (S III) est séparée de la couche S II par une mince couche d'argile stérile stalagmitée par endroits ; le niveau S II, fait d'une argile grisâtre plus légère et plus meuble que la couche précédente, a livré des sagaies à base conique ou en biseau et appartient donc à un Aurignacien plus évolué (R. et S. de Saint-Périer, 1952) ; l'analyse pollinique (A. Leroi-Gourhan, 1959) a montré que le climat n'était pas très froid, avec augmentation des arbres et herbacées plus variées.

Enfin, L. Méroc estime que, contrairement à ce qui se passe en Dordogne, une grande partie de cet Aurignacien I des Pyrénées correspond à une phase relativement tempérée. Il fonde cette opinion sur :

— la situation de plusieurs abris aurignaciens ouverts plein Nord et de stations de surface parfois établies sur des points exposés,

— sur la faune des grottes de St-Jean-de-Verges, Aurignac, Gargas, Isturitz,

— sur la composition des couches aurignaciennes argileuses, peu thermoclastiques, de St-Jean-de-Verges, Gargas, Isturitz. J. Bouchud a exprimé une opinion semblable sur l'Aurignacien typique des Pyrénées (1966, p. 174).

Avec les recherches nouvelles, la carte de répartition (fig. 1, n° II) montre deux groupes de gisements bien séparés, l'un situé dans les Pyrénées occidentales, où Isturitz n'est plus isolé, et l'autre dans les Pyrénées centrales de part et d'autre du

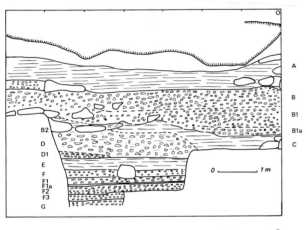

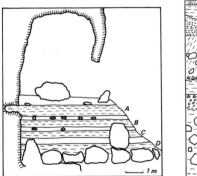
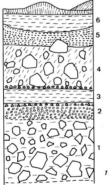

Fig. 3. — Quelques stratigraphies des Pyrénées centrales.

En haut : **Grotte du Portel** (entrée ouest), à Loubens (Ariège).
B : Périgordien supérieur; Bla : Périgordien inférieur; (Châtelperronien); C à G : Moustérien; Couches stériles : A, B2, E (argile compacte), Fla (plancher stalagmitique). D'après J. Vézian.

En bas, à gauche : **Abri des Harpons**, à Lespugue (Haute-Garonne).
A : Magdalénien final, avec de l'Azilien au sommet; B : Magdalénien moyen, à baguettes demi-rondes décorées. C : Magdalénien moyen, à sagaies courtes; D : Solutréen supérieur. D'après R. de Saint-Périer, 1920.

En bas, à droite : **Grotte de Gargas** à Aventignan (Hautes-Pyrénées).
1. Argile à blocaux, à nombreux ossements d'ours; 2. Moustérien; 3. Châtelperronien dans argile grasse; 4. Aurignacien I; 5. Périgordien à gravettes, sans burins de Noailles; 6. Périgordien V, à burins de Noailles nombreux.

Bassin de la Garonne et jusque dans l'Ariège. La haute vallée de l'Aude et les Pyrénées-Orientales restent des espaces vides, et il faut atteindre les grottes de Canecaude, de la Crouzade et de Bize, et une station récemment découverte (D. Sacchi, 1973) pour trouver des sites aurignaciens à l'Est.

Les recherches ont davantage progressé dans le groupe occidental que dans le groupe central, bien que des fouilles aient été reprises à Tarté par S. Béros-Gratacos (1974), et que R. Simonnet (1973) ait signalé que la sagaie de la couche II du Coupe-Gorge n'était pas une pointe à base fendue, comme cela avait été dit, mais pourrait être une sagaie losangique cassée : ce serait le seul indice, encore bien faible, d'un possible Aurignacien II dans ce groupe. La publication complète de la Tuto de Camalhot, à St-Jean-de-Verges (Ariège), a cependant apporté d'utiles précisions (J. Vézian, 1966) et permet de nuancer l'opinion de L. Méroc qui a cité ce gisement à l'appui de son hypothèse sur la persistance de l'Aurignacien I pendant une période tempérée : les Aurignaciens I se sont installés directement sur le sol rocheux, comme c'est souvent le cas en Dordogne (et aussi à Tarté, dans la première entrée). Bien que deux couches aient été distinguées, aucune évolution caractéristique n'est perceptible dans cet Aurignacien I, où de nombreuses pointes à base fendue sont associées à des carénés particulièrement abondants ; les burins busqués sont très rares ; l'outillage en quartzite persiste. La faune atteste la « prépondérance des éléments froids » (J. Vézian, 1966), avec le Renne largement dominant et le Spermophile, dont c'est le site le plus méridional connu, malgré la présence du Daim de la Somme et du Cerf élaphe. Ce caractère froid est également marqué dans la composition de la couche, où l'argile renferme de nombreux blocs d'origine thermoclastique (op. cit., p. 128). Un tout récent essai de datage sur ossements a donné une date trop basse : 22 250 B.C. ± 100 (GSY. 2941).

Le problème de la plus ou moins longue persistance de l'Aurignacien I dans ce groupe des Pyrénées centrales reste toutefois posé, car il est certain :

— que les gisements où il est attesté sont très nombreux,

— que les fouilles n'ont pas jusqu'à présent révélé d'évolution sur place de l'Aurignacien, auquel le Périgordien supérieur se superpose, comme nous le verrons, dans de nombreux cas,

— que la faune est très différente d'un site à l'autre sans que cela puisse toujours s'expliquer par des conditions locales.

Dans l'Ouest des Pyrénées et les régions avoisinantes, l'Aurignacien I, outre à Isturitz, a été mis en évidence à Brassempouy (Galerie des Hyènes) dont le mobilier a été méritoirement reclassé et publié par H. Delporte (1968), à St-Pierre-d'Irrube et à Ossas-Suhare, ce qui confirme sa prééminence dans les Pyrénées. Mais dans cette région, les fouilles récentes de C. Chauchat et de G. Laplace ont montré que si l'Aurignacien évolué existait à Isturitz, il en était de même dans plusieurs autres gisements.

G. Laplace a signalé des ensembles proto-aurignaciens, antérieurs à l'Aurignacien I à pointes à base fendue, dans la magnifique stratigraphie de Gatzarria, à Ossas-Suhare, mais aussi à Isturitz (entrée sud) et aux Abeilles (Montmaurin).

Faut-il conclure que dans la zone atlantique pyrénéenne l'Aurignacien évolue, à partir de l'Aurignacien I, selon un schéma comparable à celui du Périgord, alors que dans la partie centrale de la chaîne, plus isolée, il reste pendant plusieurs millénaires au stade de l'Aurignacien I ? Bien que cette hypothèse soit tentante, il est trop tôt pour l'affirmer, car si plusieurs niveaux d'Aurignacien évolué sont attestés dans le groupe atlantique, aucune analyse pollinique ou sédimentologique n'a été publiée pour les sites du groupe central, qui ont été pour la plupart anciennement fouillés.

Le Périgordien supérieur (Gravettien) (fig. 2, n° 1).

Sur les mêmes sites, le Périgordien supérieur succède à l'Aurignacien, parfois séparé de lui par une couche stérile plus ou moins épaisse (0,15 à 0,20 m entre les niveaux IV et V d'Isturitz ; 0,60 m à Tarté), parfois directement juxtaposé à lui (St-Jean-de-Verges). Comme L. Méroc l'avait remarqué (1963, (p. 73-4), les gisements gravettiens sont inférieurs en nombre à ceux de l'Aurignacien, mais ils se trouvent la plupart du temps dans les mêmes grottes. Dans trois cas seulement, du Gravettien a été signalé dans des sites où l'Aurignacien ne l'a pas encore été ; encore s'agit-il chaque fois de cas très particuliers : à la Carane 3 (Foix), 4 burins de Noailles et un burin du Raysse ont été découverts en surface (R. Simonnet, 1973), mais ce site n'a pas fait l'objet de fouilles ; au Portel (Loubens), J. Vézian a trouvé 2 Noailles et un outillage très réduit, témoins d'une occupation de très faible durée, dans sa couche B ; enfin, l'abri de Téoulé, vidé en trois jours à coups de pioche (R. Thomson, 1939, p. 195), a livré de nombreux carénés et un mobilier osseux orné de stries, dont une sagaie striée, qui l'a fait attribuer au Périgordien supérieur par comparaison avec des objets semblables trouvés à Isturitz, Gargas et Tarté (R. et S. de Saint-Périer, 1952, p. 124-8 ; L. Méroc, 1963). Ce type de sagaie (sagaie d'Isturitz), qui serait également présent aux Rideaux, à Lespugue (D. de Sonneville-Bordes, 1972 a), est considéré comme un fossile directeur du Périgordien V à burins de Noailles.

La multiplication des fouilles dira si cette superposition constante de niveaux gravettiens et aurignaciens est due à la localisation des recherches, à des phénomènes géologiques ou à toute autre cause, mais, depuis douze ans, les recherches nouvelles ont plutôt confirmé qu'infirmé les remarques de L. Méroc.

La très grande majorité des gisements connus appartient au Périgordien V à burins de Noailles. Les pointes de la Font-Robert sont absentes des Pyrénées : les plus proches se trouvent à l'Est dans la Petite Grotte de Bize, et au Nord dans le Tarn aux Battuts dans un gisement à burins de Noailles (fouilles J.F. Alaux). Nous ne connaissons pas de gisements que l'on puisse attribuer sans réserves au

Périgordien IV. Deux sites anciennement fouillés possédaient des niveaux gravettiens sans Noailles : l'assise à statuettes de la Grotte du Pape, à Brassempouy, avec des pointes de la Gravette et des Vachons (H. Delporte, 1968), et surtout Gargas, où un niveau à gravettes, mêlé à du Moustérien, a été isolé au sein d'une couche sableuse à graviers dans le sondage éloigné de l'entrée. Les auteurs ont exprimé l'opinion que cette occupation de la grotte était antérieure à celle des Périgordiens à burins de Noailles (H. Breuil et A. Cheynier, 1958).

Les burins de Noailles sont donc connus, et parfois avec une abondance tout aussi grande que dans les régions classiques, dans les grottes et abris d'Isturitz, de Gatzarria, de Gargas (niveau 6), des Rideaux (gisement rendu célèbre par la découverte de la Vénus de Lespugue), de Tarté, du Portel, de la Tuto de Camalhot, de la Carane 3. Ce Périgordien V règne sur les Pyrénées, qui, à cette époque, possèdent une civilisation tout à fait comparable à celle de la Dordogne, phénomène qui ne se retrouvera qu'au Magdalénien moyen (R. Simonnet, 1973). La seule date obtenue (19 950 B.C. ± 400, à la Tuto de Camalhot ; GSY. 2942) paraît basse.

Les couches postérieures au Périgordien V et antérieures au Solutréen sont très rares. A Isturitz, le niveau III n'a livré que très peu de burins de Noailles (une dizaine sur 784 burins) ; les carénés sont présents mais presque aussi rares (29 sur 643 grattoirs) ; les gravettes persistent en petit nombre (18), ainsi que les sagaies striées (5). Il s'agit donc d'un Périgordien supérieur finissant.

A Tarté, le niveau supérieur n'est connu que par la publication de J. Bouyssonie (1939) qui signale diverses pièces de facture aurignacienne, de rares carénés et pièces esquillées, de nombreuses gravettes et des burins « nombreux et du même genre que les précédents » (op. cit., p. 192). Malheureusement, cette couche supérieure a entièrement disparu et S. Gratacos qui a repris le gisement a seulement découvert une gravette typique dans un minuscule placage à 0,30 m au-dessus du niveau à Noailles le plus élevé.

Chaque fois que des observations ont été faites sur la faune (Gargas, Isturitz, Tarté), les sédiments (le Portel, Gatzarria) ou les pollens (Isturitz, niveau IV), elles ont confirmé la place du Périgordien supérieur des Pyrénées pendant une période très froide du Würm III. Les analyses sont cependant insuffisamment nombreuses pour mettre en parallèle les conditions climatiques des Pyrénées pendant le Périgordien supérieur et celles du Périgord, où au contraire une amélioration climatique contemporaine du Périgordien V a été récemment mise en évidence dans plusieurs sites (H. Laville et C. Thibault, 1967).

Le hiatus entre le Périgordien inférieur et le Périgordien supérieur est donc beaucoup plus béant encore dans les Pyrénées qu'en Périgord ou dans le Centre, puisque le Périgordien IV est encore mal établi et qu'aucun gisement ne paraît relier les phases anciennes et récentes du Périgordien. Cette constatation irait dans le sens de la longue durée de l'Aurignacien I telle qu'elle a été suggérée, du moins pour les Pyrénées centrales.

Le Solutréen (fig. 5, n° 3).

Dans sa synthèse sur le Solutréen, qui reste l'étude de base pour les Pyrénées comme pour les autres régions françaises, P. Smith (1966) a divisé le Solutréen pyrénéen en deux groupes, occidental et central : la répartition reste donc très voisine de celle des civilisations précédentes. Elle ne s'en distingue que par la plus grande importance des sites occidentaux qui, pour la première fois, détrônent

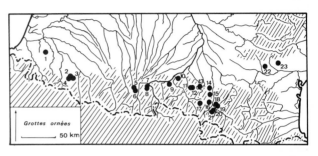

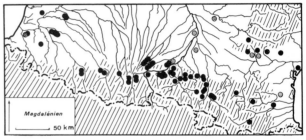

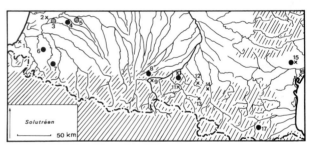

Fig. 4. — Répartition des grottes ornées, du Magdalénien et du Solutréen des Pyrénées françaises.

Les cercles pleins représentent les grottes; les cercles hachurés représentent les sites de surface; les croix indiquent les trouvailles isolées. Les hachures obliques délimitent les zone situées à plus de 400 m d'altitude.

I. Les grottes ornées paléolithiques.
1. Isturitz; 2. Sasiziloaga-ko-karbia (Suhare). 3. Etcheverriako-karbia (Camou-Cihigue); 4. Sinhikolé-ko-karbia (Camou-Cihigue); 5. Espèche; 6. Labastide; 7. Tibiran; 8. Gargas (Aventignan); 9. Montespan; 10. Marsoulas; 11 et 12. Les Trois-Frères et le Tuc d'Audoubert (Montesquieu-Avantès); 13. Le Mas d'Azil; 14. Le Portel (Loubens); 15. Le Cheval (Foix); 16. Bédeilhac; 17. Massat; 18. Les Eglises (Ussat); 19. Fontanet (Ornolac-Ussat-les-Bains); 20. Réseau René Clastres (Niaux); 21. Niaux; 22. Sallèles; 23. l'Aldène (Cesseras).

II. Sites magdaléniens (d'après L. Méroc, 1953, complété par les découvertes récentes).

III. Sites solutréens.
1. Chabiague (Biarritz); 2. Rivière (Tercis); 3. Saussaye (Tercis); 4. Brassempouy; 5. Montaut; 6. Isturitz; 7. Haréguy (Aussurucq); 8. Les Harpons (Lespugue); 9. Gourdan; 10. Roquecourbère (Betchat); 11. Montfort (Saint-Girons); 12. Le Mas d'Azil; 13. Le Ker inférieur (Massat); 14. La Carane 3 (Foix); 15. Grottes de Bize; 16. La Crouzade (Gruissan); 17. Les Embullas (Corneilla-de-Conflent).

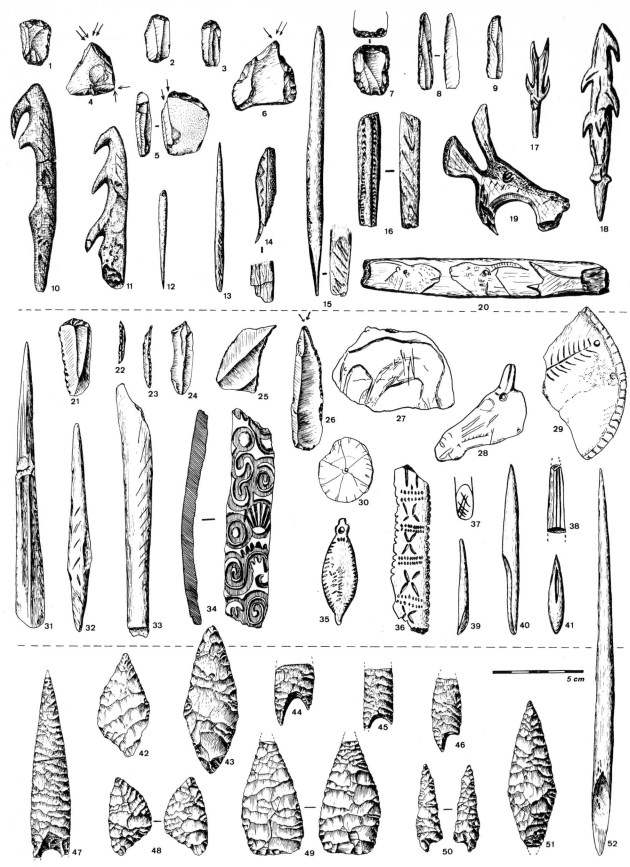

Fig. 5. — Outillages solutréens et magdaléniens des Pyrénées centrales.

1-20. *Magdalénien supérieur;* 21-41. *Magdalénien moyen;* 42-52. *Solutréen.*
1-16. Grotte des Eglises (Ussat, Ariège); 17-20. Grotte de la Vache (Alliat, Ariège); 17-18. d'après G. Malvesin-Fabre *et al.*
1951; 19. d'après R. Robert, 1951; 20. d'après L.R. Nougier et R. Robert, 1958); 21-28, 31-33. Grotte du Portel (Loubens,
Ariège) (d'après J. Vézian, 1954-1955); 29. Grotte du Mas d'Azil (Ariège) (d'après A. Sieveking); 34. Déroulé d'une baguette
demi-ronde de l'Abri des Harpons (Lespugue, Haute-Garonne) (d'après R. de Saint-Périer, 1929); 35-41. Grotte de Marsoulas
(Haute-Garonne) (d'après L. Méroc *et al.,* 1947); 42-52. Abri des Harpons (Lespugue, Haute-Garonne) (42, 48-52: d'après
P. Smith, 1966; 43-47 : d'après R. de Saint-Périer, 1920).
Objet en os ou en bois de cervidés : 10-20, 28-34, 36-41, 52. Mobilier lithique : silex : 1-9, 21-26, 42-51; plaquette gravée sur
stalagmite : 27; pendeloque en pierre : 35.

ceux du Bassin de la Garonne (L. Méroc, 1953, p. 45). Les habitats solutréens sont très rares, surtout dans la partie centrale des Pyrénées, au point que P. Smith a émis l'idée que la fréquentation de cette région fut seulement sporadique et peut-être saisonnière (p. 336), à la différence de la région occidentale où elle était « assez permanente ».

En effet, dans les Pyrénées centrales on ne connait pas de sites de l'importance d'Isturitz, de Brassempouy et de Montaut ; les quelques rares habitats ont d'ailleurs des points communs avec ceux de la partie occidentale des Pyrénées : pointes foliacées à retouche fine, de morphologie régionale, du niveau inférieur de Brassempouy, qui se retrouvent à Roquecourbère (Betchat, Ariège), comme d'ailleurs certaines pointes foliacées grossières du niveau supérieur (H. Delporte, 1968).

Le site de Montaut (Landes) est célèbre par ses pièces foliacées assymétriques, également découvertes en petit nombre dans plusieurs sites des Pyrénées centrales (les Harpons, Roquecourbère) et jusqu'au bord de la Méditerranée (La Crouzade, Bize) et en Espagne.

P. Smith a insisté sur l'absence des pointes à face plane vraies dans les Pyrénées, où le Solutréen inférieur n'est pas connu, de même que sur la rareté des pointes à cran et des feuilles de saule. Comme la plupart des auteurs, il rapproche le Solutréen pyrénéen du Solutréen espagnol, mais il envisage un mécanisme assez complexe d'échanges, avec deux vagues successives de l'Espagne vers la France, qui correspondraient donc à des phénomènes de reflux, puisque les influences initiales se seraient diffusées vers l'Espagne à partir de la France du Sud-Ouest.

L. Méroc (1953, p. 45) envisageait également la remontée des influences ibériques par le bord de l'Océan et la vallée des Gaves, mais aussi par la voie littorale méditerranéenne jusqu'à Bize. Cette hypothèse pourrait être confirmée par la récente découverte du premier gisement solutréen des Pyrénées-Orientales à la grotte des Embullas (Corneilla-de-Confluent), où des pointes à face plane, une feuille de laurier et une pointe à cran ont été signalées (D. Sacchi, 1973). Sa localisation permet de penser que de nouvelles découvertes sont possibles dans les Pyrénées-Orientales et dans l'Aude, en particulier dans la partie orientale des Corbières.

Les Solutréens de Corneilla-de-Conflent ont donc remonté la vallée de la Têt avant de s'établir dans une petite grotte bien exposée, au contact de la montagne, mais dont l'altitude absolue atteint à peine 400 m. En effet, les Solutréens, pas plus que leurs prédécesseurs du Paléolithique supérieur, ne se sont enfoncés dans les Pyrénées. Le seul site élevé à avoir livré des outils solutréens (d'ailleurs douteux), est la grotte de Massat (Ariège). Il semble donc que l'accès des hautes vallées n'ait pas encore été commode, sinon possible, bien que la déglaciation ait probablement commencé vers 16 000 à 15 000 B.C. pendant l'interstade de Lascaux (Würm III-IV) (A. Leroi-Gourhan, 1967, p. 119). Les pointes à cran de Massat, à supposer qu'elles soient solutréennes, ont donc été amenées par des Magdaléniens, comme les outils isolés du Mas d'Azil et

de Gourdan. A leur propos, R. Simonnet (1973) fait justement remarquer qu'il ne sera possible de parler du passage des Solutréens sur ces sites que lorsqu'on aura trouvé des éclats de débitage et pas seulement quelques belles pièces hors contexte. Ce n'est qu'au Magdalénien que les hommes du Paléolithique supérieur ont pénétré dans les vallées profondes, en amont des moraines, et ont eu accès aux sites de montagne.

Le Magdalénien (fig. 5, nos 1 et 2).

Avec le Magdalénien, la carte de répartition (fig. 4, n° II), se charge d'une multitude de points, plus denses dans les Pyrénées centrales, mais qui en fait couvrent toute la chaîne. Cette densité de la population, en comparaison surtout avec la faible durée du Magdalénien, a fait qualifier cette civilisation d' « Age d'Or de la Préhistoire pyrénéenne » (L. Méroc, 1953). La grande majorité des habitats ont été reconnus dans des grottes, mais les prospections de ces dernières années ont permis de découvrir plusieurs stations de surface, représentant approximativement 1/10 des sites connus, ce qui n'est pas négligeable. Comme L. Méroc (1953) l'avait prévu, le vide de la carte dans le Bas-Languedoc et le Roussillon s'est peu à peu comblé, grâce aux actives prospections de J. Abelanet et D. Sacchi.

Cette vigoureuse expansion s'est développée non seulement tout au long de la chaîne, mais également en profondeur. Comme cela a été souvent noté, les Magdaléniens s'enfoncent dans les hautes vallées pyrénéennes et occupent même des sites d'altitude. Quelques découvertes récentes illustrent une fois de plus ce phénomène : les grottes des Eglises (Ussat) et de Fontanet (Ornolac-Ussat-les-Bains) occupent dans la haute vallée de l'Ariège une position comparable à celles des grottes de Niaux et de la Vache dans la vallée du Vicdessos ; dans l'Aude, la grotte de Belvis, sur le plateau de Sault, à près de 900 m d'altitude, a abrité des chasseurs du Magdalénien VI. Les Magdaléniens, qui ont exploré ces hautes terres, que les conditions climatiques interdisaient aux hommes pendant les périodes précédentes du Paléolithique supérieur, se sont également aventurés très loin à l'intérieur des grottes profondes, ce qui en fait vraiment ces « courageux explorateurs de l'Age du Renne » dont parle H. Breuil à propos de la grotte de Niaux. Dans cette caverne, d'ailleurs, ils sont même allés beaucoup plus loin que l'on ne pensait puisqu'ils ont dessiné deux chevaux et des signes divers dans une galerie au-delà du Lac Terminal, à plus de 1,400 km de l'entrée ; dans le Réseau René Clastres, découvert en 1970, leurs traces se trouvent à 600 m de la plus proche entrée possible et à 1,800 km de l'autre (J. Clottes et R. Simonnet, 1972).

Les deux premiers stades du Magdalénien ne sont pas encore connus dans les Pyrénées (2). Les habi-

_____

(2) A moins qu'il n'y ait eu des traces de Magdalénien ancien dans la couche A de Marsoulas, comme le pense A. Leroi-Gourhan (1965, p. 300) d'après les 3 bases de sagaies à biseau simple orné découvertes par Cau-Durban en association avec des sagaies de Lussac.

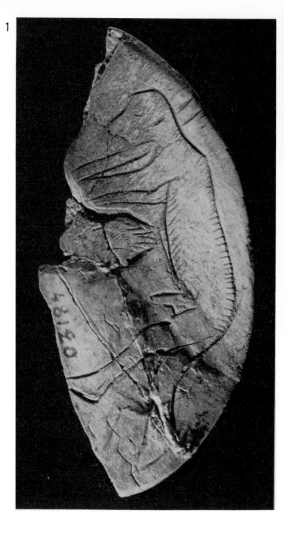

FIG. 6. — Art mobilier pyrénéen.

1. Bouquetin sculpté en haut-relief sur ivoire (12,5 cm), du Mas d'Azil (Ariège); 2. Fragment de grande rondelle en os (7,8 cm) avec anthropomorphe gravé (Le Mas d'Azil); 3. Equidé en ivoire, en ronde-bosse (7,3 cm), de la grotte de Lourdes (Hautes-Pyrénées).

Ces œuvres d'art magdaléniennes sont conservées au Musée des Antiquités Nationales, à Saint-Germain-en-Laye (*photographies du M.A.N.*).

FIG. 7. — Art mobilier pyrénéen.

1. Propulseur complet en bois de renne (28,2 cm) avec tête anthropomorphe (Gourdan); 2. Antilopes saïgas gravées sur fragment de côte (Gourdan, Haute-Garonne); 3. Sculpture de Saint-Michel-d'Arudy (Pyrénées-Atlantiques); 4. Baguette demi-ronde décorée de volutes en champlevé (Grotte de Lourdes, Hautes-Pyrénées).
Ces œuvres d'art magdaléniennes sont conservées au Musée des Antiquités Nationales, à Saint-Germain-en-Laye (*photographies du M.A.N.*).

tats les plus proches seraient deux stations de surface audoises que D. Sacchi attribue au Badegoulien (Magdalénien I) en raison de l'abondance des raclettes, malgré le nombre important de lamelles à dos. Ces stations (Lassac et la Rivière) sont relativement proches de la Petite Grotte de Bize qui renfermait une couche de Magdalénien I (D. Sacchi, 1969).

Le Magdalénien le plus ancien des Pyrénées est le Magdalénien III, longtemps ignoré bien que sa présence à Marsoulas ait été anciennement signalée (L. Méroc *et al.*, 1947), avec des sagaies courtes cannelées à biseau simple (type de Lussac). A. Leroi-Gourhan (1965, p. 300) a confirmé cette attribution, observant que ce type de sagaie se retrouvait également dans des niveaux du Magdalénien IV, comme à Isturitz. Elle vient d'être signalée à Massat, et de courtes sagaies à rainure d'un type voisin l'ont été aux Scilles (H.G.), à Enlène et à Montfort

(Ariège) (R. Simonnet, 1973). L. Méroc (1957, p. 96-7) a également attribué au Magdalénien III certaines couches du Putois II et du Putois IV à Montmaurin. Un niveau du Magdalénien III existe aussi dans la grotte Duruthy, à Sorde-l'Abbaye (R. Arambourou et C. Thibault, 1972) : le climat, très froid et sec, s'améliorerait légèrement vers la fin de la période.

La répartition des objets attribuables au Magdalénien III n'est donc pas limitée aux Pyrénées centrales, puisqu'elle va d'Isturitz à Canecaude (Aude), ce dernier gisement étant à l'extérieur de la zone proprement pyrénéenne.

La répartition du Magdalénien IV est tout aussi vaste, mais les gisements sont mieux définis, plus importants et trop nombreux pour que nous puissions les citer tous. La richesse et la variété de l'art mobilier, avec en particulier des contours découpés et des disques perforés souvent décorés, caractérise cette civilisation, à laquelle on doit les plus belles grottes ornées des Pyrénées. Un foyer de la grotte du Portel, attribué par son fouilleur au Magdalénien IV, a donné la date de 10 810 B.C. ± 170 (GSY. 2943). La date de 11 860 B.C. ± 740 (Ly. 846) a été obtenue dans la grotte de Fontanet.

Les pollens de la grotte Duruthy montrent que le Magdalénien IV voit le rétablissement de la steppe, puis, avec l'oscillation de Bölling, le développement des arbres et des plantes hygrophiles (R. Arambourou et C. Thibault, 1972). Dans la même grotte, une couche correspond au Magdalénien V. A notre connaissance, avec peut-être la partie supérieure du niveau II d'Isturitz (Grande Salle), c'est le seul gisement des Pyrénées où cette étape du Magdalénien ait été mise en évidence et distinguée du Magdalénien IV. La prairie à bois clair du Magdalénien IV cède la place une fois de plus à la steppe (*op. cit.*).

Les sites du Magdalénien VI sont plus nombreux encore que ceux du Magdalénien IV, auxquels ils sont parfois superposés (Marsoulas, Duruthy, Lortet, etc...), bien qu'ils soient le plus souvent séparés, soit dans des parties différentes de la même grotte (Mas d'Azil), soit dans des grottes différentes (R. Simonnet, 1973). Dans les Pyrénées ariégeoises, les datations radiocarbones concernent des grottes très voisines : le niveau 4 de la Vache (Alliat) a été daté de 10 900 B.C. ± 60 (Gr. 2026) ; le niveau 2 du même gisement a fait l'objet de deux datages : 9 700 B.C. ± 200 (Col. 336 C) et 10 590 B.C. ± 105 (Gr. 2025). Le début du réchauffement d'Alleröd étant daté de 9 800 B.C. environ, A. Leroi-Gourhan (1967) estime que la seconde date obtenue pour le niveau 2 est plus probable que la première, car les pollens de ce niveau montrent nettement que l'occupation de la grotte correspond à une période froide, avec prédominance de la prairie (essentiellement à graminées) et quelques boqueteaux avec des conifères, pins et genévriers dominants (p. 119). L'habitat magdalénien final de la grotte des Eglises à Ussat (J. Clottes, 1973) a été daté de 9 850 B.C. ± 500 (GSY. 1434), ce qui correspond bien à cette occupation. La faune comprend une énorme majorité de bouquetin, suivi du lagopède et du saumon. Les couches magdalé-

Fig. 8. — Art mobilier de la grotte d'Enlène, à Montesquieu-Avantès (Ariège).
1. Jeune ruminant (renne, bouquetin, saïga ?) sculpté à l'extrémité d'un propulseur (3,1 cm); 2. Propulseur aux deux bouquetins jouant (9,4 cm); 3. Oiseaux et sauterelle gravés sur os long (détails); 4. Bâton perforé avec une tête de bison sur une face et des lignes barbelées sur l'autre (11 cm); 5. Figure anthropomorphe et patte de bison gravée sur une plaquette de grès (environ 10,5 cm).
Fouilles, clichés et collection Bégouën. Musée de l'Homme (1-4) et Musée de Pujol (5) à Montesquieu-Avantès.

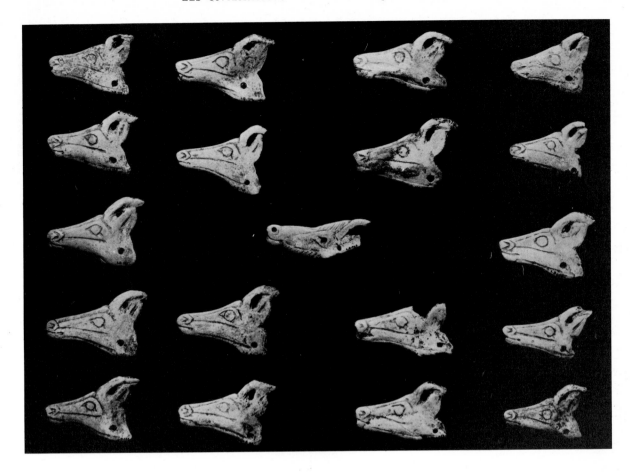

FIG. 9. — Art mobilier de la grotte de Labastide (Hautes-Pyrénées).
En haut : ensemble de 19 contours découpés (18 représentant une tête de bouquetin, 1 représentant une tête de bison)
découverts dans un habitat du Magdalénien IV. *En bas :* oiseaux gravés sur plaquette.
Fouilles, clichés et collection G. Simonnet.

Fig. 10. — Le faon aux oiseaux de la caverne du Mas d'Azil (Ariège). Détail. Cliché J. Oster.

FIG. 11. — Tête de cheval sculptée sur bâton percé en bois de renne provenant de la caverne du Mas d'Azil (Ariège). Détail. Cliché J. Oster.

niennes, de faible puissance, occupent un éboulis thermoclastique coupé par de minces dépôts de sable, ce qui témoigne à la fois du froid et de l'humidité de cette période. Le Magdalénien VI de Duruthy, où des structures ont été observées, a livré une faune en majorité froide mais avec quelques espèces qui indiquent un réchauffement progressif et une période assez humide ; les études polliniques iraient plutôt dans le sens du réchauffement, avec un taux de boisement assez élevé (R. Arambourou et C. Thibault, 1972).

Au Magdalénien plus qu'aux époques précédentes (peut-être parce que les sites sont plus nombreux et mieux connus), il semble qu'il ait existé deux sortes d'habitats assez différents : les habitats permanents ou semi-permanents, comme la Vache et Duruthy, qui étaient aménagés et livrent en général un important mobilier, souvent décoré, et les habitats temporaires, simples haltes de chasseurs, peut-être pendant la seule période estivale, dont le mobilier est généralement pauvre et fonctionnel et se réduit aux outils et armes essentiels, comme la grotte des Eglises dans l'Ariège ou les grottes de l'Œil à Puy-laurens et de Belvis dans l'Aude.

Les grottes ornées (fig. 4, n° 1).

Les grottes ornées pyrénéennes sont pour la plupart datées du Magdalénien et, en majorité, du Magdalénien moyen, que ce soit dans les études de H. Breuil ou de A. Leroi-Gourhan. Ce dernier, cependant, a assigné une date plus basse à un certain nombre d'entre elles : par exemple, aucune grotte ornée n'est plus attribuée à l'Aurignacien, alors que H. Breuil classait dans cette période une partie de la décoration du Portel, des Trois-Frères et de Gargas ; les bas-reliefs d'Isturitz, que H. Breuil estimait solutréens, sont maintenant datés du Magdalénien moyen ou récent. La grotte la plus ancienne est Gargas, qui appartient à la seconde phase primitive de A. Leroi-Gourhan (Style II, Gravettien), tandis que certaines œuvres du Portel, de Tibiran et des Trois-Frères sont de la période archaïque (Style III, Solutréen, en l'absence de Magdalénien ancien dans les Pyrénées). Les autres grottes appartiennent à diverses étapes du Style IV et sont presque toutes datées du Magdalénien IV.

Ces attributions sont tout à fait en accord avec la répartition des grottes ornées pyrénéennes, qui calque très exactement celle des gisements magdaléniens (fig. 4, n° I et II). Cette remarque n'est pas superflue, car certaines déterminations chronologiques, faites d'après les seuls critères picturaux isolés du contexte, peuvent conduire à des aberrations. L'exemple en est la galerie ornée de Massat, découverte en 1957, dont l'accès n'est possible que par une châtière particulièrement cachée et difficile : elle comprend deux salles toutes petites, contiguës, communiquant par un passage rampant ; la première salle renferme un seul panneau gravé magdalénien, tandis que les dessins de la deuxième sont des tracés digités, ce qui ne suffit évidemment pas pour les attribuer à une époque antérieure, alors que

la topographie de cette galerie renforce l'unité de l'ensemble et rend assez improbable une distinction chronologique entre les deux salles. En outre, il ne faut pas oublier la position géographique de Massat, qui devait rendre cette grotte difficile d'accès avant la déglaciation du Würm III-IV. La même remarque pourrait s'appliquer aux « mains » positives de Bédeilhac.

L'importance des grottes ornées pyrénéennes ne tient pas tant à leur nombre (elles constituent moins du quart des grottes ornées françaises) qu'à leur situation intermédiaire entre le groupe cantabrique et les groupes du Périgord et du Quercy, à leur importance intrinsèque puisqu'elles comprennent plusieurs grottes de tout premier plan, et au rôle considérable qu'elles ont joué dans la genèse et le développement des études sur l'art pariétal, depuis la découverte de Marsoulas en 1897, dont on sait l'importance dans la controverse sur l'authenticité de l'art pariétal préhistorique, jusqu'aux théories modernes de A. Leroi-Gourhan sur l'organisation topographique des sanctuaires, dont le point de départ a été la grotte du Portel.

La détermination de l'originalité de l'art pyrénéen demanderait de longs développements ; nous nous contenterons de mentionner une forme d'expression artistique qui, jusqu'à présent, n'a jamais été rencontrée ailleurs que dans le centre des Pyrénées françaises, et qui a livré les plus émouvants vestiges du Paléolithique supérieur : il s'agit des modelages sur argile, connus par les trois bisons du Tuc d'Audoubert, les 4 bisons et la vulve en bas-relief de Bédeilhac, les divers modelages de Montespan, et enfin le petit bison de Labouiche (Ariège), beaucoup moins célèbre que les précédents (L. Méroc, 1959, p. 20-5).

La trouvaille du bison modelé de Labouiche est relativement récente. Depuis une vingtaine d'années, d'ailleurs, les découvertes de grottes ornées se sont multipliées. Outre la grotte de Sinhikole-ko-karbia qui vient d'être reconnue dans les Pyrénées-Atlantiques (M.R. Séronie-Vivien, 1974), elles sont toutes situées dans les Pyrénées centrales et augmentent encore la densité des sanctuaires pariétaux dans cette région déjà si riche. Dans des grottes anciennement connues, de nouvelles œuvres d'art ont été trouvées, comme à Bédeilhac (A. Beltran *et al.,* 1969) ou à Niaux (Gailli *et al.,* 1969). Les nouvelles grottes à gravures sont celles du Cheval à Foix (R. Simonnet, 1968), d'Espèche (H.P.) (A. Clot, 1973), de Massat (L. Méroc, 1961).

La grotte de Fontanet et le Réseau René Clastres de Niaux (J. Clottes et R. Simonnet, 1972) constituent des découvertes majeures en raison de leur état de conservation exceptionnel. A Fontanet, l'importante décoration pariétale comprend des peintures, dont deux têtes humaines de profil, et de nombreuses gravures, attribuables au Magdalénien moyen, mais aussi de multiples empreintes de pieds et, fait beaucoup plus rare encore, les empreintes des mains d'un très jeune enfant (J. Delteil *et al.,* 1972), ainsi que des foyers en place au pied des parois décorées. L'étude de cet ensemble unique permettra peut-être, au-delà de l'étude stylistique des représentations pariétales, de mieux comprendre les activités des Magdaléniens dans une grotte ornée.

Conclusion.

Pendant la majeure partie du Paléolithique supérieur, seule la bordure des Pyrénées a été habitée, et il faut attendre le Magdalénien moyen pour que les hommes s'enfoncent un tant soit peu dans la montagne. Encore ce phénomène ne doit-il pas être exagéré, car l'habitat magdalénien se cantonne la plupart du temps dans les fonds de vallées et n'atteint jamais 1 000 m.

La plus grande densité des habitats se situe dans les Pyrénées centrales, sauf au Solutréen qui fait d'autant plus figure de civilisation intrusive qu'à cette époque le sens des influences, qui sera toujours Nord-Sud pendant le Paléolithique supérieur, s'inverse et les Solutréens sont en contact direct avec les Solutréens espagnols, aux deux extrémités des Pyrénées.

La densité des habitats dans les Pyrénées garonnaises peut être due à plusieurs causes, dont l'abondance des grottes et par conséquent des recherches...

Il est possible aussi que la profusion des gîtes à silex ait joué un rôle déterminant (L. Méroc, 1953 ; R. Simonnet, 1973). Les quartzites, principale matière première avant le Paléolithique supérieur, perdent leur suprématie mais continuent pendant très longtemps à être utilisés, vraisemblablement pour des usages spéciaux et non comme matériau de remplacement, puisqu'ils coexistent, comme à Tarté (Béros-Gratacos, 1974), avec une abondance extrême de silex. Leur caractère « grossier » les a fait longtemps ignorer et mépriser, mais les fouilles modernes, où rien n'est négligé, prouvent qu'on les trouve pendant tout le Paléolithique supérieur (Duruthy, Tarté, Gourdan, St-Jean-de-Verges, etc.).

L'évolution globale des civilisations du Paléolithique supérieur pyrénéen est la même que celle du Périgord, mais le schéma est beaucoup plus grossier : certaines civilisations triomphent dans les Pyrénées et peuvent être parallélisées avec les civilisations correspondantes de Dordogne (Périgordien inférieur, Aurignacien I, Périgordien V, Solutréen supérieur, Magdalénien moyen et supérieur), bien que les analyses ne soient pas toujours compatibles avec une absolue contemporanéité. Un bon nombre d'autres civilisations ou de stades évolutifs manquent

Tableau schématique pour le Paléolithique supérieur des Pyrénées centrales et ariégeoises.
Les faunes sont citées par ordre de fréquence décroissante.

Chronologie		Cultures	Dates C.14	Sites	Nature des couches	Faunes	Flore

B.C.
35 000
	Würm
	II – III
		Périgordien
		inférieur
				Gargas (n. 3)
				Le Portel
				Les Tambourets
					. argileux.
					. argileux à éléments
					  calcaires et graviers
					. limon loessique.
						. ours, cerf, renne
						. hyène, ours,
						  renne, cerf.	

30 000		Aurignacien
		typique
				Gargas (n. 4)
				
				Aurignac
					. argileux à gros
					  blocs.
						. bovidés, chevaux,
						  cervidés, renne,
						  chamois.	

	Würm
	III
		?	22 250 ± 600	St-Jean-de-Verges	. argileux à blocs
					  calcaires.
						. renne, renard,
						  cheval, cerf,
						  bouquetin.	

25 000		Périgordien
		supérieur
				Gargas (n. 5)	. sableux à graviers.	. cervidés, renne,
						  bovidés, chevaux,
						  rhino-, bouquetin	

20 000			19 950 ± 400	Le Portel (c. B)
				
				St-Jean-de-Verges
					. argileux à éléments
					  calcaires.
					. foyer ; argileux
					  avec pierrailles
						. bovidé, renard,
						  cheval, cerf,
						  bouquetin, renne	

	Würm III – IV	Solutréen supérieur		Lespugue (Les Harpons) Roquecourbère	. argileux.	. cheval, renne, bovidé, cerf.	
15 000		?		Marsoulas	. foyers.	. renne, cheval, bœuf.	

	Würm
	IV
		Magdalénien
		moyen
		Magdalénien
		supérieur
			11 860 ± 740
			10 810 ± 170
			10 900 ± 60
			10 590 ± 105
				Fontanet
				Le Portel
				La Vache n. 4
				      n. 2
					. foyers.
					. cailloutis
					  thermoclastique
					  et sable.
						. renne, bovidés.
						. bouquetin,
						  lagopède, saumon,
						  renne.
							Prairie à
							graminées
							avec quelques
							boqueteaux
							(La Vache)

10 000	Alleröd		9 850 ± 500	Les Eglises	*id.*	*id.*	

cependant, et le trait caractéristique du Paléolithique supérieur pyrénéen est peut-être ces hiatus que nous constatons entre l'Aurignacien I et le Périgordien V (Pyrénées centrales), entre le Périgordien V et le Solutréen supérieur, entre ce dernier et le Magdalénien moyen. L. Méroc a proposé de les expliquer par une plus longue durée des civilisations locales, ce qui est très possible, surtout au centre de la chaîne. Mais il faut évoquer aussi la trop grande et trop précoce notoriété des gisements pyrénéens, fouillés dès le XIXᵉ siècle par les plus grands préhistoriens de l'époque avec les méthodes de leur temps. Quels renseignements ne pourrait-on tirer de nos jours de sites comme le Mas d'Azil, Brassempouy, Massat, Gourdan, Tarté, Bédeilhac, et même Isturitz et Gargas, s'ils nous étaient parvenus intacts !

Bibliographie

[1] ARAMBOUROU R. et THIBAULT C. (1972). — Les Recherches de Préhistoire dans les Landes en 1971. *Bulletin de la Société de Borda*, 10 p.

[2] BARRIÈRE C. (1968). — La Grotte de Gahuzère I, commune de Montmaurin, Haute-Garonne. *Travaux de l'Institut d'Art Préhistorique de Toulouse*, t. X, p. 13-25.

[3] BELTRAN A., ROBERT R. et GAILLI R. (1967). — *La cueva de Bédeilhac*. Zaragoza, 147 p., 76 fig., 1 pl.

[4] BEROS-GRATACOS S.-J. (1974). — La grotte de Tarté. *Revue de Comminges*, t. LXXXVII, p. 221-236.

[5] BOUCHUD J. (1958). — La faune de la grotte de Gargas. *Bulletin de la Société Méridionale de Spéologie et de Préhistoire*, t. V, 1954-5, p. 383-390.

[6] BOUCHUD J. (1966). — *Essai sur le Renne et la climatologie du Paléolithique moyen et supérieur*. Périgueux, Magne, 300 p., XIII pl.

[7] BOUYSSONIE J. (1939). — La grotte de Tarté. *Mélanges Bégouën*, Toulouse, p. 179-194.

[8] BREUIL H. (1952). — *Quatre cents siècles d'art pariétal*, Montignac, F. Windels, 413 p., 530 fig.

[9] BREUIL H. et CHEYNIER A. (1958). — Les fouilles de Breuil et Cartailhac dans la grotte de Gargas en 1911 et 1913. *Bulletin de la Société Méridionale de Spéologie et de Préhistoire*, t. V, 1954-5, p. 341-382.

[10] CHAUCHAT C. (1968). — *Les industries préhistoriques de la région de Bayonne, du Périgordien à l'Asturien*. Bordeaux, Thèse de 3ᵉ Cycle, 2 vol. ronéo. : vol. 1 : 191 p. ; vol. 2 : LX pl.

[11] CLOT A. (1973). — Les Hautes-Pyrénées au Paléolithique supérieur. *Préhistoire et Protohistoire des Pyrénées Françaises*, Lourdes, p. 27-38.

[12] CLOTTES J. et SIMONNET R. (1972). — Le réseau René Clastres de la caverne de Niaux (Ariège). *Bulletin de la Société Préhistorique Française*, t. 69, p. 293-323.

[13] CLOTTES J. (1973). — La grotte des Eglises (Ussat, Ariège). *Préhistoire et Protohistoire des Pyrénées Françaises*, Lourdes, p. 45-50.

[14] CLOTTES J. (1974). — Le Paléolithique supérieur dans les Pyrénées françaises. *Cahiers d'anthropologie et d'écologie humaine*, II (3-4), p. 69-88.

[15] DELPORTE H. (1963). — Le passage du Moustérien au Paléolithique supérieur. *Bulletin de la Société Méridionale de Spéologie et de Préhistoire*, t. VI-IX, 1956-9, p. 40-50.

[16] DELPORTE H. (1968). — Brassempouy : ses industries d'après la collection Piette (Musée des Antiquités Nationales). *Zephyrus*, t. XVIII, 1967, p. 5-41.

[17] DELTEIL J., DURBAS P. et WAHL L. (1972). — Présentation de la galerie ornée de Fontanet (Ornolac-Ussat-les-Bains, Ariège). *Bulletin de la Société Préhistorique de l'Ariège*, t. XXVII, p. 1-10.

[18] GAILLI R., NOUGIER L.R. et ROBERT R. (1969). — L'art de la caverne de Niaux (compléments iconographiques). *Bulletin de la Société Préhistorique de l'Ariège*, t. XXIV, p. 11-37.

[19] LAPLACE G. (1966). — Les niveaux castelperronien, protoaurignacien et aurignacien de la Grotte Gatzarria à Suhare en Pays Basque. *Quartär*, t. 17, p. 117-140.

[20] LAVILLE H. et THIBAULT C. (1967). — L'oscillation climatique contemporaine du Périgordien supérieur à burins de Noailles dans le Sud-Ouest de la France. *Comptes rendus de l'Académie des Sciences*, Paris, t. 264, p. 2364-2366.

[21] LEROI-GOURHAN An. (1965). — *Préhistoire de l'art occidental*. Paris, Mazenod, 482 p., 739 fig.

[22] LEROI-GOURHAN Arl. (1959). — Résultats de l'analyse pollinique de la grotte d'Isturitz. *Bulletin de la Société Préhistorique Française*, t. LVI, p. 619-624.

[23] LEROI-GOURHAN Arl. (1967). — Pollens et datation de la Grotte de la Vache (Ariège). *Bulletin de la Société Préhistorique de l'Ariège*, t. XXII, p. 113-127.

[24] MEROC L., MICHAUT L. et OLLE M. (1947). — La Grotte de Marsoulas (Haute-Garonne). *Bulletin de la Société Méridionale de Spéologie et de Préhistoire*, p. 284-320.

[25] MEROC L. (1953). — La conquête des Pyrénées par l'homme. *Premier Congrès International de Spéléologie*, Paris, t. IV, section 4, p. 33-51.

[26] MEROC L. (1957). — Informations archéologiques. *Gallia*, t. XV, fasc. 3, p. 92-109.

[27] MEROC L. (1959). — Prémoustériens, Magdaléniens et Gallo-Romains dans la caverne de Labouiche (Ariège). *Gallia Préhistoire*, t. II, p. 1-37.

[28] MEROC L. (1961). — Informations archéologiques. *Gallia Préhistoire*, t. IV, p. 243-273.

[29] MEROC L. (1963). — L'Aurignacien et le Périgordien dans les Pyrénées françaises et dans leur avant-pays. *Bulletin de la Société Méridionale de Spéologie et de Préhistoire*, t. VI-IX, 1956-9, p. 63-74.

[30] SACCHI D. (1969). — Observations sur la stratigraphie de la Petite Grotte de Bize (Aude). *Atacina*, t. 4, p. 3-25.

[31] SACCHI D. (1973). — Les Pyrénées audoises et roussillonnaises au Paléolithique supérieur. *Préhistoire et Protohistoire des Pyrénées françaises*, Lourdes, p. 51-58.

[32] SAINT-PERIER R. et S. de (1952). — *La Grotte d'Isturitz : III. Les Solutréens, les Aurignaciens et les Moustériens*. Archives de l'Institut de Paléontologie Humaine, nᵒ 25, 265 p., 135 fig., 11 pl.

[33] SERONIE-VIVIEN M.R. (1974). — Découverte d'une nouvelle grotte ornée en Pays Basque : la grotte de Sinhikole-ko-karbia (Camou-Cihigue, Pyrénées-Atlantiques). *Bulletin de la Société Préhistorique Française*, t. 71, comptes-rendus des séances mensuelles nᵒ 2, p. 40-44.

[34] SIMONNET R. (1968). — Aperçu sur la préhistoire du rocher de Foix (Ariège). La grotte du Cheval et ses vestiges d'art pariétal. *Bulletin de la Société Préhistorique Française*, t. LXV, p. 319-326.

[35] SIMONNET R. (1973). — Le Paléolithique supérieur entre l'Hers et la Garonne. *Préhistoire et Protohistoire des Pyrénées Françaises*, Lourdes, p. 39-44.

[36] SMITH P. (1966). — *Le Solutréen en France*. Bordeaux, Delmas, 449 p., 81 fig.

[37] SONNEVILLE-BORDES D. de (1972a). — A propos des sagaies d'Isturitz. *Bulletin de la Société Préhistorique Française*, t. 69, comptes-rendus des séances mensuelles n° 4, p. 100-101.

[38] SONNEVILLE-BORDES D. de (1972 b). — Environnement et culture de l'homme du Périgordien ancien dans le Sud-Ouest de la France : données récentes. *Origine de l'homme moderne*, Actes du Colloque de Paris, Unesco, p. 141-146.

[39] THOMSON Sir B. (1939). — L'abri aurignacien de Téoulé, près Tarté (Haute-Garonne). *Mélanges Bégouën*, p. 195-200.

[40] VEZIAN J. et J. (1966). — Les gisements de la grotte de Saint-Jean-de-Verges (Ariège). *Gallia Préhistoire*, t. IX, fasc. 1, p. 93-130.

[41] VEZIAN J. (1972). — La grotte du Portel, commune de Loubens (Ariège). *Bulletin de la Société d'Etudes et Recherches Préhistoriques - Les Eyzies*, t. 21, 1971, p. 88-102.

Les civilisations du Paléolithique supérieur dans le Lot-et-Garonne

par

Jean-Marie Le Tensorer *

Résumé. Le Paléolithique supérieur en Lot-et-Garonne est bien représenté pour les cultures aurignacienne, périgordienne et magdalénienne. Le Solutréen y semble très rare. Assez proche des industries du Périgord les cultures lot-et-garonnaises s'en différencient cependant par certains caractères originaux.

Abstract. The Upper Paleolitic in the Lot-et-Garonne is well représented as regards the Aurignacian, Perigordian and Magdalenian cultures while the Solutrean seems to be extremely rare. On the one hand, the prehistoric civilizations in the Lot-et-Garonne appear to be fairly close to those of the Dordogne area but, on the other hand, they stand apart because they offer particular characteristics.

Le département du Lot-et-Garonne, situé au cœur de l'Aquitaine, correspond à un véritable carrefour, une zone de transition entre les grandes unités géographiques et géologiques de cette région avec les domaines atlantique et landais à l'Ouest, périgourdin au Nord, quercynois à l'Est et agenais au Sud. L'élément physique le plus frappant est la présence des deux magnifiques vallées du Lot et de la Garonne qui, durant les époques préhistoriques semblent avoir joué un double rôle, comme voie de passage entre les domaines méditerranéen et atlantique, et comme frontière entre le Nord (Périgord) et le Sud (Landes-Pyrénées). La majeure partie du substratum géologique est tertiaire (fig. 1 T) avec un paysage molassique où pointent des buttes témoins calcaires susceptibles de fournir des grottes ou abris. Les plaines alluviales ne forment qu'environ 13 % du territoire (fig. 1 A 1) tandis qu'à l'Ouest le sable des Landes d'une part (L) et à l'Est les terrains calcaires du Crétacé (C) et du Jurassique (J), parfois recouverts d'une nappe d'éléments détritiques (S = Sidérolithique), d'autre part, se partagent un tiers de la superficie totale du département (Le Tensorer, 1975 a). La quasi-totalité des gisements du Paléolithique supérieur connus sont concentrés dans la zone calcaire du N-E du département dans les trois vallées du Lot, de la Lède et de la Lémance.

Au siècle dernier les pionniers de la préhistoire locale que furent L. Combes (1855, 68, 74, 88) et l'Abbé Landesque (1874, 1889) amorcèrent les recherches et réunirent une abondante collection dispersée ou détruite.

Jusqu'aux alentours de 1920 le département sombra dans l'oubli puis L. Coulonges établit les premières stratigraphies rigoureuses des gisements de la fin du Paléolithique et de l'Epipaléolithique de Sauveterre-la-Lémance, tandis que E. Monmejean se consacrait essentiellement à la fouille des sites périgordiens et aurignaciens de la région de Gavaudun.

F. Bordes et D. de Sonneville-Bordes apportèrent à plusieurs reprises leur contribution à l'étude du Paléolithique lot-et-garonnais. Enfin ces dernières années (Le Tensorer, 1970) un programme de re-cherches systématiques a été entrepris pour préciser les données sur la préhistoire et la géologie du Quaternaire du Lot-et-Garonne.

Le Würm III : Périgordien, Aurignacien, Solutréen. (Voir tableau récapitulatif).

Les dépôts du Würm III sont abondants dans le NE du département. Si le Périgordien ancien demeure jusqu'à présent inconnu et le Périgordien moyen rare, le Périgordien supérieur (faciès à burins de Noailles) est exceptionnellement bien représenté et constitue pour le moment l'industrie la plus fréquente dans cette région. Le gisement de l'abri Peyrony (fig. 2 a) présente la stratigraphie la plus complète en ce qui concerne la première moitié du Würm III (Vergne, 1929 ; Le Tensorer, 1970 ; 1972 ; 1974).

On y rencontre à la base (couche G) une industrie indéterminée puis après un épisode froid (couche F) un Aurignacien à lames étranglées et burins busqués, puis un Aurignacien typique coïncidant avec un adoucissement semble intervenir pendant cette période (couche C2). Enfin un net réchauffement se produit, l'oscillation du Würm III a - Würm III b, entrecoupée d'un bref épisode froid (couche B1, B2, B3) avec l'occupation massive de l'abri par les Périgordiens supérieurs à burins de Noailles. Nous avons là exactement la même industrie qu'au gisement voisin du Roc (fig. 2b) si bien étudié par E. Monmejean, F. Bordes et D. de Sonneville-Bordes (1964). C'est encore cette même culture que l'on rencontre en plein air au Plateau Baillard (D. de Sonneville-Bordes, 1953 ; Le Tensorer, 1974).

Les caractéristiques principales de cette industrie sont l'abondance des burins de Noailles et la pauvreté extrême en pièces à dos et burins plans sur troncature retouchée, y compris les burins de Bassaler. Ces particularités confèrent à cette culture une originalité et une homogénéité remarquables. L'énorme gisement du Roc (plus de 6000 outils) constitue le gisement-type de ce « Périgordien de Gavaudun » que l'on

---

* Institut de Géodynamique, Université de Bordeaux III, Avenue des Facultés, 33405 Talence (France).

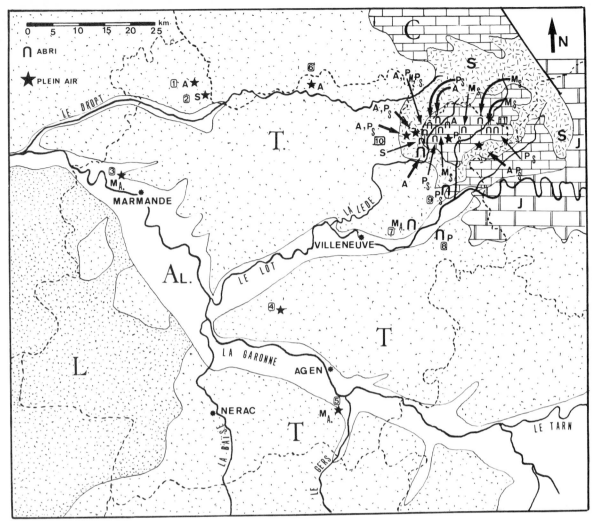

Fig. 1. — Répartition des principaux gisements du Paléolithique supérieur en Lot-et-Garonne.

A : Aurignacien; P : Périgordien; P_M : Périgordien moyen; P_S : Périgordien supérieur; M_A : Magdalénien ancien; M_S Magdalénien supérieur; S : Solutréen.

1. Loubès-Bernac; 2. Soumensac; 3. Maubun; 4. Prayssas; 5. Layrac; 6. Bayle; 7. Cassegros; 8. La Pronquière; 9. Las Pélénos;
10. Région de Gavaudun; 11. Région de Sauveterre-la-Lémance.

retrouve en effet dans cette commune aussi bien en plein air (plateau Baillard, Métayer, cote 220) que sous abri (abri Peyrony, le Roc et Roquecave).

Les autres gisements périgordiens se rencontrent à côté de Sauveterre, au plateau Cabrol (L. Coulonges et D. de Sonneville-Bordes, 1953), avec abondance de burins sur troncature retouchée, mais sans burins de Noailles, et grande rareté des pièces à dos, et dans la vallée du Lot à Las Pélénos (L. Coulonges et al., 1952) et à la Pronquière (sondage J.-M. Le Tensorer et R. Pineda, 1975).

L'Aurignacien typique est présent dans plusieurs gisements sous abri (Moulin du Milieu, abri Peyrony, Roc Chaud, Les Forges) et de plein air, répartis assez largement dans le N du département à Loubès Bernac, Moulin de Bayle et Gavaudun.

Le Solutréen est extrêmement rare. Il aurait existé à Soumensac (P. de Mortillet, 1911) et dans la vallée de Gavaudun à la grotte dite solutréenne où M. Chambas en 1926 aurait trouvé entre autre 3 feuilles de lauriers et 2 pointes à cran (A. Vergne, 1929). Il semble bien, en outre, qu'un fragment de feuille de

laurier ait été trouvé au plateau Baillard (D. de Sonneville-Bordes, 1953) (1).

Le Würm IV.

Connu uniquement dans sa partie supérieure jusqu'en 1972, la stratigraphie du Würm IV vient d'être considérablement éclairée par la récente découverte du gisement de Cassegros à Trentels dans la vallée du Lot (fouille Le Tensorer) (fig. 2 c). Cette grotte renferme plusieurs niveaux de Magdalénien ancien coïncidant avec les tout premiers stades du Würm IV (couches 9, 10 a, b et c). Globalement l'industrie de la couche 10 est peu laminaire et dominée par les pièces à encoches, les racloirs de type moustéroïde, les becs, les pièces esquillées et les grattoirs simples ou sur lame retouchée. Les burins sont rares et le plus souvent transversaux sur enco-

(1) Voir la note de F. Bordes, p. 207 dans l'ouvrage de Ph. Smith sur le Solutréen en France, Delmas, Bordeaux 1966.

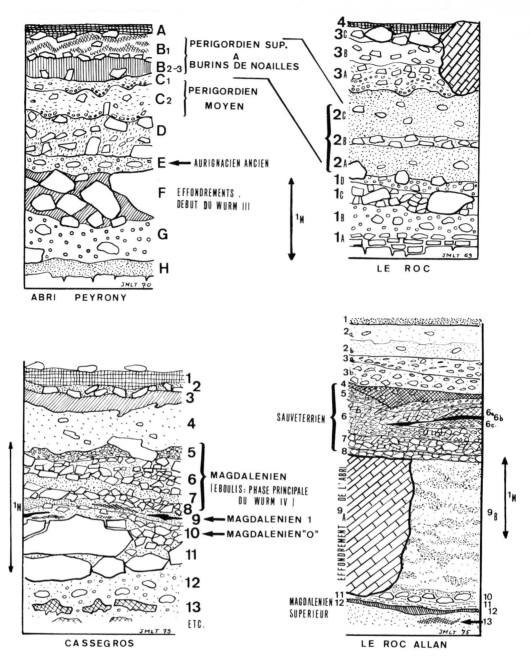

FIG. 2. — Stratigraphie de quelques gisements du Paléolithique supérieur en Lot-et-Garonne.

che. Enfin apparaissent quelques rares raclettes *au sommet de cette couche*. Celle-ci semble correspondre au Magdalénien O de Laugerie Haute ou au niveau à faciès Badegoulien sans raclette de l'abri Fritsch. La couche sus-jacente (9) se met en place au cours d'un adoucissement climatique. Elle renferme un Magdalénien ancien à raclettes typiques avec peu de grattoirs et burins, présence de perçoirs multiples en étoile, de raclettes typiques, de lames retouchées. Fait intéressant, ce niveau comporte aussi des lamelles à dos en pourcentage égal ou supérieur à celui des raclettes (2).

(2) Il faut cependant tenir compte des localisations possibles de l'outillage la fouille n'ayant intéressé qu'une faible partie de l'habitat et la quasi totalité des lamelles à dos ayant été trouvées concentrées dans le même carré.

Le Magdalénien ancien à raclettes existe aussi en plein air à Maubin, près de Marmande, et à Layrac. Il s'agit là d'un faciès plus laminaire, peut-être plus récent qu'à Cassegros (J.-M. Le Tensorer et E. Monmejean, 1975).

La fin du Würm IV est bien connue en Lot-et-Garonne dans la région de Sauveterre-la-Lémance où les fouilles de L. Coulonges au Martinet, au Roc Allan (fig. 2 d) et à La Borie del Rey ont permis à cet auteur de mettre au jour plusieurs niveaux de Magdalénien supérieur et Azilien (3) (L. Coulonges, 1926, 1929, 1930, 1935, 1963).

Si au Roc Allan le Magdalénien supérieur ressemble à celui de la Madeleine, au Martinet la présence de nombreux triangles pose un problème. S'agit-il

(3) Le terme Azilien n'est pas accepté par L. Coulonges.

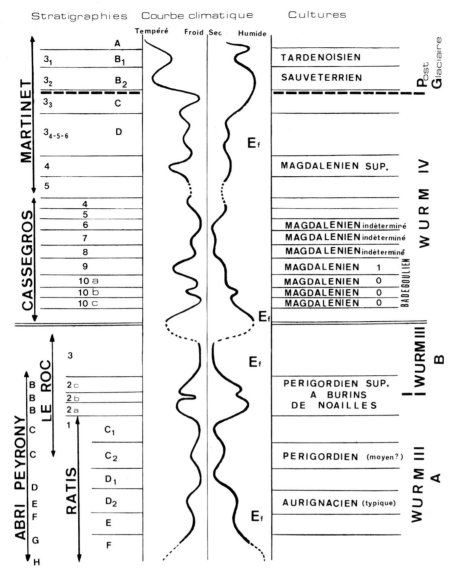

FIG. 3. — Tableau récapitulatif.

d'un Magdalénien final (proto azilien dit L. Coulonges, 1935) ou d'un Magdalénien II (Saint-Germien de Coulonges, 1963). D'après l'étude sédimentologique (Le Tensorer, 1973) il apparaît que ce Magdalénien correspond à un stade adouci de la fin du Würm IV. S'il n'y a pas de lacune dans le remplissage, il peut s'agir de l'Alleröd, sinon, d'un stade antérieur. Il semble d'autre part que cette industrie soit assez proche du Magdalénien du Flageollet (fouille J.-Ph. Rigaud).

En conclusion il apparaît que, à l'exception du Périgordien ancien et du Solutréen, le Paléolithique supérieur est bien représenté en Lot-et-Garonne et présente en général une certaine originalité peut-être due à la position de carrefour de cette région.

Bibliographie

[1] ASTRE G. (1926). — Stations préhistoriques de Fumel et leurs conditions de gisement. *Revue des Musées et Collections archéologiques,* nov.-déc., p. 130-135, 8 fig.

[2] BOUDOU Ch., GUERRET et ROQUES (1929). — Stations aurignaciennes et néolithiques de Fontoursines et du Moulin de Bayle (Dordogne et Lot-et-Garonne). *Bull. de la Soc. Préhist. Fr.,* n° 1, p. 68-78, 5 fig.

[3] COMBES J.L. (1855). — Fumel et ses environs. Haut Agenais. Recherches géologiques et paléontologiques. Agen, Imprimerie P. Noubel, in-8°, 56 p.

[4] COMBES J.L. (1874). — L'Archéologie préhistorique du Haut Agenais (âge de la pierre). *Congrès archéologique de France,* XLIᵉ session, Agen, p. 3-12.

[5] COMBES J.L. (1888). — Les mondes disparus, la Géologie, la Paléontologie et l'ancienneté de l'Homme dans le département du Lot-et-Garonne, Agen.

[6] COULONGES L. (1925). — Les squelettes préhistoriques de Libos. *Revue de l'Agenais,* Agen, 11 p.

[7] COULONGES L. (1926). — Gravures préhistoriques sur galets du Martinet, commune de Sauveterre. Epoque Magdalénienne. *Revue de l'Agenais,* 1 p., 1 fig.

[8] COULONGES L. (1929). — Le gisement préhisto-rique du Martinet à Sauveterre-la-Lémance. *L'Anthropologie*, XXXVIII, p. 495-503.

[9] COULONGES L. (1930). — Le gisement préhisto-rique du Martinet à Sauveterre-la-Lémance. *Bull. Soc. Préhist. Fr.*, XXVII, p. 174-179.

[10] COULONGES L. (1935). — Les gisements préhis-toriques de Sauveterre-la-Lémance (Lot-et-Ga-ronne). *Archives de l'Institut de Paléontologie Humaine*, t. 14, 56 p., 24 fig., 6 pl.

[11] COULONGES L. (1956). — Les industries à lamelles triangulaires du Paléolithique supérieur dites « Magdaléniennes II ». *Bull. Soc. Etudes et Rech. préhist. : Les Eyzies*, n° 6, p. 56-61, 1 fig.

[12] COULONGES L. (1963). — Magdalénien et Périgor-dien post-glaciaire. La grotte de la Borie del Rey (Lot-et-Garonne). *Gallia Préhist.*, t. VI, p. 1-29, 16 fig., 2 tabl.

[13] COULONGES L. (1965). — La Préhistoire dans le département du Lot-et-Garonne. Centenaire de la Préhistoire en Périgord, numéro spécial du *Bull. Soc. Hist. et Arch. du Périgord*, Périgueux, Fanlac édit., p. 37-40.

[14] COULONGES L., LANSAC A., PIVETEAU J. et VAL-LOIS H.V. (1952). — Le gisement préhistorique de Monsempron (Lot-et-Garonne). *Annales de Paléontologie*, t. XXXVIII.

[15] COULONGES L. et SONNEVILLE-BORDES D. de (1953). — Le Paléolithique du plateau Cabrol à St-Front-sur-Lémance (Lot-et-Garonne). *Bull. Soc. Préhist. Fr.*, n° 5-6, p. 333-338, 1 fig., 1 tabl.

[16] LANDESQUE Abbé (1874). — Etude sur l'âge de pierre d'après les découvertes faites dans la région nord et nord-est du Lot-et-Garonne. *Congrès archéologique de France*, XLIe Session, Toulouse et Agen, p. 13-32.

[17] LANDESQUE Abbé (1889). — Recherches sur le Quaternaire ancien des bassins de la Dordogne et de la Garonne. *Bull. Soc. Géol. Fr.*, t. XVIII, p. 301-315.

[18] LE TENSORER J.M. (1970). — Recherches physico-chimiques sur les dépôts du Würm III de la région de Gavaudun (Lot-et-Garonne). Bordeaux, thèse de doctorat en Géologie continentale, Faculté des Sciences, 2 vol., 196 p., 71 pl. h.-t.

[19] LE TENSORER J.M. (1972). — L'analyse chimique des remplissages quaternaires, méthodes et pre-miers résultats, interprétation paléoclimatique. *Bull. de l'A.F.E.Q.*, n° 3, p. 155-169; 5 fig., 2 tabl.

[20] LE TENSORER J.M. (1972). — L'analyse chimique des remplissages préhistoriques, données paléo-ethnologiques, vol. spécial des comptes rendus du Colloque de Sédimentologie du Quaternaire. *A.F.E.Q.*. 5 p., 8 fig., 2 tabl.

[21] LE TENSORER J.M. (1973). — Le gisement du Martinet à Sauveterre-la-Lémance (Lot-et-Ga-ronne). Etude géologique et géochimique. *Bull. A.F.E.Q.*, n° 37, fasc. 4, p. 215-237, 16 fig., 2 tabl.

[22] LE TENSORER J.M. (1974). — Le Périgordien supé-rieur à burins de Noailles de l'abri Peyrony à Gavaudun (Lot-et-Garonne). *Bull. Soc. Préhist. Fr.*, t. 71, Etudes et Travaux, fasc. 2, p. 459-468, 8 fig.

[23] LE TENSORER J.M. (1975). — Remarques à propos de la répartition géographique des habitats paléo-lithiques : l'influence du substratum. *In* volume spécial des *Comptes rendus de la réunion du sous-groupe INQUA*, Paléoécologie de l'homme au Würm, Bordeaux, mai 1975, p. 51-56, 1 fig.

[24] LE TENSORER J.M. (1975). — La grotte de Casse-gros à Trentels (L.-et-G.). Etude préliminaire des niveaux des Magdaléniens ' O ' et ' I ' (faciès dit badegoulien). *Bull. Soc. Préhist. Fr.* (sous presse).

[25] LE TENSORER J.M. et MONMEJEAN E. (1975). — Le Magdalénien ancien à raclettes de Maubun (L.-et-G.). *Bull. Soc. Préhist. Fr.* (sous presse).

[26] MORTILLET P. de (1911). — Le Préhistorique dans les bassins de l'Adour et de la Garonne. *C.R. du Congrès Préhist. de Fr.*, Nîmes, p. 78.

[27] MONMEJEAN E., BORDES F. et SONNEVILLE-BORDES D. de (1964). — Le Périgordien supérieur à burins de Noailles du Roc de Gavaudun (Lot-et-Garonne). *L'Anthropologie*, t. 68, p. 253-316, 33 fig.

[28] SONNEVILLE-NORDES D. de (1953). — Le Paléo-lithique supérieur du plateau Baillart à Gavaudun (Lot-et-Garonne). *Bull. Soc. Préhist. Fr.*, p. 356, 2 fig.

[29] SONNEVILLE-BORDES D. de (1960). — Le Paléoli-thique supérieur en Périgord. Bordeaux, Impri-merie Delmas, 558 p., 295 fig., 64 tabl., 10 car-tes.

[30] SONNEVILLE-BORDES D. de (1966). — L'évolution du Paléolithique supérieur en Périgord et sa signification. *Bull. Soc. Préhist. Fr.*, t. 63, fasc. 1, p. 3-34.

[31] VERGNE A. (1929). — Les stations préhistoriques de Gavaudun. L'abri Peyrony. *Revue de l'Age-nais*, p. 137-152, 6 fig.

Les civilisations du Paléolithique supérieur
dans le Sud-Ouest (Pyrénées Atlantiques)

par

Robert ARAMBOUROU *

Résumé. A la fin du siècle dernier, les seuls sites fouillés dans le département étaient ceux d'Arudy. Un important mobilier du Magdalénien avait été découvert par Piette aux Espalungues puis par Mascaraux à Saint-Michel. On avait seulement exploré les environs de Bayonne.

Les premières fouilles en Pays Basque ont été faites à Isturitz par Passemard puis par R. et S. de Saint-Périer. Ce vaste gisement où presque tout le Paléolithique supérieur est présent a livré de nombreuses et remarquables œuvres d'art surtout magdaléniennes.

Récemment, dans l'Ouest du département, de nombreux habitats de plein air ont été repérés et des fouilles nouvelles faites autour de Bayonne par Cl. Chauchat. Mais nombreuses sont les découvertes non encore publiées.

Les habitats connus évitent la montagne et ne dépassent pas 500 m d'altitude mais une grande partie du centre et tout le nord-est du département en paraissent dépourvus.

Abstract. At the end of the last century, the only excavated sites in the *département* were those of Arudy. An important find of Magdalenian portable art items was discovered by Piette at Espalungues, and later by Mascaraux at Saint-Michel. The Bayonne regions had only been explored.

The first excavations in the Basque country were at Isturitz by Passemard, and later by R. and S. de Saint-Périer. Numerous and remarkable works of art, especially Magdalenian, have come from this vaste site where almost all the Upper Paleolithic sequence is present.

Recently, in the western part of the *département,* numerous open-air habitation sites have been discovered and new excavations have been undertaken around Bayonne by Cl. Chauchat, but also numerous are the discoveries no yet published.

The known habitation sites seem to avoid the mountainous regions and do not exceed 500 meters in altitude, but a large part of the center and all the north-east of the *département* seems empty of sites.

Dresser un tableau aussi objectif que possible de ce que l'on sait aujourd'hui du Paléolithique supérieur dans le département des Pyrénées-Atlantiques est une tâche difficile et d'autres auteurs, qui pour des raisons diverses n'ont pas voulu l'entreprendre, y auraient sans doute mieux réussi, du fait même de leurs propres travaux.

La documentation disponible n'est pas très abondante et sa qualité demeure assez inégale. Souvent ancienne, elle répond mal aux préoccupations actuelles. Bien des découvertes récentes ne sont pas encore publiées ou ne le sont que très partiellement, parfois elles restent ignorées ou ne sont connues que grâce aux relations personnelles locales.

*
**

Prospectée, vers la fin du siècle dernier par Detroyat (1877), la région de Bayonne l'a été ensuite par E. et F. Daguin, E. Passemard (1924) et R. Dupérier (1948). Leurs collections respectives sont conservées au Muséum de l'Université de Bordeaux I, au Musée des Antiquités Nationales et au Musée de la Mer à Biarritz.

A partir de ces éléments, des recherches systématiques ont été effectuées récemment par Cl. Chauchat (1968). Des habitats de plein air ont été rencontrés près de Biarritz, de Bidart, dans les landes d'Ahetze et de Saint-Pée et, il y a peu, autour de Saint-Jean-de-Luz. Un gisement existait aussi dans la grotte Lezia, à Sare, malheureusement vidée de tout son contenu et peut-être un autre se trouve-t-il près d'Hendaye.

Sur les hauteurs qui bordent les basses vallées de la Bidouze et des gaves d'Oloron et de Pau, depuis quelques années, d'autres habitats de plein air ont été repérés autour de Bidache, de Came, d'Arancou, de Labastide-Villefranche ainsi qu'autour de Salies-de-Béarn et près d'Orthez. Un gisement a été mentionné jadis à Léren (de Mortillet, 1883).

Au cœur du Pays Basque, près d'Hasparren, la caverne d'Isturitz a été fouillée de 1913 à 1922 par E. Passemard (1924) puis, à partir de 1928 jusqu'à sa mort, en 1950, par R. de Saint-Périer dont les publications (1930 et 1936) ont été poursuivies par S. de Saint-Périer (1952) qui conserve les riches collections provenant de leurs communes recherches.

En Soule, la vallée du Saison et la forêt des Arbailles, au sud de Mauléon, sont prospectées depuis une trentaine d'années par P. Boucher et quelques-uns de ses amis. Ils ont fouillé des habitats souvent difficiles d'accès et peu étendus à Aussurucq, grotte Hareguy (Ripoll et Boucher, 1960-61) et à Suhare (grotte Gatzerria) (Laplace, 1966) et découvert deux grottes ornées de peintures (Boucher et Laplace, 1962). Récemment de nouvelles peintures pariétales magdaléniennes ont été trouvées par une équipe de spéléologues bordelais (Séronie-Vivien, 1974).

Dans la vallée d'Aspe, au sud d'Oloron, des fouilles furent effectuées au début de ce siècle près de Lurbe (Caussepac) et il y a peu, une reconnaissance près du pont d'Escot s'est avérée fructueuse.

En vallée d'Ossau, près d'Arudy, la grotte des Espalungues a été fouillée par Ed. Piette (Piette,

---

* Institut du Quaternaire, Université de Bordeaux I, 33405 Talence (France).

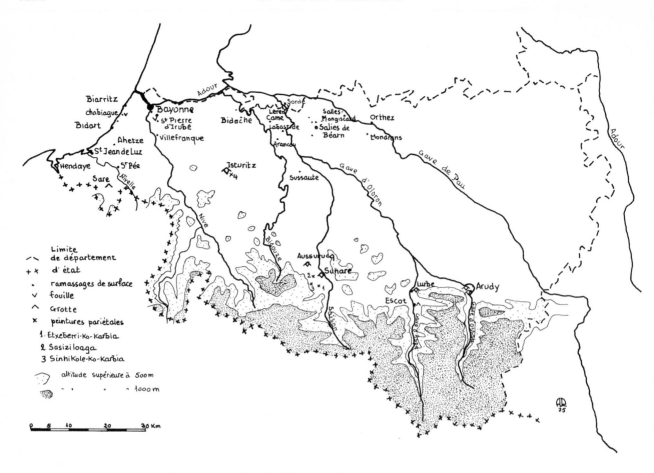

FIG. 1. — Stations du Paléolithique supérieur dans les Pyrénées Atlantiques.

1900) et celle de Saint-Michel par F. Mascaraux de 1888 à 1893 (Mascaraux, 1910). Depuis une vingtaine d'années, une troisième grotte, le Poeymaü est l'objet des travaux de G. Laplace (Laplace, 1953). Du Magdalénien final y a été rencontré à la base de la stratigraphie (Bordes, 1972).

L'inventaire des industries représentées dans le département s'établirait donc ainsi :

Périgordien ancien : reconnu par des fouilles à Saint-Pierre-d'Irube (Basté) et à Suhare (Gatzerria) ; des traces existent près de Villefranche, de Bidart et peut-être aussi de Salies-de-Béarn.

Aurignacien : bien connu à Isturitz, il a été retrouvé à Saint-Pierre-d'Irube (Basté), près de Biarritz (Chabiague) et à Suhare (Gatzerria). Des habitats de plein air ont été repérés près de Bidart, dans les landes de Saint-Pée et d'Ahetze, autour de Saint-Jean-de-Luz, de Salies-de-Béarn, près de Bidache, Came, Labastide-Villefranche, Sussaute, au sud d'Orthez et, en vallée d'Aspe, près d'Escot.

Périgordien supérieur : il existe à Saint-Pierre-d'Irube (Basté), dans la grotte de Sare (Chauchat, 1973), à Isturitz et à Aussurucq (Hareguy). Des traces ont été signalées près de Bidart et de Biarritz.

Solutréen : reconnu à Isturitz (ancien ? et moyen) et à Aussurucq (Hareguy) (supérieur). Une feuille de laurier cassée a été jadis trouvée au sud de Biarritz (Chabiague).

Magdalénien : mis au jour à Isturitz (traces de

III ?, surtout IV, V, VI), à Arudy (Les Espalungues, Saint-Michel, IV, V, VI ; le Poeymaü, VI). Il a été trouvé aussi près de Lurbe (Caussepac) et sa présence signalée jadis près de Bayonne (Bouben) est probable à Saint-Pierre-d'Irube (Basté), près d'Arancou, Leren et Salles-Mongiscard.

Reporté sur la carte (fig. 1) cet inventaire montre qu'à une relative densité dans le nord-ouest s'opposent la semi-concentration de quelques sites en bordure de la montagne et surtout le vide absolu du centre, de l'est et du sud du département.

La zone montagneuse, au sud, par son relief qui accentue les précipitations, abaisse les températures et exagère les contrastes saisonniers et diurnes ne pouvait généralement être accessible qu'en été et l'occupation humaine, pendant le Paléolithique supérieur, du moins par ce que nous connaissons actuellement, ne paraît pas avoir dépassé l'altitude de 500 m. Les stations d'Arudy, de Lurbe, d'Escot, de Suhare et d'Aussurucq se trouvent au pied de la montagne, à la limite des possibilités d'existence et correspondent, pour la plupart, à des habitats en périodes aux conditions climatiques relativement favorables.

Pour une large part, l'absence de toutes traces dans le centre et l'est du département paraît surtout résulter de l'inexistence de prospections. Pendant longtemps, sauf une brève mention dans une brochure concernant Salies-de-Béarn, on ignorait la présence de vestiges paléolithiques dans tout le nord-ouest du Béarn. La reprise des fouilles à Sorde (Landes)

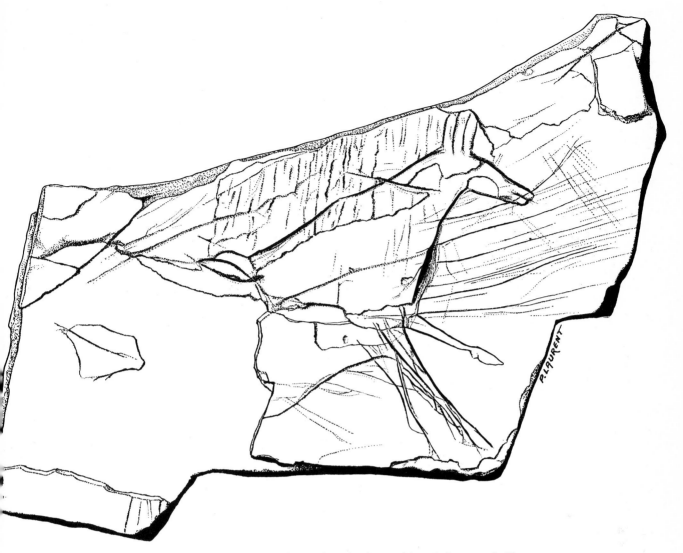

FIG. 2. — Aussurucq : plaquette en grès gravée, solutréen supérieur de la grotte de Hareguy,
coll. P. Boucher, (dessin de P. Laurent).

depuis 1958 et l'intérêt qu'elles ont suscité ont provoqué des recherches qui rapidement se sont avérées fructueuses : de nombreux habitats de plein air ont été repérés et parfois d'importants outillages recueillis.

La relative densité des habitats dans l'ouest tient sans doute à la situation littorale de cette région. Terminus à cause de l'Océan, elle est aussi, par les facilités offertes à la circulation, une zone de relations entre les sites du front nord des Pyrénées et de la Chalosse landaise et ceux du Pays Basque espagnol.

Exception faite du Basté peut-être, les gisements connus paraissent peu importants. L'urbanisation intense de la région en a certainement fait disparaître. D'autres ont été détruits par le recul rapide de la falaise littorale et par le relèvement général du niveau marin, au Postglaciaire, qui a reporté le rivage d'environ 8 à 10 km à l'est de la ligne qu'il occupait durant les dernières phases du Würm: Peut-être les stations qui subsistent n'ont-elles été jadis que des campements momentanés, simples étapes pour gagner les habitats de l'ancien rivage ou en revenir.

Les sites aurignaciens sont, de loin, les plus nombreux et tous, ou presque, se trouvent dans la partie ouest du département, la moins mal, sinon la mieux connue. Ceux du Magdalénien paraissent, eux s'aligner en bordure de la montagne, dans le prolongement des stations des Pyrénées centrales, mais celles-ci sont plus proches les unes des autres que ne le sont ceux-là. D'Isturitz à Arudy il y a près de deux fois la distance qui sépare Arudy, Lourdes, Labastide, Lorthet et Gourdan par exemple.

***

Parmi les gisements fouillés, peu ont fait l'objet d'une publication. On ne retiendra que ceux du Basté, d'Isturitz et d'Arudy.

Le Basté. Les recherches de Cl. Chauchat ont eu lieu en 1966 et 1967 au moment où les travaux du lotissement allaient stériliser pour longtemps, du point de vue archéologique, toute cette région. La stratigraphie, établie avec le concours de Cl. Thibault (1) montre :

0,20 m A) Terre arable, niveau 0, mélange d'outils du Paléolithique supérieur, du Mésolithique et du Néolithique;
0,15 m B) Limon sablo-argileux, brun contenant séparés par des lits stériles, les niveaux Ia et Ib, encore indéter-

(1) Institut du Quaternaire, Université de Bordeaux I, 33405 Talence.

minables, 9 outils seulement ayant été récoltés sur 31 m²;
0,20 m C) Limon argilo-sableux, brun-jaune, contenant, séparés par des lits stériles, les niveaux :
    2a : indéterminable, mais a livré de nombreux galets
        de foyer;
    2b : non déterminable, faute de matériel suffisant;
    2c : aurignacien;
0.15 m D) Limon argilo-sableux, brun-jaune, qui contient
les niveaux :
    3a : aurignacien;
    3b : subdivisé en :
        supérieur : trop peu d'outils pour le déterminer,
        moyen : Périgordien ancien (89 outils pour 17 m²
        0,04 d'épaisseur,
        inférieur : Moustérien;
0,35 m E) Limon argilo-sableux surmontant un cailloutis et
contenant du Moustérien de tradition acheuléenne;
0,55 m F) Sommet : argilo-limono-sableux, brun-jaune, stérile sur 0,50 m;
    base (0,05 m) : sédiment moins sableux avec du Mous-
térien.

Les résultats archéologiques sont assez pauvres,
mais les analyses palynologiques effectuées par M.-M.
Paquereau (1) apportent d'intéressantes précisions et
permettent quelques hypothèses.

Au Périgordien ancien, 3bm, le taux de boisement,
25 %, indique un climat relativement tempéré. Le
Pin silvestre domine mais on trouve aussi le Noisetier, l'Aulne, l'Orme, le Tilleul, le Chêne et le Hêtre.
Les Herbacées soulignent l'humidité du climat. On a
un paysage de parc correspondant probablement à la
fin de l'interstade Würm II/III, ce qui va de pair
avec le caractère évolué et donc assez tardif de
l'outillage lithique.

Dans le niveau 2c, dernier niveau déterminé
aurignacien, le taux de boisement est de 17 %. Si
le Pin recule, Noisetier, Bouleau, Saule, Aulne et
Orme se maintiennent ou progressent. Ce climat
frais et humide pourrait correspondre à celui de
l'oscillation de l'Aurignacien II en Périgord.

Le niveau 2b, avec un taux de boisement de 10 %
(Pin, Bouleau, Saule et, parmi les Herbacées, domination des Graminées et Composées avec présence
de quelques steppiques) évoque le climat froid et sec
de la phase majeure du Würm III suivant l'oscillation de l'Aurignacien II.

Dans le niveau 2a, le taux de boisement remonte
à 18 %. Ce climat paraît un peu plus humide et
et moins froid. Il pourrait s'agir du Périgordien à
pointe de La Gravette.

Les niveaux Ia et Ib sont assez semblables. Le
taux de boisement oscille autour de 10 %, les
Composées constituent plus de la moitié des Herbacées avec quelques steppiques. Le niveau Ia semble
évoluer vers des condition plus humides. Ce climat
paraît caractéristique de la phase majeure du Würm
IV vers sa fin. De ce fait le matériel provenant des
niveaux supérieurs serait du Magdalénien supérieur.

En dépit d'un matériel peu abondant, la méthode
est exemplaire de ce que l'on peut obtenir avec l'aide
de la sédimentologie et de la palynologie, mais aussi
avec beaucoup de rigueur dans la fouille proprement
dite.

Isturitz. Cette grotte située à 209 m d'altitude, à
12 km au sud-est d'Hasparren, est formée de deux

(1) Institut du Quaternaire, Université de Bordeaux I,
33405 Talence.

galeries parallèles, d'une centaine de mètres de long,
qui communiquent entre elles et ont reçu les noms
des communes où elles se trouvent : Isturitz ouvre au
nord, Saint-Martin, au sud.

Toutes deux ont été creusées dans un massif de
calcaire aptien, gris veiné de blanc, par l'Arberoue.
Ce ruisseau, après avoir traversé la colline qui porte
les ruines du château de Rocafort, l'a ensuite
contournée par un lit maintenant à sec. Puis, à 50 m
au-dessous de l'entrée des salles supérieures, a retra-
versé la colline par des galeries riches en draperies
stalagmitiques. Ce réseau inférieur découvert en 1929
a été réuni par la suite à la salle d'Isturitz par un
escalier creusé dans le rocher. L'ensemble est maintenant connu des touristes sous le nom de grottes
d'Oxocelhaya.

En 1895, les dépôts de la salle Saint-Martin furent
exploités par un marchand de phosphates. Averti de
la découverte d'ossements, de silex et d'os travaillés,
E. Piette se proposa d'y venir fouiller mais ne donna
pas suite à ce projet. Puis, sur plainte de l'un des
propriétaires du terrain, l'extraction des phosphates
fut arrêtée. Une entrée fut alors ouverte au sud, en
1912 et E. Passemard commença des recherches
qu'il poursuivit jusqu'en 1922. Après quelques années
d'interruption, en 1928, R. de Saint-Périer reprit la
fouille de ce vaste gisement. Ses publications furent,
après sa mort, complétées par S. de Saint-Périer.

Passemard a donné une coupe schématique de
l'ensemble des dépôts en réunissant ses différentes
observations. Mais ces dépôts n'étaient pas identiques
dans les deux salles. On en jugera par le tableau
suivant qui essaie d'établir les concordances entre les
divers auteurs :

Passemard	de Saint Périer	
	Isturitz	Saint Martin
1er plancher stalagmitique	stalagmite	
Limon B : Azilien ?	Ia : Azilien et Mag- dalénien final	
F1 Magdalénien à harpons et pointes à base fourchue	I Magdalénien supérieur	
E Magdalénien à pointes à 1 puis 2 biseaux	II Magdalénien ancien	stalagmite
base : Solutréen à feuille de laurier	IIIa Solutréen moyen	S1 Magdalénien ancien
argile grise		(Solutréen moyen selon Passemard)
F2 Solutréen ancien	IIIb Solutréen ancien	
argile grise		
C Aurignacien supérieur	III Aurignacien final	
F3 Aurignacien supérieur à grandes pointes plates et pointes de la Gravette	IV Aurignacien supé- rieur (Gravettien)	
	V Aurignacien moyen	SII Aurignacien moyen
		stérile
A Aurignacien typique à pointes à base fendue		SIII Aurignacien typique
		stérile
M Moustérien supérieur		SIV Moustérien typique
Os Hyènes, Ours		
P Moustérien à gros éclats		SV Moustérien plus ancien
Limon : Moustérien rare		
Eboulis		
2ème plancher stalagmitique		

Seul le niveau inférieur du Magdalénien avait été rapporté au « Magdalénien IV de Breuil », aussi S. de Saint-Périer a tenu à préciser, dans sa publication de 1952, que, dans la salle d'Isturitz : « nous avons rencontré deux niveaux, un Magdalénien supérieur (V) et un Magdalénien ancien (IV) avec des traces de Magdalénien III à sa base ».

A en juger par les indications données au cours des publications et par le matériel figuré, il est clair qu'il y avait aussi du Magdalénien VI, probablement des deux types a et b.

Le même genre d'observations s'applique au Solutréen comme aux différentes couches d'Aurignacien (sensu lato). La stratigraphie réelle était bien plus complexe.

Sans doute les conditions matérielles de la fouille étaient-elles pénibles. Dans ces longues salles obscures où, par suite de la condensation, il pleut sur tout le gisement, sauf lorsque l'hiver est froid et sec, l'aspect même des témoins qui ont été conservés, avec leur pierraille gris-jaunâtre, laisse penser qu'il ne devait pas être facile de distinguer des niveaux. Il est aussi probable que l'abondance même des « œuvres d'art » a fait perdre de vue certaines exigences de la fouille.

A la magnifique collection des objets retirés d'Isturitz il convient d'ajouter les témoignages restés en place. Dans la salle d'Isturitz les visiteurs voient toujours les bas-reliefs taillés dans une grosse roche centrale et que Passemard attribue à la couche E (Magdalénien IV). Dans l'une des galeries du réseau inférieur quelques peintures ont aussi été découvertes qui ne sont pas montrées au public.

Arudy. Dans son grand ouvrage, l'Art pendant l'Age du Renne, Ed. Piette (1900), outre les planches figurant les objets recueillis aux Espalungues, donne quelques indications sur cette grotte dont il commença la fouille en 1873.

Sous une stalagmite mince il a rencontré les niveaux suivants :

F. Assise à harpons plats, perforés, en bois de cerf, formant un îlot très limité, dans l'anse gauche de la grotte;
E. Assise à harpons cylindriques, couche mince avec des aiguilles mais de très rares gravures;
D. Assise mince ayant livré des aiguilles, des pointes à base fourchue, des spatules et quelques gravures « mal faites »;
C. Assise de gravures à contours découpés, assez riche, nombreuses têtes de cheval;
B. Assise à sculptures en bas reliefs, très riche, contenant divers objets en ivoire et, à la base, des sculptures en creux et en relief représentant des spirales;
A. Assise à sculptures en ronde bosse.

Tous les silex recueillis sont de type magdalénien.

Si F peut être considéré comme appartenant à l'extrême fin du Magdalénien, sinon même à l'Azilien, E doit correspondre au Magdalénien VI et D au Magdalénien V. Le souci de systématiser a amené Piette à distinguer trois niveaux qui en réalité appartiennent à la même couche du Magdalénien IV. On notera que cette couche (assise B), comme celle d'Isturitz, a livré des baguettes au décor excisé de spirales et de cercles, si caractéristique des stations du Magdalénien IV des Pyrénées occidentales.

De l'autre côté du gave, presque en face des Espalungues, dans la colline portant une chapelle dédiée à Saint-Michel, s'ouvre une petite grotte à

laquelle on a donné ce nom. Son accès difficile avait empêché Piette d'y pénétrer, ce que réussit à faire Mascaraux, en 1888.

Sous un plancher de stalagmite, incluant en certains points des charbons, des os et des coquilles d'*Helix* et mesurant de 6 à 40 cm d'épaisseur, se trouvaient les niveaux suivants :

10 cm 1) Terre brunâtre contenant des ramures de cerf sectionnées, de grandes sagaies à biseau simple et des silex magdaléniens;
5/10 cm 2) Stérile : galets et limons;
5/10 cm 3) Terre brunâtre : omoplate avec trois rondelles découpées, tête de cheval découpée et gravée, silex;
5/6 cm 4) Stérile : graviers et galets;
5/10 cm 5) Terre brunâtre avec des statuettes en bois de renne, « une sorte de dard courbe dont les barbelures sont remplacées par un découpage en dents de scie », silex identiques aux précédents.

Dans l'inventaire et la description du matériel, représenté en partie d'ailleurs dans l'album de Piette, Mascaraux indique avoir trouvé des pointes à cran magdaléniennes, divers microlithes mais peu de burins. Les sagaies sont à un ou deux biseaux. Il existe deux pointes à base fourchue, de section, l'une, cylindrique, l'autre, quadrangulaire. Les harpons ont un fût cylindrique. Il a aussi recueilli des baguettes demi-rondes, d'autres, cylindriques, des aiguilles, des poinçons dont certains façonnés sur des incisives de Cheval, des propulseurs, des « bâtons de commandement », des pendeloques, etc.

On peut estimer que cette grotte a été occupée pendant les Magdaléniens IV, V et VI et peut-être aussi, par la suite, au postglaciaire.

***

Dans une communication au 1er congrès international de Spéléologie, L. Méroc (1953) avait noté que dans près des 3/4 des gisements qu'il connaissait, les habitats aurignaciens et périgordiens y étaient superposés. Ce qui n'était pas sans le surprendre et il ajoutait que les « caractères mixtes » de l'Aurignacien moyen d'Isturitz apportaient peut-être l'explication de cette particularité. Cet Aurignacien moyen révèle en effet une occupation intermittente correspondant à des étapes faites par des groupes venant du nord et se dirigeant vers le sud en empruntant la voie côtière.

La situation a été probablement identique pendant le Solutréen si l'on en croit Ph. Smith (1966).

Au Magdalénien, L. Méroc constate que la communauté d'outillage relevée entre le Périgord et la région cantabrique ainsi que le Levant espagnol durant les Magdaléniens I, II et III n'a laissé aucune trace sur le terrain dans la zone sous-pyrénéenne et dans la montagne. Par contre, pendant les phases suivantes, IV, V, VI, les stations des Landes et du Pays Basque français font la liaison entre celles des Pyrénées centrales et du nord-ouest de l'Espagne.

Depuis cette publication, la grotte Duruthy, à Sorde (Landes) dans la basse vallée du gave d'Oloron, à moins de 30 km au nord d'Isturitz, a révélé la présence incontestable du Magdalénien III surmonté par les couches souvent importantes des Magdaléniens IV, V et VI (Arambourou, 1973).

Il est difficile de tenir Sorde pour une exception,

comme le témoin avancé de relations anciennes, mais isolé aux bords d'une frontière.

Pour le Magdalénien et aussi pour les autres industries et, dans ce domaine de la Préhistoire comme en tant d'autres, il faut se méfier des idées reçues. Des fouilles modernes sont seules susceptibles de montrer ce qu'il en est réellement.

Bibliographie

[1] ARAMBOUROU R. (1973). — Les gisements de Sorde-l'Abbaye (Landes) in : Préhistoire et Proto-histoire des Pyrénées. Lourdes.

[2] BORDES F. (1972). — Informations archéologiques, circonscription d'Aquitaine. Gallia-Préhistoire, t. 15, fasc. 2.

[3] BOUCHER P. et LAPLACE G. (1962). — Les grottes ornées des Arbailles. Eusko Jakintza, revue d'études basques.

[4] CHAUCHAT Cl. (1968). — Les industries préhistoriques de la région de Bayonne, du Périgordien ancien à l'Asturien. Thèse 3e cycle, Lettres, Bordeaux.

[5] CHAUCHAT Cl. (1973). — La grotte Lezia à Sare, quelques nouvelles données. Bulletin du Musée Basque, n° 61, 3e trim. 1973.

[6] DETROYAT A. (1877-78). — Notice sur les stations de l'âge de la Pierre découverte jusqu'ici autour de Bayonne. Bulletin de la société des Sciences, Lettres et Arts de Bayonne.

[7] DUPÉRIER R. (1948). — Le Levalloisien (?) de Chabiague. Ikuska, n° 8-9.

[8] LAPLACE G. (1953). — Les couches à escargots des cavernes pyrénéennes. Bulletin de la société préhistorique française, t. L, n° 4.

[9] LAPLACE G. (1966). — Les niveaux calstelperroniens, protoaurignaciens et aurignaciens de la grotte Gatzerria à Suhare en Pays Basque. Quartär, Bd. 17.

[10] MASCARAUX F. (1910). — La grotte de Saint Michel d'Arudy. Revue de l'Eole d'Anthropologie, t. XX, nov.

[11] MEROC L. (1953). — La conquête des Pyrénées par l'homme. Publications du 1er congrès international de Spéléologie, t. IV, sect. 4.

[12] MORTILLET G. de (1883). — Le Préhistorique, antiquité de l'homme.

[13] PASSEMARD E. (1924). — Les stations paléolithiques du Pays Basque et leurs relations avec les terrasses d'alluvions. Thèse de l'Université de Strasbourg, Bodiou, Bayonne.

[14] PIETTE E. (1900.) — L'Art pendant l'Age du Renne.

[15] RIPOLL-PERELLO E. y BOUCHER P. (1960-61). — La plaqueta grabada de la cueva Hareguy (Mauléon, Bajos Pirineos). Ampurias XXII-XXIII.

[16] SAINT PÉRIER R. de (1930). — La grotte d'Isturitz : I. Le Magdalénien de la salle Saint Martin. Archives de l'I.P.H. Mémoire n° 7.

[17] SAINT PÉRIER R. de (1936). — La grotte d'Isturitz : Le Magdalénien de la grande salle. Archives de l'I.P.H. Mémoire n° 17.

[8] SAINT PÉRIER R. et S. de (1952). — La grotte d'Isturitz : III. Les Solutréens, les Aurignaciens et les Moustériens. Archives de l'I.P.H. Mémoire n° 25.

[19] SÉRONIE VIVIEN R. (1974). — Découverte d'une nouvelle grotte ornée en Pays Basque : la grotte du Sinhikole-ko-Karbia (Camou-Cihigue, Pyrénées Atlantiques). Bulletin de la société préhistorique française, t. 71, C.R.S.M., n° 2.

[20] SMITH P. (1966). — Le Solutréen en France. Publications de l'Institut de Préhistoire de Bordeaux.

Les civilisations du Paléolithique supérieur dans le Sud-Ouest (Landes)

par

Robert ARAMBOUROU *

Résumé. Pendant le Paléolithique supérieur la plus grande partie de l'actuel département des Landes est recouverte par le sable des Landes, seule la zone sud est occupée. Toutes les grandes cultures y sont représentées. Trois sites sont particulièrement célèbres depuis la fin du XIXᵉ siècle : Brassempouy, Montaut et Sorde.

Actuellement des recherches ont lieu à Eyre-Moncube (Périgordien ancien) et surtout à Sorde. La reprise des fouilles à Duruthy depuis 1958 a précisé la stratigraphie et, sous les Magdaléniens VI, V, IV et III amené la découverte de nouveaux niveaux (ancien Magdalénien, Solutréen supérieur, Périgordien supérieur). On attend de trouver l'Aurignacien pendant l'été 1975. Ainsi cette station offrira-t-elle presque toute la séquence des Würm III et IV.

La zone sud des Landes semble bien appartenir au domaine culturel des Pyrénées occidentales.

Abstract. The greatest part of the departement of Landes was covered by the "sable des Landes" during the Upper Paleolithic. Only the southern part of the department was occupied by man. All the great cultures have been found here. The main sites of Brassempouy, Montaut and Sorde have been known from the end of the 19th century. The research was actually done near Eyre-Moncube (Lower Perigordian) and above all at Sorde. New excavations done at Duruthy since 1958 allow for more precise stratigraphy and also show new sequences. Lower Magdalenian, Upper Solutrean and Upper Perigordian levels have been found under Magdalenian beds VI, V, IV, and II. We anticipate the discovery of Aurignacian in 1975. With this find, most of the Würm III and IV sequence will be established.

Upper Paleolithic cultures in the South of Landes appear to belong to the west-pyrenean cultural area.

Pendant le Paléolithique supérieur, la plus grande partie du territoire de l'actuel département des Landes est recouverte par le sable qu'y déposent et remanient les vents. Le relief, l'hydrographie, les paysages et les possibilités offertes à l'existence humaine en sont profondément modifiés (Arambourou, 1963).

En gros, toute la région située au nord de l'Adour est masquée et uniformisée par ces dépôts mis en place au cours des Würm III et IV (Latouche et al., 1974). Les seuls accidents topographiques que l'on y rencontre désormais sont des massifs dunaires dont les vagues ont progressé d'ouest en est sur le plateau landais, le bourrelet des dunes littorales dont l'accumulation va peu à peu bloquer l'écoulement des cours d'eau côtiers et transformer en étangs leurs basses vallées et les creux, très marqués parfois, d'un réseau hydrographique trop récent pour être assez développé, vestiges tronqués d'écoulements anciens, comme l'Eyre, ou ruisseaux affluents de la rive droite de l'Adour dont le fleuve a facilité le déblaiement. Faute de drainage, par insuffisance du réseau et de la pente, l'eau s'accumule en hiver, tandis qu'en été la sécheresse fait remonter les oxydes métalliques qui cimentent les grains de quartz et constituent, à 50 cm environ de la surface du sol, une cuirasse imperméable : l'*alios*.

Quelques placages de sables sont parfois passés sur la rive gauche de l'Adour, notamment aux environs de Dax. Mais, avec ses rides anticlinales, ses dômes triasiques, les roches plus diversifiées du sous-sol et une érosion infiniment plus active des eaux courantes grâce à une alimentation importante, à la pente naturelle et à la proximité du niveau de base, la région sud, dans son ensemble n'a pas été recouverte par le sable des Landes.

Pendant des millénaires, sauf quelques bois et des clairières de culture le long des vallées ainsi que dans la dépression au contact du plateau landais et des dunes littorales, tout le nord du département est resté une lande ouverte à la transhumance des troupeaux jusqu'à son boisement systématique en pins, au milieu du XIXᵉ siècle.

Dans le sud, l'élevage transhumant avait, comme dans le nord, remplacé les migrations saisonnières des animaux. Il a survécu jusqu'à une époque récente sur les landes couvrant les sols pauvres des grands épandages alluviaux tandis qu'en Chalosse proprement dite la forêt de feuillus, lentement défrichée, laissait la place à la polyculture.

Cette division du département en deux ensembles est fondamentale. La carte de répartition des sites du Paléolithique supérieur la souligne nettement (fig. 1).

Il existe pourtant une anomalie : la présence, dans l'argile d'un vallon, près de Sabres, en pleine région forestière, sous le sable des Landes, d'une petite pointe à cran solutréenne (Thibault, 1965). Elle atteste l'extension du sable au Würm IV mais aussi notre ignorance de tout ce qui est sous ce masque.

*
**

Reconnus depuis le milieu du XVIIIᵉ siècle par F. de Borda, naturaliste de Dax, comme les témoins de l'industrie humaine (Arambourou, 1963), les outils de pierre n'ont été recherchés que dans le dernier tiers du XIXᵉ siècle. Les premières découvertes publiées sont celles d'un capitaine alors en garnison à Dax, R. Pottier, qui en explore les environs et notamment la région de Sorde, puis de H. du Boucher suivi de J. de Laporterie et de P.-E. Dubalen. L. Lartet allait fouiller ensuite avec H. Chaplain-Duparc à Sorde, Piette et de Laporterie reprenaient les travaux de Dubalen à Brassempouy

* Institut du Quaternaire, Université de Bordeaux I, 33405 Talence (France).

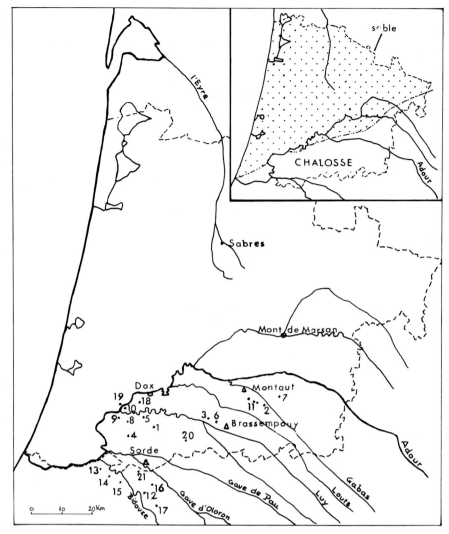

FIG. 1. — Le Paléolithique supérieur des Landes.

1. Pouillon; 2. Eyres-Moncube; 3. Bastennes; 4. Belus; 5. Benesse-lès-Dax; 6. Gaujacq; 7. Montsoué; 8. Saint-Lon; 9. Siest; 10. Tercis; 11. Anticlinal d'Audignon; 12. Arancou; 13. Bardos; 14. Bidache; 15. Came; 16. Labastide-Villefranche; 17. Sussaute; 18. Seyresse; 19. Rivière; 20. Mouscardès; 21. Léren.

après que F. Mascaraux eut découvert le gisement de Montaut. Au début de ce siècle, l'abbé Breuil fouille, avec Dubalen, l'abri Dufaure, à Sorde. L'importance et l'intérêt du matériel exhumé donnèrent une certaine notoriété au département. Puis l'oubli se fit. Après les fouilles de Dubalen, à Rivière, près d'un demi-siècle s'écoule jusqu'à la reprise des recherches à Sorde, en 1958.

Du *Périgordien ancien* a été rencontré près de Pouillon et une station est actuellement fouillée près d'Eyres-Moncube.

L'*Aurignacien* est bien connu à Brassempouy, il existe aussi à Bastennes, Belus, Bénesse-lès-Dax, Gaujacq, Montaut, Montsoué, Pouillon, Saint-Lon, Siest, Tercis et sur tout le flanc sud de l'anticlinal d'Audignon. On peut ajouter, sur la rive gauche du gave d'Oloron, quelques découvertes isolées sur les hauteurs d'Arancou, Bardos, Bidache, Came, Labastide-Villefranche et Sussaute.

Le *Périgordien supérieur,* outre Brassempouy, est présent à Bénesse-lès-Dax et à Tercis.

Une fouille-sauvetage, à Seyresse, a livré ce qui

pourrait être du Proto-Solutréen ou se placer dans le « complexe gravetto-solutréen ». Le *Solutréen* existe à Brassempouy, Montaut et Tercis.

Le *Magdalénien* se rencontre à Brassempouy, à Rivière, des traces ont été reconnues à Mouscardès et près de Pouillon, mais les gisements les plus importants sont ceux de Sorde auxquels on ajoutera, sur l'autre rive du gave, une station signalée jadis à Leren et une autre probable près d'Arancou (fig. 1).

Sans doute faute d'une prospection systématique les sites du Paléolithique supérieur apparaissent moins nombreux que ceux du Moustérien, mais certains, par leur étendue et leur importance compensent cette insuffisance numérique. C'est le cas de ceux qui depuis la fin du XIXᵉ siècle font la réputation du département : Brassempouy, Montaut et Sorde.

Brassempouy.

Découverte fortuitement en 1880, la grotte du Pape, nom de la métairie voisine (en gascon, Pape

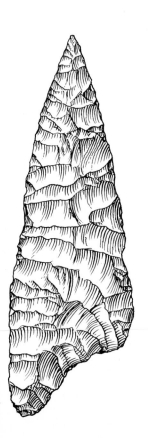
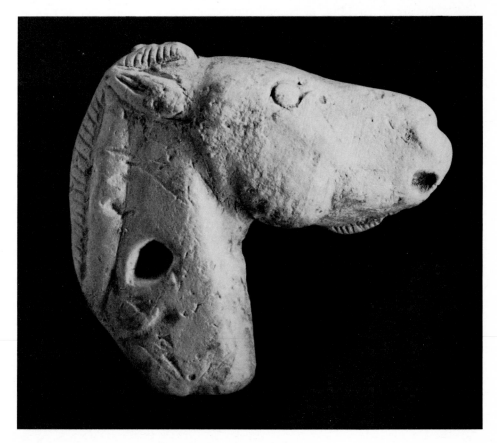

Fig. 2.

Landes : 1. Brassempouy : La dame de Brassempouy; 2. Montaut : pointe du Solutréen moyen; 3. Sorde : Grand-Pastou :
contour découpé; 4. Sorde : Duruthy : pendentif en marne calcaire.

= sorcier), est située sur le flanc ouest d'un coteau, dans le calcaire Lutétien, au bord d'un ruisseau affluent du Luy de France.

La stratigraphie indiquée par Dubalen, le premier fouilleur, a été obscurcie par celles que Piette donna ensuite en voulant inclure les œuvres d'art de Brassempouy dans le système qu'il avait établi pour les stations pyrénéennes.

A la lumière des publications des divers fouilleurs et de la collection Piette conservée au Musée des Antiquités Nationales, H. Delporte a récemment éclairci la question. Ses conclusions (Delporte, 1967) précisent les séquences suivantes : dans la galerie des Hyènes : de l'*Aurignacien* ancien et des traces de *Magdalénien* ; dans la grotte du Pape : du *Moustérien*, de l'*Aurignacien*, du *Périgordien supérieur* contenant les statuettes d'ivoire, sous une couche à grandes lames faisant songer au *Protomagdalénien*, trois niveaux de *Solutréen*, ce qui a amené Ph. Smith à estimer que Brassempouy était probablement le site-clé pour la compréhension du Solutréen dans les Pyrénées (Smith, 1966), enfin du *Magdalénien IV* par son industrie lithique et par ses œuvres d'art (Delporte, 1967).

Aucun témoin de cette importante séquence ne subsiste mais nombreux sont ceux qui essaient encore d'en remuer les déblais. Mais il reste la collection Piette et ses statuettes, notamment celle de la « tête de femme à la résille », universellement connue (fig. 2).

Montaut.

Les curieux objets de Montaut ont été trouvés par F. Mascaraux, en 1889, alors qu'il prospectait aux environs de Saint-Sever. Une coupe dans les limons du plateau, au-dessus de la carrière d'Arcet, montra une accumulation d'éclats de silex. Un sondage peu profond fit découvrir quelques pierres plates entourées d'éclats de taille, de rognons de silex, de galets de quartzite ayant servi de percuteurs et de quelques outils intacts, sans patine.

A quelques mètres de là, un autre habitat livra d'autres objets dont deux pointes à cran atypiques. Aux deux extrémités de la carrière on trouvait encore des traces d'occupation : au N-E, des outils à patine blanche, parmi lesquels une pointe à cran ; au S-W, des éléments de foyers avec des restes de faune (bouquetin, cheval, mammouth) et de rares silex, antérieurs semblait-il aux précédents. A la base de cette couche, sur le rocher, fut même rencontré un biface en amande.

La collection Mascaraux est actuellement à Saint-Germain-en-Laye. Par la suite Dubalen et de Laporterie y fouillèrent, leurs collections respectives allèrent au musée de Mont-de-Marsan et à celui de Dax. Une petite série récoltée par Neuville, peu après la première guerre mondiale est conservée à l'Institut du Quaternaire à Bordeaux. Elle comprend entre autres objets des lames à bord abattu et quelques pointes aziliennes. Récemment un sondage, de l'autre côté de la route a livré de l'Aurignacien et le nettoyage de l'entrée de la carière a permis de récolter plusieurs pointes aziliennes.

Montaut a donc été fréquenté à diverses époques. Sa situation, sur une longue pente exposée au S.-E, près du confluent du Gabas avec l'Adour était particulièrement favorable. Mais l'originalité du site tient à ses pointes si particulières que Smith (1966) place au Solutréen moyen (fig. 2).

Sorde-L'Abbaye.

Dans la vallée du gave d'Oloron, à quelques kilomètres en amont de son confluent avec le gave de Pau et un peu à l'est du bourg de Sorde, le coteau de l'interfluve est bordé par une falaise de calcaire Lutétien à grandes nummulites.

Sur le plateau dont l'altitude dépasse 100 m des alluvions rissiennes sont recouvertes de limons qui ont livré des outils acheuléens et moustériens, généralement taillés dans des galets de quartzite.

Au pied de la falaise, Pottier qui y prospecta en 1872 découvrit quatre abris contenant de l'outillage et de la faune. Deux reçurent les noms des métairies voisines, le Grand et le Petit Pastou, deux autres ceux des propriétaires du terrain, Dufaure, à l'est des précédents, Duruthy, à l'ouest.

Pottier explora les deux premiers et, par la suite céda le produit de ses recherches au Musée de Saint-Germain. Il laissa Duruthy à Louis Lartet qui y travailla avec H. Chaplain-Duparc, durant l'hiver 1873-74, sur environ 40 mètres carrés. Leurs collections sont actuellement conservées, pour le premier au Muséum de Toulouse, pour le second au musée du Mans. En 1900, l'abbé Breuil et Dubalen fouillèrent à Dufaure. Ce qui fut recueilli fut déposé au musée de Mont-de-Marsan, mais une petite série, collection de Laporterie, est au musée de Dax.

En 1957, la richesse des déblais épars au milieu des ronciers et des éboulis au devant de Duruthy incita R. Arambourou à demander l'autorisation de les reprendre puis, l'année suivante, d'entreprendre la fouille de ce gisement.

Duruthy : Lartet et Chaplain-Duparc (1874) y ont distingué trois couches : la plus récente, U, contenait les restes d'une trentaine d'individus et un peu de mobilier (lames finement retouchées sur les deux faces, poignard à dos poli, « amulettes », poinçons, etc.) le tout, classé au Néolithique appartient en fait au Chalcolithique ; une couche de foyers, F' avec de la faune et une industrie qu'on ne savait encore dénommer — l'Azilien sera connu plus tard — puis une couche F comprenant un épais foyer noir, un niveau d'éboulis jaunâtres contenant des restes humains et une quarantaine de canines d'ours et de lion perforées et pour la plupart gravées enfin un lit d'argile rouge avec quelques lames et surmontant le rocher en place. Le foyer noir appartient au Magdalénien VI, les suivants représentent successivement le Magdalénien V puis le Magdalénien IV.

Au-delà des dépôts en partie détruits en 1874 sur la terrasse supérieure où s'ouvre l'abri, descend, sur une trentaine de mètres un talus en pente assez forte, coupé par deux autres paliers, jusqu'au bord des champs cutlivés.

Au pied de la falaise, dans les cônes d'éboulis,

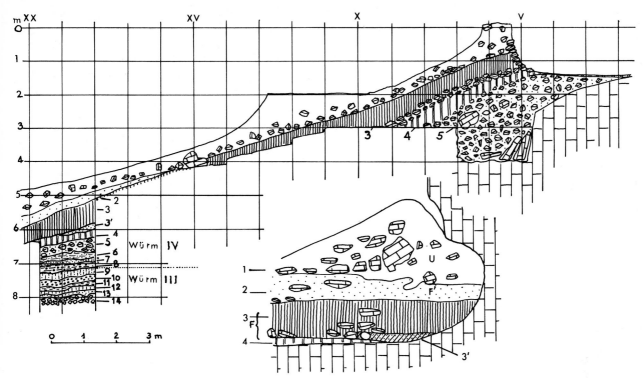

Fig. 3. — Landes : grotte Duruthy à Sorde. Coupe ouest de la tranchée AB et coupe de l'abri d'après Lartet et Chaplain-Duparc couches 1. Chalcolithique; 2. Azilien; 3. Magdalénien VI; 3'. Magdalénien V; 4. Magdalénien IV; 5. Magdalénien III; 6-7-8. Magdalénien ancien (?); 9. Solutréen supérieur (?); 10-11-12-13-14. Périgordien supérieur (?).

accumulés au cours du post-glaciaire de part et d'autre de l'abri, les fouilles actuelles ont retrouvé deux niveaux de Chalcolithique avec un peu de matériel. Un lambeau d'Azilien subsiste à l'est de l'abri, contre la falaise et un sédiment déposé à cette époque surmonte le Magdalénien VI dans la grande tranchée A-B, ouverte sur 25 m de long au sud de l'abri. Cette tranchée donne une coupe sagittale du gisement (fig. 3), précisée par divers sondages. L'un, aux mètres VI et VII a atteint la terrasse rocheuse, un autre est en cours aux mètres XIX et XX.

Le Magdalénien VI, couche de terre argilo-calcaire, brune, chargée d'une masse de galets par ses occupants pour assainir le sol a environ 0,55 m d'épaisseur moyenne. Son sommet a été daté : Ly. 858 : 11150 ± 220, soit 9200 B.C. Cette accumulation d'habitats de saison froide (Delpech, 1968) couvre environ 1400 mètres carrés. La faune où domine le Renne est extrêmement abondante ainsi que l'industrie lithique et osseuse (sagaies à double biseau, harpons à 1 ou 2 rangs de barbelures, aiguilles à chas, poinçons, etc.). L'outillage lithique, près de 8000 objets, comprend 13,5 % de Grattoirs, surtout en bout de lame ; 29,5 % de Burins (un peu plus de la moitié sont des dièdres, principalement d'axe, 40 % sont sur troncature retouchée, 0,2 % sont des becs de perroquet et 0,5 % des burins transversaux) ; 38,2 % de Microlithes, essentiellement des lamelles à dos abattu, surtout non pointues, mais il y a aussi 0,7 % de géométriques, surtout trapèzes et rectangles ; 6,3 % de Perçoirs et Becs et 0,6 % de Pointes (pointes à cran, pointes de Hambourg et, pour un peu plus de la moitié, pointes

aziliennes). Il existe aussi un outillage lourd sur galets de quartzite, 0,5 % du total.

Vers la base de cette couche, sur la terrasse supérieure et sous un amas d'éboulis, ont été trouvés les restes d'une femme de 50 ans, du type de Chancelade (Arambourou et Genet-Varcin, 1965).

Un niveau d'éboulis souvent importants, tombés pendant le Magdalénien V et utilisés par les occupants de la couche sus-jacente pour construire des gradins et même une murette marque la séparation d'avec la couche suivante.

Celle-ci, argileuse, rougeâtre, d'une trentaine de centimètres d'épaisseur contient le Magdalénien IV. Elle est très riche en faune que dominent les Bovinés, surtout le Bison (Delpech, 1970) et en industrie osseuse (sagaies cylindro-coniques, baguettes semi-rondes, lissoirs, aiguilles à chas, poinçons, baguettes plates décorées, etc.). L'outillage en silex, plus de 5000 objets, comprend 6,1 % de Grattoirs ; 29,9 % de Burins dont 85 % sont des dièdres ; 52,5 % de Microlithes dont les 9/10 sont des lamelles à dos abattu non pointues et seulement 3 % de Perçoirs.

Cette couche a livré trois sculptures en ronde bosse : un cheval agenouillé, sur du grès ; un pendentif en marne calcaire représentant une tête de cheval et une autre tête de cheval façonnée dans un morceau d'ivoire (Arambourou, 1962). De nombreuses gravures et des reliefs d'animaux sur bois de renne et parfois sur galets ont aussi été recueillis.

Deux datations ont été obtenues : pour le sommet, Ly 859 : 13510 ± 220 (11560 B.C.) et pour la base, Ly 860 : 13840 ± 210 (11890 B.C.).

Des éboulis, parfois volumineux et un sédiment jaunâtre, produit de leur altération, constituent la

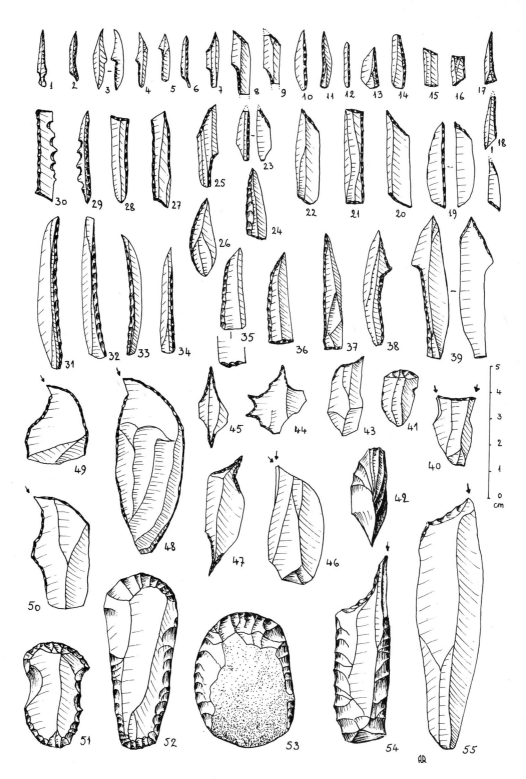

FIG. 4. — Sorde : Grotte Duruthy. Outillage du Magdalénien VI.
Microlithes divers : n° 1-6, 10-14; Pointe de Hambourg : n° 7-9, 25; Microlithes géométriques : n° 15-18, 20-22; Lamelles à dos denticulées n° 29, 30; Lamelles à dos et troncature : n° 19, 23, 27, 28; Lamelles à dos abattu : n° 31-34; Pointes aziliennes : n° 24, 34-37; Pointes à cran : n° 38, 39; Perçoirs : n° 44, 45, 47; Troncature : n° 43; Grattoirs : n° 41, 42, 51-53; Burins Bec de perroquet : n° 48-50; Burins : n° 40, 46, 54, 55.

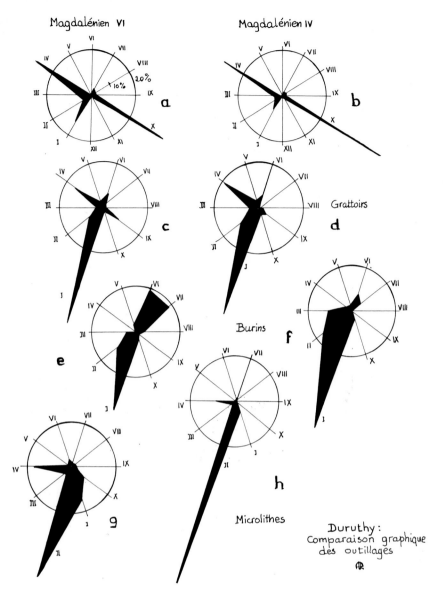

FIG. 5. — Sorde : Grotte Duruthy. Comparaisons graphiques des outillages du Magdalénien VI : a, c, e, g et du Magdalénien IV : b, d, f, h.

Diagrammes de groupes : a et b : I. Grattoirs; II. Outils composites; III. Perçoirs et Becs; IV. Burins; V. Outils à bord abattu; VI. Outils solutréens; VII. Pièces tronquées; VIII. Lames retouchées; IX. Pièces variées; X. Microlithes; XI. Pointes et Lames appointées; XII. Divers.

Diagrammes de types : c-d : *Grattoirs :* I. Simples; II. Doubles; III. En éventail; IV. A bords retouchés; V. Plats à épaulement ou à museau; VI. Sur éclat simple; VII. Circulaires; VIII. Divers sur éclat; IX. Carénés; X. Carénés à museau.

e-f : *Burins :* I. Dièdres d'axe; II. Dièdres d'angle; III. Dièdres multiples; IV. Dièdres divers; V. Multiples mixtes; VI. D'axe sur troncature; VII. Multiples sur troncature; VIII. Multiples sur troncature; IX. Divers sur troncature; X. Transversal.

g-h : *Microlithes :* I. Lamelles à dos, pointues; II. Lamelles à dos, non pointues; III. Lamelles à dos, denticulées et à coche; IV. Lamelles à dos et troncature; V. Microlithes divers; VI. Microlithes géométriques; VII. Lamelles denticulées et à coche; VIII. Lamelles tronquées ou bitronquées; IX. Lamelles Dufour et Font Yves; X. Lamelles à fines retouches (directes et inverses).

couche suivante avec divers niveaux, assez pauvres, du Magdalénien III. Le sommet de la couche a donné : Ly 861 : 14180 ± 200 soit 12230 B.C.

Le sondage en cours aux mètres XIX et XX de la tranchée A-B a révélé la présence du Magdalénien V entre les couches contenant respectivement les Magdaléniens VI et IV, présence confirmée ensuite dns la tranchée exécutée au mètre XV pour établir une coupe frontale du gisement.

L'été 1974, ce sondage a permis de repérer sous le Magdalénien III, 9 couches nouvelles malheureu-

sement très pauvres. Les trois premières semblent se rapporter au Magdalénien ancien, la quatrième aux oscillations dégressives du Solutréen supérieur et à l'interstade Würm III/IV, les autres à diverses phases du Périgordien supérieur. Le sommet de la terrasse alluviale n'étant pas encore atteint il est donc possible de rencontrer des dépôts plus anciens. Duruthy offrirait ainsi la séquence presque complète de l'interstade Würm II/III jusqu'à l'Azilien. Cette séquence, bien calée sur la terrasse du Würm II définit sans discussion tout le système des terrasses de cette vallée et même celui de tout le bassin de l'Adour (Arambourou, 1975).

Dufaure : à 300 m à l'E de Duruthy. Sous des éboulis relativement récents la coupe frontale relevée par Breuil (Breuil, 1901) indique : un foyer de cendres noires, la base avec gravures, le haut avec harpon plat et galet peint ; à l'est d'un bloc calcaire dressé verticalement et séparant la *cella* un niveau de limon jaune (pierrailles et *helix*) ; un foyer inférieur (harpons à fût cylindrique) dont la surface porte un pavage de galets.

Les fouilleurs ont aussi noté une sorte de parapet en blocs calcaires limitant la terrasse de l'abri et une construction faite de deux blocs dressés liés par des pierres de moindre dimension isolant l'extrémité ouest de l'abri (la *cella*).

La partie haute du foyer supérieur correspond par sa faune et son industrie à l'Azilien, la partie basse appartenant probablement au Magdalénien VI b et le foyer inférieur au Magdalénien VI a.

L'abri du *Petit Pastou* paraît avoir été entièrement vidé au siècle dernier, celui du *Grand Pastou* contient quelques lambeaux de son remplissage dont une partie subsiste étalée sur la pente au-devant de l'abri. Un sondage effectué en 1968 et 1969 a montré du Magdalénien VI et du Magdalénien IV.

Enfin, à l'ouest de Duruthy, les travaux de 1971 ont révélé la présence d'un autre gisement magdalénien. Entre ces divers habitats qui se succèdent sur environ 600 m au pied de la falaise, à l'abri des vents du nord, bien exposés au soleil et face au gué donnant accès vers la montagne il ne paraît guère y avoir de solution de continuité. Une véritable agglomération semble avoir réuni une population importante rassemblée pour passer l'hiver.

*
**

Leur situation géographique fait des Landes une zone de passage et de contacts. Mais, au Paléolithique supérieur, l'extension de la couverture sableuse réduit singulièrement le territoire utilisable et, dans le sud-ouest, la basse vallée de l'Adour, par son ampleur depuis le confluent des gaves est un obstacle qui, pour des millénaires, repousse les points de passage dans la région de Sorde. L'est du département semblant vide de toute présence humaine, les Landes, restreintes à la Chalosse centrale et occidentale avec le Pays d'Orthe, apparaissent surtout comme le prolongement d'un domaine pyrénéen incluant ce côté et l'autre de la montagne.

On note à Duruthy, dans le Magdalénien IV, sur un morceau de bois de renne, la présence de ce décor excisé à spirales de types divers, ramifiées ou au contraire ramassées en un cercle, qui a été rencontré à Lespugue, Gourdan, Lourdes, Arudy et Isturitz (de Saint Périer, 1929). L'aire de répartition de ces gisements, de la haute vallée de la Garonne jusqu'à l'Océan, paraît être la première esquisse d'une région à laquelle un particularisme tenace vaudra, au IIIᵉ siècle de notre ère, de devenir la province de Novempopulanie et plus tard sera la Gascogne. La spirale ramassée en un cercle reste d'ailleurs, encore aux premiers siècles de l'ère, un thème habituel du décor

de la céramique sigillée ibérique, en réalité pyrénéenne (Arambourou, 1962 b).

Peut-être ces grandes périodes de paix et d'équilibre que semblent avoir été le Magdalénien supérieur et bien plus tard l'Empire romain, ont-elles permis à l'originalité indigène de s'affirmer par l'usage de symboles venus du fond des âges et l'exigence du respect d'un territoire qui depuis des millénaires était considéré comme celui des ancêtres.

Bibliographie

[1] ARAMBOUROU R. (1962). — Sculptures magdaléniennes découvertes à la grotte Duruthy à Sorde-l'Abbaye (Landes). *L'Anthropologie*, t. 66, nᵒ 5-6.

[2] ARAMBOUROU R. (1962 b). — Poterie sigillée hispanique. *Bulletin de la société de Borda*, Dax.

[3] ARAMBOUROU R. (1963). — Essai de paléogéographie du Paléolithique des Landes. *Bulletin de la société de Borda*, Dax.

[4] ARAMBOUROU R. et GENET-VARCIN E. (1965). — Nouvelle sépulture du Magdalénien final dans la grotte Duruthy à Sorde-l'Abbaye (Landes). *Annales de Paléontologie* (Vertébrés), t. LI.

[5] ARAMBOUROU R. et THIBAULT Cl. (1968). — Les recherches de préhistoire dans les Landes (C.-r. annuel depuis 1967). *Bulletin de la société de Borda*, Dax.

[6] ARAMBOUROU R. (1970). — Un campement protosolutréen à Seyresse (Landes). *Bulletin de la société de Borda*, Dax.

[7] ARAMBOUROU R. (1973). — Les gisements de Sorde-l'Abbaye (Landes). *Préhistoire et Protohistoire des Pyrénées*, Lourdes.

[8] BREUIL H. et DUBALEN P.-E. (1901). — Fouilles d'un abri à Sorde(s) en 1900. *Revue de l'école d'anthropologie de Paris*, onzième année, VIII, août 1901.

[9] DELPECH F. (1968). — Faunes du Magdalénien VI et de l'Azilien du gisement de Duruthy, commune de Sorde-l'Abbaye (Landes). *Actes de la société linéenne de Bordeaux*, t. 105, série B, nᵒ 6.

[10] DELPECH F. (1970). — Faune du Magdalénien IV du gisement de Duruthy, commune de Sorde-l'Abbaye. *Bulletin de l'association française pour l'étude du Quaternaire*, t. I.

[11] DELPORTE H. (1967). — Brassempouy, ses industries d'après la collection Piette. *Zephyrus*, vol. XVIII (donne toute la bibliographie de ce gisement).

[12] LARTET L. et CHAPLAIN-DUPARC H. (1874). — Sur une sépulture des anciens troglodytes des Pyrénées superposée à un foyer contenant des débris humains associés à des dents sculptées de lion et d'ours. *Matériaux pour l'histoire primitive et naturelle de l'Homme*, Xᵉ année, t. V.

[13] LATOUCHE Cl., LEGIGAN Ph., THIBAULT Cl. (1974). — Nouvelles données sur le Quaternaire des Landes de Gascogne. *Bulletin de l'Institut de Géologie du Bassin d'Aquitaine*, nᵒ 16.

[14] MASCARAUX F. (1890). — Station humaine et gisement de silex taillés à Montaut (Landes). *Bulletin de la société de Borda*, Dax.

[15] MASCARAUX F. (1912). — Les silex de Montaut (Landes). *Revue anthropologique*, vol. 22, nᵒ 4.

[16] POTTIER R. (1872). — Recherches d'archéologie préhistorique dans l'arrondissement de Dax. *A.F.A.S.* Congrès de Bordeaux.

[17] SAINT-PÉRIER R. (1929). — Les baguettes sculptées dans l'art paléolithique. *L'Anthropologie,* t. 32.

[18] SMITH Ph. (1966). — Le Solutréen en France. *Publcations de l'Institut de Préhistoire de Bordeaux,* n° 5.

[19] THIBAULT Cl. (1965). — A propos de la pointe à cran solutréenne de Sabres (Landes) et des sables des Landes de Gascogne. *L'Anthropologie,* t. 69, n° 3-4.

[20] THIBAULT Cl. (1970). — Recherches sur les terrains quaternaires du bassin de l'Adour. *Thèse Sciences,* Université de Bordeaux I, n° 296.

Les civilisations du Paléolithique supérieur dans le Sud-Ouest (Gironde)

par

Michel Lenoir *

Résumé. Dans la région concernée par cet article, les industries du Paléolithique supérieur, surtout représentées par les industries contemporaines du Würm IV, sont connues dans plusieurs gisements de plein-air et de nombreux gisements sous abri situés pour la plupart dans le secteur traversé par la Dordogne et ses affluents. Comme en Périgord, on assiste à la fin du Würm IV à une véritable « explosion démographique ».

Abstract. Upper Paleolithic cultures are mainly represented by Wurm IV industries in the area studied in this paper. These industries are known from several open-air sites and numerous rock shelters in and near the Dordogne valley. Here, as in Perigord, a true « demographic explosion » occured at the end of the last glaciation.

Les gisements dont nous présentons ici l'inventaire, appartiennent au département de la Gironde et se situent dans un secteur géographique traversé par les basses vallées de la Dordogne et de la Garonne et limité à l'Ouest par l'océan Atlantique. Les formations quaternaires y recouvrent le substratum tertiaire molassique ou calcaire (calcaire à Astéries et calcaire lacustre de Castillon) qui conditionne fortement la topographie de cet ensemble géographique.

Les affleurements calcaires sont creusés d'abris parmi lesquels beaucoup furent occupés au cours du Pléistocène. A l'Est de la Garonne le calcaire n'affleure que très rarement.

Aux gisements sous abri s'ajoutent de nombreux gisements de plein-air et les plus vieilles industries connues (Acheuléen) n'ont été pour l'instant rencontrées que dans ce type de gisement ou dans des terrasses fluviatiles. Les industries du Paléolithique moyen sont également mieux connues dans les gisements de plein-air que dans les gisements sous abri, tandis que celles du Paléolithique supérieur, surtout représentées par les industries contemporaines du Würm IV existent dans les deux types de gisement. Ces particularités peuvent avoir plusieurs causes : creusement tardif des abris, occupation sporadique du territoire jusqu'à la fin du Würm IV, prospection incomplète de certains secteurs...

Nous pouvons dès maintenant présenter un essai de répartition qui doit être retenu avec les réserves qu'impose le caractère fragmentaire des données dont nous disposons à l'heure actuelle (1).

Les industries contemporaines du Würm III (1).

Périgordien.

La présence de Périgordien ancien n'est attestée

(1) Ces données proviennent des travaux anciens de A. Conil, F. Daleau, J. Ferrier, M. J.-A. Garde, J. Labrie, F. Morin, des prospections et travaux récents de R. Bergère, P.-C. Chadelle, R. Cousté, R. Deffarges, D. Dupuy, D. Gallot, Y. Krtolitza, D. Lapoterie, L. Moisan, E. Prot, A. Roussot, M. Sireix, S. Terraza, G. et L. Trécolle, ainsi que de

de façon certaine qu'à la grotte de Haurets à Ladaux (fouilles J. Labrie) et à celle de Pair-Non-Pair à Marcamps (fouilles F. Daleau). Le gisement de plein air de Camiac-Saint-Denis (fouilles M. Lenoir) a livré une pièce à dos de type Châtelperron associée à une industrie assez pauvre d'aspect moustérien, de même, le matériel récolté par D. Gallot et L. Trécolle dans la station de plein air de Cornemps comporte deux couteaux de Châtelperron.

Le Périgordien moyen à pointes de la Gravette ou le Périgordien supérieur sont représentés dans divers gisements : grotte de Pair-Non-Pair, abri Lespaux à Saint-Quentin de Baron (fouilles Y. Krtolitza), gisements de plein air de la Butte de Launay à Soussac, du Camp de la Hire à Saint-Philippe-d'Aiguilhe, de la Bernarderie à Francs, des Vignes du Moulin à Landerrouat ainsi que dans le gisement sous abri de Ferrand à Saint-Hippolyte.

Aurignacien.

L'Aurignacien est connu par plusieurs gisements de plein air : Larroque à Nérigean (récoltes M. Sireix), Camiac-Saint-Denis (récoltes R. Bergère et H. Gros), Fonplégade à Saint-Emilion, La Bernarderie à Francs, Les Vignes du Moulin à Landerrouat. En grotte ou sous abri l'Aurignacien n'est pour l'instant connu que dans trois gisements : grotte de Pair-Non-Pair et grotte de Jolias à Marcamps, abri de Durège à Pessac-sur-Dordogne (fouilles R. Deffarges).

Solutréen.

Le Solutréen est très mal connu dans le secteur étudié et il n'est représenté que par la découverte de pièces isolées en surface ou dans des niveaux archéologiques magdaléniens (Ph. Smith, 1966 ; M. Lenoir, 1974). Les « poignards » du gisement du Grand-Moulin à Lugasson qui lui ont autrefois été attribués (J. Ferrier, 1938) pourraient appartenir au Chalcolithique (Ph. Smith, 1966).

nos propres travaux entrepris dans le cadre d'une thèse de Doctorat d'Etat.

---

* Institut du Quaternaire, Université de Bordeaux I, Laboratoire associé au C.N.R.S., n° 133, 33405 Talence (France).

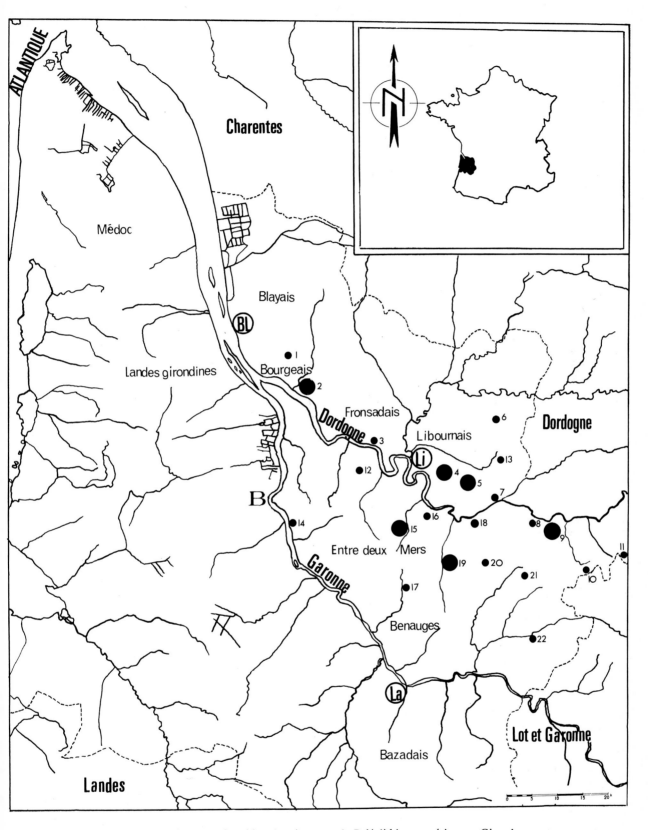

Fig. 1. — Carte de répartition des gisements du Paléolithique supérieur en Gironde.

1. Viaud; 2. La Lustre, Pair-non-Pair, Jolias, Roc de Marcamps; 3. Saint-Germain-la-Rivière; 4. Fonplégade, La Madeleine, Fongaban; 5. Ferrand, Bellefont-Belcier, Maurens; 6. La Bernarderie; 7. Gisements de plein-air des coteaux de Castillon; 8. Le Vidon; 9. Durège, le Morin; 10. Vignes du Moulin; 11. La Rouquette; 12. Birac; 13. Camp de la Hire; 14. Bouliac; 15. Bisqueytan, Abri Lespaux, Larroque, Camiac-Saint-Denis, Moulin-Neuf, La Pique, Piganeau, Baring; 16. Granet; 17. Haurets; 18. Houleau; 19. Grand-Moulin, Fontarnaud, Faustin; 20. Casevert; 21. Butte de Launay; 22. Grotte du Roc.

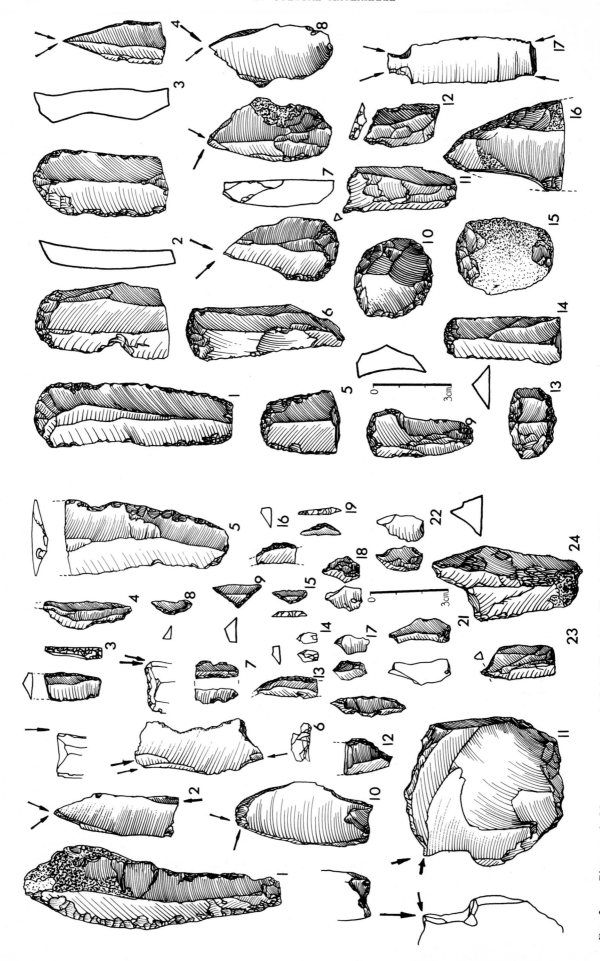

Fig. 3. — Gisement de Maurens, commune de Saint Hippolyte, Gironde, Magdalénien supérieur, outillage lithique.

Fig. 2. — Gisement de Maurens, commune de Saint Hippolyte, Gironde, Magdalénien supérieur, outillage lithique.

Les industries contemporaines du Würm IV.

Magdalénien ancien.

Le Magdalénien ancien est connu à l'abri Houleau à Sainte-Florence (fouilles de M. Sireix) et dans plusieurs gisements de plein air : Birac à Saint-Sulpice et Cameyrac (J.-Y. Crochet, 1967), Viaud à Pugnac, Vignes du Moulin à Landerrouat, les gisements de la Bertonne à Peujard (F. Daleau, 1909) et du Moulin de Barrail à Sainte-Radegonde peuvent lui appartenir.

Magdalénien moyen.

Il en existe probablement à l'abri Houleau (F. Bordes, 1959) mais un certain nombre de découvertes anciennes attribuées à ce stade semblent appartenir en réalité au Magdalénien supérieur.

Magdalénien supérieur.

Le Magdalénien supérieur est l'industrie la mieux représentée dans le secteur étudié ici, mais il n'est pas encore bien connu car la plupart des gisements qui en ont livré ont fait l'objet de fouilles anciennes. Néanmoins le Magdalénien supérieur semble être représenté par différents stades allant du Magdalénien V tel qu'il a été défini en Périgord jusqu'au Magdalénien final.

Dans le Nord-Ouest du département, le Magdalénien supérieur semble être représenté dans différents gisements anciennement fouillés par F. Daleau, mais il est surtout connu par le célèbre gisement du Roc de Marcamps (Roussot et Ferrier, 1970).

Dans le Fronsadais, les travaux récents effectués par L. Trécolle dans le fameux gisement de Saint-Germain-la-Rivière ont montré la présence de Magdalénien supérieur dans ce gisement.

Dans la région de Saint-Emilion, le Magdalénien supérieur est connu dans plusieurs gisements : Fongaban (J.Ph. Rigaud, M. Lenoir, F. Delpech, 1972), Bellefont-Belcier (sondage M. Lenoir, S. Terraza), Maurens (fouilles M. Lenoir). Ce groupement de gisements situés sur la rive droite de la vallée de la Dordogne se prolonge dans le Castillonnais et dans le département de la Dordogne (région de Vélines et de Sainte-Foy-la-Grande).

Dans l'Entre-Deux-Mers, le Magdalénien supérieur est particulièrement bien représenté. La plupart des vallons creusés par les affluents de la rive gauche de la Dordogne possèdent des abris sous roche ayant livré cette industrie.

Dans la vallée de la Canodonne et de ses affluents ce sont les abris de Piganeau, Baring, la Pique à Daignac (J. Ferrier, 1938), celui de Moulin-Neuf à Espiet et de Bisqueytan à Saint-Quentin-de-Baron (fouilles R. Cousté). Dans la vallée de l'Engranne il existe dans les gisements suivants : grotte de Fontarnaud à Lugasson (A. Roussot et J. Ferrier, 1971), Grand-Moulin à Lugasson, Abri Faustin à Cessac (M. Lenoir et S. Terraza, 1971). Il y avait peut être du Magdalénien supérieur dans le gisement de plein air de Casevert à Rauzan, dans la grotte de la Chau-

me à Lugasson et celle de la Forêt à Blasimon (J. Ferrier, 1938). L'est de l'Entre-deux-Mers possède deux gisements intéressants : Abri Vidon à Juillac (fouilles E. Prot) et abri du Morin à Pessac-sur-Dordogne (fouilles R. Deffarges).

Dans la vallée du Dropt, la grotte du Roc à Saint-Sulpice de Guilleragues anciennement fouillée par l'abbé Vincent (J. Ferrier, 1938) a livré à la suite d'un sondage récent (M. Lenoir, 1970) du Magdalénien final et de l'Azilien.

Dans la région bordelaise, mais toujours en Entre-Deux-Mers, le gisement sous-abri de Bouliac (R. Cousté et A. Magne, 1948) a livré du Magdalénien supérieur.

Conclusions.

Le département de la Gironde possède donc un assez grand nombre de gisements du Paléolithique supérieur dont l'étude détaillée n'a pas encore été faite. Si les industries contemporaines du Würm III sont relativement mal représentées, le Magdalénien et plus particulièrement le Magdalénien supérieur, dénote par son abondance une occupation assez dense à la fin du Würm IV.

Les prospections récentes ont permis d'ajouter à la liste des gisements déjà connus (J. Ferrier, 1938) de nouveaux gisements qui pour la plupart ne sont pas encore caractérisés.

La position géographique de ce secteur et sa situation atlantique nous laisse présager des différences de détail avec les gisements de la région classique du Périgord et des Charentes en ce qui concerne l'environnement au cours du Pléistocène et les industries qui lui sont associées.

Bibliographie sommaire

[1] BORDES F. (1959). — Informations archéologiques, Circonscription de Bordeaux. *Gallia-Préhistoire*, t. 2, p. 156-157.

[2] BREUIL H., CHEYNIER A., COUSTE R. (1963). — La caverne de Pair-Non-Pair (Gironde), fouilles François Daleau. Documents d'Aquitaine. *Bulletin de la société archéologique de Bordeaux*, 220 p., 1 coupe, 40 fig., 15 pl. h.-t.

[3] COUSTE R., MAGNE A. (1948). — La station magdalénienne de Bouliac (Gironde). *Bulletin de la société spéléologique et préhistorique de Bordeaux*, n° 1.

[4] COUSTE R. (1951). — Le gisement magdalénien des grottes de Jaurias. *Bulletin de la société préhistorique française*, t. 48, p. 381-384.

[5] COUSTE R., KRTOLITZA Y. (1963). — L'abri Lespaux (commune de Saint-Quentin-de-Baron, Gironde) et la question du Périgordien en Gironde. *Revue historique et archéologique du Libournais*, t. 33, n° 116, p. 47-54, 1 pl.

[6] CROCHET J.-Y. (1967). — Le Magdalénien I de Birac, commune de Saint-Sulpice-et-Cameyrac (Gironde). *Bulletin de la Société préhistorique française*, t. 64, fasc. 1, 7 p., 3 fig.

[7] DALEAU F. (1876). — Carte d'Archéologie préhistorique de la Gironde. *Association française pour l'avancement des sciences*, Clermont-Ferrand, 1876, p. 606-618.

[8] DALEAU F. (1909). — Silex à retouches anormales de la station de la Bertonne ou la Rousse, commune de Peujard (Gironde). *Bulletin de la Société archéologique de Bordeaux,* t. 31, fasc. 1, p. 31-48, 18 fig., 8 pl.

[9] FERRIER J. (1938). — *La Préhistoire en Gironde.* Le Mans, Monnoyer, 1936, 336 p., 31 fig., 85 pl.

[10] LABRIE J. (1923). — Les cavernes et abris préhistoriques de l'Entre-Deux-Mers. *Association française pour l'avancement des sciences,* Bordeaux, 1923, p. 157.

[11] LENOIR M. (1970). — Recherches sédimentologiques concernant quelques gisements magdaléniens de Guyenne occidentale. *Thèse de troisième cycle,* Bordeaux, 1970, 129 p., 144 pl.

[12] LENOIR M., TERRAZA S. (1971). — Le Magdalénien supérieur de l'Abri Faustin, commune de Cessac (Gironde). *Bulletin de la société préhistorique française,* t. 68, Etudes et travaux, fasc. 1, p. 311-327, 8 fig., 3 tabl.

[13] LENOIR M. (1974). — Indices de Solutréen en Gironde. *Bulletin de la Société préhistorique française,* t. 71, C.R.S.M. n° 7, p. 200-202, 1 fig.

[14] RIGAUD J. Ph., LENOIR M., DELPECH F. (1972). — Fouilles de sauvetage dans le gisement magdalénien de Fongaban, commune de Saint-Emilion (Gironde). *L'Anthropologie,* t. 76, n° 7-8, p. 596-629.

[15] ROUSSOT A., FERRIER J. (1970). — Le Roc de Marcamps (Gironde). Quelques nouvelles observations. *Bulletin de la société préhistorique française,* t. 67, Etudes et travaux, fasc. 1, p. 293-303, 7 fig., 1 tabl.

[16] ROUSSOT A., FERRIER J. (1971). — La grotte de Fontarnaud, commune de Lugasson (Gironde). *Bulletin de la société préhistorique française,* t. 68; Etudes et travaux, fasc. 2, p. 505-520, 11 fig., 2 tabl.

[17] SMITH Ph. (1966). — Le Solutréen en France. *Publications de Préhistoire de l'Université de Bordeaux,* mémoire n° 5, 449 p., 81 fig., 6 tabl., 4 cartes, 3 pl., 21 graph.

[18] SONNEVILLE-BORDES D. de (1960). — Le Paléolithique supérieur en Périgord, Delmas, Bordeaux, 1960, 2 vol., 580 p., 296 fig., 64 tabl.

Les civilisations du Paléolithique supérieur en Périgord

par

Jean-Philippe RIGAUD *

Résumé. L'intensification des recherches menées en Périgord au cours des dernières décades a apporté d'importantes précisions sur la chronologie des industries du Paléolithique supérieur.

Sur les bases des données de la géologie, de la paléontologie et de la palynologie, des essais de reconstitution de l'environnement du Paléolithique supérieur ont été tentées.

Enfin l'amélioration des méthodes de fouilles a permis de faire d'intéressantes observations sur l'organisation de l'habitat et sur les activités de l'homme vivant en Périgord pendant le Würm récent.

Abstract. The intensification of research, conducted in the Perigord region during the last decades, has brought to bear important precisions on the chronology of the Upper Paleolithic industries.

On the basis of geological, paleontological, and palynological data, attempts at reconstructing the Upper Paleolithic environment have been undertaken.

Finally, the improvement of excavation techniques has made possible interesting observations on the habitat organization and on the activities of the men living in the Perigord region during the Late Würm.

Ce serait une entreprise présomptueuse et vaine que de vouloir présenter en quelques pages les civilisations du Paléolithique supérieur en Périgord car nos connaissances actuelles dans ce domaine sont le résultat de recherches entreprises au début du XIXe siècle et auxquelles ont participé de nombreux préhistoriens.

Nous limiterons donc d'abord notre propos à une présentation du cadre chronologique du Paléolithique supérieur périgourdin à la lumière des récentes recherches qui lui ont été consacrées.

Les séquences culturelles, qui ont été par ailleurs l'objet de publications nombreuses et détaillées seront présentées brièvement ici. Les principaux stades d'évolution de ces outillages seront décrits à travers les « stratotypes » qui ont été à la base des subdivisions du Paléolithique supérieur. Nous ne pourrons, sauf exceptions, en montrer toute la variabilité et n'insisterons donc que sur les contributions récentes et importantes dans ce domaine.

Enfin, le développement en nombre et qualité des fouilles pratiquées dans cette région, a permis de faire quelques observations sur l'habitat paléolithique dont nous présenterons brièvement, en dernière partie, les résultats les plus marquants.

I. La chronologie des industries du Paléolithique supérieur en Périgord.

La chronologie des industries du Paléolithique supérieur était basée sur les séquences stratigraphiques de plusieurs gisements périgourdins :

— l'abri inférieur du Moustier où, surmontant une séquence moustérienne, se trouvait un niveau de Périgordien ancien (ou Castelperronien) (couche K) et un niveau d'Aurignacien (couche L) ;

— le grand abri de La Ferrassie où, au-dessus de niveaux moustériens et périgordiens anciens, se développait une séquence aurignacienne (Aurignacien 0 à IV) que surmontait une séquence du Périgordien V ;

— le grand abri de Laugerie-Haute où, sur du Périgordien supérieur (Périgordien VI), se développaient successivement le Protomagdalénien, l'Aurignacien V, le Protosolutréen, le Solutréen et le Magdalénien ancien ;

— l'abri de La Madeleine et celui de Villepin où se développait une séquence du Magdalénien supérieur et de l'Azilien.

Au cours de la dernière décade, grâce à des fouilles récentes dans ces gisements classiques et dans de nouveaux sites et à l'application systématique des méthodes d'analyse de la sédimentologie, de la palynologie et de la paléontologie, on a pu préciser et détailler la chronologie du Paléolithique supérieur périgourdin. Ces recherches, orientées vers un essai de reconstitution des climats pléistocènes, ont débouché sur l'établissement d'une chronologie climatique indépendante de la chronologie culturelle permettant de procéder à des corrélations chronostratigraphiques entre gisements (1).

Nous aborderons successivement ici les points principaux suivants :

1 - La chronologie des phases anciennes du Paléolithique supérieur,

2 - La contemporanéité du Périgordien et de l'Aurignacien,

3 - La chronologie locale de la séquence solutréenne,

4 - La chronologie de la séquence magdalénienne.

(1) Ces travaux sont essentiellement fondés sur les recherches de H. Laville et J.-P. Texier pour la sédimentologie, F. Prat, F. Delpech et J. Bouchud pour la paléontologie, Arl. Leroi-Gourhan et M.-M. Paqueau pour la palynologie.

* Université de Bordeaux I, Institut du Quaternaire, Bâtiment de Géologie, 33405 Talence (France).

1. Chronologie des phases initiales du Paléolithique supérieur.

C'est très probablement au cours de l'interstade Würm II/III que ce sont développées, en Périgord, les premières industries du Paléolithique supérieur. Mais les dépôts contenant ces industries n'ont été que très rarement conservés, car, ainsi que l'a montré H. Laville (Laville, 1973), les premières manifestations du froid du début du Würm III, associées à une forte humidité, ont provoqué d'importants phénomènes périglaciaires (solifluxion, cryoturbation) qui ont entraîné soit l'érosion de ces dépôts, soit leur concassage, soit encore leur mélange avec des niveaux sous-jacents. Pour cette raison, la chronologie fine des industries de l'interstadiaire Würm II/III et du début du Würm III est assez mal connue. Cependant, à la faveur de conditions topographiques particulières, certains gisements ont livré des dépôts non bouleversés contenant du Périgordien ancien ou de l'Aurignacien ancien. C'est le cas notamment à La Ferrassie, au Trou de la Chèvre, à Font de Gaume, à l'Abri Pataud, au Piage et à Roc de Combe.

Les corrélations chronostratigraphiques établies par H. Laville (Laville, 1971) ont montré que dans ces gisements, la première phase climatique du Würm III (Würm III - Périgord I, selon la nomenclature de cet auteur) était contemporaine de l'occupation de ces sites par, indifféremment les Périgordiens anciens (La Ferrassie, le Trou de la Chèvre, le Moustier, Font de Gaume) ou les Aurignaciens anciens (Trou de la Chèvre, abri Pataud). Mais la preuve décisive de la contemporanéité du Périgordien ancien et de l'Aurignacien ancien réside dans la découverte de niveaux de Périgordien ancien et d'Aurignacien ancien *interstratifiés* dans deux gisements du Lot, successivement : Le Piage (Champagne et Espitalié, 1967) et le Roc de Combe (Bordes et Labrot, 1967). Nous avons donc bien là, la preuve de l'individualité de ces cultures d'une part, et de leur contemporanéité d'autre part.

2. La contemporanéité de l'Aurignacien et du Périgordien.

En étendant la recherche de corrélations stratigraphiques à des gisements datant de périodes plus récentes du Würm III, H. Laville a montré que les niveaux d'Aurignacien IV de la Ferrassie étaient contemporains du Périgordien IV à pointes de la Gravette du Roc de Combe prouvant ainsi que non seulement il y avait contemporanéité de l'Aurignacien et du Périgordien dans leurs phases primitives mais aussi à des stades plus avancés de leur développement (H. Laville, 1971).

A la suite de ses fouilles à la Ferrassie, D. Peyrony avait proposé le schéma évolutif du Périgordien V suivant : à la base, Périgordien V à pointes de la Font Robert (Périgordien Va), puis Périgordien V à éléments tronqués (Périgordien Vb) et Périgordien V à burins de Noailles (Périgordien Vc) (Peyrony, 1934).

Malgré quelques réserves émises par D. de Sonneville-Bordes (Sonneville-Bordes, 1960), ce schéma était généralement admis jusqu'à la découverte au Roc de Combe et au Flageolet – I – de ces trois fossiles directeurs en association stratigraphique et sans qu'il soit possible d'évoquer un quelconque mélange. Les pointes de la Font Robert, les éléments tronqués et les burins de Noailles, n'avaient donc plus la signification chronologique que leur avait attribuée D. Peyrony sur le seul exemple de La Ferrassie (Bordes et Labrot, 1967) (Rigaud, 1969) (Laville et Rigaud, 1973).

A l'abri Pataud, succédant au Périgordien V, H.L. Movius a trouvé une industrie très comparable à celle qui se trouvait à la base de la séquence de Laugerie-Haute (le Périgordien « III » de D. Peyrony). Il convenait donc, pour être en accord avec la chronologie, de rebaptiser cette industrie « Périgordien VI ».

Ce Périgordien VI, à Laugerie-Haute comme à Pataud, est surmonté par le Protomagdalénien que l'on peut considérer à juste titre comme un stade final du Périgordien : le Périgordien VII (Bordes et Sonneville-Bordes, 1966). Ce Protomagdalénien est lui-même surmonté à Laugerie-Haute par l'Aurignacien V, dernière phase en Périgord de la séquence aurignacienne typique. Il y a donc là, encore, la preuve de la contemporanéité de l'Aurignacien et du Périgordien à un stade final de leur développement.

3. La chronologie locale de la séquence solutréenne.

La période de changement climatique correspond à la fin du Würm III, à l'interstade III/IV et au début du Würm IV a pu être détaillée dans sa chronologie grâce aux travaux de H. Laville à Laugerie-Haute et de J.-P. Texier au Malpas. Dans un travail commun de corrélations chronostratigraphiques (Laville et Texier, 1972), ces auteurs ont mis en évidence le synchronisme du Solutréen moyen de Laugerie-Haute et du Solutréen supérieur du Malpas d'une part, et le synchronisme des Magdaléniens 0 et I de Laugerie-Haute et du Solutréen supérieur du Malpas d'autre part. On peut résumer ces corrélations chronostratigraphiques de la manière suivante :

TABLEAU I.

Phases climatiques (H. Laville, 1971)	Laugerie-Haute Ouest		Laugerie-Haute Est		Le Malpas
Würm IV			9 10 1 1 17 } Magdalénien 1		Couche 1 sommet
Périgord II					
Würm IV	0	Magdalénien 0	18 19 20 } Magdalénien 0		Couche 1 base
Périgord I	1	Solutréen final	21	Solutréen final	Solutréen supérieur
Interstade	2 3 } Solutréen final		22 23 24 } Solutréen final		Couche 2
	4 5 6 7 } Solutréen supérieur		25 26 27 28 } Solutréen supérieur		Solutréen supérieur
Würm III/VI					
Würm III	8 9 10 } Solutréen moyen		29	Solutréen moyen	Couche 3
Périgord XIV					Solutréen supérieur

Il apparaît donc établi, sous réserve d'attributions archéologiques différentes, que le Solutréen peut se rencontrer, à un moment donné et dans une région aussi limitée que le Périgord, à des stades différents de son évolution et que le Solutréen final pouvait être quelquefois contemporain de phases initiales du Magdalénien.

4. LA CHRONOLOGIE DE LA SÉQUENCE MAGDALÉNIENNE.

S'il a été possible de distinguer, par des méthodes de la sédimentologie, de la paléontologie et de la palynologie, différentes phases climatiques pendant le Würm IV, les corrélations stratigraphiques entre gisements demeurent délicates à établir. Il apparaît en effet bien souvent que ces phases climatiques ne sont pas suffisamment caractérisées les unes par rapport aux autres pour que l'on puisse les corréler directement sans recourir aux données de l'archéologie. En d'autres termes, la chronologie climatique ne peut être établie sans avoir recours à la chronologie culturelle. Or, nous le verrons, la succession des industries du Magdalénien ne semble pas être aussi simple et claire que ne le présentait le schéma classique de Breuil et cette complexité accroît encore les difficultés rencontrées dans l'établissement de corrélations chronostratigraphiques. D'ailleurs, c'est très honnêtement que H. Laville reconnaît qu'il s'agit là des « limites de validité des méthodes sédimentologiques » et qu'il faut s'aider des données offertes par les datations absolues pour résoudre les problèmes ainsi soulevés « dans un domaine où les industries préhistoriques n'offrent plus de précisions chronologiques suffisantes » (Laville, 1973).

Ces réserves apportées, l'étude de plusieurs gisements magdaléniens a toutefois permis à H. Laville de proposer une séquence de 11 phases climatiques que cet auteur considère comme hypothèse de travail pour rechercher les « grands moments climatiques » que l'on pourrait considérer comme repères chronologiques dans le Würm IV (Laville, 1973).

Par ailleurs, l'étude des faunes du Paléolithique supérieur dans le Sud-Ouest de la France réalisée par F. Delpech (Delpech, 1975) a mis en évidence deux faits importants :

— Il semble qu'au cours de la première partie du Würm IV, vers 13 000 B.C., le paysage périgourdin ait été le théâtre d'une augmentation sensible de la population d'Antilope saïga. Considérant cet « épisode de la Saïga » comme un bon repère chronologique et en s'aidant des dates du radio-carbone, F. Delpech propose des corrélations avec les phases climatiques mises en évidence par H. Laville (Delpech, 1975, p. 238 et pl. 95) sur lesquelles nous reviendrons plus loin.

— La grosse faune (Ongulés principalement) ne semble pas avoir été marquée par les différentes fluctuations climatiques mineures de la fin du Würm IV. Seul le réchauffement progressif de la fin de ce dernier stade glaciaire a été enregistré par la raréfaction de certaines espèces.

Enfin, fondée sur les résultats de la palynologie, une séquence chronologique est généralement acceptée pour le Würm en Périgord : Dryas I, Bølling, Dryas II, Allerød, Dryas III et Préboréal. Cependant quand elles ne se présentent pas dans les séquences relativement complètes, ces zones climatiques ne sont pas suffisamment caractérisées pour qu'il soit possible de les identifier.

En conclusion, en l'absence de gisements où seraient représentés stratigraphiquement les Magdaléniens ancien, moyen et supérieur, ni la sédimentologie, ni la palynologie, ni la paléontologie ne permettent d'établir, comme cela a été fait pour d'autres stades würmiens, une chronologie climatique complète et détaillée qui pourrait éclairer les problèmes posés par les séquences culturelles du Magdalénien.

A la suite de ce bref exposé des données nouvelles sur la chronologie du Paléolithique supérieur en Périgord, au cours duquel nous avons insisté sur les précisions apportées ou les réserves à observer, nous nous proposons dans ce qui suit d'esquisser rapidement l'évolution des industries du Paléolithique supérieur en Périgord.

II. Evolution des industries.

L'origine des premières civilisations du Paléolithique supérieur en Périgord est encore mal connue. Un bilan récent sur cette question a été fait par F. Bordes (Bordes, 1968). Selon cet auteur nous sommes en présence dès le début du Würm III de deux cultures distinctes et contemporaines : le Périgordien ancien et l'Aurignacien. D'après F. Bordes, pour des raisons d'ordre typologique, le Périgordien ancien semble avoir ses racines dans les stades les plus évolués du Moustérien de tradition acheuléenne. Mais pour des raisons géologiques (érosion importante) les stades intermédiaires entre le Moustérien de tradition acheuléenne et le Périgordien ancien n'ont pas été retrouvés dans les remplissages des abris du Périgord. Aussi n'est-il pas possible de suivre les transformations successives de ces industries. Toujours selon F. Bordes la présence dans le Moustérien de tradition acheuléenne d'outils de type paléolithique supérieur est un argument pour y voir un développement potentiel vers le Périgordien ancien. De plus dans certains outillages du Périgordien ancien les « souvenirs » moustériens sont parfois abondants (racloirs, couteaux à dos, etc.).

L'origine des industries aurignaciennes dans le Paléolithique moyen n'est pas aussi apparente que celle du Périgordien ancien. On peut toutefois voir dans les industries charentiennes (Moustérien de type Quina surtout) une possible origine aux premiers outillages aurignaciens ; la retouche écailleuse type Quina est en tout point comparable à la retouche « aurignacienne » et pourrait constituer un lien technologique entre le Moustérien Quina et l'Aurignacien. De plus, on a souvent remarqué la présence de grattoirs de type aurignacien (carénés et à museau) dans le Moustérien Quina. Mais ce ne sont là que des hypothèses qui demandent à être vérifiées par la découverte des stades intermédiaires de cette « évolution ». Néanmoins, au début du Würm III, Aurignaciens et Périgordiens anciens étaient déjà individualisés.

1. LES INDUSTRIES DU PÉRIGORDIEN ANCIEN.

Bien longtemps ces industries ont été mal connues soit parce qu'elles avaient été mises au jour dans des conditions de fouilles insatisfaisantes, soit parce qu'elles se trouvaient naturellement mélangées aux industries sous jacentes par solifluxion ou cryoturbation.

Cependant, grâce à des fouilles récentes, les outillages du Périgordien ancien sont un peu mieux connus en Périgord, principalement au Roc de Combe (fouilles Bordes-Labrot), au Piage (fouilles Champagne-Espitalié), et au Trou de la Chèvre (Arambourou et Jude, 1964).

Les caractéristiques typologiques et numériques de ces industries sont les suivantes :

Les grattoirs sont aussi nombreux, parfois plus nombreux que les burins. Ils sont le plus souvent sur lame non retouchées, ou sur sur éclat. Les grattoirs carénés ou à museau, dits « aurignaciens » sont rares, mais pas absents.

Les burins sont un peu plus souvent sur troncatures retouchées que dièdres.

L'outil caractéristique est le couteau ou pointe de Chatelperron qui peut être plus ou moins abondant (parfois plus de 20 % comme au Roc de Combe).

Les lames tronquées sont relativement nombreuses.

Les encoches, denticulés, racloirs sont en nombre important et peuvent atteindre 15 % de l'outillage sans que l'on puisse évoquer un mélange quelconque avec un Moustérien sous-jacent.

Les graphiques cumulatifs suivants permettent de constater l'équilibre typologique et numérique caractérisant le Périgordien ancien.

Nous avons vu dans la première partie que, sur des bases chronostratigraphiques, il apparaissait établi que l'Aurignacien et le Périgordien anciens étaient contemporains dans leurs phases initiales mais aussi dans les stades plus avancés de leur développement. Cependant, il semble que nous n'ayons pas, en Périgord, les stades transitionnels correspondant au Périgordien moyen qui selon F. Bordes pourraient être représentés par les outillages de certains niveaux des Cottès et de Fontenioux (Vienne).

L'unanimité n'est d'ailleurs pas faite sur la continuité culturelle entre le Périgordien ancien et le Périgordien supérieur. Pour H. Delporte et A. Leroi-Gourhan, le Castelperronien (Périgordien ancien) et le Gravettien (Périgordien supérieur) ne représentent pas deux stades évolutifs d'une même culture mais appartiennent en fait à deux groupes culturels différents. Le principal argument de ces auteurs réside essentiellement dans le manque des industries dites de transition.

Pour F. Bordes ce sont principalement des ressemblances techniques et morphologiques qui permettent de faire dériver le Gravettien du Castelperronien, mais cet auteur a développé également un autre argument : pour admettre, comme le proposent certains, que le Gravettien, venant de l'Est, s'est introduit en Périgord à un stade technique avancé (Périgordien IV), il faudrait trouver à ce Gravettien un « ancêtre possible ». Or, selon F. Bordes il ne semble pas en être ainsi puisqu'il n'y a pas eu en Europe centrale d'industrie gravettienne ancienne susceptible d'avoir pu évoluer en un Gravettien comme celui de Dolni-Vestoniče.

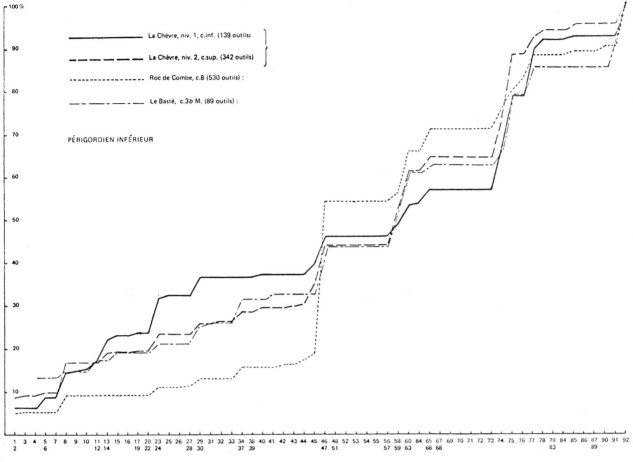

Fig. 1. — Graphiques cumulatifs de quelques industries du Périgordien ancien du Sud-Ouest de la France.
Les numéros en abscisse sont ceux de la liste de types de D. de Sonneville-Bordes et J. Perrot (1954).

Sur ce point, les fouilles récentes en Périgord et les travaux connexes n'apportent pas de documents décisifs au débat. Toutefois le hiatus entre Castelperronien et Gravettien tend à devenir moins long. Les travaux d'H. Laville, nous l'avons vu, ont montré que les premières manifestations gravettiennes — les niveaux les plus anciens de Périgordien supérieur — sont très légèrement antérieures au Périgordien IV.

2. LES INDUSTRIES DU PÉRIGORDIEN SUPÉRIEUR EN PÉRIGORD.

Le schéma de l'évolution du Périgordien supérieur (Gravettien) en Périgord que préconisait D. Peyrony (Peyrony, 1934) et qu'a confirmé avec quelques réserves D. de Sonneville-Bordes (Sonneville-Bordes, 1960) se présentait de la manière suivante : Périgordien III, Périgordien IV, Périgordien V.

Le Périgordien « III » que D. Peyrony avait reconnu à Laugerie-Haute était considéré par ce dernier comme antérieur au Périgordien IV. Cependant, une industrie en tout point comparable fut mise au jour par H.L. Movius à l'abri Pataud mais au-dessus du Périgordien V (H.L. Movius, 1963). Il convenait donc pour être en accord avec la chronologie de rebaptiser cette industrie Périgordien VI (Sonneville-Bordes, 1960).

Les industries du Périgordien IV.

Elles sont mal connues car récoltées anciennement et dans de mauvaises conditions.

On peut cependant signaler, à titre indicatif, que dans le gisement éponyme de la Gravette les grattoirs sont généralement moins nombreux que les burins et les burins sur troncature moins fréquents que les burins dièdres, du moins dans les phases initiales de ce stade culturel. Les pointes de la Gravette et les micropointes de la Gravette semblent constituer une partie importante de l'outillage en association avec des lames à dos abattu, des éléments tronqués, des lamelles à dos et parfois quelques couteaux de chatelperron.

D'après Lacorre dans le gisement de la Gravette à la base ou sous le niveau à nombreuses pointes de la Gravette, se trouvait un niveau ou abondaient les fléchettes associées avec quelques pointes de la Gravette.

Toutefois, il faudra attendre la publication des industries de la couche 5 de l'abri Pataud pour avoir une connaissance plus précise et rigoureuse des industries du Périgordien IV.

Les industries du Périgordien V.

Cette séquence culturelle était particulièrement bien représentée à La Ferrassie où D. Peyrony avait distingué de bas en haut :

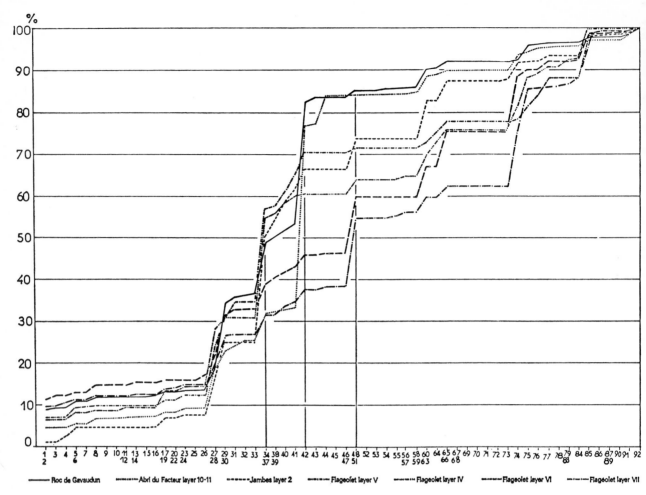

FIG. 2. — Graphiques cumulatifs de quelques industries du Périgordien supérieur à burins de Noailles.
Les numéros en abscisse sont ceux de la liste de types de D. de Sonneville-Bordes et J. Perrot (1954).
Figure extraite de Laville et Rigaud (1973).

— couche J : Périgordien V à pointes de La Font-Robert (Périgordien Va) ;

— couche K : Périgordien V à élément tronqués (Périgordien Vb) ;

— couche L : Périgordien V à burins de Noailles (Périgordien Vc).

Selon D. Peyrony cette succession de fossiles directeurs avait une valeur chronologique et représentait trois stades évolutifs successifs du Périgordien V. Malgré les réserves formulées par D. de Sonneville-Bordes (1960) cette séquence culturelle était généralement admise jusqu'à la récente découverte d'éléments nouveaux dans plusieurs gisements du Sud de la France.

— Au Roc de Combe (fouilles Bordes et Labrot) et aux Battuts (fouilles Alaux) présence de pointes de la Font-Robert dans un niveau de Périgordien à burins de Noailles (Bordes et Labrot, 1967), (Alaux, 1973).

— Au Flageolet I (fouilles Rigaud), une séquence que l'on peut résumer ainsi de la base au sommet (Rigaud, 1969) :

— couche VII : Périgordien à burins de Noailles, pointes de la Gravette, micropointes de la Gravette, pointes de Chatelperron, éléments tronqués,

— couche VI : identique à la précédente avec quelques couteaux de Chatelperron,

— couche V : Périgordien à burins de Noailles, pointes et micropointes de La Gravette, éléments tronqués, et burins de type « Raysse » ou « Bassaler »,

— couche IV : identique à la précédente.

Il apparaît donc que les subdivisions établies par Peyrony à La Ferrassie n'ont pas la signification chronologique qu'on a voulu leur attribuer, et que les différents « fossiles directeurs » (Font-Robert, Eléments tronqués et burins de Noailles) peuvent se trouver en association stratigraphique à tout moment de la séquence du Périgordien V (1).

En résumé, les industries du Périgord V sont caractérisées par un indice de grattoirs légèrement inférieur à celui des burins, parfois même équivalent, et par un nombre élevé de burins sur troncature retouchée très souvent plans.

Les pointes et les micropointes de la Gravette sont toujours présentes en nombre variable.

Les proportions de pointes de la Font-Robert et les éléments tronqués peuvent varier fortement ; très

(1) Nous avons développé cette argumentation par ailleurs (Laville et Rigaud, 1973).

rares au Flageolet I, les Font-Robert sont nombreuses à La Ferrassie (Delporte, 1972).

Les burins de Noailles sont également numériquement très variables : rares au Flageolet I, ils sont très nombreux au Roc de Gavaudun (Bordes, Momméjean, Sonneville-Bordes, 1964) et au Facteur (Delporte, 1968).

Les burins plans sur troncature retouchée du type « Raysse » ou « Bassaler » ont, semble-t-il, une signification chronologique. En effet, s'ils sont relativement rares dans les industries correspondant aux stades anciens du Périgordien V, ils deviennent nombreux en fin de séquence au détriment des burins de Noailles. C'est le cas à l'abri Pataud (Movius et David, 1970) et au Flageolet I par exemple. Cependant, il convient de remarquer, en se fondant sur les corrélations chronostratigraphiques établies par H. Laville (Laville, 1973), que cette tendance des burins de type « Raysse ou Bassaler » à remplacer les burins de Noailles s'est manifestée à des moments différents de la séquence du Périgordien V (Laville et Rigaud, 1973).

Le burin de Noailles étant le « fossile directeur » qui se manifeste avec le plus de « constance » dans les industries du Périgodien V, certains auteurs ont voulu désigner par « Noaillien » les industries où il est présent (Movius, David, 1970) et d'en faire une entité culturelle plus ou moins indépendante du Périgordien supérieur. Mais s'il est établi que les industries à burins de Noailles présentent des caractères typologiques et numériques particuliers, il faut également considérer leur variabilité. Nous pensons avoir montré récemment que la composition typologique et numérique des industries à burins de Noailles se faisait en fonction de trois pôles typologiques (Laville et Rigaud, 1973) :

— les burins de Noailles,
— les burins plans du type « Bassaler » ou « Raysse »,
— les pointes et micropointes de La Gravette, dont le nombre peut être parfois supérieur à celui des burins de Noailles.

Nous ne saurions donc être d'accord avec le concept de « Noaillien » qui tendrait à isoler culturellement les industries à burins de Noailles de l'ensemble périgordien (Rigaud, 1976 b).

Nous préférons voir dans les fluctuations quantitatives de ces outils caractéristiques le résultat d'activités spécifiques différentes ayant entraîné la prolifération de certains types d'objets.

Les industries du Périgordien VI.

Pendant longtemps ces industries n'étaient représentées d'une façon certaine en Périgord que dans deux gisements voisins : à Laugerie-Haute, c'est le « Périgordien VII » de D. Peyrony et à l'abri Pataud où elles surmontent le Périgordien V.

Plusieurs gisements récemment fouillés ont livré depuis des industries attribuables à ce stade du Périgordien supérieur : Corbiac (fouilles Bordes), Roc de Combe (fouilles Bordes et Labrot), Rabier (fouilles Guichard) et le Flageolet I (fouilles Rigaud). Dans le Périgordien VI de Laugerie-Haute, les grattoirs sont nettement moins nombreux que les

burins et les burins sur troncature retouchée dominent nettement les burins dièdres. Les pointes de la Gravette et les Microgravettes sont en nombre variable mais toujours présentes. Un outil est particulièrement bien représenté à Laugerie-Haute : la lame tronquée ou bitronquée, où elle atteint un pourcentage comparable à celui des pointes de la Gravette. Les lamelles à dos sont également abondantes.

Dans l'industrie de Corbiac, les proportions des différents types varient quelque peu. Les grattoirs sont peu nombreux et l'indice de burins très élevé : 35,4. Contrairement à ce qui a été observé à Laugerie-Haute, les burins dièdres dominent largement les burins sur troncature retouchée. Les pointes de La Gravette et les microgravettes sont relativement abondantes (près de 18 %). Les lames tronquées sont un peu moins nombreuses qu'à Laugerie-Haute. Les lamelles à dos sont bien représentées. Une des particularités de l'industrie de Corbiac est la présence de pointes à face plane de style solutréen (Bordes, 1968).

Le Périgordien final.

A Laugerie-Haute, sur le Périgordien VI et sous l'Aurignacien V et le Solutréen, D. Peyrony avait trouvé une industrie qu'il baptisa « Protomagdalénien » à cause de la présence d'un « bâton de commandement » décoré qui lui paraissait de facture magdalénienne.

A l'abri Pataud, H.L. Movius trouva également au-dessus du Périgordien VI une industrie en tout point comparable au Protomagdalénien de Laugerie-Haute.

L'industrie du Protomagdalénien de Laugerie-Haute se caractérise par un indice de grattoirs assez bas et un indice de burins très élevé (voisin de 30) les burins dièdres étant de beaucoup plus nombreux que les burins sur troncature. Les pointes de La Gravette et les microgravettes sont toujours présentes mais en faible proportion. Les lames tronquées sont assez nombreuses. Les lamelles à dos, très abondantes, peuvent être tronquées ou denticulées.

L'inventaire typologique de cette industrie effectué par D. de Sonneville-Bordes confirme le caractère « magdalénoïde » qu'avait pressenti D. Peyrony (Sonneville-Bordes, 1960).

Cependant, la présence de pointes et de micropointes de la Gravette d'une part, l'équilibre numérique des différents types d'outils d'autre part, font que cette industrie est très comparable à l'ensemble des outillages périgordiens. Dans un récent article F. Bordes et D. de Sonneville-Bordes (1966) ont proposé avec de bonnes raisons de considérer le Protomagdalénien comme un Périgordien VII. C'était d'ailleurs l'avis de D. Peyrony vers la fin de sa vie.

Nous avons développé ailleurs (Rigaud, 1976 b) une argumentation tendant à montrer qu'il existait une continuité entre le Périgordien final (Protomagdalénien ou Périgordien VII) et certaines industries magdaléniennes (Magdalénien III). Dans son étude sur le Protomagdalénien, D. de Sonneville-Bordes (1960) avait d'ailleurs reconnu une certaine ressemblance entre cette industrie et le Magdalénien « supérieur ».

Le Périgordien VII, industrie de transition, peut donc être considéré à ce titre comme un Proto-magdalénien.

L'évolution de la séquence périgordienne que nous venons de voir a occupé la presque totalité du Würm III. Au cours de cette même période, évoluait en Périgord un ensemble d'industries dont l'individualité typologique est maintenant établie : l'Aurignacien.

Nous avons également vu comment la contemporanéité de ces industries à différents stades de leur développement a été établie sur les bases de la chronostratigraphie.

C'est à La Ferrassie que la séquence classique de l'Aurignacien a été établie par D. Peyrony au début de ce siècle. Il y a en effet dans ce gisement, au-dessus de plusieurs niveaux moustériens et de Périgordien ancien, une séquence aurignacienne dans laquelle D. Peyrony a distingué plusieurs stades évolutifs : les aurignaciens I, II, III et IV. Cet ensemble aurignacien est surmonté dans ce gisement par le Périgordien supérieur (Périgordien V). Le dernier outillage attribuable aux industries aurignaciennes, l'Aurignacien V, se trouve à Laugerie-Haute au-desus du Protomagdalénien et sous le Solutréen.

3. LES INDUSTRIES DE L'AURIGNACIEN I.

A La Ferrassie l'outillage de l'Aurignacien I est caractérisé par une grande richesse en grattoirs et relativement peu de burins. Les grattoirs sont souvent sur lame retouchée et sur lame aurignacienne (lame à retouche écailleuse) ; les grattoirs carénés et à museau sont bien représentés.

Les burins sont surtout dièdres parmi lesquels quelques rares busqués. Les lames retouchées et les lames aurignaciennes sont nombreuses. Un outil caractéristique quoique rare est la lame à étranglement. L'outillage en os, sur lequel D. Peyrony s'est fondé essentiellement pour caractériser ses subdivisions, est très abondant, une forme caractéristique : la sagaie à base fendue.

Cette industrie a été retrouvée dans d'autres gisements périgourdins tels que l'abri Castanet (Sergeac), à Caminade (La Canéda) où elle présente quelques différences avec celle de la Ferrassie. A Caminade notamment, les burins sont mieux représentés ; à l'abri Castanet par contre, les burins sont très rares et les lames aurignaciennes nombreuses.

Les industries de l'Aurignacien II à La Ferrassie.

Les grattoirs sont toujours très nombreux mais les grattoirs sur lame retouchée et aurignacienne diminuent au profit des grattoirs à museau.

Les burins sont plus nombreux que dans l'Aurignacien I, les burins dièdres dominant les burins sur troncature. Les burins busqués ont un grand développement qui en fait l'outil caractéristique de ce stade.

L'outillage en os est toujours abondant et les sagaies losangiques aplaties dominent largement.

Dans le gisement de Caminade les industries contemporaines de l'Aurignacien II de La Ferrassie sont très comparables, mais il faut noter que l'industrie du niveau supérieur de Caminade (D 2 s) montre un développement très important des burins qui deviennent plus nombreux que les grattoirs (Sonneville-Bordes, 1970).

Les industries de l'Aurignacien III à La Ferrassie.

Les grattoirs sont les plus nombreux et essentiellement composés de grattoirs carénés et à museau, les grattoirs sur lame retouchée diminuent en proportion et ceux sur lame aurignacienne sont absents. Les burins sont en proportions comparables à ceux de l'Aurignacien II et presque tous dièdres. Les lames retouchées semblent disparaître. L'outillage en os fournit ici un outil caractéristique : la sagaie losangique à section ovale.

Les industries de l'Aurignacien IV à La Ferrassie.

Les grattoirs dominent toujours largement, mais on observe une diminution de l'importance des grattoirs carénés et à museau au profit des grattoirs simples sur lame. Les burins toujours faiblement représentés sont surtout dièdres. Les lames retouchées réapparaissent ainsi que quelques lames aurignaciennes. Les sagaies sont souvent biconiques à section circulaire ou aplatie.

L'industrie de l'Aurignacien V à Laugerie-Haute.

La presque totalité des grattoirs est composée de carénés ou de grattoirs à museau, certains carénés ont un front denticulé. Les grattoirs sur lame retouchée sont très rares. Les burins sont plus nombreux, toujours en majorité dièdres. Les lames retouchées sont très rares.

De nombreux gisements périgourdins ont livré des industries aurignaciennes. Il faut toutefois remarquer qu'elles ont été attribuées le plus souvent à l'Aurignacien I ou II et que l'Aurignacien III, et l'Aurignacien IV ne sont connus en fait qu'à La Ferrassie.

Au Flageolet I immédiatement sous le Périgordien supérieur il y a plusieurs niveaux d'Aurignacien contemporains semble-t-il des Aurignaciens III et IV de La Ferrassie. Mais la présence de nombreux burins busqués, et l'équilibre numérique entre les différents types d'outils semblent les rapprocher beaucoup plus de l'« Aurignacien II » que des Aurignaciens évolués de La Ferrassie.

A Laugerie-Haute l'Aurignacien V est immédiatement sous-jacent au Protosolutréen, première manifestation d'une « culture » dont les origines et la disparition sont encore mal connues.

Le très important travail de Ph. Smith sur le Solutréen en France (Smith, 1966) a fait le point de nos connaissances actuelles et présente une étude critique des données dont nous disposons.

L'origine du Solutréen.

On peut résumer les différents points de vues concernant l'origine du Solutréen de la manière suivante :

— Développement local des industries aurignaco-périgordiennes par « solutréanisation », c'est-à-dire développement de la retouche solutréenne et d'un outillage particulier. C'est le point de vue de G. Laplace (Laplace, 1959).

— Les industries solutréennes en Périgord correspondent à un phénomène intensif dans le développement des cultures locales. Cette intrusion étant liée à une arrivée en force de populations venant de l'Est et dont l'origine pourrait être recherchée dans les ensembles à « Blattspitzen ».

— Certaines formes moustériennes du Sud-Est de la France pourraient avoir évolué pendant le Würm III vers le Solutréen (Bordes, 1972).

— Le Solutréen correspond à un développement particulier dans le Sud-Est de la France d'industries aurignacoïdes qui aurait envahi le Périgord à la fin du Würm III alors que se régressaient les cultures locales de l'Aurignacien et du Périgordien (Aurignacien V et Protomagdalénien). C'est le point de vue de Ph. Smith.

— Certains Périgordiens supérieurs auraient pu évoluer vers le Solutréen (Combier).

Quelle que soit l'hypothèse retenue quant à l'origine du Solutréen, les industries apparaissent en Périgord brutalement sans que l'on perçoive de possibles origines dans les cultures existantes avant leur arrivée. Il s'agit bien d'une intrusion dans le développement local de l'Aurignacien-Périgordien.

Les industries du Protosolutréen.

Il n'est connu en Périgord que dans les gisements de Badegoule et de Laugerie-Haute : l'outillage Protosolutréen de ce dernier gisement servira de référence :

Les grattoirs sont plus nombreux que les burins mais il convient de noter qu'il y a eu très probablement un mélange avec le niveau d'Aurignacien V sous-jacent ce qui expliquerait le nombre important de grattoirs et principalement de grattoirs aurignaciens.

Les burins sur troncature retouchée sont légèrement plus nombreux que les burins dièdres.

La retouche, plate et couvrante, est présente sur les pointes à face plane qui constituent les premiers éléments solutréens de cet outillage. Le nombre élevé de racloirs de type moustérien mérite d'être signalé.

Les industries du Solutréen inférieur à Laugerie-Haute.

Les grattoirs sont plus abondants que les burins, ils sont généralement sur bout de lame retouchée ou non. Présence de quelques grattoirs carénés mais ils peuvent être attribués à une contamination par l'Aurignacien V sous-jacent. Les burins sont principalement dièdres. Les pointes à face plane sont nombreuses, plus de 11 %. Ces pointes sont foliacées, retouchées sur une face par fines retouches plates parallèles ou subparallèles : « La retouche solutréenne ».

Le Solutréen moyen à feuilles de laurier à Laugerie-Haute.

Les grattoirs en majorité simples sont aussi nombreux que dans le Solutréen inférieur mais un nombre relativement important d'entre eux est atypique et de facture négligée.

Les burins, moins nombreux sont essentiellement dièdres. Les perçoirs atteignent plus de 9 % ce qui est surprenant pour ce type d'outil généralement peu fréquent.

Les outils solutréens représentent 22 % du total de l'outillage. Ils comprennent des pointes à faces planes, comme dans le Solutréen inférieur, et des *feuilles de laurier* qui deviennent les outils caractéristiques. Ce sont des pièces foliacées à retouche bifaciale de faible épaisseur.

Les encoches, denticulés, racloirs constituent le reste de l'outillage.

Le Solutréen supérieur.

L'industrie de ce stade du Solutréen est présente à Laugerie-Haute mais elle y est pauvre. Il est bien mieux représenté au Fourneau du Diable (Bourdeilles, Dordogne) (fouilles D. Peyrony).

Les grattoirs sont toujours plus nombreux que les burins. Il n'y a pas de grattoirs carénés. Les burins dièdres sont mieux représentés que les burins sur troncature.

Les pointes à face plane et les feuilles de Laurier sont présentes mais deux autres outils, de « facture solutréenne », apparaissent et caractérisent le Solutréen supérieur : la pointe à cran et la feuille de Saule. Dans certains cas, la finesse de la retouche solutréenne de ces objets atteste de la retouche par pression.

C'est avec le Solutréen supérieur que s'éteint brutalement cette culture en Périgord. Sa disparition est attribuée par D. Peyrony à l'arrivée en force du Magdalénien. Il est en effet peu vraisemblable que le Solutréen se soit transformé en Magdalénien dont les industries montrent des différences stylistiques et typologiques considérables. D'autre part, nous avons vu dans la partie de ce travail consacrée à la chronologie que, sur la base des corrélations chronostratigraphiques, H. Laville et J.-P. Texier ont montré la contemporanéité du Solutréen final du Malpas (Dordogne) avec le Magdalénien ancien de Laugerie-Haute (Laville et Texier, 1972). Il faut donc admettre que le Solutréen ne peut être à l'origine du Magdalénien ancien et qu'il a disparu brutalement de notre région pour des raisons que nous ignorons encore.

Les civilisations magdaléniennes en Périgord.

Considéré pour des raisons diverses comme « la première en date des grandes civilisations » (Bordes, 1972), ou encore comme « la plus française des subdivisions du Paléolithique supérieur » (Breuil, 1954), le Magdalénien n'en est pas mieux connu que les autres cultures paléolithiques en Périgord.

S'il est évident que cette région renferme de nombreux sites occupés par les Magdaléniens, nous avons vu aussi précédemment que la chronologie de cet ultime phase würmienne est des plus délicates.

Les stades les plus anciens du Magdalénien ont été trouvés par D. Peyrony à Laugerie-Haute, immédiatement au-dessus du Solutréen supérieur.

La séquence du Magdalénien supérieur a été définie dans le très important gisement de La Madeleine, mais comme le fait remarquer D. de Sonneville-Bordes (1960) : « Trop rarement les niveaux de Magdalénien inférieur sont surmontés de niveaux du Magdalénien supérieur, qui permettent alors de les dater ». Le seul gisement périgourdin où une telle superposition aurait pu être observée est l'abri de Raymonden-Chancelade, mais il suffit de rappeler qu'il ne s'agit en fait pas d'un gisement mais de deux abris superposés : l'abri inférieur (fouilles J. Bouyssonie) qui a livré plusieurs niveaux de Magdalénien ancien et l'abri supérieur (fouilles Hardy) qui a livré du Magdalénien supérieur pour montrer qu'en l'absence de corrélations stratigraphiques plus sérieuses il n'y a pas à ce jour en Périgord une séquence relativement complète du Magdalénien.

Toutefois, il est généralement admis que le Magdalénien se subdivise en Magdalénien ancien (Magdalénien 0, I, II, III) et Magdaléniens supérieurs (Magdaléniens IV, V et VI). Certains introduisent même un terme intermédiaire, le Magdalénien moyen qui correspond aux Magdaléniens III et IV.

La première chronologie du Magdalénien ancien a été établie par H. Breuil d'après les industries provenant de la grotte du Placard en Charente, fouillée il y a longtemps dans des conditions déplorables. C'est donc les observations de F. Bordes à Laugerie-Haute, plus récentes, qui serviront à présenter le cadre chronologique de ces stades initiaux du Magdalénien.

Les industries du Magdalénien 0 à Laugerie-Haute.

Selon F. Bordes, l'outillage est fruste avec de nombreux outils sur éclat. Les grattoirs sont nombreux (près de 24 %) et généralement simples. A noter la présence d'un grattoir à museau. Les burins, presque aussi nombreux que les grattoirs, sont en majorité dièdres, mais les burins transversaux sur retouche latérale ou encoche sont relativement bien représentés.

Perçoirs et becs sont nombreux, et parmi eux quelques perçoirs multiples.

Les lames tronquées ou retouchées sont assez abondantes, dont une lame étranglée « aurignacienne ».

Les encoches, denticulés, racloirs et pièces esquillées constituent le reste de l'outillage. Absence ici de lamelle à dos.

L'outillage en os est abondant : grosses sagaies, sagaies à base en biseau simple, aiguille à chas, etc...

Les industries du Magdalénien I à Laugerie-Haute.

Les grattoirs atteignent 15 % avec une majorité de grattoirs simples, mais les grattoirs sur lame retouchée sont bien représentés.

Les burins sont beaucoup plus nombreux (34 %) avec une nette majorité de burins dièdres. Les burins transversaux sont moins nombreux que dans le Magdalénien 0.

Les perçoirs et les becs sont nombreux (10,9 %) avec quelques perçoirs multiples caractéristiques : les perçoirs en étoile.

Les lames tronquées, retouchées sont bien représentées. A signaler la présence d'une lame aurignacienne.

Les raclettes sont nombreuses (15,6 %). Très peu de lamelles à dos. Comme dans le niveau précédent, l'outillage en os est abondant.

Les industries du Magdalénien II à Laugerie-Haute.

L'outillage récolté par F. Bordes n'est pas abondant.

Les grattoirs ne représentent plus que 13,4 % et sont en majorité simples.

Les burins (20,6 %) sont en majorité dièdres, quelques burins transversaux.

Les lamelles à dos sont nombreuses, certaines sont denticulées. Les triangles scalènes atteignent un nombre important.

Lors des fouilles de D. Peyrony, l'outillage récolté était plus abondant et comportait, en outre, des lames à retouche continue et quelques lames à bord abattu.

L'outillage en os comprend des poinçons, aiguilles et sagaies à section parfois quadrangulaire, bâtons percés.

Les industries du Magdalénien III à Laugerie-Haute.

Les grattoirs constituent 17,5 % de l'outillage. Ils sont essentiellement dièdres. Les perçoirs sont rares ainsi que les lames tronquées ou retouchées. Les raclettes sont moins nombreuses (2,5 %) que dans le Magdalénien I.

Les lamelles à dos augmentent sensiblement (18,60 %), certaines sont tronquées ou denticulées. Les triangles constituent 1 %.

L'outillage en os est abondant : bâtons percés, aiguilles, poinçons, sagaies de type varié. Les baguettes demi rondes apparaissent et sont même considérées comme caractéristiques de ce niveau.

Le Magdalénien supérieur.

Selon Breuil (1954), les outillages du Magdalénien supérieur sont caractérisés, dans l'outillage en os, par la présence de harpons. On peut les subdiviser en trois stades successifs :
— le Magdalénien IV, à harpons primitifs,
— le Magdalénien V, à harpons à un rang de barbelures,
— le Magdalénien VI, à harpons à double rang de barbelures.

C'est dans le gisement éponyme de La Madeleine qu'ont été décrits dans des conditions relativement satisfaisantes les outillages lithiques de ces subdivisions du Magdalénien supérieur (Sonneville-Bordes, 1960).

Les industries du Magdalénien IV à La Madeleine.

Les grattoirs représentent plus de 25 % de l'outillage. Ils sont en général sur lame retouchée ou non. Les burins sont beaucoup plus nombreux (50,2 %) et les burins dièdres dominent largement les burins sur troncature. Les perçoirs sont moins nombreux que dans les phases initiales du Magdalénien. Les lames tronquées ou retouchées sont peu fréquentes. Présence de quelques pointes de la Gravette et de rares raclettes. Les lamelles à dos, rares dans la série provenant des fouilles de D. Peyrony, semblent être en fait bien plus nombreuses dans les séries récoltées lors de fouilles récentes (Bouvier, 1969).

L'outillage en os comprend des harpons primitifs à barbelures peu dégagées. Les sagaies ont souvent une base en biseau simple ; certaines de fortes dimensions ont une section quadrangulaire. Présence de baguettes demi rondes, propulseurs et nombreuses « œuvres d'art ».

Les industries du Magdalénien V à La Madeleine.

L'outillage est très comparable à celui du Magdalénien IV avec toutefois une proportion plus importante de burins (60,7 %) et un équilibre nouveau entre les burins dièdres (29,1 %) et les burins sur troncature retouchée (28,4 %). Les burins bec de perroquet sont présents ainsi que les pointes à cran.

Les lamelles à dos (4,4 %) devaient être bien mieux représentées.

L'outillage en os est abondant. Les harpons, pour la majorité, sont à un rang de barbelures, mais il y avait dans ce niveau un harpon à double rang de barbelures. Les sagaies, abondantes, sont en général à base en double biseau. Les baguettes demi rondes sont nombreuses. Bâtons de commandement, propulseurs, aiguilles en os et « œuvres d'art » constituent le reste de l'outillage osseux.

Les industries du Magdalénien VI à La Madeleine.

Les grattoirs, 30 % de l'industrie, sont dominés par les burins (45,30 %) et, parmi ces derniers, les burins dièdres sont largement plus nombreux que les burins sur troncature. Les burins bec de perroquet, outils caractéristiques, atteignent 2,04 %. Les pointes de la Gravette sont présentes ainsi que quelques pointes à cran.

Les raclettes sont rares, les lamelles à dos plus nombreuses (9,6 %) sont encore certainement sous-représentées.

Les pointes de Laugerie-Basse sont présentes ainsi que les pointes aziliennes et quelques formes proches de la pointe de Teyjat.

L'outillage en os est toujours abondant. Les harpons sont le plus souvent à 2 rangs de barbelures. Les sagaies sont généralement à base en double biseau mais le type le plus fréquent est la grande sagaie à section quadrangulaire à base en biseau double. Les baguettes demi rondes et les propulseurs ont disparu.

Il apparaît donc, à La Madeleine, que la séquence industrielle des Magdaléniens IV, V et VI se caractérise par une relative uniformité des outillages. Les différences sont peu sensibles et peut-être dues à des concentrations d'objets.

De plus, certains outils considérés comme fossiles directeurs du Magdalénien supérieur (VI) ont été trouvés dans des ensembles industriels plus anciens. Ainsi les pointes aziliennes généralement considérées comme indicatives des stades évolués du Magdalénien supérieur ont été trouvées par nous au Flageolet II dans des outillages datés par le ^{14}C de 15 250 ± 320 B.P. à 12 160 ± 690 B.P. (1), c'est-à-dire dans des équivalents chronologiques du Magdalénien moyen.

L'uniformité des outillages lithiques du Magdalénien supérieur avait été soulignée par D. de Sonneville-Bordes dès 1960 : « la banalité de l'outillage est telle qu'en dehors des « fossiles directeurs » en os ou d'une grande abondance des triangles scalènes ou denticulés, ces séries peuvent être rapportées indifféremment à n'importe quel étage entre le Magdalénien II et le VI compris ».

L'absence ou la présence de harpons semble donc

(1) Ly 917 et Ly 918.

avoir été longtemps un critère déterminant dans l'attribution des industries au Magdalénien moyen ou supérieur. Or, récemment, Bouvier (1969) proposait l'existence d'un Magdalénien sans harpons contemporain des stades tardifs de La Madeleine. Cependant, des datations précises ou des corrélations chronologiques plus rigoureuses sont encore nécessaires pour étayer cette hypothèse.

Les fouilles récentes de F. Bordes dans le gisement de la Gare de Couze ont révélé un aspect nouveau du Magdalénien supérieur (Bordes et Fitte, 1964). A une industrie tout à fait typique du Magdalénien supérieur à harpons à double rang de barbelures était associé un grand nombre de microlithes (de 65 à 79 % selon les niveaux). Outre un grand nombre de lamelles à dos, les microlithes géométriques étaient en proportion appréciable : des triangles longs, courts, scalènes, des rectangles, des segments de cercles et des trapèzes. Parmi les rectangles, une forme nouvelle : le rectangle de Couze.

A cet outillage microlithique s'ajoutent en proportion sensible des « paragéométriques » et des « dards ».

Selon F. Bordes, il y aurait là une origine possible de certaines industries « mésolithiques » (Bordes et Fitte, 1964).

Le Magdalénien supérieur (II) est surmonté dans l'abri Villepin, voisin de La Madeleine, par un niveau d'Azilien dont l'outillage, décrit dans le chapitre concernant l'Epipaléolithique, semble bien être un prolongement du Magdalénien.

Malgré le nombre important de gisements ayant livré des industries magdaléniennes, de nombreux points restent à préciser. Le Magdalénien longtemps considéré comme une entité culturelle se révèle maintenant bien plus complexe. Nous serions tentés de distinguer dans ces industries deux tendances principales : le Magdalénien ancien (Magdaléniens 0 et I) encore chargé de souvenirs aurignaciens et le Magdalénien supérieur (Magdaléniens III à VI) dont les caractères périgordiens sont assez frappants (Rigaud, 1976).

Mais ce domaine de recherches nécessite de nouvelles données afin que soient mieux établies les relations chronologiques entre ces ensembles et mieux définies les industries.

III. Les structures d'habitat du Paléolithique supérieur en Périgord.

Si les abris sous roches et les grottes du Périgord ont été longtemps l'objet exclusif des recherches des préhistoriens, les gisements de plein air se sont révélés, au cours des deux dernières décades, particulièrement importants et riches en enseignements. Les ramassages de surface avaient montré depuis longtemps que les grottes et abris n'avaient pas été les seuls habitats de l'homme paléolithique, mais l'absence de récoltes systématiques et de bonnes conditions stratigraphiques faisaient que les industries ainsi récoltées n'avaient qu'un intérêt moindre pour le préhistorien.

C'est sous l'impulsion de J. Gaussen et de F. Bordes dans la vallée de l'Isle et de J. Guichard et

F. Bordes dans la vallée de la Dordogne qu'ont été entreprises des fouilles dans les très nombreux sites de plein air de ces régions.

Dans la vallée de l'Isle à la suite des propections et des travaux de J. Gaussen, plusieurs gisements du Paléolithique supérieur ont été fouillés. Nous ne citerons pour mémoire que le Plateau Parrain (fouilles Gaussen et Bordes), le Breuil, le Cerisier, le Mas, Guillassou (fouilles Gaussen), le très vaste gisement de Solvieux (fouilles Gaussen et J. Sackett) et la Côte (fouilles J.-P. Texier).

Les gisements de plein air de la vallée de la Dordogne ont été essentiellement l'objet des recherches de J. et G. Guichard, notamment à Rabier, les Bertranoux, Aillas et de F. Bordes à Corbiac.

Enfin, le plateau Sarladais a été largement prospecté par P. Barrot, E. Tessier et nous-même. Malheureusement, il semble que les sites de plein air de cette région aient été bouleversés par les phénomènes de solifluxion et que l'on n'aie que peu de chances de découvrir des habitats intacts.

Sur la densité et la répartition des sites de plein air périgourdins attribuables au Paléolithique supérieur, d'intéressantes observations peuvent être faites.

Dans le Sarladais, la majorité des sites a livré, outre du Moustérien le plus souvent de tradition acheuléenne, des industries attribuables à l'Aurignacien : le Bois de l'Ange, le Dau (Rigaud, 1969 b).

Dans la vallée de la Dordogne et plus précisément en Bergeracois, sur le Moustérien de tradition acheuléenne souvent présent, le Paléolithique supérieur est représenté par des industries attribuables, soit au Périgordien ancien à Canaule (fouille Guichard), soit au Périgordien supérieur à Aillac, Rabier, les Bertranoux, Toutifaut, Usine Henry, la Vigne du Maire et la Caillade à Monsac (fouilles Guichard), à Corbiac (fouilles F. Bordes). La présence aurignacienne n'est attestée que par des indices à Barbas et dans le site des Vignes à Maurens (fouilles Guichard).

Dans la vallée de l'Isle par contre, les différentes cultures du Paléolithique supérieur sont mieux représentées : le Périgordien ancien à La Côte (fouilles J.-P. Texier), le Périgordien supérieur et, peut-être, le Solutréen à Solvieux (fouilles Gaussen et Sackett) et le Magdalénien au Plateau Parrain (Gaussen et Bordes), au Breuil, au Cerisier, au Mas et à Guillassou (fouilles Gaussen). La présence aurignacienne est attestée d'une manière incertaine à Planèze (Neuvic) (1).

Il semble donc qu'il y ait une sélection des habitats de plein air en fonction de la région : aurignacien dans le Sarladais, Périgordien dans le Bergeracois, Périgordien et Magdalénien dans la vallée de l'Isle.

Les structures d'habitat les plus évidentes sont celles mises au jour dans les sites de plein air de la vallée de l'Isle lors des fouilles de J. Gaussen avec pour l'un d'eux la participation de F. Bordes.

— Guillassou. Situé sur la rive gauche de l'Isle, ce site a livré une industrie attribuable au Magdalénien ancien (« 0 »). La fouille en décapage a révélé un dallage de galets de forme rectangulaire de près de 5 m de long sur 2 m de large. Au nord, ce dallage se poursuit par une autre structure circulaire

(1) J.-P. Texier, renseignement oral.

également dallée d'approximativement 1,50 m de diamètre, mais il est difficile de préciser s'il s'agit là d'une structure distincte du dallage principal ou simplement de sa continuation.

— Plateau Parrain. Ce site a fait l'objet d'une publication conjointe de J. Gaussen et F. Bordes (Gaussen et Bordes, 1970). Les structures mises au jour montrent que cet habitat est quelque peu différent du précédent, il s'agit d'un rectangle de 4,5 m × 4 m constitué par un cordon de galets ouvert au sud, montrant à l'intérieur, sur le côté Est, un dallage de galets approximativement carré de 1 m de côté. A l'extérieur, sur le côté ouest, se trouve une autre accumulation circulaire de galets.

On peut penser que le cordon de galets délimitant le rectangle correspondait à la fixation au sol des parois d'une construction légère.

L'industrie récoltée dans cet habitat est attribuable au Magdalénien moyen.

— Le Cerisier. Voisin du précédent de quelques centaines de mètres, ce site se présente sous la forme d'un dallage carré de galets de 4 × 4 m flanqué sur les côtés Est et Ouest d'une abside. L'industrie lithique, concentrée dans la zone périphérique interne du dallage, est attribuable au Magdalénien moyen.

— Le Mas. Dans ce site 2 structures d'habitations ont été mises au jour. La première est comparable à celle de Guillassou, mais le pavement n'est pas continu. La seconde a été en grande partie détruite par les travaux agricoles.

— Au Breuil, les structures sont nombreuses mais deux d'entre elles sont bien conservées et montrent des dallages de galets de 2 × 2 m sur lesquels se trouvaient quelques rares outils et très peu de débitage qu'il est possible d'attribuer au Magdalénien moyen.

— A Solvieux, à la suite des premiers travaux de J. Gaussen, des fouilles plus importantes ont été entreprises par J. Gaussen et J. Sackett. Ce très vaste gisement présente une stratigraphie complexe dans laquelle s'insèrent plusieurs niveaux archéologiques attribuables au Magdalénien ancien, au Périgordien supérieur et à une industrie unique jusqu'ici appelée « Beauronniau » par J. Sackett.

Une étude plus détaillée et complète sur ce site est présentée par J. Gaussen et J. Sackett dans le cadre du Colloque XII, Section IV : les structures d'habitat au Paléolithique supérieur.

— A la Côte, une fouille de sauvetage a permis à J.-P. Texier de décaper, sur une surface limitée, une installation attribuable au Périgordien ancien (Texier, 1974).

Dans la vallée de la Dordogne, les structures d'habitat de plein air sont dans une certaine mesure bien moins spectaculaires. Les dallages y sont bien plus rudimentaires lorsqu'ils existent. A Corbiac F. Bordes a mis en évidence une structure d'habitat constituée d'une série de trous de piquet délimitant semble-t-il une tente à proximité de laquelle se trouvait un « foyer à évent » (Bordes, 1968 b).

— A Canaule II, J. Guichard a mis au jour un atelier de débitage, attribuable au Périgordien ancien (Guichard, 1970).

— A Rabier, les fouilles de J. Guichard ont permis le décapage d'un habitat du Périgordien supérieur dans lequel plusieurs concentrations ont été observées (Guichard, 1970).

Si la connaissance de l'organisation des habitats de plein air a progressé rapidement au cours des dix dernières années, celle des habitats sous abri ou en grotte a été également l'objet de recherches récentes. Outre des observations faites par D. de Sonneville-Bordes dans le gisement de Caminade, où ont été mises en évidence des « concentrations » de « grattoirs Caminade », et par H.L. Movius à l'abri Pataud, où les foyers semblaient montrer une disposition particulière selon le niveau archéologique considéré, quelques fouilles systématiques ont été entreprises dans des gisements où certains niveaux archéologiques se présentent sous forme de sol d'occupation.

A La Madeleine, les fouilles de J.-M. Bouvier ont permis de préciser la stratigraphie de ce gisement et de mettre au jour, dans les couches profondes qui ne semblent pas avoir été atteintes par les fouilleurs précédents, des niveaux archéologiques correspondant probablement à des occupations organisées du site.

Dans les deux abris du Flageolet, nous poursuivons depuis 1967, l'étude de plusieurs sols d'occupation.

Dans le petit abri du Flageolet II, un sol d'occupation magdalénienne est en cours de décapage. Ce sol est dallé en partie de plaquettes calcaires, mais d'importantes fouilles clandestines ont détruit la majeure partie du dallage. Actuellement, les fouilles mettent au jour une zone non dallée où l'outillage lithique est abondant. Toute interprétation de ces structures serait pour le moment hasardeuse.

Dans l'abri du Flageolet I, quatre sols d'occupation sont actuellement en cours de fouilles. Ils sont tous attribuables au Périgordien supérieur à burins de Noailles (Rigaud, 1969) et l'un d'eux dans la couche VII fait l'objet d'une étude préliminaire dont les résultats sont présentés dans le cadre du Colloque sur les structures d'habitat au Paléolithique supérieur (Rigaud, 1976 b). Indiquons simplement ici que le sol d'occupation de la couche VII est compartimenté par des blocs d'effondrement et que les espaces entre ces blocs délimitent des zones où se sont manifestées des activités diverses (foyer, zone d'activités domestiques, dépotoirs, etc...). Le modèle théorique d'habitat établi par A. Leroi-Gourhan à la suite des fouilles de Pincevent semble pouvoir s'appliquer avec quelques adaptations à l'organisation du sol d'occupation de la couche VII du Flageolet I.

Bibliographie

[1] ALAUX J.-F. (1973). — Pointes de la Font-Robert, en place, dans le Périgordien à burins de Noailles de l'abri des Battuts (commune de Penne, Tarn). Bull. Soc. préhist. franç., t. 70, C.R.S.M., n° 2, p. 51-55, 2 fig.

[2] ARAMBOUROU R. et JUDE P.E. (1964). — Le gisement de la Chèvre à Bourdeilles (Dordogne). Impr. R. et M. Magne, Périgueux, 132 p., 13 fig., 21 pl.

[3] BORDES F., (1968). — Emplacements de tentes du Périgordien supérieur évolué à Corbiac (près Bergerac, Dordogne). Quartär bd., 19 : 251-262.

[4] BORDES F. (1968 a). — La question périgordienne. in : La Préhistoire – Problèmes et Tendances. Ed. C.N.R.S., p. 59-70, 3 fig.

[5] BORDES F. (1968 b). — Le Paléolithique dans le monde. L'Univers des Connaissances, Hachette 1968, 256 p., 78 fig.

[6] BORDES F. (1972). — Le Paléolithique dans le monde. Cours ronéoté. Université de Bordeaux I.

[7] BORDES F. et SONNEVILLE-BORDES D. de (1966). — Protomagdalénien ou Périgordien VII ? L'Anthropologie, t. 70, n° 1-2, p. 113-122, 5 fig.

[8] BORDES F. et LABROT (1967). — La stratigraphie du gisement du Roc de Combe (Lot) et ses implications. Bull. Soc. préhist. franç., t. 64, fasc. 1, p. 29-34, 2 fig.

[9] BORDES F. et GAUSSEN J. (1970). — Un fond de tente magdalénien près de Mussidan (Dordogne). Fundamenta, Teil I, Reihe A, Band E, 1970, p. 312-329, 8 fig., 6 pl.

[10] BOUVIER J.-M. (1969). — Existence de Magdalénien supérieur sans harpons : preuves stratigraphiques. C. R. Acad. Sc. Paris, t. 268, pp. 2865-2866, série D.

[11] BREUIL H. (1954). — Le Magdalénien. Livre Jubilaire, S.P.F., p. 59-66.

[12] CHAMPAGNE F. et ESPITALIE R. (1967). — La stratigraphie du Piage. Note préliminaire. Bull. Soc. préhist. franç., t. LXIV, fasc. 1, p. 29-34, 2 fig.

[13] DELPECH F. (1975). — Les faunes du Paléolithique supérieur dans le Sud-Ouest de la France. Thèse de Doct. d'Etat ès-Sciences, Université de Bordeaux, n° 479, t. 1 : texte, 374 p., t. II : 159 tabl., t. III : 98 pl.

[14] DELPORTE H. (1968). — L'abri du Facteur à Tursac (Dordogne). I. – Etude générale. Gallia-Préhistoire, t. XI, fasc. 1, 1968, p. 1-112, 63 fig., 10 tabl.

[15] DELPORTE H. (1969). — Les fouilles du Musée des Antiquités Nationales à La Ferrassie. Bull. Antiquités nationales, n° 1, p. 15-28, 2 fig., 1 tabl.

[16] GAUSEN J. et SACKETT J. (1976). — Les structures d'habitat au Paléolithique supérieur dans le Sud-Ouest de la France. IXe Congrès U.I.S.P.P.

[17] GUICHARD J. (1970). — Canaule II. in : F. BORDES, Informations archéologiques, t. 13, 1970, fasc. 2.

[18] LAPLACE G. (1959). — Solutréen et foyers solutréens. A propos du problème de l'origine des industries solutréennes. Bull. Soc. et. et de Rech. Préhist. et Inst. Prat. de Préhistoire, Les Eyzies, n° 9, 28 p.

[19] LAVILLE H. (1971). — Sur la contemporanéité du Périgordien et de l'Aurignacien : la contribution du géologue. Bull. Soc. préhist. franç., p. 68, C.R.S.M., n° 6, p. 171-174.

[20] LAVILLE H. (1973). — Climatologie et chronologie du Paléolithique en Périgord : Etude sédimentologique de dépôts en grottes et sous abris. Thèse de Doctorat d'Etat ès-Sciences Naturelles, Université de Bordeaux I, n° 400, 1973, t. I et II : 720 p., t. III : 181 illustrations.

[21] LAVILLE H. et TEXIER J.-P. (1972). — De la fin du Würm au début du Würm IV. Paléoclimatologie et implications chronostratigraphiques. C. R. Acad. Sc. Paris, t. 275, série D, p. 329-332, 1 tabl.

[21] LAVILLE H. et RIGAUD J.-Ph. (1973). — The Perigordian V industries in Perigord : typological variations, stratigraphy and relative chronology. *World Archaeology*, vol. 4, n° 3, p. 330-338, 3 tabl.

[23] MOVIUS H.L. (1963). — L'âge du Périgordien, de l'Aurignacien et du Protomagdalénien en France sur la base des datations au Carbone 14. *in :* « Aurignac et l'Aurignacien ». *Bull. Soc. Mérid. Spéléol. Préhist.*, t. VI à IX, années 1956-1959, 1963, p. 131-142, 3 fig.

[24] MOVIUS H.L. et DAVID N. (1970). — Burins avec modification tertiaire du biseau, burins-pointes et burins du Raysse à l'abri Pataud, Les Eyzies (Dordogne). *Bull. Soc. Préhist. franç.*, t. 67, pp. 445-455.

[25] PEYRONY E. (1934). — Le gisement de La Forêt, commune de Tursac (Dordogne). *Congr. Préhist. France*, t. XI, Périgueux, p. 424-430, 4 fig.

[26] RIGAUD J.-Ph. (1969 a). — Note préliminaire sur la stratigraphie du gisement du « Flageolet I » Commune de Bézenac, (Dordogne). *Bull. Soc. préhist. franç.*, C.R.S.M., n° 3, p. 73-75, 2 fig.

[27] RIGAUD J.-Ph. (1969 b). — Gisements paléolithiques de plein air en Sarladais. *Bull. Soc. préhist. franç.*, t. 66, 1969, Etudes et Travaux, p. 319-334.

[28] RIGAUD J.-Ph. (1976 a). — Les structures d'habitat d'un niveau du Périgordien supérieur du Flageolet I à Bézenac. *IXᵉ Congrès de l'U.I.S.P.P.*, Nice, 1976. Colloque sur les structures d'habitat au Paléolithique supérieur.

[29] RIGAUD J.-Ph. (1976 b). — Données nouvelles sur le Périgordien supérieur en Périgord. *IXᵉ Congr. de l'U.I.S.P.P.*, Nice, 1976. Colloque sur le Périgordien et Gravettien en Europe.

[30] SONNEVILLE-BORDES D. de (1960). — Le Paléolithique supérieur en Périgord. *Impr. Delmas Bordeaux*, 2 vol., 558 p., 295 fig., 64 tabl., 10 cartes.

[31] TEXIER J.-P. (1974). — Le Périgordien ancien de La Côte et son contexte géologique. *L'Anthropologie*, t. 78, 1974, n° 3, pp. 499-528, 10 fig., 4 tabl.

Les civilisations du Paléolithique supérieur en Charente

Résumé. Les caractères des industries du Paléolithique supérieur des Charentes sont identiques à ceux des mêmes industries du Sud-Ouest de la France. Si d'anciennes fouilles ont permis d'établir des subdivisions précises au sein de ces industries (exemple du Placard), leur intérêt est aujourd'hui surtout d'ordre historique et les séries récoltées sont d'une faible valeur palethnologique. Les apports des travaux récents sont d'un intérêt limité à cause de l'épuisement des gisements par les fouilles anciennes.

Abstract. The characteristics of the Upper Paleolithic industries found in the Charentes region are identical to those of the same industries in Southwestern France. Although early excavations in the Charentes served to establish detailed subdivisions witin these industries (as in the case of « le Placard »), today these sites are mainly of historic value since they provide little palaeo-ethnological information. The findings from recent excavations are of but limited interest due to the disappearance of both cultural and geological material from sites excavated before 1950.

Malgré le rôle historique joué par les sites charentais dans la bataille aurignacienne et dans la classification du Solutréen et du Magdalénien (H. Breuil, 1912, 1954), la connaissance moderne du Paléolithique supérieur doit relativement peu à leur étude récente. Des fouilles anciennes, extensives et désordonnées, et des pillages presque actuels y ont détruit les stratigraphies fondamentales dans des sites moins nombreux et moins complexes que dans le Périgord voisin. La séquence classique du début du Würm III (Périgordien inférieur, Aurignacien, Périgordien supérieur) y était rare (Le Chasseur, La Quina) ; à Montgaudier, les témoignages d'importance inégale d'Aurignacien, Périgordien supérieur, Solutréen et surtout Magdalénien, étaient dispersés dans divers *loci* ; l'abri A. Ragout (Périgordien supérieur, Solutréen, Magdalénien inférieur) et le Placard (Solutréen, Magdalénien inférieur et supérieur) avaient des stratigraphies exceptionnelles. Presque partout, les fouilles récentes (1) ont porté sur des lambeaux si réduits en épaisseur et en étendue qu'elles n'ont guère permis de réviser les stratigraphies dans leur ensemble, d'éclairer chronologie, classification et évolution des cultures ni de reconstituer leur milieu naturel (2).

Les datations ¹⁴C du Paléolithique supérieur charentais sont valables pour l'Aurignacien de La Quina, mais sans signification pour le Solutréen supérieur/Magdalénien ancien de l'abri A. Ragout (tabl. I).

Des travaux de typologie systématique utilisent des séries charentaises : une monographie exemplaire sur les burins de Noailles de l'abri A. Ragout (J. Tixier, 1958), une définition renouvelée du burin caréné de J. Bouyssonie, dénommé « burin des Vachons » (M. Perpère, 1971, 1972) (fig. 4) et l'analyse détaillée de l'outillage osseux de l'Aurignacien (C. Leroy-Prost, 1975).

La méthode statistique Bordes, adaptée au Paléolithique supérieur (D. de Sonneville-Bordes et J. Perrot, 1953) a été appliquée aux séries d'Aurignacien et de Périgordien supérieur des Vachons (J. Bouyssonie et D. de Sonneville-Bordes, 1957), de Magdalénien supérieur de La-Chaire-à-Calvin (D. de Sonneville-Bordes, 1965), de Solutréen du Roc-de-Sers et du Placard (Ph. Smith, 1966), d'Aurignacien du Pont-Neuf, du Chasseur, des Rois et des Vachons (M. Perpère, 1971, 1975), d'Aurignacien de La Chaise et de Périgordien supérieur de l'abri Paigneau (A. Debenath, 1974).

Le dépouillement bibliographique et l'étude de collections, souvent anciennes et incomplètes, sont à la base d'études régionales sur le Solutréen (Ph.

---

(1) L. Balout (Chasseur et A. Ragout), F. Bordes et D. de Sonneville-Bordes (La Chaise : Bourgeois-Delaunay, Chaire-à-Calvin), J.-M. Bouvier (Chaire-à-Calvin), Cl. Burnez (Marcel-Clouet), P. David (La Chaise : Bougeois-Delaunay, Duport; Chaire-à-Calvin), A. Debenath (La Chaise; Marcel-Clouet), L. Duport (La Chaise : Duport; Montgaudier, Paignon; Puymoyen : Castaigne), J. François (Barbezieux), P. Geai et J. Colle (La Roche-Courbon : Bouil-Bleu), G. Henri-Martin (La Quina Y-Z, Fontéchevade), P. Mouton et R. Joffroy (Les Rois), R. Pintaud (Montgaudier), J. Roche (Le Placard), M. Rouvreau (Gros-Roc).

(2) L'étude pétrographique des Rois a été assurée par G. Malvesin-Fabre, F. Prat et R. Seronie-Vivien (*in* P. Mouton et R. Joffroy, 1958); l'étude sédimentologique de La Chaise, de Montgaudier (L. Duport), de la grotte Marcel-Clouet

et de la Chaire-à-Calvin (J.-M. Bouvier) par A. Debenath (1974).

La faune aurignaciennne des Rois a été étudiée par J. Bouchud (1958, 1960), et celle de La Chaise par P. David et F. Prat (1965) pour Bourgeois-Delaunay, et par F. Delpech (J.-M. Bouvier et *al.*, 1969) pour la grotte Duport; la faune du Périgordien supérieur de l'abri Paignon a été déterminée par F. Delpech (inédit) et celle du Magdalénien de La Chaire-à-Calvin (fouilles Bordes et Sonneville-Bordes) par F. Prat (D. de Sonneville-Bordes, 1965).

---

* Institut du Quaternaire, Université de Bordeaux I, 33405 Talence (France).

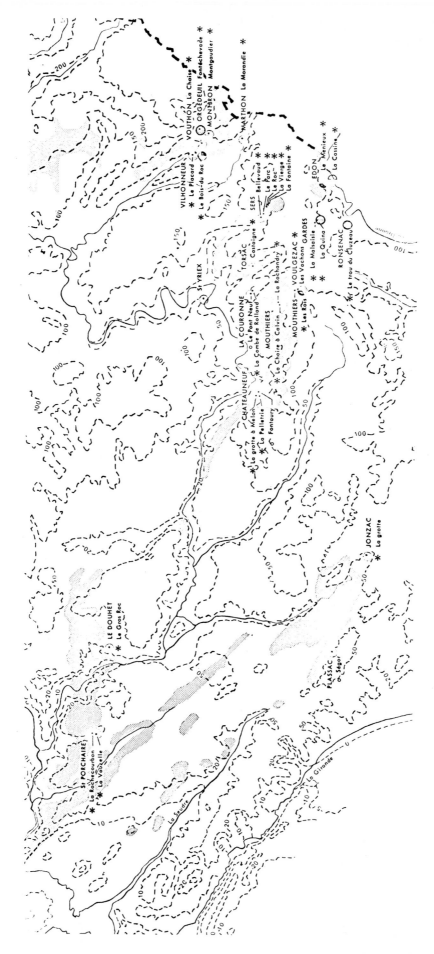

Fig. 1. — Carte du Paléolithique supérieur en Charente et Charente-Maritime, d'après F. Lévêque (*Gallia-Préhistoire*, 1972, t. 15, n° 2, carte II).

Smith, 1966, chap. VIII, p. 226-265) et d'Aurignacien, outillage lithique (M. Perpère, 1971, 1972, 1975) et outillage osseux (C. Leroy-Prost, 1975). L'essentiel des informations sur le Paléolithique supérieur charentais, niveaux et cultures du Würm III-IV, est exposé dans l'étude générale du Quaternaire des Charentes (A. Debenath, 1974). A l'occasion d'une exposition, un catalogue de l'Art préhistorique en Charente a été publié (L. Duport, 1973).

A partir de l'inventaire de E. Patte (1941), revu par cet auteur, F. Lévêque a publié une carte du Paléolithique supérieur charentais (*Gallia-Préhistoire*, 1972) (fig. 1). Les rares sites de Charente-Maritime sont localisés dans la vallée du Bruant, près de Saint-Porchaire, et dans la région de Saintes. En Charente, la plupart sont situés au contact du Nontronnais périgourdin, entre Charente et Nizonne, surtout denses dans les vallées de la Tardoire (Bajocien-Bathonien) et de la Boëme (Turonien). Outre dans les ouvrages fondamentaux de G. Chauvet (1897, 1910) et E. Patte (1941), la bibliographie détaillée se trouve dans les publications de A. Debenath (1974,) L. Duport (1973), C. Leroy-Prost (1975), M. Perpère (1971, 1972, 1975) et Ph. Smith (1966) ; il faut consulter le livret-guide de l'excursion Berry-Poitou-Charentes VIIIᵉ Congrès Inqua 1969 et les *C. R.* de la Circonscription préhistorique Poitou-Charentes *in Gallia-Préhistoire* (Directeurs E. Patte, Y. Guillien, B. Vandermeersch).

Périgordien inférieur.

Le Paléolithique supérieur charentais débute comme ailleurs par le Périgordien inférieur à pointes de Châtelperron. Sa position stratigraphique n'est repérée exactement qu'à La Quina et à La Chaise. Sa composition typologique reste mal connue.

A La Quina Y-Z (G. Henri-Martin, 1962), la couche 4, à pointes de Châtelperron, surmonte les niveaux 5 et 6 à « industries prémoustériennes » : elle est argilo-sableuse avec nombreux fragments calcaires, verdâtre et très humide, recouverte d'un effondrement, « l'effondrement inférieur », à quoi succèdent deux niveaux aurignaciens. Avec quelques pointes, la série, souvent lustrée, comporte des grattoirs carénés et à museau, parfois douteux, des becs-perçoirs, des burins rares et, en abondance, des « pièces encochées et denticulées », en fait des éclats de concassage, analogues à ceux du Périgordien inférieur de La Ferrassie E, du Moustier L, du Trou de la Chèvre 1-1 a et 2-2 a, témoignages d'un remaniement naturel en période très humide (D. de Sonneville-Bordes, 1972).

A La Chaise, dans le témoin du fond de la grotte Bourgeois-Delaunay, une pointe de Châtelperron fut recueillie dans une trace brunâtre sableuse, bien séparée de la couche aurignacienne sus-jacente, par F. Bordes en 1960 (F. Bordes, 1963 ; D. de Sonneville-Bordes, 1972, fig. 1 a) : quelques pointes récoltées dans la grotte par P. David se rapportent sans doute à ce même niveau ; la position à la base du remplissage du témoin est bien établie.

Dans quelques sites, des pointes de Châtelperron ont été trouvées ou récoltées en mélange avec des pièces typiques de l'Aurignacien à Fontéchevade (G. Henri-Martin, 1958), au Trou du Cluzeau, au Bouil-Bleu (J. Colle, 1957 ; coll. Clouet et Bossé, Musée de La Roche-Courbon), au Gros-Roc, à Douhet, dans la grotte (R. Daniel, 1973 ; coll. Cor, Musée de Cognac), quoique l'Aurignacien y paraisse douteux (M. Perpère, 1971, 1972 ; A. Debenath, 1974), et sans mélange dans le talus (M. Rouvreau, inédit).

A l'abri du Chasseur (L. Balout, 1958 : fouilles A. Ragout et L. Balout), la présence d'une dizaine de pointes de Châtelperron dans le niveau inférieur B d'Aurignacien s'expliquerait d'après M. Perpère (1971-1975) par une forte influence de Châtelperron dans un niveau homogène d'Aurignacien ancien ou par un mélange géologique de niveaux distincts : la seconde interprétation est très vraisemblable.

Aurignacien.

Culture la plus répandue (fig. 2), l'Aurignacien est mal connu ou douteux dans plusieurs sites qu'il

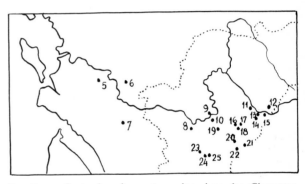

Fig. 2. — Carte des gisements aurignaciens des Charentes, d'après M. Perpère (1972, fig. 1) : 5. La Roche-Courbon; 6. Gros-Roc; 7. *Bois-Berthaud;* 8. Hauteroche; 9. Les Planes; 10. *Les Argentiers;* 11. Le Chasseur; 12. Fontéchevade; 13. La Chaise : grotte Duport; 14. La Chaise : grotte Bourgeois-Delaunay; 15. Montgaudier; 16. *Belleveau;* 17. *Le Parc;* 18. *Roc-de-Sers;* 19. Le Pont-Neuf; 20. La Quina; 21. *Edon;* 22. Trou du Cluzeau; 23. Les Rois; 24. Les Vachons 2; 25. Les Vachons 1.
Les noms en italique sont à retirer de l'inventaire aurignacien.

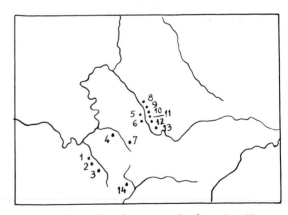

Fig. 3. — Carte des gisements solutréens des Charentes, d'après Ph. Smith (1966, p. 157, carte II) : 1. Combe-à-Rolland; 2. Chaire-à-Calvin; 3. Vachons; 4. Plateau de Clergon; 5. A. Ragout; 6. Chasseur; 7. Roc-de-Sers; 8. Sureau; 9. Rochebertier; 10. Fadets; 11. Placard; 12. Chaise-Sud; 13. Montgaudier; 14. Gavechou.

TABLEAU I.

Datations 14 C du Paléolithique de Charente, d'après G. Delibrias et J. Evin (1974).

16 – Villebois-Lavalette : La Quina	G. Henri-Martin 1965	Sect. C ; Os brûlés, Mat. hum.	GrN-4494	34.100 ± 700	Moustérien final	vol. 9, p. 111	La date la plus ancienne est jugée la meilleure par le Labo GrN
16 – Villebois-Lavalette : La Quina	G. Henri-Martin 1965	Sect. C ; Os brûlés	GrN-4449	31.100 ± 400	Moustérien final	vol. 9, p. 111	
16 – Villebois-Lavalette : La Quina	G. Henri-Martin 1965	Sect. B niv. 10 ; Os brûlés	GrN-4450	11.690 ± 70	Moustérien final	vol. 9, p. 111	Date aberrante inexpliquée
16 – La Garde-le-Pontaroux : La Quina	G. Henri-Martin 1965	Os brûlés	GrN-1489	30.760 ± 490	Aurignacien	non publiée	
16 – La Garde-le-Pontaroux : La Quina	G. Henri-Martin 1965	Os brûlés	GrN-1493	31.400 ± 350	Aurignacien I	vol. 5, p. 165	
16 – La Garde-le-Pontaroux : La Quina	G. Henri-Martin 1965	Os brûlés	GrN-2526	35.250 ± 530	Aurignacien I		
16 – La Garde-le-Pontaroux : La Quina	G. Henri-Martin 1965	Mat. hum	GrN-2325	25.070 ± 220	Aurignacien I		Pollution par humus récent
16 – La Rochefoucault : Vilhonneur Ab. Ragout	L. Balout 1964	B 2 ; Os brûlés	GrN-4677	12.890 ± 140	Solutr. sup./ Magdal. anc.	vol. 14, p. 57	Les humus récents n'ont sûrement pas été éliminés des os brûlés
16 – La Rochefoucault : Vilhonneur Ab. Ragout	L. Balout 1964	B 2 ; Mat. hum.	GrN-4693	9.490 ± 90	Solutr. sup./ magdal. anc.	vol. 14, p. 57	

convient de retirer de l'inventaire cartographique (M. Perpère, 1971, 1975) : ainsi des sites de Sers (Belleveau, Le Parc, Roc-de-Sers), d'Edon (Ménieux, La Gélie), de Bois-Berthaud. Quelques traces seulement sont connues dans divers sites : Bouil-Bleu, peut-être le Gros-Roc (R. Daniel, 1973), la grotte Castaigne à Puymoyen, où un fragment de pointe en os à base fendue a été trouvé dans la couche supérieure, jaunâtre et bréchifiée (L. Duport, 1965), Montgaudier, avec quelques outils typiques trouvés dans la couche 5 de la partie Tardoire (L. Duport, 1969) et un burin busqué reconnu dans une ancienne série (M. Perpère, 1971). A Fontéchevade (G. Henri-Martin, 1958), seuls de faibles lambeaux d'Aurignacien ont été retrouvés. A Hauteroche, malgré quelques pièces typiques de ses déblais, ses successeurs n'ont pas retrouvé la couche supérieure aurignacienne décrite par C. Chauvet ; celles de l'abri proche de Fontaury (coll. B. Marry : M. Perpère, 1971) proviennent sans doute du niveau aurignacien induré observé sous une mince couche de terre végétale par F. Bordes (A. Debenath, 1974).

Les indications chronologiques précises font défaut. A la sablière des Planes, Saint-Yriex, qui a livré également des pointes de Châtelperron (renseignement P. Fitte), le niveau aurignacien était situé au sommet, « dans un cailloutis peu marqué de galets ou fragments de silex très espacés vers la base des lits crayeux qui remplacent l'ergeron de nos pays » (V. Commont, 1913, p. 324), à la partie supérieure d'un paléosol interstadiaire (Y. Guillien, 1965, p. 251). La relative importance des burins busqués dans les épaves des collections et sur les illustrations des auteurs (M. Perpère, 1971) reste peu significative.

A La Quina Y-Z, seul le niveau inférieur à pointes en os à base fendue a été retrouvé, sans les foyers moyen et supérieur autrefois observés à la station aval. Unique horizon charentais daté par le ¹⁴C (tabl. I), il contenait à la fois des pointes en os à base fendue et non fendue (G. Henri-Martin, 1962-1963).

Quelques grands gisements (La Chaise, le Chasseur, Les Rois, Les Vachons, le Pont-Neuf), ont livré des séries lithiques assez importantes pour être étudiées statistiquement selon la méthode Bordes. Avec l'outillage osseux, ces observations quantitatives ont permis aux auteurs d'insérer l'Aurignacien charentais dans le schéma évolutif général proposé pour le Périgord (D. de Sonneville-Bordes, 1960) : l'Aurignacien ancien I (type Castanet et type Lartet-Ferrassie) et l'Aurignacien évolué II y ont été ainsi reconnus, les stades III-IV de La Ferrassie paraissant manquer (C. Leroy-Prost, 1975) (tabl. II). Mais les équivalences et les comparaisons dépendent de la valeur des séries, visiblement variable d'un site à l'autre.

Vallée de la Tardoire.

Le complexe de *La Chaise* apporte des précisions importantes. Dans la grotte classique *Bourgeois-Delaunay* comme dans la petite grotte *Duport* (P. David, 1957), la couche aurignacienne se plaçait au sommet du remplissage au-dessus d'une couche rouge stérile ; un sondage à l'extérieur a retrouvé une couche rouge de Paléolithique supérieur, peut-être aurignacienne (A. Debenath, 1974). Plus riche et plus variée à Bourgeois-Delaunay (P. David et F. Prat, 1965) qu'à Duport (F. Delpech, in J.-M. Bouvier et al., 1969), la faune comporte avec des espèces froides (mammouth, renne, rhinocéros à narines cloisonnées) une proportion importante d'Equidés et de Bovidés, ce qui lui donne une signification moins rigoureuse que la faune à espèces arctiques de l'Aurignacien I du Périgord.

Des pointes en os à base fendue dans les deux grottes en confirment l'occupation simultanée, à l'Aurignacien I. L'outillage lithique est original par la répartition des types : lames aurignaciennes, parfois étranglées, grattoirs carénés et à museau non dominants, burins plus nombreux, sans exemplaires busqués (A. Debenath, 1974). Des lamelles de grande dimension, à retouches semi-abruptes, inverses, type

TABLEAU II.
L'Aurignacien en Poitou-Périgord-Charentes : essai de chronologie comparée, d'après C. Leroy-Prost (1974, tabl. I).

Auteur	Chronologie	Gisements
D. Peyrony 1933 Périgord	Aurignacien I	Ferrassie F
	Aurignacien II	Ferrassie H
	Aurignacien III	Ferrassie H'
	Aurignacien IV	Ferrassie H"
	Aurignacien V	Laugerie-Haute Ouest D.
F. Mouton et R. Joffroy 1958	Aurignacien Ia	Le Pont Neuf
	Aurignacien Ib	Quina III. Vachons 1. Ferrasie F
	Aurignacien Ic	Vachons 1. Rois B
	Aurignacien II	Rois A2. Ferrassie H. Vachons 2
	- - - - - - - - - - - - - - - - -	Rois A1
	Aurignacien III	Ferrassie H'. H"
D. de Sonneville Bordes 1960 Périgord	Aurignacien ancien type Castanet - - - - - -	Blanchard. Castenet. Pasquet. Vachons 1. Patary. Coumba del Bouiton infr.
	Aurignacien ancien type Lartet-Ferrassie -	Ferrassie F. Lartet. Poisson. Cellier infr. Caminade infr. Cottés Chanlat infr. Font-Yves
	Aurignacien évolué - - - - - - - - - - - -	Ferrassie H et H'. Faurélie. Caminade Est niveaux supr. (D2) Vachons 2. Cellier supr. Caminade Ouest supr. Chantal supr. Dufour
	Aurignacien plus évolué (?) - - - - - - - -	Laugerie-Haute Ouest. Fontenioux
G. Laplace 1966 Europe	Aurignacien ancien { 1	Castanet A.
	{ 2	Ferrassie F. Cellier A. Poisson infr. Festons. Cottés E.
	{ 3	Dufour. Chanlat
	Aurignacien évolué { 1	Castanet C. Vachons 1.
	{ 2	Ferrasie H, H' et H". Cellier C. Faurélie. Cottés D.
	Aurignacien évolué final	Laugerie-Haute Ouest D. Fontenioux D.
H. Delporte 1962-1968 Périgord	Phase initiale : Aurignacien 0	Ferrassie E'. Caminade est G. Rochette 5d.
	Phase principale (Aurignacien I et II) - - - -	Aurignacien de type Castanet / Aurignacien de type Ferrassie
	Phase finale (Aurignacien III, IV et V)	a) faciès de la Ferrasie : Ferrassie H' et H" / b) faciès de Laugerie-Haute D : Laugerie Haute Ouest D. Fontenioux / c) faciès de Tursac, niveau 15 : Tursac 15. Vachons 5. Caminade Est supr.
M. Perpere 1971 Poitou-Charentes	Aurignacien ancien type Castanet	Pont-Neuf. Rois B. Chasseur B. Vachons 1
	Aurignacien ncien type Lartet.Ferrassie	Rois A2. Cottès (2 niveaux)
	Aurignacien évolué	Chasseur A2. Vachons 2
	Aurignacien final	Roches de Pouligny St. Pierre. Le Fontenioux

Dufour, découvertes dans le témoin aurignacien par F. Bordes en 1955 (D. de Sonneville-Bordes, 1955, p. 37 ; 1960, p. 131) ont été trouvées également à la grotte Duport (A. Debenath, *in* J.-M. Bouvier et al., 1969). Des lamelles Dufour, de dimensions plus classiques, ont été signalées à l'abri du Chasseur (M. Perpère, 1971, 1975), à la grotte Marcel-Clouet (A. Debenath, 1974) et la La Quina (niveau supérieur, coll. Kelley : M. Perpère, 1971).

Au Bois-du-Roc, à *l'abri du Chasseur,* A. Ragout (1933), puis L. Balout (1950) ont distingué 4 niveaux d'Aurignacien (L. Balout, 1957). Les inventaires récents de M. Perpère (1971, 1975) font apparaître évident et confirment que les couches et donc les séries de ce site visiblement remanié, sans doute par cryoturbation, ont été géologiquement mélangées : l'Aurignacien est mélangé peut-être avec le Périgordien inférieur dans le niveau inférieur B, certainement avec le Périgordien supérieur dans les niveaux supérieurs A 3, A 2 et A 1, où grattoirs carénés et à museau et burins busqués sont associés aux pointes de la Gravette et aux burins de Noailles, outre des pointes à soie de la Font-Robert en A 3. Malgré le point de vue de M. Perpère qui écarte cette hypothèse et voit dans l'Aurignacien du Chasseur « quelque chose de très original », pourcentages et graphiques cumulatifs établis sur ces séries, comme les comparaisons qu'ils suscitent sont sans signification.

Vallée du Charreaux.

La station du *Pont-Neuf,* à La Couronne, aujourd'hui détruite, avait un niveau aurignacien, dont une petite série rescapée (fouilles Favraud, 1904-1907 : 117 outils, Univ. de Poitiers) est considérée, à cause de l'abondance des lames retouchées, comme « peut-être le plus ancien Aurignacien charentais », avec quelque imprudence (M. Perpère, 1971, 1975).

Vallée de la Boëme.

A Mouthiers se trouvent les seules stratigraphies complexes charentaises, avec des séries riches et homogènes : le gisement *des Rois* (fouilles P. Mouton et R. Joffroy, 1958) et les abris des *Vachons* (abri 1 : fouilles J. Coiffard et J. Bouyssonie ; abri 2 : fouilles J. Coiffard).

Le *gisement des Rois* a été parallélisé avec les niveaux aurignaciens de La Ferrassie de façon quelque peu différente par P. Mouton et R. Joffroy (1958) et par M. Perpère (1971, 1975) (tabl. II). Le niveau inférieur B se singularise par des pointes en os triangulaires à base non fendue : il serait intermédiaire entre les niveaux F, à pointes en os à base fendue, et H, à pointes losangiques, de La Ferrassie pour les premiers auteurs ; pour M. Perpère, son outillage lithique, avec importance de la retouche aurignacienne, présence de lames étranglées, fort indice de grattoirs, surtout sur lames, rareté relative des burins, le rapproche plutôt de l'Aurignacien ancien archaïque, type Castanet. Le niveau A 2, à pointes losangiques, est parallélisé par P. Mouton et R. Joffroy avec l'Aurignacien II de La Ferrassie H, et par M. Perpère avec l'Aurignacien ancien évolué type Lartet-Ferrassie : la diminution de la retouche aurignacienne, l'accroissement des grattoirs à museau et l'apparition des burins busqués sont en tous cas des caractères évolutifs classiques (D. de Sonneville-Bordes, 1960). Le niveau final A 1, avec une possible pointe en os à section ovale, se distingue par

l'augmentation de l'indice de burin, surtout des busqués : P. Mouton et R. Joffroy le rapprochent de l'Aurignacien III de La Ferrassie H', et M. Perpère de l'Aurignacien II de La Ferrassie H.

Les indications de la faune (J. Bouchud, *in* P. Mouton et R. Joffroy, 1958, 1960) sont favorables à l'attribution du niveau B à l'Aurignacien I : renne abondant, présence d'espèces froides (mammouth, renard bleu, lièvre variable) ; en A 2 et A 1, diminution du Renne et augmentation du Cheval sont significatives de l'amélioration climatique, connue partout en Périgord à l'Aurignacien II.

Aux *Vachons*, les abris 1 et 2 occupés simultanément contenaient dans leurs niveaux inférieurs 1 de l'Aurignacien ancien type Castanet, à pointes en os à base fendue, et dans leurs niveaux supérieurs 2 de l'Aurignacien évolué II, ici sans outils d'os typiques, avec une exceptionnelle importance des « burins carénés » (J. Bouyssonie et D. de Sonneville-Bordes, 1957). L'étude complémentaire d'une série lithique a confirmé ces attributions (M. Perpère, 1971, 1975) (fig. 4).

L'Aurignacien charentais se parallélise avec les stades classiques I et II de cette culture dans le Sud-Ouest, les types Castanet et Lartet-Ferrassie y étant peut-être plutôt des stades chronologiques que des faciès. Des originalités sont à souligner dans l'outillage osseux : à La Quina, aux Rois B, et peut-être aussi dans le niveau 1 des Vachons, si la coexistence des pointes à base fendue et des pointes losangiques n'y est pas due à une erreur de fouilles.

Périgordien supérieur.

Les informations récentes sur les sites peu nombreux du Périgordien supérieur sont rares. Des traces sont connues dans divers sites : Bouil-Bleu, Gros-Roc (R. Daniel, 1973), Fontéchevade, La Quina, Ménieux, Trou du Cluzeau, Les Rois. L'inventaire très réduit des sites à burins de Noailles s'est enrichi : à la grotte Marcel-Clouet, deux niveaux à pointes de la Gravette, burins de Noailles et lamelles à dos (fouilles Cl. Burnez, puis A. Debenath) ; à l'abri Paignon, Montgaudier, des lamelles à dos et burins, dans une petite série, à burin de Noailles et élément tronqué (A. Debenath et L. Duport, 1972), avec faune à Renne dominant (F. Delpech, inédit).

Au Bois-du-Roc, la séquence des niveaux à burins de Noailles du Chasseur (L. Balout, 1957) et d'André-Ragout (L. Balout, 1958) était complémentaire (tabl. III). Mais toute étude statistique des séries du Chasseur, où sont mélangés Aurignacien et Périgordien supérieur, est illusoire, malgré la tentative de M. Perpère (1971, 1975) et la série de l'abri A. Ragout est peu riche.

Pour la Charente, la séquence des abris des Vachons était exceptionnelle (J. Bouyssonie, 1948 ; J. Bouyssonie et D. de Sonneville-Bordes, 1957). La succession des fossiles directeurs y était comparable à celle de La Ferrassie : pointes de la Font-Robert dans le niveau 3, avec au sommet des éléments tronqués, rares burins de Noailles dans les niveaux 3 et 4, pointes de la Gravette, parfois particulièrement typiques, « les pointes des Vachons », dans tous les

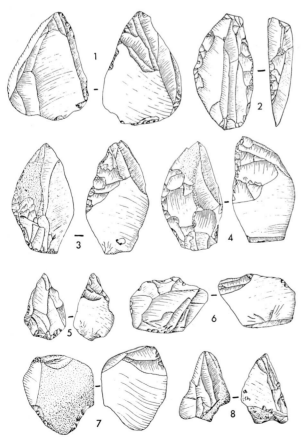

Fig. 4. — Burins des Vachons, d'après M. Perpère (1971, 1972, fig. 7).

TABLEAU III.
Le Paléolithique du Bois-du-Roc : abri André-Ragout et
abri du Chasseur (A. Debenath, 1974).

Abri André Ragout	Abri du Chasseur
Magdalénien I (A, B)	
Solutréen supérieur (C)	
Solutréen supérieur (à pointes à cran) (D ?)	
	Périgordien à microgravettes (A 1)
Périgordien à Noailles (E, F)	*Périgordien* à Noailles (A 2)
	Périgordien à Font-Robert (A 3)
	Aurignacien typique (B)
	Moustérien (C)

niveaux ; pauvre, le niveau 5, d'attribution incertaine, est peut-être du Périgordien final.

Comme ailleurs, le Périgordien supérieur charentais montre l'association des burins de Noailles et des pointes de la Gravette et microgravettes dans toutes les séries. Dans les niveaux 3 des Vachons 1 et 2 et au Chasseur A 3, les pointes de la Font-Robert sont à la base de la séquence, comme à La Ferrassie J.

Peu de documents récents sont à ajouter à l'étude de Ph. Smith (1966) (fig. 3). De menues découvertes évoquent des traces de passage : 2 pointes à cran dans une partie remaniée de Marcel-Clouet (A. Debenath, 1974), une pointe à cran, sans doute intrusive, dans la couche 4 à burin de Noailles de Paignon (A. Debenath et L. Duport, 1972), un fragment de feuille de laurier, avec *fluting* trouvé au Grand Porche de Montgaudier, par L. Duport (A. Debenath, 1974).

Comme en Périgord, le niveau à pointes à cran était le mieux représenté (A. Ragout, Combe-à-Rolland, Roc-de-Sers, Placard). J. Roche n'a pas retrouvé ce niveau au Placard où les pointes existaient par milliers. Les graphiques cumulatifs du Roc-de-Sers (fouilles Henri-Martin) et surtout du Placard (fouilles de Maret, 1878-1880, coll. I.P.H.), établis par Ph. Smith (1966), sont à considérer avec prudence, étant donné la date et les méthodes de ces fouilles trop anciennes.

A La Chaire-à-Calvin, des feuilles de laurier et pointes à cran avaient été recueillies mélangées aux outils magdaléniens par P. David (1956) et considérées comme le témoignage du remaniement d'un niveau inférieur solutréen par des phénomènes de cryoturbation dont les guirlandes sont visibles au fond de l'abri (H. Alimen, 1950). La frise sculptée qui en orne la paroi a donc été attribuée aux Solutréens, premiers habitants de l'abri (P. David, 1957 ; A. Laming-Emperaire, 1962). En fait, des feuilles de laurier et pointes à cran ont été recueillies dans toute l'épaisseur des couches magdaléniennes, sans présence d'aucun éclat de taille solutréen, dans les fouilles modernes du témoin Est (F. Bordes et D. de Sonneville-Bordes, 1960, 1961). Ces pièces étant considérées comme récoltées par les Magdaléniens dans un site voisin solutréen proche, l'attribution chronolo-

gique de la frise a été modifiée et rapportée au Magdalénien peut-être moyen, l'industrie étant datée du Magdalénien supérieur, plutôt final (D. de Sonneville-Bordes, 1963, 1965) ; les fouilles postérieures de J.-M. Bouvier (1966-1971) ont confirmé ces conclusions (J.-M. Bouvier, 1969 b ; J.-M. Bouvier et A. Debenath, 1969).

Magdalénien.

Les informations récentes sur le Magdalénien charentais ne sont pas à la mesure du rôle historique joué par le Placard. Les fouilles récentes dans ce site n'ont retrouvé que de très pauvres niveaux argileux à l'extérieur, avec Magdalénien peut-être moyen (niveau 3) et ancien (niveaux 4 et 5), et dans la brèche de la grotte quelques outils, peut-être plus récents (J. Roche, 1963, 1965, 1971). De même au Roc-de-Sers avec quelques traces (G. Henri-Martin, 1957). A André-Ragout, l'existence de deux niveaux de Magdalénien à raclettes, à nombreuses lamelles à dos et burins dièdres dominants a été confirmée (L. Balout, 1958).

Dans le site complexe de Montgaudier, quelques documents proviennent des divers *loci* : dans le sondage Pintaud (R. Pintaud, 1960), un harpon à un rang de barbelures et un bâton percé décoré (Magd. V, d'après H. Breuil), et un fragment de harpon plat, à barbelure anguleuse, associé à une pointe à cran large et court, à limbe allongé et tronqué du côté opposé au cran, fossile directeur du Magdalénien tardif (D. de Sonneville-Bordes, 1970) ; dans une lentille argileuse de la coupe Nord du Grand Porche, une sagaie en ivoire à base conique et un fragment de harpon à deux rangs de barbelures (J.-M. Bouvier et L. Duport, 1969) ; au premier étage, une cache de 5 nuclei groupés, de grande dimension, non encore débités, qui enrichit l'inventaire des pièces géantes du Magdalénien (L. Duport et J.-M. Bouvier, 1970).

L'occupation de la Chaire-à-Calvin était attribuée au Magdalénien II-III, à cause de la présence de triangles scalènes (P. David, 1957). La fouille moderne du témoin Est (F. Bordes et D. de Sonneville-Bordes, 1960-1961) a distingué 6 niveaux, à éboulis thermoclastique à la base, passant progressivement à un dépôt argilo-sableux vers le sommet ; impossible à placer au Magdalénien II-III, ce remplissage, témoignage d'une période régressive rapide, est attribuable à la fin du Würm IV ; malgré l'absence de harpons, le Magdalénien supérieur est attesté par quelques pointes aziliennes, associées à des burins dièdres dominants, de nombreux microlithes (segments, triangles, microburins) ; avec le Cheval et *Equus hydruntinus,* l'antilope Saïga abonde, en relation avec la topographie vallonnée de ce pays de collines, d'après F. Prat (D. de Sonneville-Bordes, 1963, 1965) (fig. 5 a).

Ces fouilles plus étendues (1966-1971) ont conduit J.-M. Bouvier à des résultats et des conclusions analogues (1969 b) (fig. 5 b).

Il a également distingué dans le même témoin 6 niveaux archéologiques, dont l'étude sédimentologique d'après A. Debenath montre que le creusement de l'abri et son remplissage très rapide correspondent

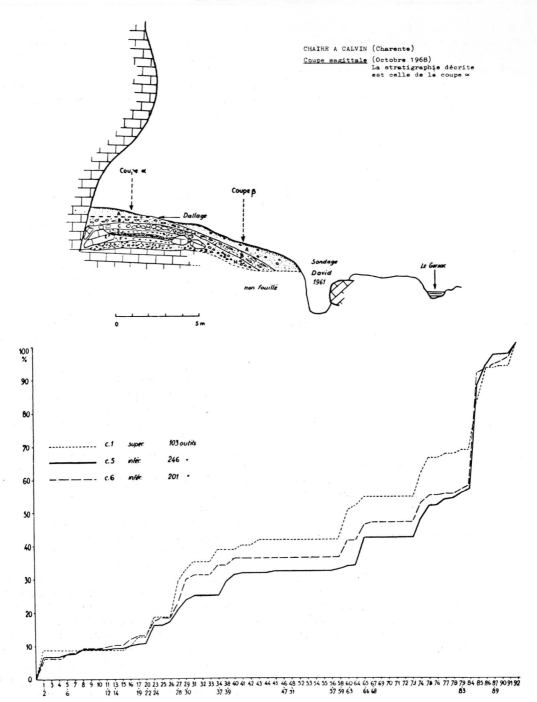

FIG. 5. — La Chaire-à-Calvin, Mouthiers (Charente): *en haut,* coupe du témoin Est, d'après J.-M. Bouvier (1969 a); *en bas,* graphiques cumulatifs des séries lithiques magdaléniennes des couches 1, 5 et 6, d'après D. de Sonneville-Bordes (1965, fig. 2).

à la phase maximale du Würm IV et à sa décrûe (J.-M. Bouvier et A. Debenath, 1969). Relativement rare dans ce milieu acide, l'outillage osseux consiste en sagaies, dont quelques bases à biseau double, typiques du Magdalénien V-VI, en association dans le niveau inférieur à une sagaie courte à long biseau simple (J.-M. Bouvier, 1971). Les harpons sont absents à tous les niveaux, dans les séries P. David, F. Bordes et D. de Sonneville-Bordes et J.-M. Bouvier, bien qu'ait été trouvé autrefois dans le site un harpon à décor ophidien, à deux rangs de barbelures, dont ne subsiste que le moulage, souvent figuré, l'original étant depuis longtemps perdu (G. Chauvet,

1910, fig. 32 A ; H. Breuil et R. de Saint-Périer, 1927, fig. 27, n° 10, et p. 161, n. 1). Cette absence serait la preuve de l'existence d'un Magdalénien supérieur sans harpons (J.-M. Bouvier, 1969 a). Des lampes de grès ont été trouvées dans ce site (L. Duport, 1973 : Trémeau de Rochebrune, 1865, Musée de l'Homme ; Benoist, 1871, Musée d'Aquitaine) et un godet de stéatite, avec des perles (J.-M. Bouvier, 1968).

Sauf l'attribution chronologique de la frise sculptée de La Chaire-à-Calvin au Magdalénien (D. de Sonneville-Bordes, 1963), la connaissance de l'art paléo-lithique charentais s'est peu modifiée (L. Duport,

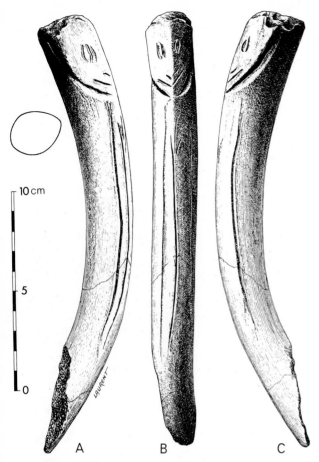

10 cm

5

0

A   B   C

FIG. 6. — Tête humaine gravée sur bois de renne de la grotte du Placard ou Rochebertier (Charente), d'après P. Laurent (1963, 1971) : A. profil droit; B. face; C. profil gauche.

1973) : quelques gravures à Montgaudier (R. Pintaud, 1960), et un examen nouveau des gravures célèbres de la tête humaine du Placard (P. Laurent, 1963, 1971) (fig. 5) et du bâton aux phoques de Montgaudier (A. Marshack, 1970).

Les seules découvertes récentes de restes humains ont été faites à Montgaudier par L. Duport : deux crânes complets en bon état de conservation, dans un niveau sans doute Magdalénien supérieur du grand gisement (L. Duport, 1969) et un fragment crânien incisé dans la couche 4 magdalénienne de l'abri Paigneau. La position stratigraphique et l'attribution chronologique des restes humains du Paléolithique supérieur charentais ont été révisées par D. de Sonneville-Bordes (1959), par A. Debenath (1974) et, pour l'Aurignacien, par M. Perpère (1971).

Bibliographie

A.F.E.Q. : Association française pour l'Etude du Quaternaire.
B.S.A.H.C. : Bull. de la Soc. archéologique et historique de la Charente.
B.S.P.F. : Bull. de la Soc. préhistorique française.
C.P.F. 1956 : Congrès Préhistorique de France XVᵉ Session Poitiers-Angoulême, 1956.
L'A : L'Anthropologie.

Inqua 1969 : Livret-guide de l'excursion Berry-Poitou-Charentes VIIIᵉ Congrès Inqua 1969.

[1] ALIMEN H. (1950). — Indications climatiques dans les couches archéologiques d'un abri (sol polygonal) de Mouthiers (Charente). *B.S.P.F.,* p. 286-288.

[2] BALOUT L. (1957). — L'abri du Chasseur au Bois-du-Roc, cne de Vilhonneur (Charente). Note préliminaire. *C.P.F.,* p. 199-205.

[3] BALOUT L. (1958). — L'abri André-Ragout au Bois-du-Roc (Vilhonneur, Charente). Fouilles de 1957. *B.S.P.F.,* p. 599-627.

[4] BORDES F. (1963). — A propos de la théorie de M. Laplace sur le synthétotype aurignaco-gravettien. Quelques questions préalables. *L'A.,* p. 347-360.

[5] BOUCHUD J. (1960). — Essai sur le Renne et la climatologie du Paléolithique moyen et supérieur. Périgueux.

[6] BOUVIER J.-M. (1968). — Godet en stéatite et collier magdaléniens de la Chaire-à-Calvin, Mouthiers, Charente. *B.S.A.H.C.,* p. 65-72.

[7] BOUVIER J.-M. (1969 a). — Existence de Magdalénien supérieur sans harpon : preuves stratigraphiques. *C.R. Acad. Sc.,* Paris, t. 268, p. 2865-2866.

[8] BOUVIER J.-M. (1969 b). — La Chaire-à-Calvin (Mouthiers, Charente). Données et problèmes. *Inqua,* p. 95-102.

[9] BOUVIER J.-M. (1971). — L'outillage osseux magdalénien de la Chaire-à-Calvin, Mouthiers (Charente). *B.S.A.H.C.,* p. 163-177.

[10] BOUVIER J.-M. et DEBENATH A. (1969). — La Chaire-à-Calvin (Mouthiers, Charente). Etude sédimentologique : note préliminaire. *Quaternaria,* t. 11, p. 215-266.

[11] BOUVIER J.-M., DEBENATH A., DELPECH F. DUPORT L. (1969). — Les restes humains de la grotte Duport, à La Chaise de Vouthon (Charente) dans leur contexte stratigraphique et paléontologique. *Bull. Soc. Anthr. Sud-Ouest, Bordeaux,* journées Octobre, p. 32-46.

[12] BOUVIER J.-M. et DUPORT L. — Pièces osseuses magdaléniennes de Montgaudier. *B.S.A.H.C.,* 1970, p. 55-63.

[13] BOUYSSONIE J. (1948). — Un gisement aurignacien et périgordien, Les Vachons (Charente). *L'A.,* p. 1-42.

[14] BOUYSSONIE J. et SONNEVILLE-BORDES D. de (1957). — L'abri n° 2 des Vachons, gisement aurignacien et périgordien, cne de Voulgézac (Charente). *C.P.F.,* 1956, p. 271-209.

[15] BREUIL H. (1912). — Les subdivisions du Paléolithique supérieur et leur signification. Genève.

[16] BREUIL H. (1954). — Le Magdalénien. Livre jubilaire. *B.S.P.F.,* t. 51, p. 59-66.

[17] BREUIL H. et SAINT-PÉRIER R. de (1927). — Les Poissons, les Batraciens et les Reptiles dans l'Art quaternaire. *Archives de l'Institut de Paléontologie humaine,* mém. 2.

[18] CHAUVET G. (1897). — Stations humaines quaternaires de la Charente. *B.S.A.H.C.*

[19] CHAUVET G. (1910). — Objets, ivoires et bois de renne ouvrés de la Charente. *B.S.A.H.C.*

[20] COLLE J.R. (1957). — Essai de stratigraphie dans la grotte « 164 » du Bouil-Bleu à la Roche-Courbon. *B.S.P.F.,* p. 197-200.

[21] COMMONT V. (1913). — Les Hommes contemporains du Renne dans la vallée de la Somme. *Mém. de la Soc. des Antiquaires de Picardie.*

[22] DANIEL R. (1973). — Présentation d'une série lithique de la grotte du Gros-Roc, cne de Douhet (Charente - Maritime) provenant des fouilles Clouet (1899). *B.S.P.F.*, p. 80-84.

[23] DAVID P. (1957). — Les gisements préhistoriques de La Chaise de Vouthon (Charente). *C.P.F.* 1956, p. 127-129.

[24] DAVID P. (1957). — La Chaire-à-Calvin, cne de Mouthiers (Charente). *C.P.F.*, 1956, p. 127-129.

[25] DAVID P. et PRAT F. (1965). — Considérations sur les faunes de La Chaise, cne de Vouthon (Charente). Abris Suhard et Bourgeois-Delaunay. *A.F.E.Q.*, p. 222-231.

[26] DEBENATH A. (1971). — Note préliminaire sur la stratigraphie de la grotte Marcel-Clouet à Cognac (Charente). *B.S.P.F.*, p. 133-135.

[27] DEBENATH A. (1974). — Recherches sur les terrains quaternaires charentais et les industries qui leur sont associées. *Thèse Doctorat d'Etat es Sciences naturelles*. Univ. Bordeaux I.

[28] DEBENATH A. et DUPORT L. (1972). — Y-a-t-il du Solutréen à Montgaudier. Le sondage de l'abri Paignon. *B.S.A.H.C.*, p. 196-206.

[29] DELIBRIAS G. et EVIN J. (1974). — Sommaire des datations 14 C concernant la Préhistoire en France. Dates parues de 1955 à 1974. *B.S.P.F.*, *C.R.S.M.*, n° 5, p. 149-156.

[30] DUPORT L. (1965). — Les gisements préhistoriques de la vallée des Eaux-Claires IX. Le gisement moustérien de Torsac (Charente) : grotte E. Castaigne. *B.S.A.H.C.*, p. 95-100.

[31] DUPORT L. (1969). — Le gisement préhistorique de Montgaudier (Charente). *Inqua*, p. 71-74.

[32] DUPORT L. (1971). — Note sur la découverte de deux crânes humains magdaléniens dans la grotte de Montgaudier (Charente). *C.R. Acad. Sciences*, Paris, t. 273, p. 1015-1016.

[33] DUPORT L. (1973). — L'art préhistorique en Charente. *B.S.A.H.C.*

[34] DUPORT L. et BOUVIER J.-M. (1969). — Pièces géantes de Montgaudier. *B.S.A.H.C.*, p. 41-48.

[35] GUILLIEN Y. (1965). — Dépôts de pente, terrasses et remblaiements holocènes entre Angoulême et Mansle. *A.F.E.Q.*, p. 251-256.

[36] HENRI-MARTIN G. (1958). — La grotte de Fontéchevade. *Archives de l'Institut de Paléontologie humaine*, mém. 28.

[37] HENRI-MARTIN G. (1962). — Le niveau de Châtelperron de La Quina (Charente). *B.S.P.F.*, t. 58, p. 796-808.

[38] HENRI-MARTIN G. (1962-1963). — Coexistence des pointes à base fendue et non fendue dans l'Aurignacien de La Quina. *Archeoloski Vestink*.

[39] LAMING-EMPERAIRE A. (1962). — La signification de l'art rupestre paléolithique. Picard, Paris.

[40] LAURENT P. (1963). — La tête humaine gravée sur bois de renne de la grotte du Placard (Charente). *L'A.*, p. 563-570.

[41] LAURENT P. (1975). — Iconographie et copies successives. La gravure anthropomorphe du Placard. *B.S.A.H.C.*, p. 215-228.

[42] LEROY-PROST C. (1975). — L'industrie osseuse aurignacienne : essai de classification. Poitou-Charentes-Périgord. *Gallia-Préhistoire*, t. 18, p. 65-156.

[43] MARSHACK A. (1970). — Le bâton de commandement de Montgaudier (Charente). Réexamen au microscope et interprétation nouvelle. *L'A.*, p. 321-352.

[44] MOUTON P. et JOFFROY R. (1958). — Le gisement aurignacien des Rois à Mouthiers (Charente). *Gallia-Préhistoire*, 9e suppl.

[45] PATTE E. (1941). — Le Paléolithique dans le Centre-Ouest de la France. Masson éd. Paris.

[46] PERPÈRE M. (1972). — Remarques sur l'Aurignacien en Poitou-Charentes. *L'A.*, p. 387-425.

[47] PERPÈRE M. (1975). — Grands gisements aurignaciens de Charente. *L'A.*, p. 243-276.

[48] PERPÈRE-LEGRAND M. (1971). — L'Aurignacien en Poitou-Charente (étude des collections d'industrie lithique). *Thèse de Doctorat de IIIe cycle*, Paris, 1971.

[49] PINTAUD R. (1960). — Sondages à Montgaudier. *B.S.A.H.C.*, p. 133-140.

[50] ROCHE J. (1963). — Brèche magdalénienne de la grotte du Placard (Charente). *Ann. de Paléontologie*, p. 263-281.

[51] ROCHE J. (1965). — La grotte du Placard. *Livret-guide excursion A.F.E.Q.*, p. 35-36.

[52] ROCHE J. (1965). — La grotte du Placard. *A.F.E.Q.*, p. 245-250.

[53] ROCHE J. (1971). — Stratigraphie de la grotte du Placard (fouilles 1958-1968). *B.S.A.H.C.*, p. 253-259.

[54] SMITH Ph. (1966). — Le Solutréen en France. *Publ. de l'Inst. de Préhist. de l'Univ. de Bordeaux*. Bordeaux, mém. n° 5.

[55] SONNEVILLE-BORDES D. de (1955). — La question du Périgordien II. *B.S.P.F.*, p. 187-203.

[56] SONNEVILLE-BORDES D. de (1959). — Position stratigraphique et chronologique relative des restes humains du Paléolithique supérieur entre Loire et Pyrénées. *Ann. de Paléontologie*, p. 19-51.

[57] SONNEVILLE-BORDES D. de (1960). — Le Paléolithique supérieur en Périgord. *Thèse de Doctorat d'Etat es Sciences naturelles, Univ. de Paris*, 1958. Bordeaux.

[58] SONNEVILLE-BORDES D. de (1963). — Etude de la frise sculptée de La Chaire-à-Calvin, cne de Mouthiers (Charente). *Ann. de Paléontologie*, p. 181-193.

[59] SONNEVILLE-BORDES D. de (1965). — L'abri de la Chaire-à-Calvin, Mouthiers (Charente). *A.F.E.Q.*, p. 193-197.

[60] SONNEVILLE-BORDES D. de (1972). — Environnement et culture de l'homme du Périgordien ancien dans le Sud-Ouest de la France; données récentes. *Colloque Unesco, Origine de l'Homme moderne, Paris 1969*, p. 141-146.

[61] SONNEVILLE-BORDES D. de (1970). — A propos des pointes pédonculées magdaléniennes. Note complémentaire. *Quartär*, bd 21, p. 97-98.

[62] SONNEVILLE-BORDES D. de et PERROT J. (1953). — Essai d'adaptation des méthodes statistiques au Paléolithique supérieur. Premiers résultats. *B.S.P.F.*, p. 323-333.

[63] TIXIER J. (1958). — Les burins de Noailles à l'abri André-Ragout, Bois-du-Roc, Vilhonneur (Charente). *B.S.P.F.*, p. 628-644.

Les civilisations du Paléolithique supérieur en Limousin

par

Guy Mazière * et Jacques Tixier **

Résumé. Les sites du Paléolithique supérieur en Limousin sont concentrés dans le sud et plus particulièrement dans le Bassin de Brive. On distingue : du Périgordien inférieur; de l'Aurignacien; du Périgordien supérieur; du Solutréen; du Magdalénien.

Abstract. The Upper Palaeolithic sites in Limousin are not uniformly distributed : most of them are situated in the Brive Basin. One can note : Lower Perigordian; Aurignacian; Upper Perigordian; Solutrean; Magdalenian.

Situé à l'ouest du Massif Central, le Limousin en conserve un des aspects essentiels : un substrat constitué de roches éruptives et métamorphiques. Les terrains sédimentaires n'apparaissent qu'en de rares endroits au nord et à l'ouest (Jurassique), et au nord-ouest avec la dépression permo-triasique du Bassin de Brive (1).

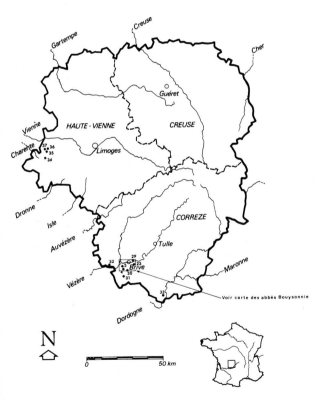

Fig. 1. — Carte du limousin (G. Mazière).

Le Limousin est irrigué du nord au sud par la Creuse, la Vienne, la Vézère et la Dordogne (fig. 1).

Certains de nos cours d'eau ont sans doute joué un rôle comme voie de pénétration au Paléolithique supérieur, mais les reliefs n'ont pu être un obstacle au déplacement des groupes.

Dans l'état actuel des recherches, cette région semble avoir été surtout fréquentée à proximité des terrains sédimentaires et plus particulièrement dans le Bassin de Brive.

La rareté, au moins apparente, de bonne matière première, justifie peut-être cette désaffection du plateau. L'absence d'abris et de grottes, hormis dans le Bassin de Brive (vallées et vallons de la Corrèze, de la Courolle, de la Couze, de la Planchetorte, de l'Enval, du Pian, de la Combe Longue, de Saint-Antoine, du Verdanson, de Fadat) est certainement déterminante.

Nous ne pouvons livrer ici qu'un compte rendu des travaux anciens considérables menés de la fin du XIXᵉ siècle à la dernière décennie.

Des travaux récents, qui exploitent systématiquement les séries sorties, sont en cours (P-Y. Demars, G. Mazière et J.-P. Raynal) mais non terminés. Il y sera fait mention éventuellement.

I. Périgordien inférieur.

Deux sites ont livré cette industrie :

— Bos del Ser : fouille ancienne et fortement controversée.

— Le Loup : fouille récente, menée selon les méthodes actuelles et en cours d'étude.

(1) Voir thèse J. P. Raynal : « Recherches sur les dépôts quaternaires des grottes et abris du bassin permo-triasique de Brive ».
Voir les cartes géologiques de la France au 1/80 000. Feuilles de : Eygurande, Guéret, Limoges, Tulle, Périgueux, Rochechouart, Brive, Aubusson, Confolens, Auriac, Mauriac et Ussel.
Voir aussi, dans les guides régionaux : « Massif Central » (Masson éd.).

* Assistant de la Direction des Antiquités Préhistoriques du Limousin, 2, rue haute de la Comédie, 87000 Limoges (France).
** Directeur des Antiquités Préhistoriques du Limousin, Institut de Paléontologie Humaine, 1, rue René Panhard, 75013, Paris (France).

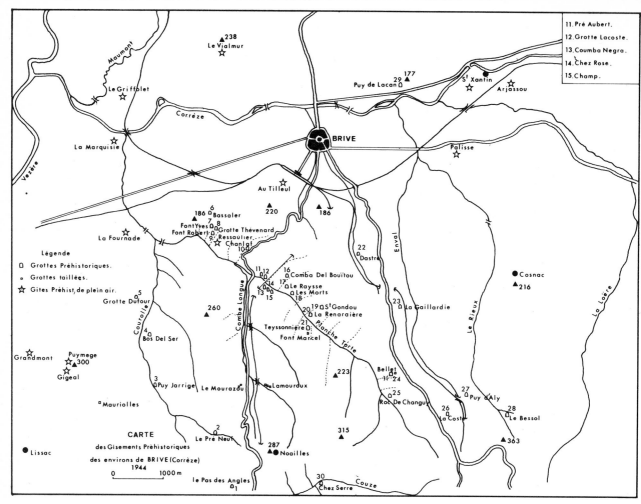

FIG. 2. — Carte du Bassin de Brive, d'après J. Bouyssonie, 1944.

A. Bos del Ser (fig. 2, n° 4).

Ce gisement est devenu le « cas » corrézien à cause du mélange (2) vraisemblable de deux industries :
— Aurignacien,
— Périgordien ancien.

A l'heure actuelle, plutôt que de nous faire l'écho de querelles anciennes, nous préférons déclarer que seule la reprise d'une fouille pourra couper court définitivement aux polémiques des auteurs.

(Nous renvoyons à la bibliographie sélective en fin d'article).

B. Grotte du loup ou Grotte de la Gaillardie (fig. 2, n° 23).

Située dans l'Enval, vallée parallèle à la Courolle, et distante de 5 km de Bos del Ser, sondée par H. Delsol en 1939, cette grotte a été fouillée par J. Couchard en 1965.

---

(2) Il est à signaler qu'après lecture attentive des écrits de l'époque, le fait de mélanges d'industries ne semble pas isolé; le phénomène est signalé comme probable à « Chez-Rose », Champs, Font-Robert.
Précisons tout de même qu'il est bien difficile de distinguer des couches dans les remplissages homogènes constitués par des grès triasiques désagrégés.
(3) J. P. Raynal, Thèse.

G. Mazière devait prendre la direction de ce chantier en 1966.

Des deux occupations mises en évidence, une seule retiendra notre attention : le Périgordien ancien. Dans la partie médiane du chantier, trois niveaux ont été distingués, séparés dans le meilleur des cas par une couche stérile de deux centimètres.

C'est le long des parois, hors des zones de passage, dans la partie est, que les traces d'habitats (structures composées de blocs, sol ocré, etc.) se sont le mieux conservées (4).

L'étude du matériel est en cours. Relativement abondant (plus de 800 pièces pour les niveaux castelperronniens), il permet l'étude statistique, et l'établissement de diagrammes cumulatifs (5) (voir fig. n° 3).

---

(4) G. Mazière tient à faire remarquer d'autre part que dans cette zone privilégiée, les pièces (lames à dos) sont trouvées entières tandis que dans la partie centrale, il n'a été trouvé que des pièces (lames à dos, grattoirs, pièces esquillées) fracturées en plusieurs morceaux disséminés ou réparties sur plusieurs mètres comme l'ont révélé les remontages.
(5) Cette industrie a été comparée aux séries provenant de la grotte éponyme de Chatelperron (fouilles H. Delporte).
Elle sera aussi comparée ultérieurement aux niveaux du Piage (fouilles Champagne et Espitalié); et de Roc de Combe, couche 8 (fouilles Bordes et Labrot); sites dans lesquels a été trouvée une industrie castelperronnienne, interstratifiée dans les niveaux aurignaciens.

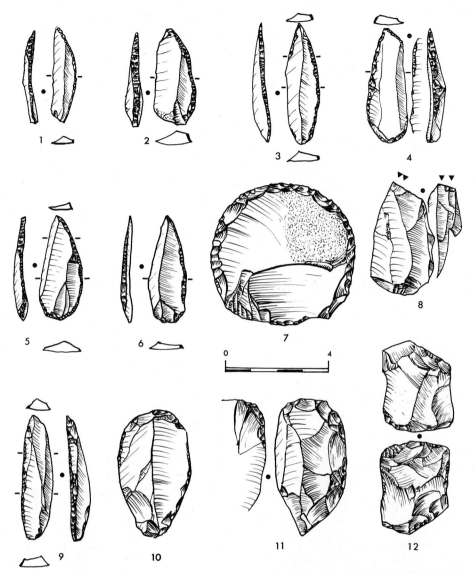

FIG. 3. — Outillage lithique provenant des niveaux Chatelperron du Loup (dessins G. Mazière).

Les couches castelperronniennes, dans la plus grande partie du gisement, sont sans contact avec les couches sus-jacentes (Aurignacien mal défini) et reposent partout sur un rocher en décomposition. Signalons la discrétion des caractères moustéroïdes de l'industrie. Les racloirs représentent 3,42 % pour les couches 5a, 5b, et 1,14 % pour la couche 5.

II. Aurignacien.

L'Aurignacien, surtout localisé au sud du Bassin de Brive, est bien représenté ; mais il n'est jamais superposé en stratigraphie vraie à un Périgordien inférieur ou à un Moustérien.

Nous le trouvons dans de nombreuse grottes de la vallée de Planchetorte : à Font-Yves, à Comba Negra, au Raysse sous deux niveaux (un Périgordien supérieur et un Solutréen), à Champs sous un faible niveau solutréen, au Bouïtou, à Chanlat et à la Petite Renardière (6). Dans la vallée de la Courolle,

(6) Dans ces trois derniers cas, il n'est ni précédé ni suivi d'autres horizons.

il existe à Dufour, à Bos del Ser, mélangé à un périgordien inférieur (cf. *supra*), dans la vallée de la Couze au Pont-de-Coudert et à Noailles (Chez Serre) sous un Périgordien à burins de Noailles ; dans la vallée de la Corrèze à Bassaler-Nord sous un niveau à burin de Noailles et en de nombreux points, sous forme de traces.

Pour D. de Sonneville-Bordes (1960) « l'Aurignacien de Corrèze, s'inscrit dans la grande famille aurignacienne, à un stade plutôt évolué. Tout en présentant avec celui du Périgord des caractères communs évidents, il se singularise néanmoins, non seulement par la petite dimension des outils que commande la petitesse des rognons de silex dans la région de Brive, mais aussi par quelques autres caractères qui autorisent à l'isoler comme un faciès local : abondance de la retouche semi-abrupte courte, même dans les niveaux anciens (Font-Yves, Chanlat Inférieur) où elle paraît jouer le rôle de la retouche aurignacienne écailleuse, généralisée à ces stades dans le reste du sud-ouest, importance variable des pièces esquillées. Peut-être s'agit-il également des caractéristiques d'un Aurignacien de carence ? ».

BASSALER-NORD (fig. 2, n° 6).

Découverte et fouillée récemment selon les méthodes modernes (J. Couchard), la grotte de Bassaler-
Nord située au sud de Brive, sur la rive gauche de
la Corrèze, a donné un Aurignacien qui a été étudié
en collaboration avec D. de Sonneville-Bordes
(1960).

La stratigraphie est la suivante (fig. 4) :

1. Terre végétale et matériaux provenant de la désagré-
   gation de la voûte.
2. Sable gréseux : 0,60 m.
3. Sable très argileux blanc-jaune : 0,05 m.
4. Couche supérieure de Périgordien à burins de Noailles
   (niveau II) : 0,10 à 0,15 m.
5. Sable, et dans la partie remaniée, couche du haut
   moyen âge : 0,40 m.
6. Argile blanche : 0,05 m.
7. Couche inférieure d'Aurignacien type Dufour (niveau
   I) : 0,25 m.
8. Sable blanc très meuble imprégné d'eau : 0,30 m.
9. Sable jaune meuble imprégné d'eau : 0,25 m.
10. Argile blanche très compacte, puis affleurement de grès.
11. Zone remaniée.

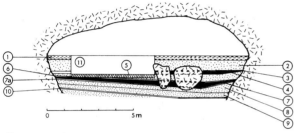

FIG. 4. — Coupe transversale de la grotte de Bassaler-Nord
(J. Couchard) : niveau 7, Aurignacien typique; niveau 4,
Périgordien à burins de Noailles; niveau 5 remanié, Haut
Moyen-Age.

Située sous un Périgordien à burins de Noailles
(7), la couche aurignacienne, non perturbée, a
fourni une importante série lithique (473 pièces).

Nous renvoyons à l'article, fort bien illustré, pour
la description du matériel ainsi que pour le tableau
typologique. Nous nous contenterons de rappeler
certains points qui nous paraissent intéressants :

— les indices : IG = 52,60, IB = 20,02, IP =
1,47, ICA = 25,14, IBd = 12,66, IBt = 5,89 ;

— la variété des outils composites : grattoirs-
lames tronquées (5), burin-lame tronquée (1), burin-
perçoir (1), grattoirs-perçoirs (2), et de nombreux
grattoirs-burins (17 soit 2,95 %) ;

— la présence d'une pointe de Chatelperron dans
cet ensemble ;

— la localisation des lamelles Dufour « canton-
nées » dans le niveau inférieur et accompagnant un
outillage aurignacien typique plutôt évolué ce qui
permettra à D. de Sonneville-Bordes d'écrire « que
les lamelles Dufour sont dans tous les cas, à tous les
stades de l'évolution aurignacienne, des fossiles
directeurs strictement aurignaciens, et non périgordiens, du moins pour les gisements actuellement
connus dans cette région du Sud-Ouest de la France.
Bassaler-Nord en apporte une confirmation supplémentaire, stratigraphiquement bien établie ».

Les auteurs concluent « que cette série du Bassa-

_____
(7) Cette série sera traitée dans la troisième partie de cet
article.

ler-Nord présente donc les caractéristiques d'un
Aurignacien typique incontestable, avec des indices
qui permettent de la considérer comme déjà quelque
peu évoluée : dominance des grattoirs à museau sur
les carénés, importance relative des burins, absence
des lames aurignaciennes et étranglées. Sa ressemblance statistique avec la série du niveau supérieur
de la grotte de Chanlat semble confirmer cette
attribution ».

FONT-YVES (fig. 2, n° 7).

Située dans la vallée de Planchetorte, voisine de
la Font-Robert c'est, comme elle, un site éponyme.

En 1913, les abbés Bardon et Bouyssonie, pu-
bliaient le résultat de leur fouille. Malgré des traces
de Solutréen (deux pointes à cran, un burin) venu
probablement du plateau, cette grotte renfermait
une industrie homogène.

« Celle-ci est caractérisée par des lames à gorge
ou à étranglement, et par une superbe série de
longues et minces lamelles à bords plus ou moins
rabattus ».

Les auteurs constatent que cette industrie a des
points communs avec le Bouïtou inférieur : « silex
rubanné ou teinté... grattoirs appartenant aux divers
types que nous avons signalés au Bouïtou (grattoirs
carénés (60) et à museau), mais aussi des divergences : les burins y sont nombreux et variés (120
au total) ; les lames retouchées ne sont pas d'aussi
« belle venue ».

« Mais l'ensemble, surtout la série des longues
lamelles, a une physionomie bien spéciale : les lames
sont minces, très délicates ; l'écrasement ou rabattage
du bord est moins brutal, moins abrupt ; le plus
souvent les deux bords sont atteints par la retouche ;
la section du couteau et du canif est un triangle,
celle de ces outils rappelle plutôt un segment de
cercle ».

« Enfin, l'extrémité n'est pas toujours appointie,
ni tronquée non plus. Le revers est très rarement
retouché » (n° 42) (8).

D. de Sonneville-Bordes (1960) parallélise l'horizon avec les niveaux inférieurs de Chanlat et de
Noaillles (fouilles P. Andrieu).

L. Pradel (1956), dans son « Essai de synchronisation du Périgordien et de l'Aurignacien d'après la
stratigraphie », classe l'industrie de Font-Yves dans
le « Corrézien » très évolué, tandis que P.-Y. Demars
(inédit) parle d'un faciès particulier de l'Aurignacien
I, bref et très localisé.

La lamelle de Font-Yves est peu représentée dans
les autres sites corréziens : une à Chanlat (couche
supérieure) ; trois à la grotte du Loup (étude en
cours), niveau supérieur, intérieur de la grotte. Dans
ce dernier site, elles se trouvent avec de nombreuses
lamelles à retouches alternes (9) et des grattoirs

_____
(8) Dessin de la publication p. 222, _Revue anthropologi-_
que, 1913.
(9) C'est volontairement que l'auteur ne veut pas appeler
ces pièces lamelles Dufour, car elles différent sensiblement
des pièces trouvées à Dufour et à Bos del Ser (séries du
Docteur Pradel, Musée Ernest Rupin à Brive, Musée de
l'Homme) (collections de l'I.P.H., Musée de Brive). Les
pièces trouvées à la grotte du Loup sont réalisées à partir
d'un support différent (lamelles torses, étroites, nettement
plus allongées (une étude est en cours, à paraître en 1976).

nucléiformes de petites tailles, tendant vers le museau.

G. Mazière (1973) propose une nouvelle définition de la Font-Yves : « lamelles (10), à extrémités « mousses » ou douciés (11), étroites, à bords rectilignes, à section trapézoïdale tendant vers le segment de cercle, à retouches marginales directes, semi-abruptes, intéressant un ou deux bords (dans ce dernier cas, l'un des bords est plus entamé que l'autre) ».

LE RAYSSE (fig. 2, n° 17).

Située sur la rive droite de la Planchetorte, cette grotte était déjà connue de Ph. Lalande (12).

Vers les années 1930, P. Pérol y effectue une fouille qu'il publie avec J. Bouyssonie (J. Bouyssonie et P. Pérol, 1960).

Les auteurs ne décrivent que le niveau supérieur (solutréen) mais donnent tout de même un plan et une coupe succincte du remplissage (voir fig. 5 et 5a).

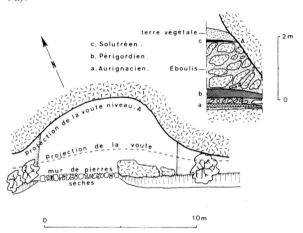

FIG. 5 et 5a. — Le Raysse (fouilles Bouyssonie). 5. Vue en plan; 5a. Coupe sagittale.

Il faut attendre les fouilles de L. Pradel en 1952, pour avoir une description de l'outillage des autres niveaux et la stratigraphie complète ; de bas en haut (fig. 6 et 6a) :

1. Roc de base délité, recouvert d'éboulis : 1 m.
2. Aurignacien : 0,15 à 0,20.
3. Eboulis : 0,50 à 1 m.
4. Périgordien supérieur : 0,20 à 0,25 m.
5. Eboulis : 1,25 m à 1,50 m.
6. Solutréen : 0,02 à 0,05 m.
7. Menus éboulis : 0,20 m.
8. Terre végétale : 0,25 à 0,30 m.

La couche aurignacienne, puissante d'une vingtaine de centimètres, a donné 191 outils au Docteur Pradel. Cet outillage est rapporté par son auteur à l'Aurignacien I.

La faune est assez bien conservée dans ce site. L'auteur peut distinguer : *Rangifer tarandus,* un Bovidé de grande taille, *Equus caballus fossilis* et un Artiodactyle indéterminé.

L'auteur apparente ce niveau à la couche F de la Ferrassie à l'abri Lartet, à celui du Poisson (couche inférieure) et aux Cottés (couche VI).

G. Mazière étudie cette série (1973) et peut établir, à partir des pièces examinées, les indices suivants : IG = 48,10 ; IGa = 12,30 ; IB = 20 ; IBt = 7,10. Il signale par ailleurs le fort pourcentage de pièces esquillées (12,80 %).

COUMBA DEL BOUÏTOU (fig. 2, n° 16).

Une des premières fouilles effectuée par les abbés Bardon et Bouyssonie en 1900, est celle de la grotte du Bouïtou. Ce gisement est situé dans un vallon adjacent à la vallée de Planchetorte entre les grottes du Raysse et de Lacoste, rive droite.

Les auteurs donnent en 1906 une étude complète (13). Ils rappellent que la grotte, à peine visible au départ, fut entièrement vidée (14). La stratigraphie est la suivante (fig. n°ˢ 7, 7a et 7b) :

A la base, immédiatement sur le rocher, les foyers inférieurs (foyer n° 1) se rencontraient sur toute la largeur de la grotte, soit 23 m environ. « Il y avait deux grands centres de foyers très nets : celui de gauche formé de terre noire, grasse au toucher avec des débris d'os ; celui de droite fort perturbé par un effondrement ».

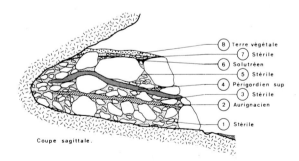

FIG. 6 et 6a. — Le Raysse (fouilles Pradel). 6. Coupe frontale; 6a. Coupe sagittale.

(10) Les critères de définition du mot lamelle sont avant tout des rapports longueur-largeur (J. Tixier 1963). Nous ne tenons pas compte de la longueur totale de la pièce; la lamelle peut mesurer plus de 10 cm.
(11) Nous avons étudié toutes les lamelles provenant de Font-Yves (collections Musée de Brive et Docteur Pradel). Nous n'avons pas trouvé de pièces présentant une extrémité pointue (il en figurait une dans la planche des abbés Bouyssonie, 1913, n° 37, p. 222).

(12) Une petite série, conservée au Musée de Brive, a été signalée par J. Bouyssonie et L. Bardon.
(13) Ce site avait fait l'objet d'une communication au Congrès Préhistorique de Périgueux (1905) et de deux notes dans la revue de l'Ecole d'Anthropologie (mai et novembre 1906).
(14) Nous n'avons pas à regretter le fait, la grotte ayant été détruite par l'exploitation d'une carrière.

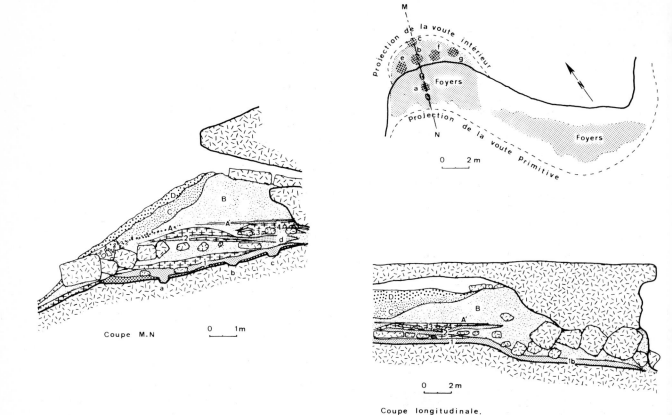

FIG. 7, 7a et 7b. — Le Bouïtou. 7. Vue en plan; 7a. Coupe M-N; 7b. Coupe longitudinale.

Des cuvettes, creusées dans le sol, de 50 à 80 cm de diamètre et profondes de 10 à 15 cm, « ne contenaient que des débris d'os » ; une plus profonde était flanquée de deux blocs de grès.

« Le foyer supérieur (foyer n° 2) était séparé par une épaisseur notable de sable stérile ».

« Au-dessus, de nouvelles couches noires, moins importantes apparaissaient, formant les foyers n°s 3 et 4 (voir fig. 7).

Les abbés abordent en seconde partie, la description de l'outillage (15) (fig. 8) par foyers. Ils déclarent que « la stratigraphie leur a montré deux systè-mes de foyers nettement distincts et superposés dont l'outillage respectif s'est avéré très différent.

L'outillage est classé en grands groupes :

1. *Foyers inférieurs.*

A. un outillage de facture moustérienne ;
B. des lames retouchées ;
C. des grattoirs sur bout de lames et éclats ;
D. des grattoirs carénés ;
E. des pièces à étranglement ;
F. des pièces esquillées par percussion (16) ;
H. percuteurs.

2. *Foyers supérieurs.*

Nous retrouvons la même classification.

Dans la conclusion de l'article de 1906, les auteurs donnent le tableau ci-après :

(15) Il s'agit de pièces conservées au Musée des Antiquités Nationales, sans précision de niveaux.
(16) Vu leur grand nombre, elles ont fait l'objet d'une publication originale dans la revue de l'Ecole d'Anthropologie (novembre 1906).

	FOYERS INFERIEURS (nos 1 et 1bis)		FOYERS SUPERIEURS (nos 2, 3 et 4)	
	pièces entières	fragments	pièces entières	fragments
Pièces moustérienne	70		16	
Lames retouchées sur un bord	64		6	
Lames retouchées sur les bords	92	600 environ	12	60 environ
Lames retouchées plus courtes (genres grattoirs doubles ou circul.)	152		20	
Grattoirs sur bout de lame .	242		72	37
— en ogive	95	300 environ	"	"
— carénés et voisins .	135		230	7
— à museau	127	26	1	"
Perçoirs	30	3	1 (?)	"
Lames étranglées ou déjetées	35	45	2 (?)	"
Pièces écaillées	300 environ	600 environ	12	6
Burins busqués	"	"	140	2
— d'angle	"	"	81	"
— ordinaires et divers (burins de fortune)	3	10 (?)	240	10
Grattoirs-burins	"	"	56	"
Pièces à encoches	10	"	"	"
Lamelles à crête retouchée .	2	"	50	10
Grandes lames sans retouche plus ou moins utilisées . . .	12	"	62	"
Nucléi	20	"	13	"
Eclats et fragments divers (déchet) environ	"	6 000	"	4 000
Totaux	1 389	7 584	1 014	4 132
Total	8 973		5 146	
	Soit 15 000 silex (en chiffres ronds).			

CHANLAT (fig. 2, n° 10).

Les premières récoltes de l'abbé Bardon remontent à 1924. En 1928, H. Delsol « s'attaque à la pelle et à la pioche au pied du talus du remplissage ».

L'étude n'est publiée par J. Bouyssonie que bien après la guerre (1950).

Un fait important : il existe deux niveaux, séparés par une couche d'éboulis stérile.

Pour Bouyssonie, le premier niveau « est comparable au Bouïtou (niveau inférieur) et aux Vachons (niveau inférieur) ».

Le second, ou niveau supérieur, contraste avec le précédent : disparition des lames à retouches aurignaciennes, plus de burin busqués, présence d'une Font-Yves, absence de lamelles Dufour.

Les conclusions sont sujettes à caution de par les comparaisons établies avec le site de *Bos del Ser* (Périgordien inférieur et Aurignacien mélangés). « La comparaison des graphiques cumulatifs des couches inférieures et supérieures fait apparaître clairement la parenté entre les séries et les différences qui les séparent » (D. de Sonneville-Bordes, 1960).

Cet auteur note l'abondance des pièces esquillées : 11,53 % pour le niveau I et près de 6 % pour le niveau II.

A cause du faible nombre de lames aurignaciennes, P.-Y. Demars (inédit) classe le niveau I dans un Aurignacien I plutôt évolué. Le niveau supérieur est classé dans l'Aurignacien II par le nombre important de grattoirs à museau et la présence de burins busqués.

LA PETITE RENARDIÈRE (fig. 2, n° 20).

Située sur la rive droite de la Planchetorte, cette petite grotte devait présenter un grand intérêt pour la connaissance de l'Aurignacien en Corrèze, de part sa stratigraphie « très nette et assez régulière » (J. Bouyssonie, P. Andrieu et J. Dubois, 1960).

Les auteurs y ont relevé la stratigraphie suivante, en « partant du sol actuel :

— une couche de sable gris à débris modernes, stérile, d'une quinzaine de centimètres d'épaisseur en moyenne;

— une couche de sable brun-rouge ou ocre, à traînées noires de 35 cm en moyenne, avec éclats de débris osseux (couche A);

— une très mince couche de sable aggloméré, blanche et noire, avec petits galets de quartz;

— une couche de sable brun-rouge ou jaunâtre d'une vingtaine de centimètres avec éclats et débris osseux (couche B);

— une très mince couche de sable aggloméré, avec petits

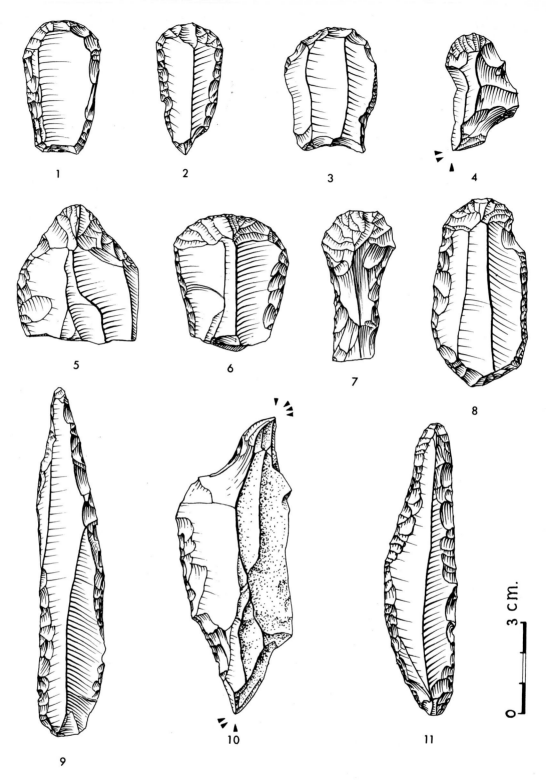

FIG. 8. — Le Bouïtou. Aurignacien. Série lithique provenant des fouilles Bouyssonie (collection Musée des Antiquités Nationales); dessins Madame Nicolardot.

galets de quartz, doublée dans le fond de la grotte d'une couche argileuse;

— une couche de sable rougeâtre à l'entrée et gris-blanc à l'intérieur d'une quinzaine de centimètres (couche C), stérile au fond de la grotte et comportant sous le porche une très mince traînée d'éclats et outils au contact même du rocher;

— enfin le rocher formant plancher de la cavité. »

Le « centre attractif de la grotte semble avoir été les environs immédiats du porche... les couches et les foyers présentent le maximum de densité en cet endroit ». Malheureusement nous déplorons l'absence totale d'enregistrement d'informations stratigraphiques lors des fouilles.

Si les auteurs (17) font des remarques intéressantes : « augmentation des lames aurignaciennes dans la couche B par rapport à C puis diminution en A ; Evolution des grattoirs à museau et raréfaction des carénés ; Apparition des burins busqués dans la couche A, le diagramme figuré dans la publication et comparé à la couche 1 de l'abri des *Vachons* n° 2, ne peut que prêter à confusion du fait que les auteurs ont additionné le produit des trois couches.

COMBA NEGRA.

Les premiers fouilleurs Ph. Lalande puis E. Massénat et E. Rupin ont sorti de cette grotte de la vallée de Planchetorte un matériel aurignacien (burins busqués, grattoirs carénés) mêlé comme à Champ et Bos del Ser de lames de Chatelperron.

Nous avons eu accès à la collection R. Daniel qui comprend par ailleurs une pointe à cran.

Malgré les dires des premiers fouilleurs, la grotte n'avait pas été exploitée jusqu'au roc puisque R. Daniel a effectué une fouille dont le matériel très important sera étudié et publié prochainement par R. Daniel, G. Mazière et J. Tixier.

DUFOUR (fig. 2, n° 5).

Cette grotte, signalée par J. Beaufourt en 1889, ne fut redécouverte qu'en 1938 par les abbés Bardon, Bouyssonie et L. de Nussac.

Située dans le vallon de la Courolle à quelques 900 m en aval de Bos del Ser, elle est relativement petite : 5 m de large et autant de profondeur. La couche archéologique puissante de 25 à 30 cm se trouvait sous une couche stérile d'un mètre.

L'inventaire de l'outillage lithique est donné par les auteurs (1944) par groupes d'outils : « les grattoirs ordinaires (260), les grattoirs carénés (299), se subdivisant en neuf sous-types ; les burins (388), les lamelles de coup de burin (342) ; les lames retouchées (128) : dans ce nombre sont comprises les lamelles à retouches fines, semi-abruptes, alternes (32), unilatérales au revers (22), et à très fines retouches, pointues (14) ».

Les auteurs s'étendent longuement sur l'outil « le plus intéressant » (« fossile directeur » du Périgordien II de Peyrony) : la « lamelle étroite à fines retouches marginales semi-abrupte, souvent alterne et parfois pratiquée sur un seul bord au revers », celle que l'on appellera la lamelle Dufour.

Dans le lexique typologique du Paléolithique supérieur (D. de Sonneville-Bordes et Perrot, 1956, p. 544) la définition sera reformulée : « lamelle à profil fréquemment incurvé, présentant de fines retouches marginales continues semi-abruptes soit exclusivement sur l'un des bords de l'une des faces, dorsale ou ventrale, soit sur les deux bords et dans ce cas-là, disposées de façon alterne ».

D'autre part, il est signalé (1944) un foyer supérieur très limité, qui a donné une quinzaine de pièces, sans lamelles à retouches alternes, mais contenant deux fragments de pièces à dos (gravettes ?).

(17) Nous tenons à remercier P. Andrieu et J. Dubois pour nous avoir laissé étudier ces séries. (G. M.).

Les pièces esquillées sont présentes. Aucun décompte n'en est donné dans la publication.

Dans leur conclusion, les auteurs donnent un tableau succinct du pourcentage des pièces :

Grattoirs sur bout de lame	260	24 %
Grattoirs carénés	297	27 %
Burins genre bec de flûte	169	15,5 %
Burins d'angle	219	20 %
Lames retouchées	53	5 %
Lames et lamelles à fines retouches	74	7 %
Perçoirs	16	1,5 %

Les fouilles sont reprises en 1951 par L. Pradel. Ce dernier a retrouvé la même stratigraphie que les premiers fouilleurs (Pradel, 1968) : sur le roc, une couche archéologique, unique de 0,20 à 0,30 m d'épaisseur avec des foyers disséminés, recouverte d'une couche stérile d'un mètre de puissance (fig. 9).

L'auteur remarque que l'on a surtout utilisé le silex gris ou noir (18) et que le jaspe aurait servi plus essentiellement à la confection des lamelles Dufour.

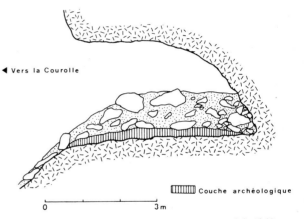

◀ Vers la Courolle

▦ Couche archéologique

0   3m

FIG. 9. — Dufour, coupe sagittale, L. Pradel 1968.

Un tableau donne la classification des burins, complété par un autre qui traite de l'arête de ces burins, sous le titre : « Valeurs chiffrées de l'arête et du dièdre des burins de la grotte Dufour ».

L'auteur redonne une définition de la lamelle Dufour : « Les lamelles Dufour, sont avec les grattoirs carénés, l'élément le plus caractéristique du niveau. On sait que la lamelle Dufour est étroite, mince, à profil parfois incurvé plus ou moins fortement, à extrémité distale mousse ou appointie et à retouches marginales semi-abruptes.

Ces retouches peuvent être alternes (fig. 4, n°s 1-3 et 4) (19) ou n'exister que sur l'un des bords ; dans ce dernier cas le bord est retouché le plus souvent à partir de la face ventrale (n°s 2 et 5 à 9). Les lamelles Dufour sont rarement très étroites, les n°s 2, 5 et 6 sont franchement courbes. Vingt-neuf d'entre elles sont en jaspe, trois seulement étant en silex ».

D. de Sonneville Bordes, dans sa thèse (D. de Sonneville Bordes, 1960), traitera statistiquement l'industrie lithique conservée au Musée Ernest Rupin.

(18) Le matériau pouvait provenir des terrains crétacés de l'environnement.
(19) Il s'agit des numéros correspondant aux figures de la publication de L. Pradel.

A propos du problème posé par les industries auri-gnaciennes et périgordiennes, nous renvoyons aux travaux importants sur la question du périgordien II (20) que l'auteur reprendra dans la publication avec J. Couchard, à propos de Bassaler-Nord. (J. Couchard et D. de Sonneville-Bordes, 1960).

Pour L. Pradel (1968), « une telle industrie, diffé-rente du Périgordien, se rapproche de l'Aurignacien par des grattoirs carénés : c'est le Corrézien ».

En 1970, L. Pradel, sous le titre : « Aurignacien pur et Aurignacien corrézien » fera de Dufour un « Corrézien évolué » semblable aux couches 5 et 6 de Roc de Combe (Dordogne).

G. Mazière (1973), après avoir repris l'étude de la série du Docteur Pradel suppose une légère conta-mination avec du Périgordien supérieur comme sem-ble l'indiquer la présence de pointes à dos, micro-gravettes et lames bitronquées. Il donne un diagram-me cumulatif comparé aux niveaux aurignaciens du Loup (non publié).

Pour P.Y. Demars (inédit) il s'agirait d'une indus-trie intermédiaire entre l'Aurignacien I et l'Aurigna-cien II.

LES STATIONS DE PLEIN AIR.

a) *En terrasse.*

En bordure de la Vézère, en remontant vers Cublac, les habitats préhistoriques se succèdent (voir fig. n° 10).

1. Pontour et Chez Gauthier (terrasse de 6 m).
2. Chez Bourdarie et le Bourg (terrasse de 16,20 mètres).
3. Rouchoux à la Rochette (terrasse de 30 m).
4. La Bombetterie.

Dans leur publication, A. et J. Bouyssonie, A. Cheynier et M. Leygonie (1930) donnent une des-cription succincte de l'outillage trouvé à chaque emplacement.

Nous ne nous attarderons que sur le site de la Bombetterie à Cublac, subdivisé par le Docteur Chey-nier (1956), en quatre parties qu'il devait regrouper : Bombetterie I et IV d'une part, II et III d'autre part.

L'auteur place ces gisements dans l'Aurignacien final, semblable à celui de Chanlat Supérieur.

Ces séries quantitativement étudiables, ont été reprises par P.Y. Demars, qui en 1973, après en avoir établi les diagrammes cumulatifs, note :

« Qu'elles possèdent plusieurs caractéristiques communes :
— indice fort des grattoirs aurignaciens (18,52 à 29,65 %) ;

(20) Travaux :
— La question du Périgordien II. *Bull. Soc. Préh. Franç.*, 1955, p. 187 à 203, 2 fig.
— A propos du Périgordien II, 1955, p. 663-665.
— La grotte de Chanlat et la question du Périgordien II. *Anthro.*, 1955, p. 357-360.
— Problèmes généraux du Paléolithique supérieur dans le Sud-Ouest de la France. *Anthro.*, 1958, p. 413-451 et 1959, p. 1-36, 37 fig.
— Le Paléolithique supérieur en Périgord. Thèse de doc-torat, Sciences, Paris (1958), Delmas, Bordeaux, 1960, 592 p., 295 fig.

— indice fort des burins dièdres (17,70 à 24,04 %) ;
— indice fort des encoches et denticulés (17,70 à 22,79 %) ;
— indice faible des grattoirs plats (2,65 à 5,95 %) ;
— indice faible des lames retouchées (2,33 à 4,26 %) ;
— indice moyen des burins sur troncature (6,54 à 7,97 %) ;
— indice moyen des perçoirs (5,14 à 7,92 %) ;
— indice faible des raclettes (2,66 à 3,61 %).

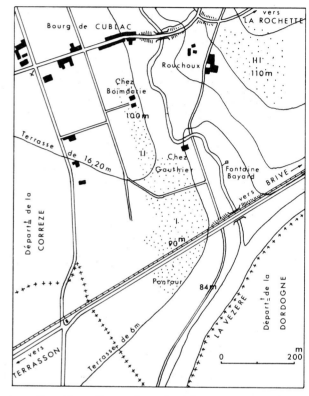

Fig. 10. — Les stations de plein air de Cublac (carte de situation).

Cependant ces raclettes ne sont pas typiques ; nous avons souvent hésité à les classer dans les raclettes plutôt que dans les éclats retouchés ».

« D'autre part, l'indice des grattoirs carénés domi-ne celui des grattoirs à museau et l'indice des burins dièdres domine celui des burins sur troncature, enfin l'indice des encoches domine celui des denti-culés ».

« Il existe quelques burins busqués peu typiques. Les deux lamelles Dufour sont très atypiques. Signa-lons aussi la présence de cinq grattoirs de Saint-Sourd (n° 17) et de quatre becs que le Docteur Cheynier dénomme « becs canifs ».

En conclusion, la probabilité de l'identité de ces industries est très forte, malgré quelques variations, comme l'indice des grattoirs aurignaciens entre la Bombetterie II et IV (18,52 % et 29,65 %) ».

Ensuite l'auteur s'attachera à une étude morpho-logique de l'outillage (épaisseur, poids des grattoirs, etc...).

P.Y. Demars, pense que l'Aurignacien de la Bom-betterie se rapproche de la couche D de Laugerie-Haute (Aurignacien V).

b) *Sur les plateaux.*

Bassaler (fig. 2, n° 6).

Plateau situé au-dessus de la gare de Brive, il se rattache au sud à celui de Bouquet, à l'est à ceux de Ressaulier et de Tillol. Comme les autres, il a fourni de nombreuses pièces se rattachant au Paléolithique moyen (bifaces, racloirs, pointes) mais il a donné en plus une série d'un Aurignacien plutôt ancien (Bardon et Bouyssonie, 1920) car les grattoirs carénés de toutes formes, les grattoirs à bords bien retouchés, les lames étranglées (ou fragments) l'emportent sur les burins et l'on trouve des burins busqués.

Cet outillage est par ailleurs contaminé par du Solutréen (quatre fragments de feuilles de laurier, trois fragments de pointes à cran solutréennes).

Les auteurs concluent à « des armes perdues » ou à « des objets abandonnés » ou encore à des campements temporaires à diverses époques.

Pour P.Y. Demars, il s'agit d'un Aurignacien I classique, semblable à ceux de Dordogne, avec un pourcentage moyen de burins.

On est tenté, lorsque l'on parle de l'aurignacien en Corrèze de citer *in extenso* le texte que D. de Sonneville Bordes a consacré à l'hommage des abbés Bouyssonie (réalisation A. Roussot, 1966) car en fait aucune fouille nouvelle n'est venue apporter une modification importante dans l'étude de ces Aurignaciens corréziens, qu'ils soient avec ou sans lamelles Dufour.

Nous renvoyons donc le lecteur à l'ouvrage cité.

III. Le Périgordien supérieur.

Le Périgordien supérieur, dans ses deux faciès principaux, est présent dans le Bassin de Brive : à Noailles (Chez-Serre) (grotte éponyme) où il surmonte un Aurignacien ; à Bassaler-Nord où également il surmonte un important niveau aurignacien ; au Raysse entre un Aurignacien et un Solutréen ; à la grotte Lacoste (6 niveaux) (voir fig. 11, 11 a, 11 b et 11 c) ; à Pré Aubert dans les niveaux inférieurs, sous un Solutréen ; à la Font-Robert (grotte éponyme).

Des pointes de la Font-Robert et des burins de Noailles ont été trouvés à Champ ; aux Morts (niveau supérieur) ; à la Comba Negra, à la grotte Gorse, mélangée avec une industrie mal définie ; à Ressaulier (site de plein air).

NOAILLES (fig. 2, n° 30) (21).

Située à quelques mètres du ruisseau de la Couze, cette grotte assez spacieuse s'ouvre vers le nord-est.

Sondée en 1869 par J. Soulingeas, elle fut fouillée par J. Bouyssonie et L. Bardon en 1903. Les auteurs donnent une coupe succincte du remplissage et un plan de situation des foyers (fig. 12 et 12 a) et concluent à leur contemporanéité.

(21) Le problème du « Noaillien », depuis les fouilles de l'abri Pataud (fouilles H. Movius) a suscité de nombreux travaux auxquels nous renvoyons le lecteur (H. Delporte, 1962-1968) (P.Y. Demars, 1974) (H. Movius, 1975).

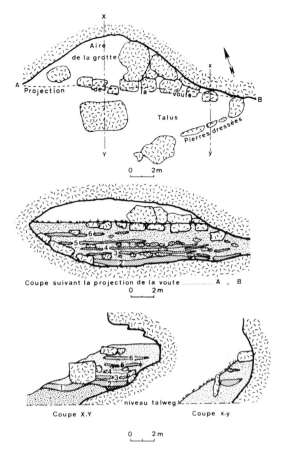

FIG. 11, 11a, 11b, 11c. — Grotte Lacoste; coupes établies par les abbés Bouyssonie. 11. Vue en plan; 11a. Coupe suivant la projection de la voûte A-B; 11b. Coupe X-Y; 11c. Coupe x-y.

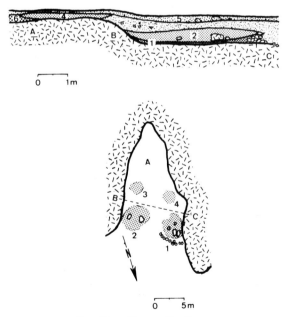

FIG. 12 et 12a. — Noailles.
12. Vue en plan; 12a. Coupe longitudinale (J. Bouyssonie).

Les abbés y découvrirent un nouveau type de burin, « souvent de petite dimension » qui devint le « burin de Noailles ».

P. Andrieu et J. Dubois devaient reprendre en 1961 la fouille de ce site. Si ces auteurs ont pu faire de nouvelles observations stratigraphiques nous ne pouvons que déplorer l'étude succincte du matériel.

Bassaler-Nord (fig. 2, n° 6).

Fouillée selon les méthodes modernes, cette grotte située sur l'extrémité du plateau de Bassaler, au-dessus de Boyer, a malheureusement été en partie remaniée au Moyen-Age (voir fig. 4).

J. Couchard et D. de Sonneville Bordes (1960) ont tout de même pu établir une bonne stratigraphie mettant en évidence un faible niveau de périgordien supérieur à burins de Noailles au-dessus d'un niveau aurignacien (voir *supra*).

Cette couche en partie détruite a livré une petite série (97 pièces) qui a fait l'objet d'une publication abondamment illustrée.

Les Morts (fig. 2, n° 18).

Connue depuis 1886 (Ph. Salmon, 1886), la grotte des Morts ne fut fouillée sur 10 mètres carrés environ qu'en 1923, par les abbés J. Bouyssonie, L. Bardon et H. Delsol, et l'étude ne fut publiée qu'en 1940 (A. et J. Bouyssonie et L. Bardon, 1940).

Il y aurait été « distingué trois niveaux (A, B, C) superposés correspondant sans doute à trois occupations successives ».

Les auteurs donnent un tableau de l'outillage en silex avec des pourcentages pour chaque niveau (22).

Le pourcentage des burins est très important : 64 % ; ils se répartissent de façon équilibrée selon les types, dans les trois niveaux, mais le burin plan l'emporte largement dans les trois couches. On relève peu de grattoirs museaux et carénés : 2,5 % sur l'ensemble du niveau C, 2,65 % pour le niveau B et 2,3 % pour la couche A.

Les burins de Noailles sont rares, mais existent, ainsi que la pointe de Font-Robert (fig. 3, n° 8 de la publication) dans le niveau supérieur.

La Font-Robert (fig. 2, n° 9).

Cette grotte, située dans la Planchetorte, contiguë à la Font-Yves, a été comme cette dernière fouillée par Madame de Thévenard et son domestique.

La couche puissante de 20 cm s'étendait sur la terrasse et pénétrait dans la grotte. Vers le milieu de la terrasse un pavage, fait de galets roulés et cassés, la face arrondie vers le haut, cimenté de cendres grises, devait correspondre à un sol de plusieurs mètres carrés.

L'outillage (1 500 outils) a certainement été mélangé et si les pointes de la Font-Robert sont abondantes (6 %) on trouve aussi des gravettes, des lamelles à dos, des burins de Noailles (1,5 %) et des éléments tronqués (lames bi-tronquées).

Le Raysse (fig. 2, n° 17).

Beaucoup moins riche que Sous-Champ, Chez-Rose, Comba-Negra, Le Raysse est un site contem-

porain de Lacoste et Pré-Aubert (J. Bouyssonie, 1924).

La fouille de 1952 de L. Pradel confirme la stratigraphie et donne à son auteur une importante série périgordienne (1264 pièces) publiée dans l'*Anthropologie* (voir coupe fig. 6 et 6a).

Les burins représentent un pourcentage écrasant (81 %). Les types Noailles et du Raysse représentent les éléments caractéristiques du niveau. Les grattoirs, peu nombreux (11,4 %) sont généralement sur lame non retouchée. Les gravettes, lames et lamelles à dos sont rares ; l'auteur signale une pointe des Vachons, un couteau type Abri Audi, un couteau de Chatelperron et même une Font-Yves. L'auteur conclut à un Périgordien Vc évolué.

Pré Aubert.

Cette grotte, ou abri était connu de longue date, Ph. Salmon le signale en 1869. C'est à partir de 1907 que les fouilles débutèrent ; elles durèrent plusieurs années et les résultats ne furent publiés qu'en 1920 (avec coupes à l'appui), (voir fig. 13a, 13b, 13c). J. Bouyssonie donne la stratigraphie assez importante du site.

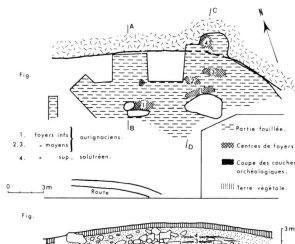

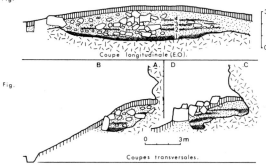

Fig. 13, 13a, 13b, 13c. — Pré-Aubert par J. Bouyssonie. 13. Vue en plan; 13a. Coupe longitudinale (est-ouest); 13b et 13c. Coupes transversales.

Les couches inférieures 1, 2, 3 classées autrefois comme « aurignaciennes » se rapportent au périgordien supérieur (23). Les burins divers représentent 1/3 de l'outillage dans les couches 2 et 3 et près de 50 % dans la couche 1. Le faible nombre

---

(22) Il est à noter que ces pourcentages sont parmi les premiers publiés pour des ensembles lithiques.

(23) Il en était de même pour la grotte Lacoste classée anciennement dans l'Aurignacien supérieur.

de grattoirs et l'absence des types carénés et à museau confirment le caractère périgordien de cet outillage.

Signalons la découverte d'une plaquette en grès rouge dur à grain fin qui porte une figuration animale (cheval ?).

LACOSTE (fig. 2, n° 12).

Voisine de quelques mètres de « Pré-Aubert » elle fut fouillée avant 1899 et publiée en 1910.

Elle a donné dans 4 niveaux de foyers superposés (fig. 11, 11a, 11b, 11c) une importante série de burins ce qui a permis aux auteurs de publier une étude typologique dans laquelle ils proposaient de distinguer des burins non diversifiés jusqu'à ce jour : burins busqués — avec ou sans coche d'arrêt — polyédriques, prismatiques ou nucléiformes, burins à troncature retouchée, burins sur lame fracturée, burins plans, etc.

Le rapport burins grattoirs a donné 142 grattoirs contre 421 burins.

Dans la deuxième partie de la publication J. Bouyssonie signale des pièces émoussées par l'usure.

IV. Le Solutréen.

Pour le solutréen, comme pour les industries précédentes, la zone de concentration se situe dans la vallée de Planchetorte qui compte sept des douze sites (24) du Bassin de Brive, dont le site primordial de Pré-Aubert.

Mais un des gisements les plus importants se trouve dans la vallée de la Corrèze à Puy-de-Lacan.

PUY-DE-LACAN (fig. 2, n° 29).

Ce site est signalé dès 1867 par Ph. Lalande qui y découvre une couche archéologique puissante d'un mètre.

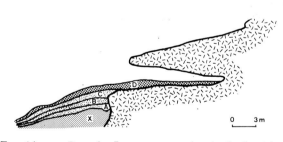

FIG. 14. — Puy de Lacan, coupe longitudinale relevée par L. et H. Kidder.

Massénat (1900), puis les abbés Bardon et Bouyssonie (1905) publient le premier matériel sorti. Mais ce sont les fouilles de Lilia et Homer Kidder (1932) qui devaient donner la première stratigraphie dans le magdalénien (voir *infra*).

(24) Le nombre serait porté à quinze si nous incluons les traces de solutréen relevées à *Noailles, Bellet* et au *Loup.* Les sept gisements de *Planchetorte* sont, en partant de la source : *Le Raysse, Chez Rose, Sous Champ, Comba Negra, Pré-Aubert, Thévenard* et *Font-Robert.*

Et toujours à la même époque, ce sont les abbés J. Bouyssonie, L. Lejeune et J.-F. Pérol (« La station de Lacan et son outillage », 1935) qui devaient donner la première description de l'outillage solutréen ainsi que sa localisation dans une sablière en exploitation en avant de la grotte.

« A 55 m et sous 3 m de sable bien stratifié (dépôt de pente) existait un foyer solutréen assez important », accompagné de foyers plus petits en se rapprochant de la grotte.

De ces foyers proviennent des pointes à cran, des fragments de feuilles de laurier, des pointes à face plane, quelques grattoirs et burins, des « lames à bords abattus nettement incurvées et des pointes avec pédoncule net, survivance évidente des lames de Bos del Ser et des pointes de Font-Robert ».

J.-F. Pérol reprend en 1938 « La station solutréenne de Lacan ». Mais Ph. Smith (1966) en conteste quelques assertions et classifications.

C'est ainsi que quelques « fragments classés comme pointes à cran peuvent être des feuilles de saule » et que « les lames courbes pouvaient venir du haut ».

Ce site serait à rapprocher de Badegoule plus que de Pré-Aubert qui lui serait postérieur. Il s'agirait de Solutréen plutôt supérieur que final.

ESCLAUZUR (fig. 1, n° 31).

Située dans les calcaires du Bajocien, sur la rive droite de la basse vallée de la Couze, cette grotte signalée dès 1905 (L. Bardon, 1905) n'a connu que des fouilles peu scientifiques.

P. Andrieu (1974) lui a consacré une courte note. J.-P. Raynal (1975) publie les objets attribuables au solutréen. Il s'agit de deux micrograttoirs « grimaldiens », d'un grattoir solutréen, d'un grattoir sur éclat, d'une pointe à face plane, d'une feuille de laurier, de deux pointes à cran et de divers fragments de pièces.

L'auteur rattache cette série au solutréen supérieur, « un Solutréen supérieur, identique à celui du niveau I du Pech de la Boissière, du niveau inférieur des Jean-Blanc, du Fourneau du Diable (Solutréen supérieur I) et qui semble légèrement antérieur à celui des niveaux 27 et 28 de Laugerie-Haute-Est, et 4 et 5 de Laugerie-Haute-Ouest ».

Par la présence des pointes à face plane du sous-type C, Esclauzur « est le premier site corrézien à ressembler franchement aux sites périgourdins et charentais ».

Ce site serait, par sa situation géographique (voir carte), « le relai idéal entre les sites de la vallée de la Vézère et ceux des environs immédiats de Brive ».

SOUS CHAMP OU CHAMP (fig. 2, n° 15).

Ce site fut fouillé par Ph. Lalande et E. Massénat en 1895. Ils y auraient trouvé un fragment de pièce solutréenne à retouche bifaciale et quelques « pointes » en jaspe et en silex.

Un inventaire du matériel est donné sous forme de tableau par J. Bouyssonie (1924).

Le matériel est important puisque Ph. Smith a dénombré 17 feuilles de laurier dont « une déjetée ou asymétrique comme certaines de Pré-Aubert et de Badegoule ».

Il donne les dessins de cinq de ces pièces et d'une « magnifique feuille de saule... identique à d'autres trouvées à Lacave (Lot) ». Ph. Smith s'étonne de l'absence *totale* de pointes à cran et conclut qu'« on ne peut classer ce site comme Solutréen supérieur qu'avec réserve ».

LE RAYSSE (fig. 2, n° 17).

Le solutréen du Raysse est signalé par Bouyssonie et Pérol (1924) et étudié en 1966 par L. Pradel.

P. Smith (1966) écrit : « il n'est pas trop difficile de relier cette industrie au niveau de Solutréen final du Pré-Aubert » et signale un niveau à fort pourcentage de burins.

Mais la série étudiée est très faible : 55 pièces. Nous avons procédé à un décompte chez le Docteur L. Pradel, qui possède 64 pièces et nous donnons le graphique cumulatif établi (voir annexe).

V. Le Magdalénien.

Limité lui aussi dans le Bassin de Brive, le Magdalénien est présent dans la vallée de Planchetorte à Thévenard et à Bellet et surtout au bord de la Corrèze à Puy de Lacan où il a été découvert en stratigraphie (trois couches). Nous le retrouvons plus à l'ouest dans la vallée de la Couze, à Esclauzur, malheureusement dans un site très bouleversé.

PUY DE LACAN (fig. 2, n° 29).

Connu depuis 1865, ce site a fait l'objet de fouilles nombreuses et riches.

Ph. Lalande (1867) publie le résultat de fouilles effectuées à l'extérieur de la grotte où il a mis en évidence deux couches archéologiques distinctes : l'une ayant donné un outillage à lames et lamelles (magdalénien) l'autre avec de la poterie et des pointes de flèches (néolithique ?).

Bardon et Bouyssonie (1905) mettait l'accent sur « l'importance d'une industrie de petite taille » ... « qui comprend en quantité des petites lamelles de canif retaillées sur le dos » ... « des grattoirs ordinaires ». Les auteurs donnent un tableau classant les 24 821 outils et éclats.

L. et H. Kidder reprendront en 1929 des fouilles d'envergure, ignorant les publications antérieures.

Ils mettent en évidence sous le sable superficiel (couche D) trois couches archéologiques : C, B, A (voir fig. 14).

« La couche A a donné plusieurs milliers de silex : pièces magdaléniennes ne témoignant que d'une évolution peu marquée dans les couches successives. Les couches B et C ont fourni des galets roulés parfois utilisés comme percuteurs ».

Dans leur article de 1932, les auteurs donnent des tableaux avec pourcentage des différents niveaux.

Nous empruntons la conclusion à un article de J. Bouyssonie, L. Lejeune et J.-F. Pérol (1935) qui résume les travaux des différents auteurs, et aussi la stratigraphie de ce site :

— un niveau solutréen à 55 m en avant de la grotte et sous 3 m de sable stérile ;

— trois niveaux magdaléniens mis en évidence par les fouilles de H. et L. Kidder ;

— un petit niveau mésolithique avec des pièces géométriques, des burins de type tardenoisien (microburins ?) associés à des petits grattoirs courts (unguiformes ?) ;

— un horizon néolithique à l'intérieur de la grotte : pointe de flèche, fragment de poterie (25), etc.

Nous signalerons encore les pièces gravées publiées par L. et H. Kidder ; les unes magdaléniennes : une silhouette de renne, une tête d'équidé à longues oreilles, sur grès, deux gravures (figuration de poissons ?) sur chiste ardoisier, les autres de facture récente (Moyen Age).

THÉVENARD (fig. 2, n° 8).

« La stratigraphie n'a pu être nettement établie », Bardon et Bouyssonie (1920). La découverte de pièces solutréennes avaient fait classer ce site comme solutréen (Ph. Smith, 1960).

En 1956, D. de Sonneville-Bordes reprend l'étude du matériel découvert en 1920. Dans sa publication, D. de Sonneville-Bordes (1972) compare le graphique cumulatif de Thévenard (26) à ceux établis par elle-même pour les niveaux de Puy de Lacan (D. de Sonneville-Bordes, 1960). « C'est du niveau moyen B de Puy de Lacan que se rapproche le plus le graphique de la grotte de Thévenard. Il en diffère par la carence absolue de la série en outillage lamellaire alors que le Puy de Lacan a livré des triangles, des lamelles à dos tronquées, des lamelles à dos denticulées, d'ailleurs en petites quantités, et surtout des lamelles à dos ».

L'auteur déplore que cette grotte n'ait pas été fouillée selon les méthodes modernes, « car elle aurait, comme Puy de Lacan, livré sans doute une séquence stratigraphique de plusieurs niveaux et son matériel aurait contenu également un outillage lamellaire ».

Il s'agit, après Puy de Lacan, de la station magdalénienne la plus importante connue à l'heure actuelle en Corrèze.

BELLET (fig. 2, n° 24).

Située en amont de la Planchetorte sur sa rive droite, cette grotte fut probablement « vidée » lors de l'aménagement de la falaise au Moyen Age.

J. Couchard (1957) essaie d'appliquer la méthode d'étude statistique de D. de Sonneville-Bordes et J. Perrot, à une série remaniée provenant de ce site. Obtenant un résultat satisfaisant l'auteur compare cette série au site magdalénien de Goutte-Roffat.

L'auteur conclut : « Bien qu'il ne soit pas possible d'affirmer la seule présence d'une industrie du Magdalénien à Bellet, les résultats obtenus après

---

(25) Vire décela dans un lot de tessons confié à Ph. Lalande de la poterie du Gallo-Romain au Mérovingien.

(26) Nous rappelons les principaux indices :
IG = 12,07; IGa = 0,84; IB = 71,43; IBd = 56,21; IBt = 10,88; Ip = 2,64.

l'étude des séries démontrent que l'industrie dominante est bien magdalénienne. Malheureusement l'absence d'outillage osseux ne nous permet pas de préciser plus (27). Certes, comme cela a déjà été dit, il a bien été trouvé quelques pièces de faciès Font-Robert et solutréen (28) mais le pourcentage est véritablement infime ».

En complément, J. Couchard publie d'après J. Bouyssonie la gravure d'une tête de cervidé, sur plaquette de grès rouge.

Les sites ayant livré des industries du paléolithique supérieur en Limousin sont essentiellement concentrés dans la vallée de la Planchetorte et de la Courolle. Très tôt connus, en partie grâce à leur proximité immédiate de Brive, ils ont beaucoup apporté à notre connaissance du Paléolithique supérieur au début du siècle.

L'uniformité des dépôts de beaucoup de remplissages n'a ensuite pas été un élément favorable à l'établissement de données stratigraphiques précises concernant l'Aurignacien et le Périgordien.

Les ensembles lithiques de ces derniers (la faune étant très rarement conservée), de même que quelques ensembles solutréens et de rares présences magdaléniennes, sont indiscutablement très proches de leurs homologues du Périgord. Quelques variations de fréquences sur des types d'outils (comme les pièces esquillées) ne sont pas suffisantes pour leur imposer une dénomination plus spécifiquement régionale.

Mais la Préhistoire moderne est d'une exigence sans commune mesure avec l'imprécision des connaissances acquises jusqu'à ces dernières années. Il reste, somme toute, à résoudre de très nombreux problèmes, et non des moindres, parmi lesquels : les relations entre les « terres froides » de ce versant ouest du Massif Central et les régions circumvoisines ; la désaffection possible du Limousin lors de certaines périodes du paléolithique supérieur ; les modes de vie au cours des périodes de peuplement relativement intense : Aurignacien et Périgordien supérieur ; l'occupation des plateaux ; les vraies ressources en matière première...

Il faut commencer par le dénombrement exact de toutes les possibilités que donnerait la reconnaissance *des plus petites unités stratigraphiques,* même et surtout en milieu de dégradation des grès. Ces problèmes ne pourront en effet recevoir un début de réponse qu'après une exploitation des données fournies par des *fouilles programmées, au nombre réduit le plus possible, délibérément tournées vers une vraie palethnologie, intentionnellement menées avec trop de lenteur et trop de précision.*

La fouille, *en totalité,* d'un *très petit nombre de sites* (un ou deux) peut alors être envisagée.

(27) « A titre de comparaison, il est à signaler que le gisement de Lacan, seul connu comme magdalénien aux environs de Brive, possédait un pourcentage de triangles, denticulés ou non, dont nous constatons l'absence à Bellet. » (Note de l'auteur).
(28) Nous pensons qu'il peut s'agir de pièces ramassées par les magdaléniens, fait fréquemment constaté dans des sites de Dordogne. (G.M.).

Bibliographie

[1] ANDRIEU P., BOUYSSONIE J. et DUBOIS J. (1960). — La grotte de la Renardière à Brive, Corrèze. *Bulletin de la Société Préhistorique Française,* t. LVII, n° 9-10, p. 621-626.

[2] ANDRIEU P., DUBOIS J. (1966). — Travaux récents à la grotte éponyme de « Noailles ». C.r.s.m. du t. LXIII, n° 5, pp. 167-180.

[3] BOUYSSONIE A. et J. : Nous demandons au lecteur de se référer à « Amédée et Jean Bouyssonie Préhistoriens » d'Alain Roussot, *Fanlac,* 1966, 47 p.

[4] CHEYNIER A., BOUYSSONIE A. et J. et LEYGONIE M. (1929). — Les stations préhistoriques de plein-air à Cublac (Corrèze). *Bulletin de la Société Archéologique de la Corrèze,* t. 51, p. 224-236, 8 fig.

[5] COUCHARD J., D. de SONNEVILLE-BORDES (1960). — La grotte de Bassaler Nord près de Brive et la question du Périgordien II en Corrèze. *L'Anthropologie,* t. 64, n° 5-6, p. 415-437.

[6] COUCHARD J. (1957). — Essai d'application des méthodes de typologie et de statistique au gisement remanié de Bellet près Brive. *Bulletin de la Société Scientifique, Historique et Archéologique de la Corrèze,* Brive, p. 3-12.

[7] DEMARS P.Y. (1974). — Le Noaillien dans le Bassin de Brive. Mélanges Marius Vazeilles. *Bulletin de la Société des Lettres, Sciences et Arts de la Corrèze,* p. 77-82, 1 planche.

[8] DUBOIS J. cf. ANDRIEU P.

[9] KIDDER L. et H. (1932). — Fouilles du Puy de Lacan, Corrèze, pierres avec signes et autres objets. *Archéologie,* Paris, t. XXXV, n° 5, p. 1-33 avec 50 dessins de J. Bouyssonie.

[10] LALANDE Ph. (1867). — Monographie des grottes à silex taillés des environs de Brive. *Moniteur de l'Archéologie,* Montauban, p. 10-14.

[11] LALANDE Ph. (1910). — Brive et ses environs aux temps préhistoriques. *Lemouzi.*

[12] MAZIÈRE G. (1973). — Le Paléolithique en Corrèze. 131 pages dactylographiées, fig., tabl. Diplôme E.P.H.E. *inédit.*

[13] PEROL J.F. (1935). — De l'industrie microlithique de Lacan de son utilisation et de son problème chronologique qu'elle pose. *Bulletin de la Société Scientifique, Historique et Archéologique de la Corrèze,* t. 57, p. 3-16, 2 planches.

[14] PRADEL L. (1955). — Périgordien et Aurignacien : constatations, possibilités et apparences. *Bulletin de la Société Préhistorique Française,* t. 52, n° 9-10, p. 604-607.

[15] PRADEL L. (1956). — Périgordien, Corrézien, Aurignacien. *Bulletin de la Société Préhistorique Française,* t. 53, n° 9, p. 642.

[16] PRADEL L. (1957). — A propos du Corrézien. *Bulletin de la Société Préhistorique Française,* t. 54, n° 5-6, p. 235-236.

[17] PRADEL L. (1966). — La station paléolithique du Raysse, commune de Brive (Corrèze). *L'Anthropologie,* t. 70, 1966, p. 129-134.

[18] PRADEL L. (1968). — Le Corrézien de la grotte Dufour, commune de Brive (Corrèze). *L'Anthropologie* t. 72, n° 5-6, p. 467-478.

[19] PRADEL L. (1972). — La grotte paléolithique de Bos del Ser commune de Brive (Corrèze). *L'Anthropologie,* t. 76, n° 5-6, p. 427-440.

[20] RAYNAL J.P. (1975). — *Recherches sur les dépôts quaternaires des grottes et abris du Bassin permo-triasique de Brive*. Thèse de 3ᵉ cycle. Université Bordeaux I.

[21] SONNEVILLE-BORDES D. de (1960). — Le Paléolithique supérieur en Périgord, *Delmas*, Bordeaux, 558 p.

[22] SONNEVILLE-BORDES D. de cf. Couchard J., 1960.

[23] SONNEVILLE-BORDES D. et PERROT J. (1956). — Lexique typologique du Paléolithique supérieur. Outillage lithique. V : outillage à bord abattu VI : pièces variées IX : outillage lamellaire. Pointe azilienne. *Bulletin de la Société Préhistorique Française*, t. 53, n° 9, p. 547-559, 5 fig.

[24] SONNEVILLE-BORDES D. de (1972). — La grotte Thévenard gisement magdalénien près de Brive, Corrèze. C.r.s.m. du *Bulletin de la Société Préhistorique Française,* t. 69, p. 45-47.

[25] TIXIER J. (1963). — Typologie de l'Epipaléolithique du Maghreb. *Arts et Métiers graphiques,* Paris, 211 p.

Les civilisations du Paléolithique supérieur en Auvergne

par

Henri DELPORTE *

Résumé. Compte tenu de l'état actuel de la recherche, il apparaît que la pénétration des civilisations du Paléolithique supérieur, dans les hautes vallées de la Loire et de l'Allier, a été importante mais à peu près exclusivement localisée dans les périodes d'amélioration climatique. En dehors du site éponyme du Périgordien inférieur, Châtelperron (Allier), qui se rattache plutôt au Bassin parisien, l'Auvergne a connu plusieurs phases d'occupation :
    a) le Proto-Magdalénien, au Blot de Cerzat (Haute-Loire), daté des environs de 19.500 avant J.-C.;
    b) le Magdalénien inférieur ou Badegoulien daté, dans plusieurs sites, des environs de 16.000 avant J.-C., et un Magdalénien moyen encore mal défini;
    c) le Magdalénien supérieur ou terminal, très abondant en Auvergne entre 13.000 et 10.000 avant J.-C.; il a livré quelques œuvres d'art, en particulier la statuette féminine d'Enval (Puy-de-Dôme) et le bâton perforé décoré du Rond-du-Barry (Haute-Loire).

Abstract. Considering the present state of research, it seems that the penetration of Upper Paleolithic cultures into the Upper Loire and Allier valleys was important, but almost exclusively localized in the periods of improved climatic conditions. Apart from Châtelperron (Allier), the type-site of the Lower Perigordian, which is connected rather to the Paris Basin, the Auvergne region has known several phases of occupation :
    a) the Proto-Magdalenian at Blot de Cerzat (Haute-Loire), dated at around 19,500 B.C.
    b) the Lower Magdalenien or Badegoulian, dated from several sites at around 16,000 B.C. and a Middle Magdalenian, still poorly defined.
    c) the Upper Magdalenian or Terminal, very abundant in Auvergne between 13,000 and 10,000 B.C.; it has furnished several works of art, in particular a female statuette from Enval (Puy-de-Dôme) and a perforated and decorated *bâton* from Rond-du-Barry (Haute-Loire).

Comme aux époques précédentes, la géographie de l'Auvergne, et plus particulièrement l'existence du système oro-hydrographique formé par les bassins supérieurs de la Loire et de l'Allier, ont largement conditionné l'apparition et l'organisation des civilisations du Paléolithique supérieur dans cette région. Encore aujourd'hui le Massif Central, avec une altitude moyenne de 715 mètres et un climat relativement continental, avec les difficultés de communication inhérentes à son relief, représente une région assez peu favorable au peuplement. Il faut aussi faire état du développement important des phénomènes glaciaires — calottes glaciaires sur le Mont-Dore, le Cézallier, le Cantal et l'Aubrac — et périglaciaires au Quaternaire, pour comprendre que les pénétrations humaines en Auvergne, si elles ont existé, n'ont vraisemblablement pu être que limitées dans le temps et dans l'espace. Précisons enfin que, raisonnablement et pendant de longues années, les préhistoriens ont admis le principe que l'Auvergne est très pauvre en vestiges paléolithiques ; ce n'est que depuis quelques années, sous l'influence de chercheurs comme Pierre Bout ou Alphonse Laborde, qu'une prospection systématique a été entreprise... et a d'ailleurs donné des résultats très intéressants.

Du fait même de l'hypothèse représentée par l'action défavorable et conjuguée du relief et du climat, il apparaît que certaines phases « froides » des civilisations du Paléolithique supérieur ne se retrouvent pas en Auvergne ; il en est ainsi, par exemple, pour l'Aurignacien et surtout son début, situés dans le *Würm III* : quelques outils en silex, récoltés aux

Rivaux, commune d'*Espaly-Saint-Marcel* (Haute-Loire) avaient été attribués à l'Aurignacien, mais il a fallu reconnaître qu'ils appartiennent en fait au Moustérien. De même, et pour des motifs qui ne semblent pas cette fois ne tenir que du climat, le Solutréen est inconnu en Auvergne ; une pointe du département de la Loire, anciennement attribuée à cette civilisation, est en réalité néolithique. Si nous nous en tenions à une position logique, nous pourrions donc espérer rencontrer en Auvergne les industries que nous appellerions « d'interstade », telles que le Périgordien inférieur (Würm II-III), le Magdalénien ancien (Würm III-IV) et le Magdalénien terminal (fin du Würm IV). Dans les faits, c'est sensiblement sur ce schéma théorique que se calque la réalité telle qu'elle a pu être établie par les fouilles des dix dernières années.

*
* *

On sait que le Paléolithique supérieur est inauguré, aux environs de 32 000 avant J.-C., par une civilisation qui a successivement été nommée *Aurignacien inférieur* (Breuil), puis *Périgordien inférieur* (Peyrony), puis enfin *Castelperronien* ou *Châtelperronien* (Garrod, Leroi-Gourhan, Delporte). Le site éponyme de cette civilisation se trouve à la *Grotte des Fées* de *Châtelperron* (Allier), au bord d'un ruisseau, le Graveron, qui est un sous-affluent de la Loire. Des fouilles y ont été réalisées par Albert Poirrier vers 1850, puis par Guillaume Bailleau, de 1867 à 1872 (G. Bailleau, 1872) et enfin par Henri Delporte, de

* Conservateur au Musée des Antiquités Nationales de Saint-Germain-en-Laye, B.P. 30, 78103 Saint-Germain-en-Laye (France).

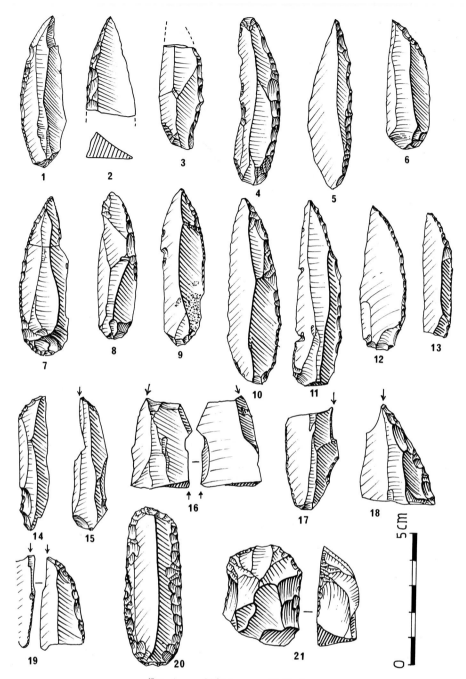

Fig. 1. — Châtelperron (Allier).
1-13. Pointes de Châtelperron; 14. Lame tronquée; 15-19. Burins; 20-21. Grattoirs.
(Dessins H. Delporte).

1951 à 1954 (H. Delporte, 1956). Alors que Breuil, utilisant les observations et le mobilier recueilli par Bailleau, avait défini l'industrie de Châtelperron comme une association de formes moustériennes (racloirs, pointes, bifaces) et de formes du Paléolithique supérieur (grattoirs, burins, lames retouchées, pointes à dos abattu courbe dites de Châtelperron) (H. Breuil, 1911), Delporte a montré qu'il existe à Châtelperron une stratigraphie qui lui a permis de distinguer deux industries :

a) dans la couche inférieure, un *Moustérien de tradition acheuléenne A,* avec bifaces, racloirs et pointes, industrie très semblable à celle qui a été récoltée en surface sur de nombreux points de la Montagne Bourbonnaise, c'est-à-dire dans la partie orientale du département de l'Allier (H. Delporte, 1968);

b) dans la couche supérieure, organisée elle-même en une succession de cinq niveaux principaux, le *Castelperronien* proprement dit, avec des grattoirs, burins, pointes de Châtelperron, déjà quelques dents perforées, mais sans aucun outil de type moustérien; par contre, quelques rares pièces d'aspect aurignacien ont été recueillies.

D'après l'aspect des sédiments et la composition de la faune étudiée par Jean Bouchud, il semble que le climat aille en se refroidissant depuis la couche moustérienne jusqu'au sommet de la couche castelperronienne ; la stratigraphie se situerait donc au passage d'un interstade à un stade glaciaire, vraisemblablement du Würm II-III au Würm III. Par ailleurs, la morphologie de l'outillage de la couche castelperronienne apparaît assez évoluée, plus en tous cas que celle des industries de même type connues par exemple à La Ferrassie ou à Arcy-sur-Cure. Il est également intéressant de constater que, tout au moins dans l'état actuel de nos connaissances, la station de Châtelperron, à la différence de celles du Moustérien qui la précèdent, est parfaitement isolée, le témoignage le plus proche d'une industrie comparable ne se rencontrant, hormis quelques pointes de Châtelperron sporadiques, comme au *Vilhain* (Allier), qu'à Arcy-sur-Cure, c'est-à-dire à près de 130 kilomètres de Châtelperron (1).

Si nous datons, par hypothèse, le gisement de Châtelperron de 30 000 avant J.-C., il nous faut admettre que nous ne connaissons pas en Auvergne, de vestiges humains situés entre cette date et les environs de 20 000 avant J.-C. En effet, mis à part le site périgordien du *Saut-du-Perron,* à *Villerest* (Loire), qui sort des limites de l'Auvergne proprement dite, il n'existe que quelques découvertes mineures et très partielles, dont l'attribution à l'Aurignacien ou au Périgordien est d'ailleurs des plus douteuses.

De sorte que le second jalon majeur du Paléolithique supérieur de l'Auvergne se trouve à l'abri du *Blot,* commune de *Cerzat* (Haute-Loire). Au pied d'une haute falaise basaltique qui domine le cours de l'Allier, s'étend sur plus d'un kilomètre un très important talus d'éboulis qui, en plusieurs endroits, s'est révélé masquer une ligne d'abris profondément creusés. Le site fut découvert par l'un des propriétaires, aux environs de 1934, et des sondages effectués en 1956 par Jean Combier en assurèrent le très grand intérêt. A partir de 1964, c'est sur une vaste échelle et avec des moyens considérables accordés par le Service des Fouilles et Antiquités (Secrétariat d'Etat à la Culture) que des fouilles furent entreprises par Henri Delporte, avec la collaboration de Roger de Bayle des Hermens, puis de Jean-Pierre Daugas et de Jacques Virmont. Plusieurs chantiers ont été ouverts sur le site, parmi lesquels le chantier III, le plus imposant, présente une épaisseur de couches archéologiques, actuellement connues, de près de 10 mètres. La stratigraphie de cet ensemble s'organise de la façon suivante :

0-2 : déblais anciens, terre végétale et stérile;

3-7 : succession de niveaux stériles et de niveaux archéologiques pauvres; l'industrie compte surtout des lamelles à dos et se raccorde avec le *Magdalénien terminal* du chantier I, dont il sera fait état pour la suite;

8-20 : alternance de niveaux stériles et de niveaux archéologiques; ces derniers se répartissent en deux groupes, l'un caractérisé par un mobilier en quartz à peu près exclusif, l'autre par la prépondérance très nettement affirmée du mobilier en silex; le second groupe comprend, dans les diverses subdivisions du niveau 9, une longue série de raclettes et plusieurs perçoirs en étoile, les unes et les autres typiques du *Magdalénien inférieur* ou *Badegoulien.*

21-36 : alternance de niveaux stériles et de niveaux archéologiques relativement riches; en ce qui concerne la nature des sédiments, aux sables blocailleux des couches supérieures viennent s'ajouter et parfois se substituer des formations

(1) La plus grande partie du mobilier recueilli par Bailleau se trouve au Welcome Historical and Medical Museum de Londres. La collection comprend une calotte crânienne attribuée à Châtelperron, mais cette origine est plus que douteuse.

à prismes basaltiques ou à gravillons menus provenant de la décomposition de ces prismes. Les mobiliers archéologiques se rattachent au *Proto-Magdalénien.*

37 et suivants : niveaux sédimentologiquement proches de 21-36, mais qui n'ont encore été que très partiellement fouillés. L'industrie, encore mal connue, pourrait être rapprochée d'un faciès à microgravettes d'allure périgordienne, mais il nous est impossible d'être affirmatif à cet égard.

Des datations au carbone 14, effectuées par le Laboratoire de Lyon ont donné, pour des échantillons prélevés à la limite inférieure des formations du *Proto-Magdalénien,* des résultats compris entre 19 550 et 19 750 avant J.-C. Il faut signaler enfin que les études de sédimentologie en milieu basaltique, mises au point par François Moser (F. Moser, 1973) et portant à la fois sur les éléments fins et sur les blocailles basaltiques, ont fourni des indications extrêmement fructueuses, avec une séquence climatique très proche de celle de l'Aquitaine et de celle de la Provence.

Etant donné que nous ne pouvons pas encore apporter d'indications précises à propos de l'industrie ou des industries qui, au Blot, ont précédé celle du Proto-Magdalénien, c'est donc à celle-ci que nous bornerons pour le moment notre examen. Il s'agit d'une industrie à débitage très laminaire, avec des longueurs de lames dépassant souvent 10 et parfois 15 cm, ce qui est exceptionnel pour l'Auvergne ; le matériau utilisé est un silex brun, passant parfois au noir, d'excellente qualité et dont l'origine nous demeure inconnue. Cette industrie est caractérisée par l'absence quasi-totale des grattoirs qui sont vingt fois moins nombreux que les burins ; ces derniers, par contre, toujours d'excellente facture, sont surtout représentés par des burins dièdres, le plus souvent droits, très aigus et aménagés sur de grandes lames bien régulières ; quant aux burins sur troncature, ils sont souvent sur troncature très oblique, celle-ci prolongeant parfois l'arête retouchée de la pièce ; les burins doubles sont assez abondants. La série comprend quelques perçoirs et surtout deux types de pièces particulièrement intéressantes : d'une part, un très grand nombre de lamelles à dos — c'est le type le plus abondant — qui, contrairement au reste de l'outillage sont de très petites taille, bien plus petites que celles du Magdalénien terminal ; d'autre part, de belles lames à retouche latérale écailleuse, rappelant les lames typiques de l'Aurignacien. Il y a lieu de signaler enfin, mais sans que nous puissions affirmer qu'il s'agit réellement d'un outil, la pièce esquillée, représentée par de nombreux exemplaires.

Les niveaux proto-magdaléniens du Blot ont livré quelques objets en os ou en bois de renne, dont plusieurs poinçons de bonne qualité. Ont également été recueillies plusieurs petites pendeloques en ivoire (dimension maximale : 7 mm), bien perforées et affectant la forme de minuscules craches de cerf, une « pendeloque-godet » en talc-schiste et enfin, en la même matière, une plaquette triangulaire dont les deux faces portent des incisions nombreuses, parmi lesquelles se distinguent facilement l'œil, le naseau et la bouche d'un animal (H. Delporte, 1969).

Sur le plan de l'analyse des civilisations, il faut insister sur le fait que l'industrie proto-magdalénienne du Blot se rapproche de façon très étroite, du point de vue de la morphologie de ses pièces comme du point de vue de ses caractéristiques statistiques, des deux seules autres industries proto-magdaléniennes connues en France, dans le département de la Dordogne, soit celle de *Laugerie-Haute,* publiée par Denis et Elie Peyrony, puis par François Bordes, et celle de l'*abri Pataud* étudiée par Hallam L. Movius. Il est étonnant de constater la présence de cette civilisation, bien caractérisée, en ces trois seuls sites, installés de part et d'autre du Massif Central ; peut-être cependant, l'étude d'autres séries, récoltées dans d'autres régions, permettrait-elle d'allonger la liste des stations proto-magdaléniennes françaises et d'éclairer le problème de la répartition géographique de cette civilisation...

Les niveaux proto-magdaléniens du Blot ont également fait l'objet d'études topographiques soigneuses marquées à la fois par le souci de relever les restes de « construction » (travaux de Jean-Pierre Daugas) et par celui de la restitution en plan de tous les vestiges industriels, quelles que soient leur nature et leurs dimensions ; en outre, la reconstitution du débitage, notamment le raccordement des chutes de burin à leur burin, est effectuée par Philippe Simon ; enfin, l'examen des surfaces d'usure des éléments basaltiques contenus dans les niveaux archéologiques est dirigée par François Moser. Dans l'état actuel de ces différentes recherches, nous pouvons proposer les indications suivantes : les Proto-Magdaléniens se sont installés, à l'emplacement du chantier III du Blot, entre deux cônes d'éboulis situés sous des sortes de « valleuses » du plateau supérieur (2) ; en cet endroit, ils ont construit une cabane plus ou moins rectangulaire, longue de 7 à 8 mètres et large de 5 environ ; cette cabane était limitée, au Sud-Ouest, c'est-à-dire à l'opposé de la falaise, par une espèce de muret assorti d'arcs destinés probablement à caler une charpente, le tout réalisé à partir de fragments de prismes basaltiques ; dans l'axe de la cabane ont été observés des trous de poteau qui suggèrent l'existence d'une charpente médiane. Au Sud-Est de la cabane, donc le long de la falaise, une autre surface, plus petite, était également occupée, mais il ne semble pas qu'elle ait été couverte.

A l'intérieur de cette « unité d'habitat » ont été mis en évidence, outre des zones de foyers, une aire de circulation privilégiée ainsi que des points de débitage et de retouche du silex, en particulier, à l'intérieur de la cabane, un emplacement situé autour d'un grand galet plat supporté par de petites pierres de blocage et constituant un véritable « tabouret ». La répartition des outils, des déchets de débitage et de retouche à l'intérieur de l'habitat fournit également des indications précieuses sur son organisation technique ; il est en particulier frappant de rencontrer souvent très près l'un de l'autre un burin et la chute de burin qui en a été détachée, ce qui suggère une organisation assez statique du travail. Enfin, en dehors de la cabane, ont été recueillis une vingtaine de galets, surtout en basalte, aménagés en choppers et chopping-tools.

_____

(2) Ces « valleuses » sont encore actives aujourd'hui, canalisant les blocailles mais aussi les courants d'eau par temps de pluie.

En conclusion, le site du Blot apparaît, dans l'état actuel de la connaissance, comme l'élément majeur du Paléolithique de l'Auvergne. Lorsque la fouille en sera terminée, elle apportera sur cette région une documentation de très haut intérêt.

L'étape suivante du peuplement paléolithique de l'Auvergne est représentée par le Magdalénien inférieur ou Badegoulien ; celui-ci est actuellement connu au *Blot* (niveau 9) mais aussi dans la grotte de *Cottier,* commune de *Retournac* (Haute-Loire) où il est daté de 16 600 avant J.-C. (J. Virmont, 1973) et surtout dans celle du *Rond du Barry,* commune de *Polignac* (Haute-Loire).

La grotte du Rond du Barry est la plus vaste du Massif Central ; creusée dans la brèche basanitique, elle mesure actuellement 14 mètres d'ouverture et plus de 40 de profondeur ; elle a fait l'objet de recherches dès les environs de 1900 ; mais après un sondage correct d'Alphonse Laborde en 1965, c'est Roger de Bayle des Hermens qui y dirige un important chantier depuis 1966 (R. de Bayle des Hermens, 1969). La stratigraphie du gisement se présente de la façon suivante :

A. – couche superficielle ;

B. – couche blocailleuse avec vestiges historiques ;

C. – couche meuble : mobilier du *Magdalénien* au *Médiéval* et surtout du *Néolithique* ;

D et E. – couches du *Magdalénien terminal* ;

F. – assise subdivisée en trois niveaux, de haut en bas :

F 1, concrétionné et stérile ; F 2, pierreux avec industrie du *Magdalénien inférieur* ; F 3, énorme éboulis formé par des blocs de brèche.

L'industrie lithique du niveau F 2, façonnée sur un matériau homogène et d'excellente qualité, est, comme celle du Proto-Magdalénien du Blot, de plus grande taille que celle du Magdalénien terminal. Par contre, à la différence du Proto-Magdalénien, elle comprend un nombre élevé de grattoirs — plus du double de celui des burins — ; quant aux burins, peu nombreux, ils se répartissent également entre dièdres et burins sur troncature ; en dehors de quelques lames retouchées de façon variée et de très rares lamelles à dos, les formes caractéristiques sont, comme dans le niveau 9 du Blot, d'une part les raclettes, d'autre part les perçoirs parfois multiples. Le mobilier osseux compte des poinçons, des sagaies, des aiguilles — dont une à chas inachevé — et, pour la parure, une crache de cerf et des coquilles perforées (R. de Bayle des Hermens, 1974 a).

La poursuite des fouilles du Rond du Barry apportera certainement des précisions sur cette civilisation qui s'articule étroitement avec celles du Sud-Ouest et du Bassin Parisien.

Outre le Badegoulien et les industries à quartz signalées au *Blot,* quelques séries, à la fois rares, pauvres et mal connues, semblent devoir se rattacher au Magdalénien inférieur et moyen : ce sont celles du niveau moyen de la grotte de *Cottier* (F. Bordes, 1953), de l'abri de *Blavozy* (Haute-Loire) (F. Dufau, A. Laborde et P. Bout, 1962 ; D. de Sonneville-

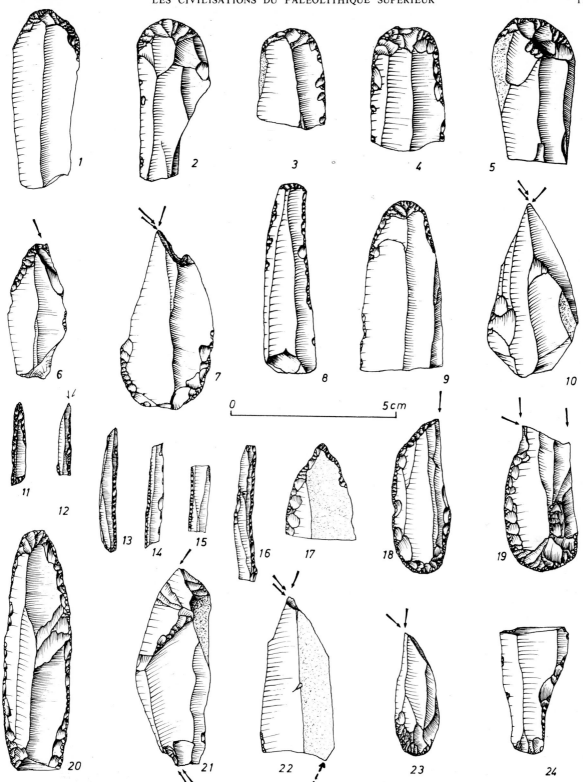

FIG. 2. — Les Martres-de-Veyres, Le Bay, Secteur B; industrie magdalénienne : 1 à 5, 8, 9, grattoirs; 6, 7, 10, 21-23, burins; 11 à 16, lamelles à dos; 17, 20, 24, lames retouchées; 18, 19, 23, grattoirs-burins (les n°s 1 à 11 et 17 à 19 ont été recueillis dans les déblais des travaux)
(Dessins J.P. Daugas).

Bordes, 1962) et probablement aussi de l'abri *Durif* à *Enval,* commune de *Vic-le-Comte* (Puy-de-Dôme), à l'exclusion toutefois des niveaux supérieurs situés au contact de la paroi de cet abri. Dans l'ensemble, ces industries comptent de très nombreux burins, surtout dièdres et sur cassure et, par contre, un nombre moyen ou faible de grattoirs et de lamelles à dos ; en ce qui concerne *Enval,* les collections réunies vers 1925 contiennent des fragments osseux travaillés et décorés, mais surtout deux sagaies à base en biseau simple assez allongé (Y. Bourdelle et J.-P. Daugas, 1969).

Peut-être faudrait-il rapprocher de ces industries mal définies les séries provenant de *Laroquebrou* et de la *Bade de Collandre* (Cantal), de même que celles du site de plein air de *Durdat-Larequille* (Allier) (M. Piboule, 1969) et des niveaux supérieurs de l'abri du *Rond* à *Saint-Arcons* (Haute-Loire) ; c'est également à un Magdalénien original, moyen ou supérieur que pourrait être attribuée l'importante industrie lithique récoltée au *Sire*, commune de *Mirefleurs* (Puy-de-Dôme) par Pierre Daniel.

*
* *

Si les industries précédentes, Castelperronien, Proto-Magdalénien, Magdalénien inférieur et moyen sont à la fois peu nombreuses et peu abondantes, mais en même temps assez variées en Auvergne, il n'en va pas de même pour celles que nous avons appelées *Magdalénien supérieur* ou *terminal* (H. Delporte, 1966). Sans avoir aucunement la prétention d'être complet, nous citerons les gisements suivants : dans le département de l'Allier, les sites de la Montagne Bourbonnaise, ceux de la région de *Montluçon* prospectés et fouillés par Maurice Piboule, ainsi que le site de plein air des *Forts* à *Thionne* (P.-Y. et R. Genty, 1971) ; dans le Puy-de-Dôme, outre les niveaux supérieurs de l'abri *Durif* à *Enval,* les grottes de *Grandeyrolles* (fouilles de Georges Desrut et Emile Deret, puis de Marie Perpère), celle de *Neschers,* l'abri de *Pont-de-Longue* aux *Martres-de-Veyre,* celui de *Blanzat* et le site de *Sarliève* à *Aubière,* des sondages ont révélé récemment les sites de plein air de *Chabasse* à *Vic-le-Comte* et surtout du *Bay* aux *Martres-de-Veyre* (sondages de Fernand Malacher et de Jacques Virmont) ; dans le Cantal, dont les abris basaltiques ont été relativement peu prospectés, abri de *Moissac* à *Neussargues* et du *Cheylat* à *Chalinargues* ; enfin, dans la Haute-Loire, département le plus riche en même temps que le mieux exploité, abri des *Battants* à *Blassac* fouillé par J.-F. Alaux, Guy Mazière et François Carré (J.-F. Alaux, 1969) ; abri du *Blot* à *Cerzat* (surtout chantier I), abris et grottes de *Tatevin* à *Chanteuges* (J. Virmont, Y. Guérin et al., 1972), grotte *Béraud* à *Saint-Privat-d'Allier* (fouilles Alain Quinqueton) pour la vallée de l'Allier, abri de *Peylenc* à *Saint-Pierre-Eynac* (A. Cremillieux, 1969), abri du *Brunelet* à *Brives-Charensac,* grottes du *Rond du Barry* (R. de Bayle des Hermens, 1969, 1971) et de *Sainte-Anne II* (fouilles Robert Séguy) à Polignac ; abris de *Baume-Vallée* (R. de Bayle des Hermens et A. Laborde, 1965) et de *Baume-Loire* (A. Crémillieux, 1969 a, 1974) pour la vallée de la Loire.

Ces séries sont plus ou moins abondantes, dépassant parfois, comme à *Tatevin* ou au *Blot* (chantier I) le millier de pièces. D'une façon générale, elles sont caractérisées par la variété du matériau utilisé et la petite taille des outils ; les grattoirs, sur lame courte ou sur éclat, sont nettement moins nombreux que les burins, qui sont surtout dièdres ; il existe des perçoirs souvent de petites dimensions et un très grand nombre de lamelles à dos, lesquelles représentent souvent plus de la moitié de l'industrie. Dans plusieurs sites, à la grotte *Béraud* de *Saint-Privat-d'Allier* (Haute-Loire) et à la grotte du *Cheix* à *Saint-*

Diéry (Puy-de-Dôme) (G. Desrut et E. Deret, 1939, 1940), l'apparition très nette de grattoirs à tendance unguiforme et surtout de pointes aziliennes typiques marque très nettement le passage à l'Azilien.

Bien qu'elle soit assez rare, l'industrie osseuse existe dans plusieurs des stations du Magdalénien terminal d'Auvergne : elle a été signalée par exemple à *Enval* et à *Pont-de-Longue* ; mais c'est surtout au cours des fouilles récentes du *Rond du Barry* (R. de Bayle des Hermens, 1969 a, 1971, 1974) qu'a été retrouvée la série la plus remarquable avec des lissoirs, des sagaies à base en biseau simple et en biseau double, des aiguilles à chas, des poinçons et surtout des harpons à un rang de barbelures, dont un exemplaire entier ; il a été également recueilli un fragment osseux orné de triangles hachurés et un radius de cygne sauvage décoré. Enfin, la pièce majeure de cette industrie osseuse est représentée par un bâton perforé, long de 22 cm, et dont l'une des faces porte une figuration féminine, stylisée à la façon magdalénienne.

Outre cette remarquable série du *Rond du Barry,* d'autres sites ont livré des œuvres d'art et en particulier des plaquettes gravées : ce sont le *Bay* aux *Martres-de-Veyre* et surtout l'abri *Durif* à *Enval,* où Yves Bourdelle a découvert dans le Magdalénien terminal une série abondante de plaquettes souvent difficiles à déchiffrer, mais dont une porte une tête

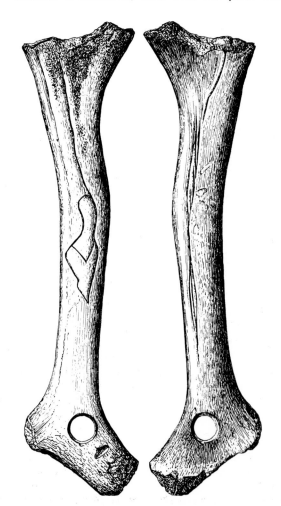

FIG. 3. — La Vénus du Rond du Barry (dessin S. Jégou).

de cheval en léger relief et une autre un arrière-train, probablement du même animal. Enfin, l'abri *Durif* a également livré une représentation féminine, avec une statuette haute de 31 mm, dont la morphologie très magdalénienne rappelle étroitement celle de Farincourt (Haute-Saône) et les fragments rhénans de Mayence-Linsenberg ; cette observation suggérerait l'existence de quelque relation entre l'Auvergne et l'Allemagne sud-occidentale (Y. Bourdelle, H. Delporte et J. Virmont, 1971).

Des analyses au radiocarbone ont donné, pour le Magdalénien terminal de l'Auvergne, des datations qui, hormis un résultat aberrant obtenu pour la *Baume-Loire,* se situent entre 13 450 et 10 380 avant J.-C., ce qui constitue, compte tenu des valeurs des écarts-types, un ensemble tout à fait raisonnable (datations sur *Enval,* le *Blot,* et le *Rond du Bany*). Il est intéressant d'observer, vers la fin des temps würmiens, le développement considérable que connaît le peuplement paléolithique des vallées auvergnates de la Loire et de l'Allier.

En partie connue depuis la fin du XIXe siècle (A. Perreau, 1944, 1949), l'occupation paléolithique de l'Auvergne a profité, au cours des dix dernières années, d'un accroissement considérable de la recherche, accroissement qui a été facilité par l'obtention de moyens importants ou, tout au moins, sans commune mesure avec ce qu'ils avaient été dans les années précédentes. Les résultats ne se sont pas fait attendre ; il est toutefois hautement vraisemblable qu'il reste encore beaucoup à découvrir et à étudier.

Bibliographie

[1] ALAUX J.-F. (1969). — Note préliminaire sur l'abri sous roche de Blassac (Haute-Loire). *Congrès Préhistorique de France, Auvergne,* 1969, p. 32-36.

[2] BAILLEAU Dr G. (1872). — L'homme pendant la période quaternaire dans le Bourbonnais. *Congrès Scientifique de France,* 1872, t. II, p. 95.

[3] BAYLE DES HERMENS R. de (1969). — Le Magdalénien final de la grotte du Rond du Barry, commune de Polignac (Haute-Loire). *Congrès Préhistorique de France, Auvergne,* 1969, p. 37-70.

[4] BAYLE DES HERMENS R. de (1969 a). — L'industrie osseuse du Magdalénien final de la grotte du Rond-du-Barry, commune de Polignac (Haute-Loire). Note préliminaire. *L'Anthropologie,* t. 73, 3-4, 1969, p. 253-260.

[5] BAYLE DES HERMENS R. de (1971). — Le Magdalénien final de la couche E de la grotte du Rond-du-Barry. *L'Anthropologie,* t. 75, 7-8, 1971, p. 585-604.

[6] BAYLE DES HERMENS R. de (1974). — Un radius de cygne sauvage utilisé et décoré dans le Magdalénien final du Rond-du-Barry. *L'Anthropologie,* t. 78, 1, 1974, p. 49-51.

[7] BAYLE DES HERMENS R. de (1974 a). — Note préliminaire sur le Magdalénien ancien de la couche F. 2 de la grotte du Rond-du-Barry. *L'Anthropologie,* t. 78, 1, p. 17-35.

[8] BAYLE DES HERMENS R. de et LABORDE A. (1965). — Le gisement moustérien de la Baume-Vallée (Haute-Loire). Etude préliminaire. *Bulletin de la Société Préhistorique Française,* t. LXII, p. 512-527.

[9] BORDES F. (1953). — L'industrie de la grotte de Cottier (Haute-Loire). *Bulletin de la Société Préhistorique Française,* t. L, p. 650-651.

[10] BOURDELLE Y. et DAUGAS J.-P. (1969). — Premières observations sur l'industrie du gisement magdalénien d'Enval (Vic-le-Comte, Puy-de-Dôme). *Congrès Préhistorique de France, Auvergne,* 1969, p. 107-114.

[11] BOURDELLE Y., DELPORTE H. et VIRMONT J. (1971). — Le gisement magdalénien et la vénus d'Enval, commune de Vic-le-Comte (Puy-de-Dôme). *L'Anthropologie,* t. 75, 1-2, 1971, p. 119-127.

[12] BREUIL H. (1911). — Etudes de morphologie paléolithique : I. L'industrie de la grotte de Châtelperron et autres gisements similaires. *Revue de l'Ecole d'Anthropologie,* t. XXI, 1911, p. 29.

[13] CRÉMILLIEUX A. (1969). — L'abri préhistorique de Peylenc, commune de Saint-Pierre-Eynac (Haute-Loire). *Congrès Préhistorique de France, Auvergne,* 1969, p. 165-171.

[14] CRÉMILLIEUX A. (1969 a). — L'abri Baume-Loire n° 1, commune de Solignac-sur-Loire (Haute-Loire). *Congrès Préhistorique de France, Auvergne,* 1969, p. 172-175.

[15] CRÉMILLIEUX A. (1974). — Stratigraphie, typologie et palethnologie de quelques remplissages d'abris sous-basaltiques en haute vallée de la Loire (Velay). *Documents du laboratoire de géologie de la Faculté des Sciences de Lyon,* n° 62, 1974, p. 1-127.

[16] DELPORTE H. (1956). — La Grotte des Fées de Châtelperron (Allier). *Congrès Préhistorique de France, Poitiers-Angoulême,* 1956, p. 452-477.

[17] DELPORTE H. (1966). — Le Paléolithique dans le Massif Central : I. Le Magdalénien des vallées supérieures de la Loire et de l'Allier. *Bulletin de la Société Préhistorique Française,* t. LXIII, 1966, p. 181-207.

[18] DELPORTE H. (1968). — Le Paléolithique dans le Massif Central : II. Le Paléolithique de la Montagne Bourbonnaise d'après la collection Bailleau. *Revue Archéologique du Centre,* n° 25, 1968, p. 53-80.

[19] DELPORTE H. (1969). — Proto-Magdalénien du Blot, commune de Cerzat (Haute-Loire). *Congrès Préhistorique de France, Auvergne,* 1969, p. 190-199.

[20] DESRUT G. et DÉRET E. (1939). — Découverte d'une grotte et d'un squelette magdaléniens aux Cheix, près de Besse-en-Chandesse (Puy-de-Dôme). *Bulletin de la Société Préhistorique Française,* t. XXXVI, p. 132-142.

[21] DESRUT G. et DÉRET E. (1940). — Le squelette fossile du Cheix près Besse-en-Chandesse. *Revue des Sciences Naturelles d'Auvergne,* vol. VI, 1-2, 15 p.

[22] DUFAU F., LABORDE A. et BOUT P. (1962). — La station préhistorique magdalénienne de Blavozy (Haute-Loire). *Bulletin de la Société Académique du Puy,* t. XXXIX, p. 27-34.

[23] GENTY P.-Y. et R. (1971). — La station magdalénienne des Forts, commune de Thionne (Allier). *Buletin de la Société Préhistorique Française,* t. LXVIII, p. 333-344.

[24] MOSER F. (1973). — Contribution à l'étude du remplisage des abris sous-basaltiques de la Haute-Loire : le gisement du Blot de Cerzat. *Bulletin de l'Association Française pour l'Etude du Quaternaire,* 1973-3, p. 165-178.

[25] PERREAU A. (1944). — L'Age du renne en Auvergne, dans le bassin de l'Allier. *Revue des Sciences Naturelles d'Auvergne,* vol. IX, 1943, 31 p.

[26] PERREAU A. (1949). — Où en est la Préhistoire en Auvergne ? *Clermont et sa région,* 1949, p. 89-115.

[27] PIBOULE M. et M. (1969). — Note préliminaire sur deux stations du Paléolithique supérieur découvertes en Bourbonnais. *Congrès Préhistorique de France,* Auvergne, 1969, p. 324-331.

[28] SONNEVILLE-BORDES D. de (1962). — L'industrie magdalénienne de l'abri sous-roche de Blavozy (Haute-Loire). *Bulletin de la Société Académique du Puy,* t. XXXIX, p. 35-41.

[29] VIRMONT J. (1973). — La grotte de Cottier à Retournac (Haute-Loire). Etude préliminaire. *Revue Archéologique du Centre,* n° 45-46, 1973, p. 51-62.

[30] VIRMONT J., GUÉRIN Y. et al. (1972). — Tatevin et les gisements des environs de Chanteuges. *Revue Archéologique du Centre,* n° 43-44, 1972, p. 222-247.

Les civilisations du Paléolithique supérieur dans les Pays de la Loire

par

Michel ALLARD * et Michel GRUET **

Résumé. Le Paléolithique supérieur de la Basse Loire peut être réparti en deux groupes de gisements : le bassin de la Vienne puis les marches de l'Armorique. A celles-ci se rapportent les gisements du bassin de la Sarthe, ceux de la Vallée de la Loire proprement dite et quelques sites du bord de mer. L'Aurignacien se trouve surtout en sites de plein air, puis dans les grottes de Saulges et assez peu dans la Vienne. Le Périgordien est essentiellement représenté dans les grottes du bassin de la Vienne et à Saulges. Il en est de même pour le Solutréen. Le Magdalénien constituant principalement des gisements de grottes pour les stades anciens existe également en habitats de plein air pour les stades correspondants au Würm final.

Abstract. The Upper Paleolithic of the lower Loire can be divided into two groups of sites : those in the Vienne basin and those in the areas bordering Armoric. They include the sites in the Sarthe basin, in the Loire valley, and a few littoral sites as well. Aurignacian layers are mainly found in open-air sites and also in caves of Saulges. They are very rare in the Vienne. The Perigordian is found in caves of Saulges and especially in the caves in the Vienne basin. Solutrian levels are also found in these locales. The Magdalenian finds consist mostly of cave deposits with lower magdalenian facies and of open-air sites with stages that correspond to the final Würm.

Cette revue du Paléolithique supérieur des Pays de la Loire concerne, en même temps que la région administrative proprement dite (Mayenne, Sarthe, Loire-Atlantique, Maine-et-Loire, Vendée) constituant les marches de l'Armorique, les principaux gisements du bassin de la Vienne (fig. 1).

En marge des grands courants paléolithiques, sauf pour la région poitevine, cette zone de calme est souvent marquée par des tendances évolutives locales pouvant s'accentuer jusqu'en Bretagne. Ses caractères originaux voire même spécifiques aident cependant parfois à mieux saisir certains enchaînements ou côtoiements des civilisations dans la moitié ouest de la France.

I. Groupe des petits affluents de la Vienne.

A. PÉRIGORDIEN - AURIGNACIEN.

La grotte des *Cottés* à Saint-Pierre-de-Maillé est de première importance car sa couche de Périgordien

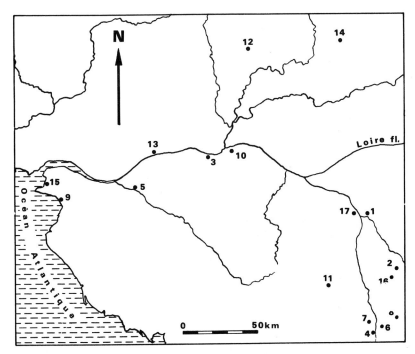

	Légende de la carte
1	Abilly
2	Angles-sur-l'Anglin
3	Chalonnes-sur-Loire
4	Gouex
5	La-Haie-Fouassière
6	Lussac-les-Châteaux
7	Mazerolles
8	Montmorillon
9	Les-Moutiers-en-Retz
10	Mûrs-Erigné
11	Quinçay
12	Saulges
13	St-Géréon
14	St-Mars-la-Brière
15	St-Michel-Chef-Chef
16	St-Pierre de-Maillé
17	St-Rémy-sur-Creuse

FIG. 1. — Carte de répartition des principales communes ayant fourni des outillages de type Paléolithique supérieur dans le bassin de la Basse-Loire.

* Assistant des Antiquités Préhistoriques des Pays de la Loire, 2, allée Charcot, 44000 Nantes (France).
** Institut de Recherches Fondamentales et Appliquées d'Angers, 86, rue de Frémur, 49000 Angers (France).

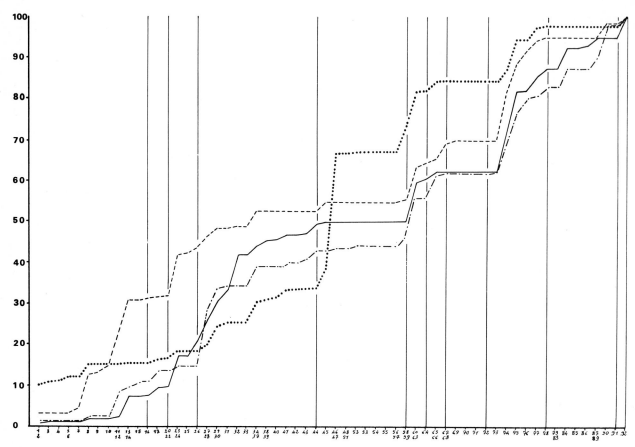

Fig. 2. — Diagrammes cumulatifs. Aurignacien I de *Bois-Millet* (- - - - -) aux Moutiers-en-Retz (L.-A.). Aurignacien de *Gohaud* (———) à St-Michel-Chef-Chef (L.-A.) comparé à l'Aurignacien très évolué de *Beg-ar-C'Hastel* (—•—•—•) en Kerlouan (Finistère-N.). Périgordien II des *Cottés* (. . . . .) à St-Pierre-de-Maillé (Vienne) (diagramme établi grâce à l'extrême obligeance de Madame Bordes qui a bien voulu en communiquer toutes les données).

II (fig. 2) fournit un intermédiaire rare à la fois chronologique et typologique entre le Périgordien ancien et les niveaux à Gravettes. Située entre le niveau de Moustérien et celui d'Aurignacien I, cette couche donne en effet, avec des couteaux de Chatelperron classiques, d'autres plus longs, plus étroits surtout, plus droits, réalisant le passage aux pointes de type Gravette : ce sont les couteaux dits des Cottés (fig. 4, n° 11). Par ailleurs les grattoirs sont en nombre égal aux burins, surtout sur troncature, et les lames tronquées obliquement sont très abondantes. L'épaisse couche d'Aurignacien sus-jacente possède une grande fréquence de carénés et de rabots et les classiques lames étranglées et pointes en os à base fendue ; elle inclut un faible niveau à lamelles Dufour. C'est un Aurignacien I évolué. Un peu de Périgordien III-IV avec quelques gravettes couronne le tout. Tout à côté la grotte de *Fontenioux* contient ce même Périgordien IV à gravettes qui y est recouvert d'Aurignacien V à carénés dominants, grattoirs museaux, burins dièdres surtout.

A une trentaine de km plus au Sud, à Lussac-les-Châteaux la grotte de *Laraux* a donné un niveau de Périgordien supérieur à gravettes et pointes de la Font-Robert sous-jacent à un Magdalénien final.

A Quinçay près de Poitiers, la grotte de *Grande-Roche* a livré récemment quatre niveaux de Périgordien inférieur de type Chatelperron. Le niveau supérieur a été qualifié de « régressif ».

B. SOLUTRÉEN.

La grotte des *Roches* à Abilly non loin du Grand-Pressigny a donné, sur un Moustérien de tradition acheuléenne, un Solutréen à outils grands et lourds comprenant 6 feuilles de laurier, des grattoirs sur lames retouchées, de nombreux éléments moustéroïdes et quelques pièces périgordiennes et aurignaciennes remaniées. Sur ce Solutréen moyen, des restes d'un Magdalénien ancien à raclettes.

A la *Guitière* en Saint-Pierre-de-Maillé (comme les Cottés) deux feuilles de laurier géantes (32 et 33 cm) rivalisent avec les célèbres pièces de Volgu.

La grotte de la *Tannerie* en Lussac-les-Châteaux a donné des objets dont l'allure est Solutréen moyen (Smith) ; la couche comporte cependant des feuilles de saule et de rares pointes à cran. Il y a au-dessus des traces d'un Magdalénien à raclettes.

C. MAGDALÉNIEN.

A *Saint-Rémy-sur-Creuse* une mince couche de Magdalénien VI s'étale dans un cône d'éboulis en pieds de falaise. Elle comporte de nombreuses pièces caractéristiques : pointes pédonculées dites de Teyjat (fig. 4, n° 9), pointes à cran, scalènes, pointes aziliennes mais il n'y a pas d'os travaillés.

L'abri du *Roc-au-Sorcier* à Angles-sur-l'Anglin est célèbre par sa longue série de sculptures animales

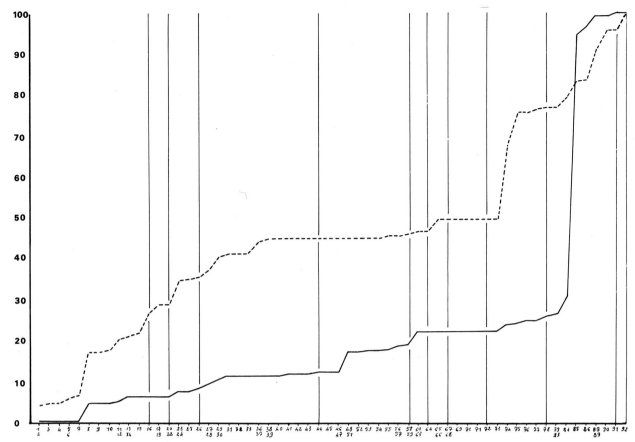

FIG. 3. — Diagrammes cumulatifs. Magdalénien VIB de *Bégrolles* (- - - - -) à la Haie-Fouassière (L.-A.). Magdalénien sans doute très terminal du *Camp-d'Auvours* (————) à St-Mars-la-Brière (Sarthe).

encadrant les trois fameuses Vénus sans buste. Les sculpteurs ont laissé une couche de Magdalénien III. Après effondrement partiel des hauts reliefs, les rejets datés du Magdalénien VI avec pointes à soie et harpons à deux rangs de barbelures ont scellé la frise sculptée.

La grotte des *Fadets* à Lussac, fouillée très anciennement, a donné du Magdalénien III et IV, mais un harpon à double rang de barbelures prouve qu'il y avait un peu de Magdalénien VI.

La Marche toujours à Lussac est connue pour ses 1500 dalles et dallettes calcaires gravées d'animaux et d'humains. Tout cela date du Magdalénien III mais il y a aussi un peu de IV (sagaie à biseau double). Il y a des dents de chevaux finement gravées de réticules comme à Angles. Non loin, la grotte des *Terriers* donne aussi du Magdalénien II et IV avec également plaquettes gravées (profil humain) et la grotte de la *Tuilerie* du Magdalénien IV (?).

La grotte de *Loubressac* au voisinage, vidée au XVIIe siècle, a donné des déblais riches en objets d'os ornés du Magdalénien VI.

A Gouex, 4 km plus au Sud, la grotte du *Bois-Ragot* a 7 niveaux de Magdalénien final (harpons à double rang de barbelures) et d'Azilien (un exceptionnel hameçon d'os).

A *Montmorillon* un abri en pied de falaise a donné plus de 2000 outils d'un Magdalénien non précisé (microburins, os et galets gravés).

Le Poitou est au total un centre très important pour les Magdaléniens III et VI.

II. Les marches du Massif Armoricain.

A. GISEMENTS DE GROTTES ET ABRIS SOUS ROCHES.

Dans le S-E du département de la Mayenne les grottes dites de *Saulges,* situées principalement sur les communes de Thorigné-en-Charnie et Saint-Pierre-sur-Erve, sont constituées par un réseau karstique débouchant sur les flancs abrupts de la vallée de l'Erve. Elles furent vidées de la plus grande partie de leur contenu archéologique à la fin du XIXe siècle par divers fouilleurs en quête de belles pièces. Seul l'abbé Maillard travailla avec quelque méthode à la grotte de la *Chèvre* et publia ses résultats qui lui valurent les foudres de G. de Mortillet lorsqu'il écrivit « Le Solutréen n'est point directement superposé au Moustérien à Thorigné-en-Charnie ». Ce furent les prémices de la bataille de l'Aurignacien. Pourtant l'abbé Maillard avait raison, et R. Daniel en témoigne après avoir repris en 1931 dans la même grotte l'étude d'un lambeau intact qui lui fournit sur un Moustérien à bifaces, de l'Aurignacien typique recouvert par un Solutréen à feuilles de laurier.

Par ailleurs l'étude récente de quelques belles pièces osseuses (fig. 6) provenant des fouilles anciennes de la vallée de l'Erve, et appartenant au Musée de Laval atteste pratiquement l'occupation du site au Magdalénien supérieur. Toujours à Saulges-Thorigné furent découvertes en 1967 de remar-

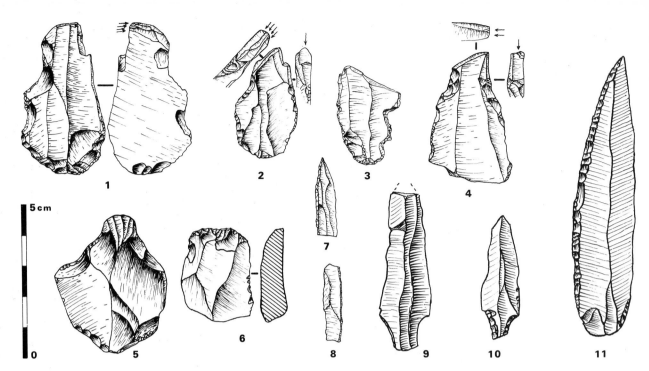

Fig. 4. — Outillages. Aurignacien évolué de *Gohaud :* 1. (Grattoir-burin busqué); 2. (Burin busqué); 3. (Denticulé). Aurignacien de *Grand-Claye :* 4. (Burin busqué). Aurignacien de *Saulges :* 5. (Grattoir à museau caréné) d'après R. Daniel. Magdalénien du *Camp-d'Auvours :* 6. (Grattoir court); 7 et 8. (Pointe et lamelle à dos). Magdalénien VI de *St-Rémy-sur-Creuse :* 9. (Pointe de Teyjat) d'après E. Patte. Magdalénien VIB de *Bégrolles :* 10. (Pointe de Teyjat). Périgordien II des *Cottés :* 11. (Pointe des Cottés) d'après le Dr Pradel.

Fig. 5. — Couple Cheval-Mammouth de la grotte de la Dérouine (cliché J. L'Helgouach).

quables peintures dans le réseau profond de la grotte de la Dérouine. Les représentations animales qui par leur style se rapprocheraient de celles des gravures de Gouy (Eure) semblent pouvoir être attribuées au Solutréen ou au Magdalénien inférieur (fig. 5).

L'abri sous roche de *Roc-en-Pail* en Chalonnes-sur-Loire est situé non loin de la rive sud du fleuve. Un cône loessique adossé à une ancienne falaise a fourni abondamment des industries moustériennes variées, mais à son sommet, succédant à une solifluction pâteuse (*head*) qui contient du Moustérien à denticulés, les loess reprennent sur 1 m d'épaisseur jusqu'au lehm terminal. Disséminées dans les couches supérieures et plus particulièrement dans un niveau plus caillouteux, de très rares pièces du Périgordien supérieur ont été récoltées : burins de Noailles bien caractérisés et deux gravettes. Par ailleurs les déblais de carrière adjacents contiennent d'assez nombreux grattoirs carénés et à museau mais seuls deux carénés et une lamelle Dufour trouvés en place signent l'existence d'une queue de couche aurignacienne sous le Périgordien.

B. Gisement de plein air.

1. *Aurignacien - Périgordien.*

Gisement de surface dans un vignoble, au pied d'un pointement rocheux, le gisement de *Saint-Géréon (Pierre-Meslière)* près d'Ancenis domine la rive nord de la Loire. Le gros de l'outillage est moustérien avec même quelques petits bifaces, mais il y a 80 pièces carénées : carénés typiques, museaux à épaulement latéral ou bilatéral, rabots. Parmi les burins il y a surtout des dièdres. Les lames à encoches sont grossières. L'ensemble assez massif porte des traces d'éolisation légère. Un lissoir à cannelure en grès dénote indirectement le façonnement de l'os.

Au Sud de l'estuaire de la Loire, sur la côte, mais probablement loin de la mer au moment de son occupation, le gisement aurignacien du *Bois-Millet* est inclus dans un sable éolien colluvionné étendu sur une coulée de solifluxion qui contient du Moustérien Charentien. Le diagramme cumulatif de cette industrie montre l'abondance des grattoirs sur éclats, des carénés et des museaux, la pauvreté relative en burins médiocres, l'existence d'assez nombreuses lames tronquées, de beaucoup de coches et denticulés, enfin la présence de lamelles Dufour. L'ensemble par analogie avec les abris Caminade et Cellier semble se situer en fin d'Aurignacien I.

A Mûrs-Erigné (M.-et-L.) le gisement de *Grand-Claye,* non encore étudié, a fourni de nombreuses pièces, parmi lesquelles un certain nombre de burins busqués évoquent l'Aurignacien II (fig. 4, n° 4).

Le gisement aurignacien de *Gohaud* à Saint-Michel-Chef-Chef, en Loire-Atlantique, est une petite station de plein air dont l'étendue inscriptible dans un cercle de moins de 10 m de diamètre témoigne d'une occupation vraisemblablement unique. A 350 m de l'océan, elle domine le niveau marin de 27 m et découvre un large panorama sur l'embouchure de la Loire.

Son matériel archéologique constitué d'environ 1 300 silex avec forte proportion d'outils (36 %) souligne le rôle provisoire de la station. La mauvaise qualité et la pénurie des grattoirs (IG = 7,45), la proportion de burins relativement élevée (IB = 29,04) et leur répartition (IBd = 13,62 ; IBt = 2,82), la bonne représentation des burins busqués (IBb = 8,23), les forts pourcentages d'encoches denticulés (19,53 %) et de pièces tronquées (15,68 %) caractérisent pour l'essentiel cette industrie certainement très homogène. Il faut aussi noter la présence de quelques lamelles dont la retouche très fine, inverse ou alterne mais irrégulière, n'est pas sans rappeler le type « Dufour ». Une pointe de Tayac, quelques couteaux à dos naturel, et trois pointes de Quinson complètent cet inventaire.

Le diagramme cumulatif de l'outillage (fig. 2) est très proche de celui de Beg-ar-C'Hastel en Kerlouan (Finistère) où il n'a cependant pas été trouvé de burins busqués. Statistiquement assez proche du Protomagdalénien de Laugerie-Haute, mais typologiquement plus proche de l'Aurignacien par la présence notamment de nombreux busqués, ce matériel semble correspondre à un Aurignacien très évolué qui aurait déjà subi certaines influences protomagdaléniennes.

A Chalonnes-sur-Loire, tout près du gisement de Roc-en-Pail, mais au-delà du Layon sur un sommet donnant des vues étendues en enfilade sur la vallée du fleuve se situe la station de *Candais (Cote 66).*

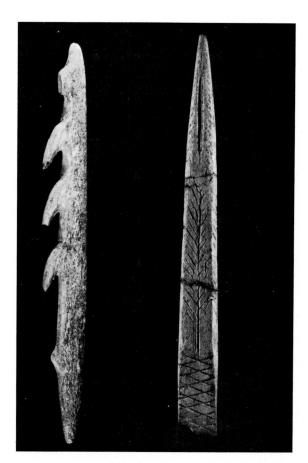

FIG. 6. — Harpon avec une rangée de barbelures et sagaie à biseau double (Magdalénien 5-6) provenant de la grotte Rochefort à Thorigné-en-Charnie (cliché M. Allard).

Bien que très concentrée en surface l'industrie montre un évident mélange puisque parmi des formes aurignaciennes telles que grattoirs carénés et à museau on rencontre un couteau de Châtelperron évolué et deux gravettes. Grattoirs et burins sont à égalité de nombre. Une petite fléchette est à citer.

2. Magdalénien.

Site de sommet, le gisement du *Breil* à la Haie-Fouassière au S de Nantes donne dans le sable superficiel une industrie lamellaire abondante. Les grattoirs parfois doubles l'emportent très largement sur les burins de types variés souvent d'axe. Il existe quelques petits carénés. Les burins sur troncature sont à peu près aussi bien représentés que les burins dièdres. Les lamelles à dos ne sont pas très nombreuses peut-être en raison des conditions de récolte. Pourtant, les lamelles à retouche inverse de type Dufour sont assez abondantes.

A 2 500 m au N-W sur la même commune la station superficielle de *Bégrolles* a donné plus de 300 outils bien définis. Les grattoirs façonnés principalement sur éclats dominent en nombre des burins assez élégants. Les deux grandes montées du diagramme cumulatif se font sur les pièces encochées et les lamelles à dos (fig. 3). On notera surtout l'association caractéristique du Magdalénien très supérieur : petits carénés, pointes à cran, pointes pédonculées de Teyjat (fig. 4, n° 10). Il s'agit d'un Magdalénien VI B très proche de l'Azilien.

A Saint-Mars-la-Brière, en bordure interne du champ de tir d'*Auvours,* un ensemble d'habitats paléolithiques constituent une vaste station sur le plateau sableux bordant le ruisseau du Narais. L'un de ces habitats en cours d'étude fournit en plus d'un abondant outillage lithique, de très intéressants restes de structures qui semblent parfois correspondre à des ébauches de murets éboulés. Ceux-ci forment une enceinte avec à l'intérieur un système de cloisons ainsi que des foyers entourés de pierres. L'un d'eux déjà fouillé montre un entourage très soigné avec des pierres régulièrement disposées. Une entrée au S-W possède un système de protection externe que la suite des travaux permettra peut-être de mieux comprendre.

Le matériel archéologique essentiellement en silex est localisé à l'intérieur de l'enceinte, principalement dans les foyers et à leurs abords. Les grattoirs ne sont pas très nombreux, et généralement sur éclats assez courts ; un seul grattoir double et aucun outil composite. On remarque peu de perçoirs et assez peu de burins. Le gros de l'outillage est constitué de lamelles à dos (fig. 4, n°s 7, 8) dont la proportion dépasse 75 % ; aucune pièce géométrique. Des lamelles tronquées, quelques fragments de pièces à cran magdaléniennes, et une bonne quantité de plaquettes d'ocre complètent pour l'essentiel cet inventaire. Statistiquement (fig. 3) l'outillage, à rapprocher de ceux du Blot et du Rond-du-Barry, est néanmoins plus évolué. A divers points de vue, et en considérant notamment le rapport grattoirs/burins voisin de 1,5, il semble que cette industrie soit un intermédiaire possible entre le Magdalénien final de type Massif Central et l'Epipaléolithique d'Ile-de-France.

Les civilisations du Paléolithique supérieur en Armorique

par

Pierre-Roland GIOT * et Jean Laurent MONNIER **

Résumé. Les principales industries du Paléolithique supérieur, connues jusqu'ici en Armorique, se situent stratigraphique-ment au-dessous du lœss le plus récent (fin du Pléniglaciaire supérieur). Les gisements de Plasenn al Lomm (Ile de Bréhat, Côtes-du-Nord) et Enez Amon ar Ross (Kerlouan, Finistère) sont caractérisés par la rareté des grattoirs, l'abondance des burins et quelques pièces à dos; ils appartiennent sans doute au début du Paléolithique supérieur. L'industrie de Pontusval (Brignogan, Finistère) paraît un peu plus récente; malgré un mélange possible, elle présente des traits aurignaciens. Le gisement de Beg ar C'hastel (Kerlouan, Finistère) est caractérisé par la faible proportion des grattoirs et le grand nombre des lamelles Dufour. On peut lui estimer un âge vers 20000-23000 ans B.P. Le Magdalénien n'est connu que par quelques pièces à Perros-Guirec (Côtes-du-Nord).

Abstract. The principal Upper Paleolithic industries known in Armorica to date are stratigraphically situated under the most recent lœss (end of the Upper pleniglacial). The sites of Plasenn al Lomm (Ile de Bréhat, Côtes-du-Nord) and Enez Amon ar Ross (Kerlouan, Finistère) are characterized by the rareness of scrapers, the abundance of burins, and a few backed tools they belong, no doubt, to the beginning of the Upper Paleolithic. The industry of Pontusval (Brignogan, Finistère) appears to be a little more recent; in spite of a possible mixture, it presents Aurignacian traits. The site of Beg-ar-C'hastel (Kerlouan, Finistère) is characterized by a small proportion of scrapers and a large number of Dufour bladelets. One could estimate its age at 20000-23000 years B.P. Magdalenian is only known by a few objects from Perros-Guirec (Côtes-du-Nord).

I. Introduction.

Les principaux sites du Paléolithique supérieur en Armorique ont été trouvés, jusqu'à présent, dans la partie septentrionale du pays et particulièrement près du littoral. Plusieurs gisements importants sont en cours d'étude ou de fouille ; les autres ne sont que des indices sous la forme de quelques pièces caracté-ristiques.

II. Le gisement de Plasenn al Lomm (Ile de Bréhat, Côtes-du-Nord).

Les fouilles en cours ont permis de découvrir des structures d'habitat en un site abrité des vents de Nord et Nord-Ouest par un gros chicot de granite. L'industrie en silex (l'os n'est pas conservé) est asso-ciée à des blocs disposés en arcs de cercles ainsi qu'à de nombreux galets utilisés comme percuteurs ou enclumes. Des cabanes s'appuyaient sans doute contre le rocher. La position stratigraphique du gise-ment est dans la base du lœss le plus récent (fin du Pléniglaciaire supérieur) et serait postérieure au limon grumeleux (Pléniglaciaire moyen). L'outillage est caractérisé par une proportion extraordinaire de bu-rins (IB = 59,40) par rapport au petit nombre de grattoirs (IG = 3,12). Les burins dièdres sont bien représentés (IBd = 26,6) mais il faut noter la fré-quence des burins transversaux. Deux fragments de pointes de la Gravette ont été signalés. La position et l'aspect de l'industrie (proportion relativement modeste d'outils sur lame) tendraient à la rapporter à un Paléolithique supérieur assez ancien (P.-R. Giot, 1968, 1969, 1970 et 1971 ; C.T. Le Roux, 1975).

III. Le gisement de Enez Amon ar Ross (Ker-louan, Finistère).

Situé sur un îlot relié à la terre à marée basse, ce gisement du Pays Pagan a été découvert à la faveur de l'érosion d'une falaise limoneuse entre les chaos de blocs de granite. L'industrie est uniquement en silex, à l'exception d'une pièce en quartz. Elle se trouve dans une lentille d'arène limoneuse gélifluée sous le lœss le plus récent des coupes littorales. Comme à Bréhat, les grattoirs sont rares et très atypiques (IG = 4,26). Les burins sont nombreux (IB = 29,79) mais de moins belle facture que dans le gisement des Côtes-du-Nord, avec cependant une dominance des burins dièdres (IBd = 15,60). Il existe deux fragments de couteaux à dos très proches du type Audi ou de Châtelperron ainsi qu'une pointe de la Gravette cassée. Il y a peu de lames, mais une proportion notable de denticulés, encoches et racloirs. C'est une industrie d'aspect archaïque qui pourrait être l'équivalent breton du Périgordien inférieur (P.-R. Giot et al., à paraître).

IV. Le gisement de Pontusval (Brignogan, Finis-tère).

Comme à Enez Amon ar Ross, il s'agit d'un habi-tat concentré entre de gros rochers formés par l'altération du granite. Mais jusqu'à présent le gise-ment n'est pas connu en place. C'est une industrie en silex ramassée sur la plage où elle se trouve mélangée au sable. Les pièces sont forcément très roulées, usure qui s'ajoute à une forte patine gênant considérablement la détermination. Les différences

* Directeur de Recherche au C.N.R.S.
** Attaché de Recherche au C.N.R.S., Equipe de Recherche 27, Laboratoire « Anthropologie-Préhistoire-Protohistoire et Quaternaire Armoricains ». Université de Rennes, B.P. 25 A, 35031 Rennes Cedex (France).

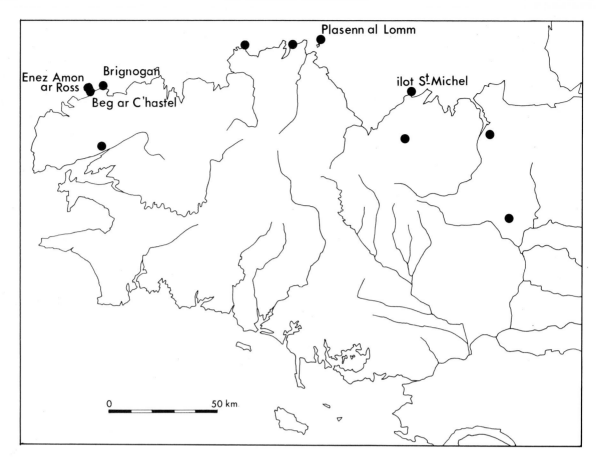

FIG. 1. — Les sites du Paléolithique supérieur d'Armorique.

typologiques avec les sites précédents sont grandes : l'indice de grattoir est supérieur à celui des burins (IG = 24,33 ; IB = 17,56) ; les burins dièdres dominent très largement les burins sur troncature (IBd = 12,16 ; IBt = 1,35). Il existe des grattoirs sur extrémité de lame et des grattoirs carénés, un grattoir-burin, une lame aurignacienne typique mais aussi des pointes à dos abattu rappelant le type de la Gravette, deux fragments de pointes à soies (?) et un fragment de couteau qui ressemblerait au type de Châtelperron. On peut douter de l'homogénéité d'une telle industrie. Elles est cependant intéressante comme le seul indice connu, dans le Nord de la Bretagne, d'un Aurignacien relativement ancien (P.-R. Giot et al., à paraître).

V. Le gisement de Beg ar C'hastel (Kerlouan, Finistère).

Le gisement de Beg ar C'hastel est situé sur une pointe se prolongeant sur l'estran par un chaos de blocs arrondis. L'industrie est liée à des lentilles de sable limoneux écrasées par le glissement des boules de granite et recouvertes par les dépôts de gélifluxion. La fouille et les analyses sédimentologiques ont permis de préciser la position stratigraphique de la couche archéologique. L'occupation humaine est anté-

rieure au dépôt du lœss (fin du Pléniglaciaire supérieur) et postérieure à un sol humifère daté, par corrélations avec un site voisin, de 23 000 ans B.P. (C. 14). L'outillage est en silex. Les grattoirs sont rares et seuls les carénés sont assez bien représentés. Les burins sont nombreux et les dièdres dominent de façon absolue les outils sur troncature. La caractéristique essentielle du gisement est certainement l'abondance des lamelles Dufour. L'étude statistique confirme la ressemblance avec l'Aurignacien de Corrèze ainsi qu'avec le Protomagdalénien du Massif Central ou de Dordogne (P.-R. Giot, et al., 1975).

VI. Autres sites du Paléolithique supérieur.

Sur le littoral il faut ajouter aux sites précédents celui du Sud de l'Ilot Saint-Michel (Erquy, Côtes-du Nord – en cours d'étude) qui a déjà livré une industrie en silex avec des lames nombreuses et quelques burins (P.-R. Giot, 1969, 1970). Les dépôts limoneux périglaciaires, à Port-Béni (Pleubian, Côtes-du-Nord) ont laissé apparaître quelques silex taillés entre le limon grumeleux du Pléniglaciaire moyen et la base du lœss de la fin du Pléniglaciaire supérieur. La surface du limon, aux alentours des chaos de rochers formant abri, vers le Rochworn (Perros-Guirec, Côtes-du-Nord), a livré quelques pièces mag-

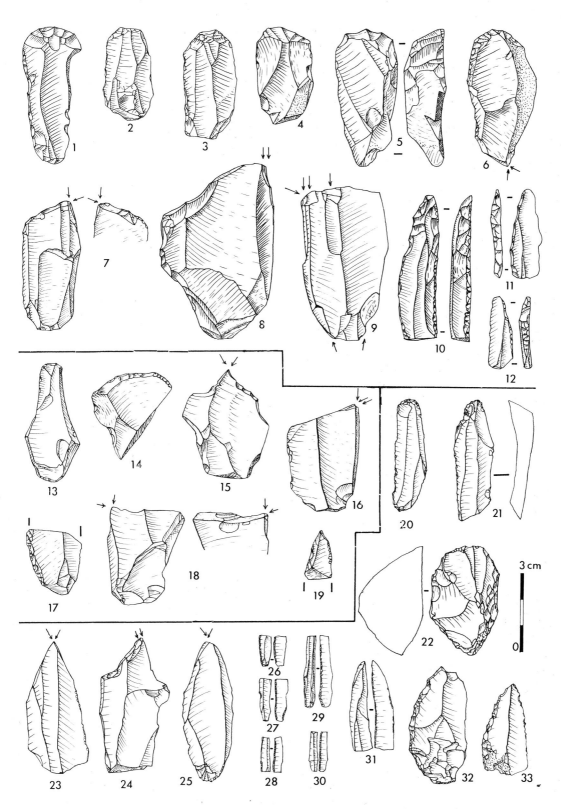

FIG. 2. — Quelques pièces du Paléolithique supérieur armoricain.

1 à 12. Industrie de Pontusval (Brignogan); d'après P.-R. Giot et *al.*, à paraître. 13 à 19. Industrie de Enez Amon ar Ross (Kerlouan); d'après P.-R. Giot et *al.*, à paraître. 20 à 33. Industrie de Beg ar C'hastel (Kerlouan); d'après P.-R. Giot et *al.*, 1975.

daléniennes (une lame, un outil formant burin, grattoir et encoche, et un burin dièdre sur lame) (P.-R. Giot, 1973).

Dans l'intérieur, il se pourrait que le site de Bois-du-Rocher (Saint-Hélen, Côtes-du-Nord) recèle des industries du Paléolithique supérieur : des grattoirs à museau, des burins dièdres d'angle, des pointes à soie ont été signalés (Dr Lejards, 1967 ; A. Le Guen, 1973). Un burin très typique a été trouvé près du site du Bois-du-Plessis (La Poterie, Côtes-du-Nord) (P.-R. Giot, 1973). Les gisements à quartzites taillés de La Forest-Landerneau (Finistère) ont donné des grattoirs (dont un caréné) et des burins assez nombreux (P.-R. Giot et al., à paraître).

VII. Conclusion.

Les travaux récents montrent que le Paléolithique supérieur n'est pas absent de l'Armorique. Les principaux gisements se trouvent sur le littoral ; que ce soit à Bréhat, à Brignogan ou à Kerlouan, les habitats étaient manifestement abrités dans les chaos de blocs granitiques. Les industries étudiées peuvent être situées stratigraphiquement par rapport aux dépôts périglaciaires. La plupart sont antérieures au dernier lœss. Le Paléolithique supérieur armoricain présente des caractères originaux sans doute liés à la position géographique et aux conditions paléoclimatiques et paléoécologiques. On note en particulier la pauvreté générale en grattoirs alors que les burins sont très nombreux et variés, laissant supposer une riche industrie en os malheureusement disparue.

Bibliographie

[1] LE GUEN A. (1973). — Présence d'une industrie du Paléolithique supérieur à la station du « Bois-du-Rocher » en St-Hélen (Côtes-du-Nord). *Travaux de la Société Lorientaise d'Archéologie*, 1972-1973, p. 4-5.

[2] LEJARDS Dr (1967). — La station du « Bois-du-Rocher » en Saint-Hélen (C.-du-N.). *Bull. Soc. Polym. Morbihan*, P.V., p. 3-4.

[3] LE ROUX C.-T. (1975). — Informations... *Gallia-Préhistoire*, t. 17, p. 513-515.

[4] GIOT P.-R. (1968). — Chronique... *Bull. Soc. Emul. Côtes-du-Nord*, t. XCVI, p. 105-111.

[5] GIOT P.-R. (1969). — Chronique... *Bull. Soc. Emul. Côtes-du-Nord*, t. XCVII, p. 143-157.

[6] GIOT P.-R. (1970). — Informations... *Gallia-Préhistoire*, t. XII, p. 439-463.

[7] GIOT P.-R. (1971). — Informations... *Gallia-Préhistoire*, t. XIV, p. 339-361.

[8] GIOT P.-R., HALLEGOUET B. et MONNIER J.L. (à paraître). — Le Paléolithique supérieur du Pays de Léon (Finistère). Les gisements de Roc'h Toul, Parc ar Plenen (Guiclan), Enez Guennoc (Landéda) et La Forest-Landerneau. *L'Anthropologie*.

[9] GIOT P.-R., HALLEGOUET B., MONNIER J.L. et TALEC L. (à paraître). — Le Paléolithique supérieur du Pays de Léon (Finistère). Les gisements de Pontusval (Brignogan) et Enez Amon ar Ross (Kerlouan). *L'Anthropologie*.

[10] GIOT P.-R., TALEC L., MONNIER J.L. et ALLARD M. (1975). — Le Paléolithique supérieur du Pays de Léon (Finistère). Le gisement de Beg ar C'hastel en Kerlouan. *L'Anthropologie*, t. 79, p. 39-79.

Les civilisations du Paléolithique supérieur
dans le sud-ouest du Bassin Parisien

par

Jacques ALLAIN *

Résumé. Toutes les civilisations du Paléolithique supérieur sont présentes dans le Sud-Ouest du Bassin Parisien. Là, Chatelperronien, Aurignacien et Périgordien paraissent être une simple et faible extension des sites classiques du Sud-Ouest.

Le solutréen est principalement concentré dans la Vallée de la Creuse, qui semble témoigner d'une liaison entre le Placard et la station éponyme du Mâconnais.

Des industries lui succèdent immédiatement, entièrement privées de petites lames à dos, où l'éclat marginal prédomine largement. Elles forment un groupe typologiquement très indépendant dans lequel la raclette apparaît rapidement.

Il semble justifiable de donner le nom de Badegoulien pour reconnaître un groupe aussi distinct du Magdalénien que du Solutréen.

Le riche site de la Garenne, sur les bords de la Creuse, rend définitivement possible de noter les caractères culturels du Magdalénien à navettes.

Grâce à la récente découverte de plusieurs sites de plein air, le Magdalénien s'étend actuellement dans tout le bassin de la Loire moyenne.

L'influence directe du Hambourgien est attestée dans la vallée du Loing et explique quelques traits caractéristiques de Magdalénien supérieur de l'Ile de France.

Les industries épipaléolithiques sont les seules encore non découvertes dans cette région, mais probablement pas pour longtemps.

Abstract. All the cultures of the Upper Palaeolithic are present in the southwest of the Paris Basin. There, Chatelperronian, Aurignacian and Perigordian appear to be a simple and weak extension of the classical south-western sites.

The Solutrean is mainly concentrated in the valley of the river Creuse, wich roughly marks a link between the Placard and the type-site of the Maconnais.

Utterly devoid of backed bladelets, industries where the flake margely predominates form a group typologically very independant in which the raclette quickly appeared.

It seems justifiable to give the name of Badegoulian to recognize such a group as distinct from the following Magdalenian as it is from the Solutrean.

The rich site of La Garenne on the bank of the Creuse definitely made it possible to characterize the cultural features of the Magdalenian with navettes.

Owing to the recent discovery of several open-air sites, the actual Magdalenian is spreading now to the whole basin of the middle Loire.

The direct influence of the Hambourgian is ascertained in the Loing valley and explains some characteristic traits of the upper Magdalenian of the Ile de France.

The epipalaeolithic industries are the only ones still undiscovered in this extensive area, but probably not for long.

Si l'immense boucle de la Loire moyenne ne draine qu'une faible part de la Beauce et du Perche, elle collecte la majeure partie des eaux du Massif Central, grâce à un important faisceau d'affluents et de sous-affluents. Tous abandonnent avec les terrains anciens leur cours semi-torrentiel, entament les collines calcaires du Berry et du Poitou, puis serpentent longuement à une altitude assez faible avant de rejoindre le fleuve.

Ce vaste bassin communique aisément au nord avec celui de la Seine par le couloir du Loing sans qu'aucun relief appréciable ne sépare le Val de Loire du Gâtinais.

Si on reporte sur ce vaste territoire de près de 40 000 km² le semis des stations actuellement connues du Paléolithique supérieur, on constate tout d'abord deux zones de concentration électives : la vallée de la Creuse et le couloir du Loing ; deux zones qui ont en commun le caractère de voies d'échanges et de pénétration. Peut être jouaient-elles ce rôle dès avant le Paléolithique supérieur. Elles le poursuivirent à coup sûr à des époques beaucoup plus récentes. Mais là s'arrête la similitude.

La vallée de la Creuse se rapproche beaucoup par son relief et ses paysages des vallées les plus classiques du sud-ouest. Aussi ses falaises calcaires ont-elles été prospectées dès la fin du XIXe siècle et ses grottes ont-elles livré des stratigraphies comparables à celles du Poitou et de la Charente toutes proches.

Si, aux abords de Nemours, les reliefs accusés de la vallée du Loing ont été eux aussi prospectés assez activement dans la première moitié du XXe, la découverte d'habitats paléolithiques de plein air au nord de Montargis est toute récente, liée à l'intense exploitation industrielle des alluvions du thalweg et à l'intérêt suscité par la découverte du site prestigieux de Pincevent.

Entre ces deux pôles surgissent ici et là depuis quelques années, en une trame trop lâche pour être significative, des habitats de plein air de plus en plus nombreux.

Leur topographie reflète surtout l'activité des prospecteurs bénévoles.

* Directeur Régional des Antiquités Préhistoriques du Centre, Palais Jacques-Cœur, 18000 Bourges (France).

I Les cultures pré-solutréennes.

Dans l'état actuel de nos connaissances, et très provisoirement peut-être, les cultures les plus anciennes du Paléolithique supérieur sont à peine attestées.

Quelques rares pointes de Châtelperron proches de celles des Cottés ont été recueillies aux confins du Poitou dans un lambeau de brèche échappé à la destruction lors de l'aménagement de la grotte en bergerie (La-Vieille-Grange, Mérigny), (Indre).

L'Aurignacien n'est jusqu'ici représenté qu'à l'abri Charbonnier dans la belle falaise des Roches sur la rive droite de la Creuse en aval du Blanc et situé sur la commune de Pouligny-Saint-Pierre (Indre).

Découvert par O. Charbonnier en 1903 [1], ce petit abri situé le long de la route à quelques mètres au-dessus de l'étiage de la rivière, a fait l'objet d'une première fouille méticuleuse et méritoire, puisque son auteur a pu à l'époque dissocier deux niveaux distincts et en recueillir séparément l'outillage. Malheureusement restreinte, la fouille Charbonnier a été reprise par Septier sans méthode en 1904-1905, puis en 1937 (Billot) et en 1940 (Pradel) [3].

Bien qu'au total l'outillage lithique actuellement dispersé entre les musées de Bourges, de Châteauroux et diverses collections particulières, soit assez abondant, un petit nombre de pièces a été recueilli dans des conditions stratigraphiques satisfaisantes. La majeure partie de l'industrie a été l'objet d'un classement typologique secondaire, donc entaché d'incertitude.

Dans une récente étude, Marie Perpère [2] s'oriente, pour la couche inférieure, vers un Aurignacien II, se fondant sur la présence d'une pointe lozangique découverte par Septier ; elle souligne toutefois la similitude lithique avec l'Aurignacien de la station voisine du Fontenioux et insiste sur l'étroite analogie entre les séries des confins Poitou-Berry et l'Aurignacien V de Laugerie Haute.

Il subsiste donc une incertitude quant à la position stratigraphique de cet Aurignacien.

A plus forte raison est-il aventuré de situer avec précision le niveau Périgordien très pauvre qui le surmontait.

Du grand cycle leptolithique, les deux premières phases sont bien discrètes et la station berrichonne des Roches apparaît comme l'ultime prolongement de la chaîne des sites poitevins.

II. Le Solutréen.

Avec le Solutréen par contre, le semis des stations qui jalonnent la Vienne se prolonge tout au long de la Creuse sur près de 80 km.

Si, à ce jour, on ignore encore ce que put être en ces régions le Solutréen inférieur, les feuilles de laurier bien classiques rencontrées sporadiquement en Poitou (La Guitière, Abilly [5]) se retrouvent au sein d'une véritable couche archéologique très pure dans le petit abri de Monthaud, commune de Chalais, sur les bords de l'Anglin. Breuil la découvrit dès 1902 et put y prouver l'existence du burin solutréen [6, 8].

Aux Roches encore, quelques pièces sporadiques en attestaient la présence jusqu'à ce que la couche 9 de l'abri Fritsch, scellée par une belle séquence ultérieure, vienne à livrer dans les 2 m² actuellement fouillés, un petit ensemble très homogène comprenant 1 fragment de feuille de laurier, 1 longue alène à tête et 1 burin double sur lame cassée à retouche en pelure caractéristique [4].

Un foyer immédiatement postérieur mais qui ne s'inscrit pas encore dans un contexte typologique précis a permis une datation absolue de 17 230 B.C.

Le Solutréen supérieur se réduisait à un fragment de pointe à cran signalé par Breuil à Monthaud jusqu'à la découverte par A. Rigaud de la station de plein air de Fressignes.

Implantée sur les terrains anciens juste en aval de la lentille d'amphibolite sur laquelle est assis le barrage d'Eguzon, cette station a livré, outre des fragments de feuille de saule et de pointes à crans, plusieurs burins publiés par Pradel [7].

Les recherches récentes d'A. Rigaud apportent de nouveaux éléments qui confirment l'importance de cette découverte.

Cet ultime jalon réduit quelque peu l'isolement de la station éponyme. Dans l'état actuel de nos connaissances, il semble que le Solutréen ait emprunté la vallée de la Creuse pour contourner l'âpre Massif Central et aboutir en Mâconnais.

La présence des cultures immédiatement postérieures au long de la même voie de cheminement semble confirmer cette vocation.

III. Les cultures post-solutréennes.

A. Le problème du Badegoulien.

La séquence post-Solutréenne découverte à l'Abri Fritsch a livré en position stratigraphique parfaitement sûre, un abondant mobilier qui éclaire maints problèmes posés par la transition du Solutréen au Magdalénien [9].

L'industrie des 4 niveaux successifs et bien individualisés qui surmontent le Solutréen, contrastant avec la tendance nettement laminaire de la couche 9, est essentiellement sur éclats.

Le niveau le plus ancien et en même temps le plus puissant (couches 5 d - 6) est caractérisé par la fréquence des burins transversaux et sur coche. Les réminiscences moustériennes se traduisent par la relative fréquence des pointes et des racloirs, semblables par leur forme générale et la retouche, mais différents par la technique de débitage des industries du Paléolithique moyen (plan de frappe lisse et bulbe axial).

Quelques rares perçoirs multiples en étoile, les grattoirs épais, l'abondance des outils de fortune et des éclats utilisés achèvent de donner à cet ensemble un aspect fruste, voire misérable. L'outillage osseux est rare mais deux bases de sagaies élargies à biseau simple permettent une précieuse corrélation avec le plus vieux Magdalénien du Placard. L'aiguille à chas est présente.

Les 3 niveaux plus récents livrent eux aussi un outillage fruste sur éclats très proche du précédent, comme lui, totalement dépourvu de lamelles à dos. Mais ils en diffèrent par la présence de raclettes, d'abord rares et grandes, qui se réduisent ensuite, parfois au-dessous du cm² et se multiplient au point de représenter 83 % de l'outillage de la couche 3. En même temps, les sagaies s'amenuisent tout en conservant leur galbe et leur section aplatie ; seules celles du niveau 3 ont tendance à s'arrondir. Les aiguilles à chas sont nombreuses.

Tout cet ensemble post-solutréen offre une homogénéité remarquable que viennent renforcer deux traits bien spéciaux :

Malgré l'abondance et la proximité d'un excellent silex, d'autres roches ont été utilisées largement : roches métamorphiques des alluvions de la Creuse, quartz, cristal de roche et même, en notable proportion, calcaire dur à grain fin.

Le bois de renne a été débité non par double sciage mais uniquement par percussion directe.

Ces deux traits, plutôt qu'une arriération culturelle, peuvent traduire la proximité d'un foyer originel où l'absence d'une roche mère compatible avec le débitage laminaire et l'obtention de bons burins à deux pans, expliquerait la survivance de tels archaïsmes.

On peut même se demander, sur un plan plus général, dans quelle mesure l'aplatissement transversal des sagaies n'est pas originellement lié au débitage du bois de renne par percussion directe.

Quoi qu'il en soit, aussi longtemps que la typologie demeurera la base de toute classification préhistorique, il sera impossible d'inclure dans le Magdalénien une telle industrie. Aussi, au risque d'ajouter un terme supplémentaire à une nomenclature pléthorique, le terme proposé par Vacher et Vignard de Badegoulien semble devoir être retenu.

Jusqu'au Solutréen compris, le paléolithique supérieur du Bassin de la Loire apparaît comme une extension des cultures du Sud-Ouest. Avec le Badegoulien, l'impression est toute différente : bien que le caractère fruste de cette industrie n'en facilite guère la détection, on la trouve non seulement sous sa forme ancienne, sans raclettes, à la Pluche, commune d'Yzeures (S.-et-L.) [11] et dans un faciès macrolithique à Bossay/Claise (S.-et-L.) [10], mais sous sa forme à raclettes à Crozant (Creuse), sur la rive gauche de la Creuse, à Venesmes, près de Saint-Amand-Montrond (Cher).

On la retrouve à la Chapelle Saint-Mesmin [13] dans le Loiret, sur le versant nord du Val de Loire, relais vers les riches stations du Beauregard près de Nemours, en plein bassin Parisien.

A titre de simple hypothèse de travail et tout en soulignant son caractère aléatoire, on peut se demander si le Badegoulien n'a pas diffusé par vagues successives à partir du Massif Central, se métissant progressivement au contact des cultures autochtones. Cette hypothèse se fonde sur la fréquence relative des stations les plus anciennes aux abords du Limousin et, plus encore que sur une topographie toujours sujette à révision, sur l'originalité et la cohésion de l'outillage qu'on retrouve sur ces stations.

Le Magdalénien 0 de Bordes représenterait en Aquitaine la forme ancienne sans raclettes du Badegoulien.

Les couches à raclettes, notamment de Badegoule et de Laugerie Haute, où en même temps qu'une notable proportion de burins becs de flûte, apparaît la technique du double sciage dans le débitage du bois de renne, en seraient le deuxième stade plus tardif.

Quant aux causes de cette brusque diffusion et à son rôle dans la disparition du Solutréen, on ne saurait encore avancer que des hypothèses gratuites.

La stratigraphie des Roches a fourni une séquence non seulement typologique mais palynologique d'un grand intérêt.

Elle a permis à Arlette Leroi-Gourhan [12] d'établir une corrélation entre l'oscillation de Lascaux et la forme ancienne, sans raclettes, du Badegoulien. Si, dans une vallée abritée, son incidence sur la flore a été très nette, ce réchauffement momentané n'a été ni assez long ni assez intense pour modifier sensiblement la microfaune des plateaux (Chaline) *, comme le confirme la permanence du renne à un taux élevé dans la faune de chasse.

Dans le bassin de la Loire Moyenne, il y a tout lieu d'assigner à la plupart des sites leptolithiques une datation postérieure au Badegoulien. Et là encore, il faudra réserver une place à part au Bassin de la Creuse dont les stations sont jusqu'ici seules à livrer de l'outillage osseux, seules par conséquent à permettre une datation précise.

Au Magdalénien III de Breuil se rattache le niveau inférieur du Roc aux Sorciers d'Angles sur l'Anglin tout proche des Roches de Pouligny avec ses sagaies courtes à long biseau non strié, à rainure simple ou double profondément incisée sur une pointe trapue et conique.

Un niveau intermédiaire sur lequel la littérature est des plus laconiques sépare le Magdalénien ancien d'un Magdalénien terminal où les harpons à deux rangs de barbelures voisinent avec les réminiscences périgordiennes classiques : pointes à cran et pointes pédonculées.

B. LE MAGDALÉNIEN A NAVETTES.

Il demeure donc impossible d'établir une corrélation précise entre ces niveaux et la très riche industrie de la Garenne, commune de Saint-Marcel, situé à 50 km en amont sur les bords de la Creuse [16].

7 niveaux superposés en deux sites stratigraphiquement raccordés y ont livré un outillage osseux exceptionnellement abondant, appartenant tout entier à ce faciès si spécial qu'est le Magdalénien à navettes ; ainsi désignée du fait de sa forme générale, la navette semble bien être un manche destiné à fixer un silex comme tendent à le vérifier les expérimentations très poussées d'A. Rigaud.

Si elle en est le fossile le plus original, la navette n'est pas seule à caractériser un tel magdalénien. Les longues et fortes sagaies à biseau double et à rainure ventrale, les ciseaux décorés, les petits bâtons percés, les spatules, les épingles à deux pointes, les aiguilles à chas en sont les éléments les plus courants. L'outillage lithique a, lui aussi ses traits propres : la belle retouche aurignacienne est fréquente sur les

---

* Information inédite due à l'amabilité de l'auteur.

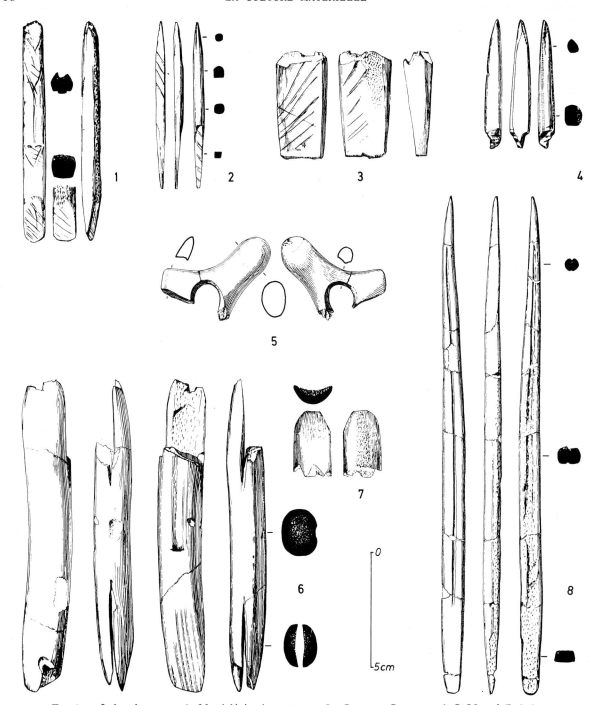

FIG. 1 .— Industrie osseuse du Magdalénien à navettes — La Garenne, Commune de St-Marcel (Indre).
1. Base de sagaie à double biseau strié, rainure ventrale profonde et décor dorsal; 2. Très petite sagaie à biseau simple strié et décor dorsal; 3. Base de grande sagaie à double biseau strié; 4. Sagaie courte à base mâchonnée; 5. Extrémité supérieure de petit bâton percé phallique; 6. Navette; 7. Languette brisée de navette; 8. Longue sagaie à décor dorsal; ébauches de rainure ventrale; base à double biseau non strié.
Le nᵒ 8 provient du niveau inférieur du Grand Abri. Les nᵒˢ 1 à 7 sont issus de la grotte Blanchard; noter que les deux sagaies à double biseau (nᵒˢ 1 et 3) proviennent de la base de la stratigraphie.

lames ; les lamelles à dos sont souvent tronquées transversalement ; mais l'absence ou l'extrême rareté de certaines pièces comme les perçoirs et les baguettes demi-rondes confère à ce Magdalénien une originalité plus grande encore. Navettes et baguettes demi-rondes semblent d'ailleurs s'exclure radicalement.

A la Garenne, les harpons se réduisent timidement à deux fragments de pointes barbelées sur plusieurs centaines de pièces osseuses [15].

Enfin, l'art contribue fortement à individualiser ce magdalénien très particulier. Rares y sont les figurations animales [17] alors que la tête humaine parfois stylisée à l'extrême est un thème fréquemment rencontré [14, 18]. Les décors sont pourtant fréquents et variés, assemblages gracieux et complexes de traits, de points et de courbes ornant le dos des sagaies des spatules et des ciseaux.

Sur cet arc immense que trace, à travers toute

l'Europe, le Magdalénien à navettes depuis la Gironde (Marcamps) jusqu'à la grotte Mashygka près de Cracovie, la Garenne est, avec le Placard (couche III) un des principaux relais. Arlay dans le Jura et quelques sites du Karst Morave (Nova dratenicka) sont autant de jalons supplémentaires.

La stratigraphie de la Garenne atteste la persistance en un point d'une culture vivace et originale à travers une durée qui semble recouvrir, à la fin du Quaternaire, une période s'étendant de l'oscillation de Bölling jusqu'au Dryas II.

Cette constatation implique la notion de faciès contemporains. La France semble avoir été couverte alors d'une sorte de mosaïque bariolée dont nous commençons seulement à entrevoir le dessin.

C. LE MAGDALÉNIEN SUPÉRIEUR.

Dans toute la boucle de la Loire et jusque dans le couloir du Loing, la découverte des habitats de plein air est toute récente. On commence déjà à entrevoir là aussi la diversité des faciès et la complexité des problèmes qu'ils posent.

En l'absence jusqu'ici totale d'industrie osseuse et de stratigraphie, il est aventuré de proposer une chronologie précise de ces stations. Du moins, peut-on les subdiviser en deux séries.

Au Magdalénien peuvent être rattachés les sites où l'abondance des lamelles à dos recoupe la prédominance des burins [19] ; tantôt il s'agit d'un magdalénien classique sans caractères originaux, tantôt la typologie est plus précise comme à Vicq Exemplet (Indre) où Hugoniot a retrouvé un magdalénien très proche du Magdalénien V de Breuil par l'élégance du débitage laminaire, l'abondance des burins sur troncature transversale, la relative rareté des becs de flûte, le nombre élevé des lamelles à dos, les grattoirs en bout de lames, la rareté relative de la retouche marginale menue et grignotée *.

Au Magdalénien supérieur aussi semble devoir être rattachée la belle station de la Maison Blanche, commune de Fontenay-sur-le-Loing, tout récemment découverte. Ses minces lamelles à dos à fines retouches empiétant sur la face ventrale sont-elles une simple nuance locale ou doit-on leur assigner une signification plus vaste, il est prématuré de conclure.

L'absence de lamelles à dos dans l'industrie de Saint-Brisson (Loiret) peut s'expliquer par un charriage alluvionnaire. Tel n'est pas le cas de stations bien en place, telles que Chaumussay (Indre-et-Loire), rien ne permettant non plus de lui assigner avec certitude une position chronologique plus haute. On les rangera provisoirement et faute de mieux dans un leptolithique final.

D. LES INFLUENCES CULTURELLES VENUES DU NORD-EST.

Beaucoup mieux caractérisée, la belle station de la Pierre aux Fées, commune de Cepoy (Loiret) [20] dans le thalweg du Loing, a livré sur plusieurs ares, une série de campements bien en place. La fouille la plus méticuleuse n'a livré aucune lamelle à dos mais là s'associent les pointes de Hambourg, les zinken simples et doubles, les grattoirs sur bout de lame à front très plat. Seule manque cette retouche fine et régulière sur les bords des grattoirs pour faire de l'outillage du Gâtinais un Hambourgien stricto sensu.

Un autre trait fondamental est propre à la Pierre-aux-Fées : la présence de plaquettes gravées d'une étonnante habileté. La tête de cheval, découverte en 1972, est une des très rares œuvres animalières du Bassin Parisien et sans doute la plus belle (fig. 2).

* Information inédite due à l'amabilité des auteurs.

FIG. 2. — Tête de cheval de la Pierre aux Fées.
Commune de Cépoy (Loiret).

La fréquence relative du zink dans le magdalénien d'Ile-de-France et la présence dans la vallée du Loing d'une industrie étroitement apparentée au Hambourgien posent le problème de leur position chronologique relative et celui de courants culturels dont pour l'instant nous ne faisons qu'entrevoir la complexité.

Comment s'achève le paléolithique supérieur dans cette vaste région ? Les documents incontestables sont encore trop rares et sporadiques pour qu'on puisse y parler d'azilien et d'épipaléolithique ; lacune toute provisoire sans doute.

Mais les dix dernières années ont permis d'esquisser sommairement à la fois la dynamique et la dérive typologiques du paléolithique supérieur entre les confins du Sud-Ouest classique et le Nord de la France.

Bien des problèmes sont posés qu'il appartiendra aux chercheurs de la fin du XXe de résoudre.

Eléments de Bibliographie régionale

I. — *Aurignacien et Périgordien des Roches.*

[1] CHARBONNIER O. (1962). — L'abri aurignacien des Roches, C[ne] de Pouligny-St-Pierre (Indre). *L'Anthropologie*, t. 66, p. 469-484, 9 fig.

[2] PERPÈRE Marie (1973). — Grands gisements aurignaciens du Poitou. *L'Anthropologie*, t. 77, n° 7-8, p. 683-694.

[3] PRADEL L. (1965). — L'abri aurignacien et périgordien des Roches, C[ne] de Pouligny-St-Pierre (Indre). *L'Anthropologie*, p. 219-235, 2 tabl.

II. — *Solutréen de la vallée de la Creuse.*

[4] ALLAIN J. (1966). — Rapport du directeur. *Gallia-Préhistoire*, fasc. 2, p. 479-483.

[5] BORDES F. et FITTE P. (1950). — Un abri Solutréen à Abilly (I.-et-L.). *Bulletin de la Société Préhistorique Française*, t. 47, n° 4, p. 146-153.

[6] BREUIL H. et CLÉMENT J. (1906). — Un abri Solutréen sur les bords de l'Anglin, à Monthaud, C[ne] de Chalais (Indre). *Mémoires de la Société des Antiquaires du Centre* (Bourges), vol. 29, 32 p., 13 fig.

[7] PRADEL L. (1963). — Du Solutréen supérieur à Fressignes, C[ne] d'Eguzon (Indre). *Bulletin de la Société Préhistorique Française*, LX, fasc. 9-10, p. 551-557.

[8] PRADEL L. et J.H. (1967). — L'abri Solutréen de Monthaud, C[ne] de Chalais (Indre). *L'Anthropologie*, t. 71, n° 1-2, p. 49-74, 10 fig.

III A. — *Badegoulien.*

[9] ALLAIN et FRITSCH R. (1967). — Le Badegoulien de l'abri Fritsch, aux Roches de Pouligny-St-Pierre (Indre). *Bulletin de la Société Préhistorique Française*, LXIV, n° 1, p. 83-93.

[10] CORDIER C. et THIENNET H. (1965). — La station protomagdalénienne de St-Fiacre, C[ne] de Bossay/Claise. *Congrès Préhistorique de France* (Monaco, 1959), p. 448-481.

[11] JOANNES et CORDIER G. (1957). — La station protomagdalénienne de la Pluche, C[ne] d'Yzeures/Creuse (I.-et-L.). *Bulletin de la Société Préhistorique Française*, t. LIV.

[12] LEROI-GOURHAN Arlette (1967). — Le Badegoulien de l'abri Fritsch : climat et chronologie. *Bulletin de la Société Préhistorique Française*, LXIV, n° 1, p. 95-99.

[13] NOUEL A. (1937). — Une station du Paléolithique supérieur à la Chapelle-St-Mesmin (Loiret). *Bulletin de la Société Préhistorique Française*, t. 34, p. 379-387, 3 pl.

III B. — *Magdalénien à navettes de la Garenne.*

[14] ALLAIN J. (1957). — Nouvelles découvertes dans le gisement magdalénien de la Garenne. Note préliminaire. *Bulletin de la Société Préhistorique Française*, t. 54, n° 3-4, p. 223-227.

[15] ALLAIN J. et DESCOUT J. (1957). — A propos d'une baguette à rainure armée de silex découverte dans le magdalénien de St-Marcel (Indre). *L'Anthropologie*, t. 61, n° 5-6, p. 503-512.

[16] ALLAIN J. (1961). — Premier aperçu d'ensemble sur l'industrie magdalénienne de la Garenne, C[ne] de Saint-Marcel (Indre). *Bulletin de la Société Préhistorique Française*, t. 58, n° 8-9-10, p. 594-604.

[17] ALLAIN J. (1968). — A propos d'un bois de renne gravé magdalénien de la Garenne, C[ne] de St-Marcel (Indre) — Art pariétal et mobilier. *Revue Archéologique du Centre*, n° 26, p. 155-166.

[18] ALLAIN J. et TROTIGNON F. 1973). — La place des figurations humaines dans le magdalénien à navettes; in l'homme d'hier et d'aujourd'hui. Hommage à A. Leroi-Gourhan. Paris, Cujas, 1973.

III C. — *Magdalénien supérieur.*

[19] FARDET L. (1946). — Station magdalénienne de la Jouanne, C[ne] des Choux (Loiret). *Bulletin de la Société Préhistorique Française*, n° 5-6, p. 1-12.

III D. — *Influences culturelles venues du nord-est.*

[20] ALLAIN J. (1974). — Rapport du directeur. *Gallia-Préhistoire*, fasc. 2, p. 466-469.

Les civilisations du Paléolithique supérieur dans le centre et le sud-est du Bassin Parisien

par

André Leroi-Gourhan *, Michel Brézillon ** et Béatrice Schmider ***

Résumé. Les principaux gisements sont concentrés dans les vallées de la Seine, du Loing et dans le Bassin de l'Yonne. Le Châtelperronien n'est représenté qu'en Bourgogne. La grotte du Renne, à Arcy-sur-Cure, montre le plus bel ensemble connu de cette civilisation. Une phase ancienne de l'Aurignacien lui fait suite, puis un Gravettien à pointes de la Gravette sans burin de Noailles ni pointe de la Font-Robert. La région de Nemours, en Seine-et-Marne, a livré plusieurs ensembles gravettiens, les uns comportant des pointes pédonculées, les autres à pointes de la Gravette et lames à troncature proches du Périgordien VI de la Dordogne. Les pointes à face plane, de technique solutréenne, apparaissent dans des niveaux post-gravettiens d'Arcy-sur-Cure. Le Magdalénien ancien connaît une diffusion restreinte dans les abris de la zone stampienne. L'extension de l'occupation humaine au Magdalénien supérieur s'accompagne de nouvelles formes d'habitat. Les campements, situés le long des grands fleuves, ont fourni une industrie offrant des affinités avec le Paléolithique final de l'Europe du Nord.

Abstract. The main sites are concentrated in the Seine valley, in the Loing valley, and in the Yonne basin. The Chatelperronian is only found in Burgundy. The Grotto of the Rendeer at Arcy-s-Cure has the finest known assemblage of this culture. This phase is followed by lower Aurignacian and then by Gravettian, which is characterized by Gravettian points but no Noailles burins or Font-Robert points. The Nemours area in the Seine-et-Marne contains the main Gravettian groups, some with pedonculated points and others with Gravettian points and truncated blades similar to the Perigordian VI in the Dordogne. Points worked in the Solutrean technique, appear in he post-Gravettian levels of Arcy-s-Cure. The Early Magdalenian is limited to the stampian zone. The extension of human occupation in the Upper Magdalenian is associated with new kinds of habitats. The encampments along great rivers have produced an industry that resembles the late Paleolithic of Northern Europe.

Le cadre choisi pour cette étude englobe les sédiments tertiaires de l'Ile-de-France et les formations crétacées et jurassiques qui, entre la Seine et les abords du Morvan et de la plaine de Saône, forment le Sud de la Champagne et le Nord de la Bourgogne. On y trouve rassemblés les principaux gisements du Paléolithique supérieur connus en France septentrionale, témoignages de civilisations qui, à bien des égards, apparaissent profondément originales, comparées aux modèles périgourdins.

Un coup d'œil sur la carte de répartition des vestiges (fig. 1) montre que le maximum de densité est atteint le long de l'axe constitué par la vallée de la Seine, entre Paris et Montereau, prolongée par le bassin de l'Yonne. Parallèle à celle de l'Yonne, la vallée du Loing porte également des traces nombreuses de l'installation ou du passage des Paléolithiques. De grandes étendues paraissent désertiques, surtout au Nord de la Seine et la séquence stratigraphique offre un certain nombre de lacunes. Quelles peuvent être les raisons de cette concentration de l'habitat sur la durée du Würm récent ?

On ignore tout, en fait, des débuts du Paléolithique supérieur dans les plaines de l'Ile-de-France où l'on ne rencontre pas de témoins archéologiques antérieurs au Gravettien. Ont-ils été emportés par l'érosion ou sont-ils encore enfouis sous l'épais manteau des sédiments loessiques ? Doit-on penser que la rigueur du climat, les vents violents entraînant les dépôts de loess rendent la vie difficile dans une région où les abris sont rares. L'habitat se serait alors réfugié dans les formations karstiques du pourtour. A Arcy-sur-Cure, dans l'Yonne, à partir d'un Moustérien terminal, contemporain de l'interstade d'Hengelo, l'industrie de Châtelperron s'individualise entre − 35 000 et − 30 000 sous un climat de plus en plus rigoureux. L'Aurignacien lui fait suite puis le Gravettien vers − 25 000 durant l'interstade de Kesselt. Cet épisode plus humide est marqué en Ile-de-France par de rares vestiges évoquant de courtes haltes des chasseurs périgordiens. Seule la région de Nemours, en Seine-et-Marne, dont les amoncellements gréseux offraient une certaine protection pour l'homme, semble avoir été fréquentée durablement.

Bien que la retouche plate fasse son apparition à Arcy-sur-Cure, dans un niveau post-gravettien, la plus grande partie du Bassin Parisien est à l'écart du courant solutréen. Le Magdalénien ancien est représenté dans quelques cavernes bourguignonnes mais surtout dans les abris de la zone stampienne. L'occupation humaine reste restreinte, semble-t-il, jusqu'à l'amélioration climatique de la fin du Tardiglaciaire qui correspond partout à une expansion démographique. Des campements de plein air s'installent au fond ou sur les versants des grandes vallées aux alentours de − 10 000. Les structures enfouies sous les limons sont révélatrices d'un mode de vie nouveau.

---

* Professeur au Collège de France, 75 Paris (France).
** Directeur des Antiquités préhistoriques de la région parisienne. Palais de Chaillot (aile Paris). Place du Trocadéro, 75016 Paris (France).
*** Chargée de recherche au C.N.R.S., E.R.A. n° 52, Collège de France, 75 Paris (France).

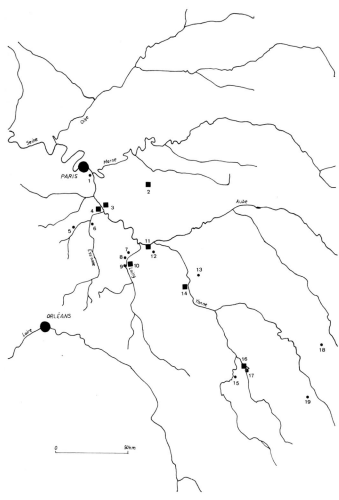

FIG. 1. — Carte de répartition du Paléolithique supérieur.
1. Villejuif; 2. Lumigny; 3. Etiolles; 4. Les Tarterets;
5. Etréchy; 6. Ballancourt-sur-Essonne; 7. Montigny-sur-
Loing; 8. La Vignette; 9. Chaintréauville; 10. Bois des Beauregards; 11. Pincevent; 12. Ville-Saint-Jacques; 13. Malay-
le-Petit; 14. Marsangy; 15. La Roche-au-Loup; 16. Arcy-sur-
Cure; 17. Saint-Moré; 18. La Grande-Baume; 19. Le Poron-
des-Cuèches.

I. Eléments de chronologie et de climatologie : La stratigraphie des grottes d'Arcy-sur-Cure.

Les grottes d'Arcy-sur-Cure sont situées dans l'Yonne, au pied du massif granitique du Morvan. Trois étages de cavités sont creusés dans le calcaire corallien. Elles ont presque toutes livré des témoins de l'industrie humaine mais toutes n'ont pas été habitées à la même époque. L'ensemble forme une séquence stratigraphique qui se développe depuis le Paléolithique ancien jusqu'au Gallo-Romain.

Ces grottes furent étudiées d'abord à la fin du siècle dernier par le Marquis de Vibraye puis principalement par l'Abbé Parat qui laissa des descriptions, assez précises pour l'époque, sur leur remplissage. En 1946, le Centre de recherches préhistoriques de la Faculté des Lettres de Paris, sous la direction d'André Leroi-Gourhan, entreprit des fouilles dans différentes cavités. Il en découvrit de nouvelles et en particulier la grotte du Renne dont les dépôts s'éta-gent depuis le début du Würm jusqu'au Tardigla-

ciaire. Les datations au C 14, les études sédimentolo-giques et surtout les analyses palynologiques, dues à Arl. Leroi-Gourhan, permettent de situer les niveaux archéologiques dans la séquence würmienne avec une grande précision.

A. LA GROTTE DU RENNE (Arl. et A. Leroi-Gourhan, 1964 ; A. Leroi-Gourhan, 1952).

Quatorze horizons y ont été distingués du Leval-loiso-moustérien au Protosolutréen (fig. 2).

Couches XIV à XI : elles contiennent les témoins du Levalloiso-moustérien puis d'une industrie pauvre à pointes à dos naturel, coches et denticules, mais avec déjà quelques outils de technique paléolithique supérieur. L'analyse pollinique montre le passage d'un climat interstadiaire au climat froid et sec qui va régner au Châtelperron. Le sommet de la couche XI montre une dernière oscillation légèrement tem-pérée qui peut être synchronisée avec la phase d'Hengelo.

Couches X et IX : Plaquettes calcaires envelop-pées dans une gangue friable ocre-violet. Industrie et structures châtelperroniennes. Le diagramme polli-nique montre l'augmentation du froid et surtout de la sécheresse avec la diminution des arbres et des fougères.

Couche VIII : Argile à cailloutis jaunâtre. Industrie constituée essentiellement par des raclettes et de rares pointes de Châtelperron. C'est l'épisode le plus froid daté par le ^{14}C de 31 690 et 31 550 B.C. (1).

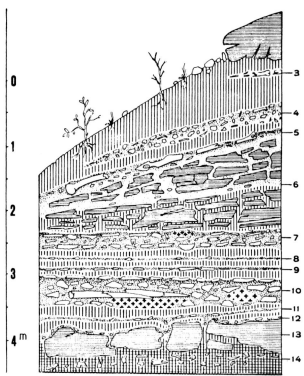

FIG. 2. — Coupe stratigraphique de la grotte du Renne, à Arcy-sur-Cure. Couche IV : Gravettien final ou proto-solutréen. Couche V et VI : Gravettien. Couche VII : Auri-gnacien. Couches VIII à X : Châtelperronien. Couche XI à XIV : Post-Moustérien et Moustérien final.

(1) GrN-1742 : 33 860 ± 250 B.P. — GrN-1736 : 33 500 ± 400 B.P.

Tandis qu'une végétation steppique règne sur les plateaux, quelques bouquets d'arbres se maintiennent à l'abri du vent ou au bord de l'eau.

Couche VII : Plaquettes liées par une gangue colorée d'ocre. Industrie aurignacienne. Un brusque réchauffement, connu sous le nom d'interstade d'Arcy, se manifeste par la poussée de tous les arbres. Il est daté par le ¹⁴C de 28 420 B.C. (2).

Couches VI et V : Démantèlement intense du porche de la grotte. Dans un épais cailloutis emballé par un sédiment jaunâtre, on rencontre une industrie gravettienne sans pointe de la Font-Robert ni burin de Noailles. Le diagramme pollinique montre tout d'abord le retour d'un froid vif où disparaissent les fougères et les arbres à l'exception du pin. Puis se développe une phase plus tempérée correspondant à l'épisode de Kesselt.

Couche IV : Industrie énigmatique antérieure au Magdalénien, peut-être Gravettien final ou protosolutréen.

Couches III, II et I : Eboulis sec puis humus.

B. LA GROTTE DU TRILOBITE.

L'effondrement du plafond scelle la séquence stratigraphique de la grotte du Renne. Les stades suivants existaient dans les cavités voisines vidées à la fin du XIXᵉ siècle et particulièrement à la grotte du Trilobite. Cette grotte fut tout d'abord fouillée en 1886 par le Docteur Ficatier puis par l'Abbé Parat (1902) qui distingua 6 couches d'une épaisseur totale de 6 m. H. Breuil (1918) étudia et interpréta les récoltes de Parat, rassemblées au petit séminaire de Joigny.

La stratigraphie du Trilobite peut être ainsi reconstituée :

Couche 1 : Limon reposant sur le sable granitique qui recouvre le plancher rocheux : 0,30 m ; Moustérien.

Couche 2 : Horizon épais d'argile jaune : 2 m. Aurignacien. La présence de quelques pointes de Châtelperron suggère l'existence du Châtelperronien à la base.

Couche 3 : Niveau mince rougi par l'ocre. Os gravés. Gravettien.

Couche 4 : Eboulis jaunâtres avec industrie « protosolutréenne » : 2 m.

Couche 5 : Couche rougeâtre avec Magdalénien : 0,30 m. Plusieur stades étaient probablement représentés.

Couche 6 : Néolithique.

C. L'ABRI DU LAGOPÈDE (Arl. et A. Leroi-Gourhan, 1964).

Sous l'étroit surplomb de l'abri du Lagopède les derniers magdaléniens firent une courte halte. Si les témoins archéologiques, sont fort pauvres, les prélèvements palynologiques effectués jusqu'au socle rocheux reflètent les principaux stades du Tardiglaciaire.

L'échantillon prélevé à la base du remplissage contient une proportion notable d'arbres. La végétation herbacée est différente de celle observée au sommet de la grotte du Renne et Arl. Leroi-Gourhan fait correspondre ce réchauffement à l'Interstade de Lascaux qui semble se situer entre 16 000 et 14 000 B.C. et voit ailleurs le développement du Badegoulien.

Les prélèvements effectués plus haut, toujours dans les horizons stériles, montrent la recrudescence du froid du Dryas ancien, une légère amélioration assimilable au pré-Bölling, puis le réchauffement de l'épisode de Bölling. Les Magdaléniens se sont établis sous l'abri du Lagopède dans la phase froide et humide qui a suivi. Notons que depuis Bölling les arbres thermophiles sont constamment présents, particulièrement le noisetier. Le sommet du remplissage montre une nouvelle expansion de ces arbres. C'est le début de l'oscillation d'Alleröd. Arl. Leroi-Gourhan pense que les Magdaléniens sont passés au Lagopède entre 10 600 et 9 600 B.C. A peu près à la même époque, les Magdaléniens installent leurs tentes sur les bords des rivières de l'Ile-de-France (3).

II. Du Châtelperronien au Solutréen.

Les témoignages de la longue période qui s'étend de la fin du Moustérien au début du Tardiglaciaire sont assez étroitement localisés. Le Châtelperronien et l'Aurignacien ne sont connus que dans les grottes de l'Yonne. Le Gravettien, qui prend la suite de l'Aurignacien à Arcy-sur-Cure, est attesté en plusieurs points de l'Ile-de-France. Il s'agit le plus souvent de vestiges de courtes haltes et les gisements importants sont rares et d'interprétation difficile. Le Protosolutréen des bords de la Cure, connu surtout par des fouilles anciennes, pose bien des problèmes.

A. LE CHÂTELPERRONIEN ET L'AURIGNACIEN.

1) *La grotte du Renne à Arcy-sur-Cure* (A. Leroi-Gourhan, 1963 et 1965 a).

a) Les niveaux XII à VIII de la grotte du Renne apportent les plus précieux renseignements sur le passage du Paléolithique moyen au Paléolithique supérieur. Les couches XII et XI appartiennent encore par de nombreux traits au Moustérien. L'industrie est constituée essentiellement par des pièces informes à coches et à denticules. Toutefois des pointes à dos naturels, préfigurant les pointes de Châtelperron, quelques burins dièdres et des poinçons en os apparaissent comme des innovations techniques.

Les couches X et IX, superposées, marquent le développement du Châtelperronien. Elles représentent le plus bel exemple connu de cette civilisation. Sur 40 cm on observe une dizaine de sols constitués teintés d'ocre et des structures d'habitation en place. Il s'agit de trous de poteaux, vestiges de huttes circulaires dont la carcasse était constituée de défenses de mammouth et qui ont été plusieurs fois reconstruites. La couche VIII, encore châtelperronienne, correspond à une occupation sporadique et est beaucoup plus pauvre.

---

(2) GrN-1717 : 30 800 ± 250 B.P.

(3) Foyer III de l'habitation n° 1 de Pincevent. Datation au C 14 : Ech. Gif-sur-Yvette : 12 300 ± 400 B.P., soit 10 350 B.C. — Ech. Louvain : 9 360 ± 330 B.C.

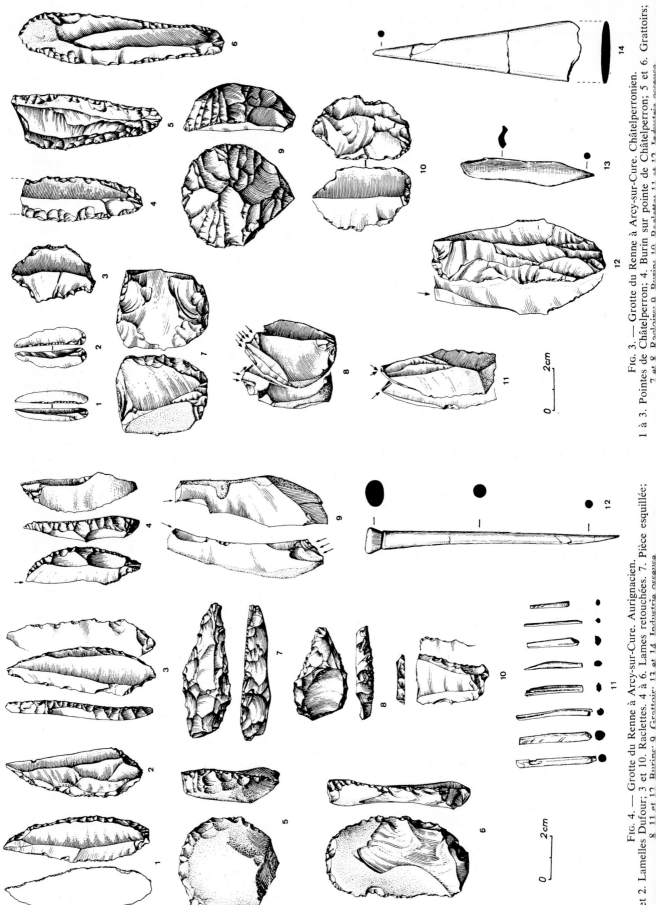

Fig. 3. — Grotte du Renne à Arcy-sur-Cure. Châtelperronien.
1 à 3. Pointes de Châtelperron. 4. Burin sur pointe de Châtelperron; 5 et 6. Grattoirs;
7 et 8. Racloirs; 9. Burin; 10. Racl... 11 et 12. Industrie osseuse.

Fig. 4. — Grotte du Renne à Arcy-sur-Cure. Aurignacien.
1 et 2. Lamelles Dufour; 3 et 10. Raclettes. 4 à 6. Lames retouchées. 7. Pièce esquillée;
8, 11 et 12. Burins; 9. Grattoir; 13 et 14. Industrie osseuse.

L'industrie lithique du Châtelperronien conserve de nombreux traits du Moustérien. Les outils sont, pour une part importante, façonnés sur éclats provenant du débitage de nucléus levalloisiens. Comme dans les niveaux inférieurs, les éclats à coches et à denticules constituent une partie importante de l'outillage. Ils se doublent de coches et denticules sur lames. On trouve ici, comme dans tous les niveaux de la grotte du Renne, de nombreuses raclettes, petits éclats rongés sur tout leur pourtour de fines retouches plus ou moins abruptes. Le racloir persiste sous deux types principaux : le racloir à plan axial et le racloir pédiforme récurrent obtenu par aménagement d'éclats obliques. Ces derniers, qui ont subi de nombreux réaffûtages, semblent avoir été utilisés comme couteaux.

A côté de cet équipement archaïque se multiplient des formes nouvelles. C'est d'abord la pointe de Châtelperron représentée par 550 exemplaires, offrant toutes les variantes de l'éclat à la lame étroite, du dos naturel à la retouche abrupte partielle ou totale. Les grattoirs et les burins sont relativement peu nombreux mais plus variés et mieux travaillés qu'au Moustérien. Les grattoirs sont discoïdes, sur éclats et en bout de lame. Les burins dièdres d'axe et les burins sur troncature retouchée existent mais les burins d'angle sur cassure sont les plus fréquents. Typique est le burin façonné à l'extrémité d'une pointe de Châtelperron. On voit apparaître les lamelles Dufour et les pièces esquillées qui deviendront abondantes dans l'Aurignacien. Des galets de granite polis ont servi de meules.

L'industrie osseuse est encore plus novatrice. Des objets, abandonnés en cours de fabrication, montrent le découpage de baguettes d'os par sillons parallèles et le sciage transversal des os d'oiseaux, techniques attribuées généralement à un Paléolithique supérieur évolué. On a trouvé quelques poinçons ou sagaies cylindro-coniques, de nombreux retouchoirs d'os et une vingtaine de « pioches », côtes de grands herbivores ou de mammouths arrondies et usées à l'extrémité.

Les préoccupations esthétiques des Châtelperroniens sont confirmées par la présence de nombreux fragments de colorants de couleurs variées, et par une belle série de pendeloques : dents ou fossiles perforés ou portant une rainure de suspension, pendeloques circulaires découpées dans un os plat. Deux fragments de tubes d'oiseaux et un bloc de calcaire portent des incisions régulièrement espacées.

Il est curieux de constater que ces hommes jouissant déjà d'un bon niveau culturel appartenaient à un type humain conservant encore des caractères archaïques. Les dents, trouvées dans ces horizons, ont des couronnes énormes, au relief compliqué, et diffèrent de celles recueillies dans la couche VII qui sont franchement néanthropiennes.

b) La couche VII.

Elle correspond à une occupation dense et continue. On n'a rencontré ni trous de poteaux ni infrastructure dallée. Les Aurignaciens habitaient probablement dans une tente édifiée sous le porche de l'entrée.

Le contraste entre le Châtelperronien et l'Aurigna-cien apparaît dans la composition de l'industrie et, comme nous l'avons dit, dans le type humain révélé par l'aspect des dents. A l'exception des coches, denticules et raclettes qui donnent un caractère si particulier à tout le Paléolithique supérieur d'Arcy, les objets de tradition moustérienne disparaissent. La chaille, utilisée conjointement au silex dans les couches inférieures, est en diminution. A côté du grattoir sur lame, on rencontre plusieurs exemplaires du grattoir caréné à retouches lamellaires. Les burins assez nombreux, dièdres ou sur troncature, sont fréquemment semi-plans. Il n'y a pas de vrais burins busqués mais un certain nombre de formes à enlèvements multiples parallèles. Les lames à retouche aurignacienne, les lamelles Dufour, les pièces esquillées, outils typiques de l'Aurignacien, sont bien représentées.

L'industrie osseuse est par contre très pauvre : quelques poinçons et pendeloques, de rares fragments d'os incisés. Deux morceaux de sagaies larges et plates ont été trouvés ; ils peuvent appartenir à des pointes losangiques. L'ensemble évoque une phase ancienne de l'Aurignacien.

2) *Les débuts du Paléolithique supérieur dans quelques autres gisements de l'Yonne.*

Châtelperroniens et Aurignaciens ont occupé d'autres cavernes sur les bords de la Cure ou de l'Yonne. On est peu renseigné sur ces habitats vidés de leur remplissage au siècle dernier. Nous citerons la grotte du Trilobite, à Arcy-sur-Cure et la Roche-au-Loup, à Merry-sur-Yonne, dont l'Abbé Breuil a étudié l'industrie. Signalons encore la grotte du Loup, à Arcy-sur-Cure, dont le niveau supérieur était partiellement détruit par l'érosion.

a) La grotte du Trilobite (H. Breuil, 1918).

Superposée à l'assise moustérienne existait une couche archéologique épaisse qualifiée par Breuil « d'Aurignacien inférieur ».

Le Châtelperronien était représenté à la base si l'on en juge par la présence d'une pointe caractéristique de cette industrie, de racloirs et pointes moustériens.

Le reste de l'outillage peut être rattaché à l'Aurignacien. Il s'agit de lames à retouches continues (la vraie retouche aurignacienne étant peu fréquente), de grattoirs ogivaux, de grattoirs carénés et à museau, rares mais typiques. On remarque plusieurs burins dièdres à facettes multiples. L'industrie osseuse est pauvre : quelques poinçons et pendeloques. Breuil attribue à ce niveau un fragment de sagaie plate triangulaire, placée par Parat dans l'horizon superposé. Cet objet, qu'il détermine comme une sagaie à base fendue, daterait l'ensemble de l'Aurignacien I.

b) La grotte de la Roche-au-Loup (A. Parat, 1904) fut fouillée par l'Abbé Parat en 1897 et 1898. Au-dessous d'une couche contenant des vestiges, allant du Néolithique au Moyen-Age, il rencontra un épais remplissage jaune où il distingua deux niveaux : un niveau supérieur de 2,50 m d'épaisseur avec industrie « de la Madeleine », un niveau inférieur de 1 à 2 m où était présent le rhinocéros, caractérisé par l'industrie « du Moustier ». L'Abbé Breuil (1911) reconnut le « vieil Aurignacien » dans les vestiges de la couche supérieure et les assimila à l'industrie de la grotte de Châtelperron.

Il n'y avait qu'une cinquantaine de pièces retouchées mais une belle collection de pointes de Châtelperron à retouches totales ou partielles. Plusieurs exemplaires portent un enlèvement de burin à l'extrémité distale. Les autres burins (6 au total) sont de facture assez grossière. Quelques grattoirs sur éclats ou lames larges, des lames retouchées en bout ou sur les bords, un perçoir déjeté, complètent la série. L'outillage osseux se réduit à deux incisives de bison perforées, deux fragments de poinçons et une petite sagaie à base en biseau simple.

c) La grotte du Loup.

Cette petite grotte, située à l'O du Renne, a été fouillée par A. Leroi-Gourhan (1950). Une phase initiale du Paléolithique supérieur était certainement représentée dans la couche supérieure d'éboulis calcaires superposée à plusieurs niveaux moustériens. Les vestiges recueillis (une quarantaine de pièces retouchées dont une pointe de Châtelperron et quelques lamelles Dufour) sont trop pauvres pour déterminer s'il s'agit de Châtelperronien pur ou en mélange avec l'Aurignacien.

B. LE GRAVETTIEN.

Cette culture est mieux représentée que les stades antérieurs mais encore limitée à la frange méridionale du Bassin parisien. Elle succède à l'Aurignacien dans plusieurs cavités des bords de la Cure. D'autre part, les affleurements stampiens ont fourni des abris à des groupes importants dont on retrouve les vestiges souvent assez perturbés.

Outre ces établissements, les Gravettiens ont fait de rapides incursions au cœur des plaines de l'Ile-de-France. F. Bordes (1954) a recueilli des pièces éparses, qu'il attribue au Périgordien supérieur, dans plusieurs carrières du plateau de Villejuif, au S de Paris. Ces objets étaient situés sur un cailloutis à la base d'un lœss récent (lœss récent 3 b de sa classification), que Bordes attribua en 1957 à l'interstade de Paudorf.

Le Gravettien du Bassin parisien apparaît sous plusieurs faciès. Certains semblent assez proches du Périgordien supérieur de Dordogne et le Périgordien VI est attesté en plusieurs points du Massif de Fontainebleau. D'autres ensembles s'individualisent assez fortement et le Gravettien d'Arcy comme les industries à pointes pédonculées de la région de Nemours, peuvent difficilement être parallélisés avec les subdivisions classiques.

1) Le Gravettien des grottes d'Arcy-sur-Cure.

a) La grotte du Renne (Arl. et A. Leroi-Gourhan, 1964).

La couche VI, assez pauvre, se rattache déjà au courant gravettien par la multiplication des burins d'angle sur troncature retouchée et des lames à troncature et par la présence de rares échantillons de pointes de la Gravette. La persistance des lamelles Dufour, la trouvaille d'une sagaie à section ovale épaisse militent en faveur de connexions typologiques avec l'Aurignacien sous-jacent.

L'industrie de la couche V comporte 845 pièces façonnées réparties en deux habitats plus ou moins contemporains. De nombreux os longs de mammouth, couverts d'incisions régulières, les restes d'un grand massacre de bovidé et de crânes de mammouth appartenaient sans doute à la charpente et au mobilier d'une cabane adossée à l'abri. Les dépôts archéologiques étaient étalés sur la pente au-dessus d'éboulis constitués par le démantèlement du porche.

L'outillage lithique est gravettien sans pointe de la Font-Robert ni burin de Noailles. Les pointes de la Gravette ne sont pas très abondantes et pour la moitié microlithiques. Les burins représentent la majeure partie de l'équipement et les formes à troncature retouchée sont les plus communes, comme il est d'usage dans le Périgordien supérieur. Parmi les burins dièdres, les burins d'angle sur cassure dominent largement les burins d'axe. Il est intéressant de noter la présence de plusieurs burins à enlèvements multiples tournant vers la face inverse et retouches tertiaires du biseau (burins du Raysse ou de Bassaler). Les grattoirs, rares, portent assez fréquemment des retouches sur les bords, ce qui est aussi le cas d'un grand nombre d'autres outils et lames. Caractéristiques du niveau sont des objets, façonnés sur éclats ou lames, tantôt appointés par retouches semi-abruptes bilatérales, tantôt par retouches unilatérales opposées à un coup de burin, dont l'extrémité se termine par un tranchant étroit obtenu par de minuscules enlèvements parallèles ou perpendiculaires au plan de la pièce.

L'industrie osseuse comporte des poinçons, des sagaies cylindro-coniques en ivoire et un bâton percé, gravé d'un décor abstrait, cassé au niveau de la perforation. La parure est représentée par des coquilles de gastropodes fossiles et une cyprée sciée horizontalement.

b) Les grottes du Trilobite et des Fées.

La couche 3 de la grotte du Trilobite est réputée pour avoir livré un dessin gravé de rhinocéros. Ce mince horizon rougeâtre contenait une abondante industrie gravettienne (1 160 outils) décrite par l'Abbé Breuil (1918). Les grattoirs sur bout de lame, aux bords parfois retouchés, prédominent sur les grattoirs épais du niveau sous-jacent. Les burins forment le groupe le plus nombreux, rarement dièdres, plus souvent sur troncature. Parmi ces derniers, Breuil distingue un nouveau type, le « burin-perçoir », au tranchant formé par l'intersection d'une troncature concave, fortement oblique, et d'un mince enlèvement de burin, convexe. Ces pièces, ainsi que de longues mèches de perçoirs appointies par retouches semi-abruptes, sont à rapprocher des objets décrits plus haut dans les couches VI et V du Renne. Il n'y a qu'une dizaine de pointes de la Gravette, d'assez petite taille, trois d'entre elles présentant une amorce de cran à la partie proximale. L'outillage en os est varié : sagaies en ivoire ou en os, à base conique ou à biseau simple, lissoirs, poinçons et fines épingles. Les fragments osseux et les bois de cervidé gravés d'incisions géométriques sont assez nombreux.

Dans la grotte des Fées, connue surtout pour la mandibule humaine découverte par le Marquis de Vibraye en 1859, l'Abbé Parat (1903) signale un

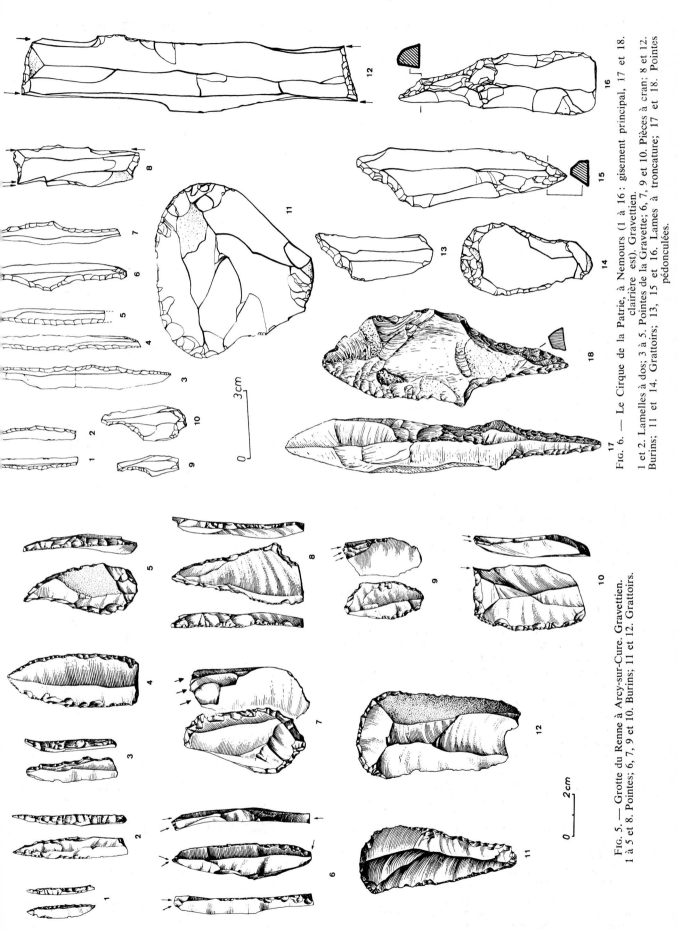

FIG. 6. — Le Cirque de la Patrie, à Nemours (1 à 16 : gisement principal, 17 et 18. clairière est). Gravettien.

1 et 2. Lamelles à dos; 3 à 5. Pointes de la Gravette; 6, 7, 9 et 10. Pièces à cran; 8 et 12. Burins; 11 et 14. Grattoirs; 13, 15 et 16. Lames à troncature; 17 et 18. Pointes pédonculées.

FIG. 5. — Grotte du Renne à Arcy-sur-Cure. Gravettien.
1 à 5 et 8. Pointes; 6, 7, 9 et 10. Burins; 11 et 12. Grattoirs.

niveau « magdalénien ancien » superposé au moustérien et sous-jacent au « Solutréen ». Il ne décrit ni ne figure le mobilier recueilli dans ce niveau, identique, nous assure-t-il, à celui provenant de la couche 3 du Trilobite.

2) *Le Gravettien des abris de la zone stampienne* (B. Schmider, 1971).

Les Gravettiens ont recherché les sols sableux et la protection des amoncellements gréseux du Stampien. Les hauteurs du Massif de Fontainebleau et surtout de son prolongement, le Massif des Beauregards, près de Nemours, constituent l'ensemble le plus important avec les gisements du Cirque de la Patrie et des Gros-Monts. De l'autre côté du Loing, un peu en aval, les sites de Hault-le-Roc et du Long-Rocher, près de Montigny-sur-Loing, ont livré anciennement les témoignages de la même civlisation. En outre, deux abris de la région de Sens, l'abri de Malay-le-Petit, sur la rive droite de l'Yonne et celui du Rocher à Marsangy, sur la rive gauche, ont fourni à A. Hure (1913 et 1915) une industrie comportant des pointes de la Gravette.

Les points communs à ces gisements sont d'une part l'absence de l'outillage osseux qui n'a pas été conservé en raison de l'acidité du sol, d'autre part les mauvaises conditions stratigraphiques résultant des migrations des silex en milieu sableux.

Le Gravettien du Massif de Fontainebleau est pourtant intéressant, en raison de la variété des assemblages industriels. Nous distinguerons d'un côté des industries à pointes pédonculées (gisement de la Clairière Est au Cirque de la Patrie, Gros-Monts) de l'autre un complexe à pointes de la Gravette et lames tronquées, proche du Périgordien VI de Laugerie-Haute (gisement principal du Cirque de la Patrie, Hault-le-Roc). Le problème de l'articulation entre ces faciès est difficile car il ne peut être résolu par l'observation stratigraphique et parce qu'en outre les industries à pointes pédonculées sont trop originales pour être assimilées avec certitude au Périgordien V.

a) Les industries à pointes pédonculées.

Le Cirque de la Patrie, à Nemours : La Clairière Est. Le gisement du Cirque de la Patrie est situé au fond d'un vaste vallon entaillant les grès et sables stampiens au N du Massif des Beauregards. Explorant le versant oriental du cirque, A. Cheynier découvrit, sur un palier, une petite série (70 outils) caractérisée par la présence de pointes pédonculées. Celles-ci sont généralement de grande taille, atteignant jusqu'à 15 cm. Le limbe est peu ou pas retouché et aucun exemplaire ne porte la retouche couvrante inverse fréquente à la Font-Robert. H. Delporte (1972/73), qui a réalisé une classification des pointes de la Font-Robert, rapproche les pointes du Cirque de la Patrie de celles de la Ferrassie et spécialement de celles qu'il considère du type le plus archaïque. L'ensemble du Cirque de la Patrie est cependant fort différent du Périgordien V de la Ferrassie. Il faut souligner surtout l'absence des pointes de la Gravette et des lamelles à dos que l'on trouve toujours dans les assemblages périgordiens du Sud-Ouest. A noter aussi, la présence d'outils sur éclats, principalement de racloirs assez frustes. Ce faciès semble

représenté également dans le Mâconnais (La Sénestrière) et en Belgique (Maisières-Canal).

Les Gros-Monts (Nemours). Des pièces périgordiennes ont été signalées par différents fouilleurs dans d'autres secteurs des Bois des Beauregards. Les ensembles les plus importants ont été découverts par E. Vignard aux Gros-Monts. Le Gravettien était localisé, sous de grandes dalles de grès, à la partie supérieure d'une argile rougeâtre provenant de la décalcification du calcaire de Beauce qui surmontait le Stampien. Au niveau gravettien était superposé 0,20 à 0,80 m d'un sable jaunâtre contenant du Badegoulien et du Magdalénien. Les mélanges étaient fréquents entre les trois industries et Vignard a eu recours à la typologie et à la patine pour les distinguer, ce qui réduit un peu la valeur de ses observations.

L'intérêt de ces sites réside dans la présence de pointes pédonculées associées à un contexte différent de celui du Cirque de la Patrie et présentant plus d'affinités avec le Périgordien V du Sud-Ouest. Les pointes à dos sont présentes ici. Ce sont principalement des microgravettes ; elles sont accompagnées de lames et lamelles à cran. Les grattoirs sont toujours moins nombreux que les burins. A côté des grattoirs sur bout de lame, on remarque des grattoirs à museau passant au bec. Les burins d'axe sont plus abondants que les burins d'angle, les perçoirs rares.

b) Le Périgordien VI.

Le Cirque de la Patrie, gisement principal. R. Daniel, en 1928 et 1936, explora 180 m² sur le versant ouest du Cirque de la Patrie. Il rencontra un niveau archéologique qui allait s'approfondissant et s'épaississant de la partie supérieure vers le bas. A. Cheynier continua les fouilles et atteignit le niveau signalé par Daniel dans un secteur voisin. La stratigraphie était la suivante :

D'après A. Cheynier :	D'après M. et R. Daniel :
1 Humus.	Humus .... 0,15 m
2 sable gris et grès.	Eboulis de grès mêlés à du sable gris - blanc stérile 0,15 m à 1,55 m
3 sable blanc et grès.	
4 alios et sable roux (couche archéologique).	Sable roux foncé avec alios à la base. Silex emballés dans l'alios .. 0,10 m à 0,30 m
5 Pavage.	
6 Sables tertiaires.	Cailloutis et sables stériles.

La série Daniel (168 pièces) a fait l'objet d'une étude statistique. Les burins en représentent près du tiers (IB : 31). Les burins sur troncature retouchée (IBt : 22,6) dominent largement les burins dièdres (IBd : 3,6). Ils sont très caractéristiques du Périgordien supérieur, façonnés en bout de lame et souvent multiples. Typiques aussi sont les lames à troncature retouchée (19 %), fréquemment obliques et passant à la lame à dos partiellement abattu. Parmi les grattoirs, peu nombreux (IG : 6,55), on remarque 4 exemplaires sur éclats larges comme on en rencontre à Laugerie-Haute, à la Gravette et aux Vachons .Les pointes de la Gravette, généralement de petite taille, sont en pourcentage élevé (24,99 %). Sept pièces sont à gibbosité ou à cran plus ou moins accentué, parmi lesquelles de véritables pointes à cran. Le débitage est exécuté à partir de nucléus prismatiques, souvent à deux plans de frappe.

Le diagramme obtenu pour la série Daniel est très proche de celui établi par D. de Sonneville-Bordes (1960) pour le Périgordien VI des couches B et B' de Laugerie-Haute Est. La série Cheynier présente les mêmes caractères.

Une industrie analogue a été publiée par A. Nouel (1936) venant de la station de Hault-le-Roc près de Montigny-sur-Loing.

C. Le problème du Protosolutréen.

On a signalé dans le Bassin Parisien diverses trouvailles de fragments de feuilles de laurier. Toutes sont douteuses ou attribuables au Néolithique. Il n'en est pas de même à Arcy-sur-Cure où la retouche plate « en pelure », caractéristique du Solutréen, existe sans conteste dans le niveau post-gravettien.

La couche 4 de la grotte du Trilobite, couche épaisse d'éboulis jaunâtres, apparut à l'Abbé Parat (1902) bien distincte, encadrée des deux horizons rougeâtres du Gravettien et du Magdalénien. Parat est frappé par la perfection de la taille et reconnaît la « façon solutréenne » de certaines pièces. Breuil en 1907, souligne que la retouche solutréenne est appliquée uniquement sur la face dorsale des objets et voit dans la couche 4 du Trilobite une transition entre l'Aurignacien supérieur et le Solutréen.

Il publie l'industrie en 1918. On remarque une série importante de pointes à face plane, fréquemment façonnées sur lames assez épaisses. Certaines sont triangulaires, proches de la pointe moustérienne, les autres plus ou moins foliacées. La retouche plate couvre souvent le sommet, parfois la base et les bords. Elle est totale sur un exemplaire de pointe ovale uniface. De grandes lames appointées sont retouchées à la périphérie. Exceptionnellement la retouche solutréenne envahit l'une des extrémités. Quelques-unes de ces lames se terminent en burin. Grattoirs, burins et perçoirs ressemblent à ceux du niveau sous-jacent. Deux pointes de la Gravette et une pointe à cran atypique peuvent provenir d'un mélange avec le Gravetien. L'industrie osseuse est très pauvre.

Ph. Smith (1966) rapproche l'industrie du Trilobite du Protosolutréen de Laugerie-Haute Ouest et de Badegoule.

L'Abbé Parat (1903) déclare avoir rencontré à la grotte des Fées la même stratigraphie qu'au Trilobite et le Protosolutréen y existait peut-être aussi. On trouve, en effet, provenant des fouilles du Marquis de Vibraye, un bel exemplaire de pointe à face plane au Musée de l'Homme et un similaire dans la collection Daniel.

A la grotte du Renne (Arl. et A. Leroi-Gourhan, 1964), la couche IV renfermait une pauvre industrie attribuable peut-être au même faciès. L'aspect général de l'outillage est proche de celui des pièces de la couche V, particulièrement les burins d'angle sur troncature à enlèvements multiples tournants. Les pointes de la Gravette sont absentes tandis qu'existe un fragment de pièce à retouche unifaciale couvrante.

Le problème du Protosolutréen d'Arcy se révèle particulièrement délicat car, à l'exception de la couche IV du Renne, trop pauvre, les documents proviennent de fouilles anciennes et n'ont pas été étudiés depuis Breuil (4). On se bornera à constater, qu'à Arcy, la retouche plate couvrante apparaît dans un contexte périgordien. Faut-il rapprocher cette industrie du Périgordien belge ou anglais où l'on a signalé maintes fois la présence de pointes à face plane ? Sommes-nous déjà en face des premiers stades du Solutréen ? Autant de questions qui touchent à l'origine et à l'expansion du courant solutréen en France.

III. Le Magdalénien.

La séquence magdalénienne débute dans le Bassin Parisien par une industrie à raclettes et burins sur encoches comparable au Magdalénien I découvert à Badegoule par le Docteur Cheynier. Les phases suivantes semblent absentes et il est démontré que les gisements attribués aux Magdalénien II, III ou IV datent en réalité du Magdalénien final. Une exception, sans doute, pour la grotte du Trilobite où l'Abbé Parat a trouvé une courte sagaie à biseau simple et rainures opposées caractéristique du Magdalénien III. C'est donc au Magdalénien supérieur qu'appartiennent la majorité des sites. L'absence de l'industrie osseuse, particulièrement du harpon, ou sa pauvreté, rendent impossible leur assimilation aux subdivisions classiques. D'ailleurs ces gisements, par la composition statistique de l'industrie lithique, le développement de certains types (zinken, pointes à troncature) offrent plus d'affinités avec le Paléolithique final de l'Europe du Nord qu'avec les Magdalénien V et VI du Périgord.

A. Le Magdalénien ancien.

Le Massif de Fontainebleau représente l'avancée ultime des Magdaléniens anciens vers le Nord. Les traces de leur passage ont été observées dans le bassin de l'Essonne à Ballancourt et sur la butte de Saint-Martin-de-la-Roche à Etréchy. Mais la plus grande concentration s'observe sur la rive droite du Loing, dans les Bois des Beauregards. Là, les abondants vestiges livrés aux fouilleurs depuis plus d'un siècle, la variété des faciès, suggèrent une occupation importante et durable.

Outre ces établissements, il est intéressant de rencontrer la trace des Badegouliens dans quelques gisements bourguignons. Nous y trouvons le témoignage d'une industrie osseuse qui a presque entièrement disparu dans les terrains acides de la région stampienne.

(4) Ph. Smith, le spécialiste du Solutréen n'a pas eu accès à la collection Parat.

1. *Le Badegoulien des Bois des Beauregards à Nemours* (B. Schmider, 1971).

C'est au N.O. du Massif des Beauregards, sur deux éperons contigus dominant le Loing, que sont localisés les emplacements fréquentés par les Badegouliens. Les vestiges de leurs campements se rencontrent, disséminés sur la platière, entre les blocs de grès qui ont pu servir à appuyer leurs abris. Le gisement classique du Beauregard est situé sur le promontoire le plus septentrional. Il fut découvert en 1867 par un magistrat de Nemours, E. Doigneau, qui explorait les rives du Loing. Par la suite, le « deuxième Redan » a été l'objet de nombreuses recherches, dont certaines récentes.

Le Badegoulien de la région de Nemours est très proche de celui de Dordogne. Comme lui il diffère assez fortement du reste du Magdalénien. L'outillage est souvent façonné sur éclats tirés de nucléus discoïdes. Le burin oblique ou transversal sur encoche et la raclette à retouches périphériques abruptes sont les fossiles directeurs de cette civilisation et les variations de leurs proportions, au sein des ensembles considérés, sont significatives. Dans les industries des Bois des Beauregards la coexistence en proportions notables de ces deux outils nous rapproche de la couche VI de Badegoule ou des niveaux 14 et 16 de Laugerie-Haute. Un autre caractère spécifique à ces ensembles est la résurgence de formes anciennes, lames à retouches continues, grattoirs à museau, évoquant l'Aurignacien, pointes et racloirs moustériformes. L'absence des lamelles à dos est à souligner.

Plusieurs séries ont été étudiées par la méthode statistique (tabl. 1). Lorsqu'on a fait la part des variations pouvant s'expliquer par les techniques de fouille, deux groupes semblent s'individualiser. Ils diffèrent surtout quant aux proportions relatives de grattoirs et de burins : les séries provenant du gisement classique du Beauregard ont toutes plus de grattoirs que de burins, celles recueillies au deuxième Redan ont plus de burins que de grattoirs et sont donc plus conformes à la tradition magdalénienne. Toutefois, partout, les burins sur troncature (en y incluant les burins sur encoche) prédominent sur les burins dièdres.

a) Le gisement du Beauregard.

Les recherches de E. Doigneau eurent lieu en bordure du plateau. Par la suite, de nombreux fouilleurs étendirent les prospections vers l'intérieur. L'Abbé Nouel et R. Daniel, qui fouillèrent entre 1920 et 1930, firent de précieuses observations stratigraphiques et recueillirent une importante collection (5). D'après ces deux auteurs, le Badegoulien est localisé dans une couche argileuse compacte de 0,20 à 0,25 m d'épaisseur. Ce niveau repose sur la plate-forme gréseuse, en bordure du plateau, sur le sable tertiaire à l'E et au NE. Au-dessus, une couche de sable noirâtre de 0,50 m à 0,70 m, très perturbée, contenait du Néolithique, du Magdalénien et quelques pièces remontées du niveau inférieur.

(5) Celle de l'Abbé Nouel fut malheureusement détruite en 1940 mais les indications statistiques qu'il donne sont très comparables à ce qui ressort de l'étude de la série Daniel.

Les deux séries recueillies par R. Daniel à l'E et au S ont fait l'objet d'une étude statistique (tabl. 1). Les grattoirs qui représentent près du tiers de l'outillage montrent des formes variées. Ils sont le plus souvent sur éclats, ou lames raccourcies fréquemment retouchées sur les bords. Caractéristiques sont des exemplaires de petite taille, sub-circulaires, à front parfois denticulé. Des formes précédentes on passe à des types à museaux bien dégagés par un ou deux épaulements. Les enlèvements frontaux sont le plus souvent courts et semi-abrupts et non lamellaires comme à l'Aurignacien. On remarque surtout des grattoirs à museau unique, axial ou déjeté, et des museaux doubles contigus ou opposés. L'indice de burin est inférieur à l'indice de grattoir. Ces outils, façonnés sur éclats massifs, présentent un aspect fruste qui les a parfois fait négliger par les premiers fouilleurs. Les burins sur troncature dominent largement les burins dièdres, toutes les formes étant représentées. Du burin d'angle à pan latéral sur troncature retouchée concave on passe à des types où l'enlèvement n'est plus parallèle mais oblique ou perpendiculaire à l'axe de la pièce, la troncature pouvant être considérée comme une encoche lorsqu'elle n'atteint plus l'axe de symétrie de l'objet. Sur ces burins à encoche, caractéristiques du niveau, l'enlèvement est souvent semi-plan (incliné à 45° environ vers la face inverse) l'encoche étant toujours directe. Les outils doubles sont nombreux, associant des objets de même groupe ou de groupe différent. Rares mais typiques sont les éclats où sont dégagées trois extrémités actives. Le pourcentage de raclettes atteint 12,60 % à l'E, 20,70 % sur les pentes sud. Des lames appointées bien retouchées, des racloirs moustériformes, des lames à troncature et des perçoirs assez grossiers complètent la série.

b) Le Deuxième Redan.

Une vallée sèche sépare le Beauregard du Deuxième Redan qui a fait l'objet également de nombreuses fouilles. Entre 1958 et 1968 E. Vignard repéra 5 emplacements (ce sont les gisements des Gros-Monts) qui lui livrèrent une abondante industrie badegoulienne mélangée avec les silex du Magdalénien et souvent du Gravettien.

B. Schmider, en 1971 et 1972, fouilla un secteur vierge, de 60 m², situé entre deux gisements explorés par Vignard. Sous l'humus et une couche de sable gris, de 0,10 m à 0,20 m, on rencontrait un niveau de sables jaunes soufflés d'une épaisseur moyenne de 0,30 m. Des silex épars étaient visibles sur toute la hauteur mais ils étaient abondants surtout à la base de la couche jaune, mêlés à de petites dalles et blocs provenant du délitage de la table stampienne. L'intérêt de cette fouille réside dans le fait que l'emplacement avait été fréquenté presque exclusivement par les Badegouliens. La série recueillie (373 outils), homogène (à l'exception d'une dizaine de pièces certainement plus récentes), corrobore d'ailleurs souvent les observations de Vignard basées sur un tri effectué après la fouille. A la différence du Badegoulien du Beauregard, les ensembles trouvés au Deuxième Redan contiennent toujours beaucoup plus de burins que de grattoirs. Dans la série ramassée par B. Schmider (tabl. 1) l'indice de burin est le

TABLEAU 1

Le Badegoulien des Bois des Beauregards : Principaux indices typologiques calculés d'après Sonneville-Bordes D. de et Perrot J. (1953).

	I. Grat.	I. Burin	Burin dièdre	Burin/ tronc.	I. Perç.	Raclette	Racloir
Fouilles Daniel Est (357 outils)	29,70 %	25,00 %	4,48 %	11,80 %	7,30 %	12,60 %	5,60 %
Pentes sud (116 outils)	34,50	19,00	2,58	11,20	1,72	20,70	6,05
Fouilles Schmider : 2e Redan (373 outils)	15,28	30,56	12,33	16,89	9,38	20,91	8,84

double de l'indice de grattoir (IB : 30,56 ; IG : 15,28). L'appauvrissement de l'indice de grattoir résulte de la diminution de l'outillage de style aurignacien : grattoirs à museau, grattoirs sur lames à retouches continues. Les lames retouchées et appointées sont également moins nombreuses. Les burins sur troncature, parmi lesquels de nombreux burins sur encoche, dominent (IBt : 16,89) mais les burins dièdres sont beaucoup plus communs qu'au Beauregard (IBd : 12,31). Le pourcentage de raclettes est identique (20,91 %). Il y a près de 3 % de pièces esquillées souvent négligées dans les anciennes fouilles et près de 8,84 % de racloirs.

2. Le Magdalénien ancien en Côte-d'Or.

Le Magdalénien à raclettes a été signalé en Côte-d'Or. Autant que l'on puisse en juger sur des séries pauvres et remaniées, il se différencie du Badegoulien de la région de Nemours par l'existence de lamelles à dos et l'absence de vrais burins sur encoche. Pourtant le style des outils façonnés sur éclat, la persistance des techniques aurignaciennes, la présence de raclettes permettent de le rattacher à la même civilisation.

a) Au Poron des Cuèches, commune de Vic-sous-Thil, P. Mouton et R. Joffroy (1957), à la suite de Ch. Botard fouillèrent une fissure ouverte dans le calcaire bajocien. Les niveaux supérieurs livrèrent des vestiges allant du Sauveterrien au Gallo-Romain. Les couches VIII-IX représentent une coulée de solifluxion qui a entraîné les restes d'un habitat magdalénien situé presque au sommet du plateau. L'industrie lithique ne comporte qu'une soixantaine de pièces dont la moitié de raclettes typiques. S'y ajoutent quelques grattoirs, burins, perçoirs grossiers, lames retouchées et 3 lamelles à dos. L'industrie osseuse comporte 5 ou 6 fragments de sagaies en bois de renne, à section cylindrique ou aplatie, et une canine de loup perforée.

b) La grotte de la Grande Baume, à Bâlot, reçut la visite de nombreux amateurs de fossiles et de silex durant le siècle dernier. En 1944 et 1945, R. Joffroy, P. Mouton et R. Paris (1952) y effectuèrent quelques sondages sans parvenir à trouver une couche intacte. Ils estiment qu'un puissant niveau paléolithique, atteignant 1,30 à 1,50 m, existait sous la stalagmite. Ils distinguent deux grands ensembles dans l'industrie conservée au Musée de Châtillon et dans leurs propres récoltes : une abondante série moustérienne et une petite série paléolithique supérieur comportant 40 outils et une cinquantaine de lames brutes. Dans cette dernière, les burins, rares, sont principalement dièdres. Les grattoirs, parmi lesquels trois grattoirs

carénés, sont façonnés sur éclats souvent corticaux. On remarque un fragment de lame appointée à retouche envahissante au sommet, quelques lamelles à dos et une raclette. Un poinçon en bois de renne et deux fragments de sagaies à base en biseau double, l'une incisée d'une ligne ondulée à extrémité bifide, complètent la série.

B. LE MAGDALÉNIEN SUPÉRIEUR.

L'amélioration climatique de la fin du Würm correspond à une extension de l'habitat dans le Bassin Parisien. Si les Magdaléniens occupent toujours les cavernes des bords de la Cure et les crêtes stampiennes, ils plantent aussi leurs tentes dans de nouveaux sites dans le fond ou sur les versants des grandes vallées.

Le mobilier osseux qui fournit les critères les plus pertinents pour la diagnose du Magdalénien, dans le reste de la France, est ici très pauvre, quand il a été conservé. L'industrie lithique présente les tendances générales communes aux stades IV à VI de cette civilisation (tabl. 2) : les burins forment la catégorie d'outils la mieux représentée, les burins dièdres étant toujours plus nombreux que les burins sur troncature ; les grattoirs sont façonnés à l'extrémité de belles lames ; les lamelles à dos constituent au moins le quart, parfois la moitié de l'outillage. Cependant, l'abondance des perçoirs rapproche ces ensembles du Magdalénien final de Suisse et d'Allemagne.

Ces caractères communs au Magdalénien du Bassin Parisien ne doivent pas masquer une certaine variété dans les assemblages. Cette variété est apportée par le style des microperçoirs, le nombre de lamelles à retouches inverses aux Gros-Monts I ou dans le niveau IV^2 de Pincevent. Ailleurs, la présence de becs et zinken est un facteur spécifique important. Ces objets, à pointe courte ou longue, axiale ou déjetée, dégagée par retouches plus ou moins abruptes, n'ont pas encore été rencontrés dans le niveau supérieur de Pincevent ni dans les gisements de la région de Corbeil-Essonnes ; ils sont bien représentés partout ailleurs. C'est dans les ensembles riches en becs de la Vallée du Loing qu'apparaissent les couteaux à dos courbes et aussi les pointes à dos anguleux caractéristiques du Magdalénien nordique. Elles sont plus nombreuses à Marsangy, dans l'Yonne, où elles coexistent avec des pointes à cran et limbe tronqué obliquement, proches des pointes hambourgiennes.

Plusieurs faciès sont donc représentés mais il est actuellement difficile de dire s'ils sont contemporains ou successifs et de distinguer les éléments significatifs

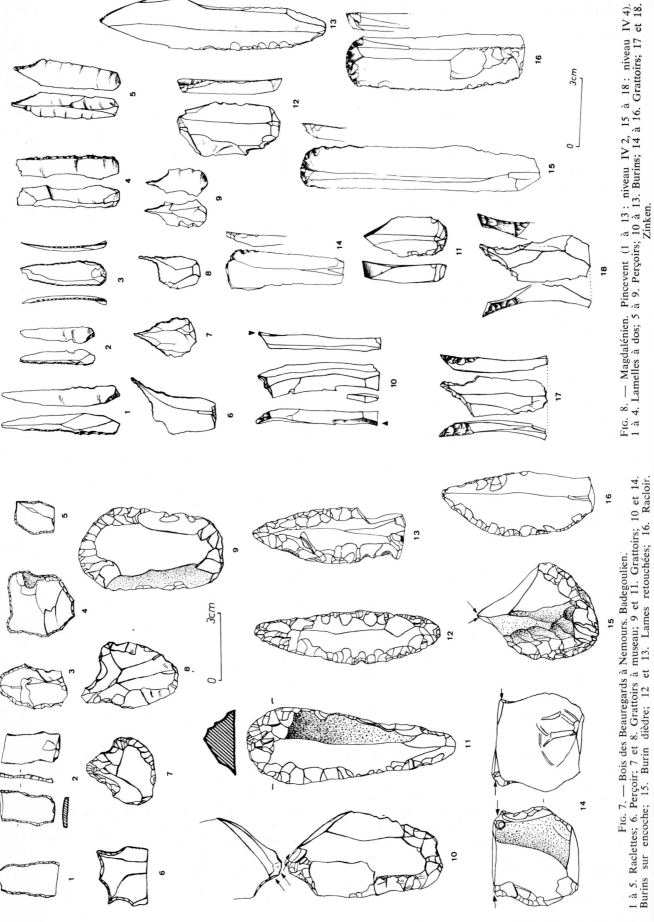

Fig. 8. — Magdalénien. Pincevent (1 à 13 : niveau IV 2, 15 à 18 : niveau IV 4).
1 à 4. Lamelles à dos; 5 à 9. Perçoirs; 10 à 13. Burins; 14 à 16. Grattoirs; 17 et 18. Zinken.

Fig. 7. — Bois des Beauregards à Nemours. Badegoulien.
1 à 5. Raclettes; 6. Perçoir; 7 et 8. Grattoirs à museau; 9 et 11. Grattoirs; 10 et 14. Burins sur encoche; 15. Burin dièdre; 12 et 13. Lames retouchées; 16. Racloir.

TABLEAU 2

Le Magdalénien supérieur. Principaux indices typologiques calculés d'après Sonneville-Bordes D. de et Perrot J. (1953).

	I. Grat.	I. Burin	Burin dièdre	Burin/tronc.	I. Perç.	Lame à tronc.	Lamelle à dos
Pincevent, IV4 (332 outils)	7,52 %	36,14 %	28,31 %	6,62 %	11,44 %	7,53 %	19,88 %
Pincevent, IV2 (1 100 outils)	7,62	13,79	9,53	3,53	12,53	2,54	61,26 %
Tarterets I (79 outils)	11,39	40,50	38,00	2,53	5,06	7,59	15,20
Tarterets II (95 outils)	7,36	25,23	13,66	10,52	16,82	11,57	21,15
Gros-Monts I (1 785 outils)	10,60	20,00	13,50	6,10	8,75	2,74	47,39
Lumigny (78 outils)	14,10	36,00	20,50	14,10	19,20	6,41	10,20

d'une évolution technique de ceux qui sont la marque d'activités spécifiques.

1. *Les habitats de plein air des fonds et versants de vallées.*

Les gisements les plus importants ont été découverts dans la vallée de la Seine, à Pincevent, et dans le voisinage de Corbeil-Essonnes. La vallée de l'Yonne a révélé des campements de même type aux alentours de Villeneuve-sur-Yonne. Les établissements sont localisés non loin d'un confluent, à proximité de gués où passaient les troupeaux de rennes à certaines époques. L'économie reposait donc probablement sur la chasse au renne, dont on retrouve les ossements en grand nombre à Pincevent, seul site où l'os est bien conservé. L'étude de ces ossements indique que l'Homme y séjournait durant l'été et l'automne. Il habitait des huttes rondes constituées d'un assemblage de perches de bois probablement recouvert de peaux.

a) Pincevent (commune de la Grande-Paroisse, Seine-et-Marne).

Le gisement de Pincevent est situé dans la plaine alluviale de la Seine entre les confluents de l'Yonne et du Loing. L'exploitation d'une gravière en ce lieu entraîna la destruction de nombreux restes archéologiques jusqu'en 1964, date de l'achat du terrain par le Ministère des Affaires culturelles. Le site fut alors fouillé par le Centre de Recherches préhistoriques et protohistoriques de l'Université Paris I et par le Laboratoire de Préhistoire du Collège de France. A. Leroi-Gourhan et M. Brézillon rendirent compte de ces fouilles dans deux publications (1966 et 1972). Les recherches continuent actuellement.

La série stratigraphique comporte 5 horizons principaux :

I Gallo-Romain, Historique récent,
II Tène, Hallstatt, Bronze et Néolithique,
III Epipaléolithique,
IV Magdalénien récent,
V Sables, graviers et galets. On y a trouvé un seul éclat attribuable au Paléolithique ancien.

L'horizon IV est constitué par des limons d'inondation, finement stratifiés, de près de 2 m d'épaisseur. On y a repéré 4 niveaux d'occupation appartenant tous au Magdalénien supérieur. Les niveaux IV1 et IV3 ont fourni jusqu'alors peu de vestiges. Le niveau IV2, décapé sur plus de 1000 m², a montré les restes de plus de dix unités d'habitation, de forme circulaire, comprenant un espace d'activités domestiques centré sur un foyer et des espaces d'évacuation où s'accumulent déchets de taille et bois de rennes. Le niveau inférieur, niveau IV4, exploré sur 72 m², a révélé les vestiges d'une habitation collective réunissant trois foyers : c'est l'habitation n° 1.

Les ensembles recueillis dans les deux principaux niveaux de Pincevent appartiennent à la même tradition mais montrent assez de disparité pour qu'on puisse y voir deux faciès culturels que l'on retrouve, à quelques variantes près, dans les autres sites de la région.

L'habitation n° 1 a fourni 332 outils. La répartition de l'outillage courant, grattoirs et burins, est tout à fait classique (tabl. 2). L'indice de perçoir (11,44) est assez élevé, comme dans toutes les séries du Bassin Parisien. Plus de la moitié des perçoirs sont des becs ; certains à pointe déjetée et enlèvements laminaires en bout, sont analogues aux « zinken » des auteurs allemands. Ce faciès à becs et zinken comporte presque toujours un bon nombre de lames à troncature (ici 7,53 %) et généralement un pourcentage de lamelles à dos qui ne dépasse guère 20 % (19,27 % à Pincevent).

L'industrie de la section 36 (niveau IV2), localisée un peu plus haut dans les limons, s'individualise tout d'abord par l'abondance des lamelles à dos (61,26 %) trois fois plus nombreuses que dans l'habitation n° 1. Ces lamelles sont moins élancées et le quart du lot présente un dos abattu par retouches inverses. Si l'on compare le reste de l'équipement en faisant abstraction de ces objets les différences apparaissent mieux entre les deux séries. Au niveau supérieur le nombre des grattoirs s'accroît au détriment des burins et ces grattoirs sont en moyenne sensiblement plus courts. L'écart entre les burins sur troncature et les burins dièdres est moins prononcé. Parmi ces derniers, les burins d'angle sont plus communs que les burins d'axe. Le nombre des perçoirs a plus que doublé et leur morphologie est différente : les zinken ont disparu ; la moitié des pièces sont des microperçoirs dont le rostre, finement dégagé par retouches bilatérales, peut atteindre 13 mm. Soulignons la moindre importance des lames à troncature retouchée (2,54 %).

Le travail de l'os est attesté dans l'habitation n° 1 par la trouvaille de bois de cervidés qui ont subi l'ablation de languettes, prélevées par deux incisions parallèles, dans la courbure interne du fût. La section 36 a livré plusieurs autres témoins de cette sorte ainsi que les baguettes, résultant de cette opération, qui servaient à la fabrication des sagaies. Une dizaine de bases de sagaies à double biseau, un bâton percé décoré, plusieurs fragments de poinçons et d'aiguilles, quelques retouchoirs en os représentent tout l'outillage osseux abandonné par les Magdaléniens du niveau IV2. En outre, quelques coquilles perforées ont été rencontrées.

Sur le sommet de la vallée, à 1 km à l'O, dans la commune de Ville-Saint-Jacques, un sondage, entrepris par A. Leroi-Gourhan, M. Brézillon et l'E.R.A. 52, a révélé sur une vingtaine de m² un sol archéologique en place à 0,30 m de profondeur. L'industrie recueillie dans ce sondage semble proche de celle du niveau supérieur de Pincevent. Toutefois, les zinken sont présents dans les séries ramassées par les nombreux amateurs qui prospectèrent le site auparavant.

Il est intéressant de noter l'abondance du cheval dans ce site eu égard à son extrême rareté à Pincevent.

b) Les gisements de la région de Corbeil-Essonnes (Essonne)

Plusieurs habitats magdaléniens ont été mis au jour sur les versants de la vallée de la Seine, à proximité du confluent de l'Essonne : Les Tarterets I et II, maintenant disparus, étaient localisés sur la rive gauche, vers 40 m d'altitude, en contrebas du plateau de Hurepoix ; quelques centaines de m en aval, sur la rive droite, au pied du plateau de Sénart, s'étend le gisement d'Etiolles, actuellement en cours de fouille.

Parmi les raisons qui ont pu attirer les Paléolithiques dans ce secteur, citons un approvisionnement facile en silex de qualité. Ces gisements se distinguent, en effet, par l'importance des amas de débitage, le module des éclats, la longueur des lames, le poids des nucléus. Si les produits de débitage sont sensiblement plus grands aux Tarterets I et II qu'ailleurs dans le Bassin Parisien, ils atteignent des dimensions exceptionnelles à Etiolles. L'outillage façonné est, par contre, assez rare par rapport à l'énorme masse des déchets de taille. Aucune des séries recueillies n'est exactement superposable à la voisine, tant au niveau de l'analyse statistique, qu'à cause de la morphologie particulière de certaines catégories d'outils.

Le site des Tarterets I (6) fut fouillé par F. Champagne de 1952 à 1958, puis par B. Schmider

(6) Cf. le gisement paléolithique supérieur des Tarterets I (Corbeil-Essonnes), par B. Schmider et C. Karlin, à paraître dans Gallia-Préhistoire.

en 1969 et 1970. Le niveau magdalénien se rencontrait à une profondeur variant entre 1 m et 1,50 m dans une terre argileuse brun-rouge superposée à plus de 2 m de limons compacts gris-beige. A la base des limons, un cailloutis de solifluxion a livré un certain nombre de silex, les uns attribuables à un Paléolithique supérieur indéterminé, les autres à un Moustérien de type Levallois.

79 outils ont été recueillis dans le niveau supérieur. Les burins représentent plus du tiers de la série (40,50 %) et sont presque tous dièdres. Caractéristique apparaît un lot de grands burins à biseau large obtenu par enlèvements multiples. Plusieurs de ces objets montrent, sur le côté gauche de la lame-support, une retouche semi-abrupte. Les lamelles à dos sont peu nombreuses (15,20 %). Le pourcentage de perçoirs (5,06 %) est le plus faible pourcentage enregistré dans un gisement de la région parisienne. Le site des Tarterets I semble cependant proche du niveau inférieur de Pincevent par la proportion des lames à troncature (7,59 %) et surtout par le nombre de pièces à troncature très oblique, portant des traces d'utilisation dans le secteur adjacent au sommet de la troncature. Quelques burins volumineux (l'un pèse 610 g), des lames à esquillement inverse, trois lames à dos donnent toutefois un aspect tout à fait original à l'ensemble.

500 m au SE, M. Brézillon (1971) a entrepris une fouille de sauvetage sur un terrain menacé par la construction d'un grand ensemble immobilier. A une quarantaine de cm de profondeur, dans un limon légèrement sableux brun-rouge, et sur une surface de 180 m², il mit au jour de grandes nappes de débitage et des amas circulaires de pierres éclatées au feu. C'est plutôt du niveau supérieur de Pincevent qu'il faut rapprocher l'industrie des Tarterets II qui ne comporte pas de zinken mais un fort pourcentage de perçoirs (16,82 %) constitué essentiellement par de petits perçoirs à retouches alternes. Notons aussi, parmi les lamelles à dos, la présence d'exemplaires à retouches inverses. L'ensemble apparaîtrait très différent de l'industrie des Tarterets I sans la trouvaille fortuite, à une quarantaine de mètres, de plusieurs burins dièdres sur lames larges, comparables aux exemplaires si caractéristiques du premier gisement.

A Etiolles, les fouilles dirigées par Y. Taborin (1974) ont déjà mis au jour quatre niveaux d'occupation présentant des structures tout à fait remarquables, en particulier un fond de cabane d'un diamètre de 6 m encerclé de 38 dalles calcaires. L'industrie n'a pas encore été publiée. Il semble qu'elle se distingue par l'absence des becs et lames tronquées et l'importance des burins sur troncature retouchée. Les trois gisements de la région de Corbeil illustrent bien le foisonnement des faciès en cette fin du Paléolithique.

c) Marsangy (Yonne).

Sur plusieurs km en bordure de l'Yonne, aux alentours de Villeneuve-sur-Yonne, les labours profonds ramènent en surface de nombreux silex. Sur la rive gauche, à Marsangy, H. Carré a entrepris la fouille d'un campement établi le long d'une berge fossile du fleuve. B. Schmider a fait une campagne de fouilles en 1974 et continue les travaux avec H. Carré.

Plusieurs nappes de débitage se répartissent autour d'une structure composée de blocs de grès rougis et éclatés, recouvrant partiellement un amas de déchets de taille d'une surface de 3 m². Plus de 500 pièces façonnées ont déjà été recueillies sur la centaine de m² explorés et l'étude en est en cours. Le tiers du lot est constitué par les burins, dièdres en majorité. L'indice de perçoirs est élevé constitué essentiellement de becs. Parmi ces derniers les exemplaires à pointe axiale, fabriquée à l'extrémité distale de grandes lames et pouvant atteindre 35 mm, sont plus nombreux que les becs déjetés. Les pointes à dos abattu constituent l'élément le plus intéressant. Il y a des lames à dos droit ou légèrement courbe, plus grandes généralement que les pointes aziliennes. Les pointes à dos anguleux, exceptionnelles dans la vallée du Loing, sont ici représentées par plusieurs exemplaires ; certaines amorcent une ébauche de cran. Dans deux cas la troncature distale n'atteint pas le cran ce qui réalise un prototype de pointe hambourgienne. Si l'on considère le développement des pointes à dos courbe et anguleux, accompagnées de zinken mais aussi de grattoirs courts, dans un niveau daté de l'oscillation d'Alleröd, découvert par J. Combier à Varennes-les-Mâcons (Saône-et-Loire) on peut penser que Marsangy est le plus évolué des gisements magdaléniens actuellement connus dans le Bassin parisien.

2) *Les gisements des hauteurs stampiennes* (B. Schmider, 1971).

Comme aux époques précédentes, les hauteurs stampiennes, particulièrement celles qui bordent le Loing, sont le siège d'une occupation très dense. Ces gisements ont en commun de mauvaises conditions stratigraphiques qui, nous l'avons dit, ont provoqué souvent des mélanges avec les industries antérieures et postérieures. Ceci, joint à des causes historiques (à la différence des précédents, ces sites sont connus depuis longtemps et ont été fouillés assez anciennement) fait que nous sommes beaucoup moins renseignés sur les formes empruntées par l'habitat humain dans cet environnement. Cercles de pierre, dallages, foyers ont été signalés par les fouilleurs mais jamais enregistrés. L'industrie osseuse n'est pas conservée.

a) La rive droite du Loing : Les bois des Beauregards.

Tout le NO du Massif des Bois des Beauregards porte les traces du séjour des Magdaléniens. Une vingtaine au moins de points de concentration des silex ont été repérés, séparés par des zones de raréfaction plus ou moins étendues.

Les séries les plus intéressantes proviennent de la station des Gros-Monts I, qui n'avait pas subi de perturbations importantes et qui fut fouillée avec un soin dont témoigne l'abondance de l'outillage microlithique. Ce gisement, découvert en 1950 par le Docteur Cheynier et R. Daniel, est situé sur l'un des éperons du plateau, un peu au N du site classique du Beauregard. Les deux inventeurs se partagèrent le terrain et publièrent séparément le résultat de leurs fouilles. Les silex étaient inclus dans un horizon sableux épais de 0,50 m à 0,60 m, sous-jacent à 0,40 m d'un sable gris stérile. La série Daniel a fait l'objet d'une étude statistique. Les lamelles à dos, parmi lesquelles 15 % à retouches inverses, représentent la moitié de l'outillage (49 %). L'indice de burin (20 %) est presque le double de l'indice de grattoir (10,6 %), les burins dièdres (13,50 %) l'emportant largement en nombre sur les burins sur troncature retouchée (6,10 %). Dans la catégorie des perçoirs (8,75 %) les microperçoirs dominent, mais les zinken sont également représentés. Il faut souligner la présence d'une pointe à dos anguleux et de deux petites lames à dos courbe. L'originalité du gisement des Gros-Monts est d'offrir des affinités avec chacun des deux niveaux de Pincevent. Proche de l'horizon supérieur par la forte proportion de lamelles à dos abattu, la présence de lamelles à retouches inverses et microperçoirs, il s'en écarte par l'existence de zinken tout à fait analogues à ceux de l'Habitation n° 1.

Les nombreuses autres séries provenant des Bois des Beauregards ne peuvent guère être utilisées pour une étude statistique. Les séries recueillies avant 1930 par G. Fouju, R. Daniel (collection Daniel à Paris), M.M. Soudan et Lapeyre (Musée d'Histoire naturelle d'Orléans) sont très pauvres en lamelles à dos et en microperçoirs, pauvreté qu'il faut attribuer sans aucun doute aux méthodes de fouille. Le style du reste de l'outillage est tout à fait comparable à ce que l'on trouve aux Gros-Monts I. Là aussi les pointes nordiques existent mais sont exceptionnelles : une pointe à dos anguleux venant du Beauregard dans la collection Soudan-Lapeyre, une pointe à cran et extrémité tronquée trouvée par R. Daniel dans la grotte du Troglodyte.

Les gisements fouillés par E. Vignard, entre 1958 et 1968, montrent entre eux d'assez grandes divergences statistiques portant aussi surtout sur le nombre des lamelles à dos (de 18 % à 43 %) et celui des perçoirs (de 4 % à 10 %). On ne sait s'il faut y voir le reflet d'activités spécialisées ou si ces différences tiennent aux mauvaises conditions stratigraphiques ou aux techniques de fouille.

b) La rive gauche du Loing.

Parmi les trouvailles signalées sur la rive gauche du Loing, trois gisements appartiennent sans conteste au Magdalénien.

En face des Bois des Beauregards, le Rocher de Chaintréauville a fourni à M. Bertholat et à E. Vignard du Magdalénien mélangé de Tardenoisien. On retiendra qu'il y avait près de 30 % de perçoirs dont de nombreux becs et plusieurs pointes à dos courbe.

Plus au Nord, les gisements de la Vignette (commune de Villiers-sous-Grez) et de la Pente des Brosses (à Montigny-sur-Loing), qui ont fait l'objet de sondages limités, n'ont livré aucun bec mais une forte proportion de burins et lamelles à dos.

c) Autres gisements.

Citons seulement les trouvailles effectuées sur les affleurements stampiens qui bordent l'Essonne, à Ballancourt-sur-Essonne et dans la forêt de Rambouillet, à Clairefontaine-en-Yvelines. Le premier gisement, fouillé par E. Vignard, a donné une industrie proche de celle des Beauregards ; du second pro-

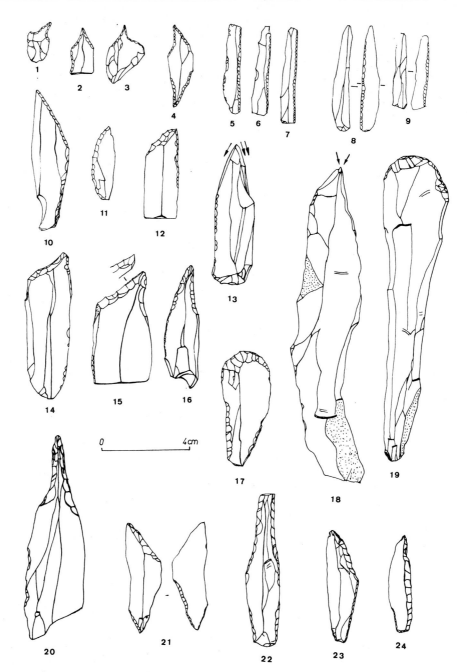

FIG. 9. — Magdalénien (1 à 17 : Bois des Beauregards, 18 à 24 : Marsangy).
1 à 4. Perçoirs; 5 à 9. Lamelles à dos; 10 et 23. Pointes à dos anguleux; 11. Pointe à
dos courbe; 12 et 14. Lames à troncature; 13 et 18. Burins; 15, 16, 20 et 22. Becs;
17 et 19. Grattoirs; 21. Pointe à cran et troncature; 24. Pointe à dos droit.

viennent une trentaine de pièces dont une pointe azilienne à base pédonculée.

Sur le flanc oriental de la butte-témoin de Lumigny, qui domine le plateau briard, est localisé le seul habitat magdalénien de l'Ile-de-France, au Nord de la Seine. Découvert par A. Wateau, vers 1960, il occupe le versant d'une petite vallée sèche à l'altitude de 140 m. Le Magdalénien était inclus dans une couche de sable jaune de 0,60 à 0,80 m d'épaisseur, superposée aux sables blancs stampiens. La terre arable au-dessus contenait des vestiges du Tardenoisien et du Néolithique. La série peu nombreuse (79 outils) est homogène. Les outils, surtout les grattoirs, sont façonnés à l'extrémité de lames longues et min-

ces. L'indice de burin (36 %) est bien supérieur à l'indice de grattoir (14,10 %). Les burins sur troncature, parmi lesquels plusieurs exemplaires à troncature fortement oblique, sont mieux représentés qu'ailleurs (14,10 %). Les burins dièdres (20,50 %) sont fréquemment polyfacettés. Parmi les perçoirs, fort nombreux (19,20 %), les becs dominent (10,20 %). Ils sont accompagnés de microperçoirs dont deux exemplaires à longue pointe caractéristiques du niveau IV de Pincevent. Les lames à troncature (6,41 %) portent souvent la retouche du bord adjacent à la troncature déjà signalée. Les lamelles à dos, toutes à retouches directes, sont peu nombreuses (11,50 %).

3) Les cavernes de la Cure.

On est peu renseigné sur le remplissage magdalénien des grottes de la Cure, les plus riches ayant été fouillées à la fin du siècle dernier. Plusieurs niveaux existaient du Magdalénien III au Magdalénien supérieur. Signalons que la partie profonde de la grotte du Cheval a montré des gravures caractéristiques du style IV ancien et remontant donc au Magdalénien moyen (A. Leroi-Gourhan, 1965 b).

a) Les grottes d'Arcy-sur-Cure.

A la grotte du Trilobite, l'Abbé Parat (1902) ne trouva que des lambeaux de la couche magdalénienne qui avait été enlevée par le Docteur Ficatier vers 1886. Il nous dit que dans cette couche rouge, de 0,30 m d'épaisseur, Ficatier recueillit des sagaies, des aiguilles avec ou sans chas, un bâton percé et une représentation d'insecte en lignite. Il n'y avait pas de harpon. H. Breuil (1918) publie deux sagaies en bois de renne, trouvées par Parat et attribuées par lui à la couche protosolutréenne : l'une courbe à base conique, gravée d'une figure géométrique, l'autre à biseau simple et rainures opposées, caractéristique du Magdalénien III.

L'Abbé Parat (1903) ne donne guère de détails sur l'industrie qu'il a ramassée dans la dernière couche paléolithique de la grotte des Fées, signalant seulement qu'elle était identique à celle de la grotte du Trilobite.

C'est au Magdalénien supérieur qu'il faut attribuer l'horizon fouillé par A. Leroi-Gourhan (Arl. et A. Leroi-Gourhan, 1964) au sommet du remplissage de l'abri du Lagopède. Le style de l'outillage courant, particulièrement des microperçoirs, le nombre des lamelles à dos l'attestent.

b) Les grottes de Saint-Moré.

Situées en face des grottes d'Arcy, les grottes de Saint-Moré ont également été explorées par l'Abbé Parat.

A la grotte des Hommes, sous une couche superficielle d'éboulis néolithiques, existait un niveau à renne abondant et mammouth qui a fourni à Parat (1895) une pauvre industrie.

L'occupation du Trou de la Marmotte (Parat, 1896) serait plus récente. Le mammouth a disparu tandis que le cheval et le renne abondent dans une épaisse couche d'argile jaune et d'éboulis. La moitié de l'industrie (54 pièces) est représentée par des lamelles à dos. Il y a 17 burins, en majorité dièdres, et 13 perçoirs, becs ou outils à fine pointe. Le mobilier osseux comprend deux sagaies en bois de renne dont l'une à biseau simple, un fragment de spatule décoré et un fragment de lissoir. Un fragment de schiste était gravé de 8 lignes parallèles.

Avec le Magdalénien supérieur finissent les temps glaciaires. Les influences nordiques qui se manifestent dans l'équipement des derniers chasseurs de rennes, notamment par le style des pointes à dos, semblent l'emporter à partir de l'oscillation d'Alleröd. Les industries épipaléolithiques, à couteaux à dos abattu et grattoirs courts, découvertes en Ile-de-France, s'apparentent plus aux groupes à « Federmesser » de l'Europe du Nord-Ouest qu'à l'Azilien du Sud-Ouest de la France.

Bibliographie

[1] BORDES F. (1954). — Les limons quaternaires du bassin de la Seine. Stratigraphie et archéologie paléolithique. *Archives de l'Institut de paléontologie humaine*, mémoire 26, Paris, 472 pages, 175 fig., 34 tabl.

[2] BORDES F. (1957). — Radiocarbone et corrélations loessiques. *L'Anthropologie*, 61, n° 5-6, p. 573, 1 tabl.

[3] BREUIL H. (1907). — La question aurignacienne. Etude critique de stratigraphie comparée. *Revue préhistorique*, t. 2, p. 173-219, 2 fig.

[4] BREUIL H. (1911). — Etudes de morphologie paléolithique II. L'industrie de la grotte de Châtelperron (Allier) et d'autres gisements similaires. *Revue anthropologique*, n° 2, p. 29-76, 20 fig.

[5] BREUIL H. (1918). — Etudes de morphologie paléolithique. III. Les niveaux présolutréens du Trilobite. *Revue anthropologique*, n° 11-12, p. 309-333, 25 fig.

[6] BRÉZILLON M. (1971). — Les Tarterets II, site paléolithique de plein air à Corbeil-Essonnes (Essonne). *Gallia-Préhistoire*, t. XIV, fasc. 1, p. 3-40, fig.

[7] CHAMPAGNE F. et SCHMIDER B. (1970). — Note préliminaire sur le gisement paléolithique supérieur des Tarterets, à Corbeil-Essonnes. *Comptes-rendus des séances mensuelles de la Société préhistorique française*, n° 1, p. 17-24, fig.

[8] CHEYNIER A., DANIEL R. et VIGNARD E. (1963). — *Le Cirque de la Patrie à Nemours (Seine-et-Marne)*. Le Mans, impr. Monnoyer, 195 p., fig.

[9] DANIEL R. (1953). — Les gisements préhistoriques de la vallée du Loing. *L'Anthropologie*, 57, n° 3-4, p. 209-239, 13 fig.

[10] HURE A. (1913). — L'Homme à l'époque du Renne et ses abris dans les environs de Sens. *Bulletin de la Société des sciences historiques et naturelles de l'Yonne*, 2ᵉ sem., 18 p., 2 fig.

[11] HURE A. (1915). — L'abri de Malay-le-Petit et l'abri du Rocher. *Bulletin de la société des Sciences historiques et naturelles de l'Yonne*, 1ᵉʳ sem., 18 p., 1 fig.

[12] JOFFROY R., MOUTON P. et PARIS R. (1952). — La grotte de la Grande-Baume à Bâlot (Côte-d'Or). *Revue archéologique de l'Est et du Centre-Est*, t. 3, fasc. 4, n° 12, p. 209-232, fig.

[13] LEROI-GOURHAN A. (1950). — La grotte du Loup, Arcy-sur-Cure (Yonne). *Bulletin de la Société préhistorique française*, 47, n° 5, p. 268-280.

[14] LEROI-GOURHAN A. (1952). — Stratigraphie et découvertes récentes dans les grottes d'Arcy-sur-Cure. *Revue de géographie de Lyon*, 27, n° 4, p. 425-433, 2 fig.

[15] LEROI-GOURHAN A. (1963). — Châtelperronien et Aurignacien dans le Nord-Est de la France (d'après la stratigraphie d'Arcy-sur-Cure, Yonne). « Aurignac et l'Aurignacien », centenaire des fouilles d'Edouard Lartet. *Bulletin de la Société méridionale de spéléologie et de préhistoire*, t. 6-9, 1956-1959, p. 75-84.

[16] LEROI-GOURHAN A. (1965 a). — Le Châtelperronien : problèmes ethnologiques. « Hommage à l'Abbé Breuil », t. II. *Instituto de prehistoria y arqueologia*, Barcelona, p. 75-81.

[17] LEROI-GOURHAN A. (1965 b). — *Préhistoire de l'Art occidental*, Paris, Mazenod, 482 p., fig.

[18] LEROI-GOURHAN Arl. et A. (1964). — Chronologie des grottes d'Arcy-sur-Cure (Yonne). *Gallia-Préhistoire*, 7, 64 p., 28 fig.

[19] LEROI-GOURHAN A. et BREZILLON M. (1966). —
L'habitation magdalénienne n° 1 de Pincevent
près Montereau (Seine-et-Marne). *Gallia-Préhistoire*, 9, n° 2, p. 263-385, 90 fig., 2 pl., 1 plan,
tabl.

[20] LEROI-GOURHAN A. et BREZILLON M. (1973). —
*Fouilles de Pincevent. Essai d'analyse ethnogra-
phique d'un habitat magdalénien (la section 36).*
Paris, 7e supplément à Gallia-Préhistoire, 331 p.,
fig., 1 vol. de plan.

[21] MOUTON P. et JOFFROY R. (1957). — Le Poron
des Cuèches (Côte-d'Or). *L'Anthropologie*, 61,
n° 1-2, 27 p., 9 fig. Avec une note paléontologique par P. et J. Bouchud.

[22] NOUEL A. (1936). — La station paléolithique de
Hault-le-Roc, à Montigny-sur-Loing (Seine-et-
Marne). *Bulletin de la Société préhistorique fran-
çaise*, 33, n° 10, p. 567-576, 2 pl.

[23] PARAT A. (1895). — La grotte des Hommes à
Saint-Moré. *Bulletin de la Société des Sciences
historiques et naturelles de l'Yonne*, 49, 79 p.,
9 fig.

[24] PARAT A. (1896). — Les grottes de la Cure, V
Le Trou de la Marmotte à Saint-Moré. *Bulletin de la Société des Sciences historiques et
naturelles de l'Yonne*, 2e sem., 26 p., 1 pl.

[25] PARAT A. (1902). — La grotte du Trilobite. *Bulletin de la Société des Sciences historiques et
naturelles de l'Yonne*, 2e sem., 42 p., 4 pl.

[26] PARAT A. (1903). — Les grottes de la Cure (côté
d'Arcy). XXV. La grotte des Fées et les petites
grottes de l'anse. *Bulletin de la Société des
Sciences historiques et naturelles de l'Yonne*,
2e sem., 55 p., 2 pl.

[27] PARAT A. (1904). — Les grottes de la vallée de
l'Yonne. XXXVI. La grotte de la Roche-au-Loup
et les grottes de Merry-sur-Yonne, Brosses, Cha-
tel-Censoir, Crain, Festigny, Druyes. *Bulletin de
la Société des Sciences historiques et naturelles
de l'Yonne*, 2e sem., 68 p., 1 pl.

[28] SCHMIDER B. (1971). — *Les industries lithiques
du Paléolithique supérieur en Ile-de-France.*
Paris, 6e supplément à Gallia-Préhistoire, 218 p.,
109 fig.

[29] SMITH P. (1966). — *Le Solutréen en France*. Bordeaux, Delmas, 451 p., fig.

[30] SONNEVILLE-BORDES D. de et PERROT J. (1953).
— Essai d'adaptation des méthodes statistiques
au Paléolithique supérieur. Premiers résultats.
Bulletin de la Société préhistorique française,
50, n° 5-6, p. 323-333.

[31] SONNEVILLE-BORDES D. de (1960). — *Le Paléolithique supérieur en Périgord*. Bordeaux, Delmas, 2 vol., 558 p., 294 fig.

[32] TABORIN Y. (1974). — Note préliminaire sur le
site paléolithique d'Etiolles (Essonne). *Cahiers
du Centre de recherches préhistoriques*, U.E.R.
d'Art et d'Archéologie, Paris, t. 3, p. 5-22, fig.

Les civilisations du Paléolithique supérieur en Normandie

François Bigot *

Résumé. La Normandie, région de l'Ouest du Bassin Parisien, qui réalise la jonction avec le Massif Armoricain, est donc à la fois riche en calcaires à silex, à l'Est, puis présente des terrains granitiques, à l'Ouest. L'occupation préhistorique fut importante : les Paléolithiques ancien et moyen sont riches en Normandie, surtout étudiés dans les exploitations de « terre à brique » de Haute-Normandie.

Mais les civilisations du Paléolithique supérieur sont moins riches dans nos régions : les découvertes éparses ne sont pas très nombreuses et les trouvailles « in situ » fort rares.

L'outillage Moustérien semble faire place à un Périgordien encore très moustéroïde, mais avec un indice laminaire élevé.

A Goderville, le Professeur Bordes a individualisé cet outillage. Des traces proto-solutréennes sont mentionnées aussi à Saint-Pierre les Elbeuf. Un témoin tardif a été remarqué à Evreux. Puis un campement Paléolithique supérieur au Rozel, dans la Manche.

La Vallée de la Seine propose aussi la célèbre Grotte de Gouy dont l'étude de l'art pariétal et du matériel lithique, pauvre, semble correspondre pour la placer au niveau d'un Magdalénien final.

L'Eure a fourni aussi un abri sous roche, à Saint-Pierre d'Autils, étudié au début du siècle et dont l'industrie semble pouvoir se rattacher, en rapport avec la faune, au Magdalénien.

Abstract. Normandy, the region to the west of the Paris Basin and contiguous with the Armorican Massif, is rich in both limestone and flint in the eastern section and is characterized by granite formations in the West. The prehistoric occupation was important. The Lower and Middle Paleolithic are well represented in Normandy, and has been especially studied in the brick-earth quarries of Upper Normandy. The Upper Paleolithic cultures, however, are scarcer. The scattered discoveries are not very numerous and the *in situ* finds are extremely rare.

The Mousterian tool-kit seems to have been replaced by a Perigordian still bearing strong Mousterian characteristics, but with a high laminar index. At Goderville, Professor Bordes individualized this industry. Proto-Solutrian traces are also mentioned at Saint-Pierre-les-Elbeuf; a late was reported at Evreux. There was also an Upper Paleolithic camp at Rozel in the Manche *département*.

The Seine Valley is the famous Grotte de Gouy where the study of the parietal art and the scant lithic material seems to justify its classification of the Final Magdalenian.

The Eure *département* has also furnished a rock-shelter at Saint-Pierre d'Autils which was studied at the beginning of this century and whose fauna and flora suggest its attachement to the Magdalenian.

I. Contexte et étude géographique de la Normandie.

A. Normandie.

Depuis les invasions normandes du Xe siècle, un pays s'est appelé Normandie. Sa partie orientale et centrale est géologiquement attachée au Bassin Parisien, avec ses terrains secondaires. Par contre, sa région occidentale appartient, avec ses terrains anciens, au Massif Armoricain. Au Nord, elle est bordée par la Picardie, à l'Est, par le Vexin Français, et, au Sud, par le Maine et l'Anjou, puis, tout à fait à l'Ouest, par le Bassin de Rennes, pour aller rejoindre la côte septentrionale, avec la Baie du Mont-Saint-Michel, limite classique « Normandie-Bretagne ».

B. Haute et Basse Normandie.

« Haut Pays » avec ses plateaux, et « plat Pays » avec ses plaines, ayant pour frontière approximative la Vallée de la Risle. La division en Haute et Basse Normandie correspond à peu près à la différenciation géologique que nous avons évoquée.

1) *La Haute-Normandie* très irriguée, de faible altitude, est entaillée de deux grandes dépressions : boutonnière du Pays de Bray et Vallée de la Seine. Le sol est constitué de calcaires du Crétacé moyen et

supérieur, recouverts de limons. Le déblaiement dans le Pays de Bray atteint le Jurassique supérieur : Cénomanien, Turonien, Sénonien ont fourni du silex de qualité aux hommes préhistoriques.

2) *La Basse-Normandie* présente des basses vallées et des plaines : vallées humides du Pays d'Auge, plateaux calcaires secs des campagnes de Caen et d'Alençon. Puis, à l'Ouest, hauteurs granitiques des collines de Normandie et du bocage normand.

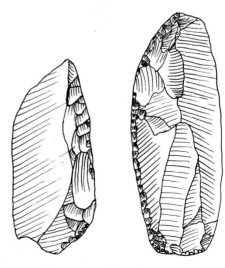

Fig. 1. — Périgordien ancien.

---

* 1370, rue de la Haie - 76230 Bois-Guillaume - France.

II. Le Paléolithique supérieur en Normandie.

A. TRADITION MOUSTÉRIENNE ET PÉRIGORDIEN ANCIEN.

La Normandie n'a fourni aucun fossile de Néanthropien. Le Paléolithique supérieur est la période préhistorique la moins bien représentée en Normandie. L'outillage Moustérien y est bien connu ; et il semble que le Paléolithique Supérieur puise ses origines profondes dans des faciès très élaborés du Paléolithique moyen. Ainsi, de nouvelles études systématiques de gisements de plein air nous ont permis de retrouver, en association avec de l'outillage encore très moustéroïde, des éléments rattachables à un Paléolithique supérieur ancien, avec un indice laminaire élevé. Un Périgordien archaïque a été individualisé par le Professeur Bordes dans la coupe de Goderville. Ce gisement est de nouveau en cours d'étude. La carrière de Nointot propose un matériel de même type. Ces industries du tout début du Würm III, délaissant l'outillage bifacial, font large place à l'industrie laminaire, souvent très Levallois encore, et certainement conséquence de l'importance

FIG. 2. — Proto-Solutréen.

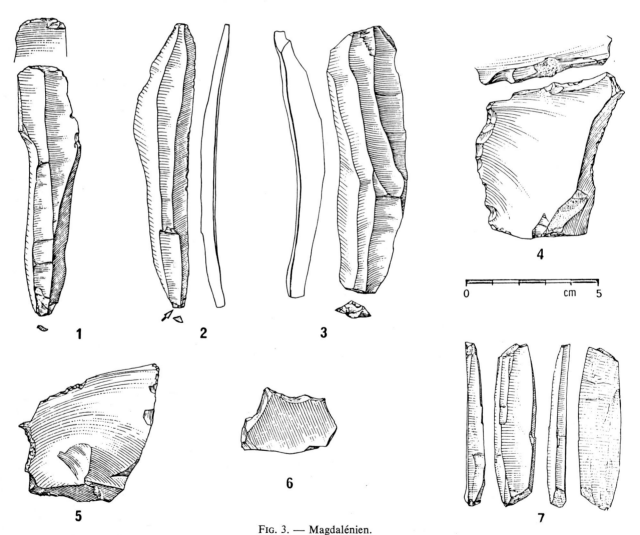

FIG. 3. — Magdalénien.

1. Lame à bout esquillé; 2. Lame à base ocrée; 3. Lame; 4. Bec burinant alterne; 5. Microdenticulé; 6. Encoche sur éclat naturel; 7. Pseudo-burin sur pseudo-lame; (d'après F. Bordes).

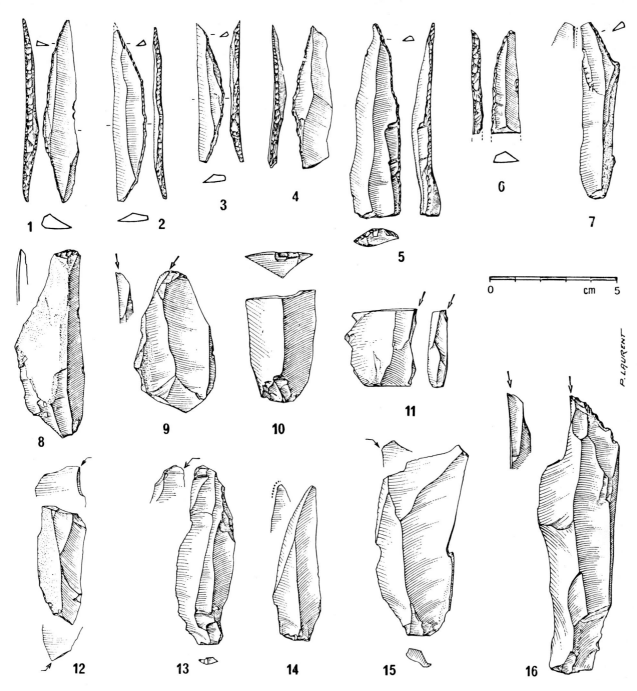

FIG. 4. — Magdalénien. Industrie de la Grotte ornée de Gouy.
1 à 4, 6. Pointes aziliennes; 5. Couteau à dos ocré; 7. Lame tronquée; 8 et 9. Grattoirs sur burin; 10. Lame tronquée partiellement; 11. Burin sur cassure; 12. Burin sur cassure; 13 à 15. Lames usées; 16. Burin sur troncature (d'après F. Bordes).

de cette méthode de débitage dans les industries Moustériennes tardives. Les burins semblent devenir fréquents, ainsi que les couteaux à dos courbes.

B. PÉRIODE INTERMÉDIAIRE : PÉRIGORDIEN ÉVOLUÉ, AURIGNACIEN, SOLUTRÉEN ?

Après ce Périgordien archaïque, encore tout imprégné de Moustérien, le mystère est encore plus grand. Rares sont les découvertes éparses appartenant, sans doute possible, au Paléolithique supérieur récent, et plus rares encore sont les découvertes, réellement dignes d'intérêt, faites « in situ ». Une carrière à Etrépagny aurait fourni des lames à dos rattachables au Périgordien supérieur ; à Oissel, une lame tronquée puis un burin double pourraient se placer dans l'Aurignacien. Quelques éléments Proto-Solutréens ont été individualisés à Saint-Pierre-les-Elbeuf. Une briqueterie, à Houppeville, offre une série assez nette composée de lames, lames à dos et burins qui semblent pouvoir évoquer un Paléolithique supérieur assez évolué. Des éléments assez typiques sont à signaler encore au Vert Galant, puis à Oissel, où plusieurs pièces semblent évoquer l'Aurignacien. En

Basse-Normandie, on peut signaler le gisement du Rozel. Quelques outils d'allure très Paléolithique supérieur figurent dans des collections provenant de Thorigné. C'est d'ailleurs près de Thorigné, dans le Massif de Saulges-Thorigné-en-Charnie, que le groupe de spéléologues de « Mayenne-Sciences » a découvert, en 1967, une grotte ornée de peintures rupestres. Dans un rapport d'activités, R. Bouillon présente cette découverte. Il semble que ces peintures seraient proches des Styles II, III ou IV. On pourrait ainsi les situer entre le Proto-Solutréen et le Magdalénien. Une étude du matériel archéologique serait nécessaire.

C. Période finale : Magdalénien.

En Haute-Normandie, un abri sous roche fut éudié par A.G. Poulain, au début du siècle. Son matériel lithique, en accord avec la faune, permet de le placer dans le Magdalénien. Le très semblable outillage lithique de la Grotte de Gouy a été récemment étudié par le Professeur Bordes qui l'a placé dans le Magdalénien supérieur, le comparant également aux éléments du site d'Evreux III, peut-être pas Epipaléolithique mais Magdalénien final. Les gravures de Gouy représentent un événement capital : la Grotte de Gouy, située à 10 km en amont de Rouen, est creusée dans les falaises de calcaire sénonien et domine la Seine. C'est la grotte ornée la plus septentrionale connue en France, située à plusieurs centaines de kilomètres du grand foyer d'Art Franco-cantabrique. Cette étroite galerie, d'une quinzaine de mètres, aux parois crayeuses très fragiles, a été divisée en 3 parties : Salle de l'Oiseau, Salle de la Ruée, Salle du Cheval. Parmi les gravures de la Grotte : oisau, bovidé, ruée d'animaux, cheval, mammouth, silhouettes humaines, signes, symboles, l'œuvre majeure reste la gravure de cheval (voir figure). Un motif anthropomorphe et des représentations vulvaires triangulaires sont aussi à mentionner. L'hypothèse de datation pourrait aller vers un Magdalénien, peut-être récent, ce qui semble concorder avec les datations de l'outillage lithique.

III. Conclusion.

Finalement, puisant ses racines dans un faciès Moustérien très évolué, très laminaire, nous voyons se développer un Perigordien ancien, les traces du Périgordien évolué restant infimes. On trouve ensuite

Fig. 5. — Gravure de cheval, grotte de Gouy.

Würm III		Würm IV		
Tradition moustérienne	Périgordien ancien	récent Proto-Solutréen ?	Magdalénien	
	35 000	20 000	15 000	10 000
Tradition bifaciale	Evolution laminaire	Lames à dos Burins	Lames tronquees Burins. . . Pointes azilennes, ocre	
Carrières de la Vallée de la Seine	Goderville Nointot	Etrépagny St-Pierre les Elbeuf	Gouy	

un Magdalénien évolué qui a du mal à se différencier avec netteté de l'Epipaléolithique. L'ensemble de Gouy demeure le fait original du Paléolithique supérieur de la région étudiée. L'état actuel des connaissances ne permet pas d'être plus précis, mais l'orientation des recherches régionales semble tendre vers cette période lacune.

Bibliographie

[1] BORDES F. (1953). — Les limons quaternaires du Bassin de la Seine. *Archives de l'Institut de Paléontologie humaine*. Mémoire 26, Masson, Paris, 1953, 471 p. (p. 91-99).

[2] BORDES F. (1952). — Stratigraphie du loess et évolution des industries paléolithiques dans l'ouest du Bassin Parisien. Evolution des industries paléolithiques. *L'A.*, t. 56.

[3] BORDES F. (1961). — *Typologie du Paléolithique inférieur et moyen*. A Bordeaux, Ed. Delmas.

[4] BORDES F. (1963). — Les loess de Goderville et la stratigraphie du Quaternaire récent. *Bulletin Société Géologique Fr.*, t. V.

[5] BORDES F. et FITTE P. (1951). — Une industrie épipaléolithique à Evreux. *Bull. Soc. Préhis. Fr.*, nos 3 et 4, mars-avril 1951, p. 147-154.

[6] BORDES F. (1968). — *Paléolithique dans le monde*. Hachette, Univers des Connaissances.

[7] BOUILLON R. (1967). — Le site de Saulges. Bulletin de Mayenne-Sciences.

[8] BOURDIER F. — Aperçu sur la stratigraphie des limons quaternaires du Bassin de Paris. *Bull. d'Inf. Géol. Bassin Parisien*, n° 13.

[9] GRAINDOR (1948). — Les limons quaternaires aux environs de Rouen. *Ann. Agr.*, n° 6.

[10] GRAINDOR M.J. et MARTIN Y. (1972). — L'Art préhistorique de Gouy. Presses de la Cité, 1972, 155 p.

[11] LAUTRIDOU J.P. (1968). — Les loess de Saint-Romain et de Mesnil Esnard (Pays de Caux). *Bull.* n° 2, *Centre de Géomorphologie de Caen*, C.N.R.S., 1968.

[12] LAUTRIDOU J.P. et VERRON Guy. — Paléo-sol et loess de St-Pierre les Elbeuf. *Bull. de l'Ass. Fr. pour l'étude du Quaternaire*.

[13] MARTIN Y. (1972). — *L'Art paléolithique de Gouy*. Imprimerie J. Buquet, St-Etienne-du-Rouvray, 153 p.

[14] OTTE M. (1974). — Une hypothèse d'interprétation de la pointe proto-solutréenne de Saint-Pierre les Elbeuf. *Bull. Soc. Préhist. Fr.*, n° 7, octobre 1974.

[15] POULAIN A.G. (1902, 1903, 1904, 1905, 1906, 1912). — Résultats des fouilles à Mestreville, t. 10 à 20. *Bull. S.N.E.P.*

[16] POULAIN A.G. (1912). — Exploitation de l'abri du mammouth à Mestreville. *Bull. Soc. Préhist. Fr.*, t. 9.

Les civilisations du Paléolithique supérieur
dans le Bassin de la Somme et en Picardie

par

Alain Tuffreau *

Résumé. Depuis les recherches de V. Commont (1913), l'étude du Paléolithique supérieur n'a guère progressé en Picardie. Les anciennes découvertes sont attribuables, semble-t-il, au Périgordien supérieur et au Magdalénien supérieur, notamment.

Abstract. Since the research of V. Commont (1913), the study of the Upper Paleolihtic has not progressed in Picardy. The old discoveries can be especially attributed to the Upper Magdalenian.

Le Paléolithique supérieur demeure très mal connu en Picardie. La plupart des sites repérés anciennement sont ceux qui ont été signalés par V. Commont dans la région d'Amiens : Montières-Etouvy, Renancourt-les-Amiens, Conty, Belloy-sur-Somme. Malheureusement, le mobilier de ces gisements n'est connu que par la publication de V. Commont (1913) et quelques rares pièces conservées dans différents musées. Ainsi, en l'absence d'indications numériques, il est très difficile de reconnaître, avec certitude, les industries signalées par V. Commont. De plus, l'outillage est rare. Plus au S, le Paléolithique supérieur n'est attesté dans le Bassin de l'Oise que par des trouvailles isolées, numériquement insignifiantes (B. Schmider, 1971).

L'Aurignacien n'a pas été reconnu avec certitude au N de la Seine, bien que sa présence soit établie en Belgique. Il faut cependant noter l'existence d'une série de burins busqués à Rouvroy, près de Saint-Quentin (J. Vaillant, 1976) et de grattoirs carénés dans l'industrie « solutréenne » de Conty (V. Commont, 1913).

Le Périgordien supérieur est certainement présent, comme à Renancourt-les-Amiens, mais il est difficile d'en préciser le faciès et d'établir des rapprochements avec les industries du Périgordien supérieur du Bassin Parisien (B. Schmider, 1971).

V. Commont pensait que l'industrie de Conty était attribuable au Solutréen. Cette détermination n'est pas certaine et Ph. Smith (1966), dans sa thèse sur le Solutréen ne reconnaît comme pièce « solutréenne » qu'une lame retouchée à bulbe enlevée, qui pourrait être une pointe à face plane.

Une industrie du Magdalénien supérieur est connue à Belloy-sur-Somme où V. Commont mena une importante fouille. Il releva la présence d'aires de débitage et reconnut deux niveaux archéologiques dans une couche blanchâtre située sous un « limon à briques », probablement colluvié. Des milliers d'éclats et de lames ont été recueillis mais l'outillage est fort rare : quelques perçoirs à fort rostre et deux pièces s'apparentant à des pointes hambourgiennes, dans le niveau inférieur ; quelques grattoirs, burins et des perçoirs à rostre bien dégagé, dans le niveau supérieur. Le style des perçoirs permet de situer l'industrie de Belloy-sur-Somme, dans le Magdalénien supérieur des régions nordiques, représenté en Belgique et, aussi, dans la région Parisienne.

Bibliographie

[1] Commont V. (1913). — Les hommes contemporains du Renne dans la vallée de la Somme. *Mémoires de la Société des antiquaires de Picardie*, XXXVII, 438 p., 154 fig., 1 carte h.t.

[2] Schmider B. (1971). — Les industries lithiques du Paléolithique supérieur en Ile-de-France. *VIe Supplément à Gallia-Préhistoire*, 219 p., 109 fig., 9 tabl.

[3] Vaillant J. (1976). — Quelques pièces du Paléolithique supérieur à Rouvroy (Aisne). *Septentrion*, sous presse.

* Equipe de recherche associée au C.N.R.S. no 423, Musée des Antiquités Nationales, 78100 Saint-Germain-en-Laye (France).

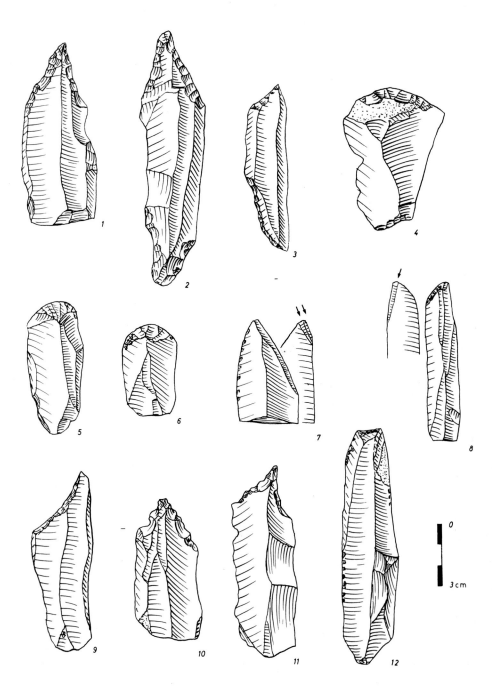

FIG. 1. — Belloy-sur-Somme.
1 à 3. Niveau inférieur; 4 à 12. Niveau supérieur (*d'après V. Commont*).

Les civilisations du Paléolithique supérieur en Artois

Résumé. Le Paléolithique supérieur demeure mal connu dans le Nord de la France. Il existe cependant quelques traces de Périgordien supérieur et de Magdalénien supérieur.

Abstract. The Upper Paleolithic is not very well known in the Nort of France. Nevertheless, some indications of the Upper Perigordian and the Upper Magdalenian exist.

Dans le Nord de la France, le Paléolithique supérieur apparaît faiblement représenté, certainement plus en raison d'une certaine indigence des recherches en ce domaine que d'une pauvreté réelle. En effet, des gisements sont connus au S, dans la vallée de la Somme et au N et à l'E, en Belgique.

Il est souvent impossible, faute de publications de qualité suffisante, de déterminer si les multiples trouvailles anciennes, attribuées au Paléolithique supérieur, l'ont été à juste titre.

Le Périgordien supérieur est représenté sur les lambeaux sableux tertiaires dominant la vallée de la Sensée. La plus importante de ces stations de surface est celle des Plats Monts à Ecourt-Saint-Quentin (P. Demolon et A. Tuffreau, 1972) où ont été recueillis 278 outils, ainsi que de multiples nucleus, lames et éclats. L'outillage comprend surtout des burins (IB = 43,52). Les burins sur troncature (IBt = 25,17) dominent nettement les burins dièdres (IBd = 12,94). Les burins plans sont nombreux (IBp = 9,71). Les grattoirs représentent un peu plus du cinquième de l'outillage avec une nette prédominance des grattoirs simples sur bout de lame et des grattoirs sur éclat. Le reste de l'outillage se compose notamment de quelques perçoirs, de lames tronquées et de pièces à bord abattu, dont deux pointes de la Gravette. Une autre série de surface, provenant de Hamel, offre des caractéristiques typologiques assez comparables (P. Demolon et A. Tuffreau, 1974).

En dehors de quelques autres trouvailles de surface isolées et de quelques pièces mises au jour dans la couverture limoneuse de la basse terrasse de l'Aa (J.L. Baudet, 1960), le Paléolithique supérieur est représenté à Hallines. Il y a été mis au jour dans un cailloutis stratifié, au pied de la moyenne terrasse de l'Aa, sur le versant d'un petit thalweg incisant le système de terrasses de la rive gauche de l'Aa (R. Agache, 1971). L'industrie de ce gisement, qui a été découvert par J. Boutry et où une fouille de sauvetage de quelques m² put être menée (fouille A. Tuffreau), provient de lentilles limoneuses incluses dans le cailloutis. L'outillage, peu abondant par rapport au nombre d'éclats, de lames et de nucleus, de grandes dimensions, comprend de nombreux burins (IB = 46,36). Les burins sur troncature, souvent oblique, sont les plus nombreux (IBt = 31,81). Les grattoirs (IG = 26,36) sont pour près de la moitié d'entre eux des grattoirs sur bout de lame. Les perçoirs et les becs sont abondants (IP = 17,27). Ils présentent un rostre bien dégagé. Malgré un tamisage des déblais de la fouille, aucune lamelle à dos n'a été recueillie. La répartition de l'outillage et l'importance des becs permettent de comparer l'industrie de Hallines à celles du Magdalénien supérieur de Belgique, d'Allemagne et du Bassin Parisien. Une mesure d'âge C 14, effectuée sur une vertèbre d'*Elephas primigenius,* donne cependant une datation assez élevée : 16 000 ± 300 ans, soit 14 050 avant J.-C. (Gif, 1712).

La découverte, au siècle dernier, d'une pointe hambourgienne dans l'abri de la Grande Chambre à Rinxent (E.T. Hamy, 1899) confirme la présence dans le Nord de la France d'un Paléolithique supérieur final. C'est peut-être aussi à cette période qu'il faut attribuer l'atelier de taille mis au jour à Férin (Nord) (fouille A. Tuffreau), mais très pauvre en outillage.

Il est probable que les prospections permettront de découvrir dans le Nord de la France d'autres gisements du Paléolithique supérieur, qui demeure encore mal connu entre la Belgique et le Bassin Parisien.

Bibliographie

[1] AGACHE R. (1971). — Informations archéologiques, circonscription de Nord-Picardie. *Gallia-Préhistoire,* t. XIV, p. 271-310, 39 fig.
[2] BAUDET J.L. (1960). — Epipléistocène flamand. *Quartär, Festchrift für Lothar Zotz,* p. 19-37, 10 fig.
[3] DEMOLON P. et TUFFREAU A. (1972). — Présentation du Paléolithique supérieur des Plats Monts à Ecourt-Saint-Quentin (Pas-de-Calais). *Bulletin de la Société préhistorique française,* t. LXIX, p. 356-363, 5 fig.
[4] DEMOLON P. et TUFFREAU A. (1974). — Le Paléolithique supérieur de Hamel (Nord). *Septentrion,* t. IV, p. 3-5, 1 fig.
[5] HAMY E.T. (1899). — Le Boulonnais préhistorique. *Boulogne-sur-Mer et la région boulonnaise,* t. I, p. 3-27, 11 fig.

* Equipe de recherche associée au C.N.R.S. n° 423, Musée des Antiquités Nationales, 78100 Saint-Germain-en-Laye (France).

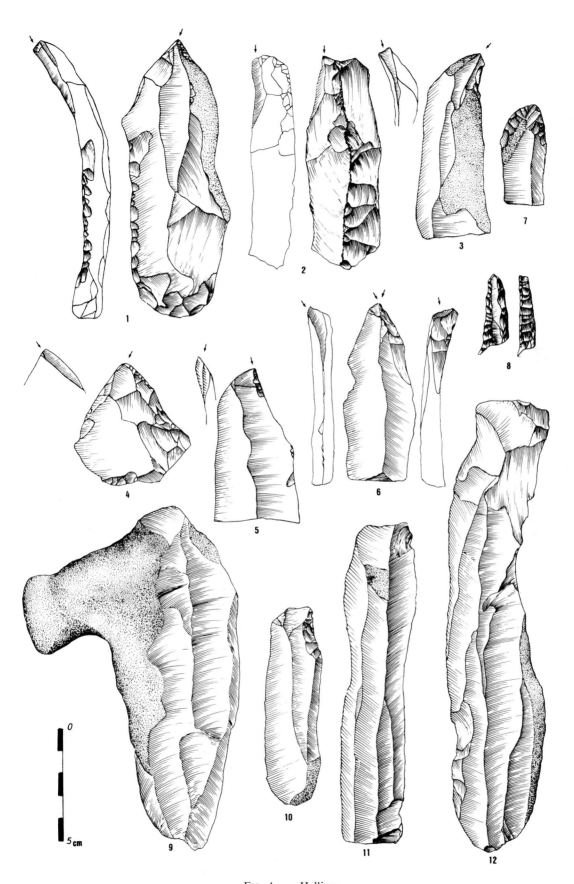

FIG. 1. — Hallines.
1, 2, 3, 4, 5. Burins sur troncature; 7. Grattoir; 6. Burin dièdre; 8. Fragment de bec; 9. Nucleus; 10. Lame retouchée; 11 et 12. Lames; (*dessins J. Hurtrelle*).

Les civilisations du Paléolithique supérieur
dans le Jura et en Franche-Comté

par

René Desbrosse *

« *Ces nouveaux venus... sont-ils, comme certains le pensent, des Méditerranéens venus échouer, par le Rhône et la Saône, jusqu'au fond de cet ultime cul-de-sac rhodanien ?* »

P. Mouton et R. Joffroy (1956).

Résumé. Répartis sur cinq départements, presque tous tributaires du bassin de la Saône, les gisements répertoriés ici ont livré de l'Aurignacien ancien (un seul), du Périgordien (deux), du Solutréen (un seul, probable), du Magdalénien (tous les autres).

Traditionnellement rapportés à des phases anciennes ou moyennes, Farincourt, Arlay et Rigney pourraient représenter, associés à d'autres sites des provinces voisines, un faciès régional du Magdalénien IV-V, caractérisé par son industrie osseuse et ses manifestations artistiques.

Sans doute présent dans un grand nombre de gisements, le Magdalénien final y a été fouillé trop tôt et souvent mélangé aux séries épipaléolithiques. Dans l'état actuel de nos connaissances, il semble avoir évolué surtout vers l'Azilien, mais il est impensable que cette province-carrefour n'ait pas subi les influences du bassin parisien ou de l'Europe moyenne.

Le Paléolithique supérieur du Jura et de Franche-Comté manque de datations absolues mais surtout de fouilles et de publications modernes.

Abstract. Spread out over five *départements,* almost all tributaries of the Saône Basin, the sites mentioned here contain the following cultures : a single Lower Aurignacien, two Perigordians, probably a single Solutrean, and all the rest Magdalenian.

Traditionaly relegated to the earlier and middle phases, Farincourt, Arlay, and Rigney may represent - associated with other sites in neighboring provinces - a regional variant of the Magdalenian IV V, characterized by a bone industry and artistic manifestations.

Doubtlessly present in a great number of sites, the Final Magdalenian was excavated too early and often mixed with Epipaleolithic horizons. At the present state of our understanding, it seems to have evolved especially toward the Azilian, but it is unthinkable that this crossroads province was not influenced by the Paris Basin or Middle Europe.

The Upper Paleolithic of the Jura and the Franche-Comté lack absolute dates, especially the recent excavations and publications.

Le cadre géographique dressé pour le Paléolithique inférieur et moyen reste valable pour les civilisations du Paléolithique supérieur dont la carte de répartition montre les sites presque tous localisés dans les régions calcaires et au bord des cours d'eau. Les zones de moins grande densité correspondent le plus souvent à des chaînes ou hauts plateaux trop élevés et inhospitaliers ou à l'absence de préhistoriens dans ces régions où la recherche débuta cependant dès le siècle dernier.

Plutôt qu'un ordre chronologique, notre inventaire des sites conserve l'artificiel cadre administratif des départements français avec indication des communes.

Haute-Marne.

Grottes de la Zouzette (Farincourt).

Il s'agit de trois cavités voisines, ouvertes dans une petite falaise calcaire au bord du ruisseau de la Rigotte. Depuis 1881 elles ont fait l'objet d'un certain nombre de publications citées dans l'excellente étude de P. Mouton et R. Joffroy (1956), lesquels n'ont pu retrouver de stratigraphie dans les grottes 1 et 2

anciennement bouleversées. L'industrie lithique recueillie dans les déblais ou quelques parties préservées de la grotte 2 compte des grattoirs, des burins abondants, des lamelles à bord abattu, un microburin et surtout des scalènes (certains sont denticulés) qui conduisent ces auteurs à évoquer le Magdalénien de Crabillat, Lacam, la Souquette. Os et bois de renne travaillés sont abondants. Il faut signaler des grès sculptés dont un fragment de phallus gravé. Un bâton percé servant de support à une superbe représentation phallique provient, avec quelques autres pièces intéressantes (comme un tibia de grand échassier porteur de nombreuses stries profondes), d'une « cachette » dans une fissure. Quatre restes humains, dont une mandibule d'adulte, probablement féminine, furent étudiés par M.R. Sauter (1957). La faune, où manque le cheval, est celle d'une steppe herbeuse relativement froide et sèche à proximité de la forêt de conifères.

Dans la grotte 3, une coupe stratigraphique a pu être levée. Un niveau serait attribuable à un Magdalénien ancien (burins, raclettes atypiques, quelques os travaillés, un cardium perforé) et un autre évoquerait l'Azilien ou une industrie à Federmesser. Toute proche, la « Station de Terrasse » a livré des silex

* Laboratoire de Préhistoire du Muséum National d'Histoire Naturelle, Institut de Paléontologie Humaine, 1, rue René Panhard, 75013 Paris (France).

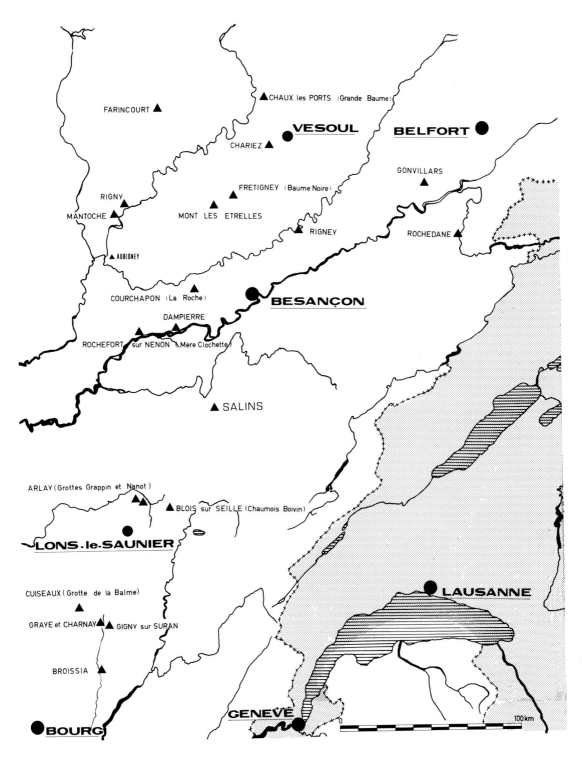

qui sont ceux des grottes 1 et 2 : nombreux scalènes, denticulés ou non, deux microburins.

Haute-Saône.

Fissure de la Guillotine (Chariez).

Découverte par A. Thévenin (1965) qui y récolta principalement des triangles scalènes dont un denti-culé, un microburin, plusieurs lames, des lamelles à bord abattu et quelques microlithes. Les ressemblan-

ces avec Farincourt avaient d'abord incité l'inventeur à la dater du Magdalénien III puis d'une « phase très terminale » du Paléolithique supérieur. Le lièvre, le renne et un microtidé figurent dans les rares restes osseux recueillis.

Grotte de la Grande Baume (Chaux-les-Port).

Belle cavité ouverte à l'Est, au-dessus de la Saône et exploitée vers 1850 pour son guano. J. Collot (1949) relate les fouilles de F. Poly en 1879 : « Il y aurait découvert un os de mammouth, une dent de loup percée et de nombreux silex paléolithiques (solutréen-magdalénien) », mais n'y recueille — au-dessus de l'argile à ours — aucun vestige antérieur au Néolithique. A. Thévenin pense « qu'il doit exister un faible horizon paléolithique supérieur » et fait remarquer que, dans la planche III de J. Collot, figurent un fragment de harpon et un os gravé qui pourraient être magdaléniens. P. Pétrequin (1970) cite du Paléolithique supérieur dans la collection J. Collot.

Grotte de la Baume Noire (Fretigney).

Enorme cavité qui a connu bien des saccages. La seule stratigraphie est donnée par J. Collot (1947) : A stérile, B Aurignacien, C stérile, D Mésolithique, E Néolithique. A. Thévenin qui découvrit dans les déblais un cheval gravé sur cortex de silex pense (1965) que la couche D est un très riche Azilien qui surmonte probablement différentes couches magdaléniennes.

Stations de Mont-les-Etrelles.

Vaste complexe sans doute fréquenté de l'Acheuléen au Néolithique. A. Thévenin (1965) y a repéré « plusieurs points à implantation d'hommes du Paléolithique supérieur », mais il s'agit de trouvailles dispersées (industrie lithique uniquement), par conséquent difficiles à dater avec plus de précision.

Stations de Mantoche.

Le même auteur décrit une demi-douzaine de stations de plein air, proches de la Saône, qu'il attribue au Magdalénien.

Station En Terredey (Rigny).

« Il s'agit d'une station de hauteur, reposant sur les limons de plateaux ». Bien localisée, elle a livré une industrie lithique avec burins dominants dans laquelle A. Thévenin (1965) voit « très vraisemblablement un Magdalénien, peut-être apparenté à celui de Farincourt ».

Doubs.

Grotte de la Roche (Courchapon).

Figure parmi les grottes à ours citées par F. Bourdier (1961). P. Ripotot et R. Seibel (1958) ont reconnu du Magdalénien VI et de l'Epimagdalénien dans les collections du musée de Dole. Information reprise par A. Thévenin (1965) et P. Pétrequin (1970).

Grotte de Rigney.

De petites dimensions, elle fut sans doute vidée complètement par J. Collot dont les récoltes ont été publiées par A. Glory (1961) qui, pour les dater, rappelle que « la naissance de la mode des rainures axiales sur sagaies et baguette s'opère au Magdalénien II en Charente et en Périgord ». Si l'industrie lithique semble peu abondante (une douzaine de silex décrits), le travail de l'os et des bois de cervidés est bien attesté par une série de trouvailles originales : bâton percé phallique, spatule gravée de têtes animales, fragments ornés ou rainurés de sagaies, lissoir, ciseau, poussoir ainsi qu'un assez grand nombre d'esquilles gravées ou portant des traces d'utilisation. Dans les anciens déblais, A. Thévenin recueillit, en 1957, un fragment de baguette demi-ronde ornée de groupes de trois traits. Hormis le beau crâne de rhinocéros à narines cloisonnées, on ne sait rien de la faune recueillie.

A défaut d'une fouille de contrôle dans ce site peut-être épuisé, il faudrait posséder au moins les indications d'une ou plusieurs datations absolues. Nous pensons que l'industrie osseuse présente quelques affinités avec celle d'Arlay et de Farincourt.

Grotte de la Baume (Gonvillars).

Au débouché occidental de la Trouée de Belfort, cette belle cavité sur laquelle s'articule un riche réseau souterrain a fourni à P. Pétrequin (1970) une stratigraphie du Paléolithique moyen au Bronze final dans laquelle, hélas, le Paléolithique supérieur n'occupe pas une place de choix : « A Gonvillars, un niveau d'éboulis cryoclastiques XIV a été repris en surface par une érosion fluviatile (Würm III probable). Au-dessus, des pierrailles gélivées sèches et de gros blocs XIII-XII se sont déposés sur un mètre d'épaisseur moyenne (Würm IV). Au milieu de ces éboulis est visible un petit sol d'habitat avec lame de silex d'allure Paléolithique supérieur. Une faune froide a été trouvée sur ce sol ».

Abri de Rochedane (Villars-sous-Dampjoux).

Les fouilles exemplaires d'A. Thévenin dans un site pourtant fort malmené par les anciens collectionneurs nous ont valu de riches enseignements sur l'Epipaléolithique de l'Est de la France. Nous ne traiterons ici que des niveaux D 2 et D 1, les seuls à avoir livré quelques restes de renne. Bien représentés autrefois à l'intérieur de l'abri, ils n'ont été retrouvés que sur une faible surface, d'où la pauvreté des industries — uniquement lithiques — inventoriées. Une chaille locale verdâtre fut abondamment débitée mais rarement transformée en outils ; ces derniers proviennent d'un excellent silex à grand débitage (fig. 1) :

— pièces à dos courbe (tranchant droit ou non) et grands segments de cercle à deux extrémités pointues ;
— grattoirs présentant de nombreuses variantes où subsistent les types du Paléolithique supérieur et apparaissent des types plus tardifs : sur bout de lame (n° 1), de type unguiforme, sur fragment de lame épaisse, à museau (n° 2), double (n °3), sur éclat épais (n° 4) ;
— très rares burins (n° 5 qui pourrait évoquer le type bec-de-perroquet) ;
— lamelles à bord abattu, toujours sur lamelles très fines.

Ces niveaux ont fourni quelques rares galets gravés portant seulement des traits incohérents, très différents de ceux à thème géométrique des niveaux C' 1 et B. De D 2 provient un superbe galet peint, le seul

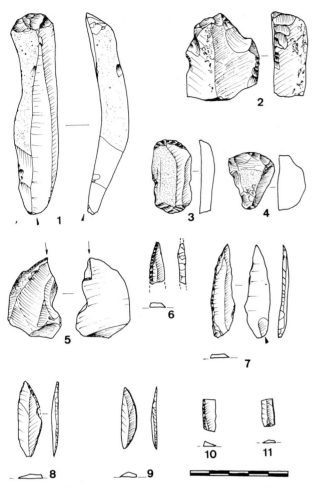

FIG. 1. — Rocnedane : industrie lithique des niveaux D2 et D1.

trouvé *in situ,* alors que les anciens déblais en étaient riches.

Pour A. Thévenin (1972, 1973) auquel nous devons plusieurs publications sur ce site, les niveaux D 2 et D 1 représentent un Magdalénien très final qu'il faut placer dans l'Alleröd.

Jura.

Abri du Colonel Martin (Dampierre).

Est-ce la « grotte à stratigraphie complexe », évoquée par F. Bourdier (1961), qui « aurait, paraît-il, donné lieu à d'importantes fouilles clandestines récentes » ?

Nous possédons deux courts rapports de J.P. Millotte : « Explorée avec soin par le Groupe jurassien de recherches préhistoriques, la grotte du Colonel Martin possède 5 couches bien différenciées :
— Magdalénien IV, avec de nombreuses et minuscules lamelles à bord écrasé ;
— Magdalénien V, avec lamelles à dos abattu, sagaies à double biseau, ébauche de harpon à rang de barbelures ;
— Magdalénien VI (Proto-azilien), avec de belles lames à dos courbe, burins et grattoirs classiques ;

— Sauveterrien, avec amas de cendre, outillage à base de pointes, coquilles Hélix ;
— Tardenoisien pauvre, avec lames fragmentées transformées en microburins » (1958).

Le second (1967) : « L'abri du Colonel Martin s'ouvre à la base d'un petit escarpement rocheux, sur la rive droite du Doubs, entre Dampierre et Ranchot. Après les fouilles de MM. Ripotot et Seibel (aux environs de 1950), MM. A. Mignot et Pétrequin ont essayé de retrouver une stratigraphie sous les déblais des fouilles précédentes. A priori, il n'est pas possible de distinguer dans les rares lambeaux de terrain en place les deux niveaux inférieurs (Périgordien et Magdalénien) signalés par Ripotot... ». Citant ce dernier, A. Thévenin évoque « plusieurs couches magdaléniennes et une azilienne » tandis que P. Pétrequin (1970) le répertorie sur la commune de Ranchot et précise que Ripotot y signale un niveau magdalénien.

Trou de la Mère Clochette (Rochefort-sur-Nenon).

Là encore, malheureusement, nous devons, faute de séries recueillies et conservées soigneusement, nous borner à des citations. En effet, les récoltes de J. Feuvrier ont subi bien des vicissitudes au musée de Dole. J. Combier (1955) : « Dans le Jura dolois, la grotte de la Mère Clochette (fouilles Feuvrier, étude en cours par M. Ripotot) a fourni, superposée à un Aurignacien très caractérisé (niveau des pointes à base fendue), une industrie typologiquement intermédiaire entre les Périgordiens I et IV de Peyrony, avec des lames à dos qui mériteraient d'être isolées sous un nom spécial ».

F. Bourdier (1961) : « L'Aurignacien ancien, si rare dans le bassin du Rhône, serait représenté par les remarquables industries du Trou de la Mère Clochette... Du Périgordien moyen, peut-être contemporain du Paudorf, existerait au-dessus de l'Aurignacien et serait caractérisé par des lames à dos d'un type spécial ».

Ce gisement-martyr en évoque un autre : Germolles, à l'Ouest de Chalon-sur-Saône, où est attesté un niveau d'Aurignacien ancien mais qui serait surmonté d'une phase à pointes osseuses losangiques.

Salins.

« L'absence de Solutréen certain à l'Est du Rhône a souvent été signalée, et, dans l'état des connaissances actuelles, elle semble réelle. Il y a cependant une possibilité que des traces de Solutréen du type Solutré aient été trouvées à l'Est de la Saône, dans le département du Jura, bien qu'on en ait peu parlé. Pirouter (1924) a signalé deux pointes solutréennes découvertes près de la ville de Salins au siècle dernier, et bien qu'il en parle comme étant du Solutréen inférieur (en se fondant probablement sur la diagnose de Capitan), d'après ses descriptions, elles ressemblent beaucoup aux feuilles unifaces ou pointes de Badegoule, qu'on rencontre à Solutré. Les deux seraient des fragments de base. Une est décrite comme ayant 41 cm de long (ce qui est certainement une erreur pour 4,1 cm), avec un pédoncule grossier ou constriction basale. L'autre a 5 cm de long, avec une base tronquée, légèrement arrondie. Malheureusement, les pièces ne sont pas figurées dans l'article de Piroutet. La ressemblance avec Solutré est encore augmentée par le fait qu'elles portaient toutes deux d'épaisses concrétions. Piroutet pense qu'elles venaient originellement de quelque petite grotte ou crevasse qui fut détruite quand on construisit la forteresse voisine. Elles furent récoltées en cultivant la terre d'un vignoble, et ainsi doivent être considérées comme des trouvailles de surface. Cependant Combier, qui nous les signala, ne rejette pas la possibilité qu'il s'agisse d'outils solutréens, peut-être quelques pièces perdues par une expédition de chasse partie de Solutré. S'il en est ainsi, c'est le Solutréen le plus oriental connu en France. Malheureusement, ni Combier ni nous-même n'avons vu ces objets, et leur place actuelle est inconnue » (Ph. Smith, 1966).

Que l'on nous pardonne cette longue citation, mais l'avant-dernière phrase suffit à en souligner tout l'intérêt.

Grotte de Chaumois-Boivin (Blois-sur-Seille).

J.P. Millotte (1958) : « Au hameau du Chaumois-Boivin, M. Vuillemey a procédé à un sondage dans la grotte de l'Abbé Dumont. A l'avant de la cavité, la stratigraphie est la suivante :

a) un niveau magdalénien épais de 70 cm avec cailloutis de petite dimension, terre ocre-jaune compacte. Vers la paroi nord, le dépôt est plus épais, semé d'éclats osseux (renne 80 %) et mâchoires de petits rongeurs ;

b) en-dessous, couche terreuse avec galets roulés sans faune ;

c) terre de remplissage compacte avec concrétions décalcifiées sans faune.

Le matériel recueilli comprend une sagaie en os, une lame en chaille, un micro-burin, un fragment osseux présentant des traces d'outils. Un morceau de poterie (Bronze final ?). Si cette grotte est mal exposée, elle demeure par contre sèche par les grandes pluies ».

J. Combier nous a fourni une liste (avec indication du nombre d'individus) de la faune recueillie :

Vulpes vulpes L. 3	*Oryctolagus cuniculus*
Vulpes sp. (Isatis ou	L. 1
Corsac) 1	*Arvicola terrestris* L. . 6
Meles meles L. 1	*Microtus arvalis-agres-*
Putorius eversmanni	*tis* 8
Lesson 1	*Microtus nivalis* Mar-
Mustela erminea L. . 1	tins 2
Equus sp. 1	*Clethrionomys glareo-*
Bos ou Bison 2	*lus* Schreber 1
Rupicapra rupicapra	*Apodemus sylvaticus*
L. 1	L. 1
Rangifer tarandus L. . 3	*Marmota marmota* L. 4

Une datation au radiocarbone (Desbrosse & Evin, 1973) a été effectuée sur des esquilles osseuses du niveau magdalénien : Ly 440 : 12 040 ± 270 B.P.

Grotte de Chaze (Arlay).

Appelée aussi Trou à Nanot, elle a été ruinée par une exploitation de carrière et a livré un crâne de lion ainsi que de nombreux ossements d'ours dans une argile et des limons qui seraient d'âge Riss-Würm. M. Vuillemey y a recueilli quelques silex (dont un triangle) qu'il attribue au Paléolithique supérieur.

Grotte Grappin (Arlay).

Appelée aussi grotte Saint-Vincent. A proximité de la Seille, elle fut mise au jour par des travaux de carrière, explorée par L.A. Girardot dans la dernière décade du siècle dernier puis par le prince d'Arenberg pendant la première guerre mondiale. Les pièces les plus spectaculaires sont exposées au château d'Arlay. L'industrie osseuse (os, ivoire, bois de renne) comporte un grand nombre d'outils parmi lesquels on remarque plus spécialement des « navettes » et surtout de grosses sagaies ornées à section carrée le plus souvent et double biseau. Les décors sont des rainures longitudinales, des traits obliques ou transversaux, des motifs géométriques (chevrons), des figures schématiques de poissons (Feuvrier, 1907). Sur le fallacieux témoignage du critère morphologique des sagaies préconisé par H. Breuil, J. Combier (1954, 1955) puis F. Bourdier (1961) avaient rapporté Arlay au Magdalénien III, comme le fit J.K. Kozlowski (1965) pour la grotte Maszycka, au Sud de la Pologne, qui fournit des sagaies ornées de motifs très semblables. Des analogies peuvent être trouvées à plus courte distance puisque J. Combier (1955 a, p. 131) figure une sagaie du même type recueillie en 1907 dans le Magdalénien de Solutré. L'industrie osseuse de la Garenne (travaux de J. Allain) offre de grandes analogies avec celle d'Arlay, de même que Farincourt et Rigney, un dénominateur commun de ces quatre autres sites pouvant être la présence de bâtons percés phalliques. A 80 km au Sud, le niveau à galets gravés de la Colombière a livré une sagaie à biseau simple et section quadrangulaire dont le décor (une réplique presque exacte se retrouve au Kesslerloch, comme le rappelle J. Allain) évoque irrésistiblement certaines pièces d'Arlay.

En 1953, J. Combier et M. Vuillemey ont procédé à une fouille de contrôle en plusieurs endroits de la cavité et nous donnent une stratigraphie simplifiée du remplissage (fig. 2), sur laquelle on remarque la situation du niveau archéologique entre deux planchers stalagmitiques. Des datations au ^{14}C ont été obtenues, sur des esquilles osseuses prélevées en 1953, pour les niveaux à ours et la couche magdalénienne ; nous avons déjà fait part de nos réticences concernant Ly 497 : 15 320 ± 370 B.P. que nous jugeons trop ancienne (Desbrosse & Evin, 1973). En plein accord avec J. Combier et M. Vuillemey, nous pensons qu'Arlay pourrait se situer, en conservant le schéma proposé par H. Breuil, dans la « fourchette » Magdalénien IV - Magdalénien V.

L'art mobilier compte un petit galet de calcite qui porte une gravure à thème géométrique en forme d'échelle, un fragment de diaphyse avec profil de mammouth gravé et un galet rond, publié par J.-P. Millotte (1960, p. 183), qui ne déparerait pas la série des galets de la Colombière.

Par contre, l'industrie lithique, dont nous produisons (fig. 3) un modeste échantillonnage, apporterait,

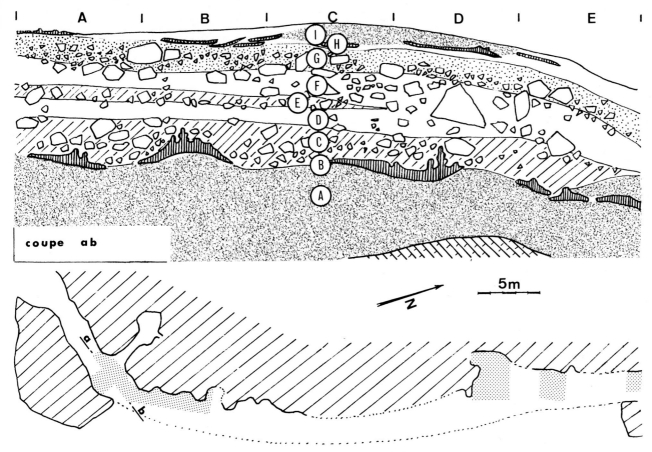

FIG. 2. — Arlay, grotte Grappin : fouilles Combier-Vuillemey (surface pointillée du plan) et coupe stratigraphique (5 m de long) selon a b :
A. Argile pure à fracture conchoïdale; B. Plancher stalagmitique; CDEF. Blocaille hétérométrique à matrice argileuse avec occupation animale (C et E); G. Fin cailloutis anguleux plus ou moins encrouté à la partie supérieure (Magdalénien); H. Plancher stalagmitique mince et discontinu; I. Argile sans cailloutis.

si on la compare à celle du complexe des niveaux D de la Colombière, une note moins archaïque. Aussi faut-il regretter davantage qu'il ne soit plus possible d'étudier l'outillage — mélangé aux autres récoltes — d'un niveau C individualisé par L. Mayet et J. Pissot (1915) dans le célèbre abri des bords de l'Ain, et dont la position stratigraphique au-dessous d'un niveau B qu'on peut avec grande vraisemblance dater du Magdalénien final, présentait un intérêt exceptionnel.

La faune, très froide, où domine le renne, compte aussi lièvre siffleur, lemming, lagopède ; J.-P. Millotte (1960) la considère comme « typique du Magdalénien IV-V ».

Parmi le foisonnement des faciès qu'on commence à deviner dans les derniers stades des temps magdaléniens, n'est-il pas tentant d'isoler un faciès régional où figureraient — avec, bien sûr, certaines nuances chronologiques qu'il faudra préciser à la lumière de fouilles modernes — les sites de Farincourt, d'Arcy-sur-Cure, la Grande-Baume à Balot et Solutré (pour l'Ouest de la Saône) et Rigney, Arlay, la Colombière (et peut-être la Croze-sur-Suran) dans la zone jurassienne ? La rigueur du climat, l'industrie osseuse et les manifestations artistiques seraient les meilleures constantes dont nous disposons actuellement pour caractériser ce faciès qui se serait développé entre le Magdalénien moyen et le Magdalénien ultime.

Abri de l'Ermite (Graye et Charnay).

Vidé anciennement. M. Vuillemey a pu y étudier un lambeau conservé d'un cailloutis très anguleux, non altéré et pris en brèche, qu'il attribue à la fin du Würm et qui lui a fourni une lame de silex d'âge probablement paléolithique supérieur.

Grotte de la Baume (Gigny-sur-Suran).

M. Vuillemey y a mis en évidence une stratigraphie impressionnante du Moustérien. J. Chaline (1972) en a étudié les rongeurs. Le niveau 4 a livré, dans un gravier très altéré, une vingtaine de lames et lamelles que le fouilleur attribue provisoirement à l'Epipaléolithique. Le niveau 5, qui correspondrait à un horizon du Paléolithique supérieur, n'a donné qu'une dizaine de silex non transformés en outils.

Abri de Sous-la-Roche (Broissia).

P. Pétrequin (1970) lui consacre deux lignes : « Remplissage d'éboulis pris en brèche avec ossements et industrie moustérienne. Abri vidé anciennement. Inédit ».

Les observations et récoltes de J. Combier sur ce site infirment totalement cette attribution au Moustérien. Il s'agirait d'un des derniers stades du Paléolithique supérieur.

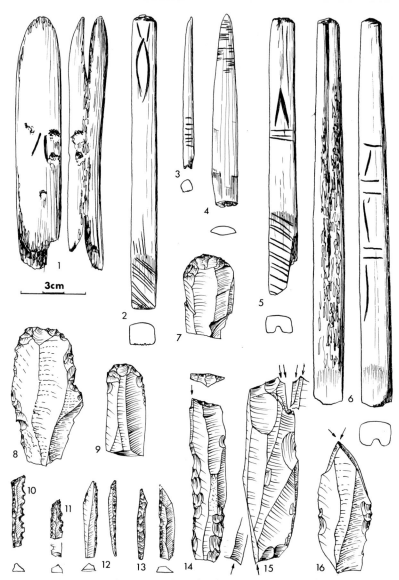

FIG. 3. — Arlay, grotte Grappin : industrie osseuse et lithique.
1 à 9, 15 et 16. Collection du château d'Arlay; 10 à 13. Collection Vuillemey; 14. Collection Grappin.

Saône-et-Loire.

Grotte de la Balme (Cuiseaux).

Au niveau de la plaine de Bresse (altitude 235 m), au pied d'un petit escarpement rocheux, elle fut visitée en 1902 par L.A. Girardot qui y découvrit une industrie attribuée au Magdalénien ou à l'Azilien. En 1962 et 1963, M. Vuillemey y conduisit une fouille dont J. Combier donna un bref compte rendu (1965).

La stratigraphie est résumée sur la fig. 4. Les niveaux F1 et F2, saccagés par les blaireaux, ont livré un outillage rapporté à un Magdalénien sans doute très final : lamelles à bord abattu, lamelles à troncatures très obliques, un perçoir, de petits burins dièdres. L'industrie osseuse est pauvre : on y remarque un fragment d'os débité usé à une extrémité. Une aberrante datation au radiocarbone a été fournie à partir d'esquilles osseuses.

Bien que l'os n'y soit pas conservé, le niveau C apporte une note très originale grâce à son industrie lithique peu abondante (une quinzaine d'outils) : à côté des nucléus nombreux mais à peine utilisés (3 ou 4 enlèvements), il faut citer plusieurs lames épaisses non retouchées, une pointe de Chatelperron, une pointe de la Gravette très étroite et surtout de curieuses pointes à retouche très abrupte qu'il serait tentant de baptiser « pointes de Cuiseaux » (fig. 4, nos 7 et 8) et pour lesquelles il n'existe, à notre connaissance, aucun terme satisfaisant de comparaison. Selon J. Combier, nous serions là en présence d'un « Paléolithique supérieur assez archaïque, de faciès local d'affinités périgordiennes ».

*
**

La liste aurait pu être plus longue si nous avions fait allusion à tous ces gisements que, depuis M. Piroutet, on voit figurer dans les inventaires mais

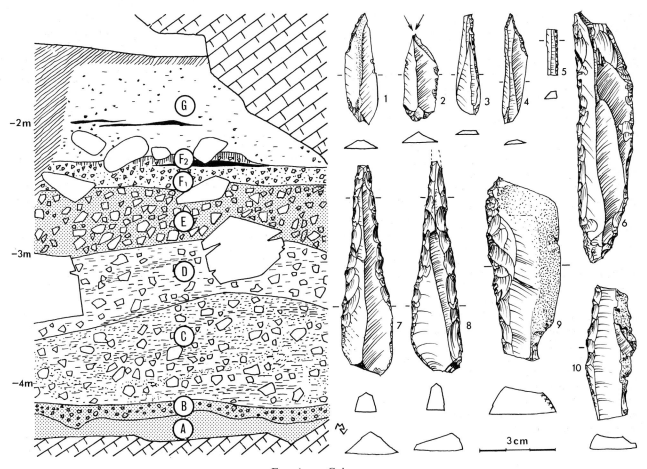

FIG. 4. — Cuiseaux :
Coupe stratigraphique : A. Argile; B. Petit cailloutis roulé à matrice argilo-sableuse; C. Cailloutis anguleux bien calibré à matrice sableuse (Périgordien); D. Identique à C avec lentilles de sables et gros blocs; E. Argile et cailloutis (hyène); F1. Petit cailloutis anguleux ou groize (Magdalénien); F2. Même niveau pris en brèche scellant de gros blocs globuleux; G. Niveau médiéval.
Industrie lithique : 1 à 6. Magdalénien; 7 à 10. Périgordien; 7 et 8. « Pointes de Cuiseaux ».
Dessins A. Thévenin (fig. 1) et M. Vuillemey (fig. 2, 3, 4).

dont nos collègues n'ont pas toujours eu le temps de rechercher et examiner le matériel archéologique. A l'issue de ce tour d'horizon effectué sur cinq départements, nous constatons que, dans la province géographique considérée, les principales phases du Paléolithique supérieur seraient représentées alors que, plus au Sud, Jura méridional et Alpes du Nord n'auraient été occupés que par des populations magdaléniennes assez tardives.

L'Aurignacien ancien est attesté au Trou de la Mère Clochette. Un Périgordien moyen l'y succède ; à Cuiseaux, c'est aussi un Périgordien, difficile à préciser, qui daterait le niveau C. La présence des Solutréens à l'Est de la Saône ne reposerait que sur deux silex recueillis à Salins et depuis longtemps disparus mais ce fragile témoignage ne peut-être négligé, c'est pourquoi nous lui avons consacré la longue citation de Ph. Smith.

Si l'hypothèse émise à propos d'Arlay d'un faciès du Magdalénien IV-V qui regrouperait Farincourt, Rigney et Arlay ainsi que d'autres sites des contrées voisines devait s'infirmer dans les prochaines études régionales, on pourrait revenir aux attributions jusque là admises : Magdalénien II-III : Farincourt, Magdalénien moyen : Arlay et Rigney. Les autres sites magdaléniens se rattachent aux phases terminales

(Rochedane, Chaumois-Boivin, Cuiseaux) ou bien manquent des éléments nécessaires pour les dater précisément.

Numériquement c'est donc, à ce jour, les sites magdaléniens qui représentent la plus forte occupation humaine du Paléolithique supérieur, du plateau de Langres à la frontière suisse et de la Trouée de Belfort à la frange bressane du Revermont. L'explosion démographique des temps magdaléniens, soulignée par D. de Sonneville-Bordes (1963) pour d'autres régions, est ici confirmée. Elle s'est sans doute manifestée plus tôt que dans le Jura méridional et les Alpes du Nord inaccessibles à cause de la présence ou du voisinage des grands glaciers.

Mal recueillies ou incomplètement inventoriées, les industries lithiques tardives n'ont pas encore livré, comme nous le remarquons un peu plus au Sud, beaucoup d'éléments qui évoqueraient les influences venues de l'Europe moyenne, ou plus logiquement du bassin parisien. A. Thévenin (1972, p. 179) figure une pointe à cran tronquée obliquement de la station d'Aubigney — près du confluent Saône-Ognon — qu'il aimerait synchroniser avec les couches profondes de Rochedane, mais il souligne les nombreuses analogies de ce site avec celui des Blanchères, en Ile-de-France, que B. Schmider (1971) place à l'Epipaléolithique. Par contre, l'évolution vers l'Azilien est nettement attestée à Rochedane, suggérée ailleurs. Dans cette vaste province presque entièrement tributaire du bassin saônois, le Magdalénien final est à rapprocher du faciès rhodanien dont J. Combier (1967) a montré les origines et affinités atlantiques.

Pour les stades antérieurs, c'est encore vers le Sud, comme l'avaient fait P. Mouton et R. Joffroy à propos de Farincourt, ou vers le Sud-Ouest qu'on retrouverait le plus grand nombre d'analogies.

Pour toute cette région que nous venons d'inventorier du Nord au Sud, les gisements-clés ont souvent été saccagés depuis longtemps, ou même plus récemment sous le couvert d'activités spéléologiques. Les fouilles actuelles étant peu développées dans les horizons du Paléolithique supérieur, les publications n'abondent pas. Manquent aussi les datations radiométriques si utiles au préhistorien. Depuis la synthèse du Quaternaire rhodanien de F. Bourdier (1961), il faut citer l'inventaire, localisé au bassin supérieur de la Saône, d'A. Thévenin (1965), celui, bien rapide, de P. Pétrequin (1970) et le dernier bilan d'A. Thévenin (1972) qui ne nous concerne que pour le Nord et la Franche-Comté. A défaut de synthèses pour lesquelles nous manquons encore de bases solides, il faut souhaiter, pour les prochaines années, la fouille d'un gisement bien stratifié et la publication de monographies ou d'inventaires exhaustifs qui font encore cruellement défaut.

Bibliographie

[1] ALLAIN J. (1958). — Réflexions sur la chronologie du Magdalénien. *Bull. S.P.F.*, t. 55, p. 539-545, 4 fig.

[2] BOURDIER F. (1961). — *Le bassin du Rhône au Quaternaire. Géologie et Préhistoire*. Paris, Editions du C.N.R.S., 2 tomes.

[3] CHALINE J. (1972). — *Les rongeurs du Pléistocène moyen et supérieur de France*. Cahiers de Paléontologie. Editions du C.N.R.S., 410 p., 72 fig., 187 tabl.

[4] CHANTRE E. (1901). — *L'homme quaternaire dans le bassin du Rhône. Etude géologique et anthropologique*. Lyon, Rey, 193 p., 74 fig.

[5] COLLOT J. (1947). — L'homme préhistorique en Haute-Saône. *Bull. Assoc. Spéléo. de l'Est*, n° 5, p. 29-33, 2 fig.

[6] COLLOT J. (1949). — Grotte de Chaux-les-Port (Haute-Saône). *Bull. S.P.F.*, t. 46, p. 367-376, 4 pl.

[7] COMBIER J. (1954). — Cf. FEREMBACH D.

[8] COMBIER J. (1955 a). — Solutré. Les fouilles de 1907 à 1925. Mise au point stratigraphique et typologique. *Travaux Labo. Géol. Fac. Sciences Lyon*, nouvelle série, n° 2, p. 93-220, 32 fig., 4 tabl.

[9] COMBIER J. (1955 b). — Observations complémentaires sur le Périgordien. *Bull. S.P.F.*, t. 52, p. 602-603.

[10] COMBIER J. (1965). — Inform. archéol. Circ. de Lyon. *Gallia-Préhist.*, t. 8, p. 104-105.

[11] COMBIER J. (1967). — Le Paléolithique de l'Ardèche dans son cadre paléoclimatique. *Public. de l'Institut de Préhist. de l'Univ. de Bordeaux*, Mémoire n° 4.

[12] DESBROSSE R. (1965). — Les sagaies magdaléniennes de la Croze (Ain). *Revue archéologique du Centre*, n° 15-16, p. 327-334, 3 fig.

[13] DESBROSSE R. (1970). — Les gisements magdaléniens du Jura méridional français. *Actes du 7e Congrès U.I.S.P.P. Prague 1966*, p. 319-321, 1 fig.

[14] DESBROSSE R. et EVIN J. (1973). — Datations au ^{14}C de gisements magdaléniens du Jura et des Préalpes du Nord. *Actes du 8e Congrès U.I.S.P.P. Belgrade 1971*, t. 2, p 179-187, 1 carte.

[15] DESBROSSE R. et GIRARD M. (1974). — Azilien et Magdalénien des Douattes (Haute-Savoie). *L'Anthropologie*, t. 78, p. 481-498, 7 fig., 1 tabl.

[16] FEREMBACH D. (1954). — Note sur une mandibule présumée du Magdalénien III avec une introduction sur la stratigraphie et la datation du gisement par J. Combier. *Bull. Soc. Anthrop. Paris*, t. 5, 10e série. p. 25-34, 2 fig., 3 tabl.

[17] FEUVRIER J. (1906). — La station magdalénienne du Trou de la Mère Clochette, à Rochefort. *C. R. Congr. Préhist. Fr.*, sess. Vannes, p. 238-240.

[18] FEUVRIER J. (1907). — Note sur la grotte magdalénienne d'Arlay (Jura). *L'Homme préhist.*, p. 161-164, 2 fig.

[19] GLORY A. (1961). — La grotte de Rigney (Doubs). Anciennes fouilles de M. Jacques Collot. *Bull. S.P.F.*, t. 58, p. 389-400, 8 pl.

[20] JOFFROY R., MOUTON P. et PARIS R. (1952). — La grotte de la Grande Baume à Balot (Côted'Or). *R.A.E.*, t. 3, p. 209-232, 8 fig.

[21] KOBY F. E. (1950). — Nouvelle contribution à la Paléontologie et à la Préhistoire des cavernes du Doubs. *Actes de la Société d'Emulation*, 26 p., 9 fig.

[22] KOZLOWSKI J. K. (1965). — Stanowisko przemyslu magdalenskiego w jaskini Maszyckiej. *Materialy Archeologiczne*, vol. IV, p. 5-42, 19 fig., 4 tabl., 20 pl.

[23] MAYET L. et PISSOT J. (1915). — *Abri sous roche préhistorique de la Colombière près Poncin (Ain)*. Lyon, Rey, 205 p., 25 pl., 102 fig.

[24] MILLOTTE J. P. (1958). — Inform. archéol. Circ. de Besançon. *Gallia-Préhist.*, t. 1, p. 108-122.

[25] MILLOTTE J. P. (1960). — Inform archéol. Circ. de Besançon. *Gallia-Préhist.*, t. 3, p. 182-184.

[26] MILLOTTE J. P. (1967). — Inform. archéol. Circ. Fr.-Comté. *Gallia-Préhist.*, t. 10, p. 372.

[27] MOUTON P. et JOFFROY R. (1956). — Précisions nouvelles sur les stations de Farincourt (Haute-Marne). *R.A.E.*, t. 7, p. 193-223, 9 fig.

[28] MOVIUS H. L. et JUDSON Sh. (1956). — The rock-shelter of La Colombière. *Americ. School of Preh. Research, Peabody Mus., Harvard Univ.*, bull. n° 19, 176 p., 52 fig.

[29] MUSTON E. (1887). — *Recherches anthropologiques sur le pays de Montbéliard*. Montbéliard, Barbier, 457 p.

[30] PÉTREQUIN P. (1970). — La grotte de la Baume de Gonvillars. *Annales littéraires de l'Université de Besançon*, 185 p., 53 fig., 3 pl.

[31] PIROUTET M. (1924). — Sur l'existence du Solutréen ancien à Salins (Jura). *Bull. S.P.F.*, t. 21, p. 258-260.

[32] PIROUTET M. (1932-33). — Essai sur les connaissances actuelles relatives au Préhistorique de Franche-Comté. *Bull. archéol.*, p. 517-570.

[33] RIPOTOT P. et SEIBEL R. (1958). — Coup d'œil sur la préhistoire comtoise d'après les collections de Dôle. *Annales littéraires de l'Univ. de Besançon*, t. 20, p. 1-9, 5 pl.

[34] SAUTER M. R. (1957). — Etude des vestiges osseux humains des grottes préhistoriques de Farincourt (Haute-Marne, France). *Arch. Suisses d'Anthrop. Gén.,* t. 22, p. 6-37, 11 fig.

[35] SCHMIDER B. (1971). — Les industries lithiques du Paléolithique supérieur en Ile-de-France. *4ᵉ supplément à Gallia-Préhistoire,* 219 p., 109 fig., 9 tabl.

[36] SMITH Ph. (1966). — Le Solutréen en France. *Public. de l'Institut de Préhist. de l'Univ. de Bordeaux,* Mémoire nᵒ 5.

[37] SONNEVILLE-BORDES D. de (1963). — Le Paléolithique supérieur en Suisse. *L'Anthropologie,* t. 67, p. 205-268, 23 fig., 4 tabl.

[38] THÉOBALD N. et SZYMANEK C. (1963). — Le crâne de rhinocéros à narines cloisonnées des grottes de Rigney (Doubs). *Annales scientifiques de l'Univ. de Besançon,* 2ᵉ série, Géologie, fasc. 17, p. 77-111, 11 fig., 1 pl.

[39] THÉVENIN A. (1965). — L'outillage paléolithique et mésolithique du bassin supérieur de la Saône. *Annales scientifiques de l'Univ. de Besançon.* 3ᵉ série, Géologie, nᵒ 1, p. 13-61, 21 pl.

[40] THÉVENIN A. (1972). — Du paléolithique ancien au Néolithique dans l'Est de la France : actualité des recherches. *R.A.E.,* t. 23, fasc. 89-90, p. 163-204, 14 fig.

[41] THÉVENIN A. (1973). — L'art azilien à l'abri de Rochedane. *Actes 8ᵉ Congrès U.I.S.P.P. Belgrade 1971,* t. 2, p. 188-192, 2 fig.

Les civilisations du Paléolithique supérieur
en Champagne-Ardenne

par

Bernard Chertier *

Résumé. Les civilisations du Paléolithique supérieur sont mal représentées en Champagne-Ardenne. On ne peut guère citer que les gisements de Monthermé (Ardennes), La Saulsotte (Aube) et Farincourt (Haute-Marne), ce dernier étant le plus important.

Abstract. The cultures of the Upper Paleolithic are poorly represented in the Champagne-Ardenne. One can only mention the sites of Monthermé (Ardennes), Saulsotte (Aube) and Farincourt (Upper Marne); the last of these is the most important.

Le Paléolithique supérieur est fort mal représenté en Champagne-Ardenne.

En effet, seuls trois sites concernant cette période ont été étudiés à ce jour. Ce sont, du nord au sud, Monthermé, Ardennes, lieu-dit « Roc la Tour », La Saulsotte, hameau de Courtioux, Aube, lieu-dit « Les Mazures » et Farincourt, Haute-Marne.

A Monthermé, G. Rozoy a exploré partiellement un gisement, dénommé « Roc la Tour I », qui a livré un mobilier du Magdalénien tardif (nombreuses lamelles à bord abattu) parmi lequel il faut noter la présence de plaquettes de schiste décorées de traits gravés (Joffroy, 1972, p. 399).

Les sondages pratiqués par S. Ochietti dans le gisement des « Mazures », situé sur le territoire de la commune de La Saulsotte, hameau de Courtioux, ont permis de mettre en évidence une occupation datant apparemment du Paléolithique supérieur (burins sur troncature, lames) et située stratigraphiquement au-dessus d'une industrie levalloiso-moustérienne (Joffroy, 1968, p. 337).

Le site le plus important pour la région Champagne-Ardenne est celui de Farincourt, où trois grottes ont été étudiées par P. Mouton et R. Joffroy (1946, 1956).

Ces grottes se trouvent « sur la rive droite d'un vallon encaissé creusé par le ruisseau de la Rigotte, à environ 1 km au sud du village de Farincourt (Mouton et Joffroy, 1956, p. 193). Elles sont au nombre de trois. La grotte I avait été entièrement vidée en 1878 par A. Bouillerot et, seul, l'examen des déblais a pu permettre à P. Mouton et à R. Joffroy de trouver des éléments prouvant la contemporanéité de l'occupation des grottes I et II.

La grotte II avait été presque entièrement fouillée par A. Bouillerot, mais P. Mouton et R. Joffroy ont cependant pu vérifier sur place les constatations faites par leur prédécesseur et retrouver la présence d'un niveau magdalénien d'une puissance de 0,15 m à 0,20 m, recouvert par des dalles calcaires tombées de la voûte. En effet, quelques vestiges de cette couche avaient subsisté sous une corniche stalagmi-tique. D'autre part une cachette contenait plusieurs objets présentant un grand intérêt.

Une faune très abondante a été recueillie et l'étude de P. et J. Bouchud conclut qu'elle « est différente de celle des gisements de comparaison. Le climat est plus rude que celui des sites correspondants du sud-ouest de la France : par ses herbivores nombreux mêlés d'éléments froids, Farincourt se présente comme une steppe dont le climat rappelle celui de l'Asie centrale. » (P. et J. Bouchud, 1956).

Quelques restes humains ont été découverts : un temporal, un fragment de maxillaire et une canine supérieure s'y adaptant.

L'examen de l'industrie lithique montre, entre autres, la rareté des grattoirs sur bout de lame, l'abondance des scalènes et des burins de types très variés.

Notons la richesse de l'industrie en bois de renne (entre autres, un lissoir et une baguette demi-ronde). Deux intéressants fragments de grès, sculptés, ont aussi été trouvés : l'un d'eux, provenant des fouilles anciennes de Bouillerot représente un phallus, le second est un débris de la partie postérieure d'une statuette féminine.

Une fissure de cette grotte a livré une cachette comportant plusieurs objets dont les deux principaux sont un bâton perforé en forme de phallus (fig. 1, n° 2) et un long fragment de bois de renne, sans doute destiné à être transformé en bâton perforé (fig. 1, n °1).

L'occupation des grottes I et II est datée par P. Mouton et R. Joffroy du Magdalénien III (Mouton et Joffroy, 1956, p. 207).

La grotte III n'avait pas été perturbée par des fouilles anciennes. Sa stratigraphie, difficile à interpréter (voir coupe schématique, fig. 2, d'après P. Mouton et R. Joffroy) comportait les restes de deux habitats magdaléniens.

Le niveau inférieur E (Magdalénien I a) a livré un mobilier lithique différent des grottes I et II aussi bien au point de vue matière qu'au point de vue technique de débitage. D'autre part, l'outillage se compose presque exclusivement de burins, surtout de

* Directeur des Antiquités Préhistoriques de la région Champagne-Ardenne, 20, rue de Chastilllon, 51000 Châlons-sur-Marne (France).

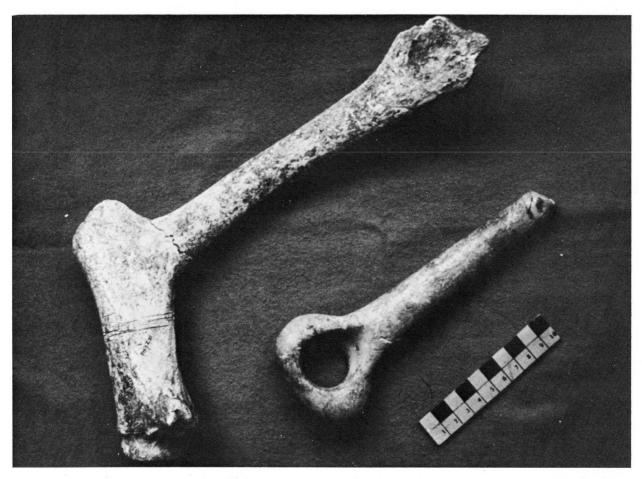

FIG. 1. — 1. Fragment de bois de renne (Farincourt, Haute-Marne); 2. Bâton perforé en forme de phallus, bois de renne: (Farincourt, Haute-Marne), (photographie Louis Lepage).

burins dièdres. L'industrie de l'os ou du bois de renne est très pauvre et l'outillage microlithique très rare.

Les auteurs considèrent que « l'industrie éparse dans la couche B ne peut être utilisée qu'avec prudence » (Mouton et Joffroy, 1956, p. 212) car le niveau est remanié. Il faut y noter cependant la présence de lamelles à dos et de restes de cerf élaphe.

Quant à la couche C, qui contient un bloc de brèche avec 4 silex, dont 2 burins, et quelques débris osseux, il est difficile de la dater précisément.

En conclusion de l'étude concernant les travaux effectués dans cette grotte, P. Mouton et R. Joffroy, après avoir précisé que « toute interprétation chronologique des niveaux supérieurs serait téméraire » (Mouton et Joffroy, 1956, p. 214), ajoutent cependant que « l'abondance du cerf élaphe dans le dernier habitat accompagnant la réapparition des lamelles à dos suggère une date beaucoup plus tardive, peut-être l'extrême fin du Magdalénien » (Mouton et Joffroy, 1956, p. 214). Une station de plein air s'étend au-dessus des grottes et le mobilier recueilli est en étroit rapport avec celui des grottes I et II.

Rappelons que le gisement paléolithique inférieur et moyen de Vallentigny (Aube) (voir articles concernant ces deux périodes), étudié par R. Tomasson, a livré, en outre, « quelques pièces d'une industrie à

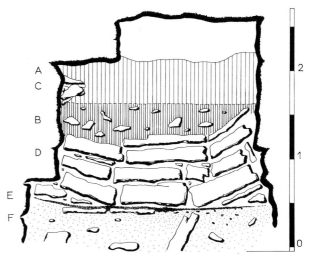

FIG. 2. — Farincourt (Haute-Marne).

Coupe schématique de la grotte III (d'après P. Mouton). F. Graviers et limons de base; E. Premier habitat magdalénien (Magd. I a); D. Blocs d'effondrement; C. Bloc de brèche (figuré à la place qu'il occupait sur la paroi), vestige d'un second habitat magdalénien; B. Argile et laves, reste d'un troisième habitat; A. Argile stérile.

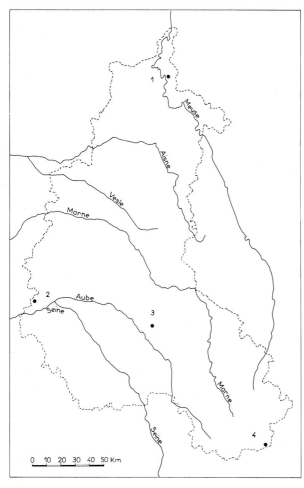

FIG. 3. — Carte de répartition des principaux sites du Paléolithique supérieur en Champagne-Ardenne.

Ardennes: 1. Monthermé; *Aube*: 2. La Saulsotte; 3. Vallentigny; *Haute-Marne*: 4. Farincourt.

tendance laminaire avec quelques bords partiellement abattus » (Joly, 1965, p. 59) attribuables au Paléolithique supérieur.

En dehors de ces sites, quelques découvertes isolées de silex, faites la plupart du temps en surface et datées anciennement du Paléolithique supérieur, ne peuvent être prises en considération qu'avec beaucoup de réserves. Ces trouvailles, basées uniquement sur la typologie, demanderaient en effet à être confirmées avant qu'une attribution exacte puisse être envisagée.

Dans l'état actuel de nos connaissances, il faut donc conclure provisoirement à une occupation restreinte de la Champagne-Ardenne au Paléolithique supérieur.

Bibliographie

[1] JOFFROY R. et Abbé MOUTON P. (1946). — La station magdalénienne de Farincourt (Haute-Marne). *Bulletin de la société préhistorique française,* t. XLIV, p. 91-99.

[2] MOUTON P. Abbé et JOFFROY R. (1956). — Précisions nouvelles sur les stations magdaléniennes de Farincourt (Haute-Marne). *Revue archéologique de l'Est et du Centre-Est,* VII, 27-28, p. 193-223.

[3] BOUCHUD P. et J. (1956). — La faune de Farincourt (Haute-Marne). *Bulletin de la société d'études et de recherches préhistoriques,* Les Eyzies, 1956, n° 5.

[4] JOLY J. Abbé (1965). — Informations archéologiques, Circonscription de Dijon. *Gallia Préhistoire,* t. VIII, p. 59.

[5] JOFFROY R. (1968). — Informations archéologiques, Circonscription de Champagne-Ardenne. *Gallia Préhistoire,* t. XI, p. 337.

[6] JOFFROY R. (1972). — Informations archéologiques, Circonscription de Champagne-Ardenne. *Gallia Préhistoire,* t. XV, p. 399.

Les civilisations du Paléolithique supérieur en Lorraine et en Alsace

Abstract. The two provinces of Alsace and Lorraine appear to have been uninhabited during the Upper Paleolithic period. A single site, Saint-Mihiel has given some Magdalenian engravings (cut out on bone and horn).

I. Les indices de Paléolithique supérieur en Alsace (fig. 2).

A. ACHENHEIM ET HANGENBIETEN.

Le lœss récent inférieur a donné à P. Wernert (1957) quelques rares témoins du début du Paléolithique supérieur : entre autres, une lame à retouche aurignacienne et un grattoir sur grande lame (aurignacienne) (n° 7) ; dans la zone de limon brunâtre stratifié qui se trouve au-dessus, a été recueilli une pointe à soie à retouche plate, rappelant la technique solutréenne (n° 1). A Hangenbieten, la tête du lœss récent a fourni 2 grattoirs sur bout de lame (n°s 4 et 6), et un burin sur troncature (n° 5) pouvant être datés d'une phase très tardive du Magdalénien ou d'un stade précoce de l'Epipaléolithique.

B. LA TERRASSE DE LINGOLSHEIM.

Quelques rares outils de belle facture ont été trouvés dans les alluvions sableuses et dans les lœss : grattoirs sur bout de lame (n° 11), grattoir caréné à museau (n° 10), burin (n° 12), etc..., mais ne peuvent être datés avec précision.

A Entzheim (Bas-Rhin), dans la ballastière Rieb, P. Wernert (1957, p. 188) put exhumer les restes d'un squelette gisant à 0,25 m dans les alluvions vosgiennes würmiennes recouvertes de 0,40 m de lœss et de 0,30 m de terre arable. P. Wernert pense à une inhumation du Paléolithique supérieur : le corps et le fond de la fosse étaient couverts d'ocre rouge ; un bandeau de crâches de cerf enfilés par paires ornait la tête du squelette.

C. AUTRES DOCUMENTS ALSACIENS.

En 1865, dans le lehm d'Eguisheim (Haut-Rhin) fut trouvé un fragment de crâne. Considérée de prime abord comme se rattachant au groupe de Néandertal, la calotte fut par la suite rapportée à la race dolichocéphale de Cro-magnon. A une centaine de mètres de ce crâne, mais dans les mêmes couches, d'après L.-G. Werner (1924), on déterra, en 1903, des molaires de mammouth, d'ours, de cerf, mais sans silex typiques. Les objets gravés ou sculptés sur os trouvés au siècle dernier dans le lœss à Sierentz (Haut-Rhin), retrouvés au musée de Bâle, doivent être considérés comme des faux (THÉVENIN A., 1972).

II. Les gisements du Paléolithique supérieur de Lorraine.

Saint-Mihiel (Meuse). Les gisements de la Roche Plate, au pied de la petite falaise du même nom en rive droite de la Meuse, de la Grosse Roche et de la Petite Falaise (Mitour, 1897 ; Breuil H., 1905 ; Tixier J., 1968 et 1973) ont fourni un matériel lithique et quelques gravures sur os ou corne (n°s 8 et 9) d'un Magdalénien « contemporain d'un stade arctique du Würm final » (Chaline, 1972, p. 255-256).

Rebeuville, grotte de Jeannuë. Dans le remplissage de cette petite grotte, fouillée par Mme Ch. Guillaume, s'intercalent deux niveaux d'occupation humaine diffus, l'un moustérien, le supérieur magdalénien daté du Dryas I ou II par la présence de lemmings (détermination J. Chaline).

[1] BORDES F. (1960). — (Compte rendu de la thèse de P. Wernert, 1957). *L'Anthropologie*, t. 64, n° 1-2, p. 77-85.

[2] BREUIL H. (1905). — Nouvelles figurations du mammouth gravées sur os. A propos d'objets d'art découverts à Saint-Mihiel (Meuse). *Rev. de l'école d'anthropologie de Paris*, t. 15, p. 150-155.

[3] CHALINE J. (1972). — *Les rongeurs du Pleistocène moyen et supérieur de France (Systématique, Biostratigraphie, Paléoclimatologie)*. Paris, 410 p., 187 tableaux, 72 fig., 17 planches photos.

[4] MITOUR (1897). — La station magdalénienne de la Roche plate à Saint-Mihiel (Meuse). *Revue de l'école d'anthropologie de Paris*, t. 7, p. 88-93.

[5] THEVENIN A. (1972). — Du Paléolithique ancien au Néolithique dans l'Est de la France = actualités des recherches. *Revue arch. de l'est et du centre-est*, t. 23, fasc. 3-4, p. 163-204, 14 fig.

[6] TIXIER J. (1968). — Informations archéologiques. Circonscription de Lorraine. *Gallia Préhistoire*, t. II, fasc. 2, p. 343-352, 15 fig.

[7] TIXIER J. (1973). — Informations archéologiques. Circonscription de Lorraine. *Gallia Préhistoire*, t. II, fasc. 2, p. 440-461, 30 fig.

[8] WERNER I.G. (1924). — Mulhouse et le Sundgau à l'époque du Mammouth. *Bull. Soc. ind. de Mulhouse*, 90, n° 4, p. 287.

[9] WERNERT P. (1957). — Stratigraphie paléontologique et préhistorique des sédiments quaternaires d'Alsace, Achenheim. *Mémoires Serv. carte géol. Als. Lorr.*, n° 14, 162 p., 118 fig., 24 planches photo.

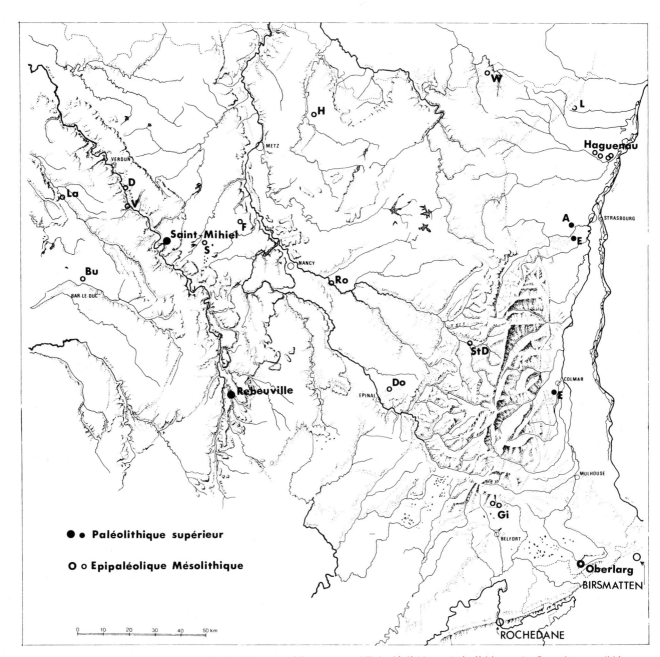

FIG. 1. — Carte des gisements du Paléolithique supérieur et de l'Epipaléolithique Mésolithique de Lorraine et d'Alsace. Paléolithique supérieur : *Bas-Rhin* : A. Achenheim; E. Entzheim; *Haut-Rhin* : E. Eguisheim (calotte crânienne); *Meuse* : Saint-Mihiel; *Vosges* : Rebeuville, grotte de Jeannuë.

Epipaléolithique-Mésolithique : *Bas-Rhin* : Haguenau gisements des terrasses de la Moder; L. Lembach; *Haut-Rhin* : Obelarg, abri du Mannlefelsen I; *Vosges* : St D. Saint-Dié; *Territoire de Belfort* : Gi Giromagny; Do. Dogneuville; *Moselle* : W Walsbronn; H. Halling-lès-Boulay; *Meurthe-et-Moselle* : Ro. Rosières-aux-Salines; F. Fey-en-Haye; S. Seicheprey; *Meuse* : D. Dugny-la-Côte; V. Villers-sur-Meuse; L. Lavoye; Bu. Bussy-la-Côte.

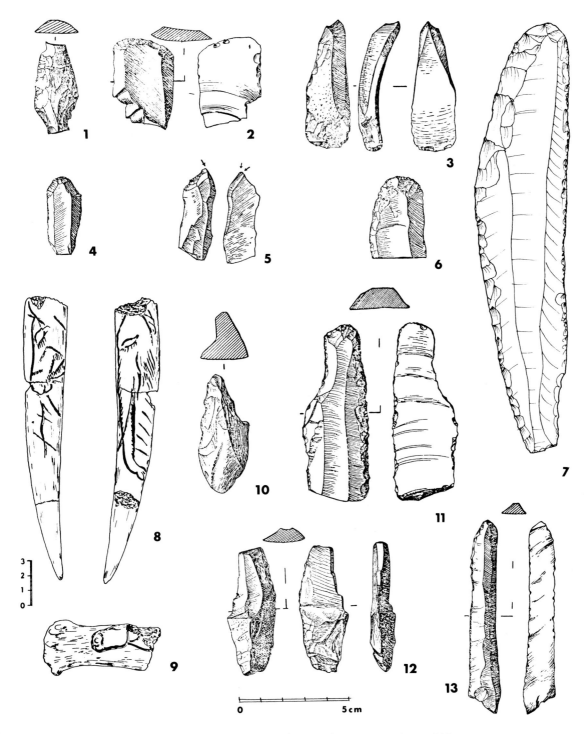

FIG. 2. — Industries du Paléolithique supérieur de Lorraine et d'Alsace.
Alsace : Bas-Rhin : Achenheim, n° 1, 2, 7; Holtzeim : n° 3, 10. 12 et 13; Lingolsheim : n° 11; Hangenbieten : n° 4, 5, 6.
Lorraine : Saint-Mihiel : n° 8 et 9.

V

LES CIVILISATIONS
DE L'ÉPIPALÉOLITHIQUE
ET DU MÉSOLITHIQUE

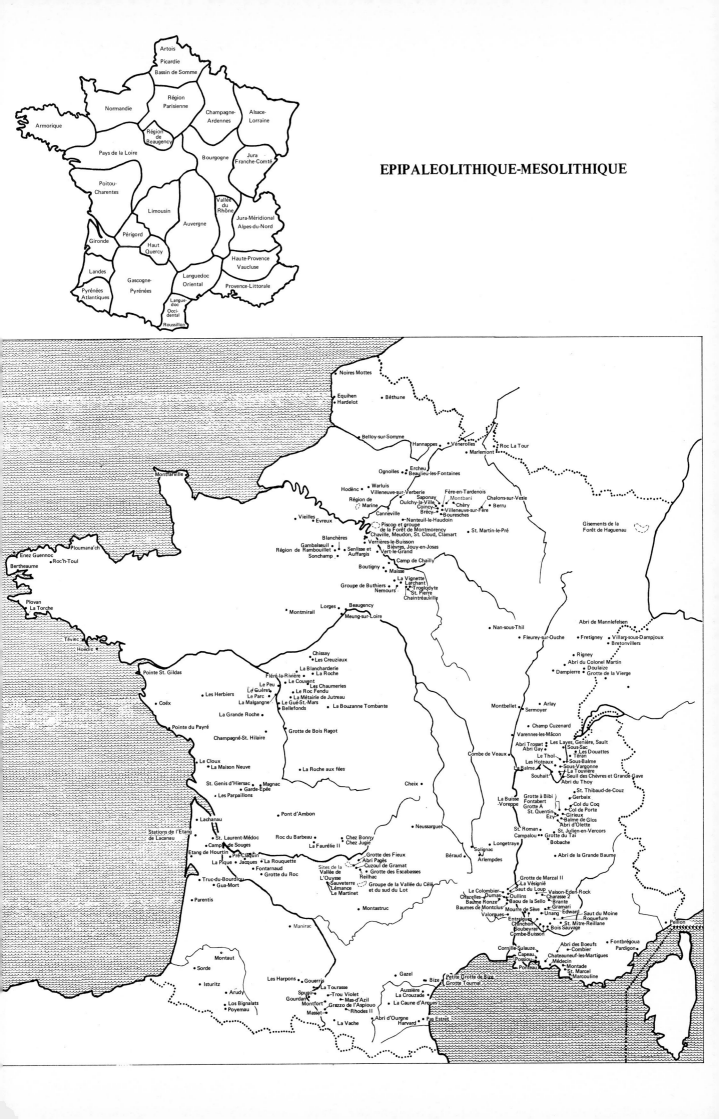

EPIPALEOLITHIQUE-MESOLITHIQUE

Artois
Picardie
Bassin de Somme
Normandie
Région Parisienne
Champagne-Ardennes
Alsace-Lorraine
Armorique
Région de Beaugency
Pays de la Loire
Bourgogne
Jura Franche-Comté
Poitou-Charentes
Limousin
Vallée du Rhône
Auvergne
Jura-Méridional Alpes-du-Nord
Gironde
Périgord
Haut Quercy
Haute-Provence Vaucluse
Landes
Gascogne-Pyrénées
Languedoc Oriental
Provence-Littorale
Pyrénées Atlantiques
Languedoc-Occidental
Roussillon

Noires Mottes
Equihen
Hardelot
Béthune
Belloy-sur-Somme
Hannappes
Vénerolles
Roc La Tour
Marlemont
Ercheu
Ognolles
Beaulieu-les-Fontaines
Montfarville
Hodènc
Warluis
Villeneuve-sur-Verberie
Fère-en-Tardenois
Chalons-sur-Vesle
Région de Marine
Saponay
Oulchy-la-Ville
Montbani
Chéry
Coincy
Villeneuve-sur-Fère
Berru
Gisements de la Forêt de Haguenau
Vieilles
Evreux
Canneville
Brécy
Bouresches
Nanteuil-le-Haudoin
St. Martin-le-Pré
Piscop et groupe de la Forêt de Montmorency
Chaville, Meudon, St. Cloud, Clamart
Blanchères
Verrières-le-Buisson
Bièvres, Jouy-en-Josas
Gambaiseuil
Vert-le-Grand
Ploumana'ch
Région de Rambouillet
Senlisse et Auffargis
Sonchamp
Enez Guennoc
Roc'h-Toul
Bertheaume
Camp de Chailly
Boutigny
Maisse
La Vignette
Plovan
La Torche
Groupe de Buthiers
Larchant
Troglodyte
Nemours
St. Pierre
Chaintréauville
Lorges
Beaugency
Téviec
Montmirail
Meung-sur-Loire
Nan-sous-Thil
Abri de Mannlefelsen
Hoedic
Fleury-sur-Ouche
Fretigney
Villars-sous-Dampjoux
Bretonvillers
Chissay
Les Creuziaux
Rigney
Pointe St. Gildas
La Blancharderie
Abri du Colonel Martin
Doulaize
Fléré-la-Rivière
La Roche
Dampierre
Grotte de la Vierge
Le Peu
Le Couvent
Les Chaumeries
Le Guéret
Le Roc Fendu
Les Herbiers
Le Parc
La Métairie de Jutreau
Coéx
La Malgangne
Le Gué-St.-Mars
Montbellet
Arlay
Bellefonds
La Bouzanne Tombante
Sermoyer
La Grande Roche
Champ Cuzenard
Pointe du Payré
Varennes-les-Mâcon
Champagné-St. Hilaire
Grotte de Bois Ragot
Abri Trosset
Les Layes, Genière, Sault
Abri Gay
Sous-Sac
Les Douattes
Le Thol
Téran
Combe de Veaux
Les Hoteaux
Sous-Balme
Le Cloux
La Roche aux fées
La Balme
Sous-Vargonne
La Touvière
La Maison Neuve
Souhait
Seuil des Chèvres et Grande-Gave
Abri du Thoy
St. Genis d'Hiersac
Magnac
Cheix
St. Thibaud-de-Couz
Garde-Epée
Grotte à Bibi
Gerbaix
Les Parpaillons
La Buisse-Voreppe
Fontabert
Col du Coq
Grotte A
Col de Porte
St. Quentin
Girieux
Pont d'Ambon
Ezy
Balme de Glos
Abri d'Olette
St. Roman
St. Julien-en-Vercors
Lachanau
Campalou
Grotte du Taï
Neussargues
Bobache
Stations de l'Etang de Lacanau
Longetraye
St. Laurent-Médoc
Roc du Barbeau
Chez Bonny
Solignac
Camp de Souges
Chez Jugie
Béraud
Arlempdes
Abri de la Grande Baume
Etang de Hourtin
La Faurélie II
Pré-Claouin
Grotte des Fieux
Grotte de Marzal II
La Pique
Jacques
La Rouquette
Abri Pagès
La Vésignié
Truc-du-Bourdiou
Fontarnaud
Cuzoul de Gramat
Saut du Loup
Sites de la Vallée de L'Ouysse
Grotte des Escabasses
Le Colombier
Vaison-Eden-Rock
Gua-Mort
Grotte du Roc
Reilhac
Dumas
Saut du Moine
Sauveterre
Groupe de la Vallée du Célé et du sud du Lot
Chazelles
Oullins
Gramari
Lémance
Baume Ronze
Charasse 2
Parentis
Le Martinet
Baou de la Sello
Brante
Edward
Montastruc
Baumes de Montclus
Mourre de Sève
Roquefure
Manirac
Valorgues
Unang
St. Mitre-Reillane
Entraigues
Chinchon
Bois Sauvage
Peillon
Montaut
Doubeyras
Combe-Buisson
Sorde
Abri des Boeufs
Fontbrégoua
Combier
Pardigon
Cornille-Sulauze
Isturitz
Gazel
Capeau
Chateauneuf-les-Martigues
Les Harpons
Gouerrie
Bize
Médecin
Montade
Spugo
La Tourasse
Petite Grotte de Bize
Ponteau
St. Marcel
Arudy
Trou Violet
Grotte Tournal
Marcouline
Gourdan
Mas-d'Azil
Aussière
Los Bignalats
Montfort
Grazzo de l'Aspioua
La Crouzade
Poyemau
Massat
Rhodes II
La Caune d'Arques
La Vache
Abri d'Ourgne
Harvard
Pas Estret
Coincy

Les civilisations de l'Epipaléolithique et du Mésolithique en Provence littorale

par

Max Escalon de Fonton *

Résumé. L'Epipaléolithique et le Mésolithique de la Provence orientale sont fort mal connus. On sait qu'il existe un équivalent du Romanellien final (Bouverien évolué), puis des industries à triangles, et ensuite à trapèzes. Mais ces niveaux n'ont pas fait l'objet de fouilles récentes, et les collections anciennes montrent des industries provenant de couches remaniées. Il semble cependant qu'il y ait du Castelnovien.

Par contre, ces civilisations sont beaucoup mieux connues dans la zone occidentale et rhodanienne où l'on a la filiation suivante : pour la région strictement côtière : Magdalénien terminal, Valorguien, Montadien, Castelnovien; pour la région de l'intérieur : Magdalénien terminal, Azilien, Sauveterrien à triangles, Sauveterrien à trapèzes.

Abstract. The Epipaleolithic and Mesolithic of eastern Provence are very poorly known. We know that there exists an equivalent of the Final Romanellian (Evolved Bouverian), the industries characterized by triangles and finally, those characterized by trapezoids. These levels, however do not date from recent excavations, and the old collections are of industries found in disturbed levels. It does seem, though, that the Castelnovian was present.

On the other hand, the cultures are much better known in the western zone and in the Rhone Valley where the following sequence is present : for the strictly coastal region : the Terminal Magdalenian, the Valorguian, the Montadian, and the Castelnovian; for the interior region : the Terminal Magdalenian, the Azilian, the triangular Sauveterrian, and the trapezoid Sauveterrian.

I. Les conditions géologiques et géographiques.

Pendant cette période, le niveau de la mer remonta sensiblement, et la côte n'était pas très éloignée de la ligne de rivage actuelle. Toutefois, dans l'axe de l'embouchure du Rhône, où les alluvions sont récentes, le rivage n'était pas loin d'Arles au Mésolithique. C'est au début de la période d'Alleröd que le Magdalénien terminal se transforme en Epipaléolithique : Azilien et Valorguien. Au Dryas III eut lieu une remontée du niveau de la mer. En effet, les gisements valorguiens qui se trouvent sur la côte *actuelle* ne contiennent jamais d'éléments marins. Or, à partir de la fin du Dryas III, on rencontre des coquilles marines et des restes de poisson dans le Montadien, et surtout dans le Castelnovien de ces mêmes gisements : la mer s'était rapprochée.

Les gisements de l'Epipaléolithique sont souvent près des rivières, mais aussi à proximité de sources aujourd'hui taries. C'est le cas des sites du Dryas III. Pendant la période d'assèchement du Pré-Boréal, les habitats de cette phase sont toujours le long des cours d'eau ou des sources pérennes importantes. C'est la période des cendrières à escargots. Au Boréal, la reprise d'un climat moins sec permet l'occupation des abris plus éloignés des cours d'eau, car les sources s'étaient réamorcées. C'est le Castelnovien.

II. Les industries dans leur cadre géo-chronologique.

A. Azilien et Valorguien (fig. 2 à 5).

On a vu qu'à la charnière Dryas II-Alleröd, le Magdalénien VI typique, en s'adaptant aux nouvelles conditions écologiques, avait donné naissance à des faciès différents de Magdalénien terminal. Ce sont les phénomènes d'Azilianisation. Dans la zone de l'intérieur, ils aboutiront à l'Azilien typique, tandis que la zone côtière sera celle du Valorguien. Cependant, les « digitations géographiques » de l'expansion du climat méditerranéen font qu'il n'existe évidemment pas de frontière rectiligne. Comme en Languedoc, on rencontre du Valorguien assez loin de la côte. Cependant, il peut arriver, mais plus rarement, qu'un Azilien ne soit pas éloigné du rivage marin.

Au Nord de la Durance, comme par exemple à Chinchon (Paccard, 1964. Escalon, 1966), un Magdalénien classique se transforme en Azilien typique à harpon. L'industrie lithique de cet Azilien conserve la tradition magdalénienne tout comme dans le Sud-Ouest de la France : il y a des pointes aziliennes de plusieurs types, et notamment des segments de cercle, des lames appointées par retouches sur un ou deux côtés, des lames retouchées magdaléniennes, des petits grattoirs courts, unguiformes, et des grattoirs ronds, plus rares. Les grands grattoirs ovalaires de la tradition magdalénienne perdurent. Par rapport à l'Azilien du Sud-Ouest, un objet semble manquer réellement : c'est la pointe azilienne à base tronquée. L'industrie osseuse se réduit généralement à peu de choses, mais il y a le harpon plat azilien, à trou.

* Directeur de Recherche au C.N.R.S., Laboratoire de Préhistoire Méditerranéenne, E.R. du C.N.R.S. n°46, 34, rue Auguste-Blanqui, 13006 Marseille, (France).

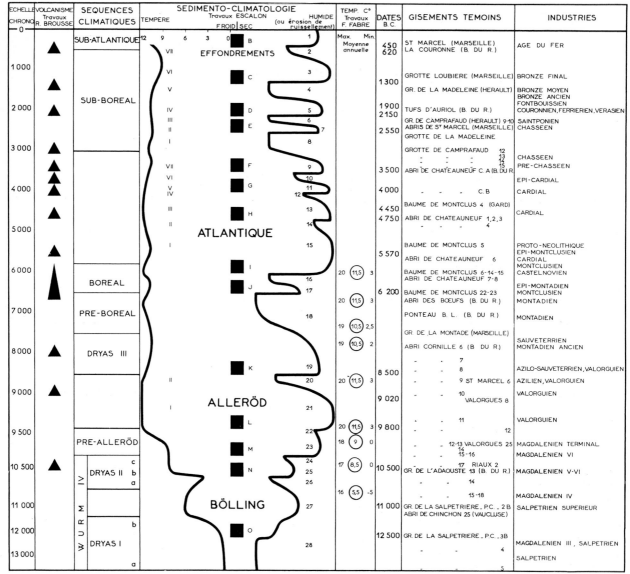

FIG. 1. — Tableau synoptique des gisements caractéristiques.

ESCALON 1972

Au sud de la Durance, et notamment à la côte, le Magdalénien terminal à grands segments donne naissance à un autre faciès : le Valorguien (anciennement nommé Romanellien provençal). Le gisement de Sulauze à Istres, dans les B.-du-Rh. (Abri Cornille) fournit une stratigraphie qui permet de détailler l'évolution des industries depuis la fin du Dryas II jusqu'au Pré-Boréal. Pendant l'interstade d'Alleröd, le Valorguien perd rapidement les éléments typiques de la tradition magdalénienne. Le grand segment disparaît au début d'Alleröd. Il est remplacé par des armatures plus symétriques à un ou deux bords retouchés, à retouche plus ou moins continue. C'est la Pointe d'Istres (Escalon, 1972) qui comporte souvent la retouche abrupte. Les objets sont de petite dimension : grattoirs sur lame souvent courts ou très courts, unguiformes sur lame et sur éclat, quelques rares grattoirs ronds, grattoirs en éventail très courts. Les burins, d'angle sur cassure, dièdres et rarement sur troncature retouchée, sont assez grossiers et rares (fig. 4).

Vers la fin de l'interstade d'Alleröd, le Valorguien perd son caractère de faciès fixé. Les armatures sont moins symétriques, les burins se raréfient. On voit apparaître un nouveau type : le grattoir court (très court) à base tronquée. La troncature, à retouche abrupte, est souvent droite et plus rarement oblique. On voit apparaître aussi des denticulés qui n'existaient pas dans la phase précédente. Il s'agit d'éclats épais associant souvent une retouche de grattoir grossier sur un bord ou une portion de bord, à des denticulations plus ou moins profondes sur le bord opposé ou sur le bord adjacent. Certains de ces denticulés présentent une troncature. D'ailleurs, malgré la rareté des burins, il semble que le burin d'angle sur troncature soit plus fréquent. Il n'y a ni microlithes géométriques, ni microburins. Le Valorguien terminal est souvent séparé du Montadien ancien par d'énormes blocs provenant de l'effondrement des surplombs. Ces effondrements généralisés se sont produits au début du Dryas III (Escalon, 1971).

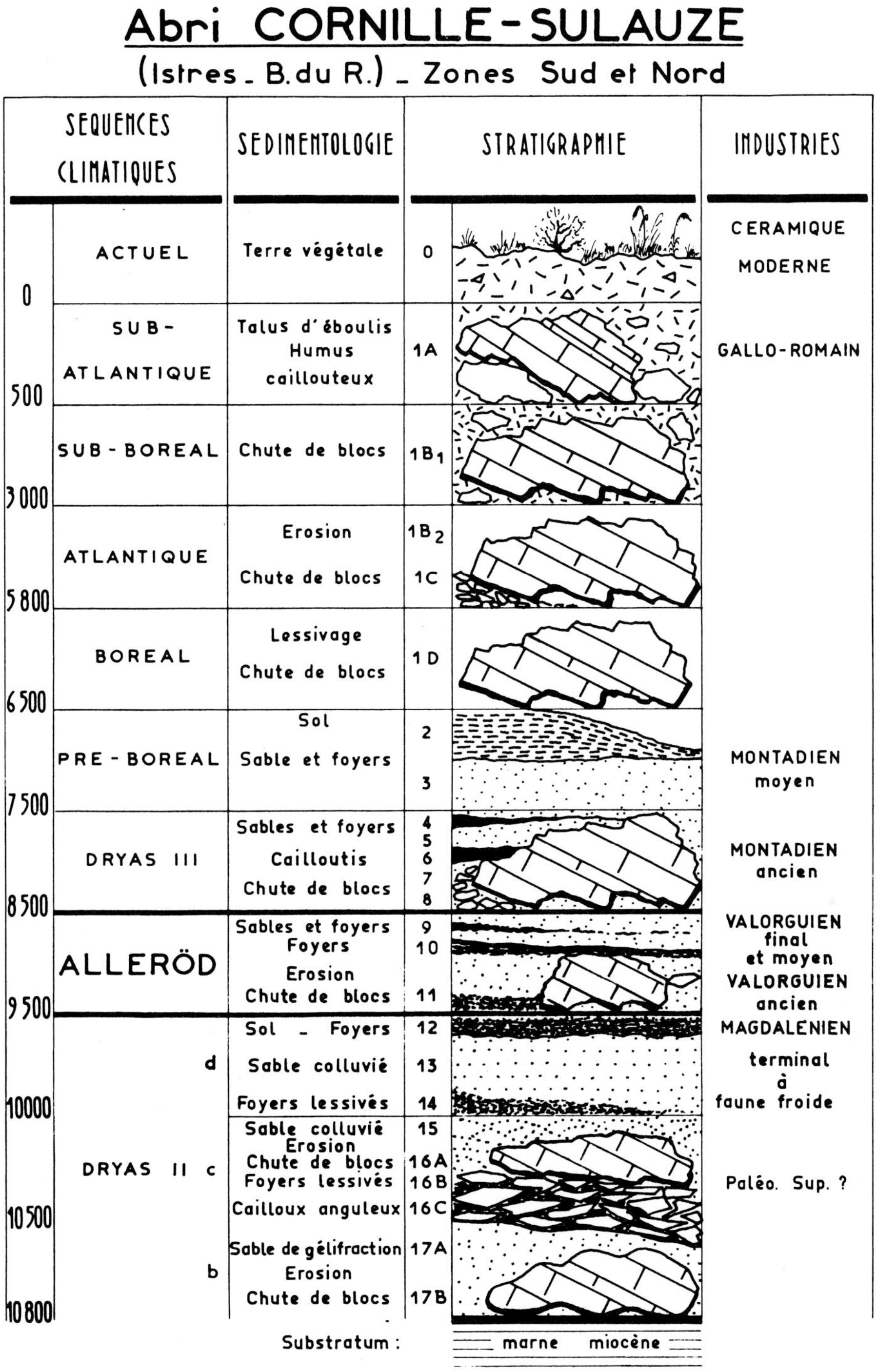

Abri CORNILLE-SULAUZE
(Istres _ B.du R.) _ Zones Sud et Nord

SEQUENCES CLIMATIQUES	SEDIMENTOLOGIE	STRATIGRAPHIE		INDUSTRIES
ACTUEL	Terre végétale	0		CERAMIQUE MODERNE
SUB-ATLANTIQUE	Talus d'éboulis Humus caillouteux	1A		GALLO-ROMAIN
SUB-BOREAL	Chute de blocs	1B₁		
ATLANTIQUE	Erosion	1B₂		
	Chute de blocs	1C		
BOREAL	Lessivage Chute de blocs	1D		
PRE-BOREAL	Sol	2		MONTADIEN moyen
	Sable et foyers	3		
DRYAS III	Sables et foyers	4 5		MONTADIEN ancien
	Cailloutis	6 7		
	Chute de blocs	8		
ALLERÖD	Sables et foyers Foyers	9 10		VALORGUIEN final et moyen VALORGUIEN ancien
	Erosion Chute de blocs	11		
d	Sol _ Foyers	12		MAGDALENIEN terminal à faune froide
	Sable colluvié	13		
	Foyers lessivés	14		
DRYAS II c	Sable colluvié Erosion	15		
	Chute de blocs	16A		
	Foyers lessivés	16B		Paléo. Sup. ?
	Cailloux anguleux	16C		
b	Sable de gélifraction	17A		
	Erosion			
	Chute de blocs	17B		
	Substratum :	marne miocène		

Climatic sequence scale markings: 0, 500, 3000, 5800, 6500, 7500, 8500, 9500, 10000, 10500, 10800

FIG. 2. — Fiche sédimento-climatique de l'Abri Cornille, à Istres (B. du Rh.).

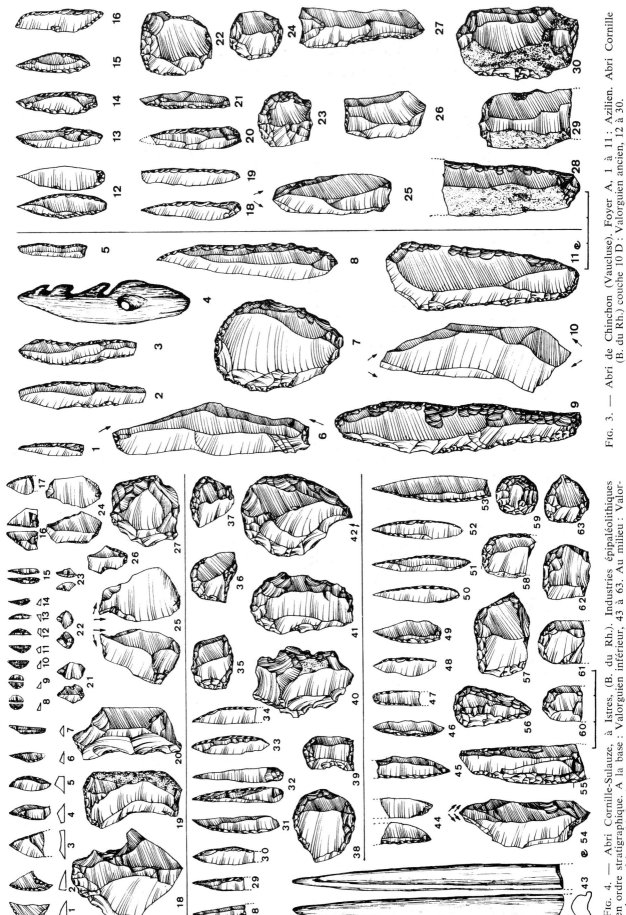

Fig. 3. — Abri de Chinchon (Vaucluse). Foyer A, 1 à 11 : Azilien. Abri Cornille (B. du Rh.) couche 10 D : Valorguien ancien, 12 à 30.

Fig. 4. — Abri Cornille-Sulauze, à Istres, (B. du Rh.). Industries épipaléolithiques en ordre stratigraphique. A la base : Valorguien inférieur, 43 à 63. Au milieu : Valorguien supérieur, 28 à 42. En haut : Montadien de tradition valorguienne, 1 à 27.

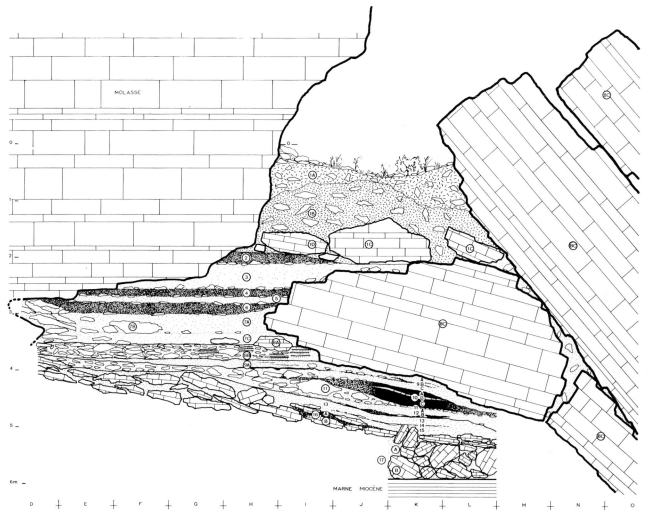

Abri CORNILLE

(Istres B du R.) _ Coupe E - W _ 41 - 42

MOLASSE

MARNE MIOCÈNE

FIG. 5. — Coupe stratigraphique de l'Abri Cornille à Istres (B. du Rh.).

Stratigraphie et dates ^{14}C *des gisements préhistoriques du Midi de la France.*

Couronnien, La Couronne	2.325 ± 100	(MC. 714)
Cardial final, Châteauneuf, F 1	4.190 ± 50	(KN-I. 208)
Cardial moyen, Montclus, 4	4.690 ± 55	(KN-I. 181)
Cardial ancien, Châteauneuf, F 5	5.210 ± 55	(KN-I. 182)
Cardial ancien, Ile de Riou...	5.650 ± 100	(MC. 440)
Cardial ancien, Cap Ragnon	6.020 ± 130	(MC. 500)
Castelnovien	?	
Montadien final, Fos	7.030 ± 200	(Ly. 706)
Montadien final, Ponteau	7.830 ± 200	(MC. 591)
Montadien ancien	?	
Valorguien final, Valorgues, 8	9.080 ± 85	(KN-I. 61)
Valorguien moyen, Valorgues, 9	9.320 ± 230	(KN. 63)
Valorguien moyen, Istres-Capeau	9.750 ± 450	(H. 2126/1544)
Valorguien ancien	?	
Magdalénien Proto-Valorguien, Valorgues 14	9.670 ± 110	(KN-I. 68)
Magdalénien Proto-Valorguien, Valorgues, 15	10.110 ± 250	(KN. 67)
Magdalénien final; Adaouste, 12	10.300 ± 190	(Ly. 541)
Magdalénien IV, Adaouste, 17	10.810 ± 250	(Ly. 540)
Salpêtrien sup., Salpêtrière, 3	11.150 ± 200	(MC. 919)

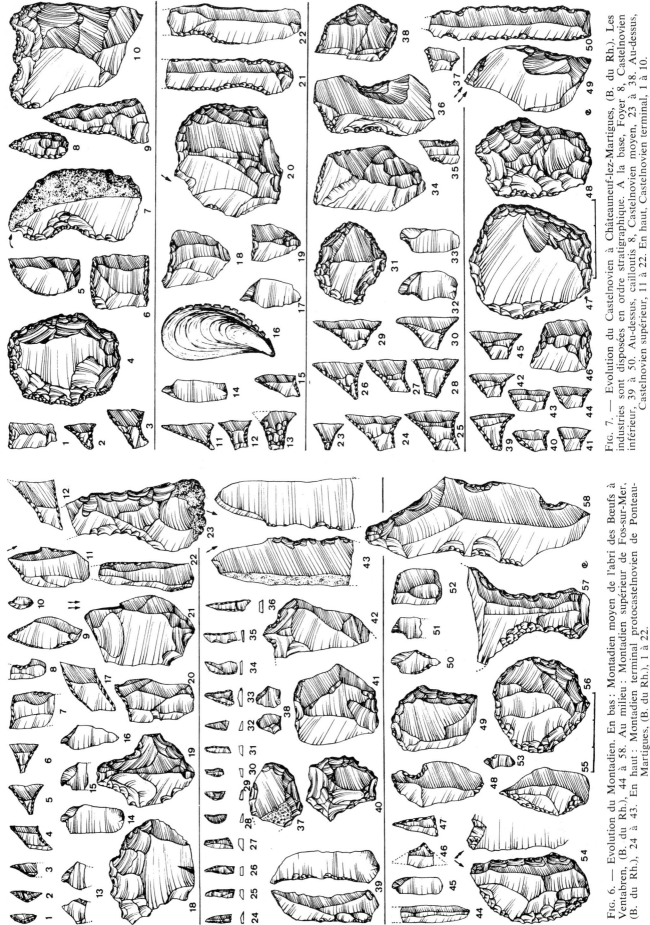

Fig. 7. — Evolution du Castelnovien à Châteauneuf-lez-Martigues, (B. du Rh.). Les industries sont disposées en ordre stratigraphique. A la base, Foyer 8, Castelnovien inférieur, 39 à 50. Au-dessus, cailloutis 8, Castelnovien moyen, 23 à 38. Au-dessus, Castelnovien supérieur, 11 à 22. En haut, Castelnovien terminal, 1 à 10.

Fig. 6. — Evolution du Montadien. En bas : Montadien moyen de l'abri des Beufs à Ventabren, (B. du Rh.), 44 à 58. Au milieu : Montadien supérieur de Fos-sur-Mer, (B. du Rh.), 24 à 43. En haut : Montadien terminal protocastelnovien de Ponteau-Martigues, (B. du Rh.), 1 à 22.

B. MONTADIEN ET SAUVETERRIEN (fig. 6 et 9).

A partir du Dryas III, il se produit un brusque changement dans le Valorguien terminal. Les outils denticulés et les éclats retouchés prennent une grande importance au détriment des grattoirs courts et des unguiformes qui disparaissent rapidement. Le Montadien ancien possède encore des grattoirs en bout de lame longs et des burins d'angle sur troncature. Il y a d'ailleurs davantage de troncatures que dans le Valorguien terminal qui lui a donné naissance. Il y a aussi un plus grand nombre de nucléus à éclats que de nucléus à lames ou lamelles. Le microburin, qui avait disparu avec le Magdalénien terminal, réapparaît. Il accompagne des segments de cercle petits, des triangles scalènes, de rares armatures de type Pointe d'Istres de petite dimension, et des armatures — segments, triangles scalènes et triangles de Montclus court — hypermicrolithiques. Il ne s'agit pas d'une miniaturisation de l'outillage général, car les outils communs conservent une dimension normale. Il importe de remarquer la présence de « proto-trapèzes » qui sont réalisés soit sur lame ou lamelle, soit sur éclat (fig. 4, n° 1), et d'armatures dont les très rares exemplaires montrent là une recherche dans l'invention d'un nouvel outil-

lage non encore fixé. Le Montadien de Sulauze-Cornille, couche 6, a livré, par exemple, une armature qui est une pointe à cran microlithique. Il s'agit d'une lamelle à dos dont le dos, à gauche, est courbe dans la partie proximale et dont la base est affectée par une troncature concave oblique (fig. 4, n° 2). Il y a des petites pointes à base non retouchées, des encoches sur lame et sur lamelle, des lamelles à retouche irrégulière, et de très rares lamelles à dos.

Au cours de son évolution, le Montadien devient plus laminaire tout en conservant des outils communs sur éclat épais. En ce qui concerne les armatures microlithiques, pendant le Pré-Boréal, les segments sont abandonnés, et ce sont les triangles qui dominent. On rencontre toujours des « Proto-trapèzes » qui, peu à peu prendront plus d'importance en fixant leur type. Au Boréal, le Montadien affirme ses tendances évolutives et devient le Castelnovien, Mésolithique à trapèzes typiques.

En arrière de la zone côtière, et notamment dans les pays rhodaniens, l'évolution de l'Epipaléolithique, tout en étant parallèle, est tout autre. Là, le Magdalénien avait, en évoluant, donné l'Azilien à l'Alleröd. Au Dryas III, l'Azilien se transforme en Azilo-Sauveterrien, puis, au Pré-Boréal, on voit se déve-

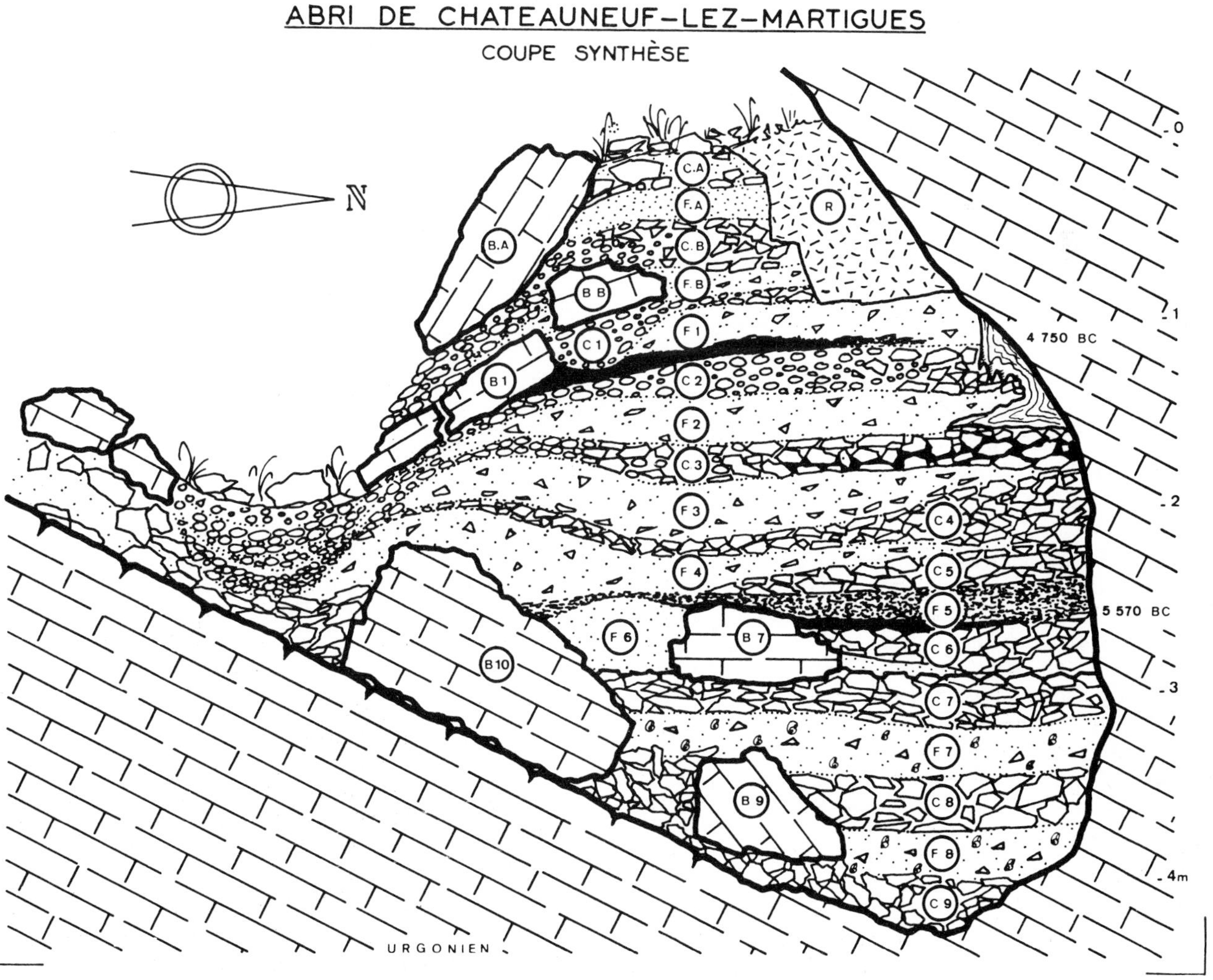

FIG. 8. — Coupe stratigraphique de l'Abri de Châteauneuf (B. du Rh.).

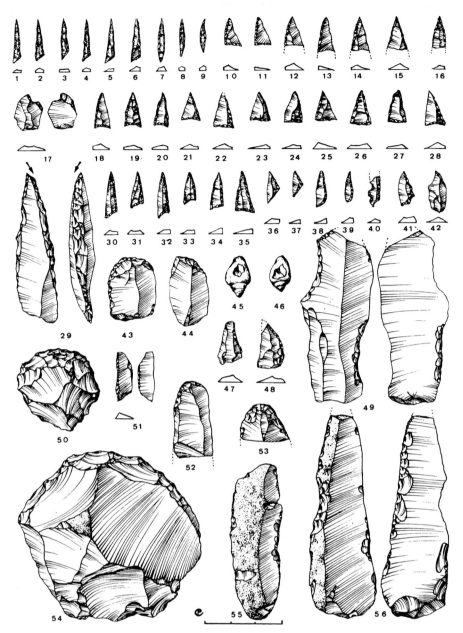

FIG. 9. — Abri de Saint-Mitre à Reillanne, Alpes-de-Haute-Provence, Sauveterrien
provençal.

lopper le Sauveterrien à triangles. Au Boréal, c'est le Sauveterrien à trapèzes qui se répand, et qui dure jusqu'à l'arrivée du Castelnovien, pour les régions de facile pénétration, et jusqu'au Néolithique cardial dans les zones montagneuses isolées des voies naturelles de communication. Le Sauveterrien de Provence est très comparable à celui du site éponyme. Le gisement de Saint-Mitre, à Reillanne (Alpes-de-Haute-Provence) est situé sous un abri bordant un ruisseau (Fouilles Onoratini). Le niveau Sauveterrien comporte la pointe triangulaire courte et longue, la pointe du Tardenois, la pointe de Sauveterre, le triangle scalène court et long, le triangle isocèle, le triangle de Montclus, la pointe à base non retouchée. L'outillage commun ne diffère pas sensiblement de celui du Sauveterrien classique (fig. 9). Le site de Gramari à Méthamis (Vaucluse), fournit un niveau

de Sauveterrien à trapèzes au-dessus d'un Sauveterrien à triangles (Paccard, Livache, 1971).

C'est pendant le Pré-Boréal qu'un assèchement du climat accentua la localisation des habitats très près des cours d'eau. C'est le moment du plus grand développement des cendrières à escargots. Ce phénomène socio-écologique affecte aussi bien le Montadien moyen que le Sauveterrien. Cette sécheresse avait dû provoquer une certaine raréfaction du gibier habituel, car c'est à cette époque que l'on trouve le plus d'indices en faveur d'une activité de pêche. Le Montadien ancien du Dryas III, et l'Azilo-Sauveterrien contemporain, sont toujours associés à des restes de grosse faune, indice de chasse abondante (grand bœuf, petit cheval *hydruntinus,* etc.). A partir du Pré-Boréal, à part quelques ossements de lapin, la plus grande quantité des restes appartiennent aux

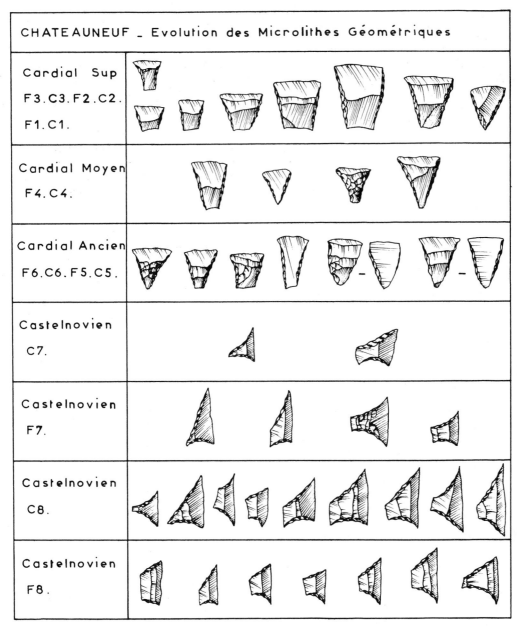

FIG. 10. — Châteauneuf. Armatures géométriques disposées en ordre stratigraphique.

poissons, et c'est à cette époque que débute, pour ce qui est de l'outillage, le plus important pourcentage d'armatures. Il est donc permis de penser que la plupart de ces microlithes furent des armatures de harpon. En effet, tous les gisements connus de cette séquence, possèdent, à côté des foyers culinaires normaux, des foyers non-culinaires sans doute destinés à fumer les poissons. C'est dans ces foyers non-culinaires — foyers fumigènes — que l'on ne trouve que les ossements de poissons qui y sont tombés accidentellement (squelettes entiers ou presque) et les armatures. On pourrait supposer, en admettant l'hypothèse, que ces armatures, se détachant quelquefois des harpons, demeuraient accidentellement dans les poissons. Ces foyers fumigènes, et leurs alentours immédiats, ne contiennent que cela à l'exclusion de tout autre objet, alors que les zones des foyers culinaires livrent surtout des ossements de faune terrestre et tout le reste de l'outillage.

C. CASTELNOVIEN (fig. 7, 8 et 10).

C'est donc la lignée du Valorguien qui, produisant le Montadien ancien à partir du Dryas III, puis le Montadien moyen et final au Pré-Boréal et au Boréal, aboutit au Castelnovien. Le Montadien final de transition est un proto-Castelnovien. Dans cette industrie, où le fond commun est encore nettement montadien, les armatures géométriques, assez rares encore, sont des trapèzes et des rhombes. Le gisement de Ponteau, à Martigues (B.-du-Rh.) (^{14}C : 7 830 ± 200 BC, MC.591) est significatif de cette phase transitionnelle (fig. 6). Il y a encore l'outillage montadien traditionnel : denticulés, lames et éclats tronqués, burins sur troncature et burins dièdres, nucléus à éclats, etc. Mais les lamelles à retouche irrégulière encochante sont beaucoup plus abondantes. Parmi les armatures, à côté des triangles et des petits segments, on voit apparaître le trapèze irrégulier dont une troncature peut être soit convexe, soit concave, et le trapèze à petit sommet très étroit et à troncatures concaves qui se généralisera au Castelnovien proprement dit (Escalon, 1976). L'industrie du gisement de Ponteau peut être considérée comme un Montadien terminal de transition, ou comme du Castelnovien ancien dans sa phase originelle. Le seul intérêt de conserver deux noms, Montadien et Castelnovien, pour désigner une seule culture en évolution, réside dans le fait que, le Castelnovien de la côte, se néolithisant sur place pour donner le Néolithique cardial, doit être considéré comme un vrai Mésolithique, alors que les phases précédentes du même lignage sont encore de l'Epipaléolithique.

Après la phase proto-Castelnovienne, le Castelnovien est connu par le gisement de Châteauneuf-lez-Martigues (éponyme), dont la stratigraphie illustre bien l'évolution de ce Mésolithique (Escalon, 1956, 1966, 1967). A Châteauneuf, le Castelnovien évolue pendant le Boréal qui, peu humide au début s'assèche progressivement, mais sans excès.

L'industrie (fig. 7), du niveau 8 comporte toujours les outils communs de la tradition montadienne : denticulés sur éclat épais ; éclats épais tronqués ; grattoirs épais denticulés ; troncatures diverses ; burins grossiers, d'angles sur troncature, dièdres divers, etc. Mais les lamelles à retouche irrégulière encochante, et les armatures géométriques sont plus abondantes. Ce que l'on remarque surtout, est le fait que ces armatures sont fixées dans leur forme et leur technique. Elles sont, typologiquement reconnaissables, et représentées par 4 types de trapèzes : le trapèze symétrique à troncatures rectilignes, le trapèze court à une troncature rectiligne et l'autre concave déjetée, (*Trapèze de Châteauneuf*), le trapèze symétrique à troncatures concaves, le trapèze asymétrique à troncatures concaves. Les microburins sont nombreux, comme dans tout le Castelnovien.

L'industrie du niveau 7 conserve le même fond commun. Cependant, on voit apparaître un nouveau type de perçoir qui se généralisera : c'est un perçoir sur lamelle épaisse ou sur éclat, à retouche abrupte, sans épaulement. Parmi les armatures géométriques, le trapèze symétrique, long ou court de la phase précédente, disparaît, ainsi que le *trapèze de Châteauneuf*. Il y a encore le trapèze symétrique à troncatures concaves, le trapèze asymétrique à troncatures concaves, et l'on voit apparaître le triangle scalène à troncatures concaves, c'est-à-dire le *triangle de Châteauneuf*.

Non loin de Châteauneuf, à Ensuès, sur le plateau du Sui (Chouvin, 1976), au bord d'une mare temporaire, un petit établissement du Castelnovien terminal montre le passage à la néolithisation. Il y a toujours un outillage commun castelnovien, mais plus fruste, alors que les lamelles sont plus régulières. Les burins sont beaucoup plus rares, et les trapèzes tendent nettement à la flèche tranchante : trapèze symétrique court à troncatures peu concaves ou rectilignes. Le fait remarquable dans cette station est une spécialisation artisanale qui fait que l'industrie comporte environ 80 % de perçoirs du type castelnovien final de Châteauneuf. A Châteauneuf, la phase suivante est déjà néolithique cardiale.

C'est pendant le Castelnovien que la domestication du mouton commence en Provence (Ducos, 1958). Cependant, la pratique de la chasse et de la pêche ne fut pas abandonnée pour autant. Les couches du Castelnovien de Châteauneuf, outre les ossements de mouton, recélaient ceux du *Bos primigenius,* du sanglier, du cerf elaphe, du renard, du lynx et du lapin en abondance. Et aussi une grande quantité d'ossements de poissons de mer et de coquillages.

Il faut signaler un objet encore énigmatique qui caractérise le Castelnovien de Provence et du Languedoc : c'est la coquille de moule dentelée, que l'on rencontre aussi bien à Châteauneuf qu'à Montclus, dans le Gard, avec la même industrie (fig. 7, n° 16).

Ainsi, les gisements de la zone littorale de Provence ont permis la reconstitution de la filiation des industries, depuis le Magdalénien jusqu'au Néolitique inclus, sans lacune importante, et en milieu autochtone, sans influences extérieures apparentes. Les détails de cette évolution mutationnelle mettent en lumière, par l'étude des paliers et des changements plus ou moins rapides, les processus de la dynamique de l'évolution des industries.

Tableau des industries de l'Epipaléolithique et du Mésolithique de Provence et du Languedoc oriental.

Séquences climatiques	Zone côtière	Zone de l'intérieur
Boréal	Epi-Castelnovien	
	Castelnovien	Sauveterrien à trapèzes
	Proto-Castelnovien	Sauveterrien à trapèzes et à triangles
	Montadien final	
Dryas III	Montadien moyen	Sauveterrien à triangles et à segments
	Montadien ancien	
	Valorguien terminal	Azilo-Sauveterrien
Alleröd	Valorguien moyen	Azilien final
	Valorguien ancien	Azilien ancien
Dryas II — c d b	Magdalénien terminal	Magdalénien terminal

Bibliographie

[1] BLANC G.A. (1930). — Grotta Romanelli. Istituto italiano di paleontologia umana. Firenze. *Atti della prima reunione,* p. 365-518.

[2] BONIFAY M.F. (1968). — La faune de l'abri Cornille (Istres, B.-du-Rh.). *La Préhistoire, problèmes et tendances.* C.N.R.S., p. 47-57, 5 fig.

[3] BONIFAY M.F. (1974-1976). — Les faunes de l'abri Cornille à Istres (B.-du-Rh.) : fin du Dryas II, Alleröd, Dryas III. *Congrès préhistorique de France. Martigues.* XXe Session, juillet 1974.

[4] BOURDIER F. (1962). — *Le bassin du Rhône au Quaternaire.* Géologie et Préhistoire. 2 vol. Centre national de la recherche scientifique, édit.

[5] BOURDIER F. (1967). — *Préhistoire de France.* Flammarion, édit., 412 p., 152 fig.

[6] CHAMLEY H. (1968). — Sur le rôle de la fraction sédimentaire issue du continent comme indicateur climatique durant le Quaternaire. *Compte rendu de l'Académie des Sciences.* Paris, t. 267, p. 1262-1265, 1 fig.

[7] CHOUVIN L., ESCALON de FONTON M. (1974-1976). — Un site castelnovien de plein air : La plaine du Sui à Ensuès (B.-du-Rh.). *Congrès préhistorique de France. Martigues*. XXᵉ session, juillet 1974.

[8] COULONGES L. (1935). — Les gisements préhistoriques de Sauveterre-la-Lémance. *Archives de l'Institut de Paléontologie humaine*. Mémoire n° 14.

[9] DUCOS P. (1958). — Le gisement de Châteauneuf-lez-Martigues (B.-du-Rh.). Les mammifères et les problèmes de la domestication. *Bulletin du Musée d'Anthropologie préhistorique de Monaco*, n° 5, p. 119-133, 6 fig., 4 tabl.

[10] ESCALON de FONTON M. (1956). — Préhistoire de la Basse-Provence. Etat d'avancement des recherches en 1951. *Préhistoire*, t. XII, 154 p., 110 fig.

[11] ESCALON de FONTON M. (1966). — Le campement romanellien de La Valduc à Istres (B.-du-Rh.). *L'Anthropologie*, t. 70, n° 1-2, p. 29-44, 10 fig.

[12] ESCALON de FONTON (M.) (1966). — Du Paléolithique supérieur au Mésolithique dans le midi méditerranéen. *Bulletin de la Société préhistorique française*, t. LXIII, fascicule 1, p. 66-180, 73 fig., 10 pl. et 1 tabl.

[13] ESCALON de FONTON M. (1967). — Origine et développements des civilisations néolithiques méditerranéennes en Europe occidentale. *Paleohistoria*, vol. XII, p. 209-248, 26 fig., Congrès de Groningen, 1964.

[14] ESCALON de FONTON M. (1969). — Les séquences climatiques du midi méditerranéen, du Würm à l'Holocène. *Bulletin du Musée d'Anthropologie préhistorique de Monaco*, n° 14, p. 125-185, 29 fig., 3 tabl.

[15] ESCALON de FONTON M. (1968). — Le Romanellien de la Baume de Valorgues. St-Quentin-la-Poterie (Gard). La Préhistoire, problèmes et tendances (C.N.R.S., Paris), p. 165-174, 3 fig.

[16] ESCALON de FONTON M. (1968). — Préhistoire de la Basse-Provence occidentale. Syndicat d'Initiative-Office du Tourisme de la région de Martigues, t. 1, 71 p., 56 fig., et tabl.

[17] ESCALON de FONTON M. (1968). — Problèmes posés par les blocs d'effondrement des stratigraphies préhistoriques du Würm à l'Holocène dans le midi de la France. *Bulletin de l'Association française. Etude du Quaternaire. (A.F. E.Q.)*, n° 17, p. 289-296, 2 tableaux synoptiques stratigraphiques.

[18] ESCALON de FONTON M. (1970). — Le Paléolithique supérieur de la France méridionale. Congrès 1968 : L'Homme de Cro-Magnon, p. 177-195, 6 fig., 2 tabl.

[19] ESCALON de FONTON M. (1971). — Un décor gravé sur os dans le Mésolithique de la Baume de Montclus (Gard). *Bulletin de la Société préhistorique française*, t. 68, C.R.S.M., fasc. 9, p. 273-275, 2 fig.

[20] ESCALON de FONTON M. (1971). — La stratigraphie du gisement préhistorique de la Baume de Montclus (Gard). *Mélanges de préhistoire, d'archéocivilisation et d'ethnologie offerts à M. Varagnac*. Paris, Ecole pratique des Hautes Etudes, p. 263-278, 5 fig., 2 tabl.

[21] ESCALON de FONTON M. (1971). — Stratigraphies, effondrements, climatologie des gisements préhistoriques du Sud de la France, du Würm III à l'Holocène. *Bulletin de l'Association française des études du Quaternaire*, n° 29, p. 199-207, 2 tabl.

[22] ESCALON de FONTON M. (1972). — La Pointe d'Istres. Note typologique. *Bulletin de la Société préhistorique française*, t. 69, C.R.S.M., fasc. 1, p. 13-14, 2 fig.

[23] ESCALON de FONTON M. (1973). — La France de la Préhistoire (Tallandier, Paris). Le Mésolithique et le Néolithique ancien, p. 60-99, 63 fig.

[24] ESCALON de FONTON M. (1973). — La question des différents faciès de l'Azilien et du Romanellien. *Estudios dedicados al Profesor Dr Luis Pericot*. Instituto de arqueologica y prehistoria (Barcelona), p. 85-100, 10 fig.

[25] ESCALON de FONTON M. et BROUSSE R. (1972). — Corrélation entre les phases d'effondrement dans les grottes préhistoriques et les phases d'activité volcanique. *Congrès préhistorique de France*. Auvergne, 1969, p. 200-223, 16 fig., 1 tabl.

[26] ESCALON de FONTON M. (1974-1976). — Dates C. 14 et données stratigraphiques de quelques gisements du midi de la France. *Congrès préhistorique de France, Martigues*. XXᵉ Session, juillet 1974.

[27] ESCALON de FONTON M. (1974-1976). — Le Montadien terminal de Ponteau, à Martigues, B.-du-Rh. *Congrès préhistorique de France*. XXᵉ Session, juillet 1974.

[28] ESCALON de FONTON M., ONORATINI G. (1976). — L'abri Cornille à Istres (B.-du-Rh.). *Congrès préhistorique de France. XXᵉ session. Martigues*, 1974.

[29] ESCALON de FONTON M. (1956 à 1976). — Informations archéologiques in *Gallia-Préhistoire*. Provence et Languedoc.

[30] ESCALON de FONTON M. (1956 à 1976). — Comptes rendus des travaux in *Cahiers Ligures de préhistoire et d'archéologie*.

[31] G.E.E.M. (1969). — Epipaléolithique-Mésolithique. Les microlithes géométriques. *Bulletin de la Société préhistorique française*, t. 66, *Etudes et travaux*, p. 355-366, 9 fig.

[32] G.E.E.M. (1972). — Epipaléolithique-Mésolithique. Les armatures non-géométriques. 1. *Bulletin de la Société préhistorique française*, t. 69, *Etudes et travaux*, p. 364-375, 8 fig.

[33] JUDE P.E. (1960). — La grotte de Rochereil, Station magdalénienne et azilienne. *Archives de l'Institut de Paléontologie humaine*. Mémoire 30, p. 1-74, 28 fig.

[34] LACAM, NIEDERLENDER, VALLOIS (1944). — Le gisement mésolithique du Cuzoul de Gramat. *Archives de l'Institut de Paléontologie humaine*. Mémoire 21, Masson, Paris.

[35] ONORATINI G., CHAMLEY H., ESCALON de FONTON M. (1973). — Note préliminaire sur la signification paléoclimatique des minéraux argileux dans le remplissage de l'abri Cornille (B.-du-Rh.). *Bulletin de la Société géologique de France*. Supplément du t. XV, n° 2, fasc. 2, p. 59-61, 1 fig.

[36] ONORATINI G. (1976). — Un faciès provençal du Sauveterrien : l'abri de St-Mitre à Reillanne (Alpes de Haute-Provence). *Congrès préhistorique de France. XXᵉ session. Martigues 1974*.

[37] ONORATINI G., WEDERT P., ESCALON de FONTON M. (1974). — Caractères granulométriques et faciès sédimentaires des dépôts quaternaires de la zone nord de l'abri Cornille à Istres (B.-du-Rh.). *Bulletin de la Société géologique de France*. Supplément au t. XVI, n° 2, fasc. 2, p. 31-33, 2 fig.

[38] PACCARD M. (1963). — Le gisement préhistorique de Roquefure. Commune de Bonnieux. Vaucluse. *Cahiers Rhodaniens,* n° 10, p. 3-36, 19 fig.

[39] PACCARD M. (1964). — L'abri de Chinchon n° 1 (Saumane-Vaucluse). *Cahiers Ligures de préhistoire et d'archéologie,* n° 13, t. 1, p. 3-67, 36 fig.

[40] PACCARD M. (1964). — La grotte de Combe-Buisson (commune de Lacoste, Vaucluse). *Cahiers Rhodaniens XI,* p. 5-29, 16 fig., 1 tabl.

[41] PACCARD M., LIVACHE M. (1971). — Le camp mésolithique de Gramari à Méthamis (Vaucluse). *Gallia-Préhistoire,* t. XIV, fasc. 1, p. 47-137, 57 fig.

[42] RENAULT-MISKOVSKY J. (1972). — Contribution à la Paléoclimatologie du midi méditerranéen pendant la dernière glaciation et le post-glaciaire d'après l'étude palynologique de remplissage des grottes et abris-sous-roche. *Bulletin du musée d'anthropologie préhistorique de Monaco,* n° 18, p. 145-210.

[43] SONNEVILLE-BORDES D. (1960). — *Le Paléolithique supérieur en Périgord,* t. I et II (Imprimerie Delmas à Bordeaux).

[44] VERNET J.L. (1968). — Etude des charbons de bois préhistoriques de la Baume de Valorgues (Gard). *La Préhistoire, problèmes et tendances* (C.N.R.S.), p. 473-474.

[45] VERNET J.L. (1973). — Etude sur l'histoire de la végétation du Sud-Est de la France au Quaternaire d'après les charbons de bois principalement. *Paléobiologie continentale.*

[46] VILAIN R. (1966). — Le gisement de Sous-Balme à Culoz (Ain) et ses industries microlithiques. *Document du laboratoire de la Faculté des sciences, Lyon,* n° 13, 219 p., 23 pl., 45 fig., 10 tabl., 4 cartes.

Les civilisations de l'Epipaléolithique et du Mésolithique en Haute-Provence et dans le Vaucluse

par

Michel Livache *

Résumé. Les complexes industriels mésolithiques du Vaucluse et de Haute-Provence occupent deux aires géographiques. Au Sud, dans la vallée du Coulon les complexes à retouche abrupte et géométriques évoluent vers des ensembles hypermicrolithiques. Au Nord dans les vallées de l'Ouvèze et de la Nesque, la place est tenue par des industries à lames retouchées et à encoches. C'est à Gramari qu'on trouve le plus bel exemple de leur évolution.

Abstract. The Mesolithic industrial complexes in the Vaucluse and Upper Provence occupy two geographical areas. To the South in the Coulon valley, the complexes characterized by abrupt and geometric retouch evolue towards hypermicrolithic groups. To the North in the Ouvèze and Nesque valleys, the industries are characterized by retouched blades and notched pieces. At Gramari, one finds the most beautiful example of their evolution.

Situé au S.E. de la France en zone climatique méditerranéenne, le Vaucluse en Haute Provence, s'étend à l'est du Rhône et au nord de la Durance. Trois ensembles calcaires du Crétacé présentent un relief karstique. Au sud c'est le massif du Lubéron (altitude maximale : 1125 m), au centre-est les Monts du Vaucluse (alt. max. : 1242 m), au nord-est le massif du Ventoux, le « Géant de Provence » (1912 m). Ce relief est entouré, parfois recouvert, parfois en décrochement, par des molasses Miocènes (Burdigalien, Helvétien). Ces lieux sont très propices à la conservation des vestiges préhistoriques, les grottes et les abris sous roche y sont nombreux. Les régions d'Apt et de Mormoiron qui correspondent à des synclinaux sont constituées de sables ocreux de l'Aptien et de l'Albien. L'érosion actuelle de ces surfaces a permis de déceler l'existence de gisements préhistoriques. Les plaines alluviales quaternaires du Rhône et de la Durance par contre ont une constitution moins favorable. Les rivières à régime irrégulier : Ouvèze, Nesque, Coulon ... et leurs affluents ont creusé de profondes gorges et de nombreux vallons.

Les gisements holocènes sont fouillés depuis très longtemps dans cette région où ils abondent. La vallée du Coulon, dans sa « trouée conséquente » d'Apt au Pont-Julien, pour ne citer qu'elle, est bordée sur ses deux rives de gisements stratifiés non encore explorés. Le Paléolithique supérieur terminal est bien représenté en Vaucluse. Le Mésolithique le poursuit souvent dans les mêmes stratigraphies. Au Dryas II s'amorçait une différenciation globale des complexes industriels. Le sud (Soubeyras, Chinchon 1) est occupé par des industries à retouche abrupte, le nord (Eden-Roc, Charasse 1) est le domaine des industries qui voient se développer les lames retouchées et les encoches. Le Mésolithique poursuivra ce processus de lyse.

I. Les complexes sauveterroïdes du Coulon.

A. A Roquefure.

Ce gisement, fouillé par Maurice Paccard, sur la commune de Bonnieux, a fourni une stratigraphie de quatre niveaux mésolithiques au-dessus du complexe magdalénoïde de la couche 9.

Le niveau 5, contemporain du Dryas III, peut être qualifié d'épipaléolithique car il est de tradition paléolithique par la perduration des types de cette époque, mais s'y ajoutent, faiblement, la présence du triangle. Les lames retouchées (17,7 %), les encoches et les denticulés (17,6 %) continuent leur progression.

Le niveau 7, Sauveterrien caractéristique est le seul niveau de ce genre en Vaucluse. Les burins (6

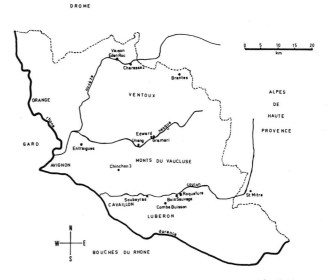

Fig. 1. — Carte. Le Vaucluse. Les gisements du Mésolithique

* Quartier di Roio, 84220 Cabrières d'Avignon (France).

%) et les grattoirs (6,6 %) par leur représentation moyenne, les troncatures (18,1 %), les encoches et denticulés par leur bonne représentation, montrent bien une constante mésolithique. L'industrie à dos, les géométriques en particulier (7,7 %) forment des groupes variés. Les triangles et les segments voisinent avec les pointes à dos courbes et troncatures concaves (pointes du Tardenois). Ce niveau est préboréal.

Les niveaux 4 et 2 sont en continuité (test statistique du khi2) avec le niveau 7. Cependant on notera la dégression des géométriques (3,1 % et 3,3 %). Ces deux niveaux sont à rapprocher des deux niveaux supérieurs de la Combe Buisson.

B. A LA COMBE BUISSON.

A Lacoste M. Paccard a fouillé la petite grotte de la Combe Buisson. Les deux niveaux supérieurs 1 et 2 sont superposés aux niveaux 3 et 4 aziloïdes. Ils datent des périodes boréales et préboréales. Ils perpétuent la tradition aziloïde par l'importance des grattoirs (14,3 % et 11,7 %) en majorité courts et par l'équilibre des groupes typologiques semblable à celui de n3 et n4. On note la présence des triangles. Ces niveaux sont homogènes avec les niveaux supérieurs du Roquefure.

C. AU BOIS SAUVAGE.

Sur le territoire de Bonnieux M. Livache fouille le gisement du Bois Sauvage. Dans un sédiment de petits galets, correspondant à une période sèche d'après J. Brochier, on peut déceler la présence (actuellement) de cinq niveaux d'une industrie hypermicrolithique. L'outillage de taille ordinaire est rare, il est surtout constitué de denticulés ou de lames retouchées. Par contre l'outillage de très petite taille (4 mm parfois) comporte des types à retouche abrupte de morphologie variée. On y note les triangles, les lamelles à dos bilatéral tronquées ou pointes à dos bilatéral tronquées très sveltes (triangles de Montclus), les pointes de Sauveterre, les becs, les dos tronqués. Le niveau supérieur possède le trapèze.

D. A SOUBEYRAS.

Au cours du sondage de l'abri Soubeyras à Ménerbes, J. Brochier a pu mettre en évidence un niveau hypermicrolithique dans un éboulis coiffant la séquence magdaléno-azilienne de ce gisement. On y retrouve les triangles, les lamelles à dos bilatéral/pointes à dos bilatéral tronquées de très petite taille. Le façonnage des pièces plus volumineuses est rare là aussi.

E. A SAINT-MITRE.

M. Calvet avait découvert dans l'abri de Saint-Mitre à Reillane (Alpes-de-Haute-Provence) des pièces hypermicrolithiques. Gérard Onoratini a repris les fouilles et a sauvé ce gisement menacé par les clandestins. Il a pu dégager des structures de foyers et leur outillage. De très nombreuses pièces ont été récoltées, ce sont des triangles, triangles de Montclus...

La vallée du Coulon est occupée à l'Holocène par des populations qui façonnent un outillage sauveterroïde. L'évolution vers l'hypermicrolithique est attestée. Les industries à trapèzes abondants font défaut. Les études ultérieures montreront les rapports qu'entretiennent ces complexes avec le Montadien de Basse Provence.

II. Les gisements sauveterroïdes des vallées de la Nesque et de l'Ouvèze.

A. A GRAMARI.

M. Paccard a fouillé le magnifique gisement du lieu-dit Gramari, commune de Méthamis. L'intérêt ethnologique de ces dépôts est évident. Les structures d'habitat ont été conservées. Les crues de la Nesque ont scellé ces témoignages dans des sables fins ou des petits galets. De nombreux foyers creusés dans le sol puis recouverts de galets et de pierres ont pu être dégagés. Les reliefs de repas souvent accumulés entre les foyers et la paroi affleurante révèlent certaines habitudes des occupants. La faune composée pour l'essentiel du Cerf élaphe, du Bœuf Sauvage et du Mouton (sauvage ?) dans les niveaux supérieurs, comprend le Cheval dans le niveau 5 daté du Dryas III.

Les correspondances chronologiques sont les suivantes : niveaux 7 et 5 = Dryas III, niveau 3c = Préboréal, niveaux 3b2 et 3b1 = limite Boréal-Atlantique.

Le niveau 7 est le plus ancien des niveaux étudiables. Il possède l'équilibre particulier du complexe de Gramari avec la faible importance des burins (2,4 %), des grattoirs (0 %) et de l'industrie à dos (lamelles à dos = 2,4 %, pointes à dos = 2,4 %), mais le fort développement des lames retouchées (30,5 %) et des encoches et denticulés (40,3 %). A ce niveau les géométriques triangulaires sont présents (6 %).

L'évolution se fera par la progression des lames retouchées et des denticulés, la régression des types à retouche abrupte et la disparition en 3c des formes triangulaires.

B. A EDWARD.

Sur la même commune de Méthamis, M. Paccard a fouillé l'abri Edward légèrement en aval de Gramari. La séquence magdalénienne de base est surmontée du niveau 5. Statistiquement il se raccorde au début de la phase sans géométriques de Gramari (3c).

C. A UNANG.

La grotte d'Unang sur la Nesque à Mallemort, quelques kilomètres en aval de Méthamis, a fourni à M. Paccard deux niveaux mésolithiques (n13, n11). Ils sont compris entre une complexe aziloïde et le

Cardial. Ce complexe est presque exclusivement composé de lames retouchées.

D. A Charasse n° 2.

L'abri Charasse n° 2 à Entrechaux sur l'Ouvèze fait face au grand abri Charasse 1. Il fut fouillé par M. Paccard. L'industrie recueillie a les mêmes caractéristiques que le niveau 5 d'Edward dont il est homogène et se rapporte par là à la séquence moyenne 3c de Gramari.

E. A Eden-Roc.

Situé dans le jardin de la villa Eden-Roc à Vaison-la-Romaine au bord de l'Ouvèze. Les fouilles de sauvetage effectuées par M. Paccard, C. Dumas et M. Livache ont pu établir une séquence mésolithique surmontant le niveau magdalénien 3j. La séquence des niveaux 3, 2, 1 est statistiquement homogène. On y rencontre le fort développement des troncatures (n3 = 15,2 %) et des lames retouchées (n3 = 32,8 %) comme à Gramari. Mais la différence s'établit au niveau des burins (10,4 %), et des grattoirs (14,4 %) mieux représentés qu'à Gramari et des encoches et denticulés (17,6 %) plus nombreux à Gramari. La famille sérielle diachronique d'Eden-Roc se distingue donc du complexe de Gramari.

Globalement on peut faire la partition du Vaucluse Mésolithique en complexe à retouche abrupte au Sud, vallée du Coulon, et en complexes à retouche simple au Nord répandus dans les vallées de la Nesque et de l'Ouvèze.

Nota. Nous résumons cet aperçu des industries mésolithiques du Vaucluse dans un graphe. L'espace relatif est marqué par le plan, la diachronie par les verticales. Les lettres nomment les gisements : E = Edward, C2 = Charasse n° 2, G = Gramari, ER = Eden-Roc, cB = combe Buisson, R = Roquefure. Les chiffres indiquent le numéro des couches. Les traits épais marquent l'homogénéité statistique obtenue par le test du khi² ou la méthode exacte de Fisher, pour les effectifs des industries considérées au niveau structural des groupes typologiques : burins, grattoirs, troncatures, becs, pointes à dos, lames à dos, dos et troncatures, géométriques, foliacés, pointes, lames retouchées, abrupts indifférenciés, denticulés.

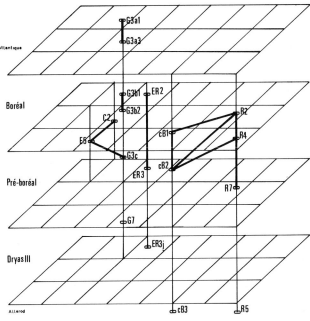

Fig. 2. — Graphe. Evolutions et relations d'homogénéité des différents niveaux mésolithiques en Vaucluse.

Bibliographie

[1] Paccard M. (1954). — La grotte d'Unang. *Cahiers Ligures de Préhistoire et d'Archéologie*, vol. 3, p. 3-27.

[2] Paccard M. (1963). — Le gisement préhistorique de Roquefure (commune de Bonnieux-Vaucluse). *Cahiers Rhodaniens*, X, p. 3-36.

[3] Paccard M. (1964). — La grotte de la Combe Buisson. *Cahiers Rhodaniens*, XI, p. 6-29.

[4] Paccard M. (1965). — L'abri Charasse n° 2 (commune d'Entrechaux, Vaucluse). *Cahiers Rhodaniens*, XII, p. 5-12.

[5] Paccard M. et al (1971). — Le camp mésolithique de Gramari à Méthamis (Vaucluse). *Gallia-Préhistoire*, t. XIV, fasc. 1, p. 47-137.

[6] Paccard M. et al (1972). — Le paléolithique supérieur de l'abri Edward (commune de Méthamis-Vaucluse). *L'Anthropologie*, t. 76, n° 5-6, p. 441-469.

Les civilisations de l'Epipaléolithique et du Mésolithique en Languedoc oriental

par

Max Escalon de Fonton *

Résumé. L'Epipaléolithique du Languedoc oriental présente, à son début (Alleröd) deux faciès : l'Azilien provenant du Magdalénien final classique, dans la zone continentale, et le Valorguien découlant du Magdalénien terminal de la zone méditerranéenne. Le Valorguien étant une industrie morphologiquement et géographiquement intermédiaire entre l'Azilien et le Romanellien. L'évolution de l'Azilien donne ensuite le Sauveterrien qui dure jusqu'à l'arrivée du Néolithique ancien, lorsqu'il n'est pas interrompu par le Castelnovien provenant de la zone côtière. Le Valorguien évolue en donnant le Montadien, puis le Castelnovien qui, lui, est un véritable Mésolithique puisqu'il se néolithise pour donner le Néolithique cardial.

Abstract. The Epipaleolithic in the eastern Languedoc presents at its beginning (Alleröd) two variants: the Azilian deriving from the classical Final Magdalenian in the continental zone and the Valorguian flowing out of the Terminal Magdalenian in the Mediterranean zone. The Valorguian is an industry morphologically and geographically intermediary between the Azilian and the Romanellian. The evolution of the Azilian produces the Sauveterrian, when it is not interrupted by the Castelnovian coming from the coastal zone, lasts until the arrival of the early Neolithic. The Valorguian evolves into the Montadian, then the Castelnovian which is a true Mesolithic as it progressively evolves into the Cardial Neolithic.

I. Les conditions géologiques et géographiques.

Les grandes érosions du début de l'interstade d'Alleröd ont entraîné, en bas des pentes, d'importantes colluvions. C'est sur ces éboulis limoneux hétérométriques que l'on rencontre l'Epipaléolithique de la période d'Alleröd. Dans le courant du Dryas III, les dépôts de l'Epipaléolithique, non protégés par des éboulis, sont souvent lessivés par les érosions de cette phase climatique plus fraiche et humide. Après le Dryas III, le climat a tendance à se réchauffer et à devenir plus sec. Au Pré-Boréal, les gisements sont tous près des rivières ou des torrents, car l'eau est plus rare. Cette tendance s'accentue au Boréal et la fin de cette phase climatique voit apparaître le Méso-lithique pendant que se forment des éboulis hétéro-métriques de gravité. Ces éboulis envahissent souvent les abris-sous-roche par les côtés, les comblant partiellement.

L'Epipaléolithique et le Mésolithique se rencon-trent presque toujours près des rivières, des torrents, et constamment à proximité de sources.

II. Les industries dans leur cadre géo-chrono-logique.

A. Azilien et Valorguien (fig. 1 et 3).

En dehors de la zone côtière méditerranéenne proprement dite, le Magdalénien terminal garde sa forme classique comme dans le Sud-Ouest de la France. A partir de l'interstade d'Alleröd, il se transforme en Azilien classique. Les gisements Azi-liens sont rares, surtout à cause de l'érosion violente de l'Alleröd, mais aussi du fait des remaniements historiques qui bouleversèrent les niveaux de surface des grottes et abri-sous-roche. Les fouilles anciennes,

Stratigraphie et dates ^{14}C des gisements préhistoriques du Midi de la France.

Couronnien, La Couronne	2.325 ± 100	(MC. 714)
Cardial final, Châteauneuf F 1	4.190 ± 50	(KN-I.208)
Cardial moyen, Montclus, 4	4.690 ± 55	(KN-I.181)
Cardial ancien, Châteauneuf, F 5	5.210 ± 55	(KN-I.182)
Cardial ancien, Ile de Riou	5.650 ± 100	(MC. 440)
Cardial ancien, Cap Ragnon	6.020 ± 130	(MC. 500)
Castelnovien	?	
Montadien final, Fos	7.030 ± 200	(Ly. 706)
Montadien final, Ponteau	7.830 ± 200	(MC. 591)
Montadien ancien	?	
Valorguien final, Valorgues, 8	9.080 ± 85	(KN-I. 61)
Valorguien moyen, Valorgues,	9.320 ± 230	(KN. 63)
Valorguien moyen, Istres-Capeau	9.750 ± 450	(H. 2126/1544)
Valorguien ancien	?	
Magdalénien Proto-Valorguien, Valorgues, 14	9.670 ± 110	(KN-I. 68)
Magdalénien Proto-Valorguien, Valorgues, 15	10.110 ± 250	(KN. 67)
Magdalénien final, Adaouste, 12	10.300 ± 190	(Ly. 541)
Magdalénien IV, Adaouste, 17	10.810 ± 250	(Ly. 540)
Salpêtrien sup., Salpêtrière, 3	11.150 ± 200	(MC. 919)

* Directeur de Recherche au C.N.R.S., Laboratoire de Préhistoire méditerranéenne, E.R. nº 46, 34, rue Auguste-Blanqui, 13006 Marseille,(France).

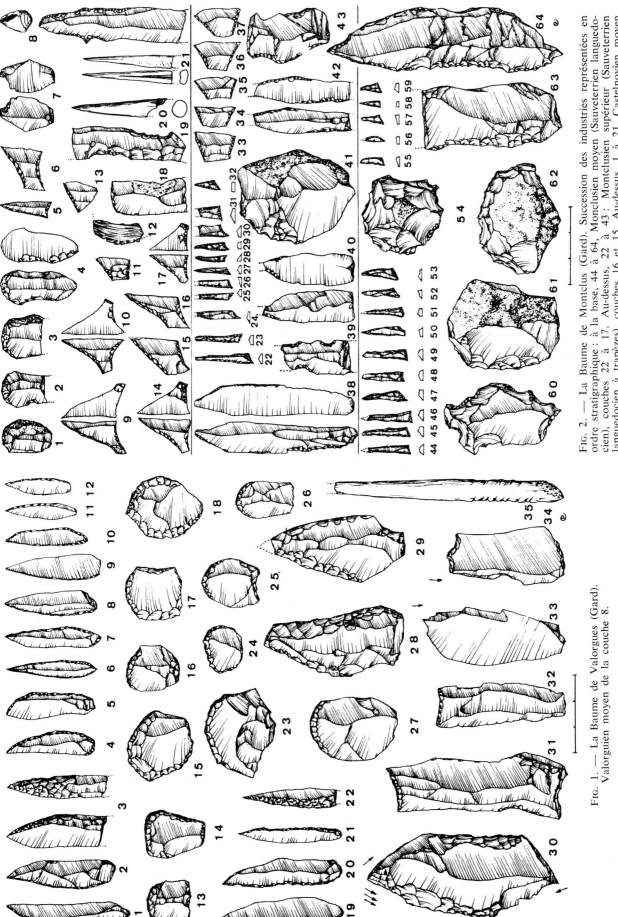

Fig. 2. — La Baume de Montclus (Gard). Succession des industries représentées en ordre stratigraphique : à la base, 44 à 64, Monclusien moyen (Sauveterrien languedocien), couches 22 à 17. Au-dessus, 22 à 43 : Montclusien supérieur (Sauveterrien languedocien à trapèzes), couches 16 et 15. Au-dessus, 1 à 21, Castelnovien moyen de la couche 14. On remarque, n° 12, un fragment de coquille de moule dentelée, élément typique du Castelnovien.

Fig. 1. — La Baume de Valorgues (Gard). Valorguien moyen de la couche 8.

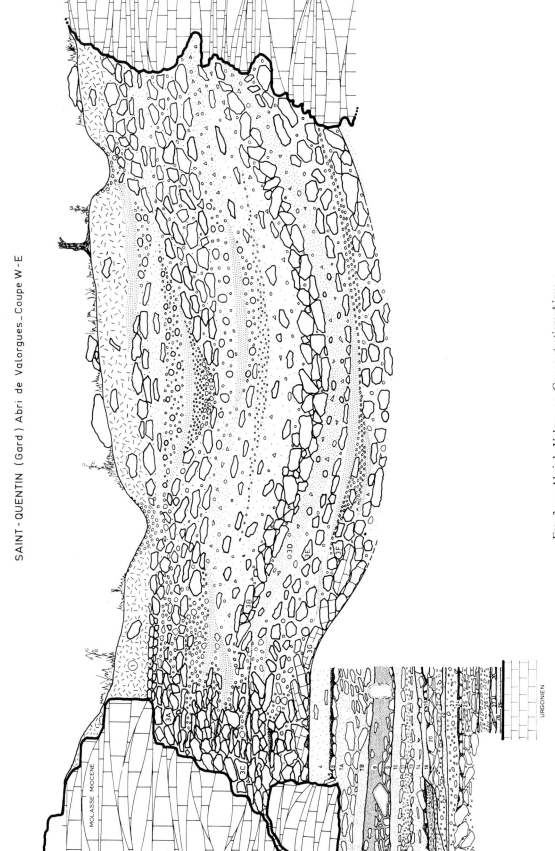

SAINT-QUENTIN (Gard) Abri de Valorgues_Coupe W-E

Fig. 3. — Abri de Valorgues. Coupe stratigraphique.
L'habitat se trouvait en bordure du lit du ruisseau. Le comblement du vallon est postérieur au Valorguien.

mal conduites, n'épargnèrent pas ces dépôts superficiels, aussi est-il à peu près impossible de connaître l'Azilien du Languedoc de façon précise. Le Musée de Nîmes conserve un harpon azilien provenant de la grotte Féraud (F. Bazile, 1964). Il y avait de l'Azilien dans la grotte de la Salpêtrière avant les fouilles du siècle dernier.

Tableau des industries de l'Epipaléolithique et du Mésolithique de Provence et du Languedoc oriental.

Séquences climatiques	Zone côtière	Zone de l'intérieur
Boréal	Epi-Castelnovien	
	Castelnovien	Sauveterrien à trapèzes
Pré-Boréal	Proto-Castelnovien	Sauveterrien à trapèzes et à triangles
	Montadien final	
Dryas III	Montadien moyen	Sauveterrien à triangles et à segments
	Montadien ancien	
Alleröd	Valorguien terminal	Azilo-Sauveterrien
	Valorguien moyen	Azilien final
	Valorguien ancien	Azilien ancien
Dryas II — d, c, b	Magdalénien terminal	Magdalénien terminal

Dans la zone côtière et sub-côtière, le Magdalénien terminal évolue de façon différente en donnant un faciès régional de l'Azilien : le Valorguien (du gisement de la Baume de Valorgues à Saint-Quentin (Gard) (Escalon, 1968 ; Escalon et Onoratini, 1976). Cette industrie diffère de l'Azilien typique par plusieurs caractères. Il n'y a pas de harpon, mais des sagaies de section ronde et portant des encoches à la partie proximale. Les grattoirs arrondis sont petits, et l'on ne rencontre plus ces lames retouchées régulièrement, de la tradition magdalénienne. La pointe azilienne disparaît et cède la place à des microgravettes et surtout à la Pointe d'Istres qui est une armature relativement symétrique — en plus volumineux, la silhouette d'une Pointe de Sauveterre. A Valorgues, gisement éponyme, l'indice de grattoir est de 34 et l'indice de burin de 8. Il n'y a pas de perçoir. Les Pointes aziliennes sont représentées dans la proportion de 2 %, alors que les microgravettes le sont dans celle de 10 %. On rencontre — rarement — le triangle scalène. Le gisement de Valorgues a donné toutes les phases transitionnelles entre le Magdalénien final et le Valorguien. On constate une augmentation progressive et régulière du grattoir court (unguiforme sur éclat et sur lame) depuis le Magdalénien terminal (7,76 %) en passant par le Proto-Valorguien de la charnière Dryas II-Alleröd (11 %) pour aboutir au Valorguien d'Alleröd-couche 8 (23 %).

B. MONTADIEN ET SAUVETERRIEN.

Le site de Valorgues recélait un vaste gisement Montadien. Les érosions en ont arraché la plus grande partie, n'en laissant subsister que des traces. C'est pendant le Dryas III que le Valorguien se transforma en Montadien. Cette mutation fut rapide, et la transformation complète. Le Montadien ancien

conserve le burin sur troncature du Valorguien, mais perd les grattoirs arrondis et unguiformes, et les armatures à dos de grande dimension. Les outils denticulés sont de plus en plus abondants et voisinent avec des grattoirs museau aurignacoïdes, alors que le débitage sur nucléus est moustéroïde. Le Montadien est une industrie principalement sur éclats, mais elle comporte des armatures hypermicrolithiques telles que micro-segments, micro-triangles (cf. Triangles de Montclus), et « proto-trapèzes ». Ces proto-trapèzes sont présents dans le Montadien ancien, mais disparaissent ensuite pour ne ressurgir qu'au Castelnovien.

Près de Nîmes, la station du Mas de Mayan, sur la rive droite de la Vistre, appartient au Montadien (F. Bazile, 1973).

L'Azilien typique, lui, se transforme en Sauveterrien en donnant des faciès locaux. Le gisement de Montclus (Gard) montre une évolution de ce Sauveterrien-Montclusien, évolution qui fut interrompue par l'arrivée du Castelnovien qui est allochtone et provient de la côte. Le Montclusien ancien est caractérisé par des armatures hypermicrolithiques, triangles de Montclus, micro-scalènes, micro-segments, accompagnant des outils sur éclats en grand nombre, tels que grattoirs denticulés, encoches sur éclat épais, etc. C'est l'équivalent du Sauveterrien à triangles qui occupe la première partie du Pré-Boréal, comme le Montadien ancien-moyen. Pendant la

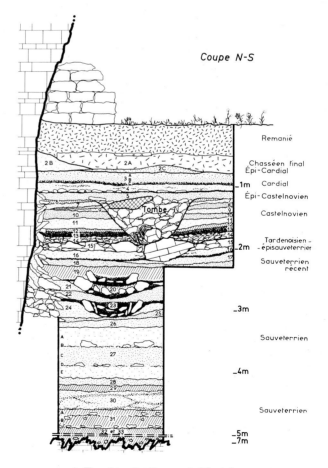

FIG. 4. — La Baume de Montclus.
Coupe stratigraphique du secteur de la sépulture.

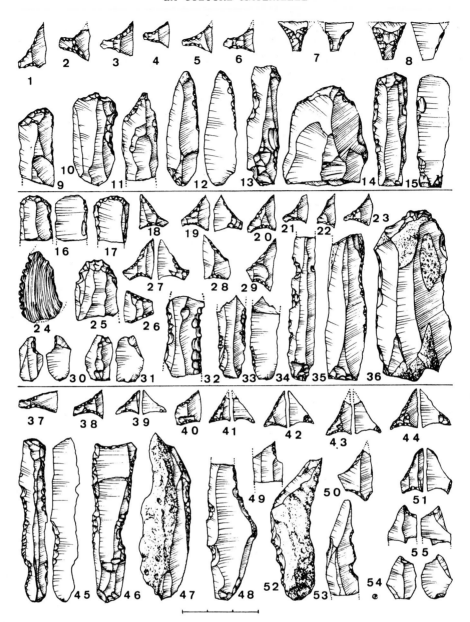

FIG. 5. — La Baume de Montclus (Gard). Evolution des industries du Castelnovien en ordre stratigraphique : 37 à 55, Castelnovien final de la couche 10. Au-dessus, 16 à 36, Castelnovien terminal de la couche 8. Au-dessus, 1 à 15, Epicastelnovien Proto-Néolithique de la couche 5 contemporain du Néolithique cardial ancien de la côte provençale.

deuxième partie du Pré-Boréal, phase plus sèche, le Sauveterrien typique et le Montclusien ajoutent le trapèze à l'outillage traditionnel. On rencontre alors les trapèzes symétriques à troncatures droites à côté des triangles scalènes et des triangles de Montclus. Il y a davantage d'outils sur lame et lamelle, et aussi des lamelles à retouche irrégulière encochante. En Languedoc, comme en Provence, le Sauveterrien final ne se néolithise pas. Le Sauveterrien (Montclusien ou autre) est remplacé par le Castelnovien au Boréal.

C. EPI-SAUVETERRIEN ET CASTELNOVIEN (fig. 2 et 4 à 6).

Dans les régions montagneuses qui se trouvent en dehors des grandes voies de communication natu-

relles et loin de la côte, le Sauveterrien perdura jusqu'à l'arrivée du Néolithique ancien Cardial. Mais, dans les pays facilement accessibles, comme par exemple, Montclus qui se trouve sur le cours de la Cèze, affluent du Rhône, l'expansion du Castelnovien progressa suffisamment pour interrompre le cycle du Sauveterrien.

Le Castelnovien est d'origine côtière principalement. Il est l'aboutissement, vers la fin du Boréal, de l'évolution du Montadien. A Montclus, le Sauveterrien à trapèze (Montclusien supérieur) est surmonté, sans transition ni lacune, par du Castelnovien typique. Il y a solution de continuité et, brusquement, on voit les trapèzes à troncatures concaves typiques du Castelnovien dans leur contexte industriel habituel, prendre le relais de l'industrie indigène. Plu-

LA BAUME DE MONTCLUS_Foyer 13 D_

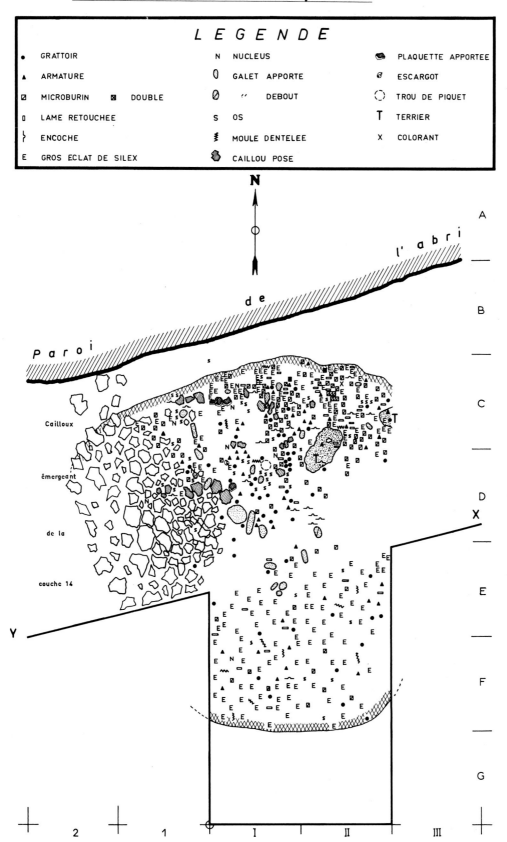

FIG. 6. — La Baume de Montclus.
Plan de répartition des objets de la cabane de la couche 13-D : Castelnovien.

sieurs éléments de tradition méditerranéenne témoignent du lieu d'origine des nouveaux venus, telles, par exemple, les coquilles de moule dentelées dans le style du Castelnovien de Châteauneuf (station éponyme).

A Montclus, malgré un petit décalage chronologique dû au retard continental, le Castelnovien évolue comme il le fait sur la côte provençale. Cependant, là, les phénomènes de néolithisation étant retardés, cette industrie perdure au début de la période Atlantique en donnant un véritable Mésolithique, puis un proto-Néolithique qui, lui, est contemporain du Néolithique ancien cardial de la côte. Le Mésolithique étant la phase terminale d'un Epipaléolithique qui se néolithise, c'est-à-dire une civilisation véritablement intermédiaire entre l'ancien monde des chasseurs et celui, nouveau, des agriculteurs.

Dans les collections provenant des fouilles anciennes, on rencontre, de ci, de là, quelques éléments pouvant se rapporter à des Epipaléolithiques et à des Mésolithiques : quelques trapèzes de différents types à La Bastide d'Engras (Gard), près d'Uzès (Saint-Venant, 1894). Triangles de Châteauneuf et triangles symétriques à la station des Chataigniers à Baron (Gard), mélangés à du Néolithique (Raymond, 1900), etc.

Bibliographie

[1] BAZILE F., ROBERT-BAZILE E. (1973). — Paléolithique supérieur et Epipaléolithique en Costière du Gard. *Bulletin de la Société préhistorique française,* t. 70, C.R.S.M., n° 9, p. 265-272, 4 fig.
[2] BOURDIER F. (1962). — *Le bassin du Rhône au Quaternaire.* Géologie et Préhistoire, 2 vol. Centre national de la recherche scientifique, édit.
[3] BOURDIER F. (1967). — *Préhistoire de France.* Flammarion, édit., 412 p., 152 fig.
[4] COULONGES L. (1935). — Les gisements préhistoriques de Sauveterre-la-Lémance. *Archives de l'Institut de paléontologie humaine.* Mémoire n° 14.
[5] ESCALON de FONTON M. (1956). — Préhistoire de la Basse-Provence. Etat d'avancement des recherches en 1951. *Préhistoire,* t. XII, 154 p., 110 fig.
[6] ESCALON de FONTON M. (1966). — Du Paléolithique supérieur au Mésolithique dans le midi méditerranéen. *Bulletin de la Société préhistorique française,* t. LXIII, fasc. 1, p. 66-180, 73 fig., 10 pl. et 1 tabl.
[7] ESCALON de FONTON M. (1967). — Origine et développements des civilisation néolithiques méditerranéennes en Europe occidentale. *Paleohistoria,* vol. XII, p. 209-248, 26 fig., Congrès de Groningen, 1964.
[8] ESCALON de FONTON M. (1969). — Les séquences climatiques du midi méditerranéen, du Würm à l'Holocène. *Bulletin du Musée d'Anthropologie préhistorique de Monaco,* n° 14, p. 125-185, 29 fig., 3 tabl.
[9] ESCALON de FONTON M. (1968). — Le Romanellien de la Baume de Valorgues. St-Quentin-la-Poterie (Gard). La Préhistoire, problèmes et tendances (C.N.R.S. Paris), p. 165-174, 3 fig.

[10] ESCALON de FONTON M. (1968). — Problèmes posés par les blocs d'effondrement des stratigraphies préhistoriques du Würm à l'Holocène dans le midi de la France. *Bulletin de l'Association française. Etude du Quaternaire.* (A.F.E.Q.), n° 17, p. 289-296, 2 tableaux synoptiques stratigraphiques.
[11] ESCALON de FONTON M. (1971). — Un décor gravé sur os dans le Mésolithique de la Baume de Montclus (Gard). *Bulletin de la Société préhistorique française,* t. 68, C.R.S.M., fasc. 9, p. 273-275, 2 fig.
[12] ESCALON de FONTON M. (1971). — La stratigraphie du gisement préhistorique de la Baume de Montclus (Gard). *Mélanges de préhistoire, d'archéocivilisation et d'ethnologie offerts à M. Varagnac.* Paris, Ecole pratique des Hautes Etudes, p. 263-278, 5 fig., 2 tabl.
[13] ESCALON de FONTON M. (1971). — Stratigraphies, effondrements, climatologie des gisements préhistoriques du Sud de la France, du Würm III à l'Holocène. *Bulletin de l'Association française des études du Quaternaire,* n° 29, p. 199-207, 2 tabl.
[14] ESCALON de FONTON M. (1972). — La Pointe d'Istres. Note typologique. *Bulletin de la Société préhistorique française,* t. 69, C.R.S.M., fasc. 1, p. 13-14, 2 fig.
[15] ESCALON de FONTON M. (1973). — La France de la Préhistoire (Tallandier, Paris). *Le Mésolithique et le Néolithique ancien,* p. 60-99, 63 fig.
[16] ESCALON de FONTON M. (1973). — La question des différents faciès de l'Azilien et du Romanellien. *Estudios dedicados al Profesor Dr Luis Pericot.* Instituto de arqueologica y prehistoria (Barcelona), p. 85-100, 10 fig.
[17] ESCALON de FONTON M. et BROUSSE R. (1972). — Corrélation entre les phases d'effondrement dans les grottes préhistoriques et les phases d'activité volcanique. *Congrès préhistorique de France.* Auvergne, 1969, p. 200-223, 16 fig., 1 tabl.
[18] ESCALON de FONTON M. (1974-1976). — Dates C. 14 et données stratigraphiques de quelques gisements du midi de la France. *Congrès préhistorique de France, Martigues,* XX° session, juillet 1974.
[19] ESCALON de FONTON M., ONORATINI G. (1976). — L'abri Cornille à Istres (B.-du-Rh.). *Congrès préhistorique de France. XX° session. Martigues 1974.*
[20] ESCALON de FONTON M. (1956 à 1976). — Informations archéologiques in *Gallia-Préhistoire.* Provence et Languedoc.
[21] ESCALON de FONTON M. (1956 à 1976). — Comptes rendus des travaux in *Cahiers Ligures de préhistoire et d'archéologie.*
[22] G.E.E.M. (1969). — Epipaléolithique-Mésolithique. Les microlithes géométriques. *Bulletin de la société préhistorique française,* t. 66, *Etudes et travaux,* p. 355-366, 9 fig.
[23] G.E.E.M. (1972). — Epipaléolithique-Mésolithique. Les armatures non-géométriques. 1. *Bulletin de la société préhistorique française,* t. 69, *Etudes et travaux,* p. 364-375, 8 fig.
[24] MISKOVSKI J.C. (1970 et 1975). — Stratigraphie et paléoclimatologie du Quaternaire du midi méditerranéen d'après l'étude sédimentologique du remplissage des grottes et abris sous-roches. *Etudes quaternaires,* n° 3. *Université de Provence.*

[25] RENAULT-MISKOVSKY J. (1972). — Contribution à la Paléoclimatologie du midi méditerranéen pendant la dernière glaciation et le post-glaciaire d'après l'étude palynologique de remplissage des grottes et abris sous-roche. *Bulletin du musée d'anthropologie préhistorique de Monaco,* n° 18, p. 145-210.

[26] VERNET J.L. (1968). — Etude des charbons de bois préhistoriques de la Baume de Valorgues (Gard). *La Préhistoire, problèmes et tendances* (C.N.R.S.), p.473-474.

[27] VERNET J.L. (1973). — Etude sur l'histoire de la végétation du Sud-Est de la France au Quaternaire d'après les charbons de bois principalement. *Paléobiologie continentale.*

Les civilisations de l'Epipaléolithique et du Mésolithique en Languedoc occidental (Bassin de l'Aude) et en Roussillon

Dominique Sacchi *

Résumé. Il est possible désormais de dresser un premier inventaire des principales industries qui se succédèrent ou coexistèrent en Languedoc occidental et en Roussillon, depuis la fin des temps glaciaires jusqu'à l'avènement de la civilisation agro-pastorale.

Abstract. It is now possible to make a first inventory of the principal industries which succeeded one another in the Western Languedoc and in Roussillon from the end of the glacial period to the rise of the farming and pastoral civilizations.

Les quatorze gisements recensés, dont trois seulement sont situés en plein air (fig. 1), s'inscrivent dans une région limitée au Nord par la Montagne Noire, à l'Est par la vallée de l'Orb et la Méditerranée, au Sud par la frontière espagnole et à l'Ouest par une ligne qui joint le seuil du Lauragais aux Pyrénées.

La plus forte densité de sites archéologiques s'observent au Nord du secteur étudié, le long d'une ligne qui d'Ouest en Est, joint la plaine du Lauragais aux coteaux du Minervois.

La seconde zone de concentration est localisée dans les Corbières méridionales, dans le bassin de l'Agly.

Les autres gisements se rencontrent dans la haute vallée de l'Aude et au sud de Narbonne, dans le massif de la Clape et ses abords.

Azilien et Epimagdalénien.

Si l'on s'en tient aux recherches anciennes, les plus vieux niveaux archéologiques du postglaciaire observés en stratigraphies ont été attribués à l'Azilien. C'est le cas de la couche 4 de la petite grotte de Bize qui reposait « sans transition bien apparente » (Héléna, 1931, p. 25) sur l'assise magdalénienne à harpons (couche 3) et de la couche 4 de la Crouzade (fig. 2, n° 1), qui elle aussi succédait au Magdalénien à harpons (couche 5) (Héléna, 1928).

Dans le premier gisement, l'industrie lithique, très pauvre, recueillie par Th. et Ph. Héléna, n'offre pas de caractères évidents de son appartenance à l'Azilien vrai. Si les grattoirs sont relativement nombreux (fig. 3, n° 1), aucun specimen rond ou unguiforme n'apparaît. Les burins n'ont pas disparu (fig. 3, n° 3) et ce n'est pas la pointe azilienne (fig. 3, n° 4) qui peut servir de critère.

Il faut noter également la présence d'un gros outillage comprenant des choppers en quartzite, un chopping-tool en quartz et des pièces denticulées en forme de grattoir épais (fig. 3, n° 7).

L'industrie de l'os, riche en poinçons (fig. 3, n° 8), lissoirs (fig. 3, n° 11) et ciseaux, ne contient pas non plus de pièces spécifiques de l'Azilien. Toutefois, il paraît vraisemblable que c'est ce même niveau qui livra à E. Genson une tête de harpon plat à perforation basale en boutonnière (fig. 3, n° 10) et deux galets peints (fig. 3, n° 18) (Genson, 1936) parfaitement typiques de l'Azilien (1).

D'après Ph. et Th. Héléna, cerf, sanglier et surtout lapin et lièvre constituaient l'essentiel de la faune mammalienne, à quoi s'ajoutaient d'innombrables coquilles d'hélicidés (*helix hortensis* et *helix nemoralis*).

Un crâne humain incomplet gisait vers le haut de la couche (Ph. Héléna, 1932).

Dans le second gisement, la série lithique disponible est elle aussi trop pauvre pour être assignée à une industrie épipaléolithique précise.

Les grattoirs, à égalité de nombre avec les burins, ne comptent pas d'exemplaires aziloïdes. Les pointes à dos, qu'il s'agisse de petites pointes aziliennes (fig. 3, n° 5) ou de pièces proches des microgravettes (fig. 3, n° 6), sont bien représentées.

L'outillage en os, quoique abondant avec ses tranchets (fig. 3, n° 13), ses lissoirs (fig. 3, n° 12), ses nombreux poinçons (fig. 3, n° 9) et ses objets à suspendre : dents animales percées, perles tubulaires (fig. 3, n° 15), menus fragments de diaphyses perforés (fig. 3, n° 14), ne comporte pas de harpon plat.

Ce sont donc les galets peints, dont six specimens furent recueillis par Th. Héléna (fig. 3, n° 17), qui fournissent la note typiquement azilienne de la couche 4 de la Crouzade (2).

(1) Il ne peut être tenu compte des galets coloriés provenant de la couche 4 de la petite grotte de Bize dont l'authenticité paraît pour le moins douteuse (Sacchi, à paraître).

(2) Il est bon de rappeler que c'est à la Crouzade que, treize ans avant que E. Piette n'entreprennent des fouilles au Mas d'Azil, Th. Rousseau découvrait les deux premiers galets peints connus. C'est en 1892 qu'ils furent remarqués pour la première fois (Piette, 1895). Plus tard et postérieurement aux recherches de Th. Héléna, E. Genson et J.-S. Albaille devaient recueillir sept autres galets peints dans le même gisement (Genson, 1936).

---

* Chargé de Recherche au C.N.R.S., 25, allée du Parc, 11000 Carcassonne (France).

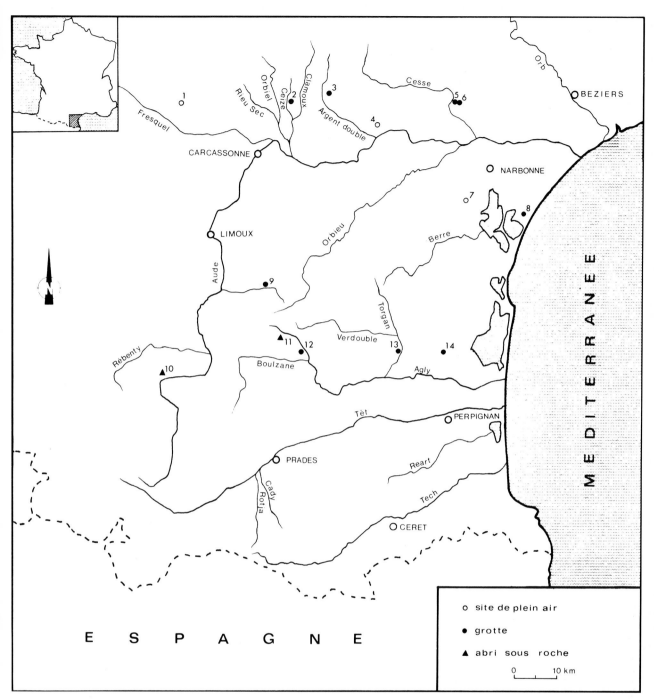

Fig. 1. — Carte des gisements épipaléolithiques et mésolithiques du Languedoc occidental (Bassin de l'Aude) et du Roussillon. 1. Villespy (Aude); 2. Gazel (Aude); 3. Balmo-dal-Carrat (Aude); 4. Azille (Aude); 5 et 6. Grottes de Bize (Aude); 7. Aussières (Aude); 8. La Crouzade (Aude); 9. La Cauna d'Arques (Aude); 10. Dourgne (Aude); 11. Roc d'en Bertrand (Aude); 12. Galamus (Pyr. Orient.); 13. Harvard (Pyr. Orient.); 14. Pas Estret (Pyr. Orient.).

Selon Ph. Héléna, le cheval, le cerf élaphe, le sanglier, le lapin, l'ours brun, le loup, le renard, le blaireau, un oiseau maritime, la tortue d'eau douce, des poissons composent la faune. Des coquilles méditerranéennes sont également présentes, le plus souvent sous la forme d'objets de parure percés et parfois recouverts d'ocre rouge.

H. de Lumley (1971) a mentionné un niveau azilien à galets coloriés et à harpons dans la brèche Tournal de la grande grotte de Bize. La littérature et les collections accessibles ne font état ni ne conservent rien de semblable, à l'exception de quatre galets entièrement peints en rouge, provenant d'un secteur remanié (Genson, *op. cit.*) (3).

Il faut aussi signaler le matériel numériquement très pauvre découvert par S. Nouvian dans la grotte de Galamus et qui contient notamment des grattoirs, dont un petit exemplaire rond (fig. 3, n° 2), un burin dièdre, un couteau à dos et une lamelle à dos.

(3) D'après E. Piette (op. cit.) un chercheur nommé Catta possédait un galet peint provenant de la grotte de Bize, sans plus de précision.

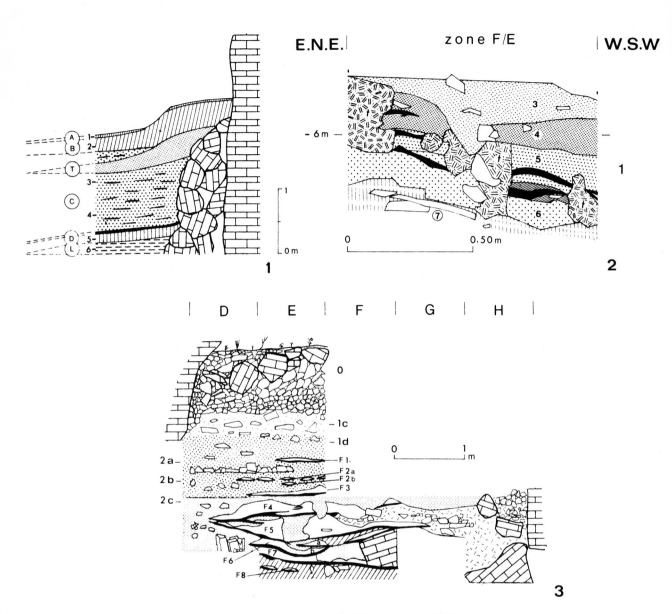

FIG. 2. — Principales stratigraphies des gisements épipaléolithiques et mésolithiques du Languedoc occidental (Bassin de l'Aude).

1. Grotte de la Crouzade (d'après Ph. Héléna). Les lettres inscrites dans un cercle correspondent à la désignation des couches selon Ph. Héléna.

1. Mince dépôt sub-actuel; 2. Sédiment noir et gluant - Néolithique; T. Tuf calcaire; 3. Sédiment cendreux blanchâtre - Sauveterrien; 4. Sédiment cendreux et terre brûlée rougeâtre - Azilien; 5. Foyer dans un sédiment fauve - Magdalénien VI; 6. Limon jaune archéologiquement stérile.

2. Grotte Gazel, salle centrale de la galerie supérieure, secteur F1 (relevé et fouilles de l'auteur).
La couche 2 appartenant au Cardial ancien a été enlevée en cet endroit (fouilles J. Guilaine).

3. Sédiment beige - Epimagdalénien évolué remanié par le Cardial; 4. Sédiment gris-beige contenant une lentille charbonneuse - Epimagdalénien évolué; 5. Sédiment brun traversé d'une lentille charbonneuse - Epimagdalénien; 6. Sédiment fauve localement encroûté traversé par une ligne charbonneuse - Epimagdalénien; 7. Surface de cailloutis anguleux encroûté - Magdalénien IV; t. Galerie de terrier.

3. Grotte Gazel, porche de la galerie supérieure (d'après J. Guilaine).

0. Sol actuel reposant sur un éboulis - Champs d'urnes - Moyen-Âge; 1c. Argile rougeâtre, parfois mêlée à une terre fine beige - Chalcolithique; 1d. Terre grise légère avec traces charbonneuses - Chasséen récent; 2a. Terre grise plus foncée que 1d - Chasséen; F1. Lentille de cendres blanches - Chasséen; F2. Lentille cendreuse - Chasséen ancien; 2b Terre grisâtre ou noirâtre - Néolithique ancien évolué; F3. Lit de cendres blanches - Cardial; 2c. Argile beige ou brune - Cardial; F4. Couche de cendres blanches - Cardial; F5. Epaisse lentille de cendre ravinée localement - Mésolithique final ou Protonéolithique; F6. Lentille cendreuse - hélicidés et industrie atypique; F7. Couche cendreuse - hélicidés et industrie atypique; F8. Lentille cendreuse - hélicidés et industrie atypique; F9. Foyer brunâtre, charbonneux et cendreux - hélicidés et industrie atypique.

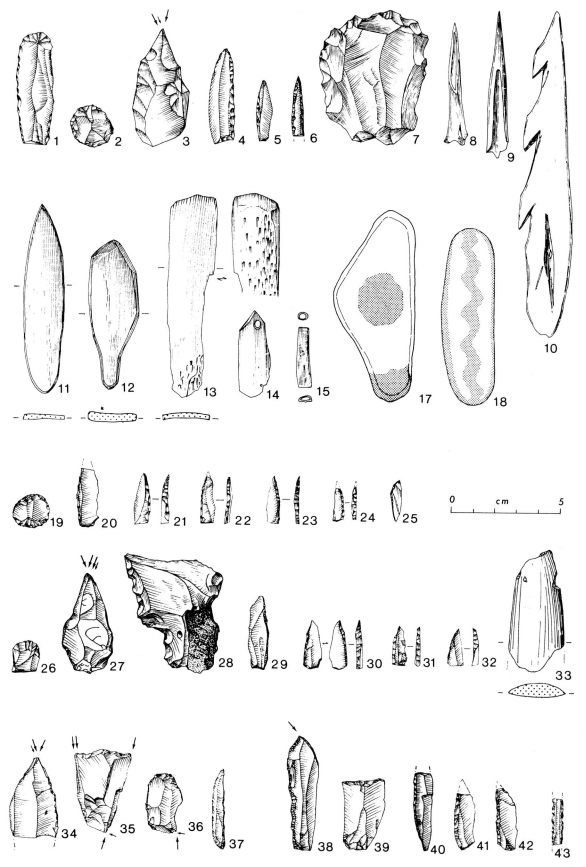

FIG. 3. — Industrie lithique et osseuse - Azilien.

1, 3, 4, 7, 8, 10, 11, 18. Petite grotte de Bize; 5, 6, 9, 12 à 17. La Crouzade. Azilien (?); 2. Galamus. Epimagdalénien; 19 à 43. Gazel, salle centrale de la galerie supérieure; 19 à 25. Couche 3; 26 à 33. Couche 4; 38 à 43. Couche 5; 34 à 37. Couche 6.

A Villespy, M.-L. Durand a localisé une station de plein air d'où proviennent quelques petits grattoirs ronds et une pointe azilienne.

Les fouilles en cours dans la salle centrale de la galerie supérieure de la grotte Gazel ont révélé un important horizon épipaléolithique (Sacchi, 1975 a, b et c) composé de quatre couches.

Ce niveau, qui prend appui sur la croûte de calcite recouvrant la couche 7 (Magdalénien IV), est surmonté par un puissant dépôt cardial (couche 2) fig. 2, n° 2).

La couche inférieure (C 6), qui a été datée par la méthode du ^{14}C : Gif 2 654 = 10 760 ± 190 ans B.P., livre une industrie jusqu'ici exclusivement lithique, associée à une faune rare et presque uniquement constituée de rongeurs.

L'outillage étudié ne se différencie pas d'une série du Magdalénien supérieur.

Les grattoirs sont rares (IG = 3,63 %), alors que les burins, le plus souvent dièdres (fig. 3, n° 34), sont abondants (IB = 21,81 %), ainsi que les lamelles à dos (fig. 3, n° 37), représentent le plus fort indice (ILd = 36,36 %), et les outils multiples (fig. 3, n°s 35 et 36) qui dépassent les 9 %.

La couche 5 a été datée elle aussi : Gif 2 653 = 10 080 ± 190 ans B.P.

La composition de son outillage, qui ne comporte que des objets en pierre, est très proche de celui de la couche 6. On note toutefois la forte diminution des outils multiples (IOm = 1,35 %) et l'arrivée massive des pointes aziliennes (fig. 3, n°s 41 et 42), et autres pointes à dos, dont la représentativité se chiffre à plus de 21 %, alors qu'elle n'atteignait pas 2 % dans la couche inférieure. La faune là aussi n'est pas abondante et fait la plus large part aux micromammifères.

Avec la couche 4, non encore datée (4), on constate une très nette évolution de l'équipement lithique. Les grattoirs, qui comptent des spécimens unguiformes (fig. 3, n° 26), sont à égalité de nombre avec les burins (IG et IB = 10,71 %), ceux-ci demeurant généralement dièdres (fig. 3, n° 27). Les lamelles à dos diminuent en quantité (ILd = 17,85 %). A côté des pointes aziliennes (fig. 3, n° 29), dont le contingent reste à peu près le même, apparaissent de petites pointes à dos à base retouchée (fig. 3, n° 30) ou cassée (fig. 3, n°s 31 et 32), le dos n'étant parfois qu'une troncature convexe très oblique (fig. 3, n° 32) conférant à l'objet des allures de géométriques. Quant aux véritables microlithes géométriques, ils se manifestent timidement sous la forme d'un segment de cercle.

On remarque aussi les premiers objets en matière dure animale et notamment un lissoir (fig. 3, n° 33).

L'évolution s'accentue dans la couche 3 où se manifestent la montée en flèche des grattoirs (IG = 17,64 %) et la venue du grattoir rond (fig. 3, n° 19), au détriment des burins (IB = 9,80 %) presque exclusivement dièdres. Le nombre des lamelles à dos

reste stable (ILd = 11,76 %) ainsi que celui des pointes aziliennes (fig. 3, n° 20), alors que s'accroissent les outils géométriques (7,84 %), triangle et segments de cercle (fig. 3, n° 25) et les petites pointes à dos apparues dans la couche 4 (fig. 3, n°s 21 à 24).

L'outillage en os, toujours très pauvre, se signale par un fragment de grosse aiguille ou d'épingle.

La faible série de la couche 2 de la Balmo-dal-Carrat, avec ses lamelles à dos et sa courte pointe à bord abattu (Sacchi, 1968), s'apparente vraisemblablement à l'Epimagdalénien de Gazel (cf. couche 5).

En est-il de même pour les industries riches en lamelles à dos et en burins mises au jour par P. Campmajo dans la grotte Harvart et par J. Abélanet au Pas Estret ? (5).

**⁎
⁎⁎**

Dans le bassin de l'Aude et en Roussillon, comme dans toute la région pyrénéenne, il semble qu'il y ait la place pour une industrie de transition entre le Magdalénien final et l'Azilien (Sacchi, 1975 d). La plupart du temps cette industrie a dû évoluer rapidement vers un Azilien classique, alors que dans d'autres occasions elle a pu poursuivre une certaine tradition magdalénienne.

Dans le premier cas, on aurait affaire à un Protoazilien comme il en existait peut-être à la Crouzade, où Ph. Héléna remarque : « A la base de l'assise (couche 4) se rencontraient encore assez nombreux les divers burins magdaléniens et les grattoirs sur bout de lame » (1928, p. 44).

Dans le second cas, il s'agirait d'un Epimagdalénien tel qu'il existe à Gazel.

Le Sauveterrien.

La couche 3 de la Crouzade, constituée de cendres blanchâtres, directement superposée au dépôt azilien (fig. 2, n° 1) (Héléna, 1921), a livré à Th. Héléna une industrie microlithique attribuable au Sauveterrien, comme cela a déjà été dit (Escalon, 1966).

Parmi l'outillage non géométrique, le plus nombreux, on rencontre des pointes à dos plus ou moins arqué pouvant revêtir l'aspect de petites gravettes, des lamelles à dos parfois appointées (fig. 4, n° 1), des pointes de Sauveterre (fig. 4, n°s 2 et 3), des armatures en forme de large segment de cercle ou d'ovale, celles-ci étant généralement dotées d'une retouche périphérique intéressant les deux faces (fig. 4, n° 9). On compte également une pointe triangulaire courte (fig. 4, n° 8), préfiguration d'armatures dont il sera question plus loin, et de nombreux perçoirs.

L'outillage géométrique, segments de cercle (fig. 4, n°s 4 et 6) et triangles (fig. 4, n° 7), ne semble pas avoir été obtenu par la technique du micro-burin.

La faune serait sensiblement la même que celle du niveau azilien sous-jacent (Ph. Héléna, 1921) (6).

---

(4) Une première mesure d'âge de la couche 4 a eu pour résultat : Gif 2 401 = 6 810 ± 130 ans. Cette date qui ne peut être prise en considération dénote sans doute un remaniement du secteur où furent prélevés les charbons, par les néolithiques anciens.

(5) De même, il est difficile de situer les quelques pièces, sans doute épipaléolithiques, recueillies par R. Aimé sur la station d'Azille.

(6) G. Desse, à qui nous avons soumis une vertèbre de poisson de la couche 3 de la Crouzade, a conclu à la présence de *Salmo trutta fario* (L.).

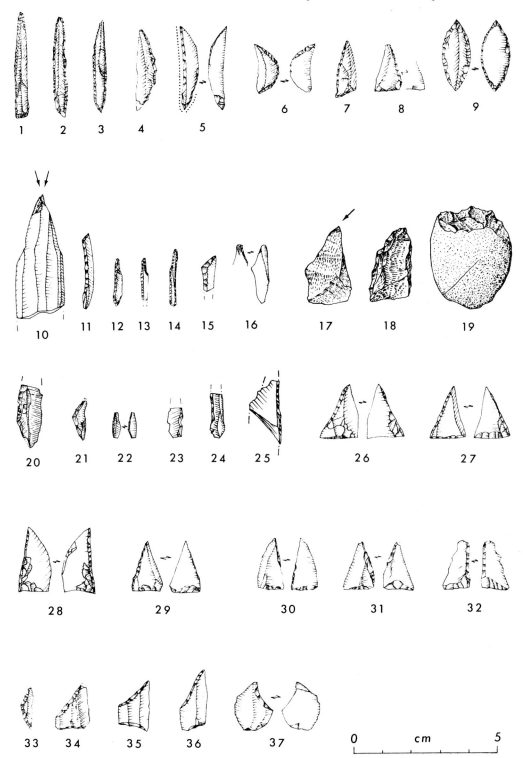

FIG. 4. — Industrie lithique - Sauveterrien : 1 à 9. La Crouzade couche 3; 10 à 16. Grande grotte de Bize
(d'après J.-S. Albaille).

Parasauveterrien : 17 à 25. Arques. Mésolithique final : 26 et 27. Gazel, porche de la galerie supérieure, couche F5
(d'après J. Guilaine); 28 et 29. Dourgne, couche 7 (d'après J. Guilaine); 30 à 37. Aussières.

Dans la grande salle de la grande grotte de Bize, J.-S. Albaille a rencontré, sous une couche de déblais, une poche de terre brun-noirâtre d'une épaisseur maximale de 0,20 m, qui lui livra après tamisage à l'eau une industrie microlithique.

E. Octobon, après avoir examiné ce matériel, le rapporta avec raison semble-t-il au Sauveterrien (J.-S. Albaille, 1936).

Un burin dièdre droit (fig. 4, n° 10), de nombreuses lamelles à dos, dont quelques exemplaires tronqués (fig. 4, n° 11) et de petites pièces à dos appointées et crantées (fig. 4, n°s 12 et 13) forment l'essentiel de l'outillage. Ces dernières se rapprochent des pointes de Sauveterre dont un exemplaire a été retrouvé (fig. 4, n° 14).

Si l'on excepte un triangle scalène cassé (fig. 4, n° 15), qui n'est peut-être qu'une lamelle à dos tronquée, les géométriques manquent. Par contre, l'emploi de la technique du microburin est attesté (fig. 4, n° 16).

Dans l'abri de Dourgne, J. Guilaine (1975) signale à la base du remplissage archéologique un horizon sauveterroïde à triangles et pointe à retouche bilatérale abrupte.

Sans doute contemporaine de cet horizon, l'escargotière d'Arques (couche 2 b), constituée par une nappe de coquilles, appartenant à l'espèce *Cepaea Nemoralis* pour la presque totalité, a été datée par la méthode du radiocarbone : Gif 2 415 = 8 920 ± 200 ans B.P. (Sacchi, 1972).

Au sein de l'équipement exclusivement lithique, réalisé le plus souvent aux dépens de petits galets de quartz, figurent, par ordre d'importance décroissante, des pièces esquillées, des lamelles à dos (fig. 4, nᵒˢ 23 et 24), des grattoirs, parfois denticulés (fig. 4, n° 19), des pièces à encoche et des burins, le plus souvent dièdres (fig. 4, n° 17).

Il faut aussi mentionner des pièces épaisses à retouche abrupte (fig. 4, n° 18), une pointe à dos, une microlamelle Dufour (fig. 4, n° 22) et l'unique géométrique, pièce intermédiaire entre le triangle et le segment de cercle (fig. 4, n° 21).

La faune mammalienne, déterminée par M. Maurel, comprend le bouquetin, le sanglier, le chamois, le cerf élaphe et un équidé de petite taille.

Les coquilles marines prouvent des contacts avec le rivage méditerranéen sous la forme de *Columbella rustica L., Pecten Jacobaeus L.* et *Pectunculus sp.*

*
* *

S'il est vraisemblable, comme le pense M. Escalon de Fonton (1966), que le Sauveterrien de la Crouzade dérive de l'Azilien sous-jacent, la pauvreté du matériel lithique de la couche 4 n'en permet pas la démonstration.

Les industries de Dourgne et d'Arques devraient être contemporaines, ou un peu plus récentes que le Sauveterrien de la Crouzade et de la petite grotte de Bize.

La seconde pourrait appartenir au groupe sauveterrien, malgré l'absence presque totale de géométrique, l'outillage en quartz reflétant peut-être une activité spécifique et saisonnière liée à l'environnement.

Les industries post-sauveterriennes.

A Dourgne, le niveau sauveterroïde est surmonté d'un horizon tardenoïde comportant des trapèzes et des pointes triangulaires. Ces pointes triangulaires subsistent dans la couche 7 sus-jacente (fig. 4, nᵒˢ 28 et 29), caractéristique d'un Mésolithique final ou d'un Protonéolithique, selon J. Guilaine (1975) qui a ici constaté les premières traces d'un élevage du mouton et du porc.

Dans la galerie supérieure de la grotte Gazel, la couche F 5 du porche (fig. 2, n° 3) et la couche 3 du secteur éboulis, situées toutes deux sous un niveau du Néolithique ancien, appartiennent elles aussi au Mésolithique final ou Protonéolithique (J. Guilaine, 1971 et 1973).

Elles sont, tout comme la couche 7 de Dourgne, marquées par la présence des pointes triangulaires. Les deux exemplaires figurés ici (fig. 4, nᵒˢ 26 et 27), qui répondent à la définition de la pointe courte (G.E.E.M., 1972), sont dotés d'une retouche plate, partielle et inverse.

Parmi les vestiges d'âges différents recueillis par Héléna (1921) dans les limons sableux de la station d'Aussières, il est possible d'isoler typologiquement un lot de segments de cercle (fig. 4, n° 33), de trapèzes (fig. 4, nᵒˢ 34 à 36), de microburins (fig. 4, n° 37) et de pointes triangulaires semblables à celles de Dourgne et de Gazel (fig. 4, nᵒˢ 30 à 32).

M. Barbaza et J. Vaquer ont également décelé, en milieu hétérogène, la trace de ces armatures triangulaires sur la station de Saint-Antoine à Caux-et-Sauzens.

Enfin, le nombre relativement élevé de microlithes géométriques (triangles, segment de cercle, trapèzes) ou non (lamelles à dos) trouvés à la Cova de l'Espérit (Abélanet et Charles, 1964) pourrait indiquer la présence d'un Mésolithique évolué. Cependant, le remaniement du remplissage n'a pas permis de séparer cet outillage des armatures de flèches et de la céramique cardiales.

Si toutefois ce mobilier était effectivement un tout cohérent, la couche II du gisement roussillonnais fournirait un des rares exemples d'une industrie en cours de mutation ; les géométriques témoignant de son aspect mésolithique, la poterie et les flèches tranchantes attestant son caractère néolithique.

*
* *

Quoiqu'il en soit on a maintenant une meilleure connaissance des industries du Mésolithique dans la région considérée et des stratigraphies comme celle de Dourgne devraient largement contribuer à la compréhension des processus qui conduisirent du Sauveterrien évolué au Néolithique ancien.

Bibliographie

[1] ABÉLANET J. et CHARLES R.-P. (1964). — Un site du Néolithique ancien en Roussillon : La Cova de l'Espérit (habitat et sépultures). *Cahiers ligures de préhistoire et d'archéologie*, 13, p. 177-206, 15 fig.

[2] ALBAILLE J.S. (1936). — Notes scientifiques occitanes. VI. Le Sauveterrien de la grande grotte de Bize. *Bulletin de la société d'étude des sciences naturelles de Béziers*, 39ᵉ volume, 1935, p. 96-101, 3 fig.

[3] ESCALON DE FONTON M. (1966). — Du Paléolithique supérieur au Mésolithique dans le midi méditerranéen. *Bulletin de la société préhistorique française*, LXIII, n° 1, p. 66-180, 73 fig., 10 pl. h.-t., 1 dépl.

[4] G.E.E.M. (1972). — Epipaléolithique-Mésolithique, les armatures non géométriques. *Bulletin de la société préhistorique française,* t. 69, p. 364-375, 8 fig.

[5] GENSON E. (1936). — Notre plus vieux Languedoc méditerranéen. IV. Quelques nouveaux galets coloriés régionaux. *Bulletin de la société d'étude des sciences naturelles de Béziers,* 39ᵉ vol., 1935, p. 102-108, 2 fig., 1 pl. h.-t.

[6] GUILAINE J. (1971). — Les fouilles de la grotte de Gazel (Sallèles-Cabardès, Aude), stratigraphie de la zone porche. *Bulletin de la société d'études scientifiques de l'Aude,* t. LXX, 1970, p. 61 à 73, 6 fig.

[7] GUILAINE J. (1973). — Pointes triangulaires du Mésolithique languedocien *in Estudios dedicados al Profesor Dr Luis Pericot,* Universidad de Barcelona, Instituto de Arqueología y Prehistoria, p. 77-81, 2 fig.

[8] GUILAINE J. (1975 a). — Travaux de l'auteur *in Rapport d'activité de la R.C.P. 323 du C.N.R.S. « Anthropologie et Ecologie pyrénéennes »,* Toulouse, ronéo. 178 p.

[9] GUILAINE J. (1975 b). — Premiers bergers et paysans des Pyrénées méditerranéennes. *Archéologia,* n° 85, p. 13 à 19.

[10] HÉLÉNA Ph. (1921). — L'industrie « tardenoisienne » dans la région de Narbonne (Aude). *Actes du congrès de l'association française pour l'avancement des sciences,* Strasbourg, 1920, p. 456-460, 2 fig.

[11] HÉLÉNA Ph. (1928). — La stratigraphie de la grotte de la Crouzade (commune de Gruissan, Aude). Extrait du *Bulletin de la commission archéologique de Narbonne,* t. XVII, 1926-1927, 50 p., 5 fig.

[12] HÉLÉNA Ph. (1932). — Compte rendu des travaux exécutés en 1932, dans la petite caverne de Bize, sous les auspices de l'Institut de Paléontologie Humaine », 8 p. manusc. (Bibliothèque de l'I.P.H.).

[13] HÉLÉNA Ph. et Th. (1931). — Compte rendu des travaux exécutés en 1931 dans les deux cavernes de Bize sous les auspices de l'Institut de Paléontologie Humaine. 29 p. et 1 fig. manusc. (Bibliothèque de l'I.P.H.).

[14] LUMLEY-WOODYEAR H. de (1971). — *Le Paléolithique inférieur et moyen du Midi méditerranéen dans son cadre géologique,* Vᵉ supplément à Gallia-Préhistoire, Paris, C.N.R.S., t. II, 443 p., 299 fig., 1 dépl.

[15] PIETTE E. (1895). — « Hiatus et lacune. Vestiges de la période de transition dans la grotte du Mas d'Azil ». *Bulletin de la société d'anthropologie de Paris,* tiré-à-part p. 27-28.

[16] SACCHI D. (1968). — Données nouvelles sur le Paléolithique supérieur du département de l'Aude. *Atacina 3,* Carcassonne, 32 p. 12 fig., 4 pl. h.-t.

[17] SACCHI D. (1972). — Datage ¹⁴C d'un gisement mésolithique des Corbières : La Cauna d'Arques (Aude). *Bulletin de la société préhistorique française,* C.R.S.M., t. 69, n° 8, p. 229.

[18] SACCHI D. (1974). — Recherches sur le Paléolithique et le Mésolithique en Languedoc occidental, campagne de fouilles 1971. *Cahiers ligures de préhistoire et d'archéologie,* n° 20, 1971, p. 157-168, 14 fig.

[19] SACCHI D. (1975 a). — Chronologie absolue de quelques industries préhistoriques du Languedoc occidental, du 14ᵉ au 7ᵉ millénaire avant l'ère chrétienne. *Bulletin de la société languedocienne de géographie,* t. 8, fasc. 3-4, 1974, p. 301-308, 4 fig.

[20] SACCHI D. (1975 b). — Travaux de l'auteur dans la Préhistoire du Midi de la France du Paléolithique supérieur à l'Age du Bronze final (Etat d'avancement des recherches en 1974), E.R. 46 du C.N.R.S., Marseille, rapport ronéo. 30 p. et 8 pl. h.-t.

[21] SACCHI D. (1975 c). — Recherches sur le Paléolithique supérieur et le Mésolithique en Languedoc occidental (campagne de fouilles 1972). *Cahiers ligures de préhistoire et d'archéologie,* n° 21, 1972, p. 153-166, 9 fig.

[22] SACCHI D. (1975 d). — Quelques considérations sur l'Epipaléolithique et le Mésolithique des Pyrénées françaises. *Cahiers d'anthropologie et d'écologie humaine,* II (3-4), 1974, p. 89-94, 1 fig.

[23] SACCHI D. (à paraître). — Le Paléolithique supérieur et l'Epipaléolithique *in* CHARLES R.-P., GUILAINE J. et SACCHI D., Les collection Héléna du Musée de Narbonne. *Monographie n° VIII de l'Institut international d'études ligures,* Bordighera.

Les civilisations de l'Epipaléolithique et du Mésolithique dans le Haut-Quercy

par

Michel Lorblanchet *

Résumé. Très peu de gisements mésolithiques sont connus pour l'instant dans le haut Quercy. Ceux qui ont été fouillés ou sont en cours de fouille sont cependant riches et importants. Il semblerait qu'aux divers faciès de la fin du Magdalénien correspondent plusieurs types d'Azilien. Le Cuzoul de Gramat montre qu'ensuite les outillages se modifient insensiblement et que le Tardenoisien semble s'étendre tardivement dans un contexte déjà néolithique.

Abstract. Very few Mesolithic sites are presently known in the Upper Quercy region. Those which have been or are in the process of being excavated are, however, rich and important.
It seems that among the diverse variants of the Terminal Magdalenian are several types of Azilian. The site of Cuzoul de Gramat shows that the tools undergo an imperceptible modification and that the Tardenoisian seems to die out rather late in a context which is already Neolithic.

Cette esquisse du Mésolithique du Haut Quercy fait suite à notre présentation du paléolithique supérieur de la même région (voir même volume).

Les limites géographiques sont identiques.

L'Azilien.

Les différents faciès.

L'Azilien quercynois se caractérise en premier lieu par sa diversité. En dépit de l'absence de fouilles récentes, nous pouvons provisoirement distinguer dans notre région :

— Un Azilien à harpons fréquents du type de ceux de la grotte Rossignol à Reilhac dont les formes sont souvent proches de celles des harpons magdaléniens mais dont la plupart sont en bois de cerf ; certaines armatures présentent même une morphologie de transition entre les types magdaléniens et aziliens (fig. 1).

— Un Azilien sans harpons, type abri Pagès, avec notamment des galets peints et gravés et une faune très riche en cerf (1). Cet ensemble a été publié par Niederlender, Lacam et de Sonneville Bordes qui l'ont rapproché de l'industrie de l'abri de Villepin et de l'Azilien périgourdin (50,3 % de grattoirs, 21,4 % de pointes aziliennes généralement petites, 7,5 % de burins, 0,90 % pour l'outillage sur lamelles et 40 galets peints ou gravés).

— Un Azilien à microlithes (pointes à dos à base tronquée, rectangles et triangles) type abri Malaurie (Rocamadour-Lot) (fig. 3).

Dans l'état actuel des connaissances il est difficile

de savoir avec certitude si une telle diversité est seulement accidentelle (présence sporadique des harpons), ou si elle correspond à une évolution chronologique, ou si elle dénote l'existence de différents faciès locaux. Seul pour le moment l'abri Pagès a été correctement fouillé et publié. Cependant A. Niederlender, R. Lacam et D. de Sonneville Bordes ont montré à plusieurs reprises que l'Azilien de l'abri Pagès était récent (Azilien II) ; ils ont insisté sur les points communs qu'il présente avec l'outillage de la couche I du Cuzoul de Gramat où ils ont vu « la manifestation ultime de l'inspiration azilienne ».

L'Azilien de Reilhac serait plus proche du Magdalénien (Azilien I).

L'Azilien à microlithes géométriques de l'abri Malaurie que l'on retrouve dans plusieurs autres gisements du Haut-Quercy (Lorblanchet M. et Genot L., 1972) présente d'étroites ressemblances avec les industries du Haut-Agenais étudiées par L. Coulonges (avec le « Laborien » de cet auteur). Il est possible qu'il s'agisse à la fois de caractéristiques locales et chronologiques. Dans le Haut-Quercy comme en d'autres régions le microlithisme géométrique se manifeste déjà dans un des faciès du Magdalénien final (au Pis de La Vache à Souillac par exemple). Les pointes à dos et troncature, les triangles et rectangles de l'abri Malaurie pourraient être ainsi un héritage d'un des courants de la fin du Magdalénien local et appartenir à un Azilien ancien (2).

D'ailleurs il est probable que des Aziliens ont dû être en contact avec certains groupes magdaléniens attardés.

_____

(1) La faune de l'abri Pagès diffère rapidement de celle du Magdalénien supérieur de Sainte Eulalie où le renne domine encore et qui est pourtant daté par le carbone 14 des environs de 8 500 BC.

(2) Dans un petit abri de la vallée du Vers (abri de Coronzac-Vers-Lot) un ensemble identique à celui de l'abri Malaurie se trouve complété par des éléments de saveur magdalénienne : un harpon *plat* mais à incisions sur le fût, une aiguille à chas et des burins assez nombreux (M. Lorblanchet et L. Genot, 1972).

_____

* Thémines, 36120 Lacapelle Marival (France).

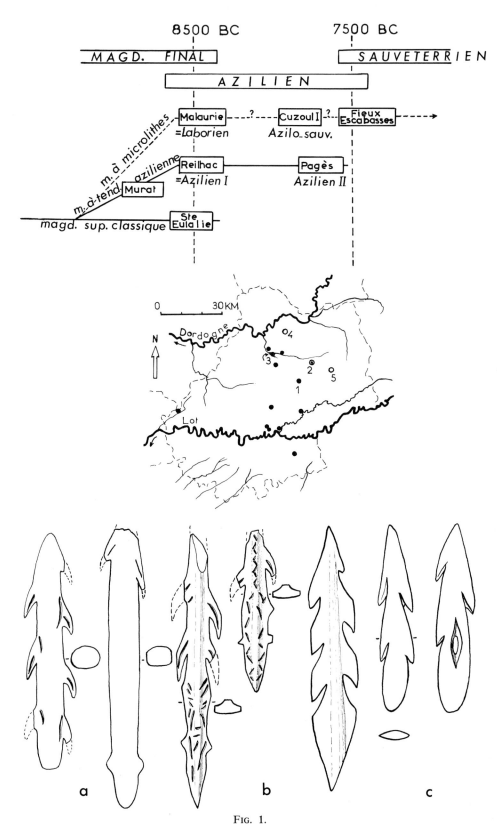

FIG. 1.

En haut : hypothèses concernant l'évolution des industries du Haut Quercy pendant la période de transition du Paléolithique supérieur au Mésolithique. On peut ajouter qu'au Magdalénien final la tendance au microlithisme géométrique semble s'affirmer dans certains gisements locaux comme la grotte du Pis de La Vache à Souillac.

Au centre : répartition des gisements aziliens du Haut Quercy (point noir) et Sauveterrien et Tardenoisien (cercles). 1. Grotte de Reilhac; 2. Cuzoul de Gramat; 3. Abri Pagès; 4. Grotte des Fieux; 5. Grotte des Escabasses.

En bas : principaux types de harpons des couches supérieures de la grotte de Reilhac. a : type classique du Magdalénien supérieur; b : type à crête - type de Reilhac; c : type azilien à base perforée ou non. Cette évolution du harpon à section ronde en bois de renne aboutissant au harpon plat en bois de cerf avec modification de la forme et du décor traduit le passage progressif sur place du Magdalénien final à l'Azilien.

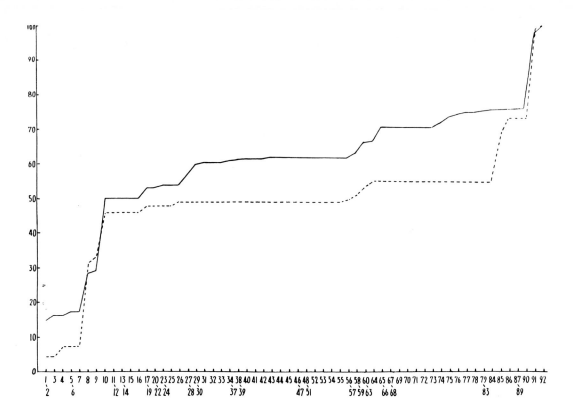

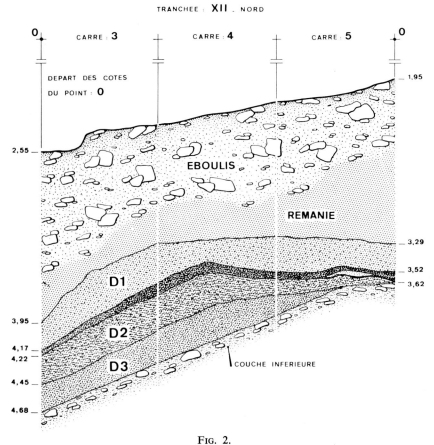

FIG. 2.

En haut : « graphiques cumulatifs des industries aziliennes de l'abri Pagès (Lot) en trait plein et de l'abri de Villepin couche C (Dordogne) en trait pointillé; il faut noter l'allure remarquablement comparable des deux graphiques malgré des différences qui portent sur l'absence des burins (nos 27-44) à Villepin et sur la quasi absence de l'outillage sur lamelles (nos 79-90) à Pagès » (d'après Niederlender, Lacam, de Sonneville Bordes, 1956).

En bas : grotte des Fieux. Stratigraphie des niveaux mésolithiques. Les niveaux D1, D2, D3 sont sauveterriens. Un échantillon prélevé à la base de la couche D3 a été daté de 7 500 ± 190 BC par le carbone 14.

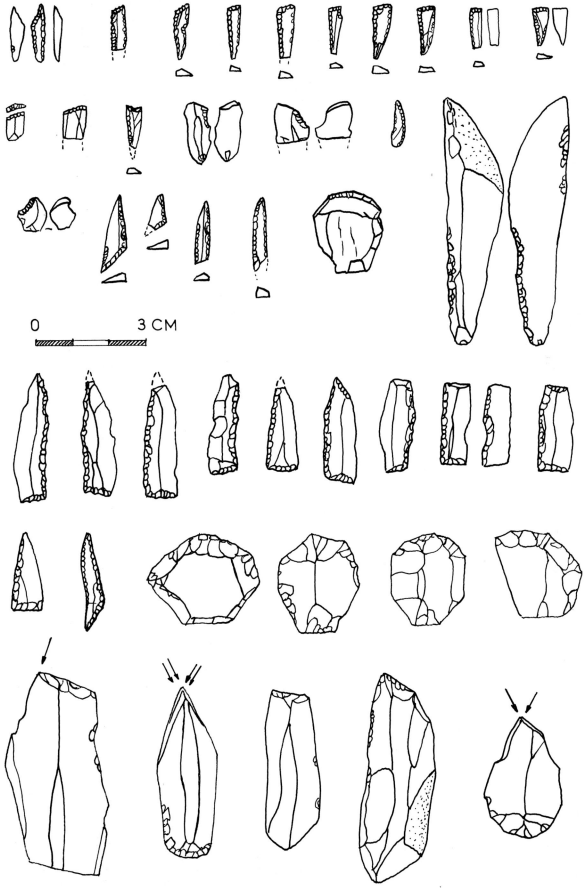

0   3 CM

FIG. 3.

En haut : prinicpaux types de pièces de la couche VII de la grotte des Escabasses (Thémines-Lot)-Sauveterrien.
En bas (en dessous de l'échelle, valable pour l'ensemble de la planche) : Azilien de l'abri Malaurie (Rocamadour-Lot).

Répartition.

Les gisements aziliens dans le Haut-Quercy sont presque aussi nombreux que les gisements du Magdalénien final (plus d'une douzaine).

Ils sont toujours situés sous abri ou dans des cavités peu profondes. Dans certains cas un niveau azilien est directement superposé au Magdalénien supérieur, mais d'autres abris, notamment l'abri Pagès qui est le plus célèbre, ont fourni un Azilien pur reposant sur le substratum ou sur un remplissage archéologique stérile.

Comme pour le Magdalénien, la densité des gisements est plus forte le long des rivières et autour des confluents mais un nouveau type d'habitat semble caractériser aussi l'Azilien du Haut-Quercy : de très petits abris éloignés des rivières et isolés dans des vallées sèches des causses, ce qui pourrait traduire un nomadisme de petits groupes humains. La plupart des gisements magdaléniens sont par contre vastes, épais et riches et indiquent un genre de vie et une structure sociale sans doute différente.

Le Sauveterrien.

Les stratigraphies.

Seulement trois gisements du Haut-Quercy contenant des industries attribuées au Sauveterrien ont donné lieu à des fouilles et des publications : Le Cuzoul de Gramat (Gramat), la grotte des Fieux (Miers) et la grotte des Escabasses (Thémines).

Le Cuzoul de Gramat. La couche I de ce célèbre gisement fouillé par R. Lacam, parfois avec l'aide de A. Niederlender (entre 1923 et 1940) a fourni un matériel caractérisé par :
— un aspect général identique à celui des industries magdaléniennes ou aziliennes ou plus robuste même (fortes dimensions de beaucoup de pièces) ;
— l'abondance du gros outillage de base (grattoirs et burins) ;
— la présence de pointes aziliennes ;
— la présence d'un outillage de petites dimensions peu abondant et pauvre avec des lamelles à dos abattu peu nombreuses, de rares triangles et des microburins.

Les différences avec le Sauveterrien du gisement éponyme (Le Martinet) sont grandes ; elles ont été soulignées par R. Lacam et A. Niederlender. Le Sauveterrien éponyme est beaucoup plus riche en microlithes de types plus variés et ne possède ni « l'outillage moyen de technique paléolithique », ni les pointes aziliennes, présents au Cuzoul. R. Lacam et A. Niederlender, fondant l'attribution de la couche I du Cuzoul au « Sauveterrien » sur la présence du petit outillage lamellaire et des microburins, ont baptisé aussi cette industrie tantôt « Azilo-tardenoisien évolué », tantôt « post-Azilien évolué ».

D'autre part en dépit de l'identité dans les restes de faune, la couche I du Cuzoul se distingue des couches sus-jacentes du même gisement ainsi que de celles du Martinet par l'absence des coquilles d'escargots comme c'était le cas à l'abri Pagès ; les *Helix nemoralis* sont pourtant présents dans les niveaux sauveterriens des Fieux et des Escabasses (3). De telles considérations recommandent la prudence...

Dans le matériel de la couche I, les éléments ressortissant de l'Azilien sont sans doute plus évidents que ceux qui pourraient être attribués au Sauveterrien. Dans l'état actuel des connaissances la situation chronologique et culturelle du Cuzoul I est donc difficile à préciser. Cet ensemble pourrait aussi bien appartenir à la même tradition que l'Azilien de l'abri Malaurie. Les fouilles en cours aux Fieux et aux Escabasses permettront peut-être une meilleure interprétation de ce matériel.

La grotte des Fieux (Miers-Lot). Dans une publication préliminaire présentant les caractères d'ensemble du Sauveterrien des Fieux (couche D) et sa datation C 14 : 7 500 ± 190 B.C. (Gif 1807), F. Champagne et R. Espitalié qui fouillent le gisement depuis plusieurs années « émettent l'hypothèse d'un Sauveterrien dans sa phase ancienne » et « signalent seulement quelques particularités dues peut-être à un faciès régional. C'est notamment le cas de la rareté de l'outillage commun et principalement des grattoirs ne représentant dans l'état actuel des fouilles que moins de 1 % de la totalité de l'outillage ; l'indice de microburin (4,41 %) semble aussi indiquer que cette technique de débitage n'était encore que très peu développée dans le Sauveterrien des Fieux par ailleurs singularisé par le caractère pygmée de son outillage. Il est aussi intéressant de noter que les pointes de Sauveterre typiques, c'est-à-dire pointues aux deux extrémités sont aux Fieux, beaucoup moins nombreuses que les pointes du même type dont une seule extrémité est pointue, l'autre restant volontairement non retouchée » (Champagne F. et Espitalié R., 1972).

La grotte des Escabasses (Thémines-Lot) m'a livré sous un ensemble complexe de niveaux protohistoriques et néolithiques une couche très riche en microlithes (couche VII), apparemment sauveterrienne, contenant avec des débris d'ossements et de bois de cerfs, des coquilles d'escargots et de moules de rivière.

Quelques mètres carrés seulement en ont été fouillés pour le moment. (Comme le Sauveterrien des Fieux, cette couche repose sur de la castine contenant des pièces du Paléolithique supérieur).

Le matériel, presque exclusivement pygmée, est composé de pièces minuscules; en dépit de la lenteur et de la minutie des travaux, à peine un quart est découvert en place au cours de la fouille ; la plupart des pièces contenues dans des sédiments argileux et noirs sont retrouvées au fond du tamis, grâce au tamisage à l'eau.

_____

(3) La description de la stratigraphie de la grotte de Reilhac par E. Cartailhac et M. Boule est extrêmement imprécise; elle a en outre été publiée sans relation avec les industries. On sait que le gisement a donné un très bel Azilien provenant peut-être de la « couche a » de Cartailhac qui contenait des coquilles d'*Helix nemoralis* mais Cartailhac indique simplement que cette couche a livré « des petits silex taillés *et des morceaux de poteries* ». L'association des *Helix* et de l'Azilien à **Reilhac** ne peut donc être retenue.

Pour le moment les outils communs (grattoirs et burins) semblent d'une extrême rareté et l'outillage de base est constitué par de petites pièces lamellaires, principalement des lamelles à dos tronquées et des triangles scalènes. Certaines lamelles étroites à bords abattus parallèles déterminant une pointe acérée sont vraisemblablement des pointes de Sauveterre mais elles sont incomplètes et d'ailleurs peu nombreuses. Les microburins sont présents en petit nombre.

Les comparaisons faites pièces en main avec MM. Champagne et Espitalié ont montré qu'en l'état actuel des recherches les matériels des Fieux et des Escabasses semblent extrêmement proches, sinon totalement identiques. Ces ensembles diffèrent de l'outillage de la couche I du Cuzoul.

Répartition.

Un abri de Rocamadour fouillé par A. Niederlender a fourni un matériel inédit qui pourrait être attribué soit au Sauveterrien soit au Tardenoisien. Dans l'état actuel des recherches seulement trois gisements (et peut-être seulement deux après les réserves émises au sujet de la première couche du Cuzoul) peuvent être attribués au Sauveterrien : le Cuzoul de Gramat, les Fieux et les Escabasses. Les sites sont identiques : les gisements occupent des porches de grottes. Ils sont groupés dans le Nord du causse de Gramat et sont distants d'une dizaine de kilomètres les uns des autres.

Le caractère pygmée du matériel des Fieux et des Escabasses et la rareté des pièces de dimensions habituelles ne facilitent pas la découverte des gisements de ce type, d'autant plus que les terres caussenardes sont lourdes et par exemple bien différentes des sables du Bassin parisien. L'apparente originalité typologique de telles industries est vraisemblablement exagérée par les difficultés de découverte ; comme en d'autres régions l'attrait des mésolithiques à microlithes pour les terrains sablonneux, souligné par certains auteurs, peut correspondre aussi à la plus grande facilité de découverte des pièces minuscules dans des sédiments fins.

Dans la grotte des Escabasses, le niveau mésolithique pourtant riche n'avait pas été reconnu par A. Niederlender et R. Lacam qui l'ont traversé en fouillant la grotte.

Par conséquent il est impossible de tirer la moindre conclusion de l'apparente rareté du Sauveterrien dans notre région qui étonne en comparaison de l'abondance de l'Azilien. La richesse des outillages des Fieux et des Escabasses annonce au contraire d'autres découvertes.

Le Tardenoisien.

La stratigraphie du Cuzoul de Gramat.

Les niveaux II à VII du Cuzoul de Gramat ont fourni à Niederlender et Lacam un abondant matériel tardenoisien « dans une terre brune parsemée

d'escargots ». Cet ensemble est trop connu et a été étudié par trop de spécialistes (M. Barrière par exemple dans sa thèse) pour que nous ayons ici à le décrire en détail.

Nous nous contenterons donc de rappeler rapidement que le Tardenoisien du Cuzoul est caractérisé par un outillage microlithique abondant et plus particulièrement par des pièces trapézoïdales (trapèzes de Vielle et trapèzes à retouches inverses plates, parfois pourvus d'une recurrence basale), tandis que les formes triangulaires sont rares. Les pointes du Tardenois typiques font même défaut.

Dans les niveaux supérieurs (IV à VII) les pièces trapézoïdales sont représentées par les flèches tranchantes à retouches couvrantes ou abruptes (ou associées) taillées dans des lames.

Des armatures de flèches ovales ou triangulaires à pédoncule sont présentes aussi dans les couches supérieures (VI et VII).

Les minuscules lamelles à dos tronquées identiques à celles du Sauveterrien et du niveau I persistent en petit nombre jusqu'au niveau IV.

Les microburins abondent à tous les niveaux. Ils se raréfient au sommet comme l'ensemble du matériel.

Dans l'outillage de dimensions moyennes les lames et lamelles à coches sont présentes en grand nombre; elles sont associées à quelques grattoirs et perçoirs.

L'ensemble de ce matériel est intéressant en premier lieu par son caractère *évolutif* mis en valeur par Lacam et Niederlender : « partant d'un faciès paléolithique on arrive insensiblement au faciès néolithique sans qu'aucune solution de continuité vienne couper cette progression » (la fréquentation du site a été pourtant intermittente) (Niederlender A. et Lacam R., 1944).

Les auteurs ont montré par exemple que l'on assiste au Cuzoul au passage du trapèze de Vielle à la flèche tranchante. Ils affirment aussi qu'il n'y a aucune coupure entre le matériel du niveau I (dit « Sauveterrien ») et les outillages tardenoisiens des niveaux sus-jacents. Ce passage du Sauveterrien au Tardenoisien demande toutefois à être étudié avec plus de précision.

De même la comparaison détaillée des couches supérieures du Cuzoul et du Néolithique de Roucadour reste à faire. Il est possible que le Tardenoisien du Cuzoul persiste longtemps et soit contemporain, au moins en partie du Chasséen de Roucadour mais la chronologie et les relations exactes entre ces deux splendides gisements distants de 10 kilomètres seulement devraient être précisées par des datations ^{14}C, par une étude approfondie, notamment des céramiques du Cuzoul, et sans doute aussi par une reprise des fouilles.

Répartition.

Aucun autre gisement Tardenoisien sûr n'est connu pour le moment dans notre région. Comme pour le Sauveterrien il est probable que les petites dimensions de l'outillage expliquent en grande partie l'apparente rareté du Tardenoisien quercynois.

Conclusion.

L'insuffisance des connaissances actuelles rend toute synthèse prématurée mais dans un avenir proche les fouilles en cours dans plusieurs gisements du Causse de Gramat apporteront des informations de base qui font encore largement défaut. Il est seulement possible pour le moment de souligner les points suivants (4) :

— apparente variété de l'Azilien faisant écho à la diversité du Magdalénien final déjà soulignée;

— possibilité d'une filiation et du passage progressif d'un des faciès de l'Azilien au Sauveterrien puis au Tardenoisien;

— incertitudes concernant la fin du Mésolithique; possibilité d'une persistance du Tardenoisien et d'une contemporanéité avec le néolithique local.

Bibliographie

[1] CARTAILHAC E. et BOULE M. (1889). — *La grotte de Reilhac (Causses du Lot)*. Lyon-Pitrat. 69 p., 70 fig.

(4) Les fouilles en cours dans des gisements mésolithiques du Causse de Gramat (Lot) sont effectuées par MM. Champagne et Espitalié, Séronie-Vivien, Lorblanchet.

[2] CHAMPAGNE F. et ESPITALIÉ R. (1972). — Note sur une datation du Sauveterrien de la grotte des Fieux à Miers (Lot). *Bulletin de la Société préhistorique française,* t. 69, C.R.S.M., fasc. 2, p. 55-58.

[3] CLOTTES J. (1970). — Le Lot préhistorique. Inventaire des gisements préhistoriques du département du Lot. *Bulletin de la Société des Etudes du Lot,* fasc. 3 et 4, 1969.

[4] COULONGES L. (1967). — Madgalénien et Périgordien post-glaciaires : La grotte de La Borie del Rey (Lot-et-Garonne). *Gallia Préhistoire.*

[5] LACAM R., NIEDERLENDER A., VALLOIS H.V. (1944). — *Le gisement mésolithique du Cuzoul de Gramat*. Archives de l'Institut de Paléontologie Humaine, Mémoire 21, 92 p., 44 fig., 8 pl. Paris, Masson.

[6] NIEDERLENDER A., LACAM R. et SONNEVILLE BORDES D. de (1956). — L'abri Pagès à Rocamadour et la question de l'Azilien dans le Lot. Notice paléontologique de J. Bouchud. *L'Anthropologie,* LX, p. 416-446.

[7] LORBLANCHET M. (1974), avec la collaboration de RENAULT Ph. et MOURER C. — *L'art préhistorique en Quercy; la grotte des Escabasses (Thémines, Lot)*. Morlaas, PGP éd., 104 p., 43 fig.

[8] LORBLANCHET M. et GENOT L. (1972). — Quatre années de recherches préhistoriques dans le Haut-Quercy. *Bulletin de la Société des Etudes du Lot,* p. 71-153.

Les civilisations de l'Epipaléolithique et du Mésolithique dans les Alpes du Nord et le Jura méridional

par

Pierre Bintz *

Résumé. Utilisant les données récentes fournies par des gisements bien stratifiés, cette note tente d'établir des corrélations chronologiques et culturelles entre les civilisations du Postglaciaire.

Abstract. Using recent data, fournished by well stratified sites, this paper attemps to establish chronological and cultural correlations among the Post-Glacial cultures.

Le cadre géographique de cette étude qui s'est fixé comme limite méridionale la vallée de la Drôme et comme limite occidentale la vallée du Rhône comprend les massifs subalpins du Vercors et de la Grande-Chartreuse ainsi que la partie méridionale du Jura.

La carte de répartition des sites (on se reportera pour la consulter à l'article de René Desbrosse sur le Paléolithique supérieur) laisse apparaître une relative densité des habitats concentrés dans les massifs subalpins et les chaînons du Jura méridional. La plupart d'entre eux ont fait l'objet de fouilles anciennes réalisées dans des conditions qui ne permettent que rarement une exploitation scientifique des données. Certaines fouilles modernes, effectuées au cours des quinze dernières années commencent à apporter des éléments nouveaux et cohérents au problème posé par l'identité et l'extension spatiale et temporelle des civilisations de l'Epipaléolithique et du Mésolithique. Nous nous limiterons à la présentation et à la confrontation de quelques faits en nous appuyant sur certains gisements clés bien stratifiés et chronologiquement bien datés.

Les civilisations de l'Epipaléolithique.

Le gisement de la grotte Jean-Pierre n° 1 à Saint-Thibauld-de-Couz situé à 500 m d'altitude sur le versant occidental du massif de la Grande-Chartreuse offre sur plus de 7 m de hauteur une succession de couches intéressant les périodes du tardi et du post-glaciaire (fig. 1). Les niveaux d'occupation bien différenciés se succédant du Paléolithique supérieur à la fin de l'Epipaléolithique sont associés à une faune et à une flore particulièrement riches qui permettent pour la première fois dans la région de réaliser des subdivisions relativement fines dans le post-glaciaire.

La séquence contenant les horizons épipaléolithiques débute par la couche 7 qui palynologiquement marque le tout début de l'oscillation climatique de l'Alleröd (tab. 2). Un hiatus stratigraphique correspondant à une partie du Dryas moyen ne permet malheureusement pas d'observer l'articulation avec un Magdalénien final sous-jacent parfaitement authentifié.

L'industrie de ce premier niveau épipaléolithique présente d'emblée des caractères aziliens nets avec ses

Tableau I
St-Thibaud-de-Couz grotte Jean-Pierre 1.
Evolutions des indices caractéristiques de l'industrie lithique.

IG. Indice grattoir; IGp. Grattoirs petits; IB. Burins; IBd. Burins dièdres; IBt. Burins sur troncature; IP + B Perçoirs + becs; IM. Microlithes; IMg. Microlithes géométriques; Pt. azil. Pointes aziliennes; G/B. Rapport grattoirs-burins.

Couches \ indices %	Nb outils	IG	IGp	IB	IBd	IBt	IP + B	IM	IMg	Pt. azil.	micro grav.	G/B	Civilisation
5B – A	53	16,4	37,5	9			3,7	18,6	1,8	1,8	0		Azilien final
5C	52						48	0	23	17,3			
6A	3												Azilien moyen de trad. Magd.
6B2 – 1	73	3,9	1,3	9,4	57	28,5	1,3	20	0	20	1,3	0,4	
6C – 6B3	111	6,3	14	13,5	66,6	26,6	4,5	24	0	24,3	0,9	0,4	
7	87	17,2	33,3	16,1	50	28,5	1,1	13,8	1,1	23	0	1	Azilien ancien
9	259	3,8	0	16,4	61,1	30	5,8	57,8	2,3	1,1	0	0,2	Magd. fin.

---

* Assistant à l'Institut Dolomieu, Géologie et Minéralogie, 38000 Grenoble (France).

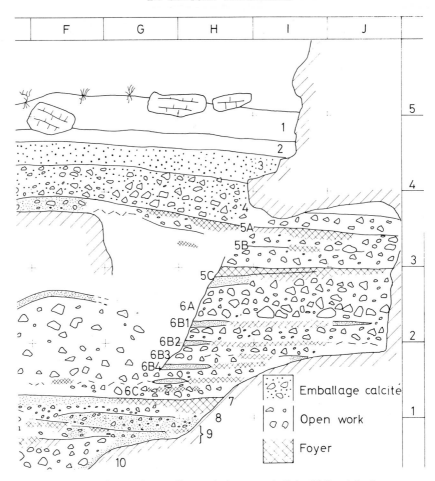

FIG. 1. — Coupe du remplissage de la grotte de Saint-Thibaud-de-Couz.

pointes à dos courbe nombreuses, souvent bipointes évoluant en segment de cercle, ses grattoirs courts et ronds.

Il faut pourtant noter la présence d'éléments magdaléniens représentés notamment par une fréquence assez élevée des burins et un indice laminaire de l'outillage élevé (46 %). La faune relativement pauvre mais bien conservée comporte comme éléments dominants le bouquetin et le lièvre variable.

L'ensemble constitué par les niveaux 6 C à 6 B3 a livré une industrie lithique qui se rapproche de la précédente mais s'en différencie par la baisse du pourcentage des petits grattoirs et du rapport grattoir-burin, par la présence en plus grand nombre des perçoirs et becs, des lamelles à dos (dont quelques-unes à troncature), enfin par la qualité de la facture de l'outillage. Ces caractéristiques confèrent à cette industrie une saveur nettement magdalénienne.

Les niveaux 6 B1-2 correspondant à la fin de l'Alleröd se distinguent des précédents par l'apparition de racloirs en grand nombre, souvent de facture moustéroïde, associés à des pointes aziliennes qui présentent fréquemment un dos anguleux (fig. 4).

A ce niveau on peut rapprocher le gisement de plein air de découverte récente situé à Gerbaix à 8 km au sud de Saint-Thibaud-de-Couz (fouilles G. Pion) qui a fourni une industrie lithique (fig. 6) abondante et remarquable par ses racloirs d'allure très moustérienne associés à des pointes aziliennes à dos anguleux rappelant certains types germano-suisses.

Le Préboréal à Saint-Thibaud débute par le niveau 5 C, dont l'industrie lithique trop faiblement représentée pour fournir des % significatifs, montre néanmoins, grâce à la présence de pointes à dos courbes typiques, des caractères aziliens nets (fig. 4). Des microgravettes en grand nombre ainsi que les nombreuses lamelles à dos, petites, souvent épaisses, parfois à 2 bords abbatus, donnent à cet azilien un faciès particulier.

Le Préboral se termine par les couches 5 B-A dont l'industrie présente un mélange de caractères aziliens très atténués et de caractères mésolithiques (présence d'un triangle et d'un microburin (fig. 4). L'absence de mésolithique vrai dans les niveaux supérieurs ne permet malheureusement pas de préciser le passage entre Epipaléolithique et Mésolithique.

Au Sud les gisements de l'abri Campalou et de la grotte du Taï, maintenant connus par les remarquables œuvres d'art qu'ils ont livrées (J.E. et J.L. Brochier, 1973 et A. Marshack, 1973) apportent un jalon précieux pour la connaissance du passage entre le Paléolithique supérieur et l'Epipaléolithique. A Campalou une industrie de type azilien (phase II des auteurs) fait suite à une industrie du Magdalénien final classique. Des pointes aziliennes encore rares et des grattoirs nombreux et variés (unguiformes, circulaires, sur lame et sur éclat) voisinent avec un outillage d'allure encore très magdalénienne.

Palynologiquement cette industrie se développe à la fin du Dryas moyen et au début de l'Alleröd.

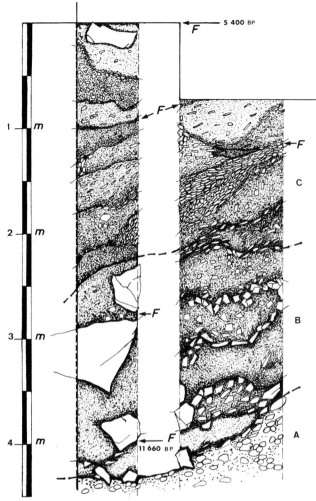

FIG. 2. — Coupe partielle des niveaux épipaléolithiques et mésolithiques du remplissage de l'Abri Gay.

Ensemble A : sable et galets fluviatiles contenant des niveaux du Magdalénien supérieur.

Ensemble B : blocs et gros cailloutis dans une matrice argileuse abondante contenant les niveaux épipaléolithiques.

Ensemble C : petit cailloutis abondant dans une matrice argileuse plus ou moins abondante contenant les niveaux mésolithiques. F = Foyer.

Cette attribution n'est malheureusement pas en conformité avec les données du radiocarbone (12 800 ± 300 BP Ly 436) qui conduisent les auteurs à émettre l'hypothèse d'une « Azilianisation » précoce dans cette partie du Dauphiné. Mais, compte tenu des documents livrés par d'autres sites régionaux, il est à notre sens plus cohérent de dater ce niveau de transition Magdélien-Azilien plutôt sur la foi de critères palynologiques.

Les niveaux supérieurs de la grotte voisine du Taï ont livré une industrie franchement azilienne qu'on est tenté de rapprocher de celle de la couche 7 de Saint-Thibaud avec ses pointes à dos courbes nombreuses, ses segments de cercle, ses grattoirs variés.

Au Nord l'Abri Gay situé près de Poncin dans lAin presqu'en face du célèbre gisement de la Colombière fait actuellement l'objet de fouilles importantes.

Au dessus d'un niveau magdélien fut mis au jour un foyer azilien bien daté non seulement par les pollens et le radiocarbone mais aussi par une série de galets ocrés et un galet gravé (R. Desbrosse, 1975).

L'industrie lithique (fig. 5), encore incomplètement connue à ce jour, comporte 90 % de pointes aziliennes parmi lesquelles il est intéressant de remarquer la présence de pièces bipointes et de segments de cercle. Le niveau est contemporain de la couche 7 de Saint-Thibaud (tab. II) qui a livré les mêmes types de pointes à dos courbes.

Les civilisations du Mésolithique.

La carte de répartition des gisements reflète une grande densité de sites de plein air dans les zones subalpines. Elle témoigne de l'importance de l'occupation, probablement saisonnière, de groupes mésolithiques souvent stationnés en altitude aux endroits de passage, probablement à la limite supérieure de la forêt (1400 m).

Les industries recueillies proviennent pour grand nombre d'entre elles de récoltes de surface qui n'offrent pas toujours des critères d'homogénéité absolus. Le dénominateur commun de ces industries est leur faciès microlithique.

Dans le massif de la Grande-Chartreuse, au Col de Porte (1326 m d'altitude), M. Malenfant (1969) a découvert une industrie homogène dont les microlithes constituent 53,03 % de l'outillage. Parmi eux la présence de pointes de Sauveterre (n°s 2, 3, 4, 5, fig. 6), l'absence de forme trapézoïdale d'outil à retouche Souchamp, de pointe de Vielle lui permet d'attribuer cette industrie à un mésolithique de faciès sauveterrien.

Au Col du Coq (1450 m d'altitude) à 5 km au N-E du Col de Porte une autre station mésolithique de plein air semble pouvoir être attribuée à un faciès tardenoisien par la présence notamment d'un trapèze à troncatures concaves typiques voisinant avec quelques triangles pointes et lamelles à troncatures concaves, des microburins, des burins et des grattoirs nombreux et variés (récoltes G. Chaffenet, fig. 6, n°s 28 à 32).

Dans le Jura méridional, des gisements bien stratifiés ont apporté des indications précieuses sur le cadre chronologique et le milieu dans lesquels ont évolué les industries du mésolithique.

C'est au cours de l'amélioration climatique définitive du Préboréal qu'apparaissent les premières civilisations mésolithiques qui coexistent avec les derniers groupes aziliens reconnus plus au sud à Saint-Thibaud.

Le gisement de Sous-Balme à Culoz (R. Vilain, 1966) a permis de mettre en évidence 2 faciès sauveterriens (tabl. II) : le plus ancien comporte des microlithes géométriques, le plus récent en est dépourvu mais comprend de nombreuses lamelles et pointes à dos pouvant être associées à des troncatures.

A la Touvière (N.-S. Morelon, 1973), surmontant un niveau aziloïde datant du Préboréal, des niveaux à industries sauveterriennes caractérisées par un % élevé de microlithes géométriques ont été reconnus.

Ces industries sont interprétées comme étant plus spécialisées que celles de Culoz et l'auteur ajoute « dans les 2 cas l'habitat devient brusquement très intensif... il se présente comme quelque chose de

TABLEAU II

Tableau synoptique montrant les concordances chronologiques et culturelles des principaux gisements stratifiés épipaléolithiques et mésolithiques des Alpes du Nord et du Jura méridional.

DATES B.P.	PERIODES CLIMATIQUES	CAMPALOU TAI	ST THIBAUD	ABRI GAY	LA TOUVIERE	CULOZ
5500	ATLANTIQUE			PROTO HISTOIRE / 5490 ◀ TARDENOIS		PROTO HISTOIRE
6000						
6500					TARDENOIS.	TARDENOIS.
7000						
7500						SAUVETER.
8000	BOREAL				SAUVETER.	
8500						
9000			9050 ◀ AZILIEN FINAL		9350 ◀ AZILIEN (?)	9150 ◀ SAUVETER.
9500	PRE-BOREAL					
10000						
10500	DRYAS III					
11000	ALLEROD	AZILIEN	10750 ◀ AZILIEN -MAGDAL.			
11500						
12000	DRYAS II	12800(?) ◀ MAGDAL.-AZIL. / MAGDAL. FIN.	11900 ◀ AZILIEN ANCIEN	11660 ◀ AZILIEN / MAGDAL. FINAL		
12500	BOLLING		MAGDAL. FINAL			
13000	DRYAS I		13300 ◀			
13500						

tout à fait différent de ce qui a précédé » (op. cit., p. 151).

A Culoz comme à la Touvière des niveaux tardenoisiens semblables font suite aux niveaux sauveterriens et témoignent « d'une évolution sur place de l'industrie et d'un apport extérieur du début des temps néolithiques » (op. cit., p. 151).

Enfin à l'Abri Gay, au-dessus des niveaux épipaléolithiques s'étagent sur trois mètres des horizons mésolithiques. Un foyer circulaire avec atelier de taille (fig. 5, 16 à 29) a été dégagé dans le niveau le plus récent attribué à un faciès tardenoisien malgré son âge radiométrique récent (tabl. II).

Conclusion.

Contrairement à l'opinion généralement admise, les Alpes du Nord et le Jura méridional ont connu au cours du Tardiglaciaire et du Postglaciaire une occupation suivie et relativement dense.

Loin de constituer un obstacle à la pénétration des hommes, les zones montagneuses offraient un vaste terrain de chasse, des gisements de silex nombreux, parfois aussi un refuge.

Cette occupation débute avec les Magdaléniens, sans doute bien après la décrue glaciaire si l'on en croit les renseignements fournis à Saint-Thibaud-de-Couz par les pollens recueillis dans les niveaux sous-jacents à cette première occupation.

Succédant aux Magdaléniens, des groupes aziliens apparaissent dès l'amélioration climatique de l'Alleröd ; ils sont porteurs d'une industrie lithique caractéristique et s'adonnent à une activité artistique dont on possède maintenant quelques témoignages. S'opposant à la stabilité et à l'uniformité de l'outillage magdalénien, l'industrie azilienne (malgré la présence d'éléments évolutifs que nous avons noté au passage) se caractérise par son polymorphisme, qui reflète les tentatives d'adaptation à des conditions de milieu nouvelles et témoignent peut-être d'origines multiples. Cette civilisation se développe pendant près de 3000 ans mais connaît des interpénétrations de civilisation de type magdalénien qui ont été décrites par F. Bourdier et H. de Lumley (1956), observées par Muller à Balme de Glos et tout récemment à Saint-Thibaud-de-Couz.

Si au cours du Préboréal le passage de l'Epipaléolithique au Mésolithique reste flou, de nombreux documents attestent aujourd'hui le développement important pendant le Boréal et le début de l'Atlantique des populations mésolithiques, dont les habitats étaient installés aussi bien dans les abris que dans les zones découvertes. Certains groupes semblent

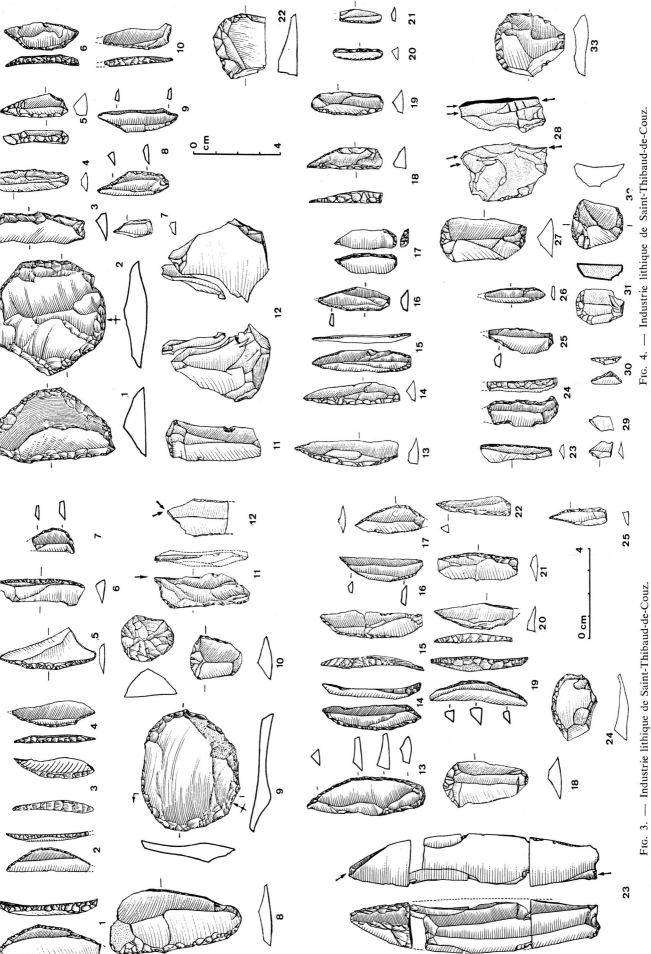

Fig. 3. — Industrie lithique de Saint-Thibaud-de-Couz.

De 1 à 12 : couche 7 Azilien ancien à segments de cercle et pièces à dos bipointes.
De 13 à 25 : couche 6C-6B3 Azilien à caractères magdaléniens.

Fig. 4. — Industrie lithique de Saint-Thibaud-de-Couz.

De 1 à 12 : couche 6B 2-1. Azilien moyen à racloirs et pointes aziliennes à dos anguleux.
De 13 à 22 : couche 5 C Azilien supérieur à microgravettes et petites lamelles à dos.
De 23-33 : couche 5 B-A Azilien final à caractères mésolithiques.

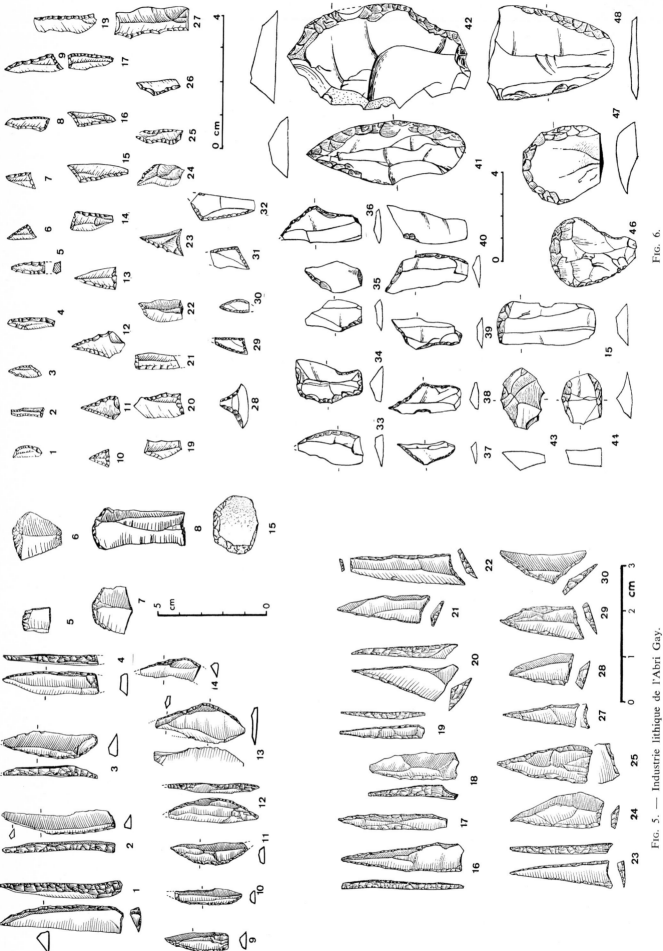

FIG. 5. — Industrie lithique de l'Abri Gay.

De 1 à 15. : foyer Azilien à galets gravés. De 16 à 30. foyer mésolithique.

FIG. 6.

De 1 à 27 : microlithes de l'industrie lithique mésolithique du Col de Porte.
De 28 à 32. Mésolithique du Col de Coq. De 33 à 48 : Industrie lithique à caractères

avoir été relégués dans les zones boisées d'altitude.

Ainsi les données récentes concernant les civilisations de l'Epipaléolithique et du Mésolithique ont sans doute permis d'élaborer un cadre chronologique et paléoclimatique cohérent, mais ont également confirmé la diversité et la complexité des appartenances culturelles des différents groupes. Pour y voir plus clair il faut souhaiter une plus large confrontation des données livrées par les gisements de fouilles récentes.

Bibliographie

[1] BOCQUET A. (1969). — L'Isère préhistorique et protohistorique. *Gallia-Préhistoire*, t. XII, p. 121-258 et 273-400, 1116 fig.

[2] BONNAMOUR L. & DESBROSSE R. (1966). — L'abri Gay à Poncin (Ain): fouilles 1965. *Bull. Soc. Linnéenne de Lyon*, p. 319-328, 5 fig.

[3] BOURDIER F. & LUMLEY H. de (1956). — Magdalénien et Romanello-Azilien en Dauphiné. *Bull. Musée d'Anthrop. Préhist. Monaco*, n° 3, p. 123-176, 18 fig.

[4] BROCHIER J.E., BROCHIER J.L. (1968-1972). — Comptes rendus annuels des fouilles de la grotte du Taï et à l'abri de Campalou. *Bulletin de l'asociation régionale pour le développement des recherches de paléontologie et de préhistoire et des amis du muséum* (Institut de Géologie de Lyon). 1968, p. 19-23, 3 fig.; 1969, p. 17-22, 3 fig.; 1970, p. 19-21, 2 fig.; 1972, p. 28-29, 2 fig.

[5] BROCHIER J.E., BROCHIER J.L. (1973). — L'art mobilier de deux nouveaux gisements magdaléniens à Saint-Nazaire-en-Royans (Drôme). La grotte du Taï et l'abri de Campalou. *Etudes préhistoriques*, n° 4, p. 1-12.

[6] CHALINE J. (travaux en cours). — La grotte J.P. 1 à Saint-Thibaud-de-Couz (Savoie). Les rongeurs.

[7] DESBROSSE R. (1970). — Les gisements magdaléniens du Jura méridional. Actes. *7e Congrès U.I.S.P.P. Prague 1966*, vol. 1, p. 319-321, 1 fig.

[8] DESBROSSE R. & EVIN J. (1973). — Datations au ¹⁴C de gisements magdaléniens du Jura et des Préalpes du Nord. *Actes 8e Congrès U.I.S.P.P. Beograd 1971*. vol. II, p. 179-187.

[9] DESBROSSE R. & GIRARD M. (1974). — Azilien et Magdalénien des Douattes (Haute-Savoie). *L'Anthropologie*, p. 481-498, 7 fig.

[10] DESBROSSE R. (1975). — L'abri Gay à Poncin (Ain), nouveau gisement azilien du bassin rhodanien. *Actes du congrès de la Société Préhistorique de France*. Martigues, 1974 (à paraître).

[11] EVIN J., MARIEN G. and PACHIAUDI Ch. (1975). — Lyon natural radiocarbon measurements. V. *Radiocarbon.*, vol. 17, n° 1, p. 24-25.

[12] GIRARD M. (travaux en cours). — La grotte J.P. 1 à Saint-Thibaud-de-Couz (Savoie) : analyse pollinique.

[13] GIRARD M. (travaux en cours). — L'abri campalou (Drôme) : analyse pollinique.

[14] LEROI-GOURHAN Arl. (1971). — La fin du tardiglaciaire et les industries préhistoriques (Pyrénées, Cantabres). *Munibe*, XXIII, n° 2-3, p. 249-254.

[15] MALENFANT M. (1969). — Découverte d'un gisement mésolithique au Col de Porte, dans le massif de la Grande Chartreuse (Isère). *Comptes rendus de l'Académie des Sciences* (Paris), t. 268, p. 2403-2405.

[16] MARSHACK A. (1973). — Analyse préliminaire d'une gravure à système de notation de la grotte du Taï (Drôme). *Etudes préhistoriques*, n° 4, p. 13-16.

[17] MORELON N.S. (1973). — Le gisement préhistorique de la « Touvière », commune d'Arbignieu (Ain). *Documents des laboratoires de géologie de la Faculté des Sciences de Lyon*, n° 56, p. 1-165, 8 pl., 61 fig.

[18] MULLER M.H. (1914). — Les stations aziliennes du Vercors (Les chasseurs de marmottes). *Comptes rendus des congrès de l'Association française pour l'avancement des Sciences*. Session du Havre, p. 642-648.

[19] VILAIN R. et BORELLI E. (1962). — Un gisement sauveterrien de la basse vallée de l'Ain. L'abri sous roche : « Les layes », à Serrières-sur-Ain. *Bulletin de la Société linnéenne de Lyon*, vol. IX, n° 1, p. 15-22, 3 fig.

[20] VILAIN R. (1966). — Le gisement de Sous-Balme à Culoz (Ain) et ses industries microlithiques. *Documents des laboratoires de géologie de la Faculté des Sciences de Lyon*, n° 13, 219 p., 23 pl., 45 fig., 5 tabl., 10 tabl., 4 cartes.

Les civilisations de l'Epipaléolithique et du Mésolithique dans les confins pyrénéens de la Gasgogne et du Languedoc

par

Robert Simonnet

Résumé. La région présentée est une zone de contact entre les climats méditerranéen et atlantique. Elle connut les débuts des recherches sur le Mésolithique avec les fouilles du Mas d'Azil et de La Tourasse. Malgré cela, jusqu'à ces dernières années, on n'y connaissait que l'Azilien et le Languedocien. Ce dernier ne peut plus être retenu en tant que culture mésolithique. L'analyse pollinique de La Vache et la fouille du nouvel abri Rhodes II ont permis de mettre en évidence l'importance d'Alleröd. Des industries de cette phase climatique ont été isolées à Rhodes II dans une position antérieure à l'Azilien. L'Azilien paraît maintenant plus près du Préboréal. Sur ces bases, les trois gisements de Rhodes II, Le Mas d'Azil et La Tourasse ont pu être mis en parallèle. Une meilleure connaissance des cultures post-aziliennes ne peut venir que de La Tourasse où Le Sauveterrien est présent.

Abstract. The region described is a contact zone between the Mediterranean and Atlantic climates. In spite of the fact that some of the earliest investigations of the Mesolithic (e.q. Le Mas d'Azil and La Tourasse) were conducted here, until recent years only the Azilian and the Languedocian have been identified. However, the latter can no longer be retained as a Mesolithic culture. The pollen analysis from La Vache and the excavations of the new rock-shelter Rhodes II have emphasized the importance of the Alleröd. The industries of this climatic phase have been identified at Rhodes II in a position earlier than the Azilian. The Azilian now seems closer to the Preboreal. On this presumption, the three sites Rhodes II, Le Mas d'Azil and La Tourasse, can be considered as parallel. A better understanding of the Post-Azilian cultures can only come from La Tourasse where the Sauveterrian is present.

La zone étudiée ici comprend la partie ariégeoise et Haut-Garonnaise du versant Nord des Pyrénées et la partie de la plaine d'Aquitaine drainée par le cours moyen de la Garonne avec l'arrivée de ses principaux affluents. Le Massif Central ferme l'horizon au Nord-Est. A l'Est, un étroit couloir de plaine conduit aux rivages de la Méditerranée, assurant la communication entre deux zones climatiques fort différentes et contrastées : la zone atlantique et la zone méditerranéenne. Il s'agit donc d'un territoire de contact constituant les confins de l'un et l'autre de ces domaines. Aujourd'hui, cette limite qui distingue la Gascogne du Languedoc, est fort bien établie dans les genres de vie et surtout sur le plan linguistique ; elle suit le cours moyen de la Garonne et remonte le long de l'Ariège qui peut paraître comme le prolongement naturel du fleuve vers le Sud au plus près de la limite climatique. Cet aspect du cadre géographique est le terme d'une évolution dont il semble normal de rechercher les débuts dans les périodes où les populations se sont fixées par sédentarisation sur le territoire, ce qui est l'un des objectifs de l'étude du Mésolithique. Une autre caractéristique de ce territoire est l'abondance des gîtes à silex en particulier au Sud dans les Petites Pyrénées où ils ont déterminé l'implantation du Paléolithique supérieur (1) avant d'être progressivement dissimulés par l'extension de la couverture végétale post-glaciaire.

Dans ces Petites Pyrénées et vers 1890, les fouilles du Mas d'Azil et de La Tourasse révélèrent une industrie, l'Azilien, qui comblait, en partie du moins,

le « Hiatus » entre le Magdalénien et le Néolithique. Ces fouilles ouvraient l'ère des recherches sur « la période de Transition » qui devint le Mésolithique. Un si bon départ resta malheureusement sans suite sur le plan local. Péquart vint exprès pour étudier le Mésolithique ariégeois mais seulement en 1936-40 en reprenant la fouille de la Rive Gauche du Mas d'Azil. Son entreprise confirma le point essentiel des observations de Piette et permit d'isoler un ensemble lithique et osseux qui définit très bien l'Azilien. Depuis ces dix dernières années, des faits nouveaux sont intervenus : la découverte et la fouille de l'abri Rhodes II dans le bassin de Tarascon-sur-Ariège et la reprise des recherches à La Tourasse. Les premiers résultats apparaissent seulement maintenant aussi est-il toujours difficile d'être très rigoureux sur le sens du terme Mésolithique. Il conserve la signification des limites chronologiques des cultures post-magdaléniennes antérieures au Néolithique.

On peut situer dans ces limites quelques rares trouvailles de surface. Quelques silex ont été récoltés à La Nogarède près du confluent de l'Hers et de l'Ariège (Pl. II). Une partie du matériel trouvé à Réal sur les rives du Tarn (Pl. II) appartient incontestablement à une phase du Mésolithique qui pourrait être relativement avancée. Dans les outillages en quartzite des terrasses toulousaines de la Garonne, Breuil et Méroc avaient isolé sous le terme de Languedocien un ensemble qui se distinguait par sa position stratigraphique dans les limons et une certaine originalité typologique. Les avis de Breuil, inventeur du Languedocien, et de Méroc concordent lorsqu'il s'agit de démontrer ce que cette industrie n'est pas typologiquement. Ils divergent sur le plan de la définition et surtout sur celui de la place dans

(1) R. Simonnet. — Le Paléolithique Supérieur entre l'Hers et La Garonne. *Préhistoire et Protohistoire des Pyrénées Françaises,* Musée Pyrénéen, Château Fort de Lourdes, juin 1973, p. 39-44.

* La Condamine D24, 09000 Foix (France).

la chronologie. Breuil y voit une civilisation à mettre en parallèle avec le Moustérien. Il se fonde sur quelques considérations géologiques et sur la présence de rares pièces roulées. Méroc estime que la place de cette culture dont il maintient l'indépendance, ne peut être que postérieure au Magdalénien VI : « ... que le Languedocien à l'état pur, sans haches taillées ni polies, s'est particulièrement développé sur le niveau alluvial de + 12 m de la Garonne où il correspond à peu près certainement au Mésolithique... ». L'étude typologique conclut ainsi : « l'absence d'outils fabriqués en série, en dehors des couteaux et palets-disques, laisse une impression de laisser-aller et de négligence comme aussi d'extrême pauvreté ». Postérieurement, la fouille d'un ensemble daté de la charnière Bronze-Fer à Varilhes, a détruit les deux arguments géologique et typologique (2). Beaucoup des dépôts sur graviers sont d'âge très récents et l'usure par l'eau est loin d'être une preuve absolue d'ancienneté. L'outillage lithique de Carbon entre tout à fait dans la définition, avec même l'outil très particulier décrit sous le nom de hallebarde par Méroc. Le Languedocien paraît donc être l'outillage courant du Bronze qui ne connaît plus la hache polie et dont l'étude est encore délaissée sur les terrasses de la Garonne. Ceci n'exclut cependant pas la possibilité pour certains choppers et autres galets éclatés trouvés dans les limons d'être effectivement mésolithiques.

Les découvertes en grotte ont pratiquement toutes été attribuées à l'Azilien, parfois après coup et surtout d'après la présence du harpon plat à perforation basale. Ce fut le cas pour La Vache, Massat, La Grazzio de l'Aspiouo dans des bassins à l'intérieur de la Haute Chaîne. Pour le front pyrénéen, Montfort, Le Trou Violet, Marsoulas, Gourdan, La Roque de Montespan, Gouerris et les Harpons avaient pris rang à côté de la Rive Gauche du Mas d'Azil et de La Tourasse. Des outillages lithiques d'un groupe de cavités près de Foix et d'une partie de Manirac devraient se placer après le Magdalénien. B. Pajot estime qu'il y avait de l'Azilien à l'abri de Montastruc à Bruniquel ; une pièce des déblais (Pl. II) peut laisser supposer qu'il y existe un Mésolithique encore plus récent. La Rive Gauche et le Trou Violet renfermaient des sépultures qui furent attribuées à l'Azilien. Dans la quasi totalité des fouilles anciennes, l'Azilien était apparu au-dessus de niveaux du Magdalénien VI et certains n'avaient pas hésité à en déduire une filiation directe et immédiate. L'Azilien des Pyrénées, comme on l'appelait, formait une sorte d'excroissance magdalénienne prolongée dans le temps. Cette position ne résistait pas à une comparaison des outillages (Simonnet, 1967, p. 184). Manifestement, il s'était passé quelque chose de brutal entre les deux cultures. Il devenait nécessaire de bien situer la fin du Magdalénien et de fixer là le début du Mésolithique puisque aussi bien des types lithiques connus dans l'Azilien survivront dans l'aspect prédateur des genres de vie nouveaux, même au-delà du Néolithique.

A La Vache, l'étude des pollens appuyés par deux datations C14 (A. Leroi-Gourhan, 1967), montre que le Magdalénien prend fin au Dryas 2 au moment où commence à se former l'important dépôt de stalagmite que couvre le diagramme pollinique d'Alleröd. Le Magdalénien Final de la grotte des Eglises d'Ussat dont le type de harpon est assez particulier, a été daté de − 9850 ± 500 BC ; cette marge d'erreur de mille ans, qui équivaut à la durée totale d'Alleröd, est fort gênante et limite l'emploi que l'on peut faire de la mesure. A propos de la stalagmite de La Vache, Mme Leroi-Gourhan, souligne l'importance de la coupure d'Alleröd marquée par le développement d'une couverture forestière et l'auteur ajoute que cette coupure « reste toutefois encore extrêmement floue quant à ses rapports avec la succession des industries humaines... Des stations à stratigraphie plus longue pourront seules résoudre le problème Magdalénien-Azilien ».

L'abri Rhodes II est venu combler cette lacune stratigraphique, d'une façon d'autant plus valable qu'il n'est qu'à 4 km de la grotte de La Vache. Alleröd y est bien représenté et surtout par des formations renfermant plusieurs niveaux d'habitat. L'aspect des sédiments, l'analyse des pollens, un premier aperçu de la faune et enfin deux datations C 14 ont pour chacun d'entre eux signalé l'interstade. Les industries recueillies ne présentent plus les caractères essentiels du magdalénien, en particulier on note la quasi absence de l'industrie osseuse qui réapparaît plus haut avec le harpon azilien. Ainsi se dessine le schéma déjà bien établi ailleurs et qui ferait sortir l'Azilien de cultures Epigravettiennes. Des questions particulières, comme la nature et la mauvaise qualité des matériaux utilisés, brouillent quelque peu les comparaisons avec les groupes épigravettiens de la bordure orientale de la Méditerranée française (travaux d'Escalon de Fonton) et surtout de la Catalogne espagnole avec qui les affinités paraissent plus grandes (travaux du Dr Vilaseca et de J. Fortea Perez). Une évolution sur place n'est pas à écarter à priori. En effet, l'abri implanté au milieu d'un microclimat méditerranéen, montre au cours du magdalénien des spécialisations d'occupation (3). A la faveur du réchauffement d'Alleröd, il n'est pas impossible que des types d'activité occasionnels soient devenus la règle générale. L'Azilien typique du Foyer 7 pourrait correspondre au Dryas 3. Il est marqué par un outillage osseux plus abondant.

On retrouve dans la stratigraphie de Rhodes II les grandes lignes de la coupe de la Rive Gauche relevée par Piette. On serait tenté d'identifier aujourd'hui la Couche E à tout ou partie d'Alleröd. La suite du remplissage dans les deux gisements paraît identique, marquée par l'abondance des pierrailles. L'industrie azilienne assure la correspondance entre le Foyer 7 de Rhodes II et les couches F et G (?) du

---

(2) R. Simonnet. — Habitat et fonderie protohistoriques à Carbon commune de Varilhes (Ariège). *Gallia-Préhistoire*, t. XIII, 1970, fasc. I, p. 151-216, 55 fig.

(3) Le rôle des microclimats formant refuges a été mis récemment en évidence par Jalut en ce qui concerne la végétation (G. Jalut, Evolution de la végétation et variations climatiques durant les quinze derniers millénaires dans l'extrémité orientale des Pyrénées. Thèse, Toulouse, 1974). Les versants de montagne jouent aussi le même rôle en ce qui concerne la répartition de la faune ce qui facilite les coexistences.

Mas d'Azil. Ce montage schématique est complété par l'apport des premiers résultats de la reprise de la fouille de La Tourasse. Par la richesse en pierrailles et la présence de l'Azilien presque à la base, le remplissage semble correspondre à la partie supérieure des deux gisements précédents. Les fouilleurs situent le Dryas 3 dans la partie supérieure de l'ensemble de couches appelé D. Le montage des trois gisements pourrait donc se faire sur le raccord horizontal suivant : Rhodes II-F7, Rive Gauche - couches F, La Tourasse-Ensemble D.

Il y a peu à attendre des documents recueillis au-dessus du Foyer 7 à Rhodes II, la Rive Gauche est épuisée et désormais muette. Seule la Tourasse peut encore faire connaître, ordonnées en stratigraphie, les cultures postérieures à l'Azilien. E. et M. Orliac ont identifié le Sauveterrien et, au-delà, emploient avec beaucoup de prudence, à juste raison, le terme de Tardenoisien.

Au terme de ce tableau chronologique il paraît acceptable de rajeunir l'Azilien et de le rapprocher du Préboréal comme cela est déjà proposé pour la Dordogne, la Corrèze et l'Est de la France. Ainsi se comblerait le hiatus entre Azilien et Sauveterrien, sous réserve même que cet Azilien n'ait pas duré plus longtemps dans la zone ariégeoise et garonnaise des Pyrénées occupant une plus large partie du Mésolithique.

(4) C. Barrière. — Rouffignac, l'archéologie. *Mémoire de l'Institut d'Art Préh.*, II, Rouffignac, fasc. I, p. 155, sans date.

Essai de mise en correspondance des stratigraphies de La Vache, la Rive Gauche du Mas d'Azil, Rhodes II et La Tourasse; ces deux derniers gisements étant en cours de fouille.

Phases climatiques	La Vache	Rhodes II	Rive Gauche Mas d'Azil	La Tourasse
Sub Atlan.	Bronze		Bronze Néolithique	Bronze Néolithique
Sub Boréal				
Atlantique				Tardenoisien Sauveterrien
Boréal				Partie sup. de ensemble C Azilien Sup.
Pré-Boréal			Couche G Azilien	
Dryas III		Foyer 7 Azilien	Couche F Azilien	Partie sup. de ensemble D Azilien ancien
Alleröd	Stalagmite — — — Horizon de Proto-Azilien	Foyer 6 / C1 ■ 10 150 / C2 ■ 10 350 / Foyer 5 / Foyer 4 Mgd.	Couche E	?
Dryas II	Magdalénien ■ 10 590 ■ 10 900	Foyer 3 Magdalénien / Foyer 2 Magdalénien	Couche $D_{Mgd.}$ Couche $C_{Mgd.}$	Ensemble E Magdalénien
Bölling		Foyer $1_{Mgd.}$	Couche $B_{Mgd.}$	

PLANCHE 1

A — *Coupe de la Rive Gauche du Mas d'Azil* — d'après Piette. Le magdalénien, couches A à D, se trouve dans une formation de sédiments fins entrecoupée de lits de pierrailles. Dans son texte, Piette met en évidence la couche limoneuse E qui sépare le dernier foyer magdalénien D des couches aziliennes F et G. Il estime que cette couche correspond à un phénomène climatique important. La fin du remplissage de la Rive gauche apparaît très riche en pierrailles. Reprenant la fouille du site en 1936-40, St-Just Péquart a confirmé le point important des observations de Piette concernant les couches E et F. En outre, la fouille des lambeaux de F ayant survécu a donné un matériel correspondant exactement à ce qu'avait dit Piette et qui peut être pris comme définition de l'Azilien.

B. — *Coupe de l'abri sous roche Rhodes II* — d'après Robert Simonnet. L'abri s'ouvre au soleil dans un îlot de végétation méditerranéenne. Une formation profonde (C 2) à sédiments fins entrecoupée de lits de pierrailles. correspondant à des foyers, repose sur le sol rocheux. La surface de cette couche a été affectée par divers phénomènes en particulier des ravinements Au-dessus s'est mise en place une couche (C 1) très riche en éléments calcaires dont le calibre va en grossissant vers le sommet. Cinq niveaux d'habitat parcourent la couche profonde : les numéros 1 à 4 sont magdaléniens; le cinquième montre dans son outillage une rupture très nette par rapports aux précédents. Deux autres niveaux superposés occupent le bas de la Couche Supérieure : le plus profond, F 6, accentue la rupture enregistrée dans F 5, le plus haut, F 7, a livré de l'Azilien dans sa définition donnée par Piette et Péquart au Mas d'Azil. Le diagramme des pollens réalisé par M. Girard est interprété de la façon suivante : F 1 correspondrait à la fin de Bölling; F 3 serait le Dryas 2; Alleröd commencerait au niveau de F 4 et irait jusqu'à la limite F 6 ou base de F 7. Au-delà les données sont incertaines. Alleröd apparaît donc largement développé, à cheval sur les deux formations géologiques. Deux datages ^{14}C ont été réalisés par M. Thommeret au Laboratoire de Monaco. Le premier qui porte sur une structure de feu dans le prolongement de F 5, a donné — 10350 ± 150 B.C. Le deuxième concerne une autre structure de feu située légèrement plus haut à la base de F 6 et indique — 10150 ± 150 B.C.

C. — *La Tourasse* — d'après E. et M. Orliac. Les premières fouilles de 1891 ont concerné d'abord l'intérieur de la petite cavité et ensuite le talus extérieur. Là, elles furent arrêtées sur une couche argileuse très pauvre en vestiges. Des mélanges eurent lieu comme il résulte de l'observation des premières récoltes et du matériel des déblais. E. et M. Orliac ont repris la fouille à l'extérieur, en haut du talus et près du seuil de la grotte. La coupe relevée ne paraît pas concorder avec les renseignements des anciennes fouilles. Elle montre une précieuse succession de niveaux riches en pierrailles qui peuvent correspondre aux couches supérieures de la Rive Gauche et de Rhodes II. En l'absence des données de la Palynologie et du ^{14}C, les auteurs estiment que la base, E et D dateraient d'Alleröd et la partie supérieure de D du Dryas3. Rien ne semble devoir contredire une telle interprétation. La faible altitude relative de la grotte par rapport à la Garonne toute proche pourrait expliquer l'absence d'un dépôt plus long d'Alleröd, par l'action érosive des phénomènes de cet interstade qui ravinèrent la surface de la C 2 de Rhodes II et qui firent s'élever l'Arize à 13 m au-dessus de son niveau actuel au Mas d'Azil.

D. — *Cours moyen et supérieur de la Garonne, répartition des gisements.* En pointillé clair : altitude entre 500 et 1 500 mètres. En pointillé serré : au-dessus de 1 500 mètres. Disque noir : entrée de grotte, abri sous roche. Cercles : vestiges en plein air.

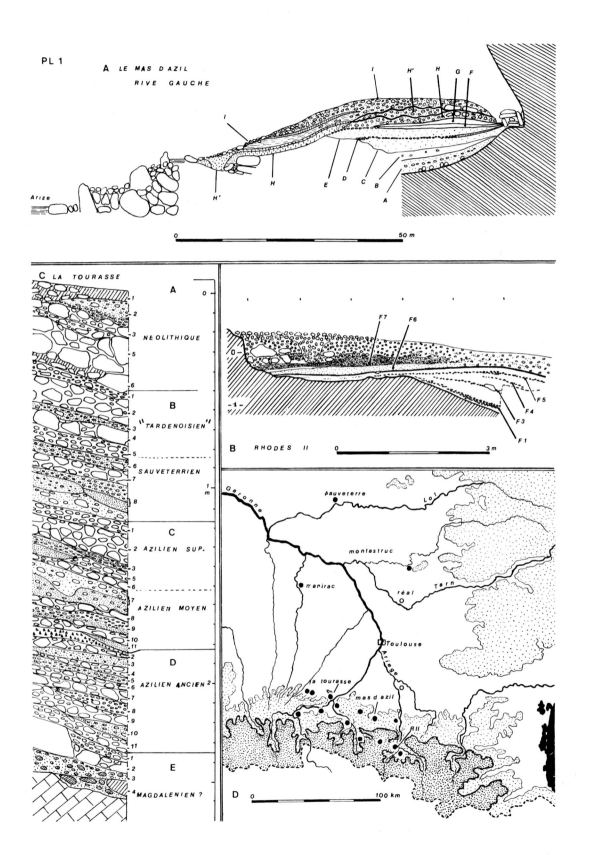

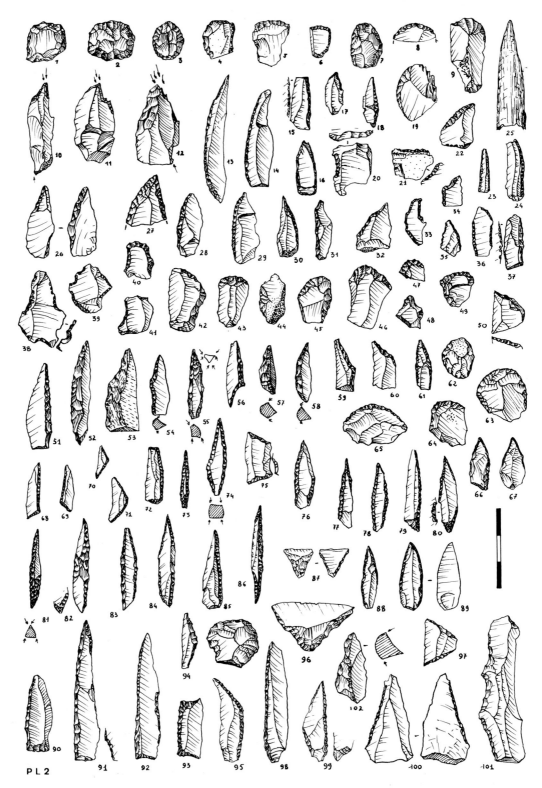

PLANCHE 2

Divers types de l'outillage lithique, de préférence inédit. La pièce esquillée, très fréquente n'a pas été figurée.

1 à 50 et 66-67. Industrie d'Alleröd de l'abri Rhodes II (1 à 25. Foyer 5, l'unique objet en os est figuré; 26 à 50 et 66-67. Foyer 6; 51 à 65. Foyer 7, l'outillage lithique de ce foyer est complété par les restes d'une trentaine de harpons plats à base perforée) .68 à 84. Rive gauche du Mas d'Azil (68 à 72. Musée de Saint-Germain, récolte Péquart; 73 à 75. Musée Saint-Germain, fouille Péquart; 76 à 84. Muséum de Toulouse ,fouille Péquart). 85 à 86. La Vache (Musée de Foix); 87 à 95. La Tourasse (87 et 90. d'après E. et M. Orliac, la flèche tranchante devrait déjà indiquer le Néolithique; 88 et 89. Déblais, coll. Querre). 92 à 94. Manirac, fouille Ducassé-Simonnet (la pointe de La Malaurie est aussi présente à La Tourasse (dans l'ensemble B) mais elle paraît absente plus au Sud dans la zone montagneuse en particulier au Mas d'Azil dans la mesure où on connaît la totalité de l'outillage de cette station). 95. La Nogarède; 96. Lespugue-Les-Harpons, déblais; 97. Bruniquel, abri Montastruc, déblais; 98 à 102. Réal Musée de l'Ariège.

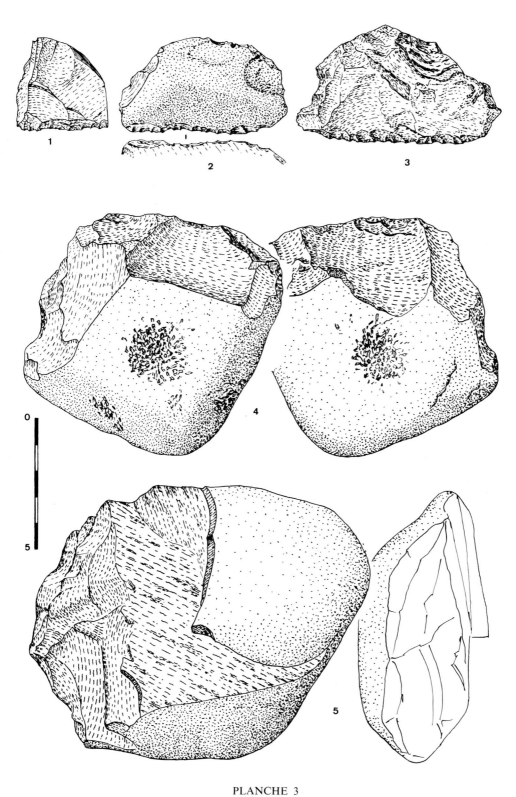

PLANCHE 3

Macro outillage de Rhodes II, Foyer 7 et au-dessus. 1 à 3.Eclats de quartzite et schiste retouchés en racloir; le n° 1 est cassé, le n° 2 présente un léger lustré du tranchant; 6 et 7. Galets éclatés.

L'insuffisance des documents et des informations ne permet pas de juger du cheminement vers des genres de vie nouveaux. La plupart des auteurs, dans d'étude du Mésolithique, déplorent de devoir, faute de mieux, resté attachés à la typologie des micro-armatures dont les prolongements dans le Néolithique et au-delà, montrent qu'elles sont liées aux activités de chasse ou de guerre. Les macro-outillages (Pl. 3) sont plus significatifs et leur arrivée en force dans l'Azilien est en fait remarquable. Parmi eux à Rhodes II, un racloir avec léger lustré du tranchant rappelle une observation déjà faite par Piette au Mas d'Azil et les couteaux-faucilles du Sauveterrien de Rouffignac à propos desquels C. Barrière parle de récolte de végétaux sauvages (4).

Bibliographie

[1] Leroi-Gourhan A. (1967). — Pollens et datations de la grotte de la Vache (Ariège). — *Bul. Soc. Préh. de l'Ariège,* t. XXII, p. 115-125, 2 pl.

[2] Méroc L. (1965). — Le Languedocien de la haute et moyenne vallée de la Garonne. *Miscelanea en homenaje al Abate Henri Breuil,* t. II, Barcelone, p. 149-172, 7 fig.

[3] Piette E. (1895). — *Etudes d'ethnographie préhistorique,* I. Anthropologie, t. VI, n° 3, p. 5-21, 25 fig.

[4] Orliac E. et M. (1972). — Fouilles à la grotte de la Tourasse (St-Martory, Haute-Garonne), premiers résultats : 1965-1970. *Revue du Comminges,* t. LXXXIV, 4ᵉ tr., p. 4-37, 10 fig.

[5] Orliac E. et M. (1973). — La succession des industries de la grotte de la Tourasse. *Bull. Soc. Préh. Française. C. r. mensuels,* t. 70, n° 3, p. 66-68, 1 tabl.

[6] Péquart M. et St. J. (1941). — Nouvelles fouilles au Mas d'Azil. *Préhistoire,* t. VIII, 19 fig.

[7] Simonnet R. (1967). — L'abri sous roche Rhodes II et la question de l'Azilien dans les Pyrénées Françaises. *Bull. Soc. Préh. Française,* t. LXIV, Etudes et Travaux, n° 1, p. 175-186, 3 fig.

PLANCHE 4

Harpons plats perforés : 1 à 13.

1, 7 et 8. Rive gauche du Mas d'Azil, d'après Piette; 2 et 3. Rive gauche du Mas d'Azil, d'après Saint-Just Péquart, le n° 2, à perforation cylindrique, a conservé la ligne générale de l'éclat de bois de cerf, préalablement détaché et poli, dans lequel on découpait le harpon; 4. Grotte inférieure de Massat, fouile et collection Pouech, ancien Petit Séminaire de Pamiers; 5 et 11. La Vache, ancienne collection Garrigou, Musée de l'Ariège. La perforation cylindrique domine à La Vache, si même elle n'est pas exclusive, posant ainsi un problème chronologique. Les harpons recueillis par Garrigou sont lourds et de facture négligée; c'est peut-être pour cette raison que leur inventeur, déjà habitué aux belles productions magdaléniennes, les figurait la pointe en bas et en faisait des crochets à suspendre; 6. Rive gauche du Mas d'Azil, Musée de l'Ariège; 9 et 10. La Tourasse, d'après Mortillet et E. et M. Orliac, le n° 10 est un grand harpon d'une quinzaine de centimètres qui illustre le style soigné de la plupart des harpons de ce gisement alors qu'en général le harpon azilien donne une impression de laisser aller et d'absence de rigueur; 12 et 13. Foyer 7 de Rhodes II.

Galets coloriés et galets gravés : 14 à 22.

14. Montfort, coll. Regnault, Muséum d'Hist. Nat. de Toulouse. Une cupule centrale de percussion témoigne d'une réutilisation. Les traits peints disparaissent sous un voile de stalagmite; en temps voulu, ce détail aurait pu être utilisé contre les détracteurs systématiques des galets coloriés du Mas d'Azil; 15. Rhodes II, niveau supérieur au Foyer 7. Ce galet gravé était aussi peint. La presque totalité de la peinture a disparu lorsque, désaffecté, le galet a été réutilisé en retouchoir; 16. Rive gauche du Mas d'Azil, fouilles Ladevèze, galet gravé et peint, Musée du Mas d'Azil; 17 à 22. Rive gauche du Mas d'Azil, Musée de l'Ariège. En raison du climat de suspicion qui a été créé autour des recherches de Piette au Mas d'Azil et en raison aussi de l'existence de faux, seules des formes simples que l'on retrouvera dans l'art pariétal magdalénien postérieurement à la fouille de Piette, ont été figurées. Des signes beaucoup plus élaborés et complexes, pouvant aller jusqu'à évoquer les caractères graphiques du langage et qui ont ainsi alimenté une abondante littérature, sont figurés dans les publications de Piette et reproduits dans la plupart des ouvrages de Préhistoire générale.

Chaque échelle graphique correspond à deux centimètres.

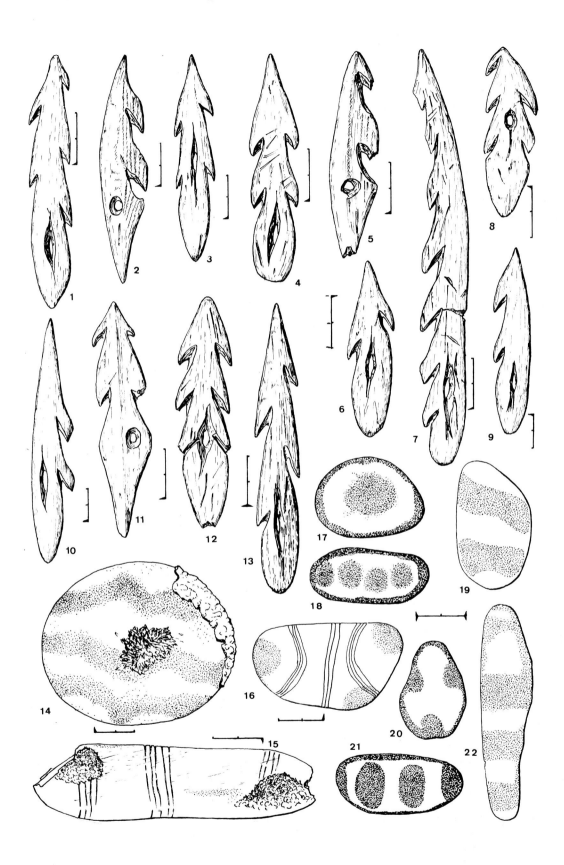

Les civilisations de l'Epipaléolithique et du Mésolithique dans le Sud-Ouest (Pyrénées-Atlantiques)

par

Robert Arambourou *

Résumé. Quelques sites seulement sont connus. De minces dépôts ont été observés à la partie supérieure des anciennes fouilles paléolithiques faites par Piette puis Mascaraux, à Arudy, à la fin du siècle dernier et, au début du nôtre, à Isturitz, par Passemard puis par R. et S. de Saint-Périer.
   Après la deuxième guerre mondiale, des vestiges mésolithiques ont été vus près de Sare et G. Laplace a fouillé près de Lurbe, en vallée d'Aspe et surtout à Arudy la grotte du Poeymaü. Il y a trouvé d'importants niveaux à *Helix* et, dans l'un d'eux, un squelette humain.

Abstract. Only a few sites are known. Some thin deposits have been observed in the upper part of the old Paleolithic excavations done first Piette and later by Mascaraux at Arudy at the end of the last century, and by Passemard, then by R. and S. de Saint-Périer at Isturitz at the beginning of this century.
   After World War II, some Mesolithic vestiges were discovered near Sare. G. Laplace excavated near Lurbe in the Aspe Valley and, especially, at Arudy in the Grotte du Poeymaü where he found some important *Helix* levels. One of these contained a human skeleton.

Essayer de présenter les civilisations de l'Epipaléolithique et du Mésolithique dans le département des Pyrénées-Atlantiques est une véritable gageure. La documentation disponible est en effet particulièrement insuffisante.

Piette, à la grotte des Espalungues, à Arudy, mentionne la présence d'une assise à harpons plats, perforés, en bois de Cerf, en précisant qu'il s'agit d'un îlot très limité, dans l'anse gauche de la grotte (Piette, 1900).

Toujours à Arudy, mais à la grotte Saint-Michel, Mascaraux note que la stalagmite recouvrant le Magdalénien « enclave en certains points, des charbons, des os, des coquilles d'Helix ». Il en conclut que la grotte a dû servir de refuge lors de la formation de cette stalagmite (Mascaraux, 1910).

A Isturitz, Passemard indique qu'en certains endroits, au-dessus de F1 (Magdalénien) et en dessous de la stalagmite, on trouve une couche de limon d'épaisseur variable. Il y a recueilli quelques « grands et beaux outils » avec des silex sans caractères et quelques poinçons à tête. Mais, dit-il, rien ne prouve qu'il s'agit d'Azilien (Passemard, 1924).

Dans la salle d'Isturitz, R. de Saint-Périer (1936) qui y poursuivit les recherches, a rencontré « une vaste poche de 5 m de diamètre et de 20 cm de profondeur, d'une terre véritablement d'un noir de suie et plus grasse, qui nous a paru constituer, par son aspect physique et les caractères de son industrie, un sous niveau que nous avons appelé Ia ». L'outillage comprend des lames qui le frappent par leurs dimensions et l'abondance des retouches, certaines appointées, d'autres tronquées ou bitronquées, des grattoirs dont d'assez nombreux nucléiformes, des perçoirs, des burins, pour la plupart en bec de flûte et quelques becs de perroquet ainsi que des lamelles à dos abattu et à la pointe aiguë. Cette industrie du Magdalénien final, ajoute-t-il, est caractérisée par la réapparition de formes aurignaciennes accompagnées de formes déjà aziliennes. L'outillage osseux comporte des poinçons, un ciseau en bois de Cerf, de rares sagaies à deux biseaux, quatre autres à base fourchue, quatre fragments de baguettes demi-rondes, sans décor et cinq harpons parmi lesquels, deux, à la surface du niveau, sont, l'un, court et plat, à perforation circulaire et l'autre, un peu plus allongé, à perforation ovalaire et barbelures unilatérales. « Il s'agit des premiers harpons aziliens » note-t-il et conclut : « notre niveau Ia appartient donc par sa base au Magdalénien supérieur, par sa surface au début de l'Azilien, tandis que des pièces isolées se rapportent à l'Azilien évolué ».

Dans une correspondance récente, Cl. Chauchat signale la présence de Mésolithique à Sare, dans un nouvel abri que l'avancement du front des carrières a dégagé, en 1973, derrière la grotte Lezia. Il rappelle aussi qu'à Urio Gaina, un sondage aurait livré du Mésolithique à J.-M. de Barandiaran et A. Glory, en 1947. Une partie — sans intérêt — du matériel a été déposée au Musée Basque, à Bayonne, l'autre a été emportée par A. Glory pour la publier. Ce qui n'a jamais été fait.

G. Laplace s'est particulièrement intéressé à ces industries. Près de Lurbe, en vallée d'Aspe, il a fouillé, au pied d'une petite falaise, la Tute de Carrelore, série de cavités donnant sur une étroite terrasse. La couche archéologique, souvent très mince, parfois inexistante, serait le reste d'un dépôt utilisé jadis pour empierrer les chemins. L'outillage de petites dimensions et les restes de faune lui font penser qu'il s'agit bien d'un habitat azilien (Laplace, 1949).

A Arudy, en face de la grotte Saint-Michel et à proximité de celle des Espalungues, G. Laplace fouille depuis 1948 la grotte de Poeymaü. Une note préliminaire (Laplace, 1951) annonça la découverte

---

* Institut du Quaternaire, Université de Bordeaux I, 33405 Talence (France).

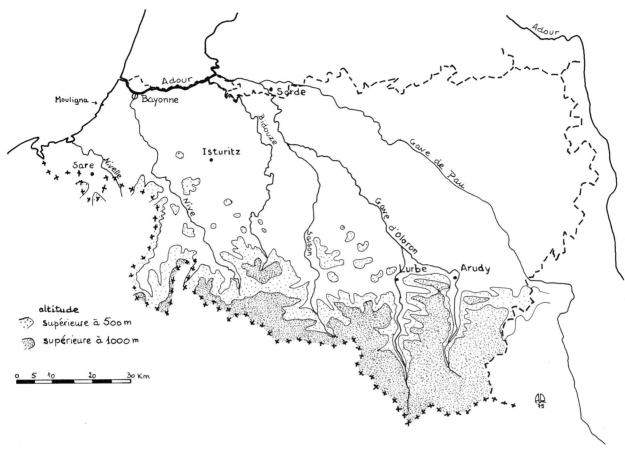

FIG. 1. — Stations de l'Epipaleolithique et du Mésolithique dans les Pyrénées-Atlantiques.

d'un squelette humain dans cette « escargotière ». Dans un article donnant une coupe du gisement et deux planches d'outils (Laplace, 1953), il justifie ensuite l'appellation d'Arudien donnée à l'industrie provenant de deux foyers à Helix et de leur couche intermédiaire qui sont situés sous une couche contenant le Posthallstattien et au-dessus d'une couche noire, plus aziloïde qu'azilienne. Apparenté, sinon identique à l'Arisien fouillé par Piette au Mas d'Azil, l'Arudien est « une industrie mésolithique, post-azilienne, caractérisée par l'abondance des formes denticulées et par l'absence, jusqu'à ce jour, de microlithes géométriques ». Les lames à troncature retouchée, abondantes dans l'Arudien I, sont exceptionnelles dans l'Arudien II, où se trouvait le squelette humain.

En 1971, à la suite de tamisages sous l'eau, des microlithes ayant été trouvés, la définition de l'Arudien devait être revue (Chauchat).

D'après les indications données par le fouilleur lui-même, les Informations archéologiques de la circonscription d'Aquitaine (Bordes, 1972) présentent la stratigraphie suivante :

1. Couche argileuse à cailloutis, datée du Subatlantique : Posthallstattien;
2. Couche de transition, analogue à la précédente mais avec des amas d'Helix : Sauveterro-Arudien énéolithisé;
3. Foyers supérieurs à Helix, argile et cailloutis, Sub-Boréal : Sauveterro-Arudien;
4. Couche intermédiaire, argile rubéfiée et concrétionnée à cailloutis clairsemé : Sauveterro-Arudien;

5. Foyers inférieurs à Helix, couche argileuse à cailloutis dense; Boréal : Sauveterro-Arudien; niveau stalagmitique surmontant la couche suivante et daté du Pré-Boréal;
6. Blocaille supérieure, lacuneuse, datée du Dryas récent : Azilien;
7. Couche à petits éléments, argilo-sableuse, à graviers glaciaires, datée de l'Alleröd : foyers aziliens;
8. Blocaille inférieure, assez lacuneuse, datée du Dryas ancien et contenant des foyers du Magdalénien final.

Un autre compte rendu de F. Bordes (1974) signale les recherches de G. Marsan aux Bignalats (Arudy) et indique :

1. Couche brune, argilo-sableuse : Bronze;
2. Couche gris-jaune : industrie tardenoïde.
3. Couche brun-gris, argilo-sableuse, subdivisée en niveaux :
   a : supérieur : industrie sauveterroïde,
   b : inférieur : Sauveterrien de tradition azilienne.

Pendant longtemps on a estimé que les outils découverts avec quelques pics, à Mouligna, commune de Bidart, devaient appartenir à l'Asturien. Après bien d'autres dont il examine les conclusions, Cl. Chauchat (1968) a repris la question.

Les pics étant associés à des microlithes ainsi qu'à de la poterie et des haches polies, cet outillage n'appartient pas à l'Asturien des Asturies, mais au Néolithique. Ce que confirment deux datations au ^{14}C faites récemment à Lyon (Chauchat, 1974). Elles donnent :
— sommet de la couche :
   Ly. 882 : 5760 B.P. ± 150 ou 3810 B.C.
— base de la couche :
   Ly. 883 : 5580 B.P. ± 150 ou 3600 B.C.

*
**

La station de Mouligna remise à sa véritable place, on constate que la partie ouest du département offre peu de sites : Isturitz, dont on peut penser que le niveau Ia était, au moins en partie, de l'Epipaléolithique et Sare, où Chauchat a vu du Mésolithique. Le sud-est paraît plus favorisé, avec Lurbe et les divers gisements d'Arudy qui, pour autant que l'on puisse savoir, semblent appartenir plus spécifiquement au Mésolithique.

C'est peu, au total et l'on se demande ce qu'ont bien pu devenir les populations qui apparaissaient si nombreuses à la fin du Paléolithique supérieur.

Bibliographie

[1] BORDES F. (1972). — Informations archéologiques, circonscription d'Aquitaine. *Gallia-Préhistoire,* t. 15, fasc. 2.

[2] BORDES F. (1974). — Informations archéologiques, circonscription d'Aquitaine. *Gallia-Préhistoire,* t. 17, fasc. 2.

[3] CHAUCHAT Cl. (1968). — Les industries préhistoriques de la région de Bayonne, du Périgordien ancien à l'Asturien. *Thèse IIIe cycle, Lettres,* Bordeaux.

[4] CHAUCHAT Cl. (1974). — Datations au ^{14}C concernant le site de Mouligna, Bidart, Pyrénées Atlantiques. *Bulletin de la société préhistorique française,* t. 71, n° 5.

[5] LAPLACE G. (1949). — Gisement azilien de la Tute de Carrelore à Lurbe (Basses-Pyrénées) découvertes et outillages. *Bulletin de la société d'Histoire naturelle de Toulouse,* t. 84.

[6] LAPLACE G. (1951). — Note préliminaire sur un nouvel étage mésolithique pyrénéen, découverte d'un squelette humain. *Revue régionaliste des Pyrénées,* Pau.

[7] LAPLACE G. (1953). — Les couches à escargots des cavernes pyrénéennes et le problème de l'Arisien de Piette. *Bulletin de la société préhistorique française,* t. L, n° 4.

[8] MASCARAUX F. (1910). — La grotte de Saint Michel d'Arudy. *Revue de l'Ecole d'Anthropologie,* t. XX, nov.

[9] PIETTE E. (1900). — L'art pendant l'Age du Renne.

[10] SAINT PÉRIER R. de (1936). — La grotte d'Isturitz II, Le Magdalénien de la grande salle. *Archives de l'I.P.H.* Mémoire n° 17.

Les civilisations de l'Epipaléolithique et du Mésolithique dans le Sud-Ouest (Landes)

par

Robert ARAMBOUROU *

Résumé. L'Epipaléolithique est représenté dans le Sud du département à Sorde (Duruthy, Dufaure) ainsi qu'à Montaut
Du Mésolithique existe sur le littoral nord-ouest où il prolonge celui de la Gironde.
Entre ces deux zones c'est le vide de la région couverte par le sable.

Abstract. Epipaleolithic cultures are present in the southern part of the Landes, at Sorde (Duruthy, Dufaure) and
Montaut.
Mesolithic tools have been discovered in the north-west, around Parentis and near Mimizan.
Between these two areas is the wide space covered over by sand.

Lors des fouilles à Duruthy (commune de Sorde), immédiatement au-dessous de l'ossuaire chalcolithique, se trouvait « une couche brune, un peu rougeâtre, de 50 cm d'épaisseur moyenne et renfermant les mêmes silex taillés, les mêmes ossements que le foyer noir, mais en bien plus petit nombre » (Lartet et Chaplain-Duparc, 1874). Cette couche, F' était séparée par un niveau d'*helix* du foyer noir sous-jacent contenant le Magdalénien VI.

La reprise des fouilles en 1958, grâce à un lambeau subsistant à l'est de l'abri, a confirmé la position stratigraphique et apporté quelques précisions. L'Azilien de Duruthy diffère moins du Magdalénien par les types d'outils que par leurs proportions respectives : Grattoirs : 40,6 % ; Burins 18 %, dont les 2/3 dièdres, pour la plupart d'axe ; Perçoirs 3,7 %, Microlithes 10,3 % ; Pointes 6,5 %. Quant à la faune (F. Delpech, 1968) le Cerf y prédomine sur le Renne. Ce dernier représente 26,3 % de la faune de la partie inférieure de la couche et 13,3 % de la partie supérieure contre respectivement 47,4 % et 60 % pour le Cerf.

A l'abri Dufaure (Breuil et Dubalen, 1901) l'Azilien remanié superficiellement en 1872 était assez pauvre. Outre l'outillage lithique il livra l'extrémité d'un harpon plat en bois de cerf et un galet colorié.

A Montaut, R. Neuville, peu après la première guerre mondiale recueillit quelques pointes aziliennes (Smith, 1966) et, tout récemment le déblaiement de l'entrée de la carrière a permis de ramasser divers outils et quelques pointes aziliennes.

Ces dernières années, dans le nord-ouest du département, autour de l'étang de Parentis, près d'Ychoux et de Mimizan des outillages divers ont été découverts : grattoirs sur éclats très courts ou sur petits

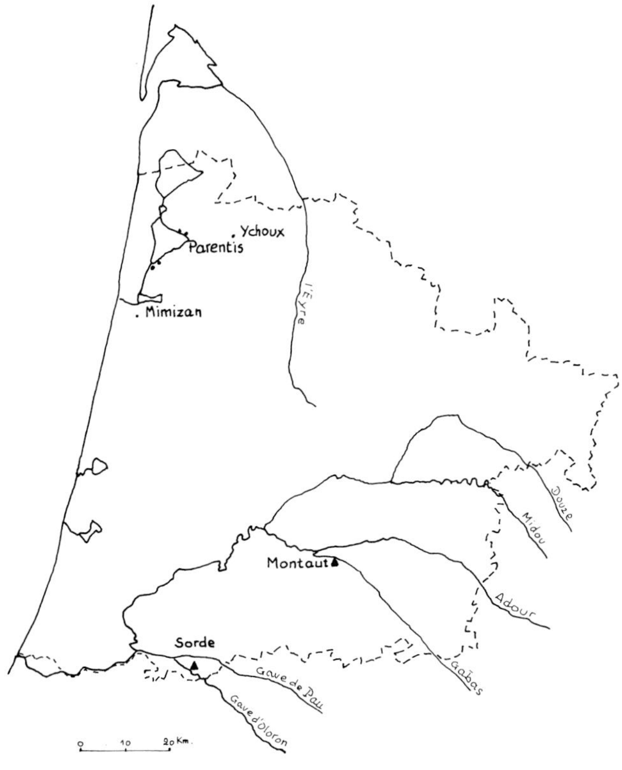

FIG. 1. — Landes : Epipaléolithique et Mésolithique.
▲ site Epipaléolithique
● station Mésolithique

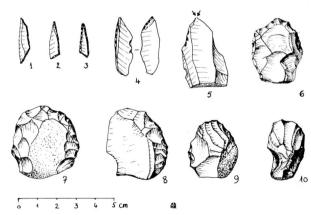

FIG. 2. — Mésolithique.
1-3. Triangles; 4. Pointe azilienne; 5. Burin dièdre d'axe;
6-10. Grattoirs.

* Institut du Quaternaire, Université de Bordeaux I, 33405 Talence (France)

nucléi, perçoirs, encoches, pièces denticulées ainsi que 3 triangles et une pointe azilienne. Pour une part cet outillage est Mésolithique, car dans ce support inconsistant qu'est le sable des objets plus tardifs étaient aussi présents.

Cette répartition semble bien indiquer l'existence de deux aires culturelles : au sud, l'Epipaléolithique de Sorde et de Montaut ; au nord-ouest, le Méso-lithique prolongement sur le littoral landais de celui de la côte girondine. Entre les deux s'étend encore le vide correspondant à la région du sable des Landes mais aussi à l'absence de prospection systématique (fig. 1).

Bibliographie

[1] ARAMBOUROU R. (1968). — Les recherches de Préhistoire dans les Landes (c. r. annuel des travaux depuis 1967). *Bulletin de la société de Borda,* Dax.

[2] BREUIL H. et DUBALEN P.-E. (1901). — Fouilles d'un abri à Sordes en 1900. *Revue de l'école d'anthropologie de Paris,* onzième année, VIII, août.

[3] DELPECH F. (1968). — Faunes du Magdalénien VI et de l'Azilien du gisement de Duruthy, com-mune de Sorde-l'Abbaye (Landes). *Actes de la société linnéenne de Bordeaux,* t. 105, série B, n° 6.

[4] LARTET et CHAPLAIN-DUPARC H. (1874). — Sur une sépulture des anciens troglodytes des Pyré-nées superposée à un foyer contenant des débris humains asosciés à des dents sculptées de lion et d'ours. *Matériaux pour l'histoire primitive et naturelle de l'Homme,* X° année, t. V.

[5] SMITH Ph. (1966). — Le solutréen en France. *Publications de l'Institut de Préhistoire de Bor-deaux,* n° 5, p. 324.

Les civilisations de l'Epipaléolithique et du Mésolithique dans le Sud-Ouest (Gironde)

par

Michel Lenoir *

Résumé. Tandis que l'Azilien semble représenté dans l'état actuel des connaissances, dans plusieurs abris sous roche situés à l'Est de la Garonne et par quelques gisements de plein air en bordure de l'Océan, le Mésolithique essentiellement représenté par du Sauveterrien n'est connu que dans trois abris sous roche de l'Entre-deux-Mers, tandis qu'à l'Ouest de la Garonne plusieurs stations de plein air ont livré des éléments mésolithiques mélangés à du Néolithique.

Abstract. Although the Azilian seems well represented in several rock-shelters situated east of the Garonne and in several open-air sites on the coast, the Mesolithic, which is essentially represented by the Sauveterrian, is known only in three rock-shelters in the Entre-deux-Mers region.
West of the Garonne, several open-air sites, have yielded Mesolithic elements mixed with Neolithic material.

Assez mal connues en Gironde, les industries postglaciaires antérieures au Néolithique paraissent plus abondantes dans le secteur compris entre le littoral atlantique et la vallée de la Garonne qu'à l'Est de ce fleuve.

Epipaléolithique.

Représenté par l'Azilien dont la présence a été mise en évidence dans le gisement du Truc de Bourdiou à Mios (B. Peyneau, 1926) et dans la station de Lachanau à Hourtin (J. Larroque et J.-Ph. Rigaud, 1967), il est connu également dans plusieurs autres stations de plein air situées en bordure du littoral et qui ont livré de l'Azilien mélangé à des industries plus tardives (F. Daleau, 1878 et 1879).

Dans la partie du département située à l'Est de la Garonne, l'Azilien peut surmonter le Magdalénien final dans les gisements suivants : abri de la Pique à Daignac (J. Ferrier, 1938), Grotte de Fontarnaud à Lugasson (J. Ferrier, 1938), abri Faustin à Cessac (M. Lenoir et S. Terraza, 1971), Grotte du Roc à Saint-Sulpice-de-Guilleragues (M. Lenoir, 1971).

Mésolithique.

Plusieurs stations mésolithiques ont été signalées sur le littoral médocain (F. Daleau, 1878, M. Dulignon-Desgranges, 1876 et 1884, J. Ferrier 1936 et 1938, B. Quatrehomme, 1965), mais le matériel qu'elles ont livré est mélangé à du Néolithique. Il peut y avoir eu du Mésolithique dans la falaise du Gurp à Soulac (J. Ferrier, 1938) ; plus à l'intérieur de la zone médocaine, la station de Saint-Laurent-Médoc appartiendrait au Sauveterrien (J. Ferrier, 1938, C. Barrière, 1956) il en est de même de celle du Camp de Souges (J. Ferrier, 1938).

Parmi les industries découvertes dans le gisement du Gua-Mort à Villagrains, certaines peuvent correspondre à un faciès du Mésolithique dépourvu d'armatures et comportant essentiellement des pièces à encoches et des denticulés épais.

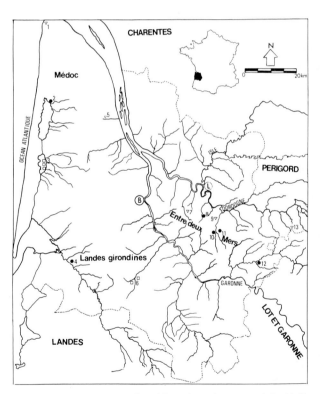

FIG. 1. — Carte de répartition des gisements épipaléolithiques et mésolithiques en Gironde.

1. Le Gurp; 2. Lachanau; 3. Stations de l'étang de Lacanau; 4. Truc du Bourdiou; 5. Saint-Laurent-Médoc; 6. Villagrains; 7. Pré Claquin; 8. La Pique; 9. Jacques; 10. Abri Faustin; 11. Fontarnaud; 12. Grotte du Roc; 13. La Rouquette. (• Azilien, ∇ Mésolithique).

* Institut du Quaternaire, Université de Bordeaux I, Laboratoire de Géologie du Quaternaire et de Préhistoire, associé au C.N.R.S., n° 133, 33405 Talence (France).

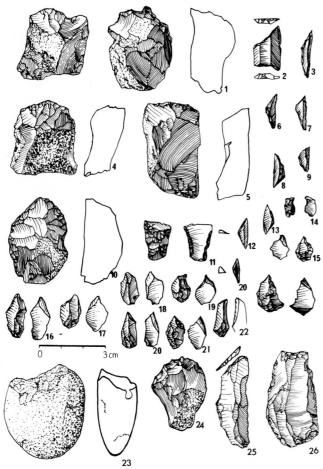

FIG. 2. — Gisement de Jacques, commune de Naujan et
Postiac, (Gironde), Mésolithique, outillage lithique.

A l'est de la Garonne, nous ne connaissons actuellement que trois gisements sous abri appartenant au
Mésolithique : Pré-Claquin à Saint-Germain-du-Puch
(fouilles H. Péquart), La Rouquette à Margueron
(sondage R. Deffarges), Jacques à Naujan et Postiac
récemment découvert par D. Dupuy et S. Terraza.

Le Mésolithique semble donc d'après les données
actuelles représenté par des gisements sauveterriens,
mais il demeure encore très mal connu en Gironde,
faute de gisements présentant une bonne stratigraphie.

Bibliographie

[1] BARRIÈRE C. (1956). — *Les civilisations tardenoisiennes en Europe occidentale.* Ed. Bière, 415 p.,
135 fig., 6 cartes.

[2] DALEAU F. (1878). — Notice sur les stations préhistoriques de l'étang de Lacanau. *Congrès international des sciences anthropologiques,* Paris,
1878, 4 p.

[3] DALEAU F. (1879). — Les stations préhistoriques
des étangs d'Hourtin et de Lacanau (Gironde).
*Association française pour l'avancement des
sciences,* Montpellier, 1879, p. 807-813.

[4] DULIGNON-DESGRANGES M. (1876). — Stations
préhistoriques du Bas-Médoc. *Bulletin de la société archéologique de Bordeaux,* t. III, p. 143-
150.

[5] DULIGNON-DESGRANGES M. (1884). — L'âge des
silex du littoral de l'océan. *Bulletin de la société
d'Anthropologie de Bordeaux et du Sud-Ouest,*
t. 1.

[6] FERRIER J. (1936). — Le Sauveterrien en Gironde.
Bulletin de la société préhistorique française,
t. 33, p. 515-520, 3 fig.

[7] FERRIER J. (1938). — La Préhistoire en Gironde.
Le Mans, Monnoyer, 1938, 336 p., 31 fig., 85 pl.

[8] FERRIER J. (1946 a). — Stations aziliennes de la
Gironde. *Association française pour l'avancement
des sciences,* Nice, 1946.

[9] FERRIER J. (1946 b). — Le premier harpon azilien
en Gironde. *Association française pour l'avancement des sciences,* Nice, 1946.

[10] LARROQUE J. et RIGAUD J.-P . (1967). — Les
industries lithiques du littoral du Médoc. *Actes
de la société linnéenne de Bordeaux,* t. 105, n° 5,
6 p. 4 fig.

[11] LENOIR M. (1970). — Recherches sédimentologiques concernant quelques gisements magdaléniens de Guyenne occidentale. Thèse 3e cycle,
Bordeaux, 1970, 129 p., 144 pl.

[12] LENOIR M. et TERRAZA S. (1971). — Le Magdalénien supérieur de l'Abri Faustin, commune de
Cessac (Gironde). *Bulletin de la société préhistorique française,* t. 68, 1971. Etudes et travaux,
fasc. 1, p. 311-327, 8 fig., 3 tableaux.

[13] PEYNEAU B. (1926). — *Découvertes archéologiques
dans le pays de Buch,* t. 1, Féret, Bordeaux,
1926, p. 13-20.

[14] QUATREHOMME F. (1966). — Les gisements néolithiques d'influence tardenoisienne du Médoc.
Bulletin de la société préhistorique française,
t. 63, n° 8, p. 267-274, 4 fig.

Les civilisations de l'Epipaléolithique en Périgord

par

Guy CÉLÉRIER *

Résumé. En Périgord deux sites ont donné des résultats concernant les cultures aziliennes. Du point de vue climatique la fin de la période würmienne est un moment d'instabilité. La faune est caractéristique d'un environnement forestier, doux et humide. L'industrie, pauvre en catégories typologiques est surtout composée par des grattoirs courts sur lame cassée et par un très important pourcentage de pointes aziliennes polymorphes.

Abstract. In the Périgord, two sites have given information concerning the Azilian cultures. The end of the Würm was characterized by climatic instability. The fauna is typical of a mild and humid forest environment. The industry, which is poor in tool types, is mainly composed of short *grattoirs* on broken blades and of a high percentage of polymorphic Azilian points.

Sous ce titre, qui sera interprété restrictivement, il ne sera traité que des cultures aziliennes. Des données récentes et contradictoires ne permettent pas de supposer que tous les niveaux aziliens soient holocènes, mais, bien que succédant presque partout à des occupations du Magdalénien final, ils appartiennent véritablement pour la plupart au Tardiglaciaire.

La répartition des sites aziliens recouvre très précisément ceux du Magdalénien supérieur et final avec cependant une occupation plus dense ou mieux connue dans la valée de la Vézère [8] (1).

Pour ne considérer que des fouilles récentes et qui ont apporté des données scientifiques pertinentes, il ne sera tenu compte que de deux sites. L'un situé dans le bassin de la Vézère : ce sera « La Faurélie II », l'autre dans la vallée de la Dronne « Le Pont d'Ambon ».

La Faurélie II.

Le gisement sous abri de La Faurélie II (commune de Mauzens Miremont), à quelque 10 km au Nord-Ouest des Eyzies, en rive gauche du Manaurie, fut découvert en 1958 par M. Lhommond, sondé par D. de Sonneville-Bordes, F. Bordes et M. Delthel, puis fouillé par J. Tixier de 1964 à 1972 [1].

Stratigraphie.

La partie connue peut se schématiser ainsi : *sables récents, couches grises peu chargées en éboulis, couches jaunes chargées en éboulis, énorme effondrement* dont la base n'est pas connue. Voici le détail des couches supérieures, en tenant compte de l'étude sédimentologique de H. Laville [5] (fig. 1, en bas) :

Couche 1. — Formation récente, transportée dans l'abri pour des travaux de construction. Sable argileux rouge-jaune (E. 58). Postérieur au XVIe siècle.

Couche 2. — Sédiment sablo-limoneux à sablo-limono-argileux, brun foncé (J. 32), à nombreux granules et graviers calcaires et rares éboulis émoussés. *Azilien.*

Couche 3. — Poche de cryoturbation, à éléments hétérogènes, roulés et altérés. N'existe que dans la partie ouest de la zone fouillée. Silex rares, à pseudo-retouches.

Couche 4. — Formation relativement homogène, mais le sommet est caractérisé par une assez forte proportion d'éboulis de faible diamètre et émoussés, associés à de très nombreux granules et graviers calcaires plus anguleux. Le contexte est un sable limono-argileux, de couleur brun-gris très foncé (J. 41). La base s'individualise par la disparition des granules et des graviers au profit d'éboulis plus nombreux, plus volumineux et plus anguleux. On y remarque néanmoins des lentilles et graviers émoussés, associés à un sable limono-argileux brun foncé (J. 32). *Magdalénien VI.*

Couche 5. — Comprenant jusqu'à 15 couches archéologiques, elle est extrêmement variable dans le détail d'un endroit du site à l'autre, de couleur brun-jaune (E. 64). La base s'enrichit en éboulis calcaires plus volumineux, souvent en plaquettes. Vers l'est seulement le sommet est presque exclusivement composé de sable argilo-limoneux. *Magdalénien supérieur (V ?).*

Couche 6. — Eboulis moyen au sommet, volumineux à la base (D. 64). *Stérile.*

Donc, à l'endroit où n'existe pas la couche 3, l'Azilien repose directement sur le Magdalénien VI. A la fouille il est extrêmement difficile, parfois même impossible, de suivre la limite des deux couches très exactement.

L'interprétation climatique de H. Laville est la suivante : « La texture plus argileuse du sédiment à l'extrême sommet de la couche 4, le déficit en matériel carbonaté au même niveau, ainsi que la sédimentation locale de produits allochtones par solifluxion

---

(1) Les chiffres placés entre crochets renvoient aux numéros correspondants de la bibliographie placée à la fin.

* 6, rue du Calvaire, 24000 Périgueux (France).

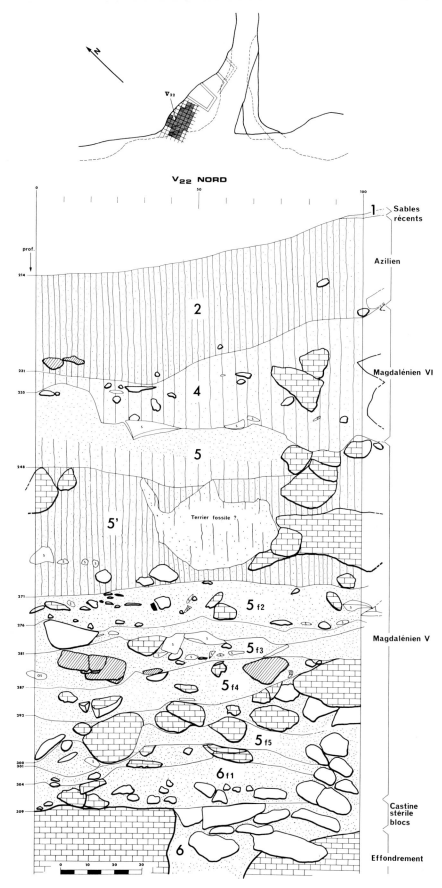

FIG. 1. — La Faurélie II (Dordogne).

En haut : plan de l'abri et carroyage. En tireté, les surplombs. La partie hachurée du carroyage représente les carrés en cours de fouille.

En bas : stratigraphie dans la coupe nord du carré V 22. Les éboulis hachurés sont brûlés. Les silex sont marqués « S ».

sont significatifs » ... « d'une élévation de la tempé-rature et d'une augmentation de l'humidité. C'est à l'optimum climatique de l'épisode correspondant que l'on peut attribuer l'édification de la couche 2 » [5]. Il s'agit donc bien d'une séquence qui se situe dans la décrue du Würm IV.

Industrie lithique de la couche azilienne.

Abondante, dominée de très loin par l'abondance des « pointes » aziliennes (de formes variées et à base diversement aménagée) et les grattoirs courts (parfois nettement unguiformes) elle ne comporte que peu de lamelles à dos, de denticulés et de burins, de très rares triangles courts et microburins.

Il est remarquable de constater que tous ces élé-ments existent dès la base de la couche 4 qui contient du Magdalénien VI, pointes aziliennes et grattoirs courts n'étant absents d'aucune partie ni d'aucune subdivision de cette couche.

Une des caractéristiques les plus originales de cet outillage azilien est de posséder plusieurs dizaines de microburins Krukowski, au moins par pointe azilien-ne ! *Le Magdalénien VI de La Faurélie II contient en puissance tout l'outillage azilien,* y compris les triangles. Nous avons bien alors, dans cette couche azilienne une industrie *épipaléolithique*. L'Epipaléo-lithique azilien de La Faurélie II est bien un épigone du Magdalénien.

Faune.

Abondante, elle est caractérisée par une proportion écrasante de lapin, une grande rareté du renne et la présence du cerf, du castor et du renard.

Industrie osseuse, parure.

La parure est très rare : un cardium percé par un « trait » sur la charnière, une rondelle en os. Quel-ques poinçons fragmentaires sont les seuls témoins du travail de l'os ou du bois d'animal.

« Le Pont d'Ambon ».

Situé sur les bords de la Dronne dans la commune de Bourdeilles, à une centaine de mètres en amont de la grotte de Rochereil [4] c'est un modeste abri sous roche creusé aux dépens des assises coniacien-nes. Une grande part de son intérêt archéologique provient de l'important remplissage azilien (1 mètre environ) qui surmonte des niveaux de Magdalénien VI (couche 6) et de Magdalénien final (couche 4 et 3 b). Ce dernier, dont l'industrie lithique est déjà considérablement chargée d'éléments aziliens, semble assurer la « charnière » entre deux cultures. Les principaux éléments d'analyse qui vont être décrits permettent une première synthèse paléoclimatique dans cette province pour ce qui concerne l'Azilien.

La description se fait du bas vers le haut :
Sus-jacentes aux couches 4 et 3 b :

Couche 3 a. — C'est la première grande occupa-tion azilienne du site (fig. 2). Vers l'arrière de l'abri le sédiment est franchement sableux, sans éboulis et de couleur brun rouge foncé. A l'extérieur du sur-plomb cette couche se charge en éboulis moyens et en plaquettes dans un sédiment plus argileux. Elle a pu être subdivisée grâce à la présence de deux foyers assez bien individualisés : 3 a sup. et 3 a inf.

La flore y est surtout caractérisée par un important taux de boisement : 53 % avec de nombreux élé-ments forestiers thermophiles : Noisetier, Aulne, Chêne, Orme, Tilleul et en moins grand nombre : Pin sylvestre, Saule, Frêne, Erable. La flore herbacée est dominée par les Graminées et les éléments Hygro-philes avec quelques Ericales, Rosacées ainsi que de nombreuses spores de Fougères de sous-bois. Il s'agit là d'une flore de forêt tempérée, indiquant, par rap-port aux couches 4 et 3 b un adoucissement du cli-mat bien marqué et une assez forte humidité.

La faune correspond bien aux éléments climatiques fournis par l'analyse pollinique. Parmi les herbivores le Cerf est l'animal dominant : 82 %, l'accompagnent le Chevreuil, un Bovidé, le Cheval et le Sanglier. Mais ce sont le Lapin et le Poisson qui forment l'essentiel des restes osseux avec une écrasante majo-rité. L'étude des associations de Rongeurs semble bien confirmer la tendance climatique déjà obser-vée [3].

Une première mesure d'âge par [14]C a apporté la date suivante : Gif — 2 570 - 9 830 ± 130 ans, soit 7 880 avant J.-C.

Couche 3. — Elle est surtout caractérisée par la présence de très nombreux blocs et dalles de grandes dimensions entre et sous lesquels se place un épais niveau archéologique qu'il ne paraît pas possible pour le moment de subdiviser plus finement. Cette couche qui est épaisse de 25 cm environ vers le fond de l'abri devient beaucoup plus importante dans la zone médiane par suite de la plus grande abondance de blocs. Un peu en avant de l'aplomb du toit actuel de l'abri cette couche devient un véritable chaos de dalles. Leur présence semble avoir entraîné un pen-dage négatif des dépôts sus-jacents vers le fond et vers l'avant de l'abri. Vers le fond, entre les blocs, existe seulement un sédiment argilo-limono-sableux, plastique, brun gris très foncé. A l'extérieur entre les blocs, on trouve de nombreux éboulis moyens et petits dans un sédiment intersticiel de texture globale argileuse de couleur brun foncé.

La flore de cette couche se caractérise par un fort recul forestier, le taux de boisement n'est plus que de 19 %. La flore arbustive se compose surtout de Pin sylvestre, Bouleau, Noisetier, quelques Aulnes, Saules, Chêne et Orme. La flore herbacée est domi-née par les Graminées, les héliophiles sont moins nombreuses et on trouve sporadiquement Artémisia, Plantago, Ombellifères, Cypéracées. Cette flore évo-que un stade de pelouse peu boisée indiquant un net refroidissement et une forte régression de l'humidité.

La faune ne reflète pas cette aggravation clima-tique. Elle reste très sensiblement comparable à celle de la couche 3 a avec le Cerf toujours important (79 %), moins de Chevreuil mais plus nombreux sont les Bovidés, le Cheval et le Sanglier. Les restes de Lapin et de Poisson forment l'ensemble le plus largement majoritaire. Le groupe des Rongeurs ne

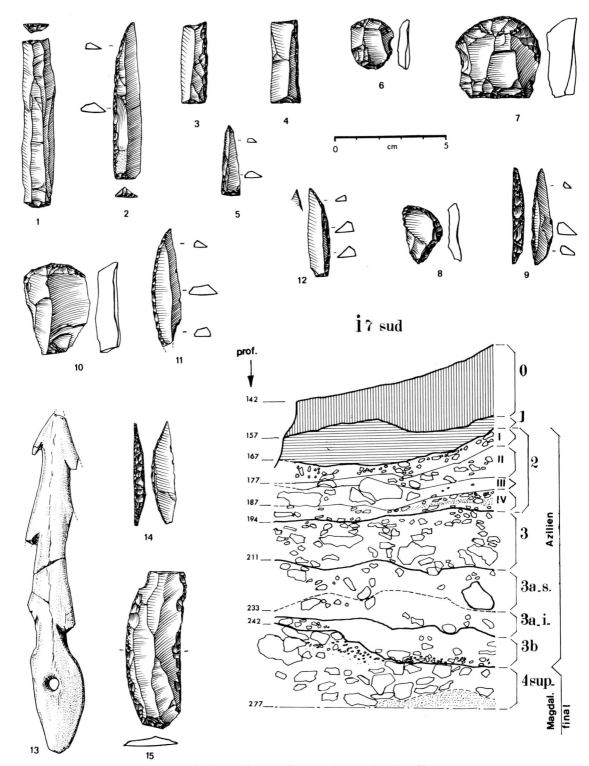

FIG. 2. — Le Pont d'Ambon (Dordogne). — Industrie azilienne :
1 à 7. Couche 2; 8, 9 et 13. Couche 3; 10 à 12. Couche 3 a; 14 et 15. couche 4 sup. Coupe longitudinale en I 7 pour y = 0,70 m

différe pas dans ses proportions de celui de la couche 3 a.

On obtient pour ce niveau une mesure d'âge tout à fait comparable à la couche 3 a : GIF - 3 368 : 10 350 ± 190 ans soit 8 400 ans avant J.-C.

Couche 2. — Constituée par la superposition de quatre niveaux qui évoluent dans leur texture, leur

structure, leur couleur du Sud vers le Nord. Tous ces niveaux sont essentiellement formés d'éboulis en plaquettes avec quelques polyèdres à angles vifs associés à des granules et des graviers calcaires dans un contexte sablo-limono-argileux de couleur brun gris très foncé à brun rouge foncé. L'abondance ou la rareté des éboulis et graviers calcaires caractérisant chacun de ces niveaux exception faite pour le niveau 2 - IV qui contient de très nombreux graviers de quartz dans un sable grossier, la base en est soulignée par un mince épandage d'ocre rouge.

L'analyse de la flore montre une très importante progression du taux de boisement qui atteint de 50 à 53 %. La flore arbustive est caractérisée par de nombreux feuillus tempérés : Chêne, Orme, Tilleul, Noisetier, Aulne, Erable, Frêne, en évolution continue. Toutefois il faut noter des fluctuations dans la courbe des feuillus qui marquent de légères et courtes phases climatiques un peu moins favorables. La flore herbacée est dominée par les Graminées, des Cypéracées, des Typhacées et de nombreuses spores de Fougères tempérées.

La faune évolue à ces niveaux d'une manière assez différente. L'examen des associations d'herbivores montre une très nette diminution des restes de Cerf (37 %) et une plus grande proportion de Bovinés (33 %) et de Cheval. Ces éléments pourraient signifier un stade climatique un peu plus frais. Au contraire les associations de rongeurs sembleraient indiquer un climat plus doux.

Couches 0 et 1. — Ce sont des couches remaniées récentes.

Paléoclimats et chronologie.

A la lumière des premiers éléments apportés par les études sédimentologiques et paléobotaniques ainsi que par les mesures d'âge du radiocarbone, il semble possible, à titre d'hypothèse, d'intégrer dans le cadre du Tardiglaciaire les niveaux aziliens de « Pont d'Ambon » suivant le schéma :

Couche 3 a. — Tempérée et humide représenterait l'oscillation d'Alleröd.

Couche 3. — Marquée par un retour du froid et de la sécheresse mais nettement moins cependant que l'épisode contemporain du sommet de la couche 4 et de la couche 3 b. Elle devrait représenter le Dryas récent. L'absence des steppiques et la très forte réduction des Artémisias semblent caractéristiques à cet égard.

Couche 2. — Caractérisée par une amélioration thermique continue elle représente, sans doute, le début de l'Holocène. Le développement des feuillus thermophiles est bien typique dans différentes zones du Sud-Ouest.

Les études récentes des associations fauniques semblent toutefois en contradiction avec ce schéma [3]. La faune, sans aucun reste de Renne, indiquerait un climat tempéré et humide et conduirait à déterminer l'ensemble des dépôts aziliens comme post-glaciaires.

Industrie lithique.

Comparable par de nombreux détails à celle de « La Faurélie II », elle est caractérisée par la pauvreté en catégories typologiques mais surtout par une inflation des pointes aziliennes particulièrement polymorphes. Les grattoirs en pourcentage moyen sont dominés par les grattoirs sur éclat (fig. 2, nos 6, 8, 10). Les grattoirs simples en bout sont dans leur

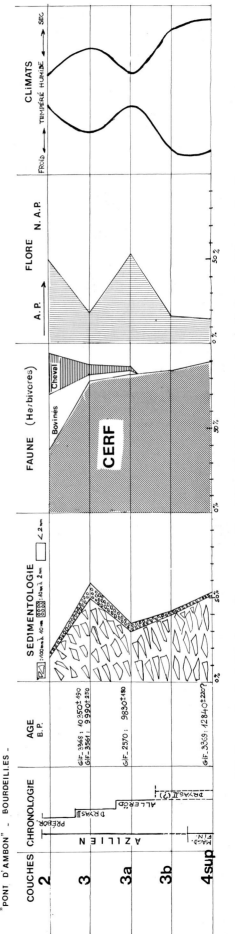

FIG. 3. — « Le Pont d'Ambon » Commune de Bourdeilles (Dordogne). Tableau de corrélation des éléments climatiques

grande majorité sur lame cassée très courte. Le nombre des burins reste peu important et leur fabrication fruste. Les éléments tronqués sont abondants dans la couche 2, mais sous cette dénomination ont été rangés des rectangles de grande dimension (fig. 2, nᵒˢ 3 et 4). Ils sont associés dans ce site et pour ce niveau exclusivement à des pointes de Malaurie (pointes à dos, arquées, présentant à la base une troncature normale, cf. fig. 2, nᵒˢ 2 et 5). Les lames à retouches continues apparaissent en plus grand nombre et plus caractéristiques dans les niveaux de Magdalénien final (fig. 2, nᵒ 15). Les pointes aziliennes très abondantes dans tous les niveaux sont souvent fragmentaires et présentent des cassures en microburin K. Ces pointes sont de morphologie très variée, chaque niveau peut être caractérisé par leur forme particulière.

La rareté des lamelles à dos et des géométriques paraît bien être un caractère général lié à ces industries.

Industrie osseuse.

Elle est très rare, essentiellement représentée par un harpon plat en os, à double rangée de barbelures et au renflement basilaire percé d'un trou circulaire (fig. 2, nᵒ 13), ainsi que par des poinçons en os confectionnés aux dépens de stylets de cheval. Les pièces de parure restent également rares : canines de cerf, coquilles fossiles des faluns percées.

Bibliographie

[1] BORDES F. et coll. — Informations archéologiques. In : *Gallia-Préhistoire,* t. 2, 1959; t. 4, 1961; t. 9, 1966. t. 11, 1968; t. 13, 1970; t. 15, 1972.

[2] BORDES F. et coll. (1969). — Livret-guide de l'excursion A5 (Landes, Périgord) du VIIIᵉ congrès INQUA, Paris.

[3] DELPECH F. (1975). — Les faunes du Paléolithique supérieur dans le Sud-Ouest de la France. Thèse de Doctorat d'Etat ès-Sciences Naturelles. Bordeaux, nᵒ 479.

[4] JUDES Dr P.E. (1960). — La grotte de Rochereil, station Magdalénienne et Azilienne. Paris, Masson *Archives de l'I.P.H.,* Mémoire 30.

[5] LAVILLE H. — Climatologie et Chronologie du Paléolithique en Périgord : étude sédimentologique de dépôts en grotte et sous-abri. Thèse de Doctorat d'Etat ès-Sciences Naturelles. Bordeaux, nᵒ 400.

[6] PEYRONY D. (1936). — L'Abri Villepin. *Bulletin de la Société Préhistorique Française,* p. 253-272.

[7] PATTE E. — L'Homme et la Femme de l'Azilien de Saint-Rabier (fouilles Cheynier). *Mémoires du Muséum National d'Histoire Naturelle,* série C; *Sciences de la Terre,* t. XIX, fasc. 1.

[8] SONNEVILLE-BORDES D. (1960). — Le Paléolithique supérieur en Périgord. Bordeaux, Delmas, 2 t.

[9] TIXIER J. (1974). — Microburins du Magdalénien V à la Faurélie II (Dordogne). *L'Anthropologie,* t. 78, p. 189-195.

Les civilisations du Mésolithique en Périgord (Sauveterrien et Tardenoisien)

par

Marie-Claire Cauvin *

Résumé. Le Périgord connait au Préboréal une industrie sauveterrienne avec pointes de Sauveterre, triangles scalènes et quelques pointes du Tardenois. Elle est relayée au Boréal par une industrie « tardenoisienne » à trapèzes dissymétriques. Sur certains sites du Périgord, ce fond tardenoisien parait persister très longtemps, jusqu'au Chalcolithique, en s'enrichissant progressivement de fossiles plus récents, comme flèches tranchantes « Tardenoisien II » ou même des flèches perçantes à retouches couvrantes « Tardenoisien III ». Il coexisterait avec des cultures sans microlithes plus franchement néolithisées.

Abstract. During the Preboreal in the Perigord, there was a Sauveterrian industry with Sauveterrian points, scalene triangles, and several Tardenoisian points. This industry is connected with the Boreal by a "Tardenoisian" industry with dissymetric triangles. On certain Perigordian sites, this Tardenoisian vestige seems to persist for a very long time up to the Chalcolithic and becomes progressively enriched by more recent elements such as cutting projectile points ("Tardenoisian II") or even piercing projectile points whose surfaces are characterized by an encompassing retouch ("Tardenoisian III"). It coexisted with the non-microlithic and more clearly Neolithic influenced cultures.

C'est un site du Périgord, l'abri du Martinet à Sauveterre-la-Lémance (L. Coulonges, 1935) qui a donné, on le sait, son nom au Sauveterrien. Cette industrie y succède au Magdalénien supérieur après une phase d'abandon de l'abri, occupé alors par un éboulis stérile ; elle correspond à la première phase franchement tempérée du Postglaciaire marquée par un réchauffement du climat qui interrompt toute activité de gel et une humidité croissante qui accentue la sédimentation par ruissellement (J.-M. Le Tensorer, 1973-74). L'abondance des escargots (Hélix) recueillis au Martinet (et également au Roc Allan) dans les « couches noires » du Sauveterrien confirment ce réchauffement.

A Rouffignac (C. Barrière, s.d.) les datations par C 14 fixent de 7 200 à 6 420 B.C. environ la durée de l'occupation sauveterienne ce qui correspond au Préboréal (1). On a trouvé également des niveaux sauveterriens à la Borie del Rey, au Roc Allan, à Coulaures, au Roc du Barbeau et au Peyrat (M.-C. Cauvin, 1971).

Les caractères généraux du Sauveterrien du Périgord, industrie essentiellement lamellaire avec microburins, dont il est difficile dans l'état actuel des publications de suivre l'évolution et la diversité probable des faciès locaux, sont la présence quasi générale de pointes de Sauveterre à simple ou double pointe, de triangles isocèles qui n'existent à Rouffignac que dans les niveaux inférieurs (C 5 b à C 4 c) et de triangles scalènes avec le petit côté fréquemment concave (Rouffignac, le Martinet). Il y a aussi quelques segments (Le Martinet, le Roc du Barbeau, le Peyrat) et des pointes à base transversale dont une version effilée dite « pointe de Rouffignac » (G.E. R.M., 1972) ne paraît se rencontrer en Périgord que sur ce site tandis que de véritables pointes du Tardenois à base rectiligne ou concave sont signalées sur plusieurs gisements (Borie del Rey, Coulaures).

Des industries « tardenoisiennes » (dites aussi « tardenoïdes » pour les distinguer du Tardenoisien éponyme d'Ile-de-France) se surimposent directement aux niveaux sauveterriens tant au Martinet qu'à Rouffignac (couches C 3, C 2).

Au Martinet, ce « Tardenoisien I » correspond selon l'étude sédimentologique de Le Tensorer à un retour à des conditions climatiques assez froides et moins humides. Cet assèchement caractérise, on le sait, le Boréal, ce que confirme la datation de Rouffignac pour le Tardenoisien I (Gro 2 889, 5 850 ± 50 B.C.).

Techniquement cette phase est marquée, à la différence du Sauveterrien, par un débitage laminaire plutôt que lamellaire : la plupart des microlithes sont, en fait, taillés sur lames selon la technique du micro-

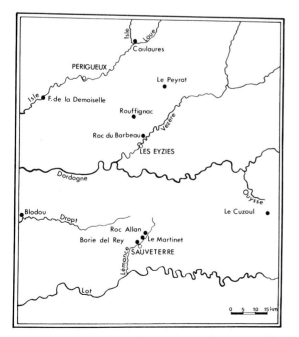

FIG. 1. — Les sites sauveterriens et tardenoisiens du Périgord.

(1) De même un niveau de la grotte de Fieux à Miers (Lot), à industrie attribuée au Sauveterrien a été daté de 7 500 ± 150. *Gallia Préhistoire*, n° 2, 1971, p. 408.

---

* Centre de recherches d'Ecologie Humaine et de Préhistoire, 07460 Saint-André-de-Cruzières (France).

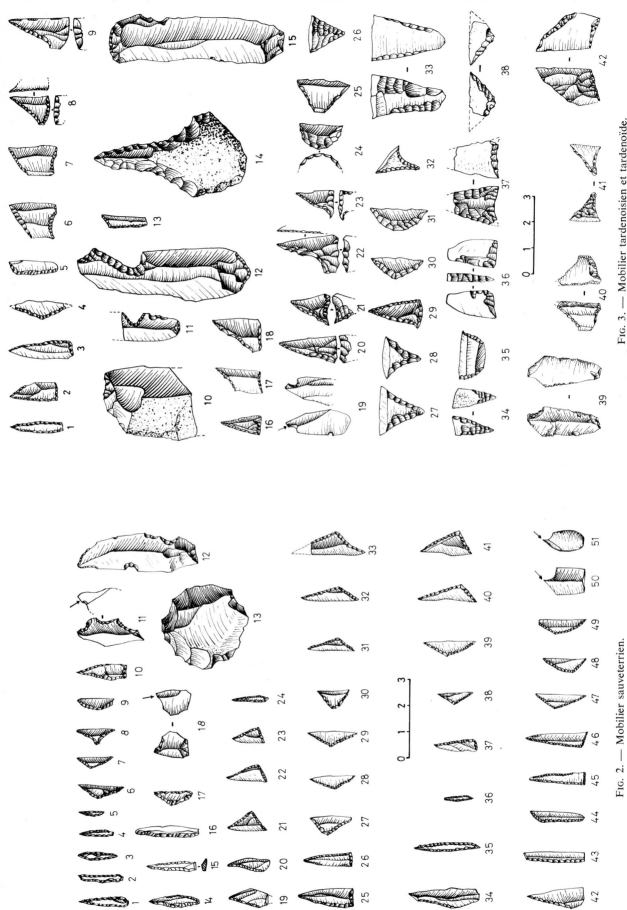

Fig. 3. — Mobilier tardenoisien et tardenoïde.

1-15. Rouffignac (C3) d'après Barrière; 16-33. Le Martinet d'après Coulonges : 16-18.
Tardenoisien I; 19-26. Tardenoisien II; 27-33. Tardenoisien III; 34-38. Blodou, d'après
M.-C. Cauvin; 39-42. Fontaine de la Demoiselle, d'après J. Roussot-Larroque.

Fig. 2. — Mobilier sauveterrien.

1-13. Le Martinet, d'après Coulonges; 14-18. Terrasse de la Borie del Rey, d'après
M.-C. Cauvin; 19-41. Rouffignac, 5 b (19-24), 5 a (25-23), 4 c (34-41) d'après G.E.E.M.;
45-51. Le Roc Allan d'après Coulonges. Grandeur nature.

burin ; des lames à encoches ou denticulées les accompagnent ainsi que des grattoirs sur lames, sur éclats ou nucléiformes. Si quelques triangles scalènes et des pointes de Sauveterre peuvent encore persister à Rouffignac C 3 comme, à proximité du Périgord, au Cuzoul II-III (R. Lacam et al., 1944), la nouveauté principale consiste dans les trapèzes presque tous asymétriques, où dominent des trapèzes rectangles, en général assez courts et où apparaissent aussi quelques trapèzes du Martinet (G.E.E.M., 1969). Il y a aussi quelques pointes symétriques à base transversale et bords rectilignes qui ne sont pas des vraies pointes du Tardenois, et des pointes à troncature oblique.

Le « Tardenoisien II » se surimpose au précédent au Martinet comme au Cuzoul IV-V. Il y a alors multiplication des trapèzes du Martinet et apparition en Périgord des pointes triangulaires courtes à retouches plates envahissantes partant d'un seul bord et de la base, souvent décrites sous le nom de pointes de Sonchamp. On voit en outre les premières flèches tranchantes à retouches envahissantes directes et abruptes inverses, dites flèches de Montclus, symétriques ou à tranchant oblique. Il en est de même à Rouffignac C 2 où existe une date C 14 (Grn 5 512, 4 450 ± 40 B.C.).

Enfin, toujours au Martinet, le « Tardenoisien III » ajoute au précédent assemblage qui persiste des pointes triangulaires à base concave et retouches à présent entièrement couvrantes, directes ou bifaces, et même une flèche à pédoncule et ailerons. C'est semble-t-il l'époque où dans le Lot voisin, le Tardenoisien du Cuzoul intègre lui-même des flèches bifaces foliacées (Cuzoul VI) et des flèches à pédoncule et ailerons (Cuzoul VII). Le Tardenoisien III se retrouve à Blodou (M.-C. Cauvin, 1971, p. 59), sur la terrasse de la Borie del Rey et au Peyrat. La typologie récente des flèches, la présence d'une stèle aniconique dans le Tardenoisien III du Martinet et celle de fragments de céramique (souvent à fonds plats) associés dans divers gisements (Blodou, Borie del Rey) avaient déjà conduit plusieurs auteurs (1) à proposer une datation très basse pour la fin de la séquence « tardenoisienne » en Périgord, c'est-à-dire le Chalcolithique. La récente découverte par J. Roussot-Larroque (1973), à la Fontaine de la Demoiselle dans la vallée de l'Isle, d'une industrie microlithique avec microburins, trapèzes du Martinet et flèches de Montclus associée à de la céramique d'Artenac au début du Chalcolithique (vers 2 300 B.C. selon le ^{14}C) confirme définitivement cette vue.

Mais cette industrie se surimpose sur ce même gisement à d'autres niveaux du Néolithique récent qui, eux, n'ont pas de microlithes. Il n'en est pas de même au Martinet où une réelle continuité se manifeste par le progressif enrichissement par des types d'armatures nouvelles d'un fond tardenoisien persistant. On doit donc tenir compte pour le Périgord de ces deux évidences apparemment contradictoires, c'est-à-dire admettre, non plus l'image longtemps retenue d'un Périgord conservant des outillages et un « mode de vie mésolithique » jusqu'au plein Chalcolithique mais la coexistence probable, dès le Néolithique

_____
(1) Voir notamment Escalon, 1973, M.-C. Cauvin, 1971).

récent au moins, de groupes à économies diversement orientées : parmi eux les « Tardenoisiens évolués » n'ignoraient pas pour autant la néolithisation, puisque du petit Bœuf, assurément domestique a été identifié à Rouffignac, C 2 (F. Delpech et C. Suire) dès le cinquième millénaire comme au Tardenoisien II-III du Cuzoul (R. Vaufrey, 1944). Simplement le mode d'insertion écologique de ces groupes n'a pas dû nécessiter un remaniement profond d'un outillage considéré comme suffisamment adaptatif.

Bibliographie

[1] BARRIÈRE C. (1962). — Le gisement de la grotte de Rouffignac (Dordogne). *Actes du 6ᵉ Congrès international des Sciences pré- et protohistoriques,* Rome, t. 2, p. 157-160, 4 pl.

[2] BARRIÈRE C. (s.d.). — Rouffignac. L'archéologie. *Mémoire de l'Institut d'art préhistorique,* t. 2, n° 2, 210 p., 34 pl. Université de Toulouse - Le Mirail.

[3] CAUVIN M.-C. (1971). — *Les industries post-glaciaires du Périgord,* Adrien Maisonneuve, Paris, 476 p., 225 fig.

[4] COULONGES L. (1935). — Les gisements préhistoriques de Sauveterre-la-Lémance (Lot-et-Garonne). *Archives de l'Institut de Paléontologie Humaine,* n° 14, 56 p., 24 fig., 6 pl., Masson, Paris.

[5] COULONGES L. (1963). — Magdalénien et Périgordien post-glaciaires : la grotte de La Borie del Rey (L.-et-G.). *Gallia-Préhistoire,* t. 6, 16 fig.

[6] DELPECH F. et SUIRE C. (s.d.). — La faune mésolithique et post-mésolithique du gisement de Rouffignac, in BARRIÈRE, ROUFFIGNAC, L'archéologie. *Mémoire de l'Institut d'art préhistorique,* t. 2, n° 2, p. 49-94.

[7] ESCALON DE FONTON M. (1973). — Le Mésolithique de 10 000 à 4 000 av. J.-C., in *La France de la Préhistoire,* Tallandier, Paris, p. 60-99, 63 fig. et tabl.

[8] GROUPE D'ETUDE DE L'EPIPALÉOLITHIQUE-MÉSOLITHIQUE (G.E.E.M.) (1969). — Epipaléolithique-Mésolithique. Les microlithes géométriques. *Bulletin de la Société préhistorique française,* t. 66, p. 355-366, 9 fig.

[9] GROUPE D'ETUDE DE L'EPIPALÉOLITHIQUE-MÉSOLITHIQUE (G.E.E.M.) (1972). — Epipaléolithique-Mésolithique. Les armatures non géométriques. *Bulletin de la Société préhistorique française,* t. 69, n° 1, p. 364-375, 8 fig., 1 tabl.

[10] LACAM R., NIEDERLENDER A. et VALLOIS H. (1944). — Le gisement mésolithique du Cuzoul de Gramat. *Archives de l'Institut de Paléontologie Humaine,* n° 21, 92 p., 44 fig., 5 tabl.. Masson, Paris.

[11] LE TENSORER J.-M. (1973-74). — Le gisement du Martinet à Sauveterre-la-Lémance (Lot-et-Garonne). Etude géologique et géochimique. *Bulletin de l'Association française pour l'étude du Quaternaire,* p. 215-237, 16 fig.

[12] ROUSSOT-LARROQUE J. (1973). — Les microlithes et la civilisation d'Artenac en Aquitaine. *Comptes Rendus des séances mensuelles,* n° 7, *Bulletin de la Société préhistorique française,* t. 70, p. 211-218.

[13] VAUFREY R. (1944). — Paléontologie, in LACAM R. et al., Le gisement mésolithique du Cuzoul de Gramat. *Archives de l'Institut de Paléontologie Humaine,* n° 21, p. 9-11.

Les civilisations de l'Epipaléolithique et du Mésolithique en Poitou-Charentes

par

Marie Perpère *

Résumé. L'Epipaléolithique et le Mésolithique en Poitou-Charentes sont représentés essentiellement par des stations de surface semblant pouvoir être rattachées à un faciès tardenoisien assez tardif. Dans la Vienne, cependant, une grotte a montré la présence de deux niveaux d'habitat aziliens, superposés à du Magdalénien final.

Abstract. Almost all the Epipaleolithic settlements in Poitou-Charentes are surface sites which may be attributed to a late Tardenoisian. Nevertheless, there is a cave in which two Azilian levels have been found overlying a late Magdalenian.

Pour les besoins de l'étude, nous avons inclus dans la région Poitou-Charentes les départements suivants : Charente, Charente-Maritime, Vendée, Deux-Sèvres, Vienne, Indre et les parties de la Loire-Atlantique, du Maine-et-Loire et de l'Indre-et-Loire situées au sud de la Loire. Il s'agit donc d'une assez vaste zone bornée au sud par le Périgord, à l'est par le Limousin et au nord par cette frontière naturelle que constitue la Loire.

I. Les gisements côtiers entre Loire et Charente.

Certains d'entre eux, notamment ceux des environs des Sables d'Olonne, sont connus depuis le début du siècle (1912) mais il faut attendre ces dix dernières années pour voir les recherches se développer et les publications paraître. En Loire-Atlantique, le Docteur Tessier a publié une série de gisements côtiers, entre la Pointe Saint Gildas et Pornic ; il s'agit, d'après l'auteur, d'ateliers tardenoisiens situés sur les éperons rocheux (M. Tessier, 1960). En 1965, 11 emplacements différents sont connus ; certains n'ont livré que 20 à 30 objets, d'autres sont plus importants : le Châtelet, commune de Préfailles, la Girardière, commune de Sainte-Marie ; le Docteur Tessier distingue alors des stations mésolithiques anciennes à grands éléments géométriques, des stations à éléments plus petits qu'il attribue à un post-Tardenoisien (M. Tessier, 1965). Récemment, de nouvelles stations ont encore été découvertes dans la même région (M. Tessier, in letteris, 1975) (1).

Plus au sud, en Vendée, R. Joussaume étudie une collection ramassée dans les champs à Coëx. A côté de pièces typiquement néolithiques, il remarque la présence de 324 objets pouvant appartenir au Tardenoisien final ; la ressemblance de cette industrie avec celle de la Girardière en Loire-Atlantique lui paraît frappante (R. Joussaume, 1969). C'est également une industrie très voisine que le même auteur découvre à la Pointe du Payré, commune de Jard-sur-Mer

toujours en Vendée (R. Joussaume, 1968). Les petites stations mésolithiques sont d'ailleurs nombreuses sur cette portion de côte, au sud des Sables d'Olonne : le Château-d'Olonne, Saint-Hilaire-de-Talmont, Saint-Benoist-sur-Mer, ont livré quelques pièces peu nombreuses mais qu'il convient d'attribuer au « Mésolithique » (R. Joussaume, 1971).

La parenté de ces stations de la côte atlantique est mise en relief par la définition de deux nouveaux types d'armatures épipaléolithiques (R. Joussaume et al., 1971) : les armatures à éperon sont dérivées des triangles mais se singularisent par une retouche non abrupte, un éperon et un piquant trièdre, la présence d'une retouche inverse et la forme générale de la pièce (bords tourmentés) ; les flèches du Châtelet, du nom de l'un des gisements de la Pointe Saint Gildas, sont définies comme des « armatures à tranchant transversal, pygmées, à retouches semi-abruptes bifaciales » (R. Joussaume et al., 1971, p. 13). Ces derniers outils étant connus dans le Cardial et le Chasséen du Midi, les auteurs en concluent qu'il peut s'agir d'un emprunt des chasseurs épipaléolithiques à leurs voisins et contemporains néolithiques (*ibid.*, p. 14). On aurait donc, sur cette côte atlantique un faciès épipaléolithique tardif contemporain des débuts d'un Néolithique, lui-même assez tardif, faciès dans lequel les armatures à éperon et les flèches du Châtelet tiendraient la place que tiennent ailleurs les trapèzes (*ibid.*, p. 18).

Le Docteur Rozoy a défini à partir des industries de cette région et en particulier des gisements de la Pointe Saint Gildas, une nouvelle « culture » épipaléolithique qu'il appelle le Retzien (J.G. Rozoy, 1974). L'Epipaléolithique de l'Ouest se développerait donc en donnant, dans un stade récent, le Téviécien au N et NW de la Loire et le Retzien au sud. Le Retzien est caractérisé par un taux d'armatures bas (20 à 25 %), comprenant pour 1/4 des armatures à éperon, 1/4 également de trapèzes, le reste étant fourni par les flèches du Châtelet, des scalènes et des pointes à troncature. Il y a des microburins, aussi

* Maître-assistant au Museum National d'Histoire Naturelle, Laboratoire de Préhistoire, Musée de l'Homme, Place du Trocadéro, 75016 Paris (France).

(1) Nous remercions bien vivement pour l'aide qu'ils nous ont apportée MM. Chaline, Gouletquer, Gruet, Joussaume, Lévêque, Rozoy, Tessier et Vandermeersh.

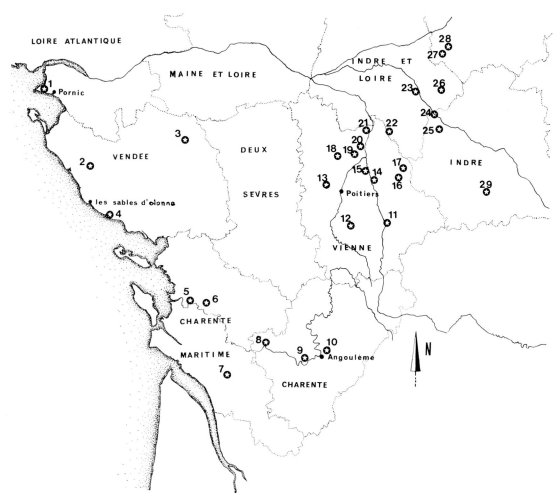

Fig. 1. — Gisements épipaléolithiques et mésolithiques de Poitou-Charentes.

1. La Pointe Saint-Gildas; 2. Coex; 3. Les Herbiers; 4. Jard-sur-Mer; 5. Le Cloux; 6. La Maison-Neuve; 7. Les Parpaillons; 8. Garde-Epée; 9. Saint-Genis-d'Hiersac; 10. Magnac; 11. Grotte du Bois-Ragot; 12. Champagné-Saint-Hilaire; 13. La Grande-Roche; 14. Bellefonds; 15. Le Gué-Saint-Mars; 16. La Métairie de Jutreau; 17. Le Roc-Fondu; 18. Le Parc 19. La Malgangne; 20. Le Guéret; 21. Le Peu; 22. Le Couvent; 23. La Blancharderie; 24. Fléré-la-Rivière; 25. Les Chaumeries; 26. La Roche; 27. Chissay; 28. Les Creuziaux; 29. La Bouzanne-Tombante.

abondants que les armatures, ce qui contraste avec le Téviécien où il n'y en a pas, mais montre la continuité avec le stade moyen de l'Epipaléolithique (J.G. Rozoy, 1975, in letteris).

II. La vallée de la Charente.

Assez près de l'embouchure du fleuve, J. Massaud a découvert en 1960 une station de surface à la ferme du Cloux, commune de Tonnay-Charente (Charente-Maritime). 150 objets, dont une trentaine d'outils, ont permis à l'inventeur de remarquer, à côté de pièces néolithiques, un outillage microlithique sauveterroïde. Un peu plus à l'intérieur des terres, sur la commune de Lussant, le même auteur a découvert une autre petite station au lieu-dit la Maison Neuve. La présence de microlithes parmi les 70 pièces recueillies lui permet d'affirmer qu'il s'agit d'un Mésolithique à affinités sauveterriennes (J. Massaud, 1962 et 1964).

Aux environs du village des Parpaillons, tout près de Gémozac (Charente-Maritime), J. Thibaudeau a ramassé sur une station de surface néolithique des pièces qui lui paraissent démontrer l'occupation du site par des tardenoisiens : triangles, pointes de Vielle, pointes du Tardenois (J. Thibaudeau, 1972).

En Charente, dès 1914, R. Delamain découvrait et publiait le gisement de Garde-Epée. Contrairement à tous les sites mentionnés jusqu'à présent, il ne s'agissait pas de ramassages de surface mais d'une fouille en stratigraphie. On a trouvé à l'industrie des affinités tardenoisiennes (Octobon, 1926), puis on a nié son appartenance au Mésolithique (Barrière, 1956), pour enfin l'attribuer au Sauveterrien (Massaud, 1964). A ce sujet, il est amusant de noter que, d'après J. Massaud, le Sauveterrien aurait pu s'appeler le Bricien puisque le gisement de Garde-Epée, sur la commune de Saint-Brice, serait la station sauveterrienne la plus anciennement découverte. Mais il faut remarquer que, de toutes façons, Garde-Epée n'a pas livré la belle stratigraphie de Sauveterre-la-Lémance (J. Massaud, 1964).

C'est encore d'un gisement de surface qu'il s'agit au lieu-dit Pré derrière le Moulin, commune de Saint-Genis-d'Hiersac, Charente. 3 000 pièces environ y ont été recueillies, parmi lesquelles on remarque 25 microburins ; il n'y a aucune pièce néolithique mais, hélas, non plus aucun microlithe géométrique. Pour l'inventeur du gisement, l'outillage s'apparenterait au Tardenoisien bien qu'il y remarque l'absence complète des pièces caractéristiques de cette industrie (J. Bonnet, 1963).

Remontant la Charente, nous ne trouvons plus que quelques traces sporadiques de Mésolithique : dans la sablière de Magnac (Charente), MM. Chaline et Godin ont ramassé en 1962 des microlithes de type Tardenoisien. J. Massaud et M. Rouvreau signalent dans la région d'Angoulême 1 gros microburin à Bouex et un triangle à Dirac (1975).

III. La vallée de la Vienne.

Pour la première fois, nous y rencontrerons de l'Azilien. Découverte en 1968 dans la région de Lussac-les-Châteaux, la grotte du Bois-Ragot à Gouex (Vienne), a montré la stratigraphie suivante : au-dessus de deux niveaux de Magdalénien final et nettement séparées par des couches stériles, apparaissent deux surfaces d'habitat aziliennes surmontées de quelques vestiges protohistoriques et médiévaux. Ces aires d'habitat ne montrent pas de traces d'aménagement du sol, notamment par l'apport de galets, comme ce fut le cas pour les habitats magdaléniens sous-jacents. On trouve cependant les vestiges de petits feux de courte durée : fragments charbonneux et galets brûlés épars. Les restes de faune sont rares : ils comprennent du cerf, du bœuf, du cheval et surtout d'abondants vestiges de poissons. L'industrie des deux niveaux aziliens donne une impression de pauvreté saisissante ; peu abondante, de facture médiocre et taillée dans une matière médiocre, on y trouve les outils suivants : pointes à dos, grattoirs sur petits éclats, burins sur cassure ou troncature, lamelles à dos, dans le niveau le plus ancien ; le niveau le plus récent montre une nette évolution : disparition des burins dièdres et des lamelles à dos, accroissement des pointes aziliennes et des grattoirs sur petits éclats qui constituent plus des 3/4 de l'outillage lithique. L'industrie osseuse est très intéressante : en même temps que des poinçons, fragments d'os cochés, canines de cerf percées, on a trouvé, dans les deux niveaux aziliens des crochets en os. Celui du niveau inférieur, entier, mesure 12 cm de long et présente à son extrémité un trou biconique. Deux fragments analogues mais plus petits proviennent du niveau plus récent. S'agit-il d'hameçons ? Les inventeurs font remarquer qu'on n'avait jamais encore signalé la présence de l'hameçon courbe dans le SW de l'Europe avant le Néolithique (A. Chollet et al., 1974).

Dans la région voisine, commune de Champagné-Saint-Hilaire, F. Lévêque nous a signalé la découverte en surface de deux pointes aziliennes (J.P. Pautreau, à paraître). Il s'agit là des seules découvertes attribuables à l'Azilien dans toute la région considérée : A. Chollet fait d'ailleurs remarquer à ce sujet que le gisement contemporain le plus proche est Rochereil, distant de 150 km.

Les environs de Poitiers ont fourni des traces de Tardenoisien : F. Lévêque nous a fait part de la dé-

couverte dans la grotte de la Grande Roche, commune de Quinçay de deux pointes tardenoisiennes, un triangle scalène et quelques éléments tronqués dans les déblais surmontant les couches châtelperroniennes qu'il fouille. Plus près de la Vienne, et un peu plus au nord le site du Vieux Bellefonds, commune de Bellefonds, découvert par M. Charenton, a d'après E. Grugeaud fourni environ 300 pièces attribuables au Tardenoisien : microburins, triangles scalènes, trapèzes, etc... (E. Grugeaud). L'abri de Bellefonds, récemment fouillé par E. Patte, a montré la présence d'une industrie épipaléolithique en stratigraphie. Malheureusement, cette stratigraphie est très confuse : piétinements et terriers ont perturbé les couches dont la reconnaissance est rendue encore plus difficile par l'absence de niveaux stériles. On peut distinguer cependant trois grandes zones : en bas, des foyers à microlithes géométriques, sans céramique ; au-dessus, des foyers avec microlithes et poteries ; enfin, dans la partie supérieure, un ossuaire chalcolithique. Dans la zone des foyers, une certaine évolution de l'industrie lithique a pu être observée : à la base, on remarque les microburins, triangles, pointes du Tardenois et lamelles à dos, puis les scalènes disparaissent tandis qu'apparaissent les trapèzes ; enfin la partie supérieure de la zone des foyers a livré une flèche tranchante et une pointe de Sonchamp associées à des triangles, segments de cercle et trapèzes (E. Patte, 1971).

Descendant le cours de la Vienne, il faut signaler les gisements du Gué de Saint Mars, commune de Bonneuil-Matours, et de la Malgangne, commune d'Antran, découverts par M. Charenton et dont les caractéristiques paraissent très proches de celles du Vieux Bellefonds (E. Grugeaud).

De nombreux ramassages de surface, probablement attribuables à l'Epipaléolithique ont encore été effectués dans le département de la Vienne, notamment par M.P. Marcel sur la commune de Lencloître (renseignement F. Lévêque), par E. Grugeaud au Peu, commune de Vaux-sur-Vienne et au Parc, à Scorbé-Clairvaux ; enfin, ce dernier auteur a effectué quelques sondages et a récolté des pièces « d'aspect mésolithique » dans la grotte nord du Roc Fondu (commune d'Angles-sur-l'Anglin), sur la terrasse du Roc à Midi, rive gauche de l'Anglin et dans l'abri de la Métairie de Jutreau (commune de Saint-Pierre-de-Maillé) (E. Grugeaud).

IV. La vallée de l'Indre.

Bien que situé sur le territoire de l'Indre-et-Loire, c'est avec les gisements de la région de Châtellerault, dont il est aussi voisin dans l'espace que par sa nature, qu'il vaudrait mieux citer le site du Couvent à Rives, signalé par F. Berthouin et E. Grugeaud (E. Grugeaud).

Les sites épipaléolithiques de la vallée de l'Indre ont été étudiés et publiés par G. Cordier. La Blancharderie, commune de Perrusson (Indre-et-Loire) est une station de surface découverte en 1957 par le propriétaire de la ferme voisine. Elle a livré près de 5 000 pièces en silex parmi lesquelles on remarque 6 pointes du Tardenois, 4 pointes de Sonchamp, 50 microburins, 13 flèches à tranchant transversal. L'homogénéité de la station apparaît grâce à la localisation restreinte des pièces et à l'uniformité de leur état physique. La nature argileuse du sol confère un trait d'originalité à ce site dont l'exposition au NW semble démontrer le caractère saisonnier (G. Cordier, 1964).

La Roche, commune de Loché-sur-Indrois (Indre-et-Loire) est également une station de surface résultant, d'après l'inventeur, de l'étalement de quelques fonds de cabanes. On y a ramassé 11 570 pièces, essentiellement en silex. A côté de quelques éléments néolithiques se trouvent des outils évoquant le Tardenoisien : pointes de Vielle, pointes du Tardenois, pointes de Sonchamp. L'inventeur interprète cette station comme appartenant « à un faciès tardenoisien se plaçant dans un Néolithique avancé mais ayant gardé intacts beaucoup de traits originels » (G. Cordier, 1955, p. 631).

Le gisement de Fléré-la-Rivière dans l'Indre semble également pouvoir être rattaché au Tardenoisien comme le montre la présence de la pointe de Sonchamp, de la pointe de Vielle et de la pointe du Tardenois (G. Cordier, 1965).

Les Chaumeries, commune de Murs (Indre), sont une station de surface dans un limon argilo-sableux planté de vigne. Malgré l'absence de pièces très typiques parmi les 1 123 objets ramassés, l'inventeur estime que la station présente une indéniable parenté tardenoisienne démontrée par une « tradition générale microlithique et lamellaire, la présence d'une bonne série de microburins et d'un triangle » (G. Cordier, 1958, p. 512). Ce gisement lui paraît très comparable à celui de la Roche.

Dans le Loir-et-Cher, les Creuziaux à Thenay ont également livré 1 500 pièces en surface dans un limon argilo-sableux. Des objets néolithiques voisinent avec des trapèzes, pointe de Vielle, pointes de Sonchamp, microburins. « La diversité des patines et surtout des cas de reprises manifestes permettent des doutes sur l'homogénéité » (G. Cordier, 1959, p. 34).

Toute proche de cette dernière station se trouve le site de Chissay, célèbre pour sa nécropole des Champs d'Urnes, mais qui a également livré une industrie tardenoisienne. Il n'y a malheureusement pas de traces d'habitat mais, parmi les nombreux microlithes recueillis on note la présence de microburins, triangles, segments de cercle, pointes de Sauveterre, du Tardenois et de Sonchamp (G. Cordier, 1961, J. Allain, 1966).

Enfin, dans le sud du département de l'Indre, à la Bouzanne tombante commune de Pontchrétien, A. Rigaud a découvert une station très étendue mais malheureusement partiellement détruite. En plus d'un matériel atypique et constituant plus de 85 % du total, l'inventeur a remarqué la présence de pièces traduisant une influence tardenoisienne : lamelles Montbani, trapèzes, pointes microlithiques et microburins, ainsi que de quelques rares objets néolithiques, notamment haches polies et tessons de céramique. On serait là en présence d'un Tardenoisien final « déjà passablement abâtardi et rappelant beaucoup les sites de Fléré-la-Rivière, Murs, la Roche et les Creuziaux » (A. Rigaud, 1971, p. 532).

La plupart des gisements dont il a été question dans cet article sont des stations de surface qui ont livré un matériel microlithique évoquant le Tardenoisien et quelquefois associé à des objets néolithiques. Les inventeurs de ces gisements les attribuent souvent à un Tardenoisien final, attardé ou même abâtardi.

Il n'est qu'exceptionnellement fait référence au Sauveterrien et uniquement dans la vallée de la Charente (le Cloux, Lussant, Garde-Epée).

Quant à l'Azilien, sa découverte est toute récente et l'on peut espérer beaucoup des résultats de la fouille de la grotte du Bois Ragot, l'un des rares gisements, en outre, à avoir permis d'observer une stratigraphie.

La répartition géographique des sites est très inégale et les zones de densité semblent correspondre à la présence d'un chercheur dans la région. On est frappé cependant par le vide total du département des Deux-Sèvres et de toute la partie orientale de la Vendée, malgré la possibilité d'une présence épipaléolithique aux Herbiers (Giot, 1967).

Bibliographie

[1] ALLAIN J. (1966). — Circonscription du centre. *Gallia-Préhistoire*, t. IX, fasc. 2, p. 473-475, 4 fig.

[2] BARRIÈRE C. (1956). — *Les civilisations tardenoisiennes en Europe Occidentale*. Bordeaux, Ed. Bière, 439 p., 135 fig., 6 cartes.

[3] BONNET J. (1963). — Gisement mésolithique en Charente. *Bulletin de la société préhistorique française*, t. LX, fasc. 1-2, p. 23-25, 1 fig.

[4] CHOLLET A., REIGNER H. et BOUTIN P. (1974). — La grotte du Bois Ragot à Gouex (Vienne), note préliminaire. *Gallia-Préhistoire*, t. XVII, fasc. 1, p. 286-291, 9 fig.

[5] CORDIER G. (1955). — La station tardenoisienne de la Roche, commune de Loché-sur-Indrois. *Bulletin de la société préhistorique française*, t. LII, p. 620-631, 4 fig.

[6] CORDIER G. (1958). — La station tardenoisienne des Chaumeries, commune de Murs. *Bulletin de la société préhistorique française*, t. LV, fasc. 9, p. 507-514.

[7] CORDIER G. (1959). — La station tardenoisienne des Creuziaux à Thenay. *Bulletin des amis du vieux Montrichard*, n° 3, p. 31-35, 2 fig.

[8] CORDIER G. (1961). — Une nécropole de la civilisation des Champs d'Urnes à Chissay-en-Touraine, Loir-et-Cher. *L'Anthropologie*, t. 65, fasc. 1-2, p. 184-186, 1 fig.

[9] CORDIER G. (1964). — La station tardenoisienne de la Blancharderie, commune de Perrusson (I.-et-L.). *Bulletin de la société préhistorique française*, t. LXI, fasc. 2, p. 300-309.

[10] CORDIER G. (1965). — Contribution à l'étude préhistorique de la vallée de l'Indre. *Revue archéologique du Centre*, n° 15-16, t. IV, fasc. 3-4, p. 301.

[11] GIOT P.R. (1967). — Circonscription de Bretagne et des Pays de la Loire. *Gallia-Préhistoire*, t. X, fasc. 2, p. 363.

[12] GRUGEAUD E. (1967). — *Les gisements préhistoriques du Chatelleraudais*. Texte ronéotypé.

[13] GRUGEAUD E. (1968). — *Les gisements tardenoisiens de la région de Chatellerault. Contribution à l'étude de la répartition géographique du Tardenoisien en France*. Texte ronéotypé.

[14] JOUSSAUME R. (1968). — *Préhistoire du litoral atlantique entre Loire et Gironde*. Diplôme de l'Ecole pratique des Hautes Etudes, Paris, 1 volume dactyl., 352 p., LIII pl.

[15] JOUSSAUME R. (1969). — Mésolithique et Néolithique à Coex (Vendée). *Bulletin de la société préhistorique française*, t. LXVI, p. 240-243, 4 fig.

[16] JOUSSAUME R. (1971). — Les gisements préhistoriques de la côte rocheuse entre les Sables-d'Olonne et Saint-Vincent-sur-Jard (Vendée). *Etudes préhistoriques et protohistoriques, Pays de la Loire*, p. 21-55, XIV fig.

[17] JOUSSAUME R., ROZOY J.G. et TESSIER M. (1971). — Deux nouveaux types d'armatures épipaléolithiques dans l'Ouest. *Etudes préhistoriques et protohistoriques, pays de la Loire*, p. 11-20, 2 fig.

[18] MASSAUD J. (1962). — Présence du Mésolithique dans le nord de la Saintonge, station du Cloux (commune de Tonnay-Charente) et son environnement. *Bulletin de la société préhistorique française*, t. LIX, fasc. 9-10, p. 642-648.

[19] MASSAUD J. (1964). — Le Sauveterrien dans la Charente. *Actes du 20ᵉ congrès des sociétés savantes du Centre-Ouest*, Rochefort, p. 108-109.

[20] MASSAUD J. et ROUVREAU M. (1975). — Les microlithes post-néolithiques des Charentes. *Bulletin de la société préhistorique française*, t. 72, n° 4, p. 113-116, 3 fig.

[21] OCTOBON E. (1926). — La question tardenoisienne. *Bulletin de la société préhistorique française*, t. XXIII, p. 205-222, 6 fig.

[22] PATTE E. (1971). — Quelques sépultures du Poitou du Mésolithique au Bronze Moyen. *Gallia-Préhistoire*, t. XIV, fasc. 1, p. 139-244, 50 fig.

[23] RIGAUD A. (1971). — Uue nouvelle station à microburins dans l'Indre : la Bouzanne tombante, commune de Pontchrétien. *Bulletin de la société préhistorique française*, t. LXVIII, fasc. 2, p. 521-532, 6 fig.

[24] ROZOY J.G. (1974). — Chronologie de l'Epipaléolithique de la Meuse à la Méditerranée. *Congrès préhistorique de France*, Martigues, à paraître.

[25] TESSIER M. (1960). — Découverte de gisements préhistoriques aux environs de la pointe Saint-Gildas. *Bulletin de la Société préhistorique française*, t. LVIII, n° 7-8, p. 428-434.

[26] TESSIER M. (1965). — Gisements tardenoisiens de surface à la pointe Saint-Gildas, commune de Préfailles et Saint-Marie (L.-A.). *Bulletin de la société préhistorique française*, t. LXII, n° 3, p. XCIII-XCVI, 1 fig.

[27] THIBAUDEAU J. (1972). — *A travers le canton de Gémozac, promenades historiques, artistiques et archéologiques*. Livre V, Saintes, impr. Delavaud.

Les civilisations de l'Epipaléolithique et du Mésolithique en Limousin

par

Guy Mazière * et Jacques Tixier **

Résumé. En Limousin, les sites de l'Epipaléolithique et du Mésolithique sont rares et très disséminés :
— deux sites aziliens dans le Bassin de Brive;
— trois sites mésolithiques (deux en Corrèze, un en Haute-Vienne);
— enfin quelques sites de surface souvent contaminés.

Abstract. In the Limousin region, Epipaleolithic and Mesolithic sites are rare and scattered :
— two Azilian sites in the Brive Basin;
— three Mesolithic sites (two in the Corrèze and one in the Haute-Vienne);
— a few surface sites with often contaminated microlithic assemblages.

Renvoyant pour la situation géographique et géologique (1) de la région aux présentations des articles sur le paléolithique inférieur et le paléolithique moyen, nous nous contenterons ici de reprendre trois faits importants pour comprendre l'occupation des civilisations post-glaciaires en Limousin :

1. — L'absence relative de bonne matière première justifie peut-être la faible densité des habitats même sur la partie ouest et sud-ouest, pourtant proche des régions sédimentaires.

2. — En dehors de la zone riche en grottes du Bassin de Brive il existe peu d'abris naturels et quelques rares « pieds de roche » (B. Malissen et J.-P. Raynal, à paraître).

3. — La quasi-absence de prospections rationnelles sur l'ensemble des trois départements.

I. L'Epipaléolithique.

1. L'Azilien.

Deux sites, situés dans le Bassin de Brive ont livré, en stratigraphie, une industrie se rapportant à cette période.

a) Combe du Milieu dite « Chez-Bonny » (fig. 1, n° 1). Situé au pied d'une falaise percée de nombreuses cavités, le site se trouve exposé au sud-est.

L'auteur (Mme P. Andrieu, 1975) en donne la

stratigraphie suivante (fig. 2) ; de la base au sommet :

A. « à la base : sol rocheux de grès en pente irrégulière mais constante ».

B. « mince couche de glaise rougeâtre ».

C. « couche d'épaisseur irrégulière de sable gréseux à gros grains avec galets de quartz, stérile ».

D. « couche archéologique d'une épaisseur de 0,60 m à 0,70 m qui atteint la surface herbeuse du sol ».

L'industrie lithique (123 outils) a fait l'objet d'une étude par l'auteur et d'un diagramme cumulatif, rapporté aux industries de Villepin et de Chez-Jugie, par G. Mazière (fig. 3).

L'auteur conclut que cette découverte confirme la présence de l'Azilien en Corrèze, industrie inconnue des abbés Bouyssonie (1944) comme l'a fait remarquer Mme D. de Sonneville-Bordes (1960).

b) Chez-Jugie. Situé sous abri, à 10 km au sud de Brive, ce site devait être un des plus riches de la région.

Malheureusement fort éloigné de toute agglomération il a été « pillé » depuis 1935, et c'est seulement à partir de 1972 qu'il a fait l'objet d'une fouille systématique, de sauvetage, puis programmée.

La fouille de « témoins » laissés en place s'est avérée très difficile et la partie azilienne fouillée ne se trouve certainement pas être la partie centrale de l'habitat.

Nous donnons la stratigraphie sommaire du remplissage, de haut en bas (voir coupe fig. 4).

Couche 1 : Remaniée, éléments lithiques et poterie.

Couche 2-3 : Niveaux mésolithiques.

Couche 4 : Stérile (phénomène de Colored-Bandings).

Couche 5 : Azilien.

Couche 6 : Stérile.

---

(1) Voir thèse J. P. Raynal : « Recherches sur les dépôts quaternaires des grottes et abris du Bassin permo-triasique de Brive ».
Voir les cartes géologiques de la France au 1/80 000. Feuilles de : Eygurande, Guéret, Limoges, Tulle, Périgueux, Rochechouart, Brive, Confolens, Auriac, Mauriac, Ussel et Aubusson.
Voir aussi dans les guides régionaux : Massif Central (Masson édit.).

---

* Assistant à la Direction Régionale des Antiquités Préhistoriques du Limousin, 2 ter, rue Haute de la Comédie, 87000 Limoges (France).
** Directeur de la Circonscription des Antiquités Préhistoriques du Limousin, 1, rue René-Panhard, 75013 Paris (France).

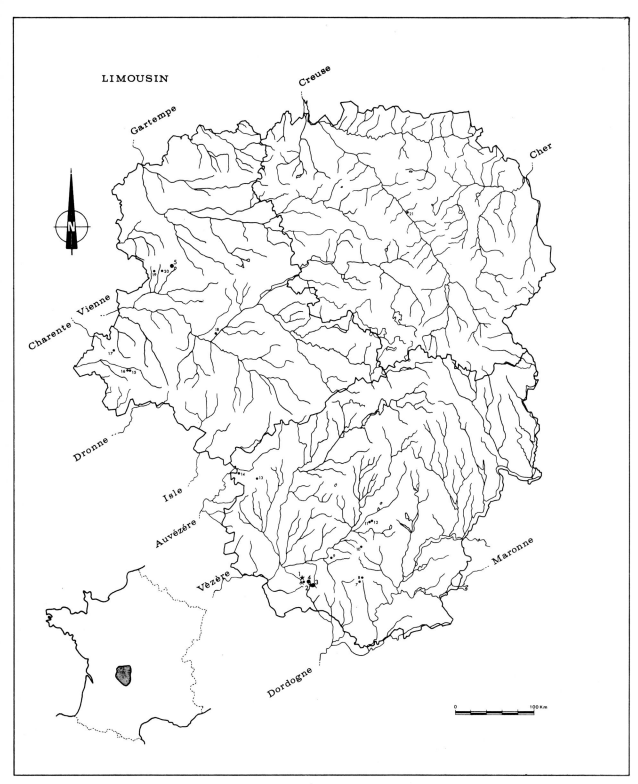

FIG. 1

1. Chez Bonny : « Azilien »; 2. Chez-Jugie : « Azilien »; 3. Chez-Jugie : « Mésolithique »; 4. Le Bessol de Cosnac : «Mésolithique»
5. La Roche aux Fées : « Mésolithique »; 6. La Coste; 7. Lostange; 8. Roche de Vic; 9. Aubazine; 10. Clairefarge; 11. Saint-Priest Gimel; 12. Puy de l'Aiguille; 13. Ségur; 14. Arnac Pompadour; 15. La Jalade à Cussac; 16. Piégut à Cussac; 17. Le Montoume; 18. Isle; 19. Arnac; 20. Villeforceix; 21. Pont-Alambaud, Mésolithique.

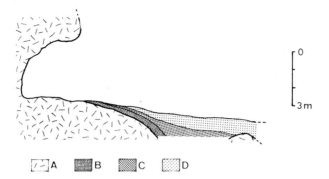

FIG. 2. — Chez Bonny : coupe schématique.

Pour la première fois en Corrèze nous nous trouvons en présence de couches « aziliennes pures », non contaminées par les couches mésolithiques sus-jacentes, puisque séparées de ces dernières par une couche stérile de 0,35 m, et ne succédant pas à un magdalénien terminal comme dans de nombreux sites du Périgord.

Une série de 205 pièces provenant d'une fouille de 5 m² a donné une majorité de pointes et lames à dos (IPA 50 %), un indice grattoirs voisin de « Chez Bonny » (32,8 % contre 30,9 %) et très peu de burins (1,5 %). Voir tableau et diagramme cumulatif (fig. 3).

II. Le Mésolithique.

Mieux représenté que l'Azilien, le Mésolithique se trouve très disséminé, mais, si nous excluons de l'étude les faibles séries provenant de site de surface (4) et souvent contaminées, il reste trois sites :

— deux en Corrèze, au sud de Brive, et situés à 50 m l'un de l'autre : « Chez-Jugie » (voir *supra*) et le « Bessol » à Cosnac ;

— un en Haute-Vienne : « La Roche aux Fées » à Cieux.

a) *Chez-Jugie.*

Une série lithique importante a été mise au jour dans le site, très bouleversé, fouillé par G. Mazière et J.-P. Raynal depuis 1972, au lieu-dit « Chez-Jugie », près de Cosnac (Corrèze) (fig. 1, n° 3).

n° liste type (2)	CHEZ-JUGIE %	CHEZ-JUGIE % cum.	CHEZ BONNY %	CHEZ BONNY % cum.	VILLEPIN(3) %	VILLEPIN(3) % cum.
1-2		10		2		4,44
3			2	4	2,66	7,10
5			1	5		
8	13	23	20	25	24,44	31,54
9					1,77	33,31
10	8	31	7	32	12,88	46,19
11-12	1	32				
13-14	0,8	32,8				
17-18			1	33	1,77	47,96
23-24	2	34,8	1	34		
26					1,33	49,29
27-28	0,5	35,3				
29-30	0,5	35,8	4	38		
34-37	0,5	36,3	1,5	39,5		
38-39			1,5	41		
43			0,5	41,5		
46-47			2,5	44	0,44	49,73
48-51					3,10	52,83
56-57					0,44	53,27
58-59	0,5	36,8	1,5	45,5	1,77	55,04
60-63	1	37,8	2,5	48	2,65	57,69
64					1,33	59,02
65-66	4	41,8	2,5	50,5		
74			2	52,5		
75	1	42,8	1,5	54		
76	0,5	43,3	2,5	56,5		
77	0,5	43,8	0,8	57,3		
85	3	46,8	0,8	58,1	12,88	71,90
86					5,77	77,67
90			0,8	58,9		
91	50	96,8	35	93,9	21,77	99,54
93	3	99,89	6	99,9	0,44	99,98
Indices typologiques	IG	32,8	IG	30,9	IG	46,19
	IB	1,5	IB	8,29	IB	0
	IPA	50	IPA	37,39	IPA	21,77

(2) Pour plus de facilité nous avons cumulé directement les pourcentages des numéros de la liste comme le propose Madame D. de Sonneville Bordes pour établir le diagramme cumulatif.

(3) Nous pensons que le niveau magdalénien de Villepin a pu contaminer et enrichir le niveau sus-jacent, ce qui expliquerait l'importance des lamelles à dos (12,85 %) et des lamelles à dos tronquées (5,77 %); il existe même une pointe à soie magdalénienne.

(4) Nous signalons pour mémoire : Clairefarge près de Saint-Fortunade, Saint-Féréole, Obazine, Roc de Vic, Lostange, Ségur, Pompadour, Lubersac, Plateau de Bros près d'Argentat, Puy Mège près de Brive, Arnac, Villeforceix. La Jalade à Cussac, Piégut à Cussac, Le Montoume, Isle, Pont-Alanbaud.
Mais est-il besoin de dire, comme le faisait remarquer Octobon (1969) dans une discussion avec J. Bouyssonie : « trop de sites sont classés dans le Mésolithique et plus précisément dans le Tardenoisien parce qu'il a été trouvé un micro-burin, un trapèze ou un triangle, alors que le premier existe déjà dans le Paléolithique et se poursuivra plus tard dans le Néolithique et que les seconds perdurent jusqu'au Bronze ».

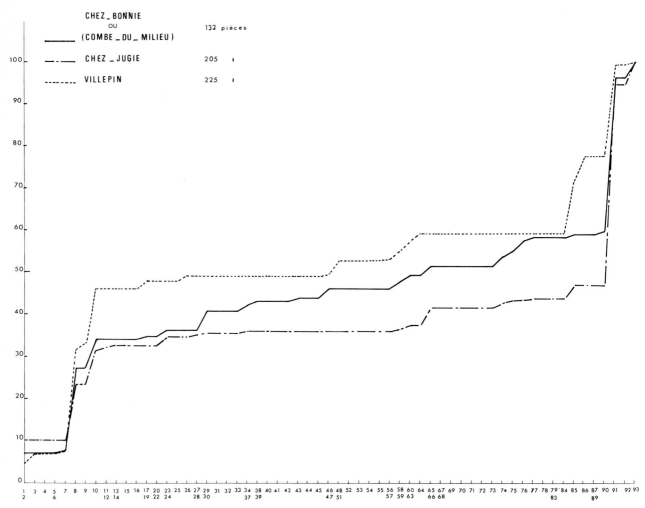

CHEZ_BONNIE
OU
(COMBE_DU_MILIEU)   132 pièces

CHEZ_JUGIE   205 ,

VILLEPIN   225 ,

FIG. 3. — Diagrammes cumulatifs.

Nous renvoyons au paragraphe précédent pour la stratigraphie de ce site qui a fourni un outillage microlithique en importantes séries : pointes de Sauveterre, pointes du Tardenois, trapèzes du Martinet, trapèzes, triangles microburins, lamelles denticulées, etc. (voir fig. 5).

L'auteur pense qu'une étude exhaustive pourra sortir en 1977.

b) *Le Bessol de Cosnac* (19).

Situé à 50 m de Chez-Jugie, ce site aurait fourni à différentes personnes des centaines de silex, perdus ou dispersés dans des collections privées. Une série de vingt pièces est exposée au Musée Ernest Rupin à Brive (microburins, lamelles à dos, une pointe du Tardenois et des lamelles denticulées).

c) *La Roche aux Fées à Cieux.*

Fouilles Desfontaines (1935).

L'auteur aurait remis le produit de ses fouilles à l'Institut de Paléontologie Humaine. Malheureuse-

ment, après de nombreuses recherches il nous a été impossible de retrouver les pièces.

Une fouille récente : 1972, sans autorisation, a donné à C. Garaboeuf une petite série lithique où il est possible de voir un trapèze de Cuzoul, des lames à troncature oblique, une pointe du Tardenois courte, un trapèze du Martinet.

Cette série serait située stratigraphiquement entre un Magdalénien (avec burin « bec de perroquet ») et une série du Bronze.

Pour le Mésolithique comme pour l'Azilien, le gisement de Chez-Jugie se révèle de première importance, puisque seul en Limousin, il permet aujourd'hui d'étudier de fortes séries relevées en stratigraphie.

C'est en se fondant sur cette dernière que pourront enfin être insérées à leur juste place les données chronologiques, géologiques, typologiques et palethnologiques, postérieures au Paléolithique supérieur et antérieur aux premiers phénomènes de néolithisation. D'ores et déjà il est acquis que le Limousin n'a pas été un *no man's land* durant cette période.

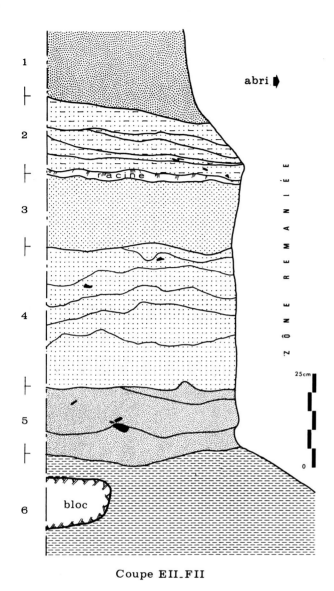

Coupe E II-F II

Fig. 4. — Chez-Jugie : coupe sagittale carré E II - F II.

Bibliographie

[1] ANDRIEU P. (1975). — Station de Combe du Milieu dite « Chez Bonny », vallée de Planchetorte à Brive (Corrèze). *Bulletin de la Société Préhistorique Française*, t. 72, n° 4, p. 103-106, 3 fig.

[2] BOUYSSONIE J. (1927). — Autour du Tardenoisien en Limousin. *Bulletin de la Société Préhistorique Française*, janv.-fév. 1927, n° 1-2, p. 62-67, 5 fig.

[3] BOUYSSONIE J. (1944). — La préhistoire en Corrèze. *Bulletin de la Société Scientifique, Historique et Archéologique de la Corrèze*, Brive, t. 66, p. 35-37, 5 fig., 1 carte.

[4] DEFFONTAINES P. (1931). — Essai de géographie préhistorique du Limousin et de son pourtour sédimentaire, *Annales de Géographie*, p. 461-476.

[5] DELPORTE H. (1972). — Informations archéologiques. Circonscription du Limousin. *Gallia Préhistoire*, t. 13, fasc. 2, p. 464-465, 2 fig.

[6] DELPORTE H. (1972). — Informations archéologiques. Circonscription du Limousin, *Gallia Préhistoire*, fasc. 2, t. 15, p. 466.

[7] MAZIÈRE G. (1971). — Le gisement de « Chez-Jugie » commune de Cosnac. *Bulletin de la Société Scientifique, Historique et Archéologique de la Corrèze*, p. 50-52, 1 fig.

[8] MAZIÈRE G. (1973). — Le paléolithique en Corrèze. Diplôme E.P.H.E. *inédit*, 131 p. dactylographiées, fig. et tabl.

[9] MAZIÈRE G., RAYNAL J.P. (1973). — Gisement de Chez-Jugie près Cosnac (Corrèze). Rapport de fouilles 1973. *Bulletin de la Société Scientifique, Historique et Archéologique de la Corrèze*, Brive, p. 67-73, 3 fig.

[10] MAZIÈRE G., RAYNAL J.P. (1974). — Gisement de Chez-Jugie, Rapport de fouilles 1974. *Bulletin de la Société Scientifique, Historique et Archéologique de la Corrèze*, Brive, p. 41-48, 1 fig.

[11] SONNEVILLE-BORDES D. de (1960). — Le Paléolithique supérieur en Périgord, *Delmas*, Bordeaux, 558 p.

[12] TIXIER J. et coll. (1975). — Informations archéologiques. Circonscription du Limousin, *in Gallia Préhistoire*, sous presse.

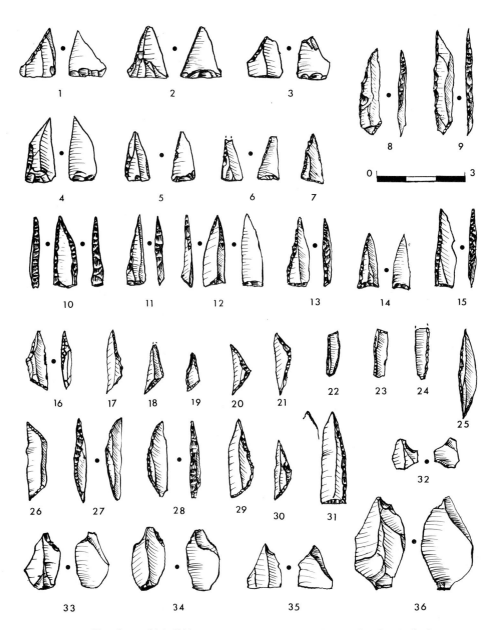

Fig. 5. — Série lithique provenant de Chez-Jugie (Dessins G. Mazière).

Les civilisations de l'Epipaléolithique et du Mésolithique en Auvergne

par

Henri DELPORTE *

Résumé. Des travaux récents ont permis de confirmer et de préciser l'existence en Auvergne d'une civilisation azilienne dans la vallée supérieure de l'Allier, à la grotte du Cheix (Puy-de-Dôme), et de vestiges d'allure tardenoisienne dans la vallée supérieure de la Loire (Solignac, Arlempdes et Freycenet-la-Cuche, Haute-Loire).

Abstract. Recent work has confirmed the existence in Auvergne of an Azilian culture in the Upper Allier valley at the Grotte du Cheix (Puy-de-Dôme), at the Grotte Béraud (HauteLoire) and the vestiges in the Tardenoisian style in the Upper Loire valley (Solignac, Arlempdes and Freycenet-la-Cuche).

Dans l'état actuel de nos connaissances — état qui pourra être précisé, mais non remis en cause —, la fin du Paléolithique est marquée, en Auvergne, par une véritable explosion démographique, explosion qui coïncide avec le Magdalénien terminal, c'est-à-dire entre 12 000 et 8 000 av. J.-C. ; cette amplitude chronologique, qu'on sera en droit de juger excessive, tient essentiellement à l'existence d'un nombre de datations ^{14}C encore très réduit. Une autre période de peuplement assez dense semble être celle du Néolithique moyen et final, que la même technique de datation situe à partir de 3 000 av. J.-C. Entre ces deux extrêmes, environs de 8 000 et environs de 3 000 av. J.-C., existe une période, proprement « mésolithique », qui demeure encore assez mal connue en Auvergne, malgré quelques découvertes récentes, en particulier dans le Sud de la Haute-Loire (A. Crémillieux, 1974). Il semble que les vestiges actuellement connus de cette période soient à répartir en deux groupes majeurs : d'une part, celui qui se rattache plus ou moins nettement à l'Azilien ; d'autre part, celui qui représente les civilisations dites « microlithiques », c'est-à-dire le Sauveterrien et le Tardenoisien.

Déjà dans les ensembles qui peuvent apparaître comme les plus évolués du Magdalénien terminal, existent des pièces qui annoncent l'Azilien ; d'autres ensembles, par ailleurs, ont pu être considérés comme relevant directement de l'Azilien. Le cas le plus évident est celui des différents niveaux de la *grotte Béraud*, à *Saint-Privat-d'Allier* (Haute-Loire), fouillé par Alain Quinqueton ; des datations, peut-être un peu faibles, localisent ces industries entre 6 000 et 4 500 av. J.-C. ; on y a rencontré les grattoirs sur éclat de type unguiforme et les pointes aziliennes caractéristiques de cette civilisation. Plus au Nord, la *grotte du Cheix*, à *Saint-Diéry* (Puy-de-Dôme) a livré, en compagnie d'une faune plus tempérée que celle du Magdalénien final (sanglier, cheval, cerf, bouquetin) et d'un squelette humain qui n'a pas encore été publié, un mobilier pauvre, avec des éléments magdaléniens, burins, lames et lamelles à dos, grattoirs sur bout de lame, perçoirs, mais aussi une série très nette et relativement abondante de pointes aziliennes ; toutefois, l'absence de grattoirs unguiformes nous contraint à hésiter et à nous demander s'il ne s'agit pas tout simplement, comme cela a déjà été observé ailleurs, de l'introduction de quelques pointes aziliennes dans un ensemble qui reste avant tout magdalénien (G. Desrut et E. Déret, 1939, 1940).

Pour les civilisations « microlithiques » le site le plus anciennement connu est celui du *Cuze* de *Neussargues* (Cantal), découvert et sondé par J.-B. Delort en 1879 ; entre 1946 et 1948, des fouilles importantes y ont été effectuées, avec l'aide de l'Etat, par Pierron, Derville et Rey ; il y aurait été découvert une importante série de squelettes, mais le mobilier recueilli, en partie perdu, en partie conservé au Musée d'Aurillac, n'a fait l'objet d'aucune publication ; plus récemment, le Dr Jean-Georges Rozoy a réussi à préciser la stratigraphie du gisement, mais sans qu'il lui ait été possible de rassembler un mobilier valable. Il devait s'agir d'un site très important, avec un remplissage puissant contenant des couches mésolithiques, néolithiques et protohistoriques (âge du Bronze), les couches mésolithiques se partageant elles-mêmes en plusieurs niveaux. L'outillage conservé comprend des grattoirs et des burins, des lamelles à dos et aussi quelques géométriques (triangle, segment de cercle, trapèze) et microburins ; selon C. Barrière (1956) et selon J.-G. Rozoy (rapport de fouille), il pourrait s'agir de deux phases différentes du Tardenoisien.

En dehors du site de Neussargues et de quelques indices de Tardenoisien signalés en plusieurs points de l'Auvergne, par exemple à Thiel-sur-Acolin (Allier) (prospections Pierre Abauzit et Pierre-Yves Genty), les découvertes les plus intéressantes ont été faites au cours des dix dernières années dans le Sud du département de la Haute-Loire :

1. *L'abri de Longetraye*, à *Freycenet-la-Cuche* (Haute-Loire), présente un intérêt exceptionnel du

* Musée des Antiquités Nationales de Saint-Germain-en-Laye, B.P. 30, 78103 Saint-Germain-en-Laye (France).

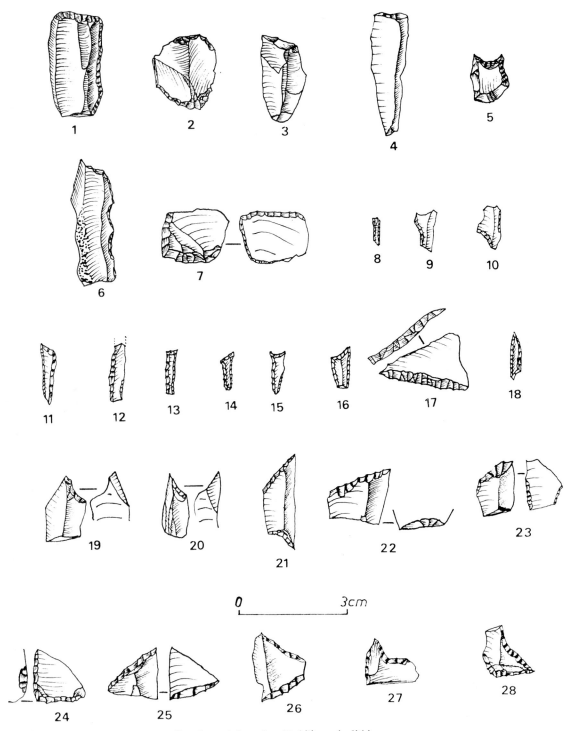

FIG. 1. — Arlempdes. Mobilier mésolithique :

1, 2. Grattoirs; 3, 4.Lames tronquées; 5. Perçoir double; 6. Denticulé; 7 et 17 Pièces à retouches abrupte; 8 à 16 et 18. Lamelles à dos et troncature; 19 et 20. Microburins; 21 à 28. Pièces géométriques ou paragéométriques.

dessins de A. Crémillieux.

fait qu'il est situé à une altitude de 1 250 mètres et qu'encore aujourd'hui, il est enneigé de 4 à 6 mois par an. Découvert en 1967 par André Crémillieux, sondé par l'inventeur et par Jean-Pierre Daugas, il est fouillé, depuis 1968 et dans des conditions particulièrement pénibles, par Denise Philibert (1973, 1974, 1974 a). La séquence stratigraphique et archéologique se présente comme suit :

1. Couche argileuse avec quelques pièces de type paléolithique supérieur (grattoirs, burins, lamelles à dos, etc...), probablement à rapprocher du Magdalénien terminal.

2. Eboulis pratiquement stérile.

3. Limon noir humique qui contient la plus grande partie du matériel recueilli; celui-ci comprend de nombreuses lamelles à dos, des pointes de Sauveterre, des triangles et des trapèzes assez nombreux, de même que des microburins; les grattoirs et les burins sont rares; à noter enfin quelques lames tronquées et de nombreux denticulés.

4. Eboulis avec quelques vestiges archéologiques (céramique).

Les datations ^{14}C ont donné les résultats principaux suivants : pour le Paléolithique supérieur de la couche 1, environ 10 800 av. J.-C. et, pour le Mésolithique de la couche 3, entre 6 500 et 5 400 av. J.-C. Comme faune, existent quelques ossements de sanglier et de cerf.

L'industrie principale de ce gisement, abondante, présente des traits communs avec le Sauveterrien comme avec le Tardenoisien ; l'auteur, avec prudence, parle d'industrie « tardénoïde » en voie de néolithisation.

2. *L'abri de la Baume d'Arlempdes* (Haute-Loire), découvert, sondé et fouillé par André Crémillieux, présente une stratigraphie très intéressante, puisqu'elle compte, au-dessus du Mésolithique, une série de niveaux appartenant au Néolithique ancien et moyen, au Bronze ancien et final, au Hallstatt, à la Tène, au gallo-romain et au médiéval. En ce qui concerne le Mésolithique, encore très partiellement atteint, il a livré, outre des lamelles à dos nombreuses et variées, des microburins et des géométriques de forme triangulaire et rarement trapézoïdale ; l'auteur (Cremillieux, 1974) rapproche, pour le moment, cet ensemble de celui de Longetraye.

3. *L'abri de Baume-Loire III*, à *Solignac* (Haute-Loire) : développant ses prospections autour des abris magdaléniens de Baume-Loire I et II, André Crémillieux a découvert le petit abri de Baume-Loire III (A. Crémillieux, 1974) : c'est un abri sous-basaltique dans le remplissage duquel une couche archéologique a livré une faible série d'objets souvent de très petite taille, en particulier des lamelles à dos de formes diverses ; comme l'écrit l'inventeur (1974) : « L'existence de géométriques, de microburins, la dominance du groupe des grattoirs sur le groupe des burins rappellent les niveaux mésolithiques de Longetraye ou d'Arlempdes ». Il conclut d'ailleurs à l'hypothèse d'un rattachement à un Sauveterrien final.

En ce qui concerne ces industries mésolithiques du Sud de la Haute-Loire, c'est sans aucun doute vers le Midi de la France qu'il faut s'orienter pour leur trouver des analogies (M. Escalon de Fonton, 1966) : non seulement la concordance est évidente en matière de datation, mais les rapports typologiques entre les séries de la Haute-Loire et celles du Sauveterrien et du Castelnovien de la *Baume de Montclus* par exemple sont indiscutables : outre les petites pointes de Sauveterre, les trapèzes à troncature concave proches des trapèzes de Montclus contribuent à assurer cette parenté.

Bibliographie

[1] BARRIÈRE C. (1956). — *Les civilisations tardenoisiennes en Europe occidentale*. Bordeaux-Paris, Bière, 1956, 439 pp.

[2] CRÉMILLIEUX A. (1974). — Stratigraphie, typologie et palethnoloige de quelques remplissages d'abris sous-basaltiques en haute vallée de la Loire (Velay). *Documents des laboratoires de géologie de la faculté des sciences de Lyon*, n° 62, 1974, p. 1-127.

[3] DESRUT G. et DÉRET E. (1939). — Découverte d'une grotte et d'un squelette magdaléniens au Cheix, près de Besse-en-Chandesse (Puy-de-Dôme). *Bulletin de la société préhistorique française*, t. XXXVI, 1939, p. 132-142.

[4] DESRUT G. et DÉRET E. (1940). — Le squelette fossile du Cheix, près Besse-en-Chandesse (Magdalénien final). *Revue des sciences naturelles d'Auvergne*, vol. VI, 1-2, 15 p.

[5] ESCALON DE FONTON M. (1966). — Du Paléolithique supérieur au Mésolithique dans le midi méditerranéen. *Bulletin de la société préhistorique française*, t. LXIII, 1966, p. 66-180.

[6] PHILIBERT D. (1973). — Le gisement préhistorique de Longetraye, Haute-Loire. Note préliminaire. *Revista di scienze preistoriche*, vol. XXVIII, 1973, p. 409-430.

[7] PHILIBERT D. (1974). — Premiers gisements épipaléolithiques en Haute-Loire. *Revue archéologique de l'Est et du Centre-Est*, 1974, p. 27-36.

[8] PHILIBERT D. (1974 a). — Approche du gisement préhistorique de Longetraye, Haute-Loire. *Bulletin de la société préhistorique française*, 1974, t. LXXI, p. 22-25.

Une culture de l'Epipaléolithique-Mésolithique dans la région de Beaugency : Le Beaugencien

par

Jean-Georges Rozoy *

Résumé. Le Beaugencien est une culture épipaléolithique autonome du Sud-Ouest du Bassin Parisien (Rozoy, 1976 et fig. 1). Les outils communs très abondants (75 %, fig. 2, n°s 6 à 21) sont dans les stations superficielles sur limons (où le silex ne se patine pas) indiscernables des pseudo-outils dûs à la culture, d'où des confusions. Des différences typologiques, le faible taux d'armatures et le très grand nombre de microburins (4 à 6 par armature retrouvée) distinguent cette culture du Tardenoisien. Parmi les armatures microlithiques on peut reconnaître deux tendances, l'une classique avec armatures pygmées régulières à retouches bien abruptes et latéralisation droite, l'autre évoluée avec armatures plus grandes à retouches moins abruptes, le côté retouché est à gauche à 80 %. Il existe tous les intermédiaires entre les deux tendances et une étude de corrélations montre qu'il s'agit d'un passage continu. Toutefois la station de Lorges I sur calcaire (fig. 2) contient la tendance évoluée à l'état pur.

Les autres sites ont été fréquentés très longuement et l'industrie y a évolué de façon continue du stade moyen au stade récent mais sans trapèzes ni lames à coches.

Abstract. The Beaugencian is an autonomous epipaleolithic Culture of the S.W. Paris Basin (Rozoy 1976, and fig. 1). Common tools, very abundant (75 %, fig. 2, No. 6-21) are in the superficial sites on the silts (where flint does not become patinated) indistinguishable from the pseudo-tools due to cultivation, whence mistakes ensued. Typological differences, the low percentage of armatures and the very great quantity of microburins (4-6 per armature found) distinguish this culture from the Tardenoisian. Among the microlithic armatures, two tendencies can be recognized : a classic one comprises regular pygmy armatures with very abrupt retouchs, retouched on the right; the other, evolved, comprises larger armatures with less abrupt retouch, the retouch is on the left for 80 %. There exists all the intermediaries between these two tendancies and a correlation study shows a continuous development from one to the other. However, the site at Lorges I, on limestone, (fig. 2) comprises the evolved tendency in the pure state.

The other sites were frequented for a very long time and the industry evolved there gradually from the middle to the late stage but with neither trapezoids nor notched blades.

Le Beaugencien, décrit aux Hauts de Lutz, commune de Beaugency (Loiret) par l'abbé A. Nouel (1963) qui le considérait comme tardenoisien, fut retrouvé par F. Quatrehomme (1969) à Meung-sur-Loire (Loiret) (Le Mousseau, la Haute Murée), puis par MM. Marquenet à Lorges 1 (Loir-et-Cher) (Rozoy, 1976). Les trois premières stations *sont sur limons (loess argileux)* et la quatrième sur un *sol argilo-calcaire* assez léger, le tout en plaine (fig. 1 A). D'autres sites sont connus dont l'étude est moins avancée. Le silex blond cire ne se patine pas en l'absence de calcaire, et les trois premières stations ne permettent pas la distinction des très nombreux pseudo-outils dûs aux engins agricoles, et des vrais éclats ou lames retouchés. *Seules y sont donc étudiables les armatures microlithiques* et leur déchet le microburin (4 à 6 microburins par armature retrouvée). A Lorges par contre la patine du silex permet d'opérer le tri et de montrer que les engins font aussi des retouches fort régulières mais jamais d'armatures. Dans cette station *le taux d'armatures est de 25 %* mais on ne peut assurer que ce chiffre soit valable pour toute la culture.

La première caractéristique du Beaugencien est sa *considérable abondance* ; *les sites sont très grands :* deux hectares aux Hauts-de-Lutz, autant à la Haute-Murée, une dizaine d'ares pour le Mousseau, plus de vingt ares à Lorges 1. La collecte a été opérée par surfaces trop larges ce qui expose aux mélanges, mais les fouilles des Hauts-de-Lutz (Rozoy, 1976) ont montré pour cette station pure de toute pollution néolithique la très large étendue (20 ares au moins) d'une industrie qui paraît homogène. *Seule une étude statistique permet d'y montrer l'existence de tendances opposées,* dont l'association est variable selon les sites étudiés.

A l'un des pôles « classique » l'on trouve des armatures pygmées (et même de moins de 17 mm) : triangles scalènes avec ou sans côté concave; pointes (triangulaires ou ogivales) à base transversale (à retouche directe et assez courtes); segments de cercle et pointes de Sauveterre. Ces armatures ont le côté retouché à droite et leur style est classique, très régulier, à retouche abrupte. Les microburins ont l'encoche à gauche, complémentaire. Une bonne part des pointes sont arrondies ou tronquées par retouches.

Une série à part est constituée de *pointes plus allongées, à base concave,* retouchées à gauche en majorité, du même style, et tout aussi petites.

A l'autre pôle « évolué » les triangles scalènes ont disparu, les pointes à base transversale sont plus grandes, plus ogivales, plus allongées (pointes du Tardenois), avec retouche inverse de base parfois plate, le côté retouché est à gauche (et les microburins ont donc l'encoche à droite), le style est différent, moins régulier, les retouches sont moins abruptes, la base est parfois oblique passant à de grands scalènes d'un type nouveau. Des pointes à base non retouchée, grandes en général, retouchées à gauche et du même style, sont associées. L'arrondi des pointes existe avec une fréquence analogue à celle de la tendance classique.

La réalité de ces deux tendances est confirmée par le site de *Lorges 1 (fig. 2, tableau équilibré)* où la tendance évoluée (n°s 1, 4, 5) est trouvée isolée sans la tendance classique, mais comportant des segments

* Médecin, 26, rue du Petit-Bois, 08000 Charleville-Mézières (France).

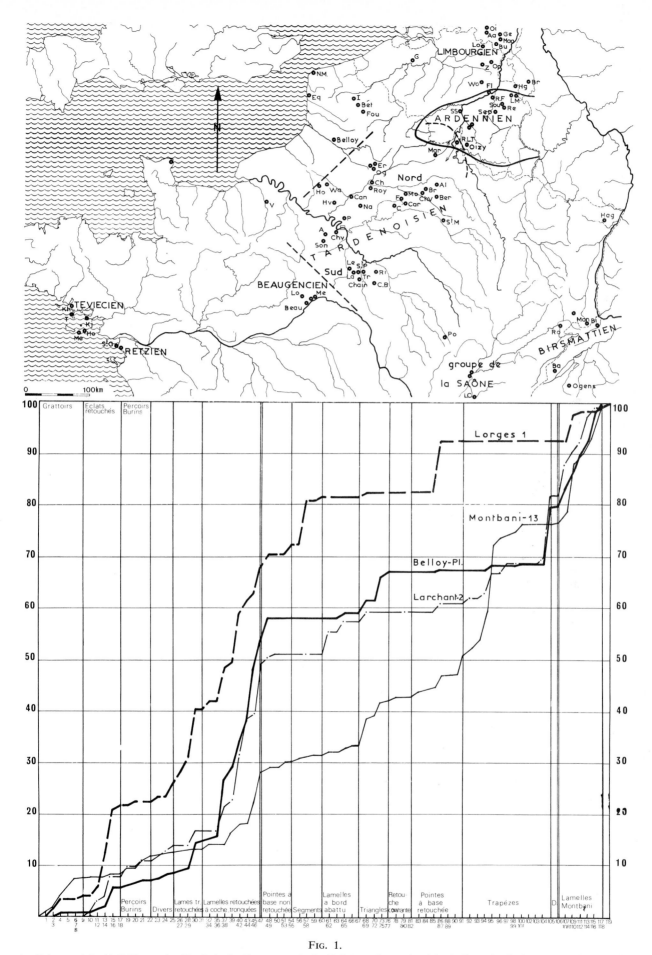

FIG. 1.

A. *Cultures épipaléolithiques du Nord de la France et de la Belgique*. Le trait plein indique la limite du massif primaire ardennais, les traits interrompus des limites entre le Tardenoisien et des cultures voisines.

B. *Proportions des outils au stade récent*. Lorges 1, 120 outils (Beaugencien), Belloy 243 outils (culture autonome non dénommée), Montbani-13 : 1 500 outils (Tardenoisien Nord), Larchant-2 : 102 outils (Tardenoisien Sud). Il s'agit de quatre cultures distinctes.

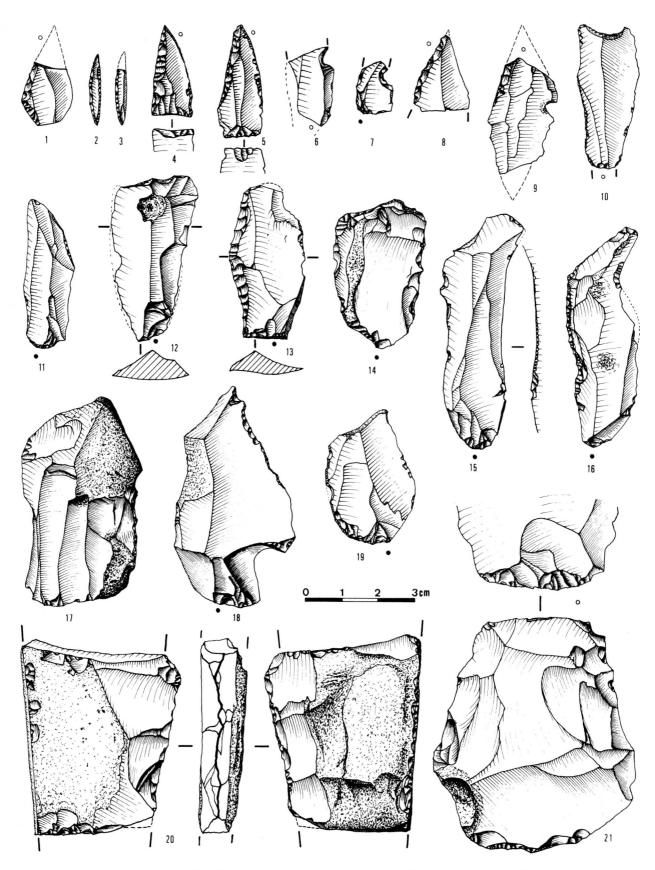

Fig. 2. — *Lorges 1, tableau équilibré.* Noter le bas taux d'armatures, les outils de Beaugency (n° 20), le style des pointes du Tardenois (n° 4, 5).

Filiations et évolutions de quelques cultures épipaléolithiques dans le Nord de la France et l'Ardenne.

Stades des industries : Néolithique — Épipaléolithique — Stade récent — Stade moyen — Stade ancien — Stade très ancien — Paléo-supérieur — Rozoy

Beaugency (Néolithique / Danubien / BEAUGENCIEN)
- (Lorges I ?)
- Lorges I calcaire — limon
- Haute Murée / Hauts de Lutz / Le Mousseau — limon
- (Haute Murée ?) / Hauts de Lutz / Le Mousseau
- (Hauts de Lutz ?)
- ?
- Magdalénien

Nord et Basse Somme (Danubien)
- BELLOY / Plaisance — limon
- Equihen — sable / Hardelot — sable
- Mont Noir ? — sable
- Fouquières les Lens
- Mont kemmel — sable
- Monts de Flandre ? — sable
- Isbergues (harpons) — dragage
- Béthune — marais
- Noires Mottes ? — sable
- ?
- Magdalénien

Haute Somme (Danubien / TARDENOISIEN / PRÉTARDENOISIEN)
- Beaulieu les Fontaines (Fonds Gamets) — limon
- Royallieu / Beaulieu les Fontaines (Haute Borne) — limon
- Bois du Chapitre — limon
- Bois du Champion — limon
- Warluis — sable / Canneville — calc.
- Hodenc en Bray / Choisy au Bac
- ?
- Bois du Brûle — limon / Bois du Glandon
- ?
- Magdalénien

Champagne-Ardenne (Danubien / TARDENOISIEN)
- Brimont — sable
- Mont de Berru — sable
- Châlons sur Vesle — sable
- (Marlemont : Ardennien) — sable
- St Martin sur le Pré — argile
- Roc La Tour II — quartzite
- ?
- ? ?
- Magdalénien / Roc La Tour I

Tardenoisien (Rubané récent / TARDENOISIEN / PRÉTARDENOISIEN)
- Sébouville 1 — limon
- Allée Tortue — sable
- Larchant 2 — sable
- Montbani 13 — sable
- Lendemain — sable [6 240 ± 190]
- Montbani 12 — sable
- Sablonnière II — sable [6 110 ± 350]
- Montbani II — sable
- Sablonnière I — sable
- Piscop M₁ — sable
- Roc La Tour II — quartzite
- Les Blanchères — sable
- ?
- Magdalénien — limon / Pincevent

Ardennien (? / ARDENNIEN / AHRENSBOURGIEN / CRESWELLIEN ?)
- Flône
- Oizy — schiste
- Flônnes I — sable
- (Marlemont) / Roche aux Faucons — sable / calc. arg.
- Flônnes II — sable
- Les Mazures — calc. / Busch Brand — sable
- Remouchamps — grotte calcaire [8 340 ± 180]
- ?
- Presle — grotte calcaire
- Magdalénien — grottes calc. / Chaleux-Montaigle

Dates A.C. : 3 500 — 4 000 — 5 000 — 6 000 — 7 000 — 8 000 — 9 000 — 10 000

Pollens : Atlantique — Boréal — Préboréal — Dryas III — Alleröd — Dryas II

de cercle du style régulier (n° 2, 3), et où l'outillage du fonds commun est étudiable : il comporte très peu de grattoirs (n° 14), des éclats retouchés minces (n⁰ˢ 18, 19) et épais (n⁰ˢ 17, 21) des lames tronquées (n° 12) et retouchées (n⁰ˢ 13, 15) et quelques lames Montbani sans vraies encoches, des lamelles retouchées (n⁰ˢ 10, 11) tronquées (n⁰ˢ 8, 9) et à coche cassée (n⁰ˢ 6, 7) et aussi des outils prismatiques « de Beaugency » (n° 20) (Rozoy, 1976) et des plaquettes lissées.

La tendance classique n'est pas connue isolée jusqu'à présent (non figurée).

Il existe dans les sites mixtes, qui sont les plus nombreux, tous les intermédiaires de l'une à l'autre tendance et l'étude statistique de corrélations (Rozoy, 1976) montre pour tous les caractères sans exception comme pour leurs diverses combinaisons *une variation continue* de l'un à l'autre pôle, tout comme les fouilles montrent la continuité sur le terrain sur de très larges surfaces.

La seule interprétation ethnographique qui paraisse plausible est *la très longue fréquentation des sites* avec variation chronologique de l'industrie ; ceci suppose non seulement une stabilité régionale des populations, déjà établie par d'autres études, mais aussi la quasi-stabilité de certains points de campement, la variation de quelques dizaines de mètres expliquant la large dispersion. Il n'est donc pas nécessaire de croire à de grandes agglomérations (des « urbs » pour Vignard, 1963), au contraire la variation continue des caractères et des types d'armatures indique *la juxtaposition de petits ou moyens campements* et exclut le caractère saisonnier ou la spécialisation du travail.

Le Beaugencien se distingue du Tardenoisien par un style de débitage plus court et plus épais, à la limite de la courte lame et de l'éclat, rappelant celui de l'Ardennien, et par l'existence de types d'outils particuliers :

Dans la tendance classique que l'on doit comparer au Tardenoisien ancien et moyen (Parent 1971-72, 1972, 1973, Daniel 1932, 1946, 1948, 1953, 1962, Daniel et Vignard 1953, 1954, Hinout 1964, Rozoy 1971, 1972, 1973a, 1975, 1976) ce sont les scalènes pygmées à côté concave (pointes à cran basal), l'abondance des pointes triangulaires, l'arrondi ou la troncature des pointes, le grand nombre des microburins. Dans la tendance évoluée qu'il faut comparer au stade récent (Daniel 1933, 1948, Parent 1967, Hinout 1962, Rozoy 1976) ce sont le style des pointes du Tardenois, à retouche non abrupte, l'existence de bases obliques, l'absence de trapèzes et de lames à coches et style de Montbani en présence de retouches inverses plates, l'arrondi ou la troncature des pointes, le nombre encore plus élevé des microburins, l'outillage commun plus abondant (75 % contre 35 à 50 %) avec beaucoup d'éclats retouchés et d'outils sur lames, et différents facteurs quantitatifs (fig. 1B). Le rapport nucleus/armatures est de 400 pour 100 contre 5 à 20 p. 100 dans le Tardenoisien, l'occupation des sites est dans le Beaugencien beaucoup plus intense, probablement par fréquentation plus prolongée.

Il s'agit donc d'un autre groupe humain qui a conservé très longtemps ses traditions particularistes, et la région de Beaugency constitue ainsi *une frontière* de l'occupation tardenoisienne proprement dite non sans quelques influences réciproques dans les régions limitrophes (Vallée du Loing, Daniel, 1953, Pigeot, 1973) (fig. 1 A).

La datation du Beaugencien ne peut en l'état actuel des connaissances reposer que sur des comparaisons interculturelles. La tendance classique évoque fortement diverses industries épipaléolithiques du stade moyen et notamment le Tardenoisien moyen (Daniel, 1948, 1953, Rozoy, 1976) tandis que la tendance évoluée évoque par son style (et malgré l'absence presque totale des trapèzes, de vraies lames à coches et du style de Montbani) diverses industries du stade récent, notamment le Retzien et Belloy sur Somme (Rozoy, 1976). Dans cette région l'évolution des armatures au stade récent se serait fondée sur la pointe du Tardenois et non sur le trapèze, comme dans le Retzien elle s'est basée sur le scalène à côté concave et à Belloy sur le scalène ordinaire (et à Larchant-2 sur la pointe triangulaire courte). Ces hypothèses très plausibles nécessitent confirmation par de nouvelles recherches en milieu clos qui pourraient fournir aussi des datations et des listes de faune, voire des outils en os.

Bibliographie

A la demande de l'éditeur on a limité cette liste aux ouvrages principaux, facilement accessibles, concernant les trois articles (Beaugencien, Picardie, Champagne) présentés par l'auteur. Les autres références seront trouvées dans l'ouvrage de l'auteur (Rozoy, 1976).

[1] COMMONT V. (1914). — *Les Hommes contemporains du Renne dans la vallée de la Somme.* Amiens, 1914 (Yvert et Tellier) et t. XXXVII des *Mémoires in-8° de la Société des Antiquaires de Picardie,* 1913.

[2] DANIEL R. (1932). — Nouvelles études sur le Tardenoisien français. *Bulletin de la Société préhistorique française,* t. XXIX, n° 9, p. 420-428.

[3] DANIEL R. (1933). — Nouvelles études sur le Tardenoisien français. Stations tardenoisiennes pures. *Bulletin de la Société préhistorique française,* t. XXX, n° 3, p. 181-185.

[4] DANIEL R. (1934). — Nouvelles études sur le Tardenoisien français. *Bulletin de la Société préhistorique française,* XXXI, p. 548-569.

[5] DANIEL R. (1946). — Gisements mésolithiques de la rive gauche du Loing. *Bulletin de la Société préhistorique française,* n° 7-8, p. 242-248. Note annexe même bulletin, p. 218-219 (sur Chaintréauville).

[6] DANIEL R. et M. (1948). — Le Tardenoisien classique du Tardenois. *L'Anthropologie,* t. 52, p. 411-449.

[7] DANIEL R. (1953). — Les gisements préhistoriques de la vallée du Loing. *L'Anthropologie,* t. 57, n° 3-4.

[8] DANIEL M. et R. (1962). — Campements mésolithiques du bois de Chaville (S.-et-O.). *Bulletin de la Société préhistorique française,* n° 1-2, p. 44-48.

[9] DANIEL R. et VIGNARD E. (1953). — Tableaux synoptiques des principaux microlithes géométriques du Tardenoisien français. *Bulletin de la Société préhistorique française,* L, p. 314-322.

[10] DANIEL R. et VIGNARD E. (1954). — Le Tardenoisien français. *Livre Jubilaire de la Société préhistorique française,* p. 72-75.

[11] G.E.E.M. (Groupe d'Etudes de l'Epipaléolithique-Mésolithique) (1969). — Epipaléolithique-Méso-

lithique : Les microlithes géométriques. *Bulletin de la Société préhistorique française*, p. 355-366.

[12] G.E.E.M. (Groupe d'Etudes de l'Epipaléolithique-Mésolithique) (1972). — Epipaléolithique-Mésolithique. Les armatures non géométriques 1. *Bulletin de la Société préhistorique française*, p. 364-375.

[13] G.E.E.M. (Groupe d'étude de l'Epipaléolithique-Mésolithique) (1975). — Les outils du fonds commun. 1. Grattoirs, éclats retouchés, perçoirs, burins. *Bulletin de la Société préhistorique française* (à paraître).

[14] GOB A. (1975). — Diplôme de licence en préparation sur *l'industrie de La Roche-aux-Faucons*. Université de Liège, service d'Archéologie préhistorique.

[15] HINOUT J. (1962). — Un gisement tardenoisien de Fère-en-Tardenois. *Bulletin de la Société préhistorique française*, 7-8, p. 478-490.

[16] HINOUT J. (1964). — Gisements tardenoisiens de l'Aisne. *Gallia-Préhistoire*, t. VII, p. 65-106 (avec annexes faunistiques de Th. POULAIN-JOSIEN et géologique, chronologique et palynologique de H. ALIMEN, G. DELIBRIAS et J. SAUVAGE).

[17] NOUEL Abbé A. (1963). — Un remarquable campement préhistorique : la station tardenoisienne de Beaugency (Loiret). *Bulletin de la Société préhistorique française*, p. 591-609 (paru en 1965).

[18] PARENT R. (1967). — Le gisement tardenoisien de l'Allée Tortue à Fère-en-Tardenois (Aisne). *Bulletin de la Société préhistorique française*, p. 187-207.

[19] PARENT R. (1971-72 a). — Le peuplement préhistorique entre la Marne et l'Aisne. *Travaux de l'Institut d'Art préhistorique de l'Université de Toulouse*, XIII (1971) et XIV (1972 a). En vente par Cl. Barrière : 2, av. Montcalm, 31 - L'Union.

[20] PARENT R. (1972 b). — Nouvelles fouilles sur le site tardenoisien de Montbani (Aisne). 1964-1968. *Bulletin de la Société préhistorique française*, p. 508-532.

[21] PARENT R. (1973). — Fouille d'une atelier tardenoisien à la Sablonnière de Coincy (Aisne). *Bulletin de la Société préhistorique française*, p. 337-351.

[22] PIGEOT N. (1973). — Analyse typologique d'une série de 163 pointes du Tardenois. *Cahiers du Centre de recherches préhistoriques. U.E.R. d'Art et d'Archéologie*. Université de Paris 1, 1973, I, p. 19-29.

[23] PIRNAY L. et STRAET H.C. (1975). — Le gisement mésolithique des Mazures à Pépinster (prov. de Liège, Belgique). En préparation.

[24] QUATREHOMME F. (1969). — Particularités du Tardenoisien. *Bulletin de la Société préhistorique française*, n° 3, p. 77-78.

[25] RAHIR E. et LOE A. de (1903). — Note sur l'exploration des plateaux de l'Amblève au point de vue préhistorique. *Mémoires Société d'Anthropologie de Bruxelles*, t. XXII, n° III (10 p.).

[26] REGINSTER B. (1974). — *Contribution à l'étude du site mésolithique, la « station de Sougné »* à Sougné-Remouchamps. Mémoire pour l'obtention du titre de licenciée en Histoire de l'Art et Archéologie, Université de Liège, Faculté de Philosophie et Lettres (plus de 200 pages).

[27] ROZOY J.G. (1971 b). — Tardenoisien et Sauveterrien. *Bulletin de la Société préhistorique française*, p. 345-374.

[28] ROZOY J.G. (1971 c). — La fin de l'Epipaléolithique (« mésolithique ») dans le Nord de la France et la Belgique. *Fundamenta*, Reihe A, Band 3 : *Die Anfänge des Neolithikums vom Orient bis Nordeuropa Teil VI : Frankreich*, p. 1-78, 16 pl. h.-t. Böhlau Verlag, Köln, Wien (1972).

[29] ROZOY J.G. (1972). — L'évolution du Tardenoisien dans le Bassin parisien. *L'Anthropologie*, t. 76, n° 1-2, p. 21-70.

[30] ROZOY J.G. (1973 a). — The franco-belgian Epipaleolithic. Currents problems, dans : *The Mesolithic in Europe*, edited by S.K. Kozlowski, Warszawa, p. 503-530, 8 fig. (ul. Chlodna 11/ 1425 Warsawa).

[31] ROZOY J.G. (1975). — Chronologie de l'Epipaléolithique de la Meuse à la Méditerranée. *Congrès préhistorique de France*, XX° session (Martigues, 1974).

[32] ROZOY J.G. (1976). — *Les derniers chasseurs. Essai de synthèse sur l'Epipaléolithique en France et en Belgique*. Thèse de doctorat es-Sciences (sous presse).

[33] SALOMONSSON B. (1959). — Fouilles à Belloy sur Somme en 1952-53. *Meddelanden frän Lunds Universitets Historika Museum*, Lund (Suède), p. 5-109.

[34] SCHMIDER Mme B. (1971). — *Le Paléolithique supérieur dans le Bassin parisien*. VI° supplément à *Gallia-Préhistoire*, Paris, C.N.R.S.

[35] VIGNARD E. (1963). — Note annexe (à Nouel 1963 sur Beaugency). *Bulletin de la Société préhistorique française*, p. 609.

Les civilisations de l'Epipaléolithique et du Mésolithique en Armorique

par

Pierre Louis GOULETQUER * et Jean Laurent MONNIER **

Résumé. Après une rapide description des industries épipaléolithiques armoricaines, les problèmes de la répartition des sites mésolithiques et de la relation entre Mésolithique et Néolithique sont abordés, ainsi que la relativité des connaissances jusqu'ici acquises essentiellement à partir des sites côtiers, alors que les études en cours montrent l'existence et l'importance de camps principaux situés à l'intérieur des terres. Plus qu'à une étude typologique raffinée des industries ramassées au hasard sur les sites secondaires, c'est vers l'identification et la prospection fine des camps principaux qu'il faudrait d'abord tendre.

Abstract. After a rapid description of the Epipaleolithic industries of the Armorican peninsula, the problems of the repartition of Mesolithic sites and the relationship between the Mesolithic and the Neolithic are discussed. Also considered is the relativity of our present knowledge, obtained mostly from coastal sites, since recent studies reveal the existence and importance of inland base camps. More than towards a typological refinement of the industries collected from the extraction camps, our research should be directed towards the identification and detailed examination of the base camps.

Les cultures sans céramique postérieures au Paléolithique sont essentiellement connues en Armorique par des découvertes effectuées sur les côtes, où la prospection est évidemment plus aisée que dans l'arrière-pays. Cependant, quelques découvertes fortuites, puis des prospections systématiques ont montré depuis plusieurs années déjà que cette répartition littorale n'était pas exclusive, et l'étude de la distribution géographique des industries de surface permet d'avancer que très tôt l'occupation des sols s'est déroulée selon des lois qu'il est possible de formuler et de vérifier.

Dans la partie occidentale de la Cornouaille, le long de la Baie d'Audierne, le paysage est découpé en petits territoires limités latéralement par des cours d'eau de moyenne importance. A l'intérieur de ces limites, la disposition des établissements humains ne s'est pas faite au hasard, et l'étude des caractéristiques géographiques des sites d'habitat connus (topographie, hydrologie, etc.) permet de guider la prospection de manière très certaine. Ici deux facteurs principaux sont intervenus : d'une part la nécessité de se rapprocher de la mer qui fournissait à la fois la matière première essentielle à la fabrication de l'outillage (galets de silex), et constituait une inépuisable réserve de nourriture, d'autre part la nécessité de s'en éloigner pendant la mauvaise saison, pour se protéger contre les tempêtes et les vents dominants. Dans certains cas aussi, l'installation à l'intérieur des terres s'est faite au voisinage d'affleurements offrant un matériau de remplacement de qualité (grès quartzites) pouvant remplacer le silex.

Bien qu'il soit trop tôt encore pour généraliser, on peut avancer que ces deux facteurs dominants ont joué pendant une période assez longue, entraînant l'installation de deux types d'habitat : les *habitats permanents* de l'intérieur, abrités sur les versants exposés au Sud et à l'Est, à proximité de sources, caractérisés par leur étendue et leur grande densité en outillage lithique, et les *habitats secondaires,* temporaires, probablement saisonniers, installés le long des côtes, souvent en bordure des estuaires de petits cours d'eau. Il en résulte que dans les régions présentant les mêmes caractéristiques géomorphologiques, écologiques et climatiques, les mêmes préoccupations ont dû commander l'installation des habitats, et que les sites côtiers qui attirent l'attention ne sont en fait que l'indication de l'existence de sites plus importants à l'intérieur des terres.

Ces sites côtiers présentent pour l'étude un certain nombre d'inconvénients qui rendent leur étude, ainsi que les conclusions qu'on peut en tirer, aléatoires : pérennité de l'occupation, sans que la nature du sol ait permis la mise en place de stratigraphies, destruction partielle qui fait que l'on n'est jamais certain que l'échantillonnage récolté soit significatif de la totalité de l'industrie. Inversement, dans certains cas remarquables et rares, des conditions physico-chimiques exceptionnelles ont au contraire permis la conservation de vestiges organiques qui ont entièrement disparu ailleurs (déchets de cuisine du Beg-an-Dorchen (Plomeur, Finistère), sépultures de Téviec et Hoedic (Morbihan)).

Dans l'état actuel d'avancement des travaux, on peut tout au plus proposer une juxtaposition de bribes de connaissance, sans prétendre lui donner la valeur d'une synthèse définitive.

I. L'épipaléolithique.

L'Epipaléolithique, dans le sens de survivances paléolithiques au début du Postglaciaire, est attesté dans le Nord de la Bretagne, en pays de Léon (Finistère). Le premier gisement signalé est celui de Roc'h Toul en Guiclan. Il fut découvert par le

* Université de Bretagne occidentale. Faculté des Lettres et Sciences Sociales de Brest, B.P. 860, 29279 Brest (France).
** Université de Rennes, Faculté des Sciences - Laboratoire d'Anthropologie - Préhistoire, Avenue du Maréchal Leclerc, B.P. 25A, 35031 Rennes Cedex (France).

Docteur Le Hir au siècle dernier (Le Hir, 1869). C'est une grotte qui s'enfonce dans le grès armoricain, sur la rive ouest de la Penzé. Le matériel recueilli par le Dr Le Hir fut réétudié par G. Laplace-Jauretche (1957) qui l'attribua à un épipaléolithique archaïque comparable à l'Arudien ou au Montadien. Un article récent (P.-R. Giot et al.) donne une révision du matériel de Roc'h Toul ; on y trouve aussi la publication d'un gisement récemment fouillé, situé sur une petite île au large de l'embouchure de l'Aber Benoît : Enez Guennoc (Landéda, Finistère).

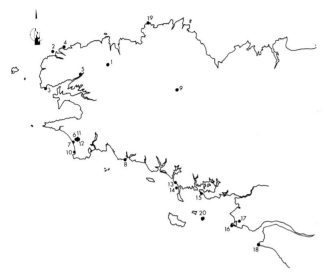

Fig. 1. — Epipaléolithique et Mésolithique de la péninsule armoricaine. Localisation des principaux sites.

1. Roc'h Toul (Guiclan, Finistère); 2. Enez Guennoc (Landéda, Finistère); 3. Bertheaume (Plougonvelin, Finistère); 4. Saint-Michel (Plouguerneau, Finistère); 5. La Forest-Landerneau (Finistère); 6. Kervouyen (Plovan, Finistère); 7. Kergalan (Plovan, Finistère); 8. Raguenez (Nevez, Finistère); 9. Saint-Nicolas-du-Pélem (Côtes-du-Nord); 10. Beg-an-Dorchen (Plomeur, Finistère); 11. Ty-Nancien (Plovan, Finistère); 12. Ty-Lan (Plovan, Finistère); 13. Kerhillio (Erdeven, Morbihan); 14. Téviec (Saint-Pierre-Quiberon, Morbihan); 15. Kerjouanno (Arzon, Morbihan); 16. Le Croisic (Loire-Atlantique); 17. Guérande (Loire-Atlantique); 18. La Pointe Saint-Gildas (Loire-Atlantique); 19. Ploumana'ch (Perros-Guirrec, Côtes-du-Nord); 20. Hoëdic (Morbihan). *(Mis à part les sites de découverte ancienne, cette carte est également la carte de répartition des correspondants du Laboratoire d'Anthropologie, Préhistoire, Protohistoire et Quaternaire Armoricains, ou des informateurs occasionnels : J. Cavaillé, B. Hallégouët et F. Talec pour le Nord Finistère, P. Berrou et Y. le Moal et le Groupe Archéologique de Plovan, pour le Sud-Finistère, le Docteur J. Lejards, D. Guillas, L .Largouët et J. Lecornec pour le Morbihan, le Groupe Archéologique de La Baule - Le Pouliguen pour la presqu'île de Guérande, le Docteur M. Tessier pour le Pays de Retz, M. Le Goffic et F. Le Provost pour les Côtes-du-Nord.)*

Il y a entre les deux industries, uniquement lithiques, des ressemblances évidentes : le groupe des grattoirs est mal représenté, avec des formes peu typiques. La plupart sont sur éclats, certains à réserves corticales. Les retouches sont grossières, assez abruptes, déterminant un front irrégulier, parfois déjeté et souvent denticulé. Il existe cependant quelques grattoirs sur bout de lame d'assez belle facture (fig. 2). Les burins sont en nombre nettement supérieur. Ils restent cependant peu typiques. La plupart

sont sur éclat ; les enlèvements ou « coups de burin » sont simples et à peine marqués. Les dièdres dépassent nettement en nombre les burins sur troncature. La présence de burins plans dans les deux industries est à noter. Ce sont surtout les pointes à dos courbe de type azilien qui rapprochent les deux gisements bretons. Certaines pièces de Roc'h Toul tendent vers le segment de cercle.

Les différences sont cependant notables. L'outillage de Guennoc est plus riche en microlithes ; il y a en particulier un grand nombre de lamelles à dos ou de lamelles tronquées ; des lamelles aiguës à dos abrupt et portant de fines retouches directes sur le bord opposé sont assimilées à des microgravettes. Les encoches et denticulés occupent une place bien plus importante dans l'industrie de Roc'h Toul, soit sur lame, soit sur éclat. En outre seul le gisement de Guennoc a livré des microburins ; on peut toutefois se demander si leur absence à Roc'h Toul n'est pas le fait des méthodes de fouille anciennes.

Ce sont donc deux industries bien différentes mais appartenant à un épipaléolithique armoricain sans microlithes géométriques, distinct du Mésolithique de type sauveterrien ou tardenoisien. Elles traduisent un mode de vie plus proche du Paléolithique. Elles ne sont pas non plus sans ressemblances avec le Tjongerien des Pays-Bas ou le Creswellien britannique (P.-R. Giot et al.). Faut-il y voir comme pour le Romanellien ou l'Azilien du Sud de la France, le prolongement d'un Paléolithique supérieur régional ? C'est vraisemblable, d'autant plus que celui-ci, dont la présence commence à être mieux connue, révèle des caractères originaux.

II. Les industries à microlithes géométriques.

A. Les industries sans trapèzes.

Signalée pour la première fois et identifiée en tant que telle par J. Cavaillé à la Pointe Bertheaume (Plougonvelin, Finistère), l'industrie de « type Bertheaume » se retrouve pratiquement identique sur le site de la Pointe Saint-Michel (Plouguerneau, Finistère), et sur deux sites de la commune de Plovan (Finistère) : Kervouyen et Kergalan, et certains indices permettent de penser qu'on la trouve également au Goërem - Kerbilaët (Plonéour - Lanvern), et à Raguénez (Nevez, Finistère).

L'élément caractéristique en est une lamelle très étroite à un ou deux bords abattus, et à base retouchée. La largeur n'excède jamais 3 mm, et ce caractère distingue cet objet des lamelles à dos. Entière, cette pièce peut atteindre plus de 2 cm de long. Elle est toujours associée à des pointes présentant un ou deux bords abattus, dont la forme typique présente la pointe façonnée du côté du bulbe de percussion. La base est fréquemment retouchée, mais jamais tronquée. Ces pièces sont faites sur de petits éclats minces, et excèdent rarement 2 cm de long. La présence de triangles scalènes est systématique, ceux-ci se divisant en trois groupes : très courts (longueur comprise entre 7 et 11 mm), moyen (entre 13 et 17 mm), grands (longueur supérieure à 20 mm). Toutes les séries étudiées ne possèdent pas ce dernier type,

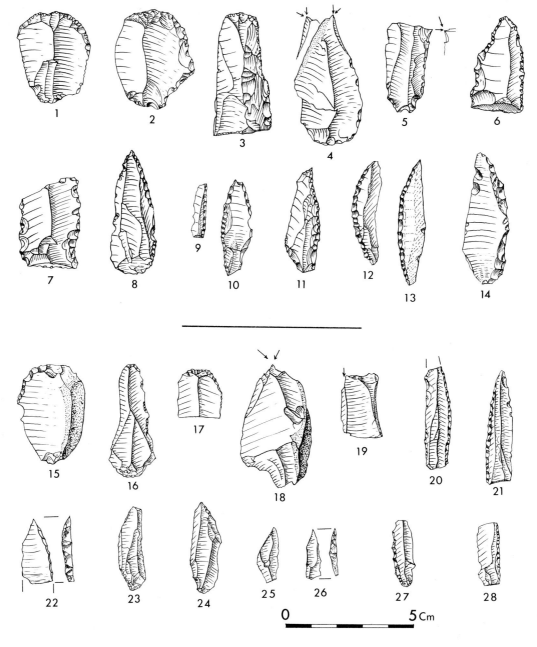

FIG. 2. — 1 à 14. Industrie de la grotte de Roc'h Toul (Guiclan, Finistère); 15 à 28. Industrie de Enez Guennoc (Landéda, Finistère).

mais il est possible que certains fragments de pointes en soient des débris. Quel que soit le type, leur largeur n'excède jamais 5 mm. L'outillage commun qui accompagne ces séries semble peu caractéristique, mais dans la partie occidentale de la Cornouaille (sites de Kervouyen, Kergalan, Goërem-Kerbilaët), la présence d'un grattoir très épais, souvent déjeté et de facture très particulière paraît significative.

Cette industrie est désormais parfaitement identifiée dans le Finistère, et sa localisation topographique caractéristique devrait permettre un repérage rapide de nouvelles stations, et une étude détaillée des structures territoriales correspondantes. En raison de l'inégalité des recherches selon les régions, il est difficile de la rattacher avec certitude à d'autres groupes voisins.

L'absence d'une industrie comparable dans le Mor-

bihan n'est pas démontrée. Il semble par contre que l'on puisse établir des comparaisons avec certaines séries récoltées dans la région de Ploumanach (Perros-Guirec, Côtes-du-Nord), où, si les lamelles très étroites à bords abattus manquent (la finesse de la prospection permet de l'affirmer), la présence de pointes et de scalènes des différents types constitue un élément de comparaison intéressant. Mis à part l'absence de lamelles très étroites, ce groupe de Ploumanach, malheureusement connu seulement par un site côtier, se distingue du groupe précédent par la présence de triangles scalènes très longs, qui, pour une largeur inférieure à 1 cm, peuvent atteindre jusqu'à 3 cm de long.

De même, si la prépondérance de l'occupation néolithique dans la région de Saint-Nicolas-du-Pélem (Côtes-du-Nord) est indéniable, la présence de quelques éléments microlithiques permet de suggérer une occupation plus ancienne, et parmi les pièces récoltées, quelques échantillons pourraient se rattacher à l'ensemble décrit ci-dessus, en particulier quelques pointes caractéristiques, et quelques fragments de lamelles très étroites.

Dans l'état actuel des connaissances, ces industries paraissent donc limitées à l'Ouest de la péninsule armoricaine, et si la faiblesse de la prospection en Ille-et-Vilaine interdit de repousser *a priori* la possibilité de l'existence de groupes similaires à l'Est, la minutie des travaux entrepris sur la côte sud, notamment au Sud de la Loire, confirme que ce faciès n'a pas son équivalent dans les régions méridionales de la péninsule.

B. LES INDUSTRIES À TRAPÈZES.

1. *Les industries sans microburins.*

Le problème de l'existence ou de l'absence de la technique du microburin, déjà évoqué pour l'Epipaléolithique, se trouve confirmé ici, dans un cadre géographique. En effet, abondant à l'Est du Golfe du Morbihan dans les séries récoltées au Sud de la Loire, dans la région de Guérande ou la Presqu'île de Rhuys, le microburin est quasiment absent des échantillonnages récoltés à l'Ouest.

Ce détail technique permet de rattacher entre eux les sites de Téviec, Hoedic, La Torche, et de Ty-Nançien et Ty-Lan I, de découverte plus récente, même si des variations locales indiquent des appartenances à des groupes différents, et peut-être à des périodes différentes.

Dans ces séries, les trapèzes symétriques dominent. Ils ont les troncatures concaves, et la petite base peut être retouchée. Ils sont associés à des trapèzes asymétriques à petit côté concave et à des scalènes de grande dimension au petit côté également concave, et à des troncatures. Les belles lamelles à dos sont rares, et les bords abattus affectent le plus souvent des éclats ou des éclats longs, plutôt que de véritables lames ou lamelles. L'outillage commun varie d'un site à l'autre, variation qui traduit davantage des différences de mode de vie propres au type d'habitat, plutôt que des différences culturelles. Il est probable que d'autres groupes de ce type existent, notamment dans le Léon, où les prospections préliminaires ont mis en évidence au moins un site à trapèzes, dans la vallée de l'Elorn.

2. *Les industries à microburins.*

Le groupe précédent paraît donc bien cantonné dans le secteur occidental de la péninsule, et se distingue très nettement des groupes plus orientaux. Cependant, la connaisance de ces derniers est moins avancée qu'il serait souhaitable, et les séries connues ont toutes été récoltées au cours de ramassages de surface sur des sites côtiers, sauf un petit ensemble recueilli à Kerjouanno (Arzon, Morbihan) dans un petit sondage, et les séries récoltées au cours de la fouille de la Butte-aux-Pierres (Saint-Lyphard, Loire-Atlantique) et rattachées au Néolithique.

Il est par conséquent difficile de tirer des conclusions cohérentes d'un matériel aussi inégal, et, tout ce que l'on peut avancer, c'est qu'à côté de caractéristiques communes (petite taille des microlithes géométriques, abondance des microburins), des différences locales se manifestent très nettement (par exemple, existence de losanges dans le Pays de Guérande), mais dans la mesure où il est impossible de préciser si les séries récoltées sont chronologiquement bien individualisées, il est dangereux, comme celà a été fait, d'en tirer des hypothèses solides.

III. Chronologie.

Les fouilles étant rares, les éléments de datation sont également exceptionnels, d'autant que la fouille des sites de Kervouyen, Kergalan et Ty-Nancien n'a pas fourni de charbons susceptibles d'être datés.

On peut cependant admettre que la succession des cultures s'est effectuée dans l'ordre où elles sont exposées ici, les industries de type Guennoc et Roc'h Toul assurant la transition avec un Paléolithique présentant certaines caractéristiques régionales, l'ensemble du « type Bertheaume », avec ses équivalents à Ploumanac'h et dans le Centre Bretagne prolongeant peut-être ces faciès particuliers par une adaptation à un nouveau mode de vie, enfin les industries à trapèzes, traduisant probablement de nouvelles influences culturelles, peut-être d'ailleurs contemporaines du Néolithique à céramique, au moins dans certaines régions. Trois dates radio-carbone existent actuellement pour supporter cette chronologie relative :

5 630 ± 105 B.C. pour un site de la Forest-Landerneau (Finistère), n'ayant malheureusement fourni aucun élément d'outillage caractéristique, mais qui pourrait se rattacher au premier groupe,

— 4 625 ± 350 B.C. pour Hoëdic,

— 4 000 ± 80 B.C. pour Beg-an-Dorchen, ces deux datations cadrant assez bien avec la nature de l'outillage.

En conclusion, on peut dire qu'il faudra attendre que des séries plus complètes que celles actuellement disponibles, et qu'un développement de la prospection donnent des informations plus complètes à la fois sur la structure des territoires occupés, et sur la nature des industries, avant de dresser, pour l'Armorique, un tableau cohérent des civilisations de l'Epipaléolithique et du Mésolithique, et à plus forte raison avant d'établir des corrélations significatives avec le reste de l'Europe occidentale.

Bibliographie

[1] BERROU P. et GOULETQUER P.L. (1973). — L'Epipaléolithique de la région de Plovan (Finistère); Note préliminaire. *Bulletin de la Société préhistorique française*, t. 70, C.R.S.M., n° 6, p. 166-172, 3 fig.

[2] GIOT P.R. (1973). — Chronique de préhistoire et de protohistoire finistérienne pour 1973. *Bulletin de la Société archéologique du Finistère*, t. CI, p. 9-11, 2 fig.

[3] GIOT P.-R., HALLEGOUET B. et MONNIER J.L. (à paraître). — Le Paléolithique supérieur du Pays de Léon (Finistère). Les gisements de Roc'h

Toul, Parc ar Plenen (Guiclan), Enez Guennoc (Landéda) et la Forest-Landerneau. *L'Anthropologie.*

[4] GOULETQUER P.L. (1973). — Découverte d'une nouvelle industrie mésolithique en Bretagne occidentale. *The Mesolithic in Europe,* Warszawa, S. Kozlowski ed., p. 187-207, 7 fig.

[5] GOULETQUER P.L., MORIS J. et STOURM J.-C. (1974). — Prospection archéologique en Pays Bigouden ; méthodes, résultats et perspectives. *Penn ar Bed,* Vol. 9, n° 79, p. 468-483, 7 fig.

[6] LAPLACE-JAURETCHE G. (1957). — Les industries de Roc'h Toul et de Parc-ar-Plenen en Guiclan (Finistère). *Bulletin de la Société préhistorique française,* LIV, p. 422-438.

[7] LE HIR (Dr) (1869). — Première grotte à silex taillés signalée en Bretagne. *Matériaux pour l'Histoire primitive et naturelle de l'Homme,* t. V, p. 119-122.

[8] PEQUART M. et S.J. (1954). — Hoëdic, deuxième station-nécropole du Mésolithique armoricain. *Anvers, 1954.*

[9] PEQUART M. et S.-J., BOULE M. et VALOIS H.V. (1937). — Téviec. Station-nécropole mésolithique du Morbihan. *Archives de l'Institut de Paléontologie humaine,* XVIII, Paris.

[10] ROZOY J.-G. (1971). — Tardenoisien et Sauveterrien. *Bulletin de la Société préhistorique française,* t. 68, Etudes et Travaux, fasc. 1, p. 345-374, 27 fig.

Les civilisations de l'Epipaléolithique et du Mésolithique dans le Bassin Parisien

par

Jacques Hinout *

Résumé. L'Epipaléolithique (— 9 000 à — 7 000 A.C.) de cette région bien que peu représenté jusqu'ici, meuble la transition entre le Paléolithique supérieur et le Mésolithique. Ses industries lithiques à débitage laminaire se caractérisent par un faible pourcentage d'outils par rapport aux déchets de taille. La matière employée étant le plus souvent le silex noir de la craie. Le Mésolithique (— 7 000 à — 3 000 A.C.) très présent au Nord comme au Sud de la Seine, occupait les massifs gréseux du Bassin Parisien, soit sous grottes ou abris ornés, soit des landes ou clairières. Ces campements sabulaires de plein air étaient constitués de petites huttes avec foyer central appareillé de pierres meulières ou gréseuses. Deux faciès différents se développent du Sauveterrien au Tardenoisien final. Au Nord, industrie lithique avec nombreux grattoirs et pièces à retouches plates; au Sud, pas ou très peu de grattoirs, remplacés par des denticulés transversaux ou latéraux et quasi absence de pièces à retouches plates, mais toujours accompagnés de nombreux microlithes. Le Montmorencien, industrie à outillage macrolithique taillé dans le grès, localisé dans la Région parisienne, sur les mêmes sols que les Mésolithiques, dont les gisements sont parfois mêlés. La présence de pics identiques dans certains gisements tardenoisiens, conduit à placer cette industrie à la fin du Mésolithique.

Abstract. The Epipaleolithic (9,000-7,000 B.C.) of this region, although poorly represented until now, fills the transition between the Upper Paleolitihc and the Mesolithic. The lithic industries of blade debitage are characterized by a low percentage of tools with regard to flaking wastes. The material most often employed was a black flint from chalk beds.

The Mesolithic (7,000-3,000 B.C.), very well represented to the north as well as to the south of the Seine, occupied the sandstone massifs of the Paris Basin either in caves or decorated shelters, on the prairies or in clearings. These open-air encampments in sandy regions were constituted of little huts with a central hearth surround by sandstone blocks. Two different variants develop from the Sauveterrian to the Final Tardenoisian. In the north, it is characterized by a lithic industry with numerous end-scrapers and pieces with flat retouch; in the south : none or very few end-scrapers, which have been replaced by transverse or lateral denticulates, and the virtual absence of pieces with flat retouch, yet, always accompanied by numerous microliths.

Cadre géographique et géologique.

Les gisements épipaléolithiques et mésolithiques qui font l'objet de ce travail sont répartis de part et d'autre de la vallée de la Seine, à l'intérieur des limites élargies de l'Ile de France ; c'est-à-dire un ensemble de plaines, de plateaux, de collines et de massifs gréseux qui constitue le relief de cette région (fig. 1). Ils sont situés sur les sables marins tertiaires : sables de Grandeglise et de Bracheux (Thanétien), sables et grès de Beauchamp (Auversien) et les sables et grès de Fontainebleau (Stampien). Toutefois le gisement épipaléolithique d'Evreux, F. Bordes et P. Fitte (1951), se trouvait sur un loess recouvert par une colluvion limoneuse. La plupart des campements mésolithiques de plein air sont scellés par des sols plus ou moins podzolés.

Palynologie.

Les résultats généraux des analyses polliniques sont résumés dans le tableau n° 1 qui montre les phases d'occupation des sites dans les strates archéologiques. L'on remarque qu'elles sont caractérisées par un couvert forestier important composé pour le Tardenoisien, de chênaies-mixtes à tilleul dominant où le noisetier est abondant, sauf à la Ferme de Chinchy où l'aulne est bien en rapport avec la grande humidité du marais attenant. On remarque aussi les grandes quantités de lierre dans différents gisements, ce qui dénote une couverture forestière très clairiérée car celui-ci ne fleurit que perché ou en espace découvert (habitat de clairière). Le site de Chateaubriand, dont l'étude de l'industrie a démontré que l'horizon culturel était un Sauveterrien à denticulés est confirmé par l'étude des pollens qui le situe à l'époque boréale moyenne (6 000 A.C.). Les deux échantillons prélevés et analysés, l'un provenant d'une large diaclase à découvert dans le niveau archéologique, le second sous une énorme dalle de grès, cette disposition assurant une étanchéité quasi absolue et une barrière certaine aux apports éventuels dus à de problématiques « percolations ». Ces échantillons ont livré une flore révélant une forêt dominée massivement par les noisetiers ; la chênaie-mixte est très peu représentée mais les pins sont par contre relativement abondants et l'on note ici l'absence du lierre. Cette remarque de non percolation est valable aussi pour l'Abri du Géant où les échantillons découverts sous le grès ou dans la diaclase sont pratiquement de même valeur. Il faut noter aussi que quelle que soit la profondeur où se situe le niveau archéologique puisqu'il varie de 0,43 à 1,60 m de profondeur selon les stations, les séquences polliniques sont toujours identiques. La thèse de la percolation est de ces faits aléatoire.

* 28, Grande Rue, 02400 Château-Thierry (France).

TABLEAU I

Epipaléolithique et Mésolithique du Bassin Parisien. Palynologie.

	Profondeur en mètres	Pin %	Chênaie mixte à Tilleul dominant	Hêtre	Aulne	Bouleau	Noisetier	Lierre % en sus	
Nord du B.P. — Tardenoisien									
La Chambre des Fées	0,60	1,5	59,5	1,5	7,5	16,5	13,5	–	J. Sauvage (1964
La Sablonnière II	0,90	–	*	–	–	–	*	–	N. Planchais (1973)
La Ferme de Chinchy	0,70	–	62	1	20	12	–	–	J. Sauvage (1968)
L'Abri du Géant – diaclase	0,45	–	41	–	–	–	43	*39,4*	M. Girard (1975) (1)
L'Abri du Géant – sous le grès	0,45	–	26	–	–	–	57	*156*	M. Girard (1975)
Carrière de Saponay	1,60	1,7	51,8	–	–	–	23,4	*21*	M. Girard (1975)
Montbani Dune	0,60	5	44	3	5	5	17	*160*	M. Girard (1975)
Montbani II	1,10	–	57	–	4	1	38	*119*	N. Planchais (1972)
Sud du B.P. — Tardenoisien									N. Planchais (1972)
Le Désert d'Auffargis	0,43	5	51	2	5	6	33	–	J. Dupuy (1961)
Sonchamp III	0,50	–	63	–	–	–	10	*685*	M. Girard (1975)
Sud du B.P. — Sauveterrien									
Chateaubriand – diaclase	0,60	8,26	3,6	–	–	–	62,1	–	M. Girard (1975)
Chateaubriand – sous le grès	–	10,6	3,3	–	–	–	51,6	0,24	M. Girard (1975)

(1) Girard M. — *Résultats préliminaires* communiqués par le laboratoire du Musée de l'Homme (1975).
* Tilleuls et noisetiers dominants.

Historique.

En 1954, lors de la parution du livre jubilaire de la Société Préhistorique Française à l'occasion de son cinquantenaire, R. Daniel et E. Vignard (1954) ont développé l'historique des découvertes depuis E. Tatté (1885) jusqu'en 1953, où les deux auteurs présentent les tableaux synoptiques des microlithes du Tardenoisien (1953). Un essai de chronologie est tenté par les auteurs se traduisant par 4 niveaux ou faciès, à savoir : 1) Tardenoisien ancien de faciès Sauveterrien, 2) Tardenoisien de l'Ile de France, 3) Tardenoisien type Montbani, 4) Néolithique de tradition tardenoisienne.

Il convient toutefois de citer le travail de A. Cabrol et H. Pauron (1935) pour l'intéressant gisement du camp de Chailly situé dans la forêt de Fontainebleau. E. Vignard et l'Abbé A. Nouel signalent la présence de pics de style Montmorencien dans certains gisements tardenoisiens (1962). R. Daniel publie le Tardenoisien II de Piscop en 1965 et le gisement mésolithique du désert d'Auffargis (1965).

Fouilles récentes dans l'Epipaléolithique et le Mésolithique du Bassin Parisien (fig. 2).

1. *Nord du Bassin Parisien - Mésolithique.*

Ces fouilles par carroyage métrique commencèrent à l'occasion d'un sauvetage dans le parc de l'ancien château de Fère-enTardenois, Allée Tortue, J. Hinout (1962) ; elles furent suivies par la fouille d'un second gisement situé à quelques distances du précédent selon les mêmes méthodes, R. Parent (1967). En

1961, une première campagne de fouilles permettait l'étude du gisement tardenoisien de l'abri orné de La Chambre des Fées ainsi que plusieurs gisements satellites, probablement petits chantiers de taille, situés à l'abri de blocs de grès ou sous l'auvent d'abris de petites dimensions, J. Hinout (1964).

Les campagnes de fouilles sur les sites de l'Abri de Chinchy, J. Hinout (1964), et de la Ferme de Chinchy à Villeneuve-sur-Fère, révèlent deux faciès différents du Tardenoisien. L'un avec foyer devant un abri, l'industrie lithique comprenant des pointes à troncature (pointes du Tardenois, scalènes) et absence de trapèze. L'autre de plein air avec foyer central appareillé sous une hutte. Les trapèzes sont dominants et absence totale de pointe à troncature droite (pointe du Tardenois), R. Agache (1963).

La découverte d'un gisement tardenoisien au lieudit Le Bois de la Baillette à Oulchy-la-Ville (Aisne), apporta des éléments permettant d'affiner la connaissance d'un nouveau faciès dans le Tardenoisien final du Sud de l'Aisne, J. Hinout (1962). De nouvelles fouilles sur le site Tardenoisien du Montbani, à quelques distances de ceux découverts par Gardez en 1913 et le Commandant Octobon en 1917, puis par R. Daniel en 1937, ont été pratiquées par R. Parent (1972). Ce gisement d'après l'auteur, et se référant à la chronologie définie par J.-G. Rozoy (1967-1971), appartiendrait au Tardenoisien moyen, ainsi que celui de La Sablonnière II qu'il étudie et publie en 1973.

L'ouverture d'une carrière pour l'extraction des sables à Saponay a mis au jour, d'une part une coupe d'environ 8 m et présentant une stratigraphie de la fin du würm à nos jours, et notamment la mise en évidence d'un sol d'Usselo typique, horizon caractéristique du tardi-glaciaire et décrit pour la première

FIG. 1. — Epipaléolithique (E) et Mésolithique (M). Répartition des principaux gisements dans le Bassin Parisien.
Epipaléolithique : 1. Evreux; 2. Les Blanchères; 3. Bois du Brûle; 4. Bois du Glandon; 5. Hannappes; 6. Vénerolles.
Mésolithique : 7. Coincy (La Sablonnière et la Chambre des Fées); 8. Saponay; 9. Piscop; 10. Villeneuve-sur-Verberie; 11. Nanteuil-le-Haudoin; 12. Villeneuve-sur-Fère (Abri de Chinchy et Ferme de Chinchy); 13. Montbani; 14. Fère-en-Tardenois; 15. Oulchy-la-Ville; 16. Bouresches; 17. Sonchamp; 18. Auffargis; 19. Buthiers (Chateaubriand); 20. Buthiers (Roche aux Amis); 21. Nemours; 22. Camp de Chailly; 23. Larchant; 24. Maisse; 25. Boutigny.

fois dans le Bassin Parisien, dont les analyses palynologiques en confirment l'âge alleröd. L'étude pédologique a été assurée par P. Vermeersch et l'étude des pollens par A.-V. Munaud (1973). Surmontant cet ensemble à quelques distances, une dune dont la coupe a pour la première fois livré trois podzols superposés avec chacun leur sol humique et les trois horizons qui les caractérisent. A la base du troisième podzol, c'est-à-dire à 1,60 m de profondeur légèrement au-dessus de l'horizon aliotique, un niveau tardenoisien à pics en grès (style Montmorencien) a été mis au jour (1972).

En 1974, un site mésolithique (Sauveterrien ?) a été découvert sur le territoire de la commune de Villeneuve-sur-Verberie (Oise) par M. Moummelé. La campagne de fouilles assurée par J.-C. Blanchet, J. Hinout et M. Moummelé, a permis une étude statistique à partir des objets lithiques mis au jour sur les premiers 70 m² de surface décapée en 1974 (Villeneuve-sur-Verberie) (fig. 2).

2. Nord du Bassin Parisien - Epipaléolithique.

Il convient de signaler les gisements du Bois du Brûle à Ercheux (Somme) découverts par E. Pernel en 1909 et étudiés par A. Terrade en 1913, et la station du Bois du Glandon à Ognolles (Oise) découverte par E. Vignard vers 1910, étudiée par B. Schmider (1971).

La découverte en 1968 d'un gisement épipaléolithique dans le Bois de Hannappes à Hannappes, par Ph. Taquet a permis d'entreprendre des fouilles à la suite de l'avancement d'une sablière, R. Agache (1971). La prospection des carrières sableuses de cette région signalées par Ph. Taquet, fit découvrir un nouveau gisement épipaléolithique à Vénerolles dans le Nord de l'Aisne (fig. 2). L'étude de l'industrie lithique a permis de mettre en évidence un type de pointe particulier grâce au remontage d'une de ces pointes de Vénerolles, J. Hinout (1975).

3. Sud du Bassin Parisien. - Mésolithique.

Le très important gisement tardenoisien du Bois de Plaisance à Sonchamp (Yvelines) a été l'objet de sondages très étendus de MM. J. Blanchard, L. Coutiers, E. Vignard de 1935 à 1952. De nouvelles fouilles méthodiques ont été entreprises au cours de plusieurs campagnes entre 1965 et 1968, elles permirent entre autre de découvrir de nouveaux campements mésolithiques bien en place, et la mise au jour de foyers appareillés semblant occuper le centre d'une hutte délimitée par une aire stérile subovalaire (fig. 3), partiellement entourée d'ateliers de taille allant du Sud au Nord-Ouest de cet habitat au locus III, G. Bailloud (1967). Le locus VI a fourni un très important mobilier lithique avec foyer appareillé, G. Bailloud (1969).

En 1974, la fouille de sauvetage de la grotte ornée de Chateaubriand à Buthiers (Seine-et-Marne) a révélé un niveau sauveterrien à denticulés dans un sol dont la couverture végétale le situe, d'après les premiers résultats de l'analyse pollinique, à la période boréale, c'est-à-dire aux environs de 6 000 ans av. J.-C. Cet important gisement dont la partie de la grotte abritée est gravée de nombreux signes (grandes incisions, quadrillage, etc.), confirme l'utilisation des pièces en silex ou en grès provenant de l'industrie lithique, dont les extrémités distales ou proximales présentent un poli très particulier, que l'on rencontre dans les nombreuses grottes et abris gravés des massifs gréseux du Bassin Parisien, J.-L. Baudet (1952), J. Angelier, J. Hinout (1968).

4. Sud du Bassin Parisien - Epipaléolithique.

Le gisement épipaléolithique d'Evreux (Eure) fut découvert par P. Fitte en 1950, fouillé et étudié par F. Bordes et P. Fitte (1951). Cette industrie lithique donne un mobilier composé de : 9 grattoirs, 6 burins, 16 couteaux à dos, 1 raclette, 4 lames tronquées, 13 encoches, 11 denticulés, 7 outils divers, 2 percuteurs et 7 pierres gréseuses portant des traces de feu (foyer ?).

La station épipaléolithique des Blanchères (Yvelines) a été fouillée par F. Champagne et une première étude de l'ensemble lithique de ce site a été

TABLEAU II

Chronologie de l'Epipaléolithique et du Mésolithique du Bassin Parisien.

Chrono. B.C.	9 000	8 000	7 000	6 000	5 000	4 000	3 000
Climats Pollens	Alleröd Pin-Bouleau	Dryas III Herbacées Bouleau	Pré-Boréal Bouleau-Herbacées	Boréal Noisetier-Pin	A	Atlantique Chênaie-mixte à Tilleul dominant, Noisetier, Lierre . . . . + Hêtre	B
Pédologie	Dunes anciennes Sol d'Usselo Sols podzoliques		Erosion en nappe Sols blanchis de Saponay Sols lessivés		Dunes récentes — Erosion — Dunes Sub-Actuelles Podzols à alios		
Civilisations	Epipaléolithique Epigravettien ? Aziloïde ?		Sauveterrien		Mésolithique Tardenoisien I, II, III . . . Montmorencien A, B		
Sites Nord du B.P.	Hannappes Vénerolles (Aisne)		Villeneuve/ Verberie (Oise)		Montbani II La Ferme de Chinchy La Sablonnière La Baillette La Chambre des Fées Allée Tortu I, II, III. L'Abri de Chinchy (Aisne) Montmorencien de La forêt de Montmorency (Val d'Oise)		
Sud du B.P.	Les Blanchères (Yvelines) Evreux (Eure)		Grotte de Chateaubriand (Seine et Marne) Camp de Chailly (Seine et Marne)		Auffargis Sonchamp S. I-II Sonchamp S. III et V Sonchamp S.VI (Yvelines) Montmorencien de : Gambaiseuil (Yvelines), Montaubert (Essonne)		

		Nord du B.P.	Sud du B.P.
Pictographie	Schiste ardoisier gravé Plaquettes de grès et galets tachetés d'ocre Blocs et plaquettes de grès gravés Peintures à l'ocre : pectiforme, en arêtes de poisson.	Abri de Chinchy La Baillette La Baillette La Chambre des Fées	Grotte de Chateaubriand Sonchamp, Abri des Canches, Buthiers Grotte de Larchant
Mésolithique	Gravures pariétales : Incisions, grilles, tectiformes, huttes, personnages et animaux schématisés	Auvent du Géant, Hottée du Diable Abri de Chinchy, Trou de la Fontaine Norbert, Niche de la Garenne des Vignes	Grotte de Chatillon, Grotte de Chateaubriand, Abri des Canches, Niche du Camp de Chailly, Grottes Villetard

faite par B. Schmider (1971). Les nombreuses pointes et lamelles de ce gisement ont une allure gravettienne ce qui le différencie de celui de Vénerolles.

Le tableau présenté à la fig. 2 donne une vue générale des ensembles lithiques différenciés. Il permet d'esquisser par la typologie une chronologie relative, en rapport avec celle obtenue par la palynologie.

DESCRIPTION DU TABLEAU FIG. 2

Ce tableau se présente en deux parties — la partie supérieure (Nord du Bassin Parisien) comprend, de bas en haut, cinq gisements : Epipaléolithique de Vénerolles, Sauveterrien de Villeneuve-sur-Verberie, Tardenoisien de la Chambre des Fées à Coincy, Tardenoisien de la Baillette à Oulchy-la-Ville, Tardenoisien de l'Allée Tortue à Fère-en-Tardenois — la partie inférieure (Sud du Bassin Parisien), de bas en haut : Epipaléolithique des Blanchères, Sauveterrien de la Grotte de Chateaubriand (Buthiers), les locus SIII et SVI du Tardenoisien de Sonchamp (Yvelines). Il présente dans le sens vertical, trois séparations principales de gauche à droite : 1) l'outillage essentiel, 2) l'outillage microlithique, 3) la colonne des recoupes de piquant trièdre (microburins, déchets de

la fabrication des pointes ou troncatures de ces industries). Les pourcentages ont été produits séparément dans chaque gisement : 1° les outils entre eux, 2° les armatures entre elles, 3° les recoupes de piquant trièdre par rapport aux pointes et troncatures. Les pourcentages représentés par les traits noirs montrent l'évolution croissante ou décroissante de certains de ces artefacts et, notamment, la quasi absence et même dans certains cas, l'absence totale de certains outils.

Dans la première colonne on peut remarquer la décroissance régulière des burins ainsi que quelques différences dans leur morphologie, par exemple les gisements sauveterriens de Chateaubriand et de Villeneuve-sur-Verberie présentent des mini-burins sur lamelles à troncature oblique. Dans la colonne des grattoirs, l'on note au Sud de la Seine, dans la grotte de Chateaubriand l'absence de ceux-ci (4 et 5) ou leur très faible pourcentage à Sonchamp : SIII et SVI alors que, dans les gisements du Nord du Bassin Parisien, la croissance des grattoirs s'accentue jusqu'au Tardenoisien d'Oulchy (261) pour diminuer ensuite brutalement dans le Tardenoisien final de Fère-en-Tardenois au profit des LR (11), L.IND (12) et L.ENC (13) qui sont les outils dominants de ces gisements.

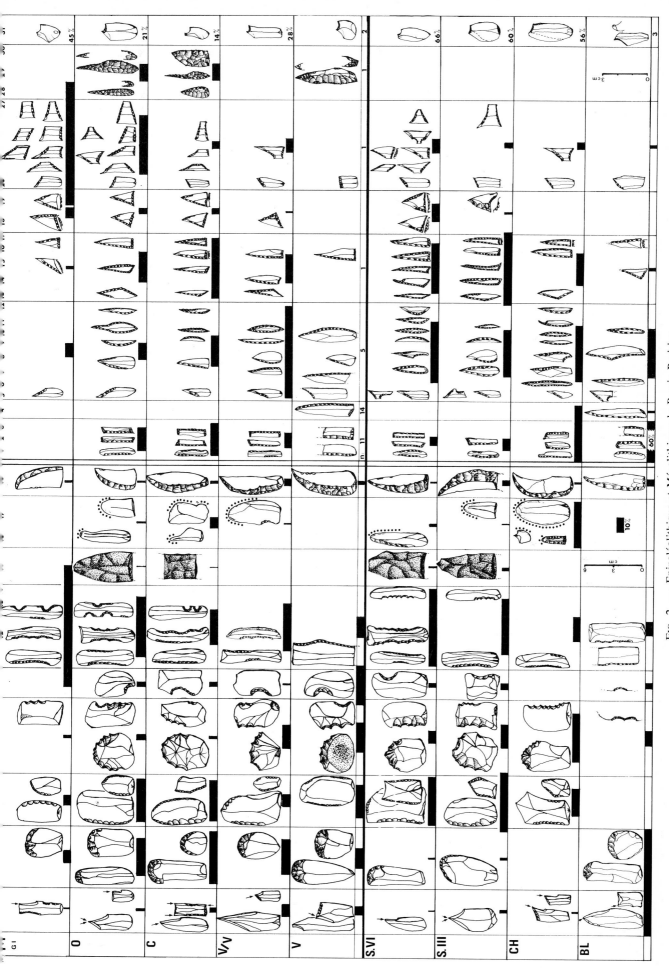

Fig. 2. — Epipaléolithique et Mésolithique du Bassin Parisien.

Tableau montrant l'évolution des industries au Nord et au Sud de la Seine.

F.T. : Fère-en-Tardenois; O : Oulchy-la-Ville; C : Coincy (Aisne); V/V. : Villeneuve-sur-Verberie (Oise); V : Vénerolles (Aisne);
S. VI et S. III : Sonchamp (Yvelines); Ch. : Grotte de Chateaubriand à Buthiers (Seine-et-Marne); Bl. : Les Blanchères (Yvelines).

La colonne des racloirs marginaux (6) et abrupts marginaux (7) sont pratiquement présents dans tous les gisements sauf dans l'Epipaléolithique des Blanchères. La colonne des denticulés transversaux (8) ou latéraux (9) sont beaucoup plus nombreux dans le Sauveterrien de Chateaubriand et celui de Villeneuve-sur-Verberie. On assiste à une chute brutale de ceux-ci dans les gisements tardenoisiens de Coincy, Oulchy-la-Ville et Fère-en-Tardenois. Les éclats à encoches (10) nombreux dans l'Epipaléolithique de Vénerolles sont beaucoup plus rares dans les autres industries mésolithiques du B.P. Les lames à retouches marginales (11), à indentations (12), les lames à encoches successives (13) et les lames à retouches denticulées (14) montrent une progression constante de l'Epipaléolithique au Tardenoisien final du B.P. Dans la colonne (15) nous notons la présence de pics en grès de style montmorencien dans le Tardenoisien du B.P. mais dans des pourcentages très faibles. Les pièces émoussées figurées aux nos 16 et 17 démontrent de façon pertinente leur emploi par le pourcentage élevé dans les abris qui comportent des gravures, telle la grotte ornée de Chateaubriand et celle de Coincy. Le pourcentage de ces pièces est en relation directe avec le nombre de gravures (Chateaubriand environ 300 signes ; la Chambre des Fées à Coincy quelques signes très érodés). Il en est de même dans les gisements de plein air où ces pièces à graver sont accompagnées de nombreux blocs ou plaquettes de grès gravés, piquetés ou polis et quelquefois, présentant des traces d'ocre. La colonne (18) présente les couteaux à dos ou pointes à retouches sur-abruptes. Cet outil est toujours présent dans les gisements épipaléolithiques et mésolithiques et leur pourcentage ne varie guère. Cette constance souligne l'importance que cet outil devait avoir car, signalé depuis le Moustérien, il perdure jusqu'au Chalcolithique final.

Les microlithes. — Les lamelles à dos (1), lamelles à dos et troncature (2), lamelles à dos et bi-troncatures (3) sont présentes pratiquement jusqu'au Tardenoisien d'Oulchy. Nous notons leur absence dans les gisements de l'Allée Tortue à Fère-en-Tardenois. Par contre, il est à noter que leur fort pourcentage dans le gisement de Chateaubriand semble attester là son appartenance au Sauveterrien. La colonne 4 présente les pointes de Vénerolles ou pointes à troncature partielle appartenant au gisement épipaléolithique de Vénerolles. Dans le gisement des Blanchères se trouvent deux pièces d'un type voisin, c'est-à-dire à troncature partielle à la base mais ne présentant pas de cassure visible. La colonne suivante pointes-troncatures et pointes-troncatures à crans (5), pointes bilatérales : type de Romagnano (Broglio A., 1973) à indice d'allongement très élevé (6), pointes à retouche unilatérale, bilatérale ou à crans (8), bi-pointes unilatérales ou segments de cercle (9), bi-pointes à retouches bilatérales ou pointes de Sauveterre (10), bi-pointes unilatérales ou bilatérales à cran distal (11), bi-pointes asymétriques (12). Ces microlithes décroissent très rapidement dans le Tardenoisien du Nord du B.P. alors qu'au Sud leur présence est assez constante, à l'exception toutefois du Sauveterrien de la grotte de Chateaubriand où la présence de pointes type de Romagnano ou de Sauveterre accentue l'appartenance de cet ensemble au Sauveterrien. Il en est de même pour une autre pièce à Villeneuve-sur-Verberie, il s'agit ici des bi-pointes unilatérales dont la taille est nettement supérieure à celle que l'on a l'habitude de trouver dans les gisements tardenoisiens. La colonne suivante présente les pointes à troncature : (13), pointes à pointe-troncature ; (14-15), pointes à troncature oblique ; (16-17), pointes à troncature droite. Au Sud comme au Nord du B.P. on note la croissance de ces pièces de l'Epipaléolithique au Tardenoisien ancien pour ensuite regresser jusqu'au Tardenoisien final. Dans la colonne (18 et 19) sont représentées les pointes à troncature oblique et troncature droite, ou pointes de Sonchamp, dont la progression annonce la néolithisation dont les formes se retrouvent dans le Néolithique rubanné de la vallée de l'Aisne, typologiquement de mêmes formes mais plus volumineuses et accompagnées comme c'est le cas de scalènes et feuilles de gui dans les fosses attenantes aux maisons du Rubanné de Cuiry-lès-Chaudardes (Soudsky B., 1974). Dans la colonne (20 à 27) sont représentées les troncatures obliques et les bi-troncatures, on note de façon spectaculaire, la progression constante de ces pièces. Les pièces à retouches plates : (28-29 et 30) différencient nettement par leur présence ou leur absence les industries épipaléolithiques et mésolithiques du Nord de la France que l'on peut rattacher au complexe Belgo-Néerlandais. Leur présence est beaucoup plus rare au Sud du B.P., on en signale toutefois à Reclose et à Buthiers-Malesherbes à la grotte des Amis (Quatrehomme F. et Salmon M., 1972).

La dernière colonne montre les pourcentages des

TABLEAU III

	BL.	CH.	S.III	S.VI	V.	V/V.	C.	O.	F.T.
Outils (n)	77	200	133	440	150	177	346	1 192	200
Armatures (n)	133	246	283	1 639	30	219	500	400	128
Total	210	446	416	2 079	180	396	846	1 592	328
Outils (%)	37	45	32	21	83	45	41	75	61
Armatures (%)	63	55	68	79	17	55	59	25	39
Pointes et troncatures (n)	—	155	263	1 492	—	197	395	340	128
Recoupes de piquant trièdre (n)	—	194	399	2 886	—	77	66	88	105
Total	—	349	662	4 378	—	274	461	428	233
Pointes et troncatures (%)	—	44	40	34	—	72	86	79	55
Recoupes de piquant trièdre (%)	—	56	60	66	—	28	14	21	45

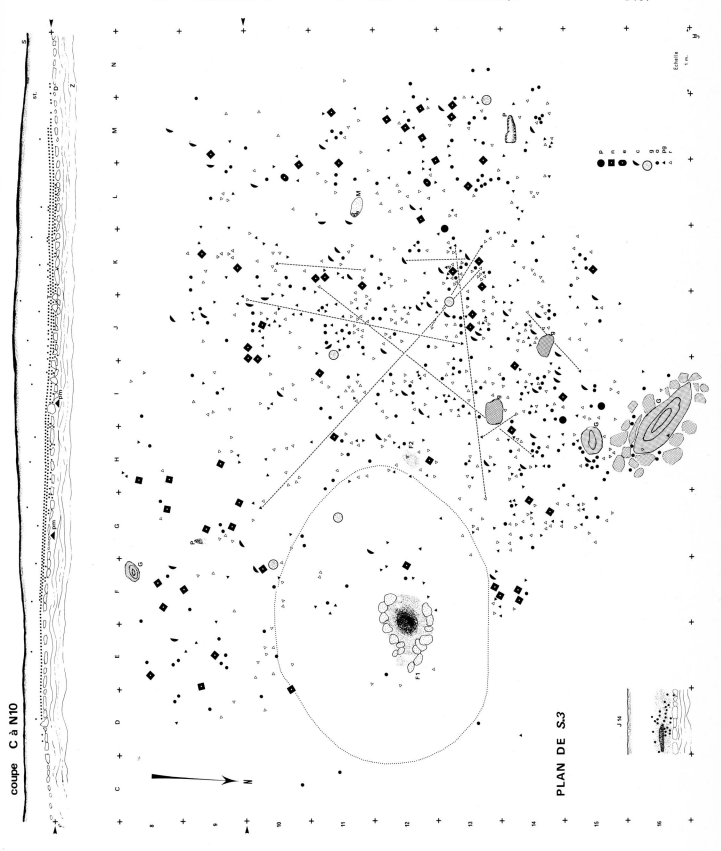

Fig. 3. — Epipaléolithique et Mésolithique du Bassin Parisien.

Plan du campement tardenoisien Bois de Plaisance, locus S. III, Sonchamp (Yvelines).
G : grès erratiques en position verticale et plaques de desquamation; p : percuteur; n : nucléus; e : pièce émoussée; c : lame retouchée; g : plaquette de grès piquetée ou polie; o : outils divers; pg : microlithes divers; r : recoupe de piquant trièdre (microburin); P : pics en grès. Le tireté indique la distance qui sépare les éléments des pièces remontées. Ca N10 : coupe transversale du gisement; T : Tardenoisien; p.m. : pièces moustériennes trouvées dans le dallage naturel. J14 : coupe montrant une des plaques gréseuses piquetées, en place dans le niveau tardenoisien.

recoupes de piquant-trièdre (microburins) par rapport aux pointes et troncatures. On note au Sud du B.P. que cette technique de fabrication est nettement supérieure à celle du Nord du B.P., mis à part le gisement de Fère-en-Tardenois où leur présence est de nouveau élevée. Nous n'avons tenu compte dans ce tableau que des outils essentiels et susceptibles d'être significatifs dans une chronologie ayant pour base principalement la typologie. C'est ainsi qu'il faut noter que dans tous ces gisements, l'on rencontre, par ailleurs des percuteurs globuleux, discoïdes ou oblongs, des perçoirs, des plaquettes ou blocs en grès gravés, façonnés, piquetés, polis, ainsi que quelques pièces de technique, c'est-à-dire des lames à encoches ou cran technique abandonnées à ce stade de fabrication (Hinout J., 1973) ainsi que quelques pièces esquillées et de nombreux éclats ou lames portant des traces d'utilisation. Le tableau ci-dessus montre le dénombrement et les pourcentages des outils et des armatures entre eux, puis des pointes et troncatures microlithiques obtenues par la technique du piquant trièdre. C'est à partir de ce décompte que le tableau de la fig. 2 a été élaboré.

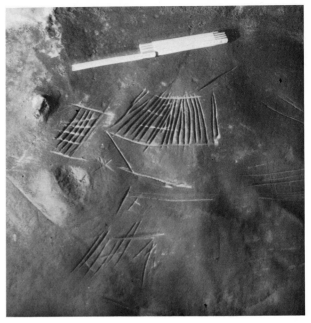

FIG. 4. — Epipaléolithique et Mésolithique du Bassin Parisien.

Grotte de Chatillon (Boutigny-sur-Essonne). Plancher gravé : forme en hutte entourée de grilles et sillons, dans une diaclase de ce plancher fut mis au jour, deux pièces émoussées, un couteau à dos, une recoupe de piquant trièdre.

Datations 14 C.

Les datations absolues ne sont pas toujours en rapport avec les données polliniques. Il est logique

TABLEAU IV

Tardenoisien du Tardenois (Charbons de bois)

Site	Prof. m.	Date C14 — B.P.	Pollens-Climat	Auteur
La Sablonnière II	0,70	4 760 ± 140	Atlantique final	R. Parent
La Sablonnière II	1,10	8 190 ± 190	,,	R. Parent
La Chambre des Fées	0,70	4 740 ± 350	,,	J. Hinout
La Chambre des Fées	0,70	5 040 ± 500	,,	J. Hinout
La Chambre des Fées	0,70	5 210 ± 120	,,	J. Hinout
Montbani	1,20	8 060 ± 350	,,	R. Parent
Montbani	0,40	6 930 ± 170	,,	R. Parent
Montbani	0,50	7 280 ± 350	,,	R. Parent

Sauveterrien du Sud du Bassin Parisien (Charbons de bois)

Chateaubriand	0,60	4 760 ± 110	Boréal moyen	J. Hinout

que la pollution lorsqu'elle provient des niveaux supérieurs, rajeunisse la couche sous-jacente. Inversement lorsque celle-ci entame le sol d'Usselo (creusement des foyers), celui-ci vieillit le niveau tardenoisien situé au-dessus. Les erreurs d'interprétation, exemple : les charbons provenant du gisement tardenoisien de la Ferme de Chinchy provenaient du niveau Tène II supérieur, ils étaient situés au fond d'un trou de poteau ? invisible dans ces sols, etc. La liste qui suit résume les datations connues dans le Bassin Parisien, G. Delibrias et J. Evin (1975).

Conclusion.

Le campement S3 de Sonchamp reconstitué par la fig. 3, restitue l'aspect général des différentes stations de plein air des Mésolithiques du B.P., habitats de clairières sur les sables, dans les massifs gréseux près

des rochers ou dans les grottes géodiques dont les parois sont gravées ou peintes. Ces Mésolithiques qui vécurent sous des huttes avec foyer central appareillé de pierres, façonnaient leurs outils, à partir de rognons de silex ou blocs de grès dont les déchets constituent les ateliers de taille. Ils sont situés généralement au Sud des abris, l'on note la présence de quelques petits foyers simplement creusés dans le sable près de ces ateliers. A la Chambre des Fées, les foyers avaient conservé les restes calcinés d'une faune tempérée : auroch, sanglier, blaireau, renard, etc., déterminée par Th. Poulain - Josien (1964). Quelques coquilles d'escargots complétaient les reliefs de leur nourriture carnée. Un lissoir et un fragment de poinçon représentaient les seuls vestiges osseux de leur outillage. Les coquilles de noisettes brûlées recueillies dans les foyers, donnent une indication sur l'occupation saisonnière de ces nomades. Les boules d'ocre et les palettes à colorant, mises au jour près des panneaux décorés, les pièces en silex ou en grès, aux extrémités polies retrouvées au pied des gravures, permettent de leur attribuer tout un « art schématique » dont les formes en huttes, reproduites en semi-perspective doivent logiquement représenter les abris en branchages de ces hommes (fig. 4).

L'étude statistique des ensembles microlithiques recueillis, fait apparaître de façon spectaculaire la maîtrise que ces Mésolithiques avaient dans leurs différents modes de fabrication. Ils ont en quelque sorte inventé le travail en série par la technique du piquant trièdre. Le remontage des pièces abandonnées en cours de fabrication et la technologie de leurs outils, montrent l'habileté de ces humains, quelle que soit la nature de la matière première employée, J. Hinout (1973).

Bibliographie

[1] AGACHE R. (1963). — Le gisement tardenoisien de la ferme de Chinchy à Villeneuve-sur-Fère (Aisne). *Gallia préhistoire*, t. 6, p. 177-178, 5 fig.

[2] AGACHE R. (1971). — La sablière du bois de Hannapes (Aisne). *Gallia-Préhistoire*, t. 14, fasc. 2, p. 295.

[3] BAILLOUD G. (1967). — Informations archéologiques. Le gisement tardenoisien du bois de Plaisance (Yvelines). *Gallia-Préhistoire*, t. 10, fasc. 2, p. 303-305, 2 fig.

[4] BAILLOUD G. (1969). — Informations archéologiques. Le gisement tardenoisien du bois de Plaisance. *Gallia-Préhistoire*, t. 12, fasc. 2, p. 404-406, 2 fig.

[5] BAUDET J.-L. (1952). — Les industries des grottes ornées de l'Ile-de-France. *Extrait du Congrès préhistorique de France*, 13ᵉ session, Le Mans, Imp. Monnoyer, p. 119-131, 6 fig.

[6] BORDES F., FITTE P. (1951). — Une industrie épipaléolithique à Evreux. *Société préhistorique française*, t. XLVIII, n° 3-4, p. 147-154, 3 fig.

[7] BROGLIO A. (1973). — L'épipaléolithique de la vallée de l'Adige. *L'Anthropologie*, Paris, t. 77, n° 1-2.

[8] DANIEL R., VIGNARD Ed. (1953). — Tableaux synoptiques des principaux microlithes géométriques du Tardenoisien français. *Bulletin de la Société préhistorique française*, t. L, n° 5-6.

[9] DANIEL R., VIGNARD Ed. (1954). — Le tardenoisien français. *Bulletin de la Société préhistorique française*, t. LI, fasc. 8, p. 72-75.

[10] DANIEL R. (1965). — Le gisement mésolithique du désert d'Auffargis (Seine-et-Oise). *Bulletin de la Société préhistorique française*, n° 9, p. CCCVII-CCCXIV, 3 fig.

[11] DELIBRIAS G., EVIN J. (1975). — Sommaire des datations 14C concernant la préhistoire en France parues dans radiocarbon de 1955 à 1974. *Bulletin de la Société préhistorique française*, t. 72, C.R.S.M., n° 3.

[12] DUPUIS J., BECK R. (1961). — Observations pédologiques et études palynologiques sur un gisement tardenoisien du Hurepoix. *Bulletin de la Société préhistorique française*, t. LVIII, fasc. 5-6, p. 314-323, 2 tabl.

[13] CABROL A., PAURON H. (1935). — Station tardenoisienne du point de vue du camp de Chailly (Seine-et-Marne). *Bulletin de la Société préhistorique française*, p. 120-126, t. 32, n° 2, 3 fig.

[14] HINOUT J. (1962). — Un gisement tardenoisien de Fère-en-Tardenois (Aisne). *Bulletin de la Société préhistorique française*, LIX, n° 7-8, p. 478-490, 2 fig., 4 pl.

[15] HINOUT J. (1962). — Le gisement tardenoisien de la Baillette à Oulchy-la-Ville (Aisne). *Bulletin de la Société préhistorique française*, t. LIX, fasc. 9-10, p. 622-625, 2 pl.

[16] HINOUT J. (1964). — Gisements tardenoisiens de l'Aisne. *Gallia Préhistoire*, p. 60-106, t. 7, 44 fig., 2 tabl.

[17] HINOUT J. (1973). — Classification des microlithes tardenoisiens du bassin parisien, technologie, typométrie et statistiques. *Bulletin de la Société préhistorique française*, t. 70, C.R.S.M., n° 8, p. 230-236, 8 fig.

[18] HINOUT J. (1975). — Pointe de Vénerolles. *Extrait du Bulletin de la Société préhistorique française*, t. 72, C.R.S.M. n° 3, 1 p., 1 fig.

[19] PARENT R. (1967). — Le gisement tardenoisien de l'allée Tortue à Fère-en-Tardenois (Aisne). *Bulletin de la Société préhistorique française*, Etudes et Travaux, t. LXIV, fasc. 1, p. 187-208, 9 fig.

[20] PARENT R., PLANCHAIS N. (1972). — Nouvelles fouilles sur le site tardenoisien de Montbani (Aisne). *Bulletin de la Société préhistorique française*, t. 69, Etudes et Travaux, fasc. 2, p. 508-532, 14 fig.

[21] PARENT R., PLANCHAIS N., VERNET J.-L. (1973). — Fouille d'un atelier tardenoisien à la Sablonnière de Coincy (Aisne). *Bulletin de la Société préhistorique française*, Etudes et Travaux, t. 70, p. 337-351, 8 fig.

[22] PLANCHAIS N. (1972), cf. PARENT R.

[23] PLANCHAIS N. (1973), cf. PARENT R.

[24] POULAIN-JOSIEN Th. (1964). — Abri tardenoisien de la Chambre des Fées, Coincy (Aisne). *Gallia-Préhistoire*, t. VII, p. 93-94.

[25] QUATREHOMME F., SALMON M. (1972). — Stations tardenoisiennes de la région de Malesherbes, sur la commune de Buthiers (Seine-et-Marne). *Bulletin des naturalistes Orléanais*, 3ᵉ série, n° 4, avril 1972, p. 3-8, 5 fig.

[26] ROZOY J.G. (1967 a). — Essai d'adaptation des méthodes statistiques à l'épipaléolithique « mésolithique ». *Bulletin de la Société préhistorique française*, Etudes et Travaux, t. LXIV, fasc. 1, p. 209-226, 2 fig.

[27] ROZOY J.-G. (1967b). — Typologie de l'épipaléolithique franco-belge. *Bulletin de la société préhistorique française*, Etudes et Travaux, t. LXIV, fasc. 1, p. 227-260, 7 fig.

[28] ROZOY J.-G. (1971). — La fin de l'épipaléolithique « mésolithique » dans le Nord de la France et la Belgique. *Fundamenta*, 78 p., 6 fig., 16 pl.

[29] SAUVAGE J. (1964). — Palynologie de la station tardenoisienne de Coincy (Aisne). *Gallia-Préhistoire*, t. 7, p. 101-105.

[30] SCHMIDER B. (1971). — L'épipaléolithique en Ile-de-France. 6ᵉ *supplément à Gallia-Préhistoire*, chap. V, p. 169-183, 6 fig.

[31] SOUDSKY B. (1974). — Les fouilles protohistoriques dans la vallée de l'Aisne. U.R.A. n° 12 du C.N.R.S., 153 p., 5 fig., 44 pl.

[32] TATE E. (1885). — Petits silex trouvés près de Coincy-l'Abbaye (Aisne). *L'Homme*, p. 688-689.

[33] VERMEERSCH P.-M., MUNAUT A.-V., HINOUT J. (1973). — Un sol d'Usselo d'âge alleröd à Saponay (Tardenois), Aisne. *Bulletin de l'Association française pour l'étude du Quaternaire*, p. 47, 2 fig.

Les civilisations de l'Epipaléolithique et du Mésolithique dans le Bassin Parisien.

Le Montmorencien

par

Jacques TARRÊTE *

Résumé. Le Montmorencien désigne une industrie à outillage macrolithique taillé dans le grès, localisée dans la Région parisienne. Recueillis essentiellement dans les ateliers d'extraction de cette roche, en milieu sableux et sous couvert forestier, la plupart des outils, souvent brisés en deux fragments, sont allongés et épais. Façonnés sur des blocs prismatiques, dont une face est laissée sans retouches, leur zone active principale paraît se situer à l'une des extrémités. L'absence de stratigraphie précise, de tout élément de datation absolue, de comparaison possible avec d'autres ensembles analogues mieux connus, ne permet pas d'attribution chronologique certaine. Certains types d'outils paraissent annoncer le Néolithique, mais la présence de quelques outils prismatiques en grès caractéristiques du Montmorencien dans la plupart des gisements tardenoisiens de la région conduit plutôt à placer cette industrie à l'époque mésolithique.

Abstract. The Montmorencian macrolithic sandstone industry is circumscribed to Paris neighbourhood. The lithic series mainly come from sandstone quarrying area, which are to be found in sandy forested surroundings. Most of the tools, long and thick, often broken in two pieces, are made on prismatic fragments with unworked face; the active part seems to be situated at one end of the tool. The lack of real stratigraphy, datation or possible comparison with other better known similar industry do not permit a sure chronological assignment. Even if some kind of artifacts are close to Neolithic one, the fact that several sandstone prismatic tools typical of Montmorencian were found in most of the Tardenoisian sites of the region leads us to place that industry in the mesolithic period.

Cadre géographique et matière première.

Le Montmorencien est une industrie dont l'aire d'extension, dans l'état actuel des connaissances, paraît se limiter au Bassin Parisien, et plus particulièrement à quatre départements de la région parisienne, Val-d'Oise, Yvelines, Essonne et Seine-et-Marne. Cette localisation géographique très restreinte est fonction, semble-t-il, de la matière première dans laquelle elle est taillée, le grès lustré. Cette roche ne se retrouve en effet dans la région que parmi les bancs de grès développés au sommet des sables stampiens (Tertiaire), parfois abondamment comme c'est le cas en forêt de Montmorency, région éponyme, ou de manière sporadique comme en forêt de Fontainebleau (site isolé de La Vignette) (fig. 1). Ce grès se distingue des autres par sa composition proche de celle d'un quartzite : les grains de quartz, liés par un ciment de calcédoine, sont de faibles dimensions (de 0,5 mm à 0,1 mm en moyenne) et fréquemment nourris par du quartz ou de la calcédoine secondaire ; les minéraux lourds sont rares, essentiellement zircon, tourmaline et staurotide.

Position stratigraphique et chronologie.

Essentiellement recueillie au pied même des roches dans lesquelles elle est façonnée, dans un milieu sableux sous couvert forestier, mêlée aux innombrables déchets résultant des diverses opérations de taille de la pierre (depuis l'extraction de la matière première jusqu'à la mise en forme définitive des

FIG. 1. — Carte de répartition des divers sites montmorenciens en rapport avec l'extension du stampien dans le Bassin de Paris (d'après la carte au 1/500 000 donnée par H. Alimen dans son *étude sur le stampien du Bassin de Paris,* mémoires de la société géologique de France, Paris 1936, 309 p., 42 fig., II pl.), dessin M. Orliac.

* Docteur en préhistoire, membre de l'équipe de recherches associée nᵒ 52 du C.N.R.S., assistant à la Direction des antiquités préhistoriques de la Région parisienne, Palais de Chaillot (aile Paris), 75116 Paris (France).

outils), l'industrie montmorencienne ne bénéficie pas d'une position stratigraphique bien établie. Dans un site au moins (Les Vinciennes en forêt de Montmorency), elle est sous-jacente au Néolithique à haches polies. En un autre point (Piscop, site M 1), elle a été trouvée en étroit mélange avec le Tardenoisien II de l'Ile-de-France sans qu'il fût possible d'établir les rapports exacts qu'elle entretenait avec ce faciès du Mésolithique.

La majorité des fouilles s'étant déroulée en période ancienne, aucune analyse palynologique n'a été faite et rien n'a été prélevé des quelques foyers rencontrés aux fins de datage par radio-carbone. L'absence de céramique, de pointes de flèche, d'éléments polis a conduit les différents chercheurs depuis un siècle à placer le Montmorencien soit au Mésolithique — et l'aspect macrolithique de la majorité de l'outillage les a parfois conduits à établir des comparaisons avec les industries « forestières » du Nord de l'Europe (cf. par exemple, E. Giraud et al., 1938) —, soit au tout début du Néolithique (parallèles avec certains sites de Belgique, « civilisation campignienne » de L.-R. Nougier...).

Typologie de l'outillage.

Depuis les premières découvertes des ateliers de taille du grès, une seule synthèse avait été tentée sur l'ensemble du Montmorencien provenant des nombreux gisements de la forêt de Montmorency (R. Daniel, 1954 à 1958). Un récent travail dresse un inventaire de l'ensemble des sites connus à ce jour et pose le problème des pièces attribuables au Montmorencien recueillies dans des ensembles mésolithiques et néolithiques (J. Tarrête, 1974). L'élaboration d'une liste-type spécifique, exploitée sous forme de diagrammes cumulatifs selon la méthode mise au point par F. Bordes, a principalement permis de mettre en valeur, hormis quelques particularités, la grande homogénéité dans la composition de l'outillage d'un site à l'autre. Les outils sont en majorité (70 % en moyenne) façonnés sur des supports « prismatiques » (fig. 2, 4 à 8). Il s'agit de lames, de fragments d'éclats ou de blocs éclatés naturellement par le feu ou le gel qui, comportant au moins une face dépourvue de retouches et des bords mis en forme par retouches plus ou moins abruptes, ont une longueur au moins double et souvent triple de la largeur et une épaisseur au moins égale à la demi-largeur de l'objet. Les bords retouchés ont souvent été considérés comme la principale partie active de l'objet d'où le nom de « pic-plane » parfois attribué à ces pièces prismatiques. Toutefois, l'extrémité paraît être, dans bien des cas, apte à l'utilisation : le plus fréquemment terminée par un biseau transversal vif (fig. 2, 7 et 8), elle peut-être également façonnée en front de grattoir (fig. 2, 4) ou aménagée en pointe trièdre (fig. 2, 6). A côté de ce fort pourcentage d'outils prismatiques, retrouvés la plupart du temps brisés par une fracture médiane, existe toujours un lot restreint de pièces habituelles aux autres ensembles industriels : grattoirs (fig. 2, 1) et racloirs (fig. 2, 2) en constituent la plus grande part ainsi que les coches et denticulés. Les autres types, outils perçants,

burins et troncatures, couteaux à dos sont rares. Le tranchet (fig. 2, 3) est presque toujours présent, mais rarement abondant sauf à La Vignette, site où l'on relève en outre une forte représentation d'outils à taille bifaciale du type hache taillée, exceptionnels ailleurs.

Cette industrie à outillage volumineux recueillie en milieu forestier a souvent été présentée comme l'œuvre d'une population exploitant la forêt (utilisation des « prismatiques » en herminette par exemple) : il semble que ce soit plus le lieu de trouvaille que l'étude morphologique et fonctionnelle des objets qui ait suggéré cette interprétation et rien n'empêche, ainsi que l'envisageaient L. Franchet et L. Giraux (1923), que certains aient eu un rôle dans les pratiques agricoles (utilisation comme houes). Il est remarquable en tout cas qu'aucune concentration notable d'industrie montmorencienne n'ait été repérée jusqu'à présent hors des ateliers : peut-être cela traduit-il le fait d'une fabrication en série d'outils particuliers qui n'entraient que pour quelques exemplaires dans le matériel lithique utilisé par certains groupes préhistoriques.

Le « Montmorencien B ».

A côté de cette industrie d'aspect général macrolithique, un petit outillage de grès a été mentionné à plusieurs reprises par les auteurs (L. Franchet et L. Giraux, 1923 ; L. Coutier, 1930 ; A. Bogard, 1944). Recueilli en forêt de Montmorency à proximité immédiate des gisements à gros outillage, et dans un seul cas en superposition (site des Lignières de Bouffémont), ce type de matériel a été retrouvé par l'équipe de R. Daniel dans les carrières de Saulx-les-Chartreux (Essonne), non loin de Palaiseau, sans présence aucune de Montmorencien « classique ». La typologie de cet outillage et les conditions de gisement diffèrent trop de celles du Montmorencien pour que la dénomination de « Montmorencien B » utilisée jusqu'à présent demeure et le terme de *Valdoisien* a récemment été proposé (G. Bailloud et al., 1973) pour désigner ce curieux ensemble d'âge certainement plus récent.

Rapports avec les autres industries.

En l'absence de toute datation absolue et de stratigraphie suffisamment précise, on peut seulement envisager d'estimer la position chronologique du Montmorencien par des comparaisons typologiques avec d'autres ensembles industriels mieux connus. Taillés dans le même matériau, il n'en existe apparemment pas de similaires dans d'autres régions : les pièces en grès armoricain du Morbihan parfois citées en parallèle (L. Marsille, 1925) sont trop dissemblables. En silex par contre, l'industrie recueillie autrefois par J. Hamal-Nandrin et J. Servais (1928) dans la province de Liège (Belgique) serait peut-être assez voisine : malheureusement, l'étude qui en a été faite jusqu'à présent est trop peu détaillée pour permettre des comparaisons précises. Il en va de même pour le vaste ensemble campignien où L.-R. Nougier

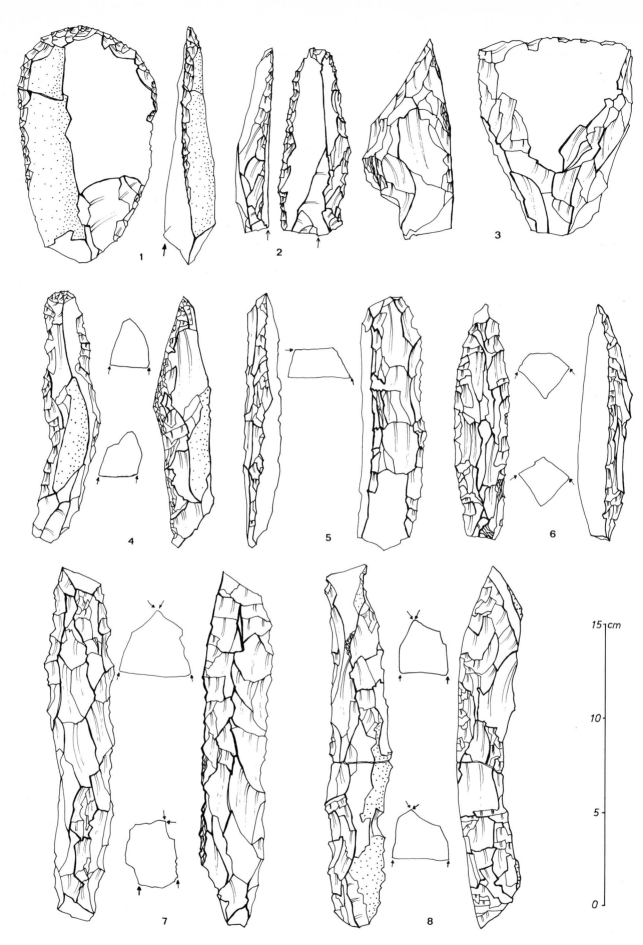

FIG. 2. — 1. Grattoir sur éclat (site M 7, coll. Capitan, Musée des Antiquités Nationales); 2. Racloir sur lame (site M 7, coll. R. Daniel, n° 30 960); 3. Tranchet (site de La Vignette, coll. Durand ,Fontainebleau); 4. Prismatique à front de grattoir (site M 7, coll. Capitan, Musée des Antiquités Nationales); 5. Racloir sur prismatique (site M 7, coll. R. Daniel, n° 19 902); 6. Prismatique à pointe trièdre (site M 3, coll. R. Daniel); 7 et 8. Prismatiques à biseau transversal (site M 17, coll. Coutier, Musée de l'Homme. n° 17 719 et site M 12, coll. R. Daniel, n° 26 299).

(1950) incluait le Montmorencien. Le fait le plus intéressant demeure la présence quasi-systématique de quelques éléments de technique montmorencienne (souvent des fragments de prismatiques très émoussés) dans les sites tardenoisiens du Bassin Parisien. S'il paraît difficile de voir dans les auteurs de l'industrie microlithique les artisans des ateliers montmorenciens, il n'empêche que l'association de quelques gros outils de grès à l'outillage mésolithique en silex ne peut être le fruit du simple hasard ou du ramassage occasionnel par les préhistoriques. Ce problème se complique par la découverte dans les mêmes conditions — mêlées aux microlithes — de pièces particulières, les pics « à crosse » ou « à crochet » qui, bien que très proches des « prismatiques », n'ont jamais été retrouvés dans les ateliers montmorenciens (cf. par exemple, E. Vignard et A. Nouel, 1962). Les outils prismatiques, qui font, avec la matière première, toute l'originalité du Montmorencien, sont également rencontrés de façon sporadique dans divers ensembles néolithiques, notamment de type Seine-Oise-Marne

Conclusion.

Si, un siècle après les premières découvertes, l'industrie montmorencienne peut-être à peu près définie quant aux outils qui la composent par l'étude des nombreuses séries disponibles, on ignore pratiquement tout des hommes qui en sont les artisans, depuis leur méthode de travail jusqu'à leur mode de vie. Cela tient en grande partie aux conditions de gisement particulièrement défavorables en milieu sableux, sur forte pente et exclusivement sous forme d'ateliers. Les recherches sur les quelques sites encore intacts devront être dirigées essentiellement, non pas sur la récolte de nouvelles séries d'objets, déjà en nombre suffisant, mais sur le mode d'exploitation des grès, l'organisation du travail et éventuellement celle de l'habitat, même précaire, des ouvriers ainsi que la mise en évidence d'éléments de datation objectifs. Dans l'état actuel de la question, il est possible, du point de vue chronologique, de s'en tenir au schéma synthétique proposé par G. Bailloud à propos des sites de Verrières (op. cit., 1973) où les ensembles à « pics » dominants précéderaient ceux à tranchets, eux-mêmes antérieurs aux ateliers de haches taillées. Cette hypothèse permet de ménager les éventuels rapports du Montmorencien avec le Mésolithique (Tardenoisien) tout en suggérant la possibilité d'une évolution interne de cette industrie jusqu'aux faciès de production des haches taillées plus proches du Néolithique.

Bibliographie

[1] BAILLOUD G., DANIEL M. et R., SACCHI Ch. (1973). — Les gisements préhistoriques du bois de Verrières-le-Buisson (Essonne). II. Gisement I, atelier de taille campignien. *Gallia-Préhistoire*, t. 16, fasc. 1, p. 105-129, 19 fig.

[2] BOGARD A. (1944). — Un faciès nouveau de la forêt de Montmorency. *Bulletin de la Société préhistorique française*, t. 41, p. 27-32, 1 pl.

[3] CHAMPAGNE F. (1970). — L'atelier montmorencien de la Roche du Curé à Gambaiseuil (Yvelines). *Bulletin de la Société préhistorique française*, t. 67, Etudes et Travaux, fasc. 2, p. 500-505, 4 fig.

[4] COLLIN E., REYNIER Ph., FOUJU G. (1897). — La station de La Vignette. *Bulletin de la Société d'Anthropologie de Paris*, t. 8, IVe série, p. 420-428, 10 fig.

[5] COUTIER L. (1930). — Atelier campignien de Montaugland (Seine-et-Oise). *Comptes rendus des congrès annuels de l'association française pour l'avancement des sciences*, Alger, p. 272-275.

[6] DANIEL R. (1954). — Les gisements préhistoriques de la forêt de Montmorency (Seine-et-Oise). *Bulletin de la Société préhistorique française*, t. 51, p. 554-559, 1 pl., 2 cartes ; (1956), *ibid.*, t. 53, p. 217-221 ; (1957), *ibid.*, t. 54, p. 516-523, 1 coupe, 2 pl. ; (1958), *ibid.*, t. 55, p. 71-77, 3 fig.

[7] DESFORGES A. (1916). — Outils prismatiques avec ou sans crochet. *Bulletin de la Société préhistorique française*, t. 13, p. 348-352, 4 fig.

[8] DOIGNEAU E. (1875). — Armes et outils en grès de La Vignette, Seine-et-Marne. *Matériaux pour l'histoire primitive et naturelle de l'homme*, 10e volume, 2e série, t. VI, p. 523-529.

[9] FRANCHET L., GIRAUX L. (1923). — Les ateliers néolithiques de la forêt de Montmorency. *Comptes rendus des congrès annuels de l'association française pour l'avancement des sciences*, 47e session, Bordeaux, p. 642-648.

[10] GIRAUD E., VACHE Ch., VIGNARD E. (1938). — Le gisement mésolithique de Piscop. *L'Anthropologie*, t. 48, p. 1-27, 12 fig.

[11] HAMAL-NANDRIN J. et SERVAIS J. (1928). — Similitude existant entre l'industrie des stations néolithiques à silex de Fouron-Saint-Pierre, de Fouron-Saint-Martin et de Remersdael (province de Liège) et celle à grès des forêts de Fontainebleau et Montmorency (départements de Seine-et-Marne et de Seine-et-Oise). *Revue anthropologique*, 39e année, p. 15-22, 3 fig.

[12] MARSILLE L. (1925). — Notes d'archéologie. L'atelier néolithique de Nazareth en Saint Congard (Morbihan). *Bulletin de la société polymatique du Morbihan*, p. 3-9, 1 fig.

[13] MORTILLET A. de (1921). — Atelier de taille de grès dans la forêt de Montmorency. *Revue anthropologique*, 31e année, p. 178-184, 6 fig.

[14] NOUGIER L.-R. (1950). — *Les civilisations campigniennes en Europe occidentale*. Le Mans, imp. Monnoyer, 572 p., 119 fig., 21 cartes.

[15] ROCHEMAURE H. (1947). — L'aspect microlithique des industries de grès de la forêt de Montmorency. *L'Anthropologie*, t. 51, p. 537-541, 2 fig.

[16] TARRETE J. (1970). — Le site montmorencien de Gambaiseuil (Yvelines) : étude de l'industrie lithique. *Bulletin de la Société préhistorique française*, t. 67, Etudes et Travaux, fasc. 2, p. 506-512, 4 tabl.
(1974). — *Le Montmorencien*. Thèse présentée à l'Université de Paris I, à paraître en supplément à Gallia préhistoire.
(1975). — Le Montmorencien. Bases bibliographiques. *Cahiers du Centre de recherches préhistoriques de l'Université de Paris I*, 4.

[17] VIGNARD E. en collaboration avec NOUEL A. (1962). — Présence de pics-planes dans certains gisements tardenoisiens. *Bulletin de la Société préhistorique française*, t. 59, p. 382-388, 3 fig.

Les civilisations de l'Epipaléolithique et du Mésolithique en Normandie

par

Guy Verron [*]

Résumé. La Normandie a fourni quelques séries marquant le passage entre le Paléolithique supérieur et l'Epipaléolithique (Evreux III) ainsi que des industries à microlithes correspondant à plusieurs stades de l'Epipaléolithique (Vieilles et Montfarville). Mais l'absence de gisements bien stratifiés empêche de dresser un tableau cohérent des cultures épipaléolithiques qui se sont succédées en Normandie durant les temps postglaciaires.

Abstract. Various assemblages found in Normandy date to the transition from Upper Paleolithic to the Epipaleolithic (Evreux III). There are also microlithic industries belonging to several Epipaleolithic phases (Vieilles and Montfarville). However, the absence of stratified sites makes it impossible to form a coherent picture of the succession of Epipaleolithic cultures during the postglacial period in Normandy.

Bien que les « tout petits » silex géométriques de Vieilles (commune de Beaumont-le-Roger, Eure) aient été signalés dès 1904 (A. Dubois, 1904), l'étude des cultures épipaléolithiques et mésolithiques qui se sont développées en Normandie en est encore à ses premiers balbutiements.

Ni pour les industries microlithiques, ni pour les outillages macrolithiques, on ne dispose de bonnes stratigraphies pour nous permettre de cerner une évolution chronologique.

I. Le passage du Paléolithique supérieur à l'Epipaléolithique.

F. Bordes et P. Fitte (1951 ; F. Bordes, 1954, pp. 91-99) ont attiré l'attention en 1951 sur des outillages rencontrés par eux dans la carrière d'Evreux III au-dessus du loess récent III. On y trouve des grattoirs sur lames et sur éclats, parfois de type azilien, des burins, des encoches, des denticulés et surtout des couteaux à dos, dont certains sont de véritables pointes aziliennes.

Publiant les quelques pièces recueillies depuis lors dans la grotte ornée de Gouy (Seine-Maritime), F. Bordes, M.-J. Graindor, Y. et P. Martin (1974) les ont attribuées « au Magdalénien supérieur, peut-être de faciès nordique » et ils ont suggéré un rapprochement avec les industries d'Evreux, pensant que ces dernières pouvaient aussi bien appartenir au Magdalénien terminal qu'à l'Epipaléolithique.

Jusqu'à présent, ces industries de transition entre le Paléolithique supérieur et le Mésolithique demeurent exceptionnelles en Normandie, où le Magdalénien est d'ailleurs rarissime. Il est possible qu'elles soient cependant beaucoup moins rares qu'il ne paraît puisqu'en l'absence de toute recherche systématique plusieurs pointes à dos abattu et à base retouchée ont été récoltées en deux localités du département de l'Eure (Jumelles et Saint-Denis-le-Ferment) (G. Verron, 1975) et que divers gisements du Cotentin (Le Rozel), en cours d'exploration, pourraient se rattacher à cette phase.

II. Les industries épipaléolithiques à microlithes.

Des outillages microlithiques n'ont été identifiés qu'en un petit nombre de localités : Notre-Dame-de-Bliquetuit, en Seine-Maritime (recherches en cours d'A. Chancerel) ; Vieilles, commune de Beaumont-le-Roger (A. Dubois, 1904 ; A. Cahen, 1912 ; E. Octobon, 1929 ; J.-G. Rozoy, 1971), Haricourt, Menneval (C. Barrière, 1956), Le Tronquay (G. Verron, 1973), dans l'Eure ; Bagnoles-de-l'Orne, Cerisi-Belle-Etoile et Saint-Pierre-du-Regard (L. Coutil, 1912, et travaux inédits), dans l'Orne ; Montfarville (D. Michel, 1974) et La Pernelle (A. Bogard, 1954), dans la Manche.

Plusieurs stations sont restées inédites ou n'ont fait l'objet que d'une mention sommaire ; elles ne peuvent être intégrées dans le cadre actuel des recherches.

En revanche, on doit à J.-G. Rozoy (1971, pp. 39-43 et pl. 10) une intéressante reprise de l'étude du matériel de Vieilles, commune de Beaumont-le-Roger (Eure). Ses conclusions sont les suivantes : existence très probable d'un Epipaléolithique moyen au sein d'une masse énorme d'outils néolithiques, existence certaine d'un Epipaléolithique récent, dont les trapèzes ont le côté retouché à gauche et où manquent les trapèzes courts, avec trois armatures à retouches inverses plates probablement faites par les mêmes chasseurs.

A Montfarville (Manche), sur la côte Nord-Est du Cotentin, a été reconnue une autre station importante. Le plateau de La Houe y avait été décapé pendant la dernière guerre sur une trentaine de centimètres d'épaisseur. Les outillages mésolithiques sous-jacents ont ainsi été mis à découvert et Mme Michel (1974) a pu y ramasser en surface, sur une aire limitée

[*] Directeur des Antiquités Préhistoriques de Basse-Normandie, Manoir des Gens-d'Armes, 161, Rue Basse, 14000 Caen (France).

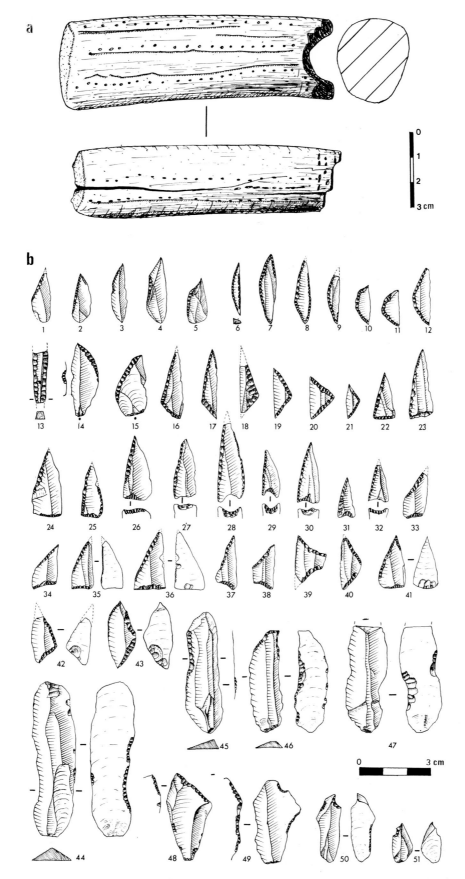

FIG. 1. — a) Bardouville (Seine-Maritime): fragment de gaine perforée à décor gravé (d'après J.-P. Watté, 1970, p. 201); b) Vieilles, commune de Beaumont-le-Roger (Eure): armatures diverses, lamelles retouchées et microburins choisis parmi les 5 500 outils de ce gisement conservés dans la collection Lesage au Muséum de Rouen (d'après J.-G. Rozoy, 1971, pl. 10).

(225 m²), une abondante série de plusieurs milliers de silex taillés, malheureusement encore mélangée de quelques pièces néolithiques. L'étude typologique qu'elle en a effectuée a mis en évidence que l'outillage commun (grattoirs, éclats retouchés, surtout lames et lamelles, plus des pseudo-outils dus aux instruments aratoires) l'emporte très largement sur les éléments géométriques et les microburins. Il paraît s'agir d'une industrie épipaléolithique appartenant au stade moyen. Le site de La Pernelle (Manche) pourrait relever du même horizon (étude en cours de A. Bogard).

Les autres gisements sont trop mal connus pour permettre une tentative de datation. Ce sont toujours des stations de surface qui ont fourni également des éléments néolithiques. Elles semblent reposer sur divers types de sols, aussi bien limons (Vieilles et autres stations de l'Eure), que dépôts de pentes et alluvions fluviatiles (Notre-Dame-de-Bliquetuit, Menneval) ou granite (Montfarville).

III. Les industries macrolithiques.

L'existence en Normandie d'industries macrolithiques antérieures au Néolithique est possible mais non encore prouvée.

Un fragment de gaine perforée à décor gravé, dragué dans la Seine à Bardouville (Seine-Maritime) (J.-P. Watté, 1970) évoque le « Maglemosien », moins directement toutefois que ses homologues du Nord et de la Somme (E. d'Acy, 1893 ; H. Breuil, 1926).

Dans la région du Havre (Seine-Maritime), certains indices laissent supposer l'existence de silex taillés de type campignien, accompagnés d'une faune essentiellement sauvage, dans une couche datée par analyse pollinique de l'Atlantique (L. Cayeux, 1955, 1957 a et 1958 ; C. Dubois, 1960). Mais l'attribution par L. Cayeux (1957 b, 1959, 1964, 1968, 1970, 1971, 1972) de divers outillages de Haute-Normandie au Pré-Campignien ne peut être admise qu'avec réserve. Il s'agit toujours d'industries de surface ; leur datation est uniquement fondée sur une intuition typologique et l'auteur a utilisé des grilles trop personnelles pour que des comparaisons puissent être tentées.

Dans l'état actuel des nos connaissances, on est incapable de savoir si la maigreur de la documentation disponible résulte d'une lacune des recherches ou dénote une réelle faiblesse de l'occupation humaine pendant les temps postglaciaires sur ce territoire qui a formé plus tard la Normandie.

Bibliographie

[1] Acy E. d' (1893). — Marteau, casse-tête et gaînes de haches néolithiques en bois de cerf ornementé. *L'Anthropologie*, t. IV, p. 385-401.

[2] Barrière C. (1956). — *Les civilisations tardenoisiennes en Europe occidentale*. Bordeaux, Bière, 441 p., fig.

[3] Bogard A. (1954). — Cent ans de préhistoire. *Mémoires de la société nationale des sciences naturelles et mathématiques de Cherbourg*, t. VI, p. 89-96.

[4] Bordes F. (1954). — *Les limons quaternaires du bassin de la Seine. Stratigraphie et archéologie paléolithique*. Archives de l'Institut de paléontologie humaine, Mémoire 26, Paris, Masson, 472 p., 175 fig., 34 tableaux.

[5] Bordes F. et Fitte P. (1951). — Une industrie épipaléolithique à Evreux. *Bulletin de la société préhistorique française*, t. XLVIII, p. 147-154, 3 fig.

[6] Bordes F., Graindor M.-J., Martin Y. et P. (1974). — L'industrie de la grotte ornée de Gouy (Seine-Maritime). *Bulletin de la société préhistorique française*, t. 71, C.R.S.M., n° 4, p. 115-118, 2 fig.

[7] Breuil H. (1926). — Harpon maglemosien trouvé à Béthune en 1849. *L'Anthropologie*, t. XXXVI, p. 309-312, 2 fig.

[8] Cahen A. (1912). — Contribution à l'étude des « tout petits silex » tardenoisiens de Vieilles, ancienne commune réunie en 1840 à Beaumont-le-Roger (Eure). *Bulletin de la société normande d'études préhistoriques*, t. XX, p. 28-34, 2 pl.

[9] Cayeux L. (1955). — Gisements néolithiques des anciens marais du Havre. *Bulletin de la société préhistorique française*, t. LII, p. 557-559, 2 fig.

[10] Cayeux L. (1957 a). — Les vestiges ostéologiques fossiles des anciens marais du Havre, témoins de la vie néolithique. *Bulletin de la société normande d'études préhistoriques*, t. XXXVI, fasc. III, p. 46-50, 1 fig.

[11] Cayeux L. (1957 b). — Le Précampignien du Pays de Caux et ses origines probables. *Revue des sociétés savantes de Haute-Normandie*, Préhistoire-archéologie, n° 6, p. 31-41, 2 pl.

[12] Cayeux L. (1958). — Nouvelle occupation des anciens marais du Havre (Le Perrey 2). *Bulletin de la société géologique de Normandie et des amis du muséum du Havre*, t. XLVIII, p. 15-17, 1 fig.

[13] Cayeux L. (1959). — Les industries précampigniennes du pays de Caux et leurs différents aspects. *Bulletin de la société préhistorique française*, t. LVI, p. 93-100, 3 fig.

[14] Cayeux L. (1964). — Le Précampignien forestier de la station-atelier des Sapinières de la forêt de Montgeon au Havre. Campagne de fouilles 1958-59. *Bulletin de la société normande d'études préhistoriques*, t. XXXVIII, fasc. III bis, hors série, 44 p. et 10 fig.

[15] Cayeux L. (1968). — Un atelier précampignien à Yport. L'Atelier « p » de la Station C. *Bulletin de la société normande d'études préhistoriques*, t. XXXIX, fasc. II, p. 60-67, 3 pl.

[16] Cayeux L. (1970). — La station précampignienne de l'ancien hameau de la Mare-Rouge (Le Havre). *Bulletin de la société normande d'archéologie préhistorique et historique*, t. XXXIX, fasc. IV, p. 164-173, 3 fig.

[17] Cayeux L. (1971). — Les silex précampigniens du forage du bois des Marettes (commune de Fontaine-la-Mallet, Seine-Maritime). *Bulletin de la société normande d'archéologie préhistorique et historique*, t. XL, fasc. I, p. 15-23, 3 fig.

[18] Cayeux L. (1972). — La station précampignienne du Cabaret à Rouelles (Seine-Mme). *Bulletin de la société normande d'archéologie préhistorique et historique*, t. XL, fasc. III, p. 66-77, 5 fig.

[19] Coutil L. (1912). — Tardenoisien, Captien, Gétulien, Ibéro-Maurusien, Intergétulo-néolithique, Tellien, Loubirien, Geneyénien, silex à formes géométriques, silex pygmées et micro-silex géométriques. Communication au *XIVᵉ Congrès*

international d'anthropologie et d'archéologie préhistorique, Genève, t. I, p. 301-336.

[20] Dubois A. (1904). — Les « tout petits » silex néolithiques (Tardenoisien) des environs de Bernay et principalement de Beaumont (Section de Vieilles). *Bulletin de la société normande d'études préhistoriques,* t. XII, p. 35-41, 1 pl.

[21] Dubois C. (1960). — Contribution de l'analyse pollinique à la connaissance du sous-sol du Havre. *Bulletin de la société géologique de Normandie et des amis du muséum du Havre,* t. L, p. 38-40.

[22] Michel D. (1974). — Une nouvelle station préhistorique au lieu-dit « La Houe », commune de Montfarville (Manche). *Mémoires de la société nationale des sciences naturelles et mathématiques de Cherbourg,* t. LIV, 1969-1970, p. 9-69, 25 fig., XIV tableaux.

[23] Octobon E. (1929). — La question tardenoisienne (suite). La station de Vieilles, commune de Beaumont-le-Roger (Eure). *Bulletin de la société préhistorique française,* t. XXVI, 1929, n° 4, p. 227-259, VIII pl.

[24] Rozoy J.-G. (1971). — La fin de l'Epipaléolithique (« Mésolithique ») dans le nord de la France et la Belgique, in *Die anfänge des Neolithikums vom Orient bis Nordeuropa, Fundamenta,* teil VI, Köln, p. 1-78, 6 fig., 16 planches.

[25] Verron G. (1973). — Informations archéologiques. Circonscription de Haute et Basse-Normandie. *Gallia Préhisoire,* t. 16, fasc. 2, p. 361-399, 46 fig.

[26] Verron G. (1975). — Informations archéologiques. Circonscription de Haute et Basse-Normandie. *Gallia Préhistoire,* t. 18, fasc. 2, p. 471-510, 49 fig.

[27] Watte J.-P. (1970). — *Répertoire topo-bibliographique du Néolithique et du Chalcolithique de Haute-Normandie (Seine-Maritime et Eure).* Mémoire de Maîtrise, polycopié, Rouen, 313 p., fig.

Les cultures de l'Epipaléolithique-Mésolithique dans le Bassin de la Somme, en Picardie et en Artois

par

Jean-Georges ROZOY *

Résumé. L'Epipaléolithique est attesté en Picardie et dans le Nord par des trouvailles nombreuses, souvent isolées (y compris trois harpons de type maglemosien) qui ne permettent pas d'attribution culturelle précise mais montrent la large répartition de l'industrie et supposent un peuplement uniforme quel que soit le type de terrain.

Le site de Belloy Plaisance, du stade récent, montre sur limons une industrie distincte du Tardenoisien proprement dit, avec un taux d'armatures plus bas (25 %), les types sont originaux (et retrouvés à Equihen). Le diamètre occupé, de l'ordre de 20 m comme sur les sables, confirme la vie par petits groupes très mobiles, déjà connue pour le Tardenoisien.

Abstract. The Epipaleolithic is attested in Picardy and the Nord *département* by numerous, often isolated, finds (including three harpoons of the Maglemosian type) which allow no precise cultural attribution, but show the distribution of the industry and imply uniform settlement whatever the type of ground.

The site of Belloy Plaisance of the late stage shows in the silts an industry distinct from the classic Tardenoisian with a lower proportion of armatures (25 %). The types are original (and are also found at Equihen). The diameter of the occupation area, about 20 meters as on the sands, bears evidence of the life style of the very mobile, small groups already observed in the Tardenoisian.

La présence de l'Epipaléolithique dans cette région est connue anciennement. *Trois « harpons » isolés analogues à ceux du Maglemosien* furent trouvés séparément dans la région de Béthune (Lartet et Christy, 1865 ; Mortillet, 1903 ; Breuil, 1926) mais on ignore presque tout de leurs conditions de gisement et de leur accompagnement. Ce sont des pointes barbelées sans moyen de retenir la ligne, et non des harpons.

La plupart des *stations des dunes littorales* ont fait l'objet de ramassages dans l'ancien sol sous la dune, sur de trop larges surfaces, bien que l'on ait remarqué le gisement des armatures « dans quelques mètres carrés » (Dutertre, 1932 et 1936) et il est donc impossible de préciser plus sauf à constater à Equihen et Hardelot la présence du style de Montbani avec de grands scalènes comme à Belloy et peu de trapèzes. Ramassage large également sur les *Monts de Flandre* (Tieghem, 1965) sauf peut-être aux Noires Mottes (Cap Blanc Nez, Deffontaines, 1927) où il s'agit probablement du stade ancien et certainement pas du stade récent, mais l'industrie collectée y est trop pauvre pour une attribution culturelle certaine. Les amas de coquilles du littoral ont fait presque tous la preuve de leur nature protohistorique ou même historique, et rien de vraiment épipaléolithique ne semble y avoir été signalé jusqu'ici.

Dans la région d'Ercheu (Somme, à la limite de l'Oise, Terrade 1910) la recherche systématique de surface sur des limons plus ou moins sableux a fourni *des sites prétardenoisiens* (Bois du Brûle, Bois du Glandon : Terrade, 1913, Schmider, 1971) avec pointes à dos et sans armatures géométriques (G.E.E.M. 1969, 1972), ainsi que des sites du stade moyen avec feuilles de gui (Bois du Chapitre : Terrade, 1911) ou avec pointes du Tardenois (Bois de Champion : Commont, 1914) et d'autres du stade récent (Beaulieu les Fontaines, la Haute Borne ; Terrade, 1912 et collections diverses) la plupart en mélange avec le Néolithique (collecte trop large). Le site de Warluis près de Beauvais (Oise : Thiot, 1901), dont la série conservée au Musée de l'Homme a pu être étudiée grâce à la complaisance du Pr L. Balout, était sur sable pur sur une hauteur et près d'une source et paraît avoir été tardenoisien du stade moyen : débitage du style de Coincy, pointes à troncature, scalènes, segments de cercle, quelques longues pointes du Tardenois,

quelques lamelles à bord abattu, peu de grattoirs et burins. Les éclats et débris n'ont pas été conservés ni les microburins s'il y en avait. Une attribution culturelle certaine n'est pas possible dans ces conditions.

Les ramassages sur larges surfaces pour le Néolithique ont fourni *un peu partout des armatures* considérées à tort comme tardives. Elles sont soit du stade moyen (Canneville : Debruge 1904, 1909, Patte, 1936, Daniel, 1970; Hodenc-en-Bray : Daniel, 1935; Choisy-au-Bac; coll. Capitan au Musée de St-Germain) soit du stade récent (Fouquières-les-Lens : Dolle, 1953; Compiègne-Royallieu : coll. Daniel) et aucune attribution culturelle n'est évidemment possible mais elles attestent la distribution très égale des vestiges épipaléolithiques sur tout le terrain quelle que soit la nature du sol.

La Plaisance à Belloy-sur-Somme (Somme) est le seul site de la région étudiable par les méthodes modernes. Des fouilles successives de C. Althin (Salomonsson, 1959) et de J.-G. Rozoy (1976) à faible distance du site classique de V. Commont (1914) ont fourni une série totale de 243 outils épipaléolithiques et montré l'existence de deux occupations : l'une de l'Age du Bronze ancien s'étend sur plusieurs hectares, dont un demi-hectare de couches en place ; l'autre, épipaléolithique, d'un diamètre de 15 à 20 mètres, est située seulement à 0,15 m sous la précédente et les animaux (taupe, talpa) en ont déplacé une large part des outils, mélangés à ceux de l'Age du Bronze ; seul l'emploi d'un silex de qualité différente permet la distinction. Le sol est un limon (lœss) argileux, très fertile. L'os n'est pas conservé dans la couche épipaléolithique où la seule structure observable était le diamètre de dispersion des silex.

La série lithique, dont le débitage est du *style de Montbani* (fig. 1), comprend *75 % d'outils communs*, essentiellement des lamelles retouchées (nos 5 à 10) et tronquées (nos 14 à 23) et des lames et lamelles Montbani (nos 36 à 45). Comme dans le Tardenoisien-Sud il y a très peu de grattoirs (0,8 %). Les armatures sont des *scalènes à retouche inverse plate* (nos 31 à 35), des pointes à troncature oblique (nos 24, 25), certaines taillées dans des lamelles à coches (no 24), et quelques scalènes (nos 26-28). Il n'y a que quatre

* Médecin, 26, rue du Petit-Bois, 08000 Charleville-Mézières (France).

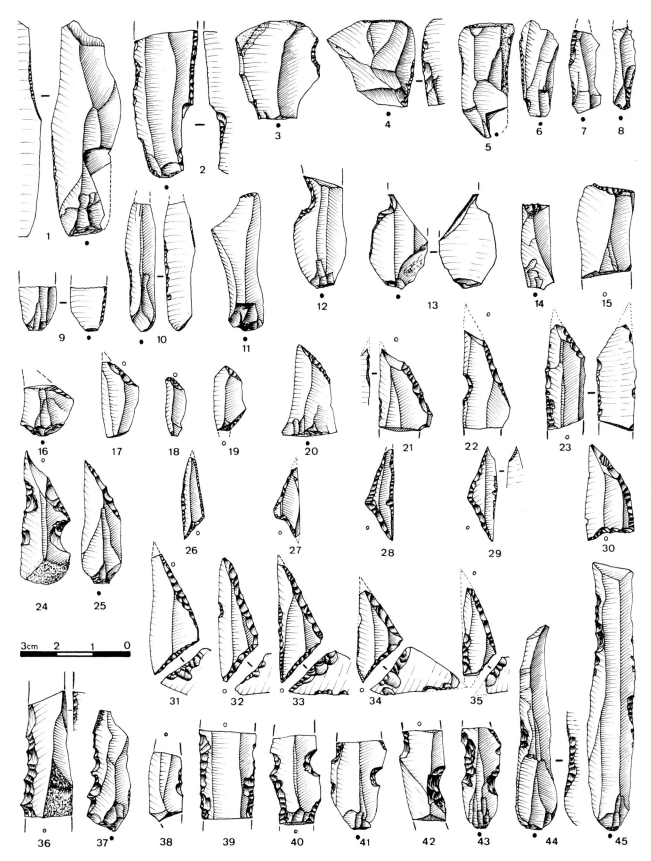

FIG. 1. — *Belloy-Plaisance, tableau équilibré*. Les outils communs sont sur lamelles comme dans le Tardenoisien, mais il n'y a pas de trapèzes. 24. Armature taillée dans une lame Montbani.

trapèzes (nº 30) soit 1,6 %, ce qui est *très différent du Tardenoisien* où les scalènes ne portent jamais de retouche inverse et où les trapèzes sont abondants lorsque le style de Montbani et les lames à coches sont employées. Le faible taux d'armatures : 25 % est une autre différence majeure (Tardenoisien récent 50 %).

Il s'agit donc évidemment d'*un autre groupe de population* qui marque à l'Ouest la limite du Tardenoisien proprement dit. Ce groupe a adapté à sa façon les inventions nouvelles caractérisant le stade récent : débitage plus régulier, retouche inverse plate, usage des lames pour racler les hampes des flèches. La méthode du microburin est employée autant que dans le Tardenoisien. (Pour les comparaisons avec le Tardenoisien récent voir : Daniel, 1933, 1948 ; Parent, 1967 ; Hinout, 1962 ; Rozoy, 1976).

De nouvelles recherches sont nécessaires pour isoler les stades ancien et moyen, dater le stade récent et étudier son évolution, mieux délimiter la frontière avec le Tardenoisien, recueillir une documentation sur les habitats. On notera que *le diamètre occupé* (20 m) et le nombre d'outils (environ 600 compte tenu des destructions par la carrière) sont à Belloy-Plaisance, sur limons, *analogues à ce qui est connu sur sables dans le Tardenoisien au sens strict* (5 à 50 m, mais le plus souvent 10 à 20 m, et 50 à 5 000 outils, mais le plus souvent 100 à 800, Rozoy, 1976). Comme dans le Tardenoisien ce site moyen infirme la croyance en un stade récent plus abondant que le stade moyen : on connaît dans le Tardenoisien de grands sites du stade moyen (Piscop, Désert d'Auf-

fargis) et de petits du stade récent (Les Rochers d'Auffargis, le Lendemain, Larchant-2) et inversement.

On ne peut attribuer au milieu sableux où se sont jusqu'ici limitées les recherches du Tardenoisien la responsabilité des petits et moyens sites, puisque l'on en connaît aussi sur limons (Belloy-Plaisance) et sur quartzite et schistes (Roc La Tour II).

Le Tardenoisien existe d'ailleurs sur terrains cultivables où les recherches sont plus pénibles (à Belloy-Plaisance : 15 à 20 fois plus de temps pour le même résultat que dans les sables, Rozoy, 1976). *Les grands sites apparaissent généralement comme des agglomérations de petits campements* et la preuve a pu en être faite pour le Beaugencien (cf.). Ceci confirme donc *la vie par petits groupes* (5 à 15 personnes ?) *et la grande mobilité* des chasseurs épipaléolithiques, dans toutes les cultures connues en France et aussi bien au stade récent (qui n'est aucunement un passage vers le Néolithique) qu'aux stades ancien et moyen. Cette mobilité s'exerce dans un domaine bien défini qui est pour chaque culture resté occupé pendant des millénaires avec conservation des particularités locales et sans influences extérieures perceptibles.

Bibliographie et carte

Voir l'article sur le Beaugencien dans ce même volume.

Les civilisations de l'Epipaléolithique et du Mésolithique dans le Jura et en Franche-Comté

par

André Thévenin *

Résumé. Grâce à la stratigraphie de Rochedane, à Villars-sous-Dampjoux (Doubs) et par comparaison avec d'autres gisements-clefs, tels que Sous-Balme, à Culoz (Ain), l'abri de la Cure, à Baulmes (Suisse), l'abri du Mannlefelsen I à Oberlarg (Haut-Rhin) et même Birsmatten (Suisse), la séquence Dryas III, Préboréal est assez complète. La phase à grands triangles scalènes (Boréal) existe certainement à l'abri du colonel Martin à Ranchot (Jura); quant aux niveaux à trapèzes, on les a seulement rencontrés jusqu'à présent à l'abri de Gigot, à Bretonvillers (Doubs).

Abstract. Thanks to the stratigraphy of Rochedane at Villars-sous-Dampjoux (Doubs) and through the comparison with other key sites such as Sous-Balme at Culoz (Ain), the Abri de la Cure at Baulmes (Switzerland), the Abri Mannlefelsen at Oberlarg (Upper Rhine), or even Birsmatten (Switzerland), the Dryas III Preboreal sequence appears to be rather complete.
The phase (Boreal), characterized by a large scalene triangles, undoubtedly exists at the Abri Colonel Martin at Ranchot (Jura). As for the trapezoid levels, they have only been discovered, thus far, at the Abri de Gigot at Bretonvillers (Doubs).

Comme tout tableau chronologique préhistorique, celui de l'Epipaléolithique et du Mésolithique du Jura et de Franche-Comté s'appuie sur des stratigraphies : celle de l'abri de Rochedane, à Villars-sous-Dampjoux dans le Doubs (A. Thévenin et J. Sainty, 1972) complétée par celle toute proche de l'abri du Mannlefelsen I à Oberlarg (Haut-Rhin). D'autres stratigraphies en grottes, fouillées antérieurement, en Franche-Comté pourraient apporter également des éléments, en particulier la grotte du colonel Martin à Ranchot (Ripotot et Seibel, 1958) et bien d'autres. De la Suisse, il faut attendre des renseignements capitaux de l'abri de la Cure à Baulmes (M. Egloff, 1967 ; Arl. Leroi-Gourhan et M. Girard, 1971), ainsi que du côté allemand avec les travaux de W. Taute, à la Jägerhaus-Höhle près de Bronnen (Taute, 1972 a, 1973) et à la Zigeunerfels près de Sigmaringen (Taute, 1972 b, 1973).

Les industries de la fourchette chronologique fin Alleröd - début du Préboréal.

Les niveaux C'1 et B de Rochedane semblent correspondre à cette large fourchette, et même B pourrait être franchement Préboréal, par suite des données de la palynologie et des premières études des micromammifères. Cette même position se retrouve à l'abri du Mannlefelsen I à Oberlarg (Haut-Rhin) avec la couche S qui a fourni des canifs très étroits (datation C 14 : 8 270 ± 330 B.C.).

L'industrie de C'1 comprend :

— des segments de cercle larges, encore de grande taille (n° 40) ou plus petits (n° 39) ; des pointes à dos courbe sur support épais (n° 40) associées à de très rares lamelles à dos ;

— des grattoirs sur éclat de taille assez constante (3 × 3 cm) (n° 36) ; des grattoirs unguiformes

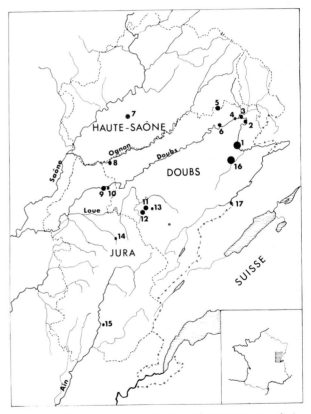

Fig. 1. — Carte des gisements épipaléolithiques et mésolithiques en grotte ou abri de Franche-Comté : 1. Abri de Rochedane, à Villars-sous-Dampjoux; 2. Le Payot de la Baume, à Valentigney; 3. Grotte des Sarrazins, à Voujeaucourt; 4. Abri de Bavans; 5. Grotte de la Baume, à Gonvillars; 6. Abri de la Roche-aux-Gours, à Longevelle; 7. La Baume Noire, à Frétigney; 8. Grotte de la Roche, à Courchapon; 9. Abri du colonel Martin, à Ranchot; 10. Abri de Chateauneuf, à Dampierre; 11. Abri des Camps-Volants, à Doulaize; 12. Grotte de la Vierge, à Myon; 13. Grotte de la Pérouse, à Refranche; 14. Abri Maldiney, à Arbois; 15. Grotte du Mt-Robert, à Moirans; 16. Abri de Gigot, à Bretonvillers; 17. Abri rive gauche près abri du col des Roches, à Villers-le-Lac.

* Directeur des Antiquités préhistoriques d'Alsace et de Lorraine, Palais du Rhin, 3, place de la République, 67000 Strasbourg (France).

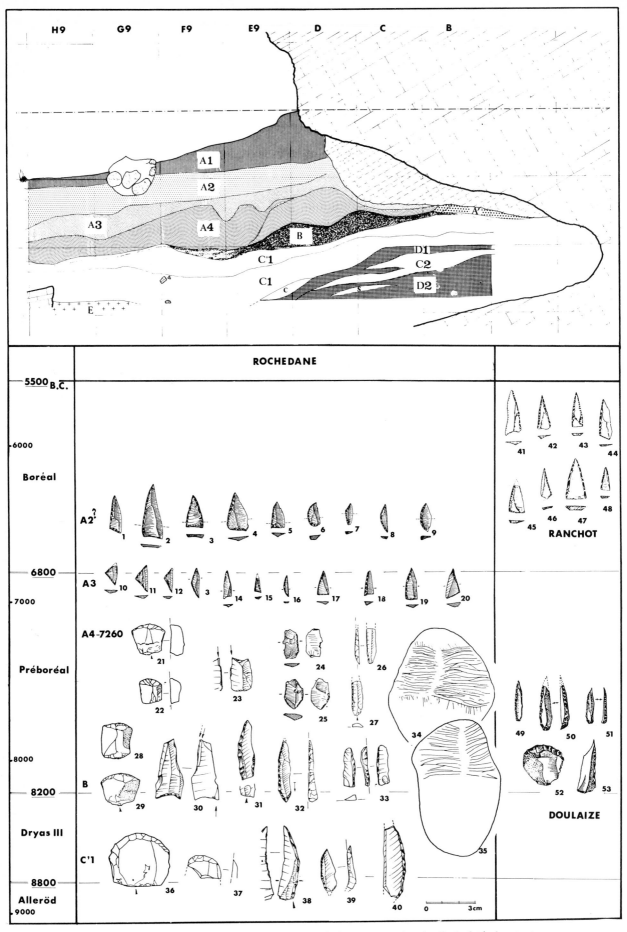

FIG. 2. — Villars-sous-Dampjoux, abri de Rochedane : coupe longitudinale latérale ouest.
Schéma évolutif des industries de la fin du Tardiglaciaire et du Postglaciaire dans le Jura et la Franche-Comté. Rochedane :
niveau A2 : 1 à 9; A3 : 10 à 20; A4 : 21 à 27; B : 28 à 35; C'1 : 36 à 40. Ranchot, abri du colonel Martin : niveau mésolithique
« sauveterrien », nos 41 à 48. Doulaize, abri des Camps-Volants, niveau épipaléolithiques : nos 49 à 53.

sur lame cassée volontairement ou par usage (n° 37) ;

— quelques burins dièdres, un double sur troncature.

L'industrie de B.

C'est un des niveaux les plus riches de l'abri, mais on y rencontre pratiquement que les types précédents, parfois d'allure et de technique un peu différentes, mais toujours de module plus petit :

— les pièces à dos, presque fusiformes, sont obtenues sur de petites lamelles trapues dont l'extrémité distale est conservée (n° 31). La retouche du dos sectionne largement la lamelle : seule subsiste généralement une toute petite partie de l'esquille accompagnant le conchoïde ;
— les lamelles à dos sont présentes, mais plus grossières, à section épaisse (n° 33) ;
— les grattoirs courts, unguiformes, sur éclat massif abondent (nᵒˢ 28 et 29) ;
— les burins, peu nombreux, souvent doubles, sont tous sur troncature (n° 30) ;
— on notera l'absence de perçoir et d'industrie de l'os.

Ce niveau a fourni six galets gravés *in situ* avec thème schématique géométrique (nᵒˢ 34 et 35) mais une cinquantaine ont été trouvés dans les déblais des anciennes fouilles.

Ce type d'industrie semble correspondre à celui de l'abri des Camps-Volants à Doulaize (Doubs) « avec pointes à dos frustement écrasés et grattoirs aziliens » (nᵒˢ 49 à 53) (Ripotot et Seibel, 1958) mais les données sont vraiment trop vagues pour permettre une véritable comparaison ; beaucoup plus sûre, est la liaison avec l'industrie de l'abri de la Roche-aux-Gours, à Longevelle (Doubs) (J.-P. Millotte, 1973). Le « Post-magdalénien nordique avec marmottes, suivi d'un Post-magdalénien nordique avec cerf » de Courchapon (Doubs) des auteurs précédents, de même que le « Post-magdalénien » de l'abri de la Vierge à Myon (Doubs) ne peuvent être replacés pour le moment dans la séquence évolutive, faute de fouilles récentes. Quant à l'Azilien de Frétigney (Haute-Saône) (A. Thévenin, 1965) il doit être antérieur au Dryas III.

Les industries du Préboréal.

A Rochedane, au Préboréal apparaîtra d'abord une industrie de transition, le niveau A 4, encore épipaléolithique puisqu'on y retrouve un certain nombre d'éléments de B, mais de taille très réduite, mais sans microlithes géométriques. Ceux-ci apparaissent dans le niveau A 3 préboréal également ; la couche Q d'Oberlarg (7 080 B.C.) doit correspondre pour partie à A 3.

Comme artéfact marqueur du niveau A 4, il faut signaler une petite pointe présentant plusieurs variantes : pointe étroite, très allongée (dont la longueur est égale à quatre fois la largeur), sur lamelle régulière à section triangulaire ou trapézoïdale, avec un seul ou les deux côtés abattus par retouches abruptes, ne

présentant généralement qu'une seule pointe. Cette armature, variante de la pointe de Sauveterre ? est rare à Rochedane (nᵒˢ 26-27). Les grattoirs courts sur éclat massif abondent (nᵒˢ 21 et 22) : de dimensions réduites (2 × 2 cm environ) et de calibre constant dans la partie inférieure de A 4, ils perdent ce caractère d'homogénéité dans la partie supérieure. Ils sont associés à de rares petits burins, toujours sur troncature (n° 23). Les lamelles à dos ne sont pas rares, mais peu typées, irrégulières, de forte épaisseur généralement (4 mm). Comme particularité de cette couche, une pièce, élément à retouches partielles localisées (nᵒˢ 24 et 25) présente de petits enlèvements semi-abrupts ou abrupts.

Une datation ¹⁴C de Gif-sur-Yvette donne pour le niveau A 4 9 210 ± 120 ans, soit 7 260 B.C. (Gif. 2 530).

L'Epipaléolithique (Mésolithique) à microlithes géométriques débute avec le niveau A 3 de Rochedane, certainement dans la deuxième moitié ou à la fin du Préboréal. Comme caractéristique essentielle, il faut noter tout d'abord que l'industrie de A 3 est très pygmée.

Comme types de microlithes, on rencontre :

— de petits scalènes, assez nombreux, de type court, mais élancés du fait de leur faible largeur (4 mm) (nᵒˢ 14 et 15) ;
— des segments de cercle, très réguliers et étroits 3 mm de large) ou à dos légèrement anguleux (nᵒˢ 13 et 16) ;
— des triangles isocèles, plus rares mais très caractéristiques (nᵒˢ 10 à 12) ;
— des lamelles très étroites à retouches unilatérales, parfois transformées en pointe (n° 18) ;
— une pointe assez spéciale : pointe à dos rectiligne ou légèrement convexe, et base retouchée ou non (n° 19).

L'outillage commun comprend des grattoirs sur éclat, quelques perçoirs souvent déjetés, quelques lamelles à coche, de rares burins sur troncature. L'outillage osseux est inexistant.

L'industrie de A 4 semble pour le moment unique en Franche-Comté. A 3 a des équivalents à l'extérieur : par exemple de l'abri (est) de Sous-Balme, à Culoz daté de 7 200 B.C. (R. Vilain, 1966), la couche Q d'Oberlarg de 7 080 B.C., le Beuronien A de la Jägerhaus-Höhle (W. Taute, 1972 a, 1973).

Les industries du Boréal et de l'Atlantique.

Le niveau A 2 de Rochedane semble appartenir au Boréal, mais il est bien moins riche que les précédents. L'industrie microlithique comprend :

— des pointes à retouches unilatérales, plus élancées que dans le niveau A 3 (nᵒˢ 1 à 5) ;
— quelques scalènes très allongés et étroits (n° 8) ou courts (n° 7) ;
— quelques segments larges, peu typiques (nᵒˢ 6 et 9) ;
— un seul trapèze.

L'outillage commun comprend : des lamelles régulières à coches, de rares perçoirs, de rares burins sur troncature, des grattoirs sur éclat de différentes grosseurs, des fragments de lames à retouches partielles.

Cette tranche chronologique reste en Franche-Comté encore fort mal connue, faute d'observations stratigraphiques. Il semble manquer les industries à grands scalènes comme à Montbani II (date ^{14}C 6 110 ± 350 B.C.) (R. Parent et N. Planchais, 1972) ou à Culoz, gisement extérieur, niveau 1 (date ^{14}C : 5 420 ± 1 080 B.C.) (Vilain, 1966). Dans ce dernier gisement, pour de multiples raisons, l'industrie à grands scalènes du gisement extérieur nous semblait plus récente que l'industrie à triangles et petits scalènes de l'abri (A. Thévenin, 1973 a) : le C 14 a tranché le problème. Cette industrie à grands scalènes a été trouvée certainement à l'abri du colonel Martin, à Ranchot (Jura). On remarque en effet de fort beaux scalènes allongés (n°s 41-44) et surtout un type de pointe aiguë à base tranchante (n°s 42, 43) présente à Ogens (M. Egloff, 1965) et surtout à Culoz, gisement occidental (R. Vilain, 1966).

Pour l'Atlantique et peut-être aussi pour les périodes antérieures, des données fondamentales sur les industries à trapèzes doivent sortir de la fouille de l'abri de Gigot, à Bretonvillers (Doubs) par la Direction des Antiquités préhistoriques de Besançon ; dans un niveau ont été trouvés en effet, de nombreux trapèzes. A noter qu'il n'existe que de rares gisements à trapèzes dans le Nord de la Franche-Comté, secteur des plaines de la Saône et porte de Bourgogne (J. Sainty, 1972).

Conclusions générales.

L'Epipaléolithique de Franche-Comté et du Jura, faciès Rochedane, car il est certain que l'évolution n'a pas suivi une voie unique, s'articule ainsi :

— un Epipaléolithique avec pointes ou segments (de type C'1) du Dryas III ;
— un Epipaléolithique évolué avec pointes fusiformes, industrie miniaturisée et galets gravés, du Dryas III ou peut-être même du Préboréal (niveau B) ;
— un Epipaléolithique de transition avec industrie très curieuse (petites pointes, éléments à retouches partielles, etc...) sans microlithes géométriques (du type du niveau A 4), sans aucun doute Préboréal ;
— un Epipaléolithique (Mésolithique) préboréal du type A 3 de Rochedane à industrie pygmée, avec pointe très spéciale, pointe à dos rectiligne et base retouchée ou non ;
— l'Epipaléolithique (Mésolithique) boréal est fort mal connu, il est peut-être représenté par A 2 de Rochedane mais sûrement par le niveau à grands scalènes de l'abri du colonel Martin à Ranchot. Quant aux séquences à trapèzes, elles n'ont été rencontrées en abri qu'à Bretonvillers (Gigot).

Bibliographie

[1] BANDI H.G. et coll. (1964). — Birsmatten, Basisgrotte. *Acta bernensia*, I, 171 p., 135 fig., 23 tabl.

[2] CAMPI M., FRACHON J.-C. et PÉTREQUIN P. (1970). — Dépôts quaternaires du Jura français. Corré-lations avec les données de la paléontologie et de la préhistoire. *Rev. arch. de l'Est et du Centre-Est*, t. 21, fasc. 3-4, p. 331-341, 7 fig.

[3] EGLOFF M. (1965). — La Baume d'Ogens, gisement épipaléolithique du plateau vaudois. Note préliminaire. *Annuaire de la société suisse de préhistoire et d'archéologie*, 52, p. 59-66, 2 fig., 3 planches photos.

[4] EGLOFF M. (1966-67). — Le gisement préhistorique de Baulmes (Vaud). *Annuaire de la société suisse de préhistoire et d'archéologie*, 53, p. 7-13, 3 fig., 2 planches photos.

[5] EGLOFF M. (1967). — Huit niveaux archéologiques à l'abri de la Cure (Baulmes, canton de Vaud). *Ur-Schweiz*, 21, p. 53-64, 12 fig.

[6] LEROI-GOURHAN Arl. et GIRARD M. (1971). — L'abri de la Cure à Baulmes (Suisse). Analyse pollinique. Avec une introduction de M. EGLOFF. *Annuaire de la soc. suisse de préhistoire et d'archéologie*, vol. 56, p. 7-16, 1 fig., 2 planches.

[7] MILLOTTE J.-P. (1967). — Informations archéologiques, Circonscription de Besançon. Article Villars-sous-Dampjoux. *Gallia-Préhistoire*, t. X, fasc. 2, p. 368-370, 3 fig.

[8] MILLOTTE J.-P. (1969). — Informations archéologiques. Circonscription de Besançon. Article Villars-sous-Dampjoux. *Gallia-Préhistoire*, t. XII, fasc. 2, p. 469-474, 5 fig.

[9] MILLOTTE J.-P. (1971). — Informations archéologiques, Circonscription de Besançon. Article Villars-sous-Dampjoux. *Gallia-Préhistoire*, t. XIV, fasc. 2, p. 383-385, 3 fig.

[10] MILLOTTE J.-P. (1973). — Informations archéologiques, Circonscription de Besançon. Article Longevelle. *Gallia-Préhistoire*, t. 16, fasc. 2, p. 466, 1 fig.

[11] MORELON N.S. (1973). — Le gisement préhistorique de la « Touvière », commune de Arbignieu (Ain). *Documents labo. géol. fac. sciences Lyon*, n° 56, p. 1-165, 61 fig., 5 tabl., 8 pl.

[12] PÉTREQUIN P. (1970). — *La grotte de la Baume de Gonvillars*. Annales littéraires de l'Université de Besançon, Archéologie 22, 185 p., 53 fig., 3 planches photos.

[13] PÉTREQUIN P. et VUAILLAT D. (1971). — Matériaux pour une carte archéologique de la région de Saint-Claude (Jura). *Revue archéol. de l'Est et du Centre-Est*, t. 22, fasc. 3-4, p. 277-294, 14 fig.

[14] RIPOTOT et SEIBEL (1958). — Coup d'œil sur la Préhistoire comtoise d'après les collections de Dole. Mélanges d'Archéologie, 4e journées de la Revue archéol. de l'Est. Besançon, 1957. *Annales littéraires de l'Université de Besançon*, vol. 20, p. 1-9, 4 planches.

[15] ROZOY J.-G. (1971). — Tardenoisien et Sauveterrien. *Bull. soc. préhist. franç.*, Etudes et Travaux, fasc. 1, p. 345-374, 27 fig.

[16] ROZOY J.G. (1973). — The franco-belgian epipaleolithic current problems, in KOZLOWSKI S. *The mesolithic in Europe*, Varsovie, p. 503-530, 8 fig.

[17] SAINTY J. (1972). — Les industries épipaléolithiques (mésolithiques) des sites de plein air du Nord de la Franche-Comté. *Revue archéol. de l'Est et du Centre-Est*, t. 23, fasc. 3-4, p. 217-275, 24 fig.

[18] TAUTE W. (1972 a). — Funde aus der Steinzeit in der Jägerhaus-Höhle bei Bronnen. Extrait de l'album de Thorbecke : « *Fridingen Stadt an der oberen Donau* », 4 p., 2 fig., 1 tabl.

[19] TAUTE W. (1972 b). — Die spätpaläolithisch - frühmesolithische Schichtenfolge in Zigeunerfelds bei Sigmaringen (Vorbericht). *Arch. inf.,* 1, p. 29-40, 5 fig.

[20] TAUTE W. (1973). — Neue Forschungen zur Chronologie von Spätpaläolithikum und Mesolithikum in Süddeutschland. *Neue paläolithische und mesolithische Ausgrabungen in der Bundesrepublick Deutschland.* Zum IX. Inqua-Congress (Neuseeland 1973), p. 59-66, 4 fig.

[21] THÉVENIN A. (1965). — L'outillage paléolithique et mésolithique du Bassin supérieur de la Saône. *Annales scientif. de l'Université de Besançon,* Géologie, n° 1, p. 13-61, 21 planches et cartes.

[22] THÉVENIN A. (1968). — L'abri de Rochedane à Villars-sous-Dampjoux, près de Pont-de-Roide (Doubs). *Bull. soc. préhist. franç.,* C.R.S.M. n° 9, p. 235-236.

[23] THÉVENIN A. (1972 a). — Les galets gravés aziliens de l'abri de Rochedane à Villars-sous-Dampjoux (Doubs). *Congrès préhistorique de France,* XIX° session, Auvergne, 1969, p. 341-347, 4 fig.

[24] THÉVENIN A. (1972 b). — L'art azilien à l'abri de Rochedane (commune de Villars-sous-Dampjoux, département du Doubs, France). *Homo,* Heft 1/2, p. 223-291, 8 fig.

[25] THÉVENIN A. (1972 c). — Du Paléolithique ancien au Néolithique dans l'Est de la France : actualité des recherches. *Revue archéol. de l'Est et du Centre-Est,* t. 23, fasc. 3-4, p. 103-204, 14 fig.

[26] THÉVENIN A. (1973 a). — Aperçu général sur le Paléolithique et l'Epipaléolithique de l'Alsace. *Annales scientifiques de l'Université de Besançon,* Géologie, 3° série, fasc. 18, p. 255-265, 6 fig.

[27] THÉVENIN A. (1973 b). — L'art azilien à l'abri de Rochedane (Villars-sous-Dampjoux, près de Pont-de-Roide, France). *Actes du VIII° Congrès international des sciences préhistoriques et protohistoriques,* t. 2, rapports et corrapports, Belgrade, p. 188-192, 2 fig.

[28] THÉVENIN A. et SAINTY J. (1972). — L'abri de Rochedane à Villars-sous-Dampjoux (Doubs). Note préliminaire sur la stratigraphie. *Revue archéol. de l'Est et du Centre-Est,* t. 23, fasc. 1-2, p. 7-22, 4 fig. (avec Annexe : Premier aperçu sur la faune de Rochedane, par Thérèse Poulain-Josien).

[29] THÉVENIN A. et SAINTY J. (à paraître). — Géochronologie de l'Epipaléolithique de l'Est de la France (Congrès de Martigues. S.P.F. 1974).

[30] VILAIN R. (1966). — Le gisement de Sous-Balme à Culoz (Ain) et ses industries microlithiques. *Documents des laboratoires de géologie de la Faculté des sciences de Lyon,* n° 13, 219 p., 2 3pl., 45 fig., 10 tabl., 4 cartes.

Les cultures de l'Epipaléolithique-Mésolithique dans la région Champagne-Ardennes

par

Jean-Georges ROZOY *

Résumé. Les recherches anciennes montraient en Champagne quelques stations épipaléolithiques des stades moyen et récent. Les ramassages de surface fournissent des armatures dispersées sur tous les terrains, y compris la craie.

Au stade ancien Roc La Tour II (fig. 1) montre l'empiètement du Tardenoisien sur le massif ardennais schisteux, la composition statistique est très semblable à celle de Chaville-3 (fig. 3).

Au stade moyen Marlemont (fig. 2) montre que l'Ardennien déborde sur le bassin calcaire. Sa composition statistique se rapproche de celle des sites belges (fig. 4). Il y a donc eu variation de la frontière dans le temps, de faible ampleur (50 km). Les deux groupes humains sont apparentés et ne diffèrent que par le taux d'armatures (50 à 70 % dans le Tardenoisien, 12 à 25 % dans l'Ardennien).

La « manie des armatures » propre au Tardenoisien n'a pas atteint l'Ardennien.

Abstract. In Champagne, early research revealed some Epipaleolithic sites of the middle and late stages. The surface finds indicate that armatures were gathered on every type of terrain, including chalk.

The early stage at Roc la Tour II (fig. 1) shows the encroachment of the Tardenoisian on the schistic Ardennes Massif. The statistical composition is very similar to that of Chaville III (fig. 3).

The middle stage at Marlemont (fig. 2) shows that the Ardennian spreads out into the limestone basin. Its statistical composition approaches that of the Belgian sites (fig. 4); therefore, there must have been a minor variation (50 km) of the frontier through time. The two groups are connected and are different only in the proportion of armatures (50-70 % in the Tardenoisian, 12-25 % in the Ardennian).

The "armature mania" peculiar to the Tardenoisian did not reach the Ardennian.

L'existence de l'Epipaléolithique dans cette région est connue de longue date, le site de Saint-Martin-sur-le-Pré (Marne) ayant été décrit par A. Nicaise dès 1877 et repris par A. de Mortillet (1896) : il s'agissait d'*un site du stade moyen* (pointes du Tardenois sans trapèzes) traversé par un creusement de l'Age du Fer. La situation en milieu argileux ou limoneux, la faible superficie (12 × 12 m) et la présence des pointes du Tardenois sont tout ce qu'on en sait.

D'autres sites furent découverts : le Mont de Berru et Marlemont (Bosteaux, 1899), Châlons-sur-Vesle (Mack, 1930), Brimont (collection Gillet au Musée de Reims), tous sur des sables (Thanétien, Landénien) : il n'était guère question de chercher ailleurs. Le Mont de Berru et Brimont comportent des trapèzes typiques et le débitage de Montbani et appartiennent donc au stade récent, Châlons sur Vesle avec le même débitage a montré quelques pointes du Tardenois (début du stade récent ?). *Aucun de ces sites n'est étudiable par les méthodes modernes.* Le « Mésolithique » proclamé à Vertus (Lemarteleur et Doublet, 1931) est illusoire, c'est un « Campignien » et donc il n'a rien à voir ici.

Les prospections de surface entreprises dans les Ardennes ont fourni des armatures isolées dispersées sur tous les terrains et attestant l'uniformité du peuplement épipaléolithique, y compris sur la craie (Alincourt, recherches ERTLE)

Les seuls sites étudiables actuellement sont Marlemont et Roc La Tour II (Rozoy, 1976). Marlemont appartient à l'Ardennien (stade moyen) et Roc La Tour II au Tardenoisien (au sens strict) (stade ancien). La proximité des deux sites (carte avec Beaugency) implique la définition entre les deux cultures d'une *frontière ayant un peu varié dans le temps* : au stade ancien le Tardenoisien (au sens strict) déborde sur le plateau schisteux de l'Ardenne, au stade moyen c'est l'Ardennien qui déborde dans le bassin calcaire secondaire.

Roc La Tour II et le Tardenoisien ancien.

Roc La Tour II est un site de bord de plateau avec point de vue sis sur quartzite primaire et sur schiste, à 410 m d'altitude, en milieu siliceux (aucun os conservé) et très superficiel (ni pollens ni charbons éudiables). La fouille n'est pas terminée mais le diamètre ne paraît pas pouvoir dépasser 10 à 15 m. Le silex employé est celui de l'argile à silex et vient du bassin secondaire au S et SO de l'Ardenne. Le débitage est du style de Coincy. *Le taux d'armatures est de 50 %* (fig. 3), taux bas pour le Tardenoisien, avec des pointes à troncature oblique (fig. 1, nᵒˢ 33 à 39), des lamelles à bord abattu (nᵒˢ 43 à 54), des triangles isocèles (nᵒˢ 58, 60, 61) et scalènes (nᵒˢ 37, 39). Les pointes à base transversale (nᵒˢ 63 à 66) n'ont pas encore le type du Tardenois, les segments sont rares (nᵒˢ 41, 42). Il y a des microburins (nᵒˢ 68 à 72) en nombre égal à celui des armatures pointues. *Les outils communs* comprennent surtout des lamelles retouchées (fig. 1, nᵒˢ 19 à 21), tronquées (nᵒˢ 30 à 32) et à coche unique (nᵒˢ 23 à 29), quelques éclats retouchés (nᵒˢ 5 à 8) ou denticulés (nᵒˢ 3, 4, 9) et quelques burins (nᵒˢ 12, 13). Les grattoirs sont rares et atypiques (nᵒˢ 1, 2). Les nucleus sont rares (8 pour 100 armatures) comme dans tout le Tardenoisien.

La composition d'ensemble est très analogue à celle de Chaville-3 (Daniel, 1962) (fig. 3) et bien

---

* Médecin, 26, rue du Petit-Bois, 08000 Charleville-Mézières (France).

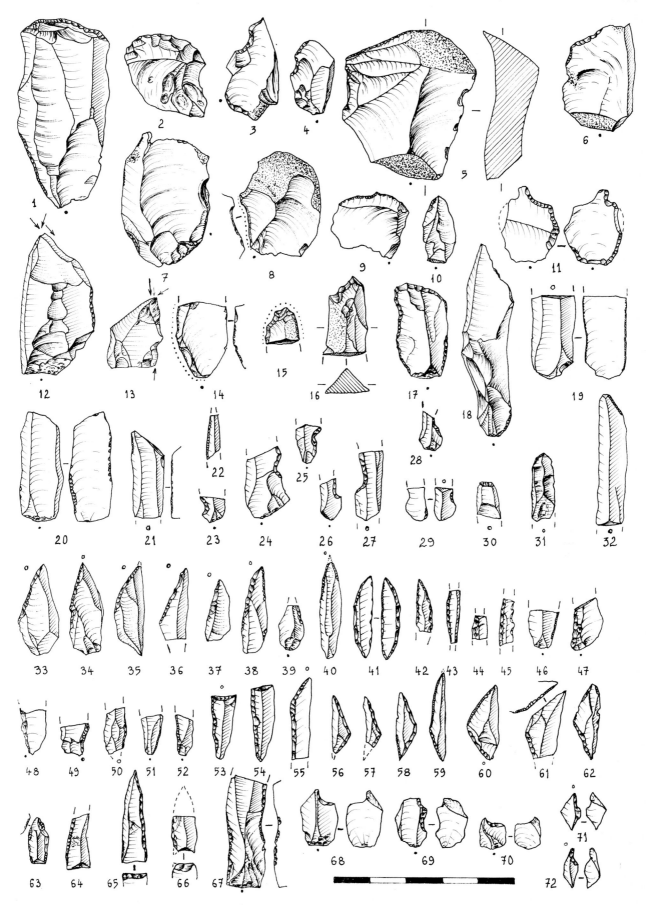

FIG. 1. — *Roc La Tour II, tableau équilibré*. Isocèles abondants (nos 57-61), les pointes à base transversale (nos 65-66) ne sont pas encore du Tardenois.

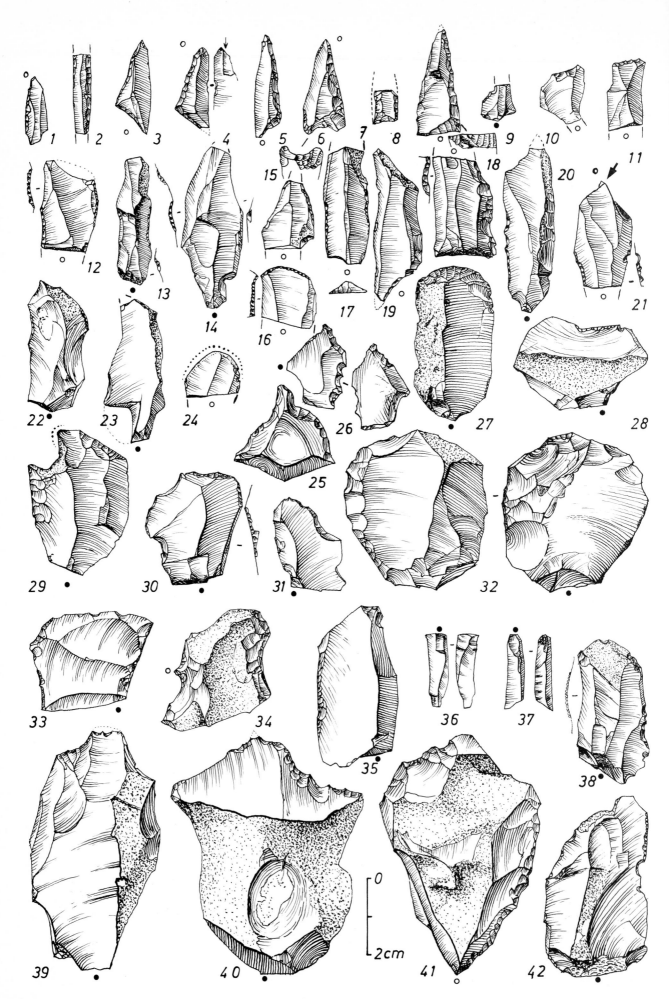

FIG. 2. — *Marlemont (série peu patinée), tableau équilibré*. Noter le bas taux d'armatures, les outils sur éclats, le style.

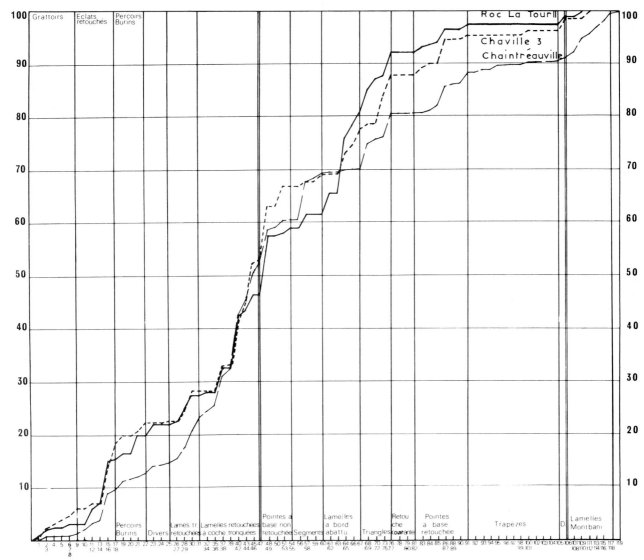

Fig. 3. — *Proportions des outils au Tardenoisien ancien.* Roc La Tour II, 198 outils, Chaville 3, 131 outils, Chaintréauville, 765 outils. Il s'agit d'une seule culture et du même stade, les proportions sont presque identiques sauf pour les lamelles à bord abattu (9e classe), et malgré les distances et les types de sites et de sols différents.

différente de celle de l'Ardennien (fig. 4). Un travail de sériation du Tardenoisien (Rozoy, 1976) montre que ce site est *le plus ancien* des 23 gisements sériés. Il y a aussi des plaquettes lissées en assez grand nombre et un grès à rainure (Rozoy, 1976). Voir pour comparaisons Daniel, Parent, Hinout, en bibliographie.

Marlemont et l'Ardennien moyen.

Marlemont (fig. 2) est un site de sommet sans point de vue sur une butte sableuse avec source et gisement de silex. Il a été fréquenté au Moustérien et les silex des deux époques sont mélangés à la surface du sol, d'où des confusions (Bosteaux - Paris, 1899) mais la patine différente permet de les séparer. Les Ardenniens ont taillé certains de leurs outils dans des pièces moustériennes. L'os n'est pas conservé, pollens et charbons sont inutilisables. Le diamètre occupé paraît avoir été de l'ordre de 20 mètres.

Le silex employé est exclusivement local (et on le retrouvera sur l'Ardenne schisteuse où il a été importé). Le débitage est celui de l'Ardennien, variante plus épaisse et plus rude du style de Coincy.

Le taux d'armatures est de 20 %, taux plutôt élevé pour l'Ardennien, avec près de la moitié de scalènes (fig. 2, nos 4, 5) comme dans le Tardenoisien moyen (Rozoy, 1976) mais absence de segments de cercle, il y a des pointes à troncature oblique (fig. 2, n° 1), des lamelles à bord abattu (n° 2), des pointes du Tardenois (nos 6 à 8) mais pas de trapèze. Les microburins sont rares (1 pour 4 armatures pointues). *Les outils communs, très abondants,* sont surtout des éclats retouchés (nos 28 à 33) et denticulés (nos 30, 34, 40, 41) mais il y a quelques vrais grattoirs (n° 27) des lames tronquées (nos 17, 19) et retouchées (nos 18, 20) et des outils sur lamelles (nos 9 à 13). *Les nucleus* sont très nombreux (220 pour 100 armatures). La composition d'ensemble se rapproche de celles des Mazures, site belge (fig. 4) (Pirnay et Straet, 1975) et de la Roche aux Faucons et Sougné (Lequeux,

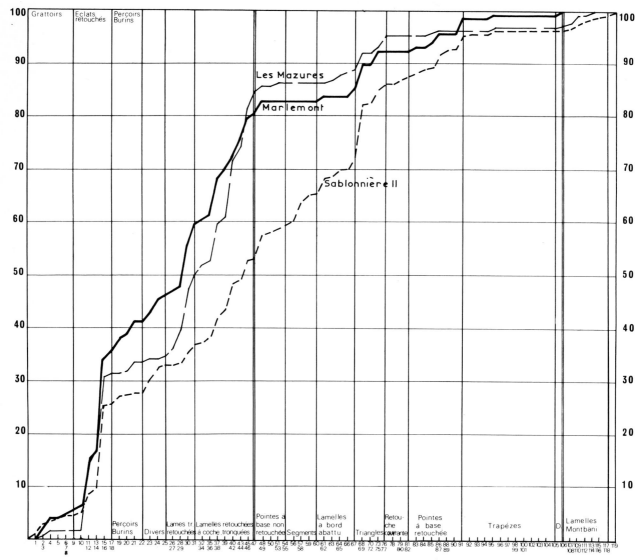

Fɪɢ. 4. — *Proportions des outils au stade moyen.* Marlemont, 125 outils (Ardennien), Les Mazures, 186 outils (Ardennien ancien), Sablonnière II, 358 outils (Tardenoisien). Les différences entre Les Mazures et Marlemont sont faibles : pointes à base transversale (nᵒˢ 83 à 91) et disparition des isocèles (n° 77) à Marlemont (passage du stade ancien au stade moyen). Les taux d'armatures sont très similaires. Sablonnière II a beaucoup plus d'armatures bien que ce soit le site tardenoisien qui en a le moins, mais si l'on ramenait les armatures aux taux de Marlemont les graphiques seraient superposables, sauf l'absence des segments dans l'Ardennien.

1923 ; Reginster, 1974 ; Gob, 1975). (Voir aussi Rahir et de Loé, 1903).

L'opposition au Tardenoisien réside surtout dans l'abondance des outils communs (80 % contre 30 % à La Sablonnière I) mais leur nature est assez analogue : si l'on ramène les taux d'armatures à un même dénominateur les compositions des industries sont compatibles (Rozoy, 1976) et rapprochent Marlemont de la fin du stade moyen (Sablonnière II). *Il s'agit donc de groupes apparentés,* les Tardenoisiens ont la «·manie des armatures », probablement pour barbeler leurs flèches plus que les Ardenniens.

D'autres sites des deux cultures sont connus dans la région mais non encore fouillés. La densité de la population paraît égale dans les deux cultures, 5 à 10 fois plus forte qu'au Magdalénien final, mais 5 à 10 fois plus faible qu'au Néolithique en ce qui concerne le Bassin parisien.

Carte et bibliographie

Voir avec l'article sur le Beaugencien dans ce même volume.

Les civilisations de l'Epipaléolithique et du Mésolithique en Lorraine et en Alsace

par

André THÉVENIN *

Résumé. Une bonne stratigraphie, celle de l'abri du Mannlefelsen I à Oberlarg, permet grâce aux données de l'analyse pollinique et du C[14], une première bonne approche des civilisations épipaléolithiques et mésolithiques d'Alsace. A la fin du Dryas III, l'outillage épipaléolithique est à base de canifs très étroits (Azilien évolué); à la fin du Préboréal, apparaissent les premières industries à triangles isocèles. A Oberlarg, le Mésolithique perdure jusque vers 3 200 B. C.

Abstract. The good stratigraphy of the Abri Mannlefelsen I at Oberlarg allows, thanks to the data from pollen studies and Carbon 14, an adequate approach to the Alsacian Epipaleolithic and Mesolithic cultures. At the end of the Dryas III, the Epipaleolithic tools consist basically of very narrow knives (Evolved Azilian). At the end of the Preboreal appear the first industries characterized by isoceles triangles. At Oberlarg the Mesolithic survives until about 3,200 B. C.

I. Introduction.

En Alsace, les industries ne sont connues que depuis peu (E. Dillmann, 1966) et six sites seulement ont été repérés à ce jour : ceux de la terrasse de la Moder près de Haguenau (B.-R.), l'abri du Mannle-felsen I à Oberlarg (H.-R.) et celui de Lembach (B.-R.). Cette pauvreté relative est compensée par une étonnante stratigraphie de plus de 7 m à Ober-larg, avec structures d'habitat. En Lorraine, les sites sont encore plus clairsemés, à peine une douzaine pour quatre départements : aussi le Mésolithique y est-il encore très mal connu. Pour la répartition des sites épipaléolithiques et mésolithiques de Lorraine et d'Alsace, consulter la carte (fig. 1) de la notice : « Les industries du Paléolithique supérieur de Lor-raine et d'Alsace ».

II. L'Epipaléolithique et le Mésolithique d'Alsace.

A. *L'abri du Mannlefelsen I à Oberlarg (Haut-Rhin).*

En 1971, un sondage profond réalisé avec toutes les précautions, permettait d'atteindre la cote – 7 m ; le substratum rocheux n'a pas encore été rencontré. Depuis 1972, les travaux ne sont plus conduits qu'en plani-stratigraphie : de remarquables structures d'ha-bitat ont été ainsi mises au jour.

a. *Stratigraphie de l'abri.*

A la base du remplissage, un important niveau de cailloutis cryoclastique T, subdivisé en plusieurs sous-niveaux. Avec les rares silex trouvés dans la partie supérieure, ont été recueillis quelques charbons de bois de pin sylvestre et de saule, d'après les détermi-nations de F. Schweingruber, de l'Institut fédéral suisse de recherches forestières, à Zürich. L'analyse pollinique, en cours par M.J. Heim, de l'Université

de Louvain, donne un paysage pratiquement dépour-vu d'arbres. Il s'agit certainement du dernier coup de froid du Dryas III entre 8 800 et 8 200 ans B.C.

— S : niveau de cailloutis avec industrie de type azilien évolué à canifs très étroits (fig. 2, n°s 13 et 14), encore mal connue car ce niveau n'a été fouillé que sur 2 m² environ. Deux coquilles de gastéropodes marins perforés, *Natica affinis,* ont été recueillies au sommet de S. Datation C 14 de Nancy : 21 C.R.R. : 8 270 ± 330 B.C.

— R : niveau de cailloutis également, avec indus-trie rare. En R et S, G. Geissert signale la présence de *Discus ruderatus,* mollusque ne vivant plus actuel-lement qu'en altitude, dans les Vosges, uniquement au col de la Schlucht à 1000 m d'altitude, dans un environnement de forêt mixte. Si l'analyse des charbons de bois n'a donné jusqu'à présent que du pin sylvestre, l'analyse pollinique réalisée par M.J. Heim, montre un environnement forestier assez dense avec l'aune, le bouleau, le coudrier (en faible propor-tion), le pin, le tilleul et le chêne. Le niveau S est à placer au début du Préboréal, et R pourrait corres-pondre au coup de froid du Piottino dans ce même Préboréal.

— Q : niveau à cailloutis également de couleur grisâtre, très riche en microlithes géométriques, avec triangles isocèles (fig. 2, n°s 6 et 9), pointes à base convexe (n° 5) et une pointe assez spéciale : pointe à dos rectiligne et base retouchée ou non (n° 11). Ce niveau d'occupation humaine a été daté de 9030 ± 160 B.P. soit 7080 B.C. (Gif. 2387). L'analyse des charbons de bois n'a donné que le pin sylvestre et des coquilles de noisettes. M.J. Heim a trouvé à l'analyse pollinique dans le niveau Q : le bouleau, le coudrier, le pin, le tilleul, l'orme, le lierre, ce qui nous place à la fin du Préboréal ou au tout début du Boréal et est tout à fait en accord avec la datation [14]C.

— G à P : suite d'horizons blanchâtres ou grisâtres du tuf consolidé ou non (sur 2,80 m de stratigraphie), assez pauvres en silex par suite de la rapidité de leur

* Directeur des Antiquités préhistoriques d'Alsace et de Lorraine, Palais du Rhin, 3, place de la République, 67000 Strasbourg (France).

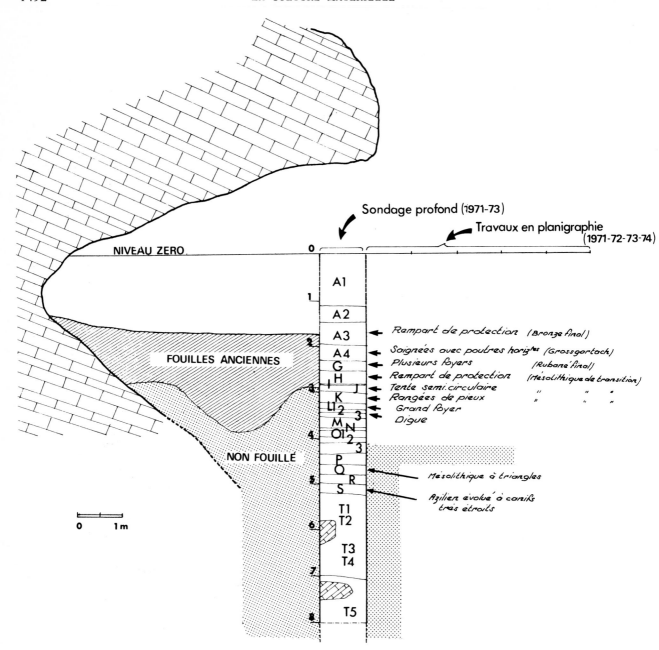

Sondage profond (1971-73)

Travaux en planigraphie (1971-72-73-74)

NIVEAU ZERO

A1

A2

A3 ← *Rampart de protection* (Bronze final)

A4 ← *Saignées avec poutres horiz.^{les}* (Grossgartach)

G ← *Plusieurs foyers* (Rubané final)

H ← *Rampart de protection* (Mésolithique de transition)

FOUILLES ANCIENNES

J ← *Tente semi-circulaire* " " "

K ← *Rangées de pieux* " " "

L ← *Grand foyer* " " "

M

N ← *Digue*

O

NON FOUILLÉ

P

Q ← *Mésolithique à triangles*

R

S ← *Azilien évolué à canifs très étroits*

T1
T2

T3
T4

T5

0   1 m

Fig. 1. — Oberlarg (Haut-Rhin). Abri du Mannlefelsen I. Coupe transversale avec indication des différents niveaux, des structures d'habitat observées et les industries.

formation. Dans les couches K et L, l'analyse des charbons de bois a donné : l'érable, le frêne, l'orme, le chêne, le tilleul, le pommier ou le poirier, le coudrier : donc Boréal. Boréal et Atlantique se succèdent ; la couche G néolithique a été datée par le ^{14}C de 3290 ± 140 B.C. (Gif n° 2634), la couche K de 5860 ± 170 et 5910 ± 160 (Lyon n°s 1015 et 1016). Bien que les niveaux soient pauvres, on constate qu'il s'agit d'un Mésolithique de transition sur débitage régulier avec lamelles à bords parallèles, à nervures régulières et épaisseur constante entre 2 et 3 mm (n°s 2 à 4). La couche H a en particulier fourni quelques exemplaires d'éléments microlithiques en forme de trapèzes (n° 1). L'abri d'Oberlarg est donc habité et fréquenté par des Mésolithiques jusque dans le dernier quart du IVe millénaire. Le rubané d'une

phase ancienne de Reichstett (Bas-Rhin) est daté de 3990 B.C. ± 140 (datation ^{14}C de Lyon n° 865 effectuée sur de la poix de bouleau). Les distortions chronologiques ne sont pas rares ; ce fait a été révélé par l'analyse pollinique à l'abri de la Cure à Baulmes, près du lac de Neuchâtel en Suisse : le site était encore habité au IIIe millénaire par des Mésolithiques ne connaissant pas encore la céramique mais capables de cultiver des céréales (Arl. Leroi-Gourhan et M. Girard, 1971). La formation très rapide du tuf a permis de piéger très rapidement diverses structures d'habitat mésolithiques : une digue, un grand foyer, une série de rangées de pieux, une tente semi-circulaire, un rempart de protection (A. Thévenin, 1974 ; A. Thévenin et J. Sainty, 1974 ; A. Thévenin et J. Sainty, à paraître).

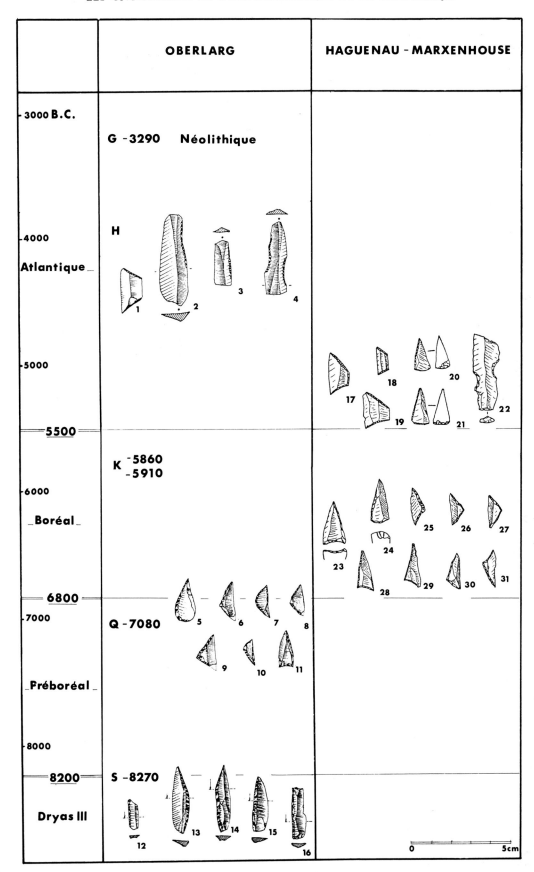

FIG. 2. — Schéma évolutif des industries du Post-Glaciaire en Alsace. Oberlarg, abri du Mannlefelsen I : couche H, n° 1 à 4; couche Q, n° 5 à 11; couche S : n° 12 à 16 - Haguenau - Marxenhouse : n° 17 à 22, zone à trapèzes; 23 à 31, zone sans trapèzes. (n° 17 à 31, d'après Dillmann).

b. *Comparaison avec les régions voisines.*

Il est impossible, avec si peu de documents, de mettre un nom définitif sur ces industries. Le niveau S doit corespondre à un épisode de l'abri de Roche-dane à Villars-sous-Dampjoux, ou de l'abri de Zigeunerfels (W. Taufe, 1972 b, 1973). Il corres-pondrait aussi assez bien au faciès suisse de Furstei-ner daté de – 8250 B.C. par le ¹⁴C. La stratigraphie de la Jägerhaus-Höhle près de Bronnen (W. Taute, 1972 a) est très claire : à la fin du Préboréal le micro-lithe de base est le triangle isocèle (Beuronien A de Taute). Le matériel de la couche Q est certainement très proche du Beuronien A de Taute ou du moins en est synchrone. Par la suite, le débitage de type Montbani avec trapèzes devient classique comme dans l'évolution des civilisations mésolithiques. On trouve une industrie très proche de Q dans l'abri (est) de Sous-Balme, à Culoz 7200 B.C. ± 160 (Lyon n° 286) (R. Vilain, 1966).

B. *Les civilisations de la forêt de Haguenau et autres gisements.*

Au nord de Strasbourg, quatre gisements stratifiés dans les sables de la terrasse de la Moder en aval de Haguenau ont été fouillés et étudiés par E. Dillmann (1966, 1967, 1971) : gisements de la sablière Sturm à Haguenau-Marxenhouse, de la sablière Grunder à Marxenhouse également, des sablières Volkmann et Halter à Oberhoffen-sur-Moder. Replacer les indus-tries de la forêt de Haguenau dans le schéma évolutif du Post-Glaciaire est délicat. En effet, pour la sablière Sturm (en dehors de la zone à trapèzes), on trouve (E. Dillmann, 1971) un peu plus de triangles que de pointes à base retouchée (76 triangles pour 60 pointes) et parmi les triangles : 31 scalènes pour 45 isocèles de forme pygmée généralement (fig. 2, n⁰ˢ 23 à 31).

La présence de pointes à base concave inciterait à paralléliser cette industrie avec le Beuronien B ou le passage B.C. La synchronisation avec un horizon de Birsmatten (H.-G. Bandi, 1964) est difficile : peut-être l'horizon 4 ? Il s'agit certainement d'une succes-sion d'habitats durant le Boréal, ce qui irait dans le sens d'un mélange d'industries, facilité par un sol constitué uniquement de sable. L'ensemble à trapèzes (fig. 2, n⁰ˢ 17 à 22) est tout à fait indépendant du premier : il est à replacer dans l'Atlantique ou à la fin du Boréal. Une seule station de surface est connue en Alsace : à Lembach, dans le secteur déboisé de l'annexe de Pfaffenbronn (A. Thévenin, 1972 b).

III. L'Epipaléolithique et le Mésolithique de la Lorraine.

L'Epipaléolithique de la Lorraine n'est représenté que par deux stations (A. Lieger et E. Bouillon, 1965) à savoir Bussy-la-Côte et Lavoye. Si la pre-mière paraît assez classique par son industrie à pointes à dos, la seconde en revanche doit s'appa-renter, à cause des grands triangles et des nombreuses lamelles tronquées très obliquement, à un faciès tardif

d'industries allemandes, à pointes pédonculées (A. Thévenin, 1972 a).

Des stations d'un Mésolithique plus évolué, sont réparties sur le plateau de la Haye, à Fey-en-Haye et à Seicheprey. Il faut également citer celles de Villers-sur-Meuse, Dugny (Meuse), Dognéville, Saint-Dié (Vosges), Walschbronn et Halling-lès-Boulay (Mo-selle), mais le matériel est mal connu et pour beau-coup de ces stations de surface, il s'agit d'industrie très évoluée, voire néolithisée.

Bibliographie

[1] BANDI H.-G. et coll. (1964). — Birsmatten-Basis-grotte. *Acta Bernensia*, I, 271 p., 135 fig., 23 tabl.

[2] DILLMANN E. (1966). — Gisements tardenoisiens de surface de la forêt de Haguenau. *Bull. soc. prhist. franç.*, t. 63, C.R.S.M. n° 1, p. XXVII-XXX, 1 fig.

[3] DILLMANN E. (1967). — Découverte d'un atelier tardenoisien dans la forêt de Haguenau. *Bull. soc. préhist. franç.*, t. 64, C.R.S.M. n° 4, p. CIX-CXIII, 2 fig.

[4] DILLMANN E. (1971). — *Peuplement mésolithique et écologique de la vallée de la Moder en aval de Haguenau (Basse-Alsace). Contribution à l'étude des civilisations épipaléolithiques et mésolithiques de la vallée du Rhin entre Bâle Mannheim.* Thèse de 3ᵉ cycle, Université de Strasbourg.

[5] EGLOFF M. (1965). — La Baume d'Ogens, gise-ment épipaléolithique du plateau vaudois. Note préliminaire. *Annuaire de la société suisse de préhistoire et d'archéologie*, 52, p. 59-66, 2 fig., 3 planches photo.

[6] EGLOFF M. (1966-67). — Les gisements préhisto-riques de Baulmes (Vaud). *Annuaire de la société suisse de préhistoire et d'archéologie*, 53, p. 7-13, 3 fig., 2 planches photo.

[7] EGLOFF M. (1967). — Huit niveaux archéologi-ques à l'abri de la Cure (Baulmes, canton de Vaud). *Ur-Schweiz*, 31, p. 53-64, 12 fig.

[8] LEROI-GOURHAN Arl. et GIRARD M. (1971). — L'abri de la Cure à Baulmes (Suisse). Analyse pollinique. Avec une introduction de M. Egloff. *Annuaire de la soc. suisse de préhistoire et d'archéologie*, vol. 56, p. 7-16, 1 fig., 2 pl.

[9] LIEGER A. et BOUILLON E. (1965). — Les stations de surface de Bussy-la-Côte et de Lavoye (Meuse). *Bull. soc. préhist. franç.*, t. 62, Etudes et travaux, p. 547-554, 4 fig.

[10] ROZOY J.-G. (1971). — Tardenoisien et Sauveter-rien. *Bull. soc. préhist. franç.*, Etudes et Tra-vaux, fasc. 1, p. 345-374, 27 fig.

[11] ROZOY J.-G. (1973). — The franco-belgian epi-paleolithic current problems, in KOZLOWSKI S. *The mesolithic in Europe*, Varsovie, p. 503-530, 8 fig.

[12] TAUTE W. (1972 a). — Funde aus der Steinzeit in der Jägerhaus-Höhle bei Bronnen. Extrait de l'album de Thorbecke : « *Fridingen Stadt an der oberen Donau* », 4 p., 2 fig., 1 tabl.

[13] TAUTE W. (1972 b). — Die spätpaläolithisch - frühmesolithische Schichtenfolge in Zigeunerfels bei Sigmaringen (Vorbericht). *Arch. inf.*, 1, p. 29-40, 5 fig.

[14] TAUTE W. (1973). — Neue Forschungen zur Chronologie von Spätpaläolithikum und Meso-

lithikum in Süddeutschland. *Neue paläolithische und mesolithische Ausgrabungen in der Bundesrepublick Deutschland.* Zum IX. Inqua-Congress (Neuseeland 1973), Tubingen, 1973, p. 59-66, 4 fig.

[15] Tixier J. (1973). — Informations archéologiques. Circonscription de Lorraine. *Gallia-Préhistoire,* t. 11, fasc. 2, p. 439-461, 29 fig.

[16] Thévenin A. (1970). — Informations archéologiques. Circonscription d'Alsace. *Gallia-Préhistoire,* t. 13, 1970, fasc. 2, p. 393-410, 20 fig.

[17] Thévenin A. (1972 a). — Du Paléolithique ancien au Néolithique dans l'Est de la France : actualité des recherches. *Revue archéo. de l'Est et du Centre-Est,* t. 23, fasc. 3-4, p. 163-204, 14 fig.

[18] Thévenin A. (1972 b). — Informations archéologiques. Circonscription d'Alsace. *Gallia-Préhistoire,* t. 15, fasc. 2, p. 413-426, 20 fig.

[19] Thévenin A. (1973). — Aperçu général sur le Paléolithique et l'Epipaléolithique de l'Alsace. *Annales scientifiques de l'Université de Besançon,* Géologie, 3ᵉ série, fasc. 18, p. 255-265, 6 fig.

[20] Thévenin A. (1974). — Informations archéologiques. Circonscription d'Alsace. *Gallia-Préhistoire,* t. 17, fasc. 2, p. 541-560, 26 fig.

[21] Thévenin A. et Sainty J. (1972). — Uue nouvelle stratigraphie du Post-Glaciaire : l'abri du Mannlefelsen I à Oberlarg (Haut-Rhin). *Bull. soc. préhist. franç.,* t. 69, C.R.S.M. n° 1, p. 6-7, 1 fig.

[22] Thévenin A. et J. Sainty (1974). — Achenheim, Oberlarg. 600 000 ans de Préhistoire. *Archéologia,* n° 75, octobre, p. 49-61, 21 fig.

[23] Thévenin A. et Sainty J. (à paraître). — Geochronologie de l'Epipaléolithique de l'Est de la France (Congrès de Martigues, S.P.F. 1974).

[24] Thévenin A. et Sainty J. (à paraître). — Les structures d'habitats mésolithiques du gisement d'Oberlarg (Haut-Rhin) (Congrès de Martigues, S.P.F., 1974).

[25] Vilain R. (1966). — Le gisement de Sous-Balme à Culoz (Ain) et ses industries microlithiques. *Documents des laboratoires de géologie de la Faculté des sciences de Lyon,* n° 13, 219 p., 23 pl., 45 fig., 15 tabl., 4 cartes.

Appendice

Datations absolues des dépôts quaternaires et des sites préhistoriques par la méthode du Carbone 14

par

Georgette DELIBRIAS * et Marie-Thérèse GUILLIER *,
Jacques EVIN **, Jean THOMMERET ***
et Yolande THOMMERET ***

Résumé. Les listes ci-dessous rassemblent les datations par la méthode du Carbone 14 d'échantillons prélevés en France; la plupart d'entre elles ont été relevées dans la revue Radiocarbon. Les âges donnés sont exprimés en années avant le présent (âges « BP »), l'année de référence étant l'année 1950, la période adoptée pour le calcul 5570 ans. Ils sont donnés sans aucune correction.

Les sigles des laboratoires qui ont effectué ces datations sont :

B	Berne
Birm	Birmingham
BM	British Museum
C	Chicago
Gif	Gif-sur-Yvette
GrN	Groningen
H	Heidelberg
I	Isotopes
Kn	Cologne
L	Lamont
Lv	Louvain
Ly	Lyon
MC	Monaco
Ny	Nancy
Q	Cambridge
Sa	Saclay
SI	Smithsonian, Washington
W	U.S. Geological Survey

Ces résultats ont été regroupés de la façon suivante :

I — Datations absolues des dépôts quaternaires :
— Les sédiments continentaux würmiens de 45000 à 8000 B.P.
— Les tourbières jusqu'au Boréal,
— Le volcanisme dans le Massif Central jusqu'à 8000 B.P.
— Les lignes de rivages et la sédimentation, jusqu'à 8000 B.P. } a. en Méditerranée. b. en Atlantique.

II — Datations absolues des sites préhistoriques :
— Le Paléolithique de 50000 à 17000 B.P.
— Le Magdalénien de 17000 à 10000 B.P.
— Le Mésolithique de 10000 à 7000 B.P.

Abstract. The 14 C dates of samples collected in France are presented below. The majority of these dates have been presented in *Radiocarbon*. The ages given are expressed in years before the present (« BP »), with 1950 as zero date. The half-life period adopted for calculation is 5570 years. The dates are listed without correction for range. The abbreviation for various laboratories cited are :

B	Berne
Birm	Birmigham
BM	British Museum
C	Chicago
Gif	Gif-sur-Yvette
GrN	Groningen
H	Heidelberg
I	Isotopes
Kn	Cologne
L	Lamont
Lv	Louvain
Ly	Lyon
MC	Monaco
Ny	Nancy
Q	Cambridge
Sa	Saclay
SI	Smithsonian, Washington
W	U.S. Geological Survey

* Centre des Faibles Radioactivités, Laboratoire Mixte C.N.R.S.-C.E.A., Gif-sur-Yvette (France).
** Laboratoire du Radiocarbone, Département de Géologie, Université de Lyon I, 69 Villeurbanne (France).
*** Laboratoire de Radioactivité Appliquée, Centre Scientifique de Monaco, Monaco.

The resulting dates can be grouped as follows :

I — Absolute dates of Quaternary deposits :
— Continental Würm deposits ranging from 45,000-8,000 BP.
— Pre-Boreal peat bogs.
— Massif Central vulcanism before 8,000 BP.
— Strand lines and sediments before 8,000 BP. } a. Mediterranean.
b. Atlantic.

II — Absolute dates of prehistoric sites
— Paleolithic, ranging from 50,000-17,000 BP.
— Magdalenian, ranging from 17,000-10,000 BP.
— Mesolithic, ranging from 10,000 -7,000 BP.

SEDIMENTS CONTINENTAUX WURMIEN DE 45.000 A 8.000 BP ENVIRON (COORDINATION : J.EVIN)

Dept. Localité , Nom du gisement	Matériel	N° Labo	Age BP	Réf. Radiocarbon
02 Vailly sur Aisne, alluvions Mamouth	Os	Sa - 53	5470 + 300	Vol. 6 p. 231
95 Enghien les Bains, base de forage	Tourbe	Ly - 112	11240 + 330	Vol. 15 p. 137
" Montmorency, alluvions , - 11,5 m	Bois	Gif-1840	sup/ = 35000	Vol. 16 p. 63
77 Plaine de Chailly,Forêt Fontainebleau	Grève, paléosol	Gif-2459	37700 + 3000	Non publié
" " "	Paléosol	Gif-2510	23350 + 500	Non publié
" " "	Paléosol ss.grève	Gif-2996	20900 + 1100	Non publié
" La Justice, Forêt de Fontainebleau	Grève, paléosol	Gif-2458	sup/ = 35700	Non publié
" "	Paléosol	Gif-2904	30200 + 1100	Non publié
" Plaine de Champfroy, Forêt de Fontainebleau	Os de bison	Gif-2509	14430 + 200	Non publié
" "	Sables humifères	Gif-1905	22100 + 700	Non publié
76 Cléon, terrasse de la Seine	Nodule Calc.	Gif-1153	sup/ = 35000	Vol. 14 p. 302
" " " "	"	Gif-1154	sup/ = 35000	Vol. 14 p. 302
" " " " "	Coq.Gaster.	Gif-1155	sup/ = 35000	Vol. 14 p. 302
" Le Mesnil Esnard	Loess coq.	GrN-5692	22850 + 160	A paraître
" St.Pierre-les-Elboeuf, Terrasse de la Seine	Mat. Hum.	Gif-1421	21000 + 600	Vol. 16 p. 62
14 Colleville-sur-Mer, Mamouth	Carbonate	Gif-1169	8730 + 190	Vol. 14 p. 302
22 Pleneuf Nantois, sous 8 m de loess et limon	Limon tourbeux	Gif-2472	sup/ = 40000	Non publié
29 Ploudalmezeau, Portstal-Kerdaniel Paléosol	Bois	Gif-1462	23000 + 1100	Vol. 14 p. 283
" St. Pol de Léon, Pointe de Cleguer	Bois	Gif-1677	30300 + 900	Vol. 16 p. 66
16 Sonneville	Coq.	Gif-2417	26600 + 760	Non publié
" "	Paléosol sup.id.2951	Gif-2675	25600 + 900	Non publié
" "	sol sup.	Gif-2951	26590 + 750	Non publié
" "	sol Ia + Ib	Gif-3273	21600 + 600	Non publié
" "	sol 2a + 2b	Gif-3274	20000 ± 600	Non publié
36 Le Blanc, Grotte des Hyènes, Salle des Hyènes	Os	Ly - 548	Sup/ = 29000	Vol. 15 p. 517
" " " , Entonnoir	Os	Ly - 549	Sup/ = 29000	Vol. 15 p. 517
19 Nespouls, Jaurrens, Faune de Grotte	Os	Ly - 359	29300 + 1400	Vol. 18 S.P.
" " " "	Os	Ly - 892	30350 + 3000 - 1900	Vol. 18 S.P.
86 Vilaine, Abri Pailler, Faune de grotte	Os	Ly - 632	20400 + 2800 - 2000	Vol. 17 p. 11
" Conives, grotte, faune de grotte	Os	Ly - 981	32000 + 900	Vol. 18 S.P.
31 Pompertuzat , Loess I	Coq.	Gif-2512	20900 + 570	Non publié
33 Gurp, Falaise , sol fossile , -130 cm	Mat.Org.	Gif-1032	3300 + 120	Vol. 13 p. 237
" " " " , -340	Bois	Gif-1105	Sup/ = 35000	Vol. 13 p. 237
64 Bidart, Nappe alluviale	Bois	Gif-2767	Sup/ = 35000	A paraître
32 La Romieu, Grotte de la Nauterie, Faune de grotte	Os	Ly - 979	Sup/ = 29000	Vol. 18 S.P.
82 Valence d'Agen, All. Garonne,	Bois	Gif-1841	9170 + 110	Vol. 16 p. 62
" " "	Bois	Gif-2338	8900 + 160	Vol. 16 p. 62
46 Caniac du Causse, Le Pepin Puits 3, Faune de grotte	Os	Ly - 648	11840 + 630	Vol. 17 p. 13
46 Gignac, Siréjol, Remplis. ppl.	Os	Ly - 614	31300 + 1800 - 1600	Vol. 18 S.P.
46 " " " "	Os	Ly - 767	29100 + 1600 - 1300	Vol. 18 S.P.
" Quissac, Lespinasse, faune de grotte	Os	Ly - 649	14480 + 400	Vol. 17 p. 13
" Rocamadour, La Mude, Faune de grotte	Os	Ly - 650	16640 + 400	Vol. 17 p. 13

24	Vallée de la Beune, Alluvions I3,4 à I3,9 m	Limon brun	GrN-4492	9040 ± 55	Vol. I4 p. 44
8I	Verdalle, G. de Plodel May, Faune de Grotte	Os	Ly - 820	28400 + 700	Vol. I8 S.P.
09	St.Martin de Caralp, Grotte Bernard	Os en stalagt.	Gif- 395	9I50 + I000	Vol. I2 p. 42I
I3	Lançon, Vallée de Vautubière, Niv. I0	Charbon	Ly - 769	31900 ± $^{I900}_{I500}$	Vol. I7 p. 9
	" " " " , Niv. I3	Charbon	Ly -I002	30I00 ± $^{3400}_{2600}$	Vol. I8 S.P.
I3	Les Martigues, Etang de Berre,	Bois	MC - I00	35000 + 400	Vol. II p. II9
	" " "	"	Ly - 339	Sup/ = 35000	Vol. I5 p. I39
06	Beaulieu, Paléosol foyer,	Charbon	MC - 55	27500 + I400	A paraître
05	Aspres sur Buech, Col du Pignon,Dept.Lacus.	Bois	Ly - 959	Sup/ = 32800	Vol. I8 S.P.
"	La Beaume, Villard, alluvions glaciaires	Bois	Gif-II38	Sup/ = 35000	Vol. I4 p. 309
"	La Channe Rivière, all. post glaciaires	Bois	Gif- 865	8500 + 200	Vol. I4 p. 308
"	Eygians, Cuculiane, alluv. post glaciaires	Bois	Ly - 277	II250 + 250	Vol. I3 p. 53
"	Lazer, Les Sauziers moraine	Bois	Ly - 875	3II00 + I000	Vol. I8 S.P.
"	" "	Bois	I -5023	31450 + I300	Vol. I8 S.P.
"	Lazer, alluv. torrent les Barbiers	Bois	Ly - 555	9250 + I90	Vol. I8 S.P.
"	" " "	Tuf calc.	Ly - 876	I0900 + 280	Vol. I8 S.P.
"	Le Mardaric, Alluv. affluent Durance	Bois	Gif-22I6	I0750 + 250	Vol. I6 p. 62
"	Melve, La Sausse, Alluv. de rivière	Bois	Gif-II39	8790 + 2I0	Vol. I4 p. 309
"	Les Rois, Alluv. Buech	Bois	Gif-22I7	8260 + I90	Vol. I6 p. 62
"	St. Pierre d'Argençon, Alluv. Turrone	Bois	Gif-I080	7960 + I85	Vol. I4 p. 308
"	Sigottier, Messires Odou, Alluv. Buech	Bois	Ly - 558	8620 + 380	Vol. I5 p. 5I6
"	Le Tronquet, Alluv. d'Affluent de Durance	Bois	Gif-22I5	8500 + I90	Vol. I6 p. 62
26	Chatillon Saint-Jean, Carrière Fournier	Os	Ly - 44I	Sup/ = 3I000	Vol. I5 p. 5I7
"	Les Condamines, Combe de Vercheny	Bois	Gif-22I8	III50 + 250	Vol. I6 p. 67
38	Bruant en Vercors, Alluv. glaciaires	Bois	Gif-II30	Sup/ = 35000	Vol. I3 p. 235
"	La Flachère, Alluvions glaciaires	lignit.	Gif-II29	Sup/ = 35000	Vol. I3 p. I35
"	" "	Lignit.	Ly - 900	Sup/ = 45000	Vol. I8 S.P.
"	Jarrie, Alluvions Drac	Bois	Sa - 242	9200 + 400	Vol. 7 p. 239
"	La Mure, La Motte d'Aveillans, Alluv.intergl.	Bois	Gif- 95	Sup/ = 30000	Vol. 8 p. I40
"	Presle, Préletang, Sect.I8/s.Plaf.Stalag	Charbon	Ly - 8I	I0400 + 300	Vol. I3 p. 60
"	" " " I9 "	Charbon	Ly - 93	II730 + 300	Vol. I3 p. 60
"	" " " " 9 "	Os carbonisé	Ly - I67	Sup/ = 32000	Vol. I3 p. 65
"	" " " " " "	"	Ly -I67b	38I0 + I60	Vol. I3 p. 65
38	Quaix, Peteysset, Alluv. Intergl.	Bois	Iy - 237	sup/ = 3I500	Vol. I3 p. 53
"	St.Egreve, Alluvions Isère, 30,33 m	Bois	Sa - 220	9500 + 400	Vol. 7 p. 239
"	" " " , 37,38 m	Bois	Sa - 22I	7300 + 350	Vol. 7 p. 239
"	St. Maurice l'Exil, Terrasse du Rhône	Os	Ly - 360	I8800 + 490	Vol. I5 p. I38
"	Varces, Grand Rochefort, Alluvions P.Glac.	Tourb.	Ly - 903	I0080 + I80	Vol. I8 S.P.
"	Voiron, Centre ville, Alluvions	Tuf calc.	Ly - 969	9900 + I60	Vol. I8 S.P.
74	Armoy, sondage alluv. interstale	Bois	Gif- 49I	Sup/ = 35000	Vol. II p. 33I
"	Lathuile, Chevillys, Alluv. intergl. sommet	Lignite	Ly - I39	Sup/ = 34000	Vol. I3 p. 53
"	" " " base	Lignite	Ly - I40	Sup/ = 33000	Vol. I3 p. 53
"	Thonon les Bains, Alluv. glaciaires	Os	Gif- 774	I4000 + 300	Vol. II p. 33I
"	Veigy, sédiments lacustres	Bois	Ly - II6	9I80 + 200	Vol. I3 p. 53
OI	Chonay, Verinay, alluvions intergl. n° 2, sommet	Bois	Ly - 238	Sup/ = 32000	Vol. I8 S.P.
"	" " " " , base	Bois	Ly - 237	Sup/ = 33600	Vol. I8 S.P.
"	Gourdon, St.Jean de Niost, Alluvions	Bois	Ly - I4	Sup/ = 35000	Vol. II p. II4
"	Montrevel, Alluv. de la Reyssouze, -8 m	Bois	Ly - 246	2II00 + 500	Vol. I5 p. I38
"	" " " " ,-I0 m	Bois	Ly - 386	25700 + $^{2800}_{2400}$	Vol. I5 p. I38
"	Les Pierret Viriat, Alluv. de la Reyssouze, -I4 m	Bois	Ly - 242	Sup/ = 32000	Vol. I5 p. I38
69	Chasse sur Rhône, Terrasse du Rhône	Os	Ly - 723	I2I20 + I80	Vol. I7 p. II
"	" " " "	Os	Ly - 653	I4350 + 290	Vol. I7 p. II
63	Pont du Château , Terrasses de l'Allier	Tourb.	Sa - I03	I3500 + 450	Vol. 7 p. 239
89	Migenne, Limon de plateau	Mat.Org.	Ly - 696	23950 + 750	Vol. I7 p. 8
"	" "	Mat. hum.	Ly - 695	25400 + 600	Vol. I7 p. 8
"	Poilly S/Serein , Paléosol sous grèze litée	Paléosol	Gif-277I	Sup/ = 44000	Non publié
2I	Bressey, Sablière, Alluvions, -3,50 m	Bois	Gif- 788	I0200 + 230	Vol. I3 p. 222
"	Couternon, Sablière, Alluvions	Bois	Gif-34I	9440 + 350	Vol. 8 p. 89
7I	Velars Etrigny, grotte	Os	Ly - 437	Sup/ = 32000	Vol. I5 p. I39
39	Arlay, Grotte Grapin , Niv. e à ours	Os	Ly - 498	25510 + 820	Vol. I5 p. 522
"	" " " , Niv. d "	Os	Ly - 499	25920 + 900	Vol. I5 p. 522
59	La Balme d'Epy, grotte, R. souterr.	Os	Ly - 362	20300 + $^{I900}_{I600}$	Vol. I5 p. 5I6
57	La Maxe, Alluvions de la Moselle	Bois	Ly - 28I	8660 + I60	Vol. I3 p. 54

DEPOTS QUATERNAIRES : LES TOURBIERES CONTINENTALES JUSQU'AU BOREAL (Coordination: J. EVIN)

Dept.	Localité		Nature échantillon et profondeur	Périodes climatiques	N° Echantil.	Age BP	Réf. Radiocarbon
80	La Hollande		Tourbe 3 m	Fin Boréal	Gif-761	8430 ± 200	Vol. II p. 330
"	Port Mahon		" 21 m	Début Boréal	Gif-764	9750 ± 200	Vol. II p. 330
"	Baie de Seine - Car.séd.mar.		" 0,70 m	Dryas ancien	Gif-1615	12600 ± 250	Vol. 16 p. 68
	Pas de Calais		" 0 à 0,10 m	Préboréal	Gif-1878	9800 ± 200	Vol. 16 p. 68
	"		Bois	Fin Préboréal	Gif-1991	9700 ± 200	Vol. 16 p. 69
76	Le Havre		Tourbe 0,18 à 0,205 m	Boréal	Gif-1990	9400 ± 200	Vol. 16 p. 68
"	"		Tourbe	Préboréal	Gif-1614	8250 ± 300	Vol. 16 p. 68
"	"		"	"	Gif-744	9900 ± 300	Vol. 13 p. 233
"	"		"	Boréal	Gif-745	9730 ± 300	Vol. 13 p. 233
"	"		"	"	Gif-746	9340 ± 300	Vol. 13 p. 233
"	"		"	"	Gif-1238	8850 ± 200	Vol. 13 p. 233
"	"		"	"	Gif-1402	8470 ± 170	Vol. 16 p. 66
"	"		"	"	Gif-1401	8250 ± 220	Vol. 13 p. 233
"	"		"	"	Gif-1019	8130 ± 190	Vol. 16 p. 66
"	"		"	"	Gif-1403	8050 ± 170	Vol. 13 p. 233
"	"		"	"	Gif-1406	7820 ± 170	Vol. 16 p. 66
"	Vallée de la Seine		Tourbe argileuse	Début Boréal	Gif-2764	9400 ± 170	Non publié
"	Manche orientale Car. séd. marin		Tourbe 0,25 m	Boréal	Gif-2763	7780 ± 150	Non publié
	prof.: 20 m		"	Préboréal	Gif-2865	9970 ± 200	"
14	Asnelles		Tourbe 0,06 m	Boréal	Gif-2866	8800 ± 170	"
"	"		"	Alleröd	Gif-1012	11450 ± 270	Vol. 13 p. 231
"	"		" 2,1 m	Tardiglaciaire	Gif-729	10100 ± 230	Vol. II p. 329
"	"		" 1,75 m	Boréal	Gif-372	8710 ± 350	Vol. II p. 329
"	"		" 1,5 m	"	Gif-1016	8700 ± 250	Vol. 13 p. 232
"	"		" 1,6 m	"	Gif-1180	8700 ± 200	Vol. 13 p. 232
"	"		" 2 m	"	Gif-1017	8600 ± 200	Vol. 13 p. 232
"	"		" 1,15 m	"	Gif-728	8320 ± 200	Vol. II p. 329
14	St. Come de Fresné		Tourbe	Würm III	Gif-367	20800 ± 1500	Vol. II p. 328
50	Ecalgrain		Argile tourbeuse	Pinus max.	Hbm-211	sup/ 44500	Vol. 13 p. 151
"	Vauville		Argile tourbeuse	Fin du Würm III	Gif-369	21940 ± 1500	Vol. II p. 328
"	Cherbourg, Car séd.mar.		Tourbe 14 m	Boréal	Gif-1021	9470 ± 130	Vol. 13 p. 232
"	"		" 7,9 m	"	Gif-1022	8200 ± 190	Vol. 13 p. 232
35	Dol de Bretagne,S II		Tourbe 7,95 m	Préboréal III	Gif-1836	10950 ± 230	Non publié
"	" ,S 10		" 16 m	Boréal VI o	Gif-952	9800 ± 230	Non publié
"	" ,S 7		" 14 m	Boréal VI o	Gif-2188	8200 ± 150	Non publié
22	Langueux, Grèves des Courses		Charbon s.loess 3 m	Interstadiaire	Gif-1863	sup/ 28000	Vol. 16 p. 66
29	Aber Ildut		Tourbe 22 m	Boréal VI o	Gif-1839	7950 ± 190	Vol. 16 p. 53
29	Camaret		" entre coulée soliflu.	Interst.Paudorf	Gif-750	24400 ± 1500	Vol. II p. 334
58	Premery		Vase grise	Boréal	Sa - 247	7550 ± 350	Vol. 7 p. 241
"	"		Bois ds.tourbe 1,3 m	Boréal	Gif-199	7540 ± 350	Vol. 8 p. 90
45	Mur de Sologne		Tourbe vaseuse 2,62 à 2,75 m	"	Gif-836	7800 ± 190	Vol. 13 p. 234
37	Gizeux		Tourbe 1,10 à 1,20	Préboréal	Ny - 100	10095 ± 420	Vol. II p. 463
30	St. Gilles, Mas Neuf		Tourbe 9 m	Boréal	Ny - 97	7770 ± 480	Vol. II p. 463
48	Les Laubies		Tourbe 1,35 m	Fin Préboréal	Lv - 516	8450 ± 190	Vol. 13 p. 358
09	Ruisseau de Laurenti		Tourbe 3,20 à 3,30 m	Préboréal	Gif-2469	9250 ± 190	Non publié
"	"		" 2,70 à 2,80 m	Boréal	Gif-2468	8230 ± 180	"
24	Les Eyzies, Vallée de la Beune		Alluv. org. 13,4 à 13,9 m	Lim. Boréal/Atlantique	GrN-4492	9040 ± 60	Vol. 14 p. 44

DATES 14C des Tourbières continentales jusqu'au Boréal

(8000 BP — 9000 — 10000 — 11000 — 12000 — 13000 — 14000)

Legenda: ISP : Interstade de Paudorf ; IS : Interstade ; W3 : Würmien 3 ; TG : Tardiglaciaire ; D1 : Dryas très ancien
Al : Alleröd ; Pre-boréal ; B : Boréal

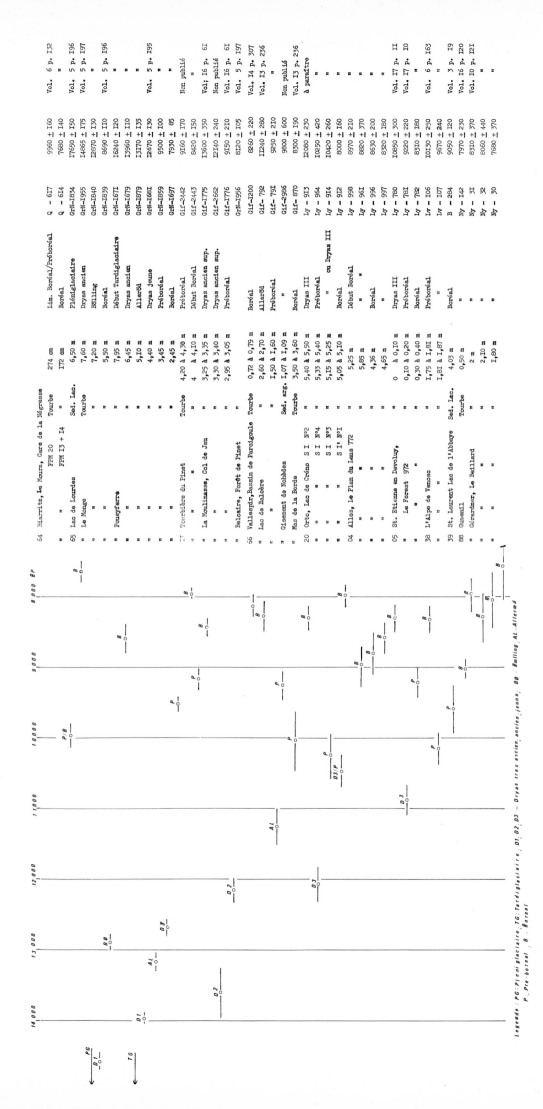

64	Biarritz, Le Moura, Gare de la Négresse	Tourbe	274 cm	Lim. Boréal/Préboréal	Q – 617	9960 ± 160	Vol. 6 p. 132
"	"	"	172 cm	Boréal	Q – 614	7680 ± 140	Vol. 5 p. 196
65	Lac de Lourdes	Sed. Lac.	6,50 m	Pléniglaciaire	GrN–1834	17650 ± 150	Vol. 5 p. 197
"	Le Monge	Tourbe	7,60 m	Dryas ancien	GrN–1955	14865 ± 175	Vol. 5 p. 196
"	"	"	7,20 m	Bölling	GrN–1840	12870 ± 130	
"	Fougefferre	"	5,50 m	Boréal	GrN–1839	8690 ± 110	
"	"	"	7,95 m	Début Tardiglaciaire	GrN–1671	16240 ± 120	Vol. 5 p. 195
"	"	"	6,45 m	Dryas ancien	GrN–1679	13960 ± 110	
"	"	"	5,10 m	Alleröd	GrN–1879	13170 ± 135	
"	"	"	4,40 m	Dryas jeune	GrN–1681	12670 ± 130	
"	"	"	3,45 m	Préboréal	GrN–1859	9500 ± 100	
"	"	"	2,45 m	Boréal	GrN–1697	7930 ± 85	
57	Tourbière du Pinet	Tourbe	4,20 à 4,30 m	Préboréal	Gif–2442	9160 ± 170	Non publié
"	"	"	4 à 4,10 m	Début Boréal	Gif–2443	8420 ± 150	Vol. 16 p. 61
"	La Moulinasse, Col de Jau	"	3,25 à 3,35 m	Dryas ancien sup.	Gif–1775	13600 ± 350	Non publié
"	"	"	3,30 à 3,40 m	Dryas ancien sup.	Gif–2662	12140 ± 240	Vol. 16 p. 61
"	Belcaire, Forêt de Pinet	"	2,95 à 3,05 m	Préboréal	Gif–1776	9150 ± 210	Vol. 5 p. 197
56	Vallespir, Bassin de Parolgoule	Tourbe	0,72 à 0,79 m	Boréal	GrN–1956	8120 ± 105	Vol. 14 p. 307
"	Lac de Balcère	"	2,60 à 2,70 m	Alleröd	Gif–1200	8260 ± 220	Vol. 13 p. 236
"	Gisement de Nohèdes	Sed. arg.	1,50 à 1,60 m	Préboréal	Gif–792	11240 ± 280	
"	Mas de la Borde	Tourbe	1,07 à 1,09 m	"	Gif–791	9250 ± 210	Non publié
20	Orto, Lac de Créno S I N°2	"	3,50 à 3,60 m	"	Gif–2986	9800 ± 600	Vol. 13 p. 236
"	" S I N°4	"	5,40 à 5,50 m	Dryas III	Gif–870	8300 ± 190	à paraître
"	" S I N°3	"	5,33 à 5,40 m	Préboréal	Ly – 913	12080 ± 230	"
"	" S I° N°1	"	5,15 à 5,25 m	" ou Dryas III	Ly – 964	10250 ± 420	"
04	Allos, Le Plan du Laus 772	"	5,05 à 5,10 m	Boréal	Ly – 914	10420 ± 260	"
"	"	"	5,25 m	Début Boréal	Ly – 912	8000 ± 160	"
"	"	"	5,85 m	"	Ly – 998	8970 ± 210	"
05	St. Etienne en Devoluy,	"	4,65 m	Boréal	Ly – 961	8820 ± 370	Vol. 17 p. 11
"	Le Forest 972	"	0 à 0,10 m	"	Ly – 996	8630 ± 200	Vol. 17 p. 10
38	L'Alpe de Venosc	"	0,10 à 0,20 m	Dryas III	Ly – 997	8320 ± 180	
"	"	"	0,30 à 0,40 m	Préboréal	Ly – 780	10850 ± 300	Vol. 6 p. 163
39	St. Laurent Lac de l'Abbaye	Sed. Lac.	1,75 à 1,81 m	Boréal	Ly – 781	9220 ± 220	
88	Gusenil	Tourbe	1,81 à 1,87 m	Préboréal	Ly – 782	8310 ± 180	Vol. 3 p. 19
"	Gérardmer, Le Beillard	"	4,03 m	Boréal	Lv – 106	10130 ± 250	Vol. 16 p. 120
"	"	"	0,50 m	"	Lv – 107	9670 ± 240	Vol. 10 p. 121
"	"	"	2 m	"	B – 284	9050 ± 120	
"	"	"	2,10 m	"	Ny – 142	7970 ± 230	
"	"	"	1,80 m	"	Ny – 31	8310 ± 370	
"	"	"		"	Ny – 32	8060 ± 440	
"	"	"		"	Ny – 30	7680 ± 370	

Légende : PG : Pléniglaciaire ; TG : Tardiglaciaire ; D1, D2, D3 = Dryas très ancien, ancien, jeune ; BÖ = Bölling ; AL Alleröd ;
P = Pré-boréal ; B = Boréal

LE VOLCANISME DANS LE MASSIF CENTRAL JUSQU'A 8.000 BP (Coordination G. DELIBRIAS et M.T. GUILLIER)

Dept.	Lieu de prélèvement	Matériel	Réf.Labo	Age BP	Radiocarbon
07	Volcan de Souilhols	Bois	Gif-2643	Sup/ = 35000	Non publié
63	Egaules	Bois sous coulée	Gif-2642	Sup/ = 35000	Non publié
63	Coulée de Pranal	Bois sous coulée	Gif-1408	Sup/ = 35000	Vol. 14 p. 304
07	Burzet, Coulée de Ray Pic	Alluvions sous coulées	Gif-1608	Sup/ = 25000	Vol. 16 p. 72
63	Puy Thiollet	Sol entre 2 niveaux de cendres	Gif-2117	13200 + 250	Vol. 16 p. 71
63	Chamalières, Source des Roches	Séd. Lacustre ss.retombées volc.	Gif-1410	12800 + 250	Vol. 14 p. 304
07	Pont de la Beaume	Paléosol	Gif-2640	11770 + 270	Non publié
63	Royat, Coulée de la Tiretaine	Sol sous coulée	Gif-2255	11070 + 200	Vol. 16 p. 72
63	Royat, la Grotte du Chien	Sol sous retombées volcaniques	Gif-1409	11000 + 150	Vol. 14 p. 304
63	Clermont-Ferrand	Tourbe sous cendres	Gif-1581	10700 + 270	Vol. 14 p. 304
63	Gerzat la Combaude	Sol fossile s/cendres	Gif-2357	10600 + 180	Vol. 16 p. 70
63	Gerzat la Combaude	Sol fossile s/cendres	Gif-2359	10300 + 180	Vol. 16 p. 70
63	Puy de Lantegy	Paléosol sur retombées volcaniques	Gif-1502	10000 + 250	Vol. 14 p. 305
63	Chamalières	Niveau tourb. ss. cendres	Gif-1624	10000 + 200	Vol. 16 p. 72
63	Gerzat la Combaude	Sol fossile s/cendres	Gif-2361	9900 + 170	Vol. 16 p. 70
63	Gerzat la Combaude	Sol fossile s/cendres	Gif-2360	9380 + 170	Vol. 16 p. 70
63	Puy de Lantegy	Charbon dans retombées volcaniques	Gif-1492	8900 + 190	Vol. 14 p. 305
63	Col de la Moreno, Puy Pelat	Bois dans cendres et domites	Gif- 721	8730 + 300	Vol. 11 p. 333
63	Puy Pariou	Bois sous coulée	Sa - 94	8580 + 350	Vol. 6 p. 239
63	Puy du Monchier	Bois sous cendre	Gif- 486	8540 + 300	Vol. 11 p. 332
63	Puy Louchadière, Puy de la Coquille	Charbon sous trachyte	Gif-2114	8410 + 150	Vol. 16 p. 71
63	Cheire de Mercoeur	Bois dans retombée volcanique	Gif-1498	8400 + 300	Vol. 14 p. 305
63	Puy de Laschamp	Bois sous cendres	Gif-1499	8200 + 170	Vol. 14 p. 305
63	Puy de Lantegy	Charbons dans cendres domiques	Gif-1501	8200 + 120	Vol. 14 p. 305
63	Beauregard, Puy Chopine	Bois carbonisé sous trachyte	Gif-2113	8150 + 150	Vol. 16 p. 71
63	Puy de Dome, Puy Lacroix	Bois carbonisé ss.retombées volc.	Gif-2118	8150 + 150	Vol. 16 p. 71
63	Cheire de Mercoeur	Paléosol brun s/retombées volc.	Gif-1497	8100 + 300	Vol. 14 p. 305
63	Saint Saturnin	Paléosol sous coulée niveau infér.	Gif-1553	8000 + 170	Vol. 14 p. 305
63	Saint Saturnin	Paléosol sous coulée niveau supér.	Gif-1625	7700 + 180	Vol. 14 p. 305

Les dépôts quaternaires :

Les lignes de rivage et la sédimentation sous-marine en Méditerranée de 8000 à 35.000 B.P.

Coordination : THOMMERET Jean et THOMMERET Yolande

Position géographique	Coordonnées géographiques	Altitude ou Profondeur NGF	Dragage ou Niveau ds la carotte	Nature de l'échantillon	Numéro de laboratoire	Age B.P.	Référence Radiocarbon
Ras el Tair	35°57'N, 35°36'E	+ 12 m		Coq.	MC-149	26300 ± 1400	V. 7, p.122
Ras el Tair	35°57'N, 35°36'E	+ 13 m		Coq.	MC-148	23600 ± 1400	V. 7, p.122
Carotte 11 MO 67	35°33'N, 27°44'E	- 1260 m	0,43 à 0,51 m	Saprop.	Lv-507	11290 ± 120	V. 15, p.129
Carotte 17 MO 67	36°15'N, 27°20'E	- 630 m	0,93 à 0,98 m	Saprop.	Lv-509	12690 ± 280	V. 15, p.128
Carotte 25 MO 67	35°51'N, 25°50'E	- 790 m	0,28 à 0,32 m	Saprop.	Lv-506	9370 ± 140	V. 15, p.128
Carotte 3 MO 67	34°26'N, 24°50'E	- 1950 m	0,30 à 0,35 m	Saprop.	Lv-508	8590 ± 160	V. 15, p.128
Carotte MO 36	35°58'N, 24°27'E	- 780 m	0,70 à 0,80 m	> 50μ	Gif-1468	23100 ± 1000	V. 16, p. 88
Carotte MO 36	35°58'N, 24°27'E	- 780 m	1,00 à 1,10 m	> 50μ	Gif-1469	27400 ± 2400	V. 16, p. 88
Carotte MO 44	35°46'N, 23°28'E	- 910 m	1,00 à 1,20 m	> 50μ	Gif-1826	30800 ± 1500	V. 16, p. 88
Carotte 44 MO 67	35°46'N, 23°28'E	- 910 m	1,17 à 1,25 m	Saprop.	Lv-505	> 36210	V. 15, p.128
Carotte 39 MO 67	36°11'N, 22°47'E	- 1340 m	0,23 à 0,30 m	Saprop.	Lv-504	8420 ± 130	V. 15, p.128
Carotte MO 45	35°53'N, 22°21'E	- 4420 m	0,30 à 0,40 m	≤ 50μ	Gif-1495	≥ 25000	V. 16, p. 89
Carotte V 10 67	35°42'N, 20°43'E	- 2890 m	0,40 à 0,70 m	CaCO3 fr.f	L-430 G	13600 ± 700	V. 3, p.159
Carotte V 10 67	35°42'N, 20°43'E	- 2890 m	0,68 à 0,81 m	> 74μ	MC-216	19200 ± 450	V. 11, p.121
Carotte V 10 67	35°42'N, 20°43'E	- 2890 m	0,96 à 1,09 m	> 74μ	MC-217	23900 ± 900	V. 11, p.121
Carotte V 10 67	35°42'N, 20°43'E	- 2890 m	1,80 à 1,90 m	CaCO3fr.f	L-430 F	29900 ± 3000	V. 3, p.160
Carotte V 10 67	35°42'N, 20°43'E	- 2890 m	2,68 à 2,77 m	> 74μ	MC-218	35000 ± 4000	V. 11, p.121
Carotte V 10 67	35°42'N, 20°43'E	- 2890 m	3,30 à 3,39 m	> 74μ	MC-219	28200 ± 1200	V. 11, p.121
Carotte V 10 67	35°42'N, 20°43'E	- 2890 m	3,83 à 3,95 m	> 74μ	MC-220	≥ 35000	V. 11, p.121
Kastenlot O T 25 L	39°32'N, 18°56'E	- 860 m	1,70 à 1,83 m	Varve	I-4169	9640 ± 150	V. 12, p.104
Golfe de Gabès G 6/300	34°18'N, 11°23'E	- 65 m	3,00 m	Coq.	MC-636	11140 ± 160	Non publ.
Arbitro	41°27'N, 9°01'E	+ 1,5 à 2 m		Coq.	Gif-1210	≥ 40000	V. 14, p.309
Ajaccio	41°43'N, 8°42'E	+ 2,5 m		Coq.	Gif-1212	≥ 40000	V. 14, p.309
Plaine Abyssale	43°08'N, 8°40'E	- 2400 m	Drag.	Coraux	MC-89	31800 ± 3400	Non publ.
Cap Mele, car. DRA 10	43°55'N, 8°14'E	- 284 m	0,10 m	Coq.	MC-249	18300 ± 300	V. 15, p.335
Cap Mele, car. DRA 10	43°55'N, 8°14'E	- 284 m	4,15 à 4,20 m	Coq.	MC-286	27400 ± 1100	V. 15, p.335
Cap Mele, car. DRA 10	43°55'N, 8°14'E	- 284 m	> 4,80 m	Coq.	MC-288	≥ 35000	V. 15, p.335
Cap Mele, car. FOM P 22	43°50'N, 8°E	- 135 m	4,50 m	Coq.	Gif-1562	22000 ± 1000	V. 16, p. 89
Cap Mele, car. FOM P 23 B	43°50'N, 8°E	- 100 m	2,00 m	Coq.	Gif-1563	10200 ± 1000	V. 16, p. 89
Cap Mele, car FOM P 24	43°50'N, 8°E	- 75 m	1,20 m	Coq.	Gif-1564	23600 ± 1000	V. 16, p. 89
Cap Mele, car. FOM P 25 b	43°50'N, 8°E	- 49 m	2 m	Coq.	Gif-1565	24100 ± 1000	V. 16, p. 90
Cap Mele, car. P 87 A	43°50'N, 8°03'E	- 80 m	1 m	Coq.	Gif-1566	10700 ± 200	V. 16, p. 90
Canyon Beaulieu	43°38'N, 7°27'E	- 1950 m	Drag.	0,08 à 0,25mm	MC-24	22800 ± 1000	V. 8, p.287
Canyon Beaulieu	43°38'N, 7°27'E	- 1950 m	Drag.	0,08 à 0,25mm	MC-25	20300 ± 1000	V. 8, p.287
Canyon Beaulieu	43°34'N, 7°26'E	- 1080 m		Bryoz.	MC-22	18200 ± 1000	V. 8, p.287
Pente Contin. Monaco	43°41'N, 7°23'E	- 750 m	4,00 à 4,10 m	0,04 à 0,125mm	MC-99	29600 ± 2600	V. 11, p.120
Pente Contin. Monaco	43°41'N, 7°23'E	- 750 m	4,00 à 4,10 m	> 0,125 mm	MC-98	27400 ± 1000	V. 11, p.119
Plat. Contin. Monaco	43°36'N, 7°09'E	- 90 m	0,90 à 1,00 m	> 1,25 mm	MC-97	14100 ± 300	V. 11, p.119
Carotte 14	41°24'N, 7°05'E	- 2673 m	0,94 à 1,10 m	CaCO3 tot.	Sa-165	15200 ± 500	V. 6, p.237
Carotte 14	41°24'N, 7°05'E	- 2673 m	1,10 à 1,28 m	CaCO3 fr.gr.	Sa-166	13600 ± 450	V. 6, p.237
Carotte 14	41°24'N, 7°05'E	- 2673 m	1,40 à 1,50 m	CaCO3 tot.	Sa-167	12800 ± 450	V. 6, p.237
Carotte 14	41°24'N, 7°05'E	- 2673 m	1,60 à 1,70 m	CaCO3 tot.	Sa-168	≥ 30000	V. 6, p.237
Carotte 14	41°24'N, 7°05'E	- 2673 m	1,80 à 2,00 m	CaCO3 fr.gr.	Sa-169	≥ 30000	V. 6, p.237
Carotte 14	41°24'N, 7°05'E	- 2673 m	3,96 à 4,16 m	CaCO3 tot.	Sa-170	≥ 30000	V. 6, p.237
Carotte 13	41°58'N, 7°05'E	- 2618 m	0,43 à 0,51 m	CaCO3 tot.	Sa-172	23000 ± 1500	V. 6, p.237
Carotte 13	41°58'N, 7°05'E	- 2618 m	0,51 à 0,59 m	CaCO3 tot.	Sa-173	28500 ± 2500	V. 6, p.237
Carotte 13	41°58'N, 7°05'E	- 2618 m	1,07 à 1,13 m	CaCO3 tot.	Sa-174	15500 ± 500	V. 6, p.237
Carotte 13	41°58'N, 7°05'E	- 2618 m	1,36 à 1,43 m	CaCO3 tot.	Sa-175	18300 ± 800	V. 6, p.237
Banc de Méjean C 58	42°23'N, 7°01'E	- 430 m	3,90 m	Polyp.	Gif-738	≥ 35000	V. 13, p.237
Carotte 20	41°52'N, 6°52'E	- 2580 m	0,60 à 0,70 m	CaCO3 tot.	Sa-177	11700 ± 400	V. 6, p.238
Carotte 20	41°52'N, 6°52'E	- 2580 m	0,60 à 0,70 m	CaCO3 tot.	Sa-177	11800 ± 400	V. 6, p.238
Ile du Levant, car. CAP	42°58'N, 6°48'E	- 2500 m	6,10 à 6,15 m	> 40μ	MC-315	≥ 30000	V. 15, p.331
Fréjus, car. DRA P 20	42°23'N, 6°45'E	- 100 m	0,43 à 0,53 m	Coq.	MC-329	11800 ± 200	V. 15, p.331
St-Tropez, car. DRA P 71	43°18'N, 6°40'E	- 100 m	3,15 à 3,20 m	Coq.	MC-314	11700 ± 100	V. 15, p.331

Cavalaire	43°06'N,	6°33'E	− 220 m	Drag.	Coq.	MC-433	24400 ±1000	V.15, p.328
Carotte 16	41°22'N,	5°53'E	− 2460 m	0,47 à 0,56 m	CaCO$_3$ tot.	MC-29	13200 ± 470	V. 8, p.288
Carotte 16	41°22'N,	5°53'E	− 2460 m	1,00 à 1,08 m	CaCO$_3$ tot.	MC-30	25700 ±1400	V. 8, p.288
Plat. des Blauquières R 30	42°58'N,	5°42'E	− 250 m	Drag.	Coq.	MC-348	12200 ± 300	V.15, p.325
Bandol	42°58'N,	5°41'E	− 250 m	Drag.	Coq.	MC-245	13140 ± 160	V.15, p.325
Carotte 18	41°02'N,	5°35'E	− 2525 m	0,60 à 0,66 m	CaCO$_3$ tot.	MC-34	9840 ± 400	V. 8, p.288
Cassidaigne F 2	43°06'N,	5°32'E	− 200 à 400 m	Drag.	Coq.	MC-361	9800 ± 200	V.15, p.326
Cassidaigne	43°07'N,	5°31'E	− 350 à 400 m	Drag.	Coq.	MC-434	27900 ±1100	V.15, p.328
Cassidaigne CF 16	43°01'N,	5°30'E	− 150 à 300 m	Drag.	Coq.	MC-247	9600 ±1000	V.15, p.326
Cassidaigne F 3	43°05'N,	5°30'E	− 150 à 300 m	Drag.	Coq.	MC-360	11000 ± 200	V.15, p.326
Cassidaigne F 5	43°06'N,	5°27'E	− 150 à 250 m	Drag.	Coq.	MC-358	10000 ± 150	V.15, p.326
Cassidaigne	43°07'N,	5°26'E	− 150 à 300 m	Drag.	Coq.	MC-244	13095 ± 300	V.15, p.325
Bec de Sormiou, car. B 11-67	43°08'N,	5°25'E	− 90 m	2,10 m	Coq.	MC-243	13050 ± 300	V.15, p.326
Bec de Sormiou, car. B 11-67	43°08'N,	5°25'E	− 90 m	2,50 m	Coq.	MC-242	12170 ± 300	V.15, p.325
P.C. de Provence, car. D11-67	43°04'N,	5°22'E	− 140 m	0 à 0,11 m	Alg. calc.	MC-351	16200 ± 360	V.15, p.327
P.C. de Provence, car. D11-67	43°04'N,	5°22'E	− 140 m	0,22 à 0,35 m	Alg. calc.	MC-352	16100 ± 360	V.15, p.327
P.C. de Provence, car. D11-67	43°04'N,	5°22'E	− 140 m	0,40 à 0,50 m	Alg. calc.	MC-439	19350 ± 700	V.15, p.327
P.C. de Provence, car. D11-67	43°04'N,	5°22'E	− 140 m	0,50 à 0,60 m	Alg. calc.	MC-438	27700 ±1500	V.15, p.327
P.C. de Provence, car. D11-67	43°04'N,	5°22'E	− 140 m	0,70 à 0,80 m	Bryozoair.	MC-437	27200 ±1500	V.15, p.327
P.C. de Provence, car. D11-67	43°04'N,	5°22'E	− 140 m	0,80 à 0,90 m	Sab. calc.	MC-436	30700 ±1800	V.15, p.327
P.C. de Provence, car. D11-67	43°04'N,	5°22'E	− 140 m	0,90 à 1,00 m	Bryozoair.	MC-435	30300 ±1800	V.15, p.327
P.C. de Provence, car. D11-67	43°04'N,	5°22'E	− 140 m	1,20 à 1,30 m	Sab. calc.	MC-353	28000 ±1700	V.15, p.326
P.C. de Provence, car. D11-67	43°04'N,	5°22'E	− 140 m	3,40 à 3,50 m	Bryozoair.	MC-355	29300 ±1600	V.15, p.326
Canyon du Planier	43°34'N,	5°05'E	− 170 m	Drag.	Coq.	Gif-829	⩾ 30000	V.13, p.237
Etang de Berre, plage	43°24'N,	5°03'E			Coq.	MC-551	⩾ 35000	Non publ.
Etang de Berre	43°24'N,	5°03'E	− 18 m		Bois	MC-100	35000 ± 4000	V.11, p.119
Carotte 72 K 52	42°17'N,	4°17'E	− 59 m	7,10 à 8 m	Coq.	MC-644	9860 ± 160	Non publ.
Carotte 72 K 53	43°15'N,	4°14'E	− 80 m	4,90 à 5,10 m	Coq.	MC-646	10300 ± 170	Non publ.
Golfe du Lion, car. 9-68	43°13'N,	4°10'E	− 88 m	15,00 m	Coq.	MC-430	19000 ± 250	V.15, p.328
Golfe du Lion, car. 9-68	43°13'N,	4°10'E	− 88 m	17,00 m	Coq.	MC-431	31500 ± 3000	V.15, p.328
Carotte 71 K 81	43°13'N,	4°00'E	− 93 m	1,10 à 1,25 m	Coq.	MC-649	7750 ± 125	Non publ.
Carotte 71 K 81	43°13'N,	4°00'E	− 93 m	1,65 à 1,85 m	Coq.	MC-648	11300 ± 170	Non publ.
Carotte 71 K 81	43°13'N,	4°00'E	− 93 m	3,40 à 3,59 m	Coq.	MC-647	23450 ± 600	Non publ.
Carotte KS 06 n°1	38°31'N,	4°00'E	− 2293 m	0,70 à 1,10 m	⩾ 100µ	Ly-592	13320 ± 1070	V.15, p.518
Carotte KS 06 n°2	38°31'N,	4°00'E	− 2293 m	2,00 à 2,45 m	⩾ 100µ	Ly-593	⩾ 25000	V.15, p.518
Carotte KS 06 n°3	38°31'N,	4°00'E	− 2293 m	3,10 à 3,40 m	⩾ 100µ	Ly-594	⩾ 30000	V.15, p.518
Delta du Rhône, car.	42°58'N,	3°58'E	− 96 m	0,90 m	Coq.	MC-356	10350 ± 200	V.15, p.325
Delta du Rhône, car.	42°58'N,	3°58'E	− 96 m	2,30 m	Coq.	MC-357	21300 ± 700	V.15, p.325
Carotte 71 K 79	43°18'N,	3°51'E	− 78 m	8,45 à 8,75 m	Coq.	MC-641	10300 ± 200	Non publ.
Carotte 20903	38°31'N,	3°50'E	− 2596 m	1,45 à 1,55 m	> 44µ	U-293	14200 ± 450	V. 6, p.293
Carotte 20903	38°31'N,	3°50'E	− 2596 m	1,45 à 1,55 m	4 à 44µ	U-294	26600 ± 800	V. 6, p.293
Carotte 20903	38°31'N,	3°50'E	− 2596 m	1,45 à 1,55 m	> 4 µ	U-295	17300 ± 300	V. 6, p.293
Carotte 20902	38°31'N,	3°50'E	− 2596 m	1,45 à 1,55 m	Foram.	U-177	15900 ± 300	V. 3, p. 83
Carotte F 122.4	42°43'N,	3°30'E	− 100 m	0,80 à 1,00 m	Coq.	MC-749	31400 ± 2200	Non publ.
Carotte F 122.11	42°43'N,	3°30'E	− 100 m	2,80 à 3,10 m	Coq.	MC-750	30000 ± 1700	Non publ.
Carotte F 122.20	42°43'N,	3°30'E	− 100 m	6,00 à 6,10 m	Sab. coq.	MC-751	33230 ± 2300	Non publ.
Carotte C1 K3	42°55'N,	3°29'E	− 95 m	1,55 à 1,75 m	Coq.	MC-468	⩾ 35000	V.15, p.321
Carotte C1 K3	42°55'N,	3°29'E	− 95 m	3,30 à 3,50 m	Coq.	MC-469	⩾ 35000	V.15, p.321
Carotte S 9	42°40'N,	3°26'E	− 90 m	0,50 m	Coq.	MC-330	⩾ 35000	V.15, p.321
Carotte 10 KR 8	42°10'N,	3°25'E	− 133 m	0,40 m	Calc. biog.	MC-604	12000 ± 300	Non publ.
Carotte 10 KR 3	42°10'N,	3°25'E	− 133 m	0,80 m	Calc. biog.	MC-605	20000 ± 1200	Non publ.
Carotte 70 K 2	43°01'N,	3°20'E	− 62 m	4,60 à 4,95 m	Coq.	MC-652	9050 ± 200	Non publ.
Carotte 9 KR 19	42°09'N,	3°20'E	− 112 m	3,50 m	Coq.	MC-603	13200 ± 200	Non publ.
Carotte F 121.2	42°42'N,	3°20'E	− 90 m	0,40 à 0,50 m	Calc. biog.	MC-746	17050 ± 300	Non publ.
Carotte F 121.11	42°42'N,	3°20'E	− 90 m	2,90 à 3,20 m	Coq.	MC-747	14780 ± 360	Non publ.
Carotte F 121.21	42°42'N,	3°20'E	− 90 m	6,00 à 6,20 m	Coq.	MC-748	16270 ± 350	Non publ.
Carotte F 121.22	42°42'N,	3°20'E	− 90 m	6,00 à 6,20 m	Coq.	MC-743	15460 ± 350	Non publ.
Carotte 12 KR 25	42°06'N,	3°18'E	− 112 m	0,30 m	Coq.	MC-601	15100 ± 200	Non publ.
Carotte 14 KR 17	42°00'N,	3°18'E	− 130 m	2,80 m	Bryozoai.	MC-598	20800 ± 440	Non publ.
Carotte 14 KR 34	42°00'N,	3°18'E	− 130 m	6,20 m	Coq.	MC-599	⩾ 35000	Non publ.
Carotte F 123	42°35'N,	3°17'E	− 82 m	2,10 à 2,30 m	Coq.	MC-465	⩾ 35000	V.15, p.321
Carotte S 11	42°41'N,	3°16'E	− 90 m	2,50 à 3,00 m	Calc. biog.	MC-331	⩾ 35000	V.15, p.321
Carotte 13 KR	42°01'N,	3°16'E	− 108 m	6,50 m	Coq.	MC-606	11700 ± 200	Non publ.

Carotte 113 K	41°47'N, 3°15'E	- 128 m	0,20 m	Coq.	MC-597	⩾ 35000	Non publ.
Carotte F 115	42°42'N, 3°15'E	- 70 m	2,20 à 2,40 m	Coq.	MC-464	13800 ± 300	Non publ.
Carotte 6 KR 19	42°05'N, 3°14'E	- 91 m	3,60 m	Coq.	MC-600	⩾ 35000	Non publ.
Carotte 7 KR 26	42°08'N, 3°14'E	- 92 m	5,60 m	Coq.	MC-602	27700 ± 1400	Non publ.
Carotte F 129	42°31'N, 3°13'E	- 78 m	5,10 à 5,40 m	Coq.	MC-467	23800 ± 1000	V.15, p.322
Carotte S 19	42°49'N, 3°12'E	- 60 m	8,50 m	Sab. coq.	MC-335	10500 ± 150	V.15, p.322
Carotte S 17	42°36'N, 3°12'E	- 72 m	4,00 à 4,50 m	Sab. coq.	MC-334	12900 ± 200	V.15, p.322
Carotte F 112.1	42°46'N, 3°12'E	- 770 m	0 à 0,20 m	Carb.organ.	MC-936	13350 ± 250	Non publ.
Carotte F 112.16	42°46'N, 3°12'E	- 70 m	3,00 à 3,20 m	Carb.organ.	MC-937	13800 ± 250	Non publ.
Carotte F 112.26	42°46'N, 3°12'E	- 70 m	5,00 à 5,20 m	Carb.organ.	MC-938	15150 ± 300	Non publ.
Carotte F 128	42°31'N, 3°09'E	- 40 m	8,60 à 8,78 m	Coq.	MC-466	8400 ± 150	V.15, p.322
Carotte C 29	42°43'N, 3°07'E	- 47 m		Coq.	MC-250	27200 ± 1000	V.15, p.322
Carotte 71 K 102	41°46'N, 3°05'E	- 93 m	1,50 m	Coq.	MC-596	⩾ 35000	Non publ.
Carotte 70 K 12 (23)	42°58'N, 3°05'E	- 31 m	4,20 à 4,40 m	Coq.	MC-654	8230 ± 180	Non publ.
Carotte KS 05 n°1	38°06'N, 2°59'E	- 2710 m	0,70 à 1,05 m	⩾ 100µ	Ly-589	9470 ± 530	V.15, p.517
Carotte KS 05 n°2	38°06'N, 2°59'E	- 2710 m	2,00 à 2,50 m	⩾ 100µ	Ly-590	⩾ 20500	V.15, p.518
Carotte KS 05 n°3	38°06'N, 2°59'E	- 2710 m	3,05 à 3,40 m	⩾ 100µ	Ly-591	⩾ 21100	V.15, p.518
Carotte 21003	37°26'N, 1°05'E	- 2782 m	1,07 à 1,17 m	> 44µ	U-256	8980 ± 360	V. 9, p.455
Carotte 21004	37°26'N, 1°05'E	- 2782 m	1,81 à 1,92 m	> 44µ	U-299	11600 ± 260	V. 7, p.316
Carotte 21006	37°26'N, 1°05'E	- 2782 m	3,37 à 3,47 m	< 2µ	U-490	13000 ± 180	V. 7, p.316
Carotte 21006	37°26'N, 1°05'E	- 2782 m	3,37 à 3,47 m	2 à 44µ	U-491	19830 ± 370	V. 7, p.316
Carotte 21006	37°26'N, 1°05'E	- 2782 m	3,37 à 3,47 m	44 à 62µ	U-492	10700 ±1400	V. 7, p.316
Carotte 21006	37°26'N, 1°05'E	- 2782 m	3,37 à 3,47 m	> 62 µ	U-493	11380 ± 230	V. 7, p.316
Carotte 21007	37°26'N, 1°05'E	- 2782 m	3,90 à 3,98 m	> 44 µ	U-251	13180 ± 300	V. 6, p.293
Carotte 21009	37°26'N, 1°05'E	- 2782 m	5,27 à 5,37 m	> 44 µ	U-252	17250 ± 370	V. 6, p.293
Carotte 21102	35°55'N, 2°20'W	- 1325 m	1,02 à 1,09 m	2 à 44µ	U-459	13210 ± 400	V. 7, p.317
Carotte 21105	35°55'N, 2°20'W	- 1325 m	2,62 à 2,72 m	> 44 µ	U-300	10290 ± 290	V. 6, p.294
Carotte 21107	35°55'N, 2°20'W	- 1325 m	4,28 à 4,40 m	> 44 µ	U-296	16700 ±1200	V. 6, p.293
Carotte 21107	35°55'N, 2°20'W	- 1325 m	4,28 à 4,40 m	4 à 44µ	U-297	22300 ± 700	V. 6, p.293
Carotte 21107	35°55'N, 2°20'W	- 1325 m	4,28 à 4,40 m	> 4 µ	U-298	21200 ± 420	V. 6, p.293
Carotte 21110	35°55'N, 2°20'W	- 1325 m	6,19 à 6,31 m	> 44µ	U-457	24000 ±1500	V. 7, p.317
Carotte 21115	35°55'N, 2°20'W	- 1325 m	9,31 à 9,41 m	> 44µ	U-456	30800 ±2800	V. 7, p.317
Mer d'Alboran	36°03'N, 4°25'W		4,50 à 4,70 m	Argile pel.	SI-678	19055 ± 695	V.15, p.390
Mer d'Alboran	33°26'N, 4°15'W	- 300 m	0 à 0,30 m	Sabl. calc.	SI-664	13430 ± 360	V.15, p.388
Mer d'Alboran	35° 'N, 4°22'W	- 234 m	0 à 0,30 m	Sabl. calc.	SI-665	11605 ± 235	V.15, p.388
Mer d'Alboran C92	35°42'N, 4°15'W		3,40 à 3,60 m	Argile pel.	SI-669	11280 ± 230	V.15, p.389
Mer d'Alboran C92	35°42'N, 4°15'W		5,58 à 5,78 m	Argile	SI-670	14620 ± 410	V.15, p.390
Mer d'Alboran C92	35°42'N, 4°15'W		7,10 à 7,30 m	Argile	SI-671	15780 ± 470	V.15, p.390
Mer d'Alboran C95	35°39'N, 4°08'W		2,95 à 3,15 m	Argile	SI-673	8275 ± 195	V.15, p.390
Mer d'Alboran C95	35°39'N, 4°08'W		4,20 à 4,40 m	Argile	SI-674	9560 ± 250	V.15, p.390
Mer d'Alboran C95	35°39'N, 4°08'W		4,90 à 5,10 m	Argile	SI-675	10780 ± 270	V.15, p.390
Mer d'Alboran C95	35°39'N, 4°08'W		6,80 à 7,00 m	Argile	SI-676	13895 ± 345	V.15, p.390
Mer d'Alboran	35°25'N, 4°00'W	- 30 m	0	Alg. calc.	SI-886	11385 ± 145	V.15, p.389
Détroit de Gibraltar	35°57'N, 5°23'W	- 823 m	0 à 0,20 m	Sab. calc.	SI-668	9400 ± 185	V.15, p.389

Les dépôts quaternaires

Les lignes de rivage et la sédimentation sous-marine dans la Manche et l'Atlantique jusqu'à 8.000 ans

Coordination: G. DELIBRIAS

Position Géographique	Coordonnées Géographiques	Niveau NGF	Mode de Prélèvement et prof. dans *C.	Nature de l'échantillon	Numéro échantillon	Dates C 14 BP	Référence Radiocarbon
Boulogne	50°56'N, 1°53'E	− 2 à − 5 m	cordon littoral	coq.	Gif-1357	≥35000	Vol. 16 p. 66
Fort-Mahon	50°22'N, 1°36'E	− 16 m		Tourbe	Gif- 764	9750 ± 200	Vol. II p. 330
St. Sauveur de Pierrepont	48°37'N, 1°36'0	− 6,4 m	C. 21 m	coq.	Gif-1067	9650 ± 210	Vol. 13 p. 233
Pas de Calais, 288 D	50°50'N, 1°45'E	− 32m	C. 0,18 à 0,205 m	Tourbe	Gif-1614	8250 ± 300	Vol. 16 p. 68
" , 288 F	" "	− 32,7 m	C. 0,70 m	"	Gif-1615	12600 ± 250	"
" , Terebel I		− 49 m	C.	Bois	Gif-1990	9400 ± 200	"
" , Terebel II		− 50 m	C.	Tourbe	Gif-1991	9700 ± 200	Vol. 16 p. 69
Manche, 890 (2)	50°04'N, 1°16'E	− 21 m	C. 0,25 m	"	Gif-2865	9870 ± 200	à paraître
" , 890 (3)	" "	− 20,8 m	C. 0,06 m	"	Gif-2866	8800 ± 170	"
Baie de Becquet, 128 C	49°41'N, 1°33'0	− 34,4 m	C. 28,4 m	"	Gif-1021	9470 ± 130	Vol. 13 p. 232
Cherbourg, 215 C	49°40'N, 1°37'0	− 29,1 m	C. 14 m	"	Gif-1022	8200 ± 190	"
" , 235 C	" "	− 22,9 m	C. 7,9 m	"	Gif-1023	9880 ± 230	Vol. 13 p. 233
Le Havre, F 614	49°30'N, 0°06'E	− 23 m	Travaux	coq.	Gif-1407	≥35000	Vol. 16 p. 66
" , 30	" "	− 21,8 m	d'excavation	Tourbe	Gif-1402	8470 ± 170	"
" , VI	" "	− 20,5 m	"	"	Gif-1403	8050 ± 170	"
" , I	" "	− 16,5 m	"	"	Gif-1406	7820 ± 170	Vol. 16 p. 67
" , 289	" "	− 26,75 m	C.	"	Gif- 744	9900 ± 300	Vol. 13 p. 233
" , 287 bis	" "	− 27,4 m	C.	"	Gif- 745	9730 ± 300	"
" , 284	" "	− 27,7 m	C.	"	Gif- 746	9340 ± 300	"
" , 9 H	49°28'N, 0°17'0	− 19,5 m	C.	"	Gif-1019	8130 ± 190	"
" , X	" "	− 29 m	C.	"	Gif-1238	8850 ± 200	"
" , 804	" "	− 21,5 à − 22,7 m	C.	"	Gif-1401	8250 ± 220	"
Baie d'Audierne	47°58'N, 4°32'0	− 34 m	Plongée	Lumachelle	Gif-1259	15000 ± 400	Vol. 14 p. 303
Pointe de Penmarc'h	47°20'N, 4°32'0	− 110 m	Dragage	coq.	Gif- 850	10200 ± 230	Vol. 13 p. 230
"La Grande Vasière"							
Baie de Seine, 796 B	49°33'N, 0°45'0	− 36 m	C. 0 à 0,10 m	Tourbe	Gif-1878	9800 ± 230	Vol. 16 p. 68
Estuaire de la Loire, X	47°15'N, 2°14'0	−39 à − 40 m	C. surface	coq.	Gif-1812	13000 ± 180	Vol. 16 p. 59
Entre Plateau de Rochebonne							
et l'Ile de Ré	46°12'N, 2°08'0	− 46 m	Dragage	"	Ly − 169	8240 ± 220	Vol. 13 p. 54
"	46°13'N, 1°59'0	− 41 m	"	"	Ly − 170	19960 ± 400	"
Baie de Biscay, 8 T	46°21'N, 2°32'0	− 85 m	"	"	Gif-1704	10700 ± 190	Vol. 16 p. 68

*C.: prélèvement par carottage

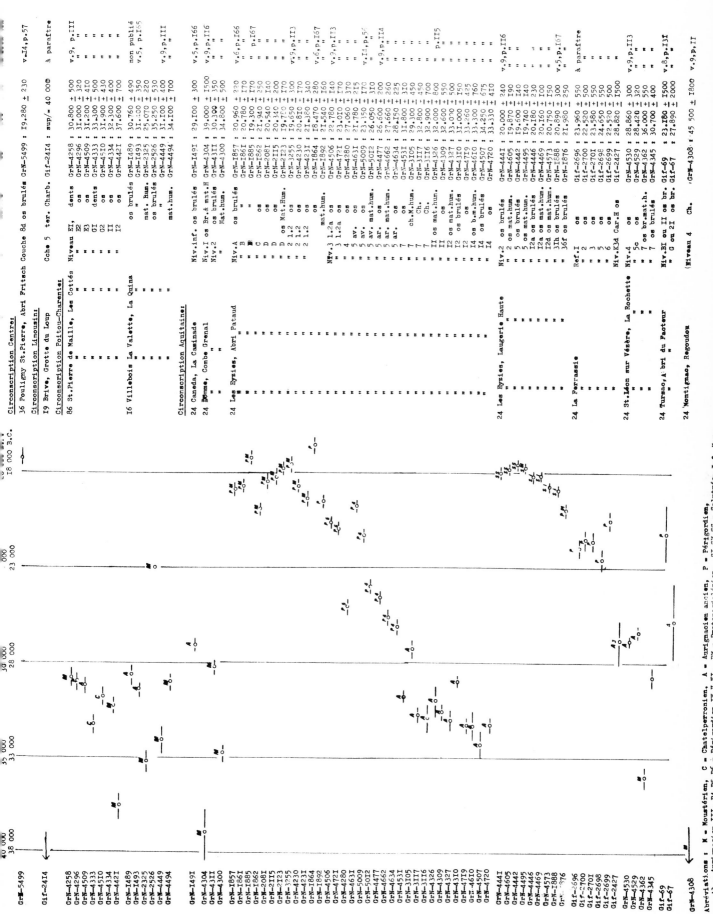

Relevé des datations absolues I4C des sites préhistoriques de la France :

Fin du Paléolithique moyen et 1er partie du Paléolithique supérieur : de 50 000 à I7 000 BP environ

Dpt Commune et nom du gisement	Niveau et matériel		N°labo	Date I4C BP	Radiocarbon
Circonscription Midi-Pyrénées:					
46 St.Simon, Abri du Mas Viel	Couche C	os	Gif-328I	26.770 ± 800	à paraître
09 St.Jean de Vérgès		os	Gif-2942	2I.500 ± 400	"
		os	Gif-294I	24.200 ± 600	"
Circonscription Languedoc-Roussillon:					
II Canecaude	Couche C 3	os	Gif-2709	22.980 ± 330	"
	" C 4	os	Gif-27IO	24.5IO ± 400	"
30 Aiguèze, Grotte Chabot	Niv.I ext.	os	Ly-697	I2.000 ± 4IO	v.I7,p.28
	" 2 int.	os	Ly-699	I7.770 ± 400	"
	" 2a	os	Ly-698	I8.200 ± 400	"
30 Remoulins, La Salpêtrière,Grd.Tem Cche24		os	Ly-940	20.200 ± 600	v.I8, s.p.
	Ptt. V2	os	Ly-94I	I7.900 ± 630	"
	" 30A	os	Ly-942	20.630 ± 770	"
	" Centre 30E	os	Ly-943	2I.760 ± 490	"
	" 30M	os	Ly-944	27.530 ± 460	"
	" 30O	os	Ly-945	20.860 ± 280	"
	" 32C	os	Ly-946	2I.380 ± 760	"
Circonscription Rhône-Alpes:					
07 La Bastide de Virac, Grt.Oullins Niveau 6		os	Ly-798	I9.360 ± 420	v.I7,p.28
	" 7	os	Ly-799	I9.7IO ± 400	"
07 Bidon, La Tête de Lion	Entre C. E&F	Ch.	Ly-847	2I.650 ± 800	v.I3,p.64
42 St.Martin sous Montaigu,Les Vignes Seule Cche		Ch.	Ly-309	24.I50 ± 550	"
	"	mat.h.	Ly-3IO	2I.I00 ± I300	v.9,p.IIO
	"	os	Ly-3II	22.900 ± 600	"
42 Villerest, Le Saut du Perron	Foyer, mat.hum.		Ly-39I	24.900 ± 2000	v.I7,p.28
	"	os	Ly-39Ib	I8.520 ± 500	"
Circonscription Auvergne:					
43 Cerzat, Abri du Blot	Niveau I 3	Ch.	Ly-50I	sup./= 22.000	v.I5,p.524
	" JM	Ch.	Ly-564	2I.700 ± I200	p.535
	" GJ	Ch.	Ly-565	2I.500 ± 700	"
43 Retournac, Grotte des Cottiers	" 3	Os	Ly-720	2I.I00 ± 600	v.I7,p.27
Circonscription Bourgogne:					
89 Arcy sur Cure, Grotte du Renne	Niveau 7 os brulés		GrN-I7I7	30.800 ± 250	v.5, p.I66
	" 8		GrN-I742	33.860 ± 250	"
	" 8		GrN-I736	33.500 ± 400	non publié
	" IOb		GrN-42I6	24.500 ± 360	v.9,p.IIO
	" IOb		GrN-4I5I	25.500 ± 380	"
	" I2 ?		?	28.300 ± I700	"
	" I2 os brulés		GrN-42I7	34.600 ± 850	v.9, p.IIO
	" I2		GrN-4256	33.700 ± 8IO	"
7I Solutré	Niveau 8b Ch.		Ly-3I4	I6.740 ± 300	v.I3,p.63
	" 8b mat.hum.		Ly-3I5	IO.900 ± 400	"
	" 9		Ly-3I6	I7.I50 ± 300	"
	", Sondage b 9		Ly-560	sup./= 30.400	v.I5,p.520
	" b 6		Ly-56I	23.200 ± 650	"
	" Tèrre Sève 6		Ly-562	2I.500 ± 700	p.52I
	" 6 ?		Ly-3I7	24.050 ± 600	v.I3,p.54
	" 6		Ly-3I2	28.650 ± II00	"
	" 6		Ly-3I3	22.650 ± 500	"
Circonscription Franche-Comté:					
39 Gigny sur Suran, La Balme	Niveau 8	Os	Ly-566	29.500 ± I400	v.I5,p.52I
	" 8	Os	Ly-789	28.500 ± I400	v.I8, s.p.
	" I5	Os	Ly-97I	sup/= 32.300	"
	" 20	Os	Ly-804	sup/= 3I.500	"
25 Condenans lès Moulins, Grt.aux Ours Niv.4		Ch.	GrN-4557	44.650 ± I200	v.9, p.IIO
	" 2	Os	GrN-4629	48.000 ± 2300	"

Abréviations : M = Moustérien, C = Chatelperronien, A = Aurignacien, AI,A2,AA,AM,AP, = Aurignacien,I,II,Anc.,Moy.Fin.
P = Perigordien, PS, PF = Périgordien Supérieur, Périgordien V, SM,GJ, ... JM, ...

Relevé des datations absolues ^{14}C des sites préhistoriques en France :

Magdalénien : de 17 000 à 10 000 BP environ (coordination J.EVIN)

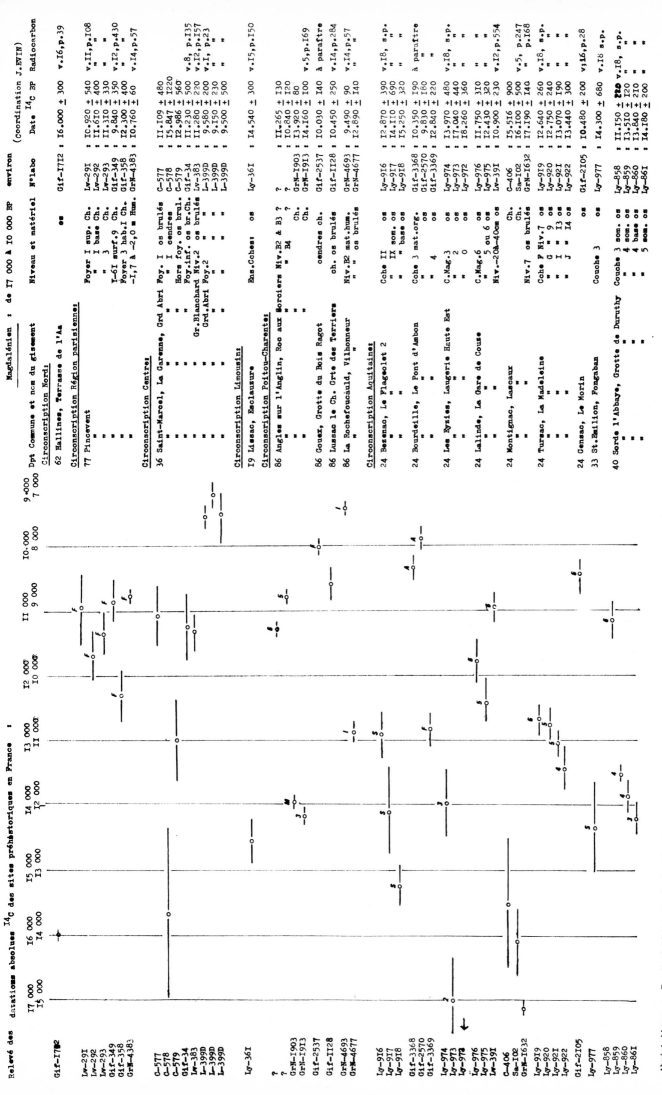

Dpt Commune et nom du gisement	Niveau et matériel	N°labo	Date ^{14}C BP ± 300	Radiocarbon
Circonscription Nord:				
62 Hallines, Terrasse de l'Aa	os	Gif-1712 : 16.000 ± 300	v.16,p.39
Circonscription Région parisienne:				
77 Pincevent	Foyer I sup. Ch.	Lv-291 : 10.920 ± 540	v.11,p.108
"	" I base Ch.	Lv-292 : 11.610 ± 400	"
"	" 3 Ch.	Lv-293 : 11.310 ± 330	"
"	V-61 surf.9 Ch.	Gif-349 : 9.840 ± 350	v.12,p.430
"	Foyer 3 hab.I Ch.	Gif-358 : 12.300 ± 400	"
"	-1,7 à -2,0 m Hum.	GrN-4383 : 10.760 ± 60	v.14,p.57
Circonscription Centre:				
36 Saint-Marcel, La Garenne, Grd Abri Foy. I os brulés		C-577 : 11.109 ± 480	
"	" I cendres	C-578 : 15.847 ± 1220	
"	Hors foy. os brul.	C-579 : 12.986 ± 560	
"	Foy.inf. os br.Ch.	Gif-34 : 11.230 ± 500	v.8, p.135
"	Gr.Blanchard Niv.2 os brulés	Lv-383 : 11.280 ± 220	v.12,p.157
"	Grd.Abri Foy.2 " "	L-399D : 9.580 ± 200	v.1, p.23
"	" "	L-399D : 9.150 ± 230	"
"	" "	L-399D : 9.500 ± 500	"
Circonscription Limousin:				
19 Lissac, Esclauzure	Ens.Cches: os	Ly-361 : 14.540 ± 300	v.15,p.150
Circonscription Poitou-Charente:				
86 Angles sur l'Anglin, Roc aux Sorciers Niv.B2 & B3 ?		? : 11.265 ± 130	
"	" B4	? : 10.840 ± 120	
"	Ch.	GrN-1903 : 13.920 ± 80	
"	Ch.	GrN-1913 : 14.160 ± 100	v.5,p.169
86 Gouex, Grotte du Bois Ragot	cendres ch.	Gif-2537 : 10.030 ± 140	à paraître
86 Lussac le Ch. Grte des Terriers	ch. os brulés	Gif-1128 : 10.450 ± 250	v.14,p.284
86 La Rochefoucauld, Vilhonneur	Niv.B2 mat.hum.	GrN-4693 : 9.490 ± 90	v.14,p.57
"	" " os brulés	GrN-4677 : 12.890 ± 140	"
Circonscription Aquitaine:				
24 Besanac, Le Flageolet 2	Cche II os	Ly-916 : 12.870 ± 390	v.18, s.p.
"	" IX som. os	Ly-917 : 14.110 ± 690	"
"	" N base os	Ly-918 : 15.250 ± 320	"
24 Bourdeille, Le Pont d'Ambon	Cche 3 mat.org.	Gif-3368 : 10.350 ± 190	à paraître
"	" os	Gif-2570 : 9.830 ± 180	"
"	" 4 os	Gif-3369 : 12.840 ± 220	"
24 Les Eyzies, Laugerie Haute Est	C.Mag.3 os	Ly-974 : 13.970 ± 480	v.18, s.p.
"	" 2 os	Ly-973 : 17.040 ± 440	"
"	" 0 os	Ly-972 : 18.260 ± 360	"
24 Lalinde, La Gare de Couze	C.Mag.6 os	Ly-976 : 11.750 ± 310	v.18, s.p.
"	" 5 ou 6 os	Ly-975 : 12.430 ± 320	"
"	Niv.-20a-40cm os	Lv-391 : 10.900 ± 230	v.12,p.554
24 Montignac, Lascaux	Ch.	C-406 : 15.516 ± 900	
"	"	Sa-102 : 16.100 ± 500	v.5, p.247
"	os brulés	GrN-1632 : 17.190 ± 140	p.168
24 Tursac, La Madeleine	Cche F Niv.7 os	Ly-919 : 12.640 ± 260	v.18, s.p.
"	" G " 9 os	Ly-920 : 12.750 ± 240	"
"	" I " 13 os	Ly-921 : 13.070 ± 190	"
"	" J " 14 os	Ly-922 : 13.440 ± 300	"
24 Gensac, Le Morin	os	Gif-2105 : 10.480 ± 200	v.16,p.28
33 St-Emilion, Fongaban	os	Ly-977 : 14.300 ± 680	v.18 s.p.
40 Sorde l'Abbaye, Grotte de Duruthy	Couche 3 som. os	Ly-858 : 11.150 ± 220	v.18, s.p.
"	" 4 som. os	Ly-859 : 13.510 ± 120	"
"	" 4 base os	Ly-860 : 13.840 ± 210	"
"	" 5 som. os	Ly-861 : 14.180 ± 200	"

Abréviations : F = Magdalénien Final, S = Supérieur, I = Inférieur ou Ancien, 6,5,4, = VI,V,IV

Relevé des datations absolues ^{14}C des sites préhistoriques en France :

Magdalénien : de 17 000 à 10 000 BP environ (suite)

Dpt Commune et nom du gisement	Niveau et matériel		N°labo	Date ^{14}C BP Radiocarbon
Circonscription Midi-Pyrénées:				
82 Bruniquel, Tron des Forges	bois de cerf		BM-303	11.110 ± 160 v.11,p.282
"	"		BM-302	11.750 ± 300 "
" Abri de Montastruc	"		BM-304	12.070 ± 180 "
46 Caniac, Grotte de Pégourié	Couche 7	Ch.	Gif-2822	12.250 ± 350 à paraître
46 Espagnac, Grotte de Ste Eulalie	Niveau I	os	Gif-2193	10.400 ± 300 v.16,p.26
"	" I	os	Gif-1697	10.830 ± 200 "
"	" 3	os	Gif-1745	15.100 ± 270 "
"	" 3	os	Gif-2194	15.200 ± 300 "
46 Lacave, Combe Cullier	9	os	Ly-978	15.030 ± 330 v.18, s.p.
09 Alliat, Grotte de Niaux	Entrée	Ch.	Gif-1939	10.100 ± 250 v.16,p.28
"	Sous peintures	Ch.	Gif-1940	10.150 ± 200 "
" Grotte de La Vache	Couche 2	Ch.	GrN-2025	12.540 ± 105 p.168
" Grotte de Fontanet	4	Ch.	GrN-2026	12.850 ± 60 "
"	Près poisson	Ch.	Lg-846	13.810 ± 740 v.17,p.23
09 St.Jean de Vergès		os	Gif-2943	12.760 ± 170 à paraître
09 Ussat, Grotte de l'Eglise		Ch.	Gif-1434	11.800 ± 500 v.14,p.289
Circonscription Languedoc-Roussillon:				
11 Belvis, La Caune	Couche 3	os	Gif-2950	12.270 ± 280 à paraître
11 Caneoaude	C II 2	os	Gif-2708	14.230 ± 160 "
11 Sallèles-Cabardès, Grotte de Gazel	5 seo.GI	Ch.	Gif-2653	10.080 ± 190 "
"	6 " GI	Ch.	Gif-2654	10.760 ± 190 "
"	7 " F2	Ch.	Gif-2655	15.070 ± 270 "
" Lassac	IID	os	Gif-2981	16/750 ± 250 "
30 Remoulins, La Salpêtrière Grd.Témoin Cche	6	os	Ly-937	10.680 ± 300 v.18, s.p.
"	7 à 14	os	Ly-938	11.000 ± 190 "
" Ctr.Porche	6	os	Ly-939	18.880 ± 300 "
30 St.Quentin de Vallorgue, La Baume	Couche 8	Ch.	Kn-61	10.970 ± 85 non publié
"	9	Ch.	Hv-145	11.270 ± 230 "
"	10	Ch.	Hv-144	10.910 ± 225 "
"	14	Ch.	Hv-146	12.060 ± 250 "
"	15	Ch.	Kn-68	11.200 ± 115 "
Circonscription Provence:				
84 Saumanes, Abri de Chinchon	Niveau 15	Os	Ly-597	12.000 ± 420 v.15,p.528
13 Istres, Abri Cornille	Couche 9a	Ter.ch.	Ly-414	10.270 ± 470 "
"	" 10a	"	Ly-427	10.870 ± 320 "
"	" 10o	"	Ly-510	10.540 ± 310 "
"	" I2	"	Ly-449	10.920 ± 210 "
" La Valduo	Foyer	Ch.	Hv-?	11.690 ± 450 non publié
13 Jouques, Grotte de l'Adaouste	Niveau I2	os	Ly-541	12.280 ± 190 v.15,p.528
"	I7	os	Ly-540	12.760 ± 250 "
83 Fontbregana, La Baume	Couche 70	Ch.	Gif-2994	11.200 ± 150 à paraître

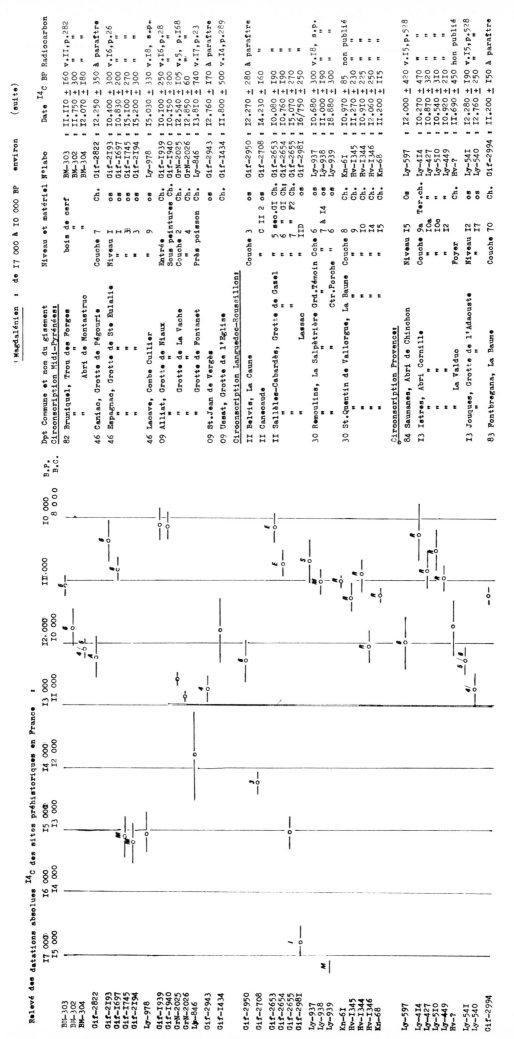

Abréviations : A = Azilien, E = Epimagdalénien, R = Romanellien, M = Magdalénien ou Salpêtrj. Moyen, I = Magdalénien Inférieur ou Ancien, 6,5,4,3, = Magdalénien VI, V, IV, III

Inventaire des datations absolues ... des sites préhistoriques en France ?

Dpt Commune et nom du gisement	Niveau et matériel		N°labo	Date 14C BP Radiocarbon
Circonscription Rhône-Alpes:				
26 St.Agnan en Vercors, Les Freydières	Os		Ly-451	11.380 ± 180 v.15,p.147
26 St.Nazaire en Royan, Campalou	os		Ly-436	12.800 ± 300 "
07 Vallon Pont-d'Arc, Ebbou	Couche C I		Ly-800	12.980 ± 220 v.17,p.26
07 Vallon Pont d'Arc, Les Deux Avens	Couche C	Ch.	Ly-321	12.320 ± 600 v.13,p.63
"	C	os	Ly-322	12.350 ± 200 "
07 St. Remèze, Le Saut du Loup	" D	Mat Hum.	Ly-320	11.500 ± 380 "
"	" D	Ch.	Ly-318	11.750 ± 300 "
"	" D	os	Ly-319	12.080 ± 310 "
38 St.-Roman, Abri du Calvaire	Serie 3		Ly-431	12.970 ± 300 v.15,p.149
"	4		Ly-432	13.450 ± 300 "
38 St.Thibaud de Couz,Jean-Pierre I	Car.16 C. 7	oh.	Ly-429	11.900 ± 360 v.17,p.25
"	" h16 6b	oh.	Ly-596	10.750 ± 300 "
"	" vv2 téta	t.o.	Ly-625	10.470 ± 200 "
"	" "	hmm.	Ly-692	11.590 ± 330 "
"	" "	"	Ly-693	11.630 ± 240 "
"	" w3 gam2	t.o	Ly-626	11.340 ± 220 "
"	" e5 9eb	t.o.	Ly-627	11.700 ± 220 "
"	" vvl eps	"	Ly-628	8.490 ± 190 "
"	" h4-5 9o	"	Ly-828	12.470 ± 200 "
"	" "	"	Ly-929	12.720 ± 230 "
38 St.Thibaud de Couz,Jean-Pierre 2	Seule Cohe	oh.	Ly-390	13.300 ± 280 "
"	"	ter.ch.	Ly-830	13.070 ± 210 "
"	"	oh.	Ly-925	12.400 ± 240 v.18, s.p.
"	"	os	Ly-926	13.280 ± 290 "
73 Mussiège, Abri des Douattes	Niveau 7	os	Ly-453	10.680 ± 450 v.15,p.148
"	b		Ly-435	12.980 ± 240 "
01 Neuville sur Ain, La Colombière	Niv.D Foyers	Ch.	W-150	11.750 ± 600 non publié
"	"	Ch.	L-177	14.150 ± 400 "
"	"	Ch.	L-?	15.500 ± 700 "
"	"	Ch.	L-?	14.700 ± 300 "
"	"	Os.	Ly-433	13.390 ± 300 v.15,p.149
01 Poncin, Abri Gay	Micro os		Ly-725	11.660 ± 240 v.11,p.116
01 St.Martin du Mont, La Cros	os		Ly-357	14.330 ± 260 v.15,p.150
"	os		Ly-434	14.850 ± 350 "
01 Virignien, Grotte des Romains	Niveau 3	Ch.	Ly-16	14.380 ± 380 v.17,p.147
"	"	os	Ly-356	12.980 ± 240 "
Circonscription Auvergne:				
43 Freycenet la Cuche, Longetraye	Car.62E,Niv.4	Ch.	Ly-512	12.720 ± 750 v.15,p.524
43 Polignac, Le Rond du Barry	Cohe E Foy.I	Os br	Gif-2671	12.380 ± 280 à paraître
"	" E	Ter.ch.	Gif-2672	15.400 ± 400 "
"		Os	Gif-3038	17.100 ± 450 "
43 Retournac, Grotte des Cottiers	Niveau 2	os	Ly-719	18.550 ± 550 v.17,p.27
"	" 2	os	Ly-662	19.880 ± 520 "
"	" 3	os	Ly-663	11.480 ± 950 "
"	" 3	os	Ly-720	21.100 ± 600 "
43 Solignac, La Baume Loire, Abri N°2 Foyer	os		Ly-958	10.200 ± 950 v.18, s.p.
43 Cerzat, Abri,du Blot	Niveau 3 os brulés		Ly-563	14.030 ± 500 v.15,p.524
"	10b	Ch.	Ly-502	11.250 ± 500 "
63 Vic le Comte, Enval	Couche I2b	Ch.	Ly-425	13.000 ± 300 p.149
"	I2c os & Ch		Ly-727	13.700 ± 380 v.17,p.27
Circonscription Bourgogne:				
71 Solutré	Car.88,Niv.P16 os		Ly-393	12.580 ± 250 v.15,p.243
71 Varenne lès Macon	tourbe sabl.		Ly-849	11.860 ± 190 v.17,p.26
71 Vitry, Grotte du Crest	Seule 6che os		Ly-894	12.850 ± 240 v.18, s.p.
Circonscription Franche-Comté:				
39 Arlay, St.Vincent, Grotte Grappin	Niv.g,Car.JAN os		Ly-497	15.320 ± 370 v.15,p.520
"	" g PAT os		Ly-559	15.770 ± 390 "
39 Blois sur Seille, Le Chamois Boivin	os		Ly-440	12.040 ± 270 p.148

Abréviations : F = Magdalénien Final, S = Supérieur, M = Moyen, I = Inférieur ou Ancien, A = Azilien

Le Mésolithique : de 10 000 BP à 7 000 BP environ

(coordination : J.EVIN)

Relevé des datations absolues ¹⁴C des sites préhistoriques de la France

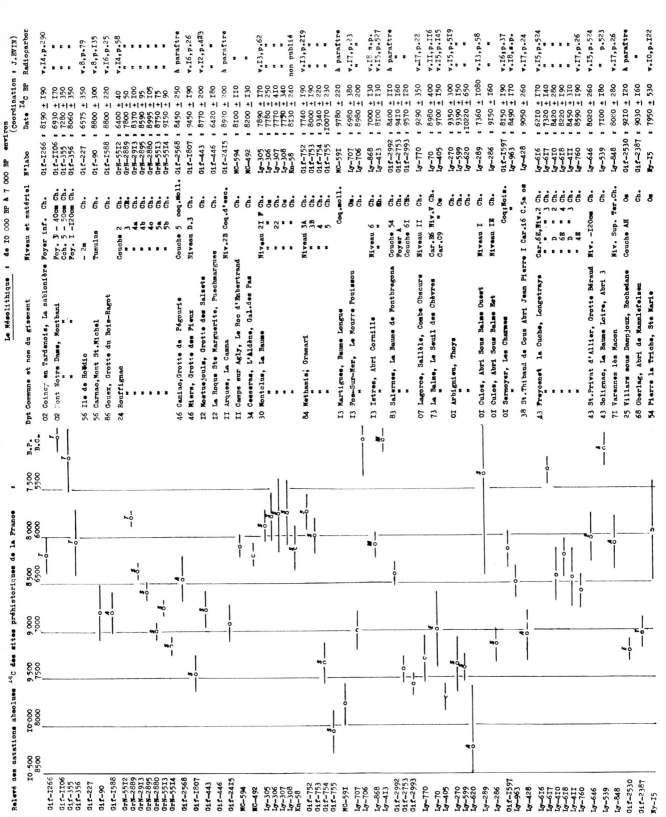

N°labo	Niveau et matériel	Dpt Commune et nom du gisement	Date ¹⁴C BP	Radiocarbon
Gif-1266	Foyer inf. Ch.	02 Coincy en Tardenois, La sablonière	8190 ± 190	v.14,p.290
Gif-1106	Foy. 3 - 40cm Ch.	02 Mont Notre Dame, Montbani	6930 ± 170	"
Gif-355	Coh. 5 - 50cm Ch.		7280 ± 350	"
Gif-356	Foy. 1 -120cm Ch.		8060 ± 350	"
Gif-227	- 2m Ch.	56 Ile de Hoëdic	6575 ± 350	v.8,p.79
Gif-90	Tumulus	56 Carnac, Mont St.Michel	8800 ± 300	v.8,p.135
Gif-1588	Ch.	86 Gouex, Grotte du Bois-Ragot	8800 ± 220	v.16,p.25
GrN-5512	Couche 2 Ch.	24 Rouffignac	6400 ± 40	v.14,p.58
GrN-2889	3 Ch.		7800 ± 50	
GrN-2913	4a Ch.		8370 ± 100	
GrN-2895	4b Ch.		8590 ± 95	
GrN-2880	4c Ch.		8995 ± 105	
GrN-5513	5a Ch.		8750 ± 75	
GrN-5514	5b Ch.		9150 ± 90	
Gif-2568	Couche 5 coq.moll.	46 Caziao,Grotte de Pégourie	8450 ± 250	à paraître
Gif-1807	Niveau D.3 Ch.	46 Miers, Grotte des Fieux	9450 ± 190	v.16,p.26
Gif-443	Ch.	12 Montuejouls, Grotte des Salzets	8770 ± 200	v.12,p.423
Gif-446	Ch.	12 La Roque Ste Marguerite, Puechmargues	6420 ± 180	à paraître
Gif-2415	Niv.2B Coq.d'esc.	11 Arques, La Canna	8920 ± 200	à paraître
MC-594	Ch.	11 Camps sur Agly, Le Roc d'Enbertrand	8100 ± 110	"
MC-492	Ch.	34 Cesserae, L'Aldène, Gal.des Pas	8200 ± 130	"
Ly-305	Niveau 21 F Ch.	30 Montolun, La Baume	7890 ± 170	v.13,p.62
Ly-306	Os		7780 ± 250	
Ly-307	22 Os		7770 ± 410	
Ly-308	" Os		7790 ± 340	
Kn-58	"		8130 ± 240	
Gif-752	Niveau 3A Ch.	84 Methamis, Gramari	7740 ± 190	v.13,p.219
Gif-753	3B Ch.		8000 ± 250	
Gif-754	4 Ch.		9340 ± 220	
Gif-755	5 Ch.		10070 ± 230	
MC-591	Coq.moll.	13 Martigues, Baume Longue	9780 ± 220	à paraître
Ly-707	Ch.	13 Fos-Sur-Mer, Le Mourre Pouissou	6980 ± 380	v.17,p.23
Ly-706	Ch.		8980 ± 200	
Ly-868	Niveau 6 Ch.	13 Istres, Abri Cornille	7000 ± 130	v.18 s.p.
Ly-413	Ch.		8100 ± 130	v.15,p.527
Gif-2992	Couche 54 Ch.	83 Salernes, La Baume de Fontbregoua	8400 ± 110	à paraître
Gif-2753	Foyer A Ch.		9410 ± 160	
Gif-2993	Couche 61 Ch.		9570 ± 120	
Ly-770	Niveau II Ch.	07 Lagorce, Salièle, Combe Obscure	9290 ± 350	v.17,p.22
Ly-70	Car.B6 Niv.V Ch.	73 La Balme, Le Seuil des Chèvres	8980 ± 400	v.11,p.116
Ly-405	Car.C9 Os		9700 ± 150	v.15,p.145
Ly-270	Ch.	01 Arbignieu, Thoys	9350 ± 300	v.15,p.519
Ly-599			9390 ± 150	
Ly-620			10220 ± 650	
Ly-289	Niveau I Ch.	01 Culos, Abri Sous Balme Ouest	7360 ± 1080	v.13,p.58
Ly-286	Niveau IE Ch.	01 Culos, Abri Sous Balme Est	9150 ± 160	
Gif-1597	Coq.Mois.	01 Sermoyer, Les Charmes	8150 ± 190	v.16,p.37
Ly-963			8490 ± 170	v.18,s.p.
Ly-428	Car.16 C.5a os	38 St.Thibaud de Cous Abri Jean Pierre I	9050 ± 260	v.17,p.24
Ly-616	Car.6Z,Niv.2 Ch.	43 Freycenet la Cuche, Longetraye	6210 ± 170	v.15,p.524
Ly-617	D 3 Ch.		7320 ± 140	
Ly-410	D 2 Ch.		8420 ± 280	
Ly-618	6Z 4 Ch.		8220 ± 190	
Ly-411	D 3		8450 ± 310	
Ly-760	4E		8590 ± 190	
Ly-646	Niv.-120cm Ch.	43 St.Privat d'Allier, Grotte Béraud	8020 ± 260	v.15,p.524
Ly-539	Ch.	43 Solignac, La Baume Loire, Abri 3	7100 ± 180	p.523
Ly-848	Niv.Sup.Ter.Ch.	71 Varennes les Macon	8040 ± 280	v.17,p.26
Gif-2530	Couche AH Os	25 Villars sous Dampjoux, Rochedane	9210 ± 120	à paraître
Gif-2387	Ch.	68 Oberlag, Abri de Mannlefelsen	9030 ± 160	v.17,p.26
Ny-15	Os	54 Pierre la Triche, Ste Marie	7950 ± 530	v.10,p.122

Abréviations : T = Tardenoisien, S = Sauveterrien, A = Azilien, E = Epipaléolitique. M = Montadien.

LISTE DES AUTEURS

ABELANET Jean, Chargé de cours à l'Université de Perpignan, Laboratoire de Paléontologie Humaine et de Préhistoire, Université de Provence, Centre Saint-Charles, place Victor-Hugo, 13331 Marseille Cedex 3, URA n° 13 du CRA du CNRS.

ALLAIN Jacques, Directeur Régional des Antiquités Préhistoriques du Centre, Palais Jacques-Cœur, 18000 Bourges.

ALLARD Michel, Assistant des Antiquités Préhistoriques des Pays de la Loire, 2, allée Charcot, 44000 Nantes.

ANGLADA Roger, Maître-Assistant, Laboratoire de Géologie Historique et Paléontologie, Université de Provence, Centre Saint-Charles, 13331 Marseille Cedex 3.

ARAMBOUROU Robert, Chargé de Recherche au CNRS, Institut du Quaternaire, Université de Bordeaux I, 33405 Talence, Géologie du Quaternaire et Préhistoire, LA n° 133 du CNRS.

ARCELIN Patrice, Conservateur du Musée des Baux-de-Provence, Centre Archéologique des Alpilles 13520, Les Baux-de-Provence, LA n° 164 du CNRS.

ARNAL Jean, 34270 Saint-Mathieu-de-Tréviers.

AVIAS Jacques, Centre d'Etudes et de Recherches géologiques et hydrologiques, Université des Sciences et Techniques du Languedoc, place Eugène-Bataillon, 34060 Montpellier Cedex, ERA n° 211 du CNRS.

BAILLOUD Gérard, Maître de Recherche au CNRS, Institut d'Art et d'Archéologie, 3 rue Michelet, 75006 Paris, URA n° 12 du CRA du CNRS.

BALOUT Lionel, Professeur, Institut de Paléontologie Humaine, 1, rue René-Panhard, 75013 Paris, LA n° 184 du CNRS.

BARRUOL Guy, Maître de Recherche au CNRS, Direction des Antiquités Historiques du Languedoc, 5, rue Salle-L'Evêque, 36000 Montpellier, ERA n° 63 du CNRS.

BARUSSEAU Jean-Paul, Centre Universitaire de Perpignan, U.E.R. des Sciences Exactes et Naturelles, Laboratoire de Recherches de Sédimentologie Marine, avenue de Villeneuve, 66000 Perpignan, ERA n° 103 du CNRS.

BAZILE Frédéric, Laboratoire de Géomorphologie, U.E.R. X, Université Paul Valéry, B.P. 5043, 34032 Montpellier Cedex et 23, rue Jean-Jacques-Rousseau, 30600 Vauvert, ER n° 46 du CNRS.

BEAULIEU Jacques-Louis de, Attaché de Recherche au CNRS, Laboratoire de Botanique historique et Palynologie, Université d'Aix-Marseille III, 13397 Marseille, ERA n° 404 du CNRS.

BEDEN Michel, Attaché de Recherche au CNRS, Laboratoire de Paléontologie des Vertébrés et Paléontologie humaine, Université de Poitiers, Faculté des Sciences, 40, avenue du Recteur Pineau, 86022 Poitiers Cedex.

BIGOT François, 1370, rue de la Haie, 76230 Bois-Guillaume, et Institut de Paléontologie humaine, 1, rue René-Panhard, 75013 Paris, LA n° 184 du CNRS.

BILLY Ginette, Maître de Recherche au CNRS, Institut de Paléontologie humaine, 1, rue René-Panhard, 75013 Paris, LA n° 184 du CNRS.

BINTZ Pierre, Institut Dolomieu (Géologie), rue M. Gignoux, 38000 Grenoble, LA n° 69 du CNRS.

BLANC Jean-Joseph, Professeur, Laboratoire de Géologie marine et Sédimentologie appliquée, Centre Universitaire de Marseille-Luminy, 13288 Marseille Cedex 2, LA n° 41 du CNRS.

BLANC-VERNET Laure, Maître de Recherche au CNRS, Laboratoire de Géologie marine, Centre d'Océanographie, Centre Universitaire de Marseille-Luminy, 13288 Marseille Cedex 2, LA n° 41 du CNRS.

BOCQUET Aimé, Géologie, Institut Dolomieu, Géologie, rue M. Gignoux, 38031 Grenoble, URA n° 11 du CRA du CNRS.

BONIFAY Marie-Françoise, Chargée de Recherche au CNRS, Laboratoire de Géologie et Paléontologie du Quaternaire, Université d'Aix-Marseille II, Centre de Luminy, 13288 Marseille Cedex 2.

BONNAMOUR Louis, Conservateur au Musée Denon, Châlon-sur-Saône.

BOONE Yvonne, Laboratoire de Paléontologie Humaine et de Préhistoire, Université de Provence, Centre Saint-Charles, 13331 Marseille Cedex 3, URA n° 13 du CRA du CNRS.

BOREL Jean-Luc, Laboratoire de Palynologie et de Phytosociologie, Université de Louvain, 4, place Croix-du-Sud, Louvain-la-Neuve, Belgique et URA n° 11 du CRA du CNRS.

BORNAND Michel, Service d'Etude des Sols, INRA, Ecole Nationale Supérieure Agronomique, place P. Viala, 34060 Montpellier.

BOUCHUD Jean, Maître de Recherche au CNRS, Institut de Paléontologie humaine, 1, rue René-Panhard, 75013 Paris, LA n° 184 du CNRS.

BOURDIER Franck, Professeur, Ecole Pratique des Hautes Etudes, Laboratoire de Géologie du Quaternaire et de Préhistoire, 8, rue Buffon, 75500 Paris.

BOUT Pierre, Institut de Géographie de Clermont-Ferrand, 63000 Clermont-Ferrand.

BOUVILLE Claude, Attaché de Recherche au CNRS, Laboratoire de Paléontologie humaine et de Préhistoire, Université de Provence, Centre Saint-Charles, 13331 Marseille Cedex 3, URA n° 13 du CRA du CNRS.

BRÉZILLON Michel, Directeur des Antiquités préhistoriques de la région parisienne, Palais de Chaillot, Place du Trocadéro, 75016 Paris, ERA n° 52 du CNRS.

BRIARD Jacques, Maître de Recherche au CNRS, Anthropologie, Préhistoire, Protohistoire et Quaternaire Armoricains, Université de Rennes I, B.P. 25 A, 35031 Rennes Cedex, ER n° 27 du CNRS.

BROCHIER Jacques-Elie, Laboratoire de Paléontologie Humaine et de Préhistoire, Université de Provence, Centre Saint-Charles, Place Victor-Hugo, 13331 Marseille Cedex 3, URA n° 13 du CRA du CNRS.

BROCHIER Jacques-Léopold, Laboratoire de Paléontologie Humaine et de Préhistoire, Université de Provence, Centre Saint-Charles, Place Victor-Hugo, 13331 Marseille Cedex 3, URA n° 13 du CRA du CNRS.

BROUSSE Robert, Professeur, Laboratoire de Pétrographie-Volcanologie, Université Paris-Sud, Bâtiment 504, 91405 Orsay.

BRUN Annik, Chargée de Recherche au CNRS, Labératoire de Géologie Dynamique, Université Paris VI, 4, place Jussieu, 75230 Paris Cedex 05.

BRUNNACKER Karl, Geologisches Institut der Universität Köln Abteilung Eiszeitenforschung, Zuepiechterstrasse 49, 5 Kœln 1 (Allemagne).

BUSCHSENSCHUTZ Olivier, Attaché de Recherche au CNRS.

CAMPS Gabriel, Professeur, Laboratoire d'Anthropologie et de Préhistoire des pays de la Méditerranée occidentale, Université de Provence, 29, avenue Robert-Schuman, 13621 Aix-en-Provence, LA n° 164 du CNRS.

CAMPS-FABRER Henriette, Maître de Recherche au CNRS, Laboratoire d'Anthropologie et de Préhistoire des pays de la Méditerranée occidentale, Université de Provence, 29, avenue Robert-Schuman, 13621 Aix-en-Provence, LA n° 164 du CNRS.

CAMPY Michel, Assistant agrégé, Laboratoire de Géologie historique et Paléontologie, Université, 25000 Besançon.

CARRE Henri, Correspondant de la Direction des Antiquités pour l'Yonne, 89100 Sens.

CAUVIN Marie-Claire, Chargée de Recherche au CNRS, Centre de recherches d'Ecologie Humaine et de Préhistoire, 07460 Saint-André-de-Cruzières, ER n° 166 du CNRS.

CÉLÉRIER Guy, 6, rue du Calvaire, 24000 Périgueux.

CHALINE Jean, Maître de Recherche au CNRS, Centre de Paléogéographie et Paléobiologie évolutives, Institut des Sciences de la Terre, 6, Bd Gabriel, 21000 Dijon, LA n° 157 du CNRS.

CHERTIER Bernard, Directeur des Antiquités Préhistoriques de Champagne - Ardennes, 20, rue de Chastillon, 51000 Châlons-sur-Marne.

CLOTTES Jean, Direction des Antiquités Préhistoriques du Midi-Pyrénées, 11, rue Fourcat, 09000 Foix.

COFFYN André, Chargé de Cours, Université de Bordeaux III, ERA n° 522 du CNRS.

COLLINA-GIRARD Jacques, Laboratoire de Paléontologie humaine et de Préhistoire, Université de Provence, Centre Saint-Charles, 13331 Marseille Cedex 3, URA n° 13 du CRA du CNRS.

CONCHON Odette, Maître-assistant, Ecole Normale supérieure de Fontenay-aux-Roses et Laboratoire de Géologie du Quaternaire, 1, place A.-Briand, 92190 Bellevue, CNRS.

CORDIER Gérard, Chargé de Recherche au CNRS, Musée des Antiquités Nationales, 78100 Saint-Germain-en-Laye, ERA n° 423 du CNRS.

COSTANTINI Georges, 24, rue du Champ du Prieur, 12100 Millau.

COURTIN Jean, Chargé de Recherche au CNRS, Laboratoire de Préhistoire, Port Saint-Jean, Marseille, ER n° 46 du CNRS.

COURTOIS Jean-Claude, Chargé de Recherche au CNRS, 5 bis, rue Quinault, 78100 Saint-Germain-en-Laye.

DASTUGUE Jean, Professeur, Laboratoire d'Anthropologie et de Paléopathologie, Université de Caen, Faculté de Médecine, 14032 Caen Cedex.

DAUGAS Jean-Pierre, Agent technique de la Direction des Antiquités Préhistoriques d'Auvergne, 4 bis, avenue de Beaulieu, 63400 Chamalières.

DAVID Louis, Professeur, Centre de Paléontologie stratigraphique, Département des Sciences de la Terre, Université Claude Bernard, Lyon, 69621 Villeurbanne, LA n° 11 du CNRS.

DEBARD Evelyne, Centre de Paléontologie stratigraphique, Département des Sciences de la Terre, Université Claude Bernard, Lyon, 69621 Villeurbanne, LA n° 11 du CNRS.

DEBÉNATH André, Chargé de Recherche au CNRS, Institut du Quaternaire, Université de Bordeaux I, 33405 Talence, LA n° 133 du CNRS.

DELIBRIAS Georgette, Ingénieur CEA, Centre des Faibles Radioactivités, Laboratoire mixte CNRS/CEA, 91190 Gif-sur-Yvette.

DELPECH Françoise, Attachée de Recherche au CNRS, Laboratoire de Géologie du Quaternaire et Préhistoire, Bâtiment de Géologie, Université de Bordeaux I, 33405 Talence, LA n° 133 du CNRS.

DELPORTE Henri, Conservateur, Musée des Antiquités Nationales de Saint-Germain-en-Laye, B.P. 30, 78103 Saint-Germain-en-Laye, ERA n° 423 du CNRS.

DESBROSSE René, Attaché de Recherche au CNRS, Laboratoire de Préhistoire du MNHN, Institut de Paléontologie humaine, 1, rue René-Panhard, 75013 Paris, LA n° 184 du CNRS.

Desse Georges, Laboratoire Maritime du Collège de France, 29 S Concarneau.

Desse Jean, Musée Cantonal d'Archéologie, Neuchâtel (Suisse).

Donze Pierre, Chargé de Recherche au CNRS, Département des Sciences de la Terre, Université Claude Bernard, Lyon I, boulevard du 11 novembre, 69621 Villeurbanne, LA n° 11 du CNRS.

Dubar Michel, Université de Provence, Laboratoire de Paléontologie Humaine et de Préhistoire, Place Victor-Hugo, 13331 Marseille Cedex 3, URA n° 13 du CRA du CNRS.

Ducos Pierre, Chargé de Recherche au CNRS, Centre de Recherche d'Ecologie humaine et de Préhistoire, 07460 Saint-André-de-Cruzières, ER n° 166 du CNRS.

Duday Henri, Attaché de Recherche au CNRS, 48, Les Terres Blanches, Avenue du Père Soulas, 34000 Montpellier, LA n° 220 et RCP n° 323 du CNRS.

Duplessy Jean-Claude, Chargé de Recherche, Centre des Faibles Radioactivités, Laboratoire mixte CNRS/CEA, 91190 Gif-sur-Yvette.

Duval Alain, Conservateur au Musée des Antiquités Nationales, 78103 Saint-Germain-en-Laye, ERA n° 423 du CNRS.

Erroux Jean, Maître de Conférences, Ecole Nationale Supérieure Agronomique, Montpellier.

Escalon de Fonton Max, Directeur de Recherche au CNRS, Laboratoire de Préhistoire Méditerranéenne, 34, rue Auguste-Blanqui, 13006 Marseille, ER n° 46 du CNRS.

Evin Jacques, Directeur du Laboratoire du Radiocarbone, Département de Géologie, Université de Lyon I, 69621 Villeurbanne.

Ferembach Denise, Maître de Recherche au CNRS, Ecole Pratique des Hautes Etudes, Laboratoire d'Anthropologie Biologique, 1, rue René-Panhard, 75013 Paris, LA n° 184 du CNRS.

Ferrier Jean, 44, rue de Marmande, Bordeaux.

Fonvielle Marie-Isabelle, Laboratoire de Paléontologie Humaine et de Préhistoire, Université de Provence, Centre Saint-Charles, Place Victor-Hugo, 13331 Marseille Cedex 3, URA n° 13 du CRA du CNRS.

Fournier Alain-Raymond, Laboratoire de Paléontologie Humaine et de Préhistoire, Université de Provence, Centre Saint-Charles, 13331 Marseille Cedex 3, URA n° 13 du CRA du CNRS.

Gaucher Gilles, Attaché de Recherche au CNRS, Collège de France, 75005 Paris, ERA n° 52 du CNRS.

Gèze Bernard, Institut National Agronomique, Laboratoire de Géologie, 16, rue Claude Bernard, 75231 Paris Cedex 05.

Gillot Pierre-Yves, Laboratoire de Pétrographie-Volcanologie, Université Paris-Sud, Bâtiment 504, 91405 Orsay.

Giot Pierre-Roland, Directeur de Recherche au CNRS, Laboratoire Anthropologie-Préhistoire-Protohistoire et Quaternaire Armoricains, Université de Rennes, B.P. 25 A, 35031 Rennes Cedex, ER n° 27 du CNRS.

Girard Catherine, Musée de l'Homme, Place du Trocadéro, 75016 Paris, ERA n° 52 du CNRS.

Girard Michel, Laboratoire de Palynologie, Musée de l'Homme, Place du Trocadéro, 75116 Paris, ERA n° 52 du CNRS.

Goer de Herve Alain de, Maître-assistant, Département de Géologie, UER Sciences exactes et naturelles, 5, rue Kessler, 63000 Clermont-Ferrand.

Gouletquer Pierre-Louis, Chargé de Recherche au CNRS, Université de Bretagne occidentale, Faculté des Lettres et Sciences Sociales de Brest, B.P. 860, 29279 Brest, ER n° 27 du CNRS.

Granier Jacky, Assistant, Museum Requien d'Histoire Naturelle, 67, rue Joseph Vernet, 84000 Avignon.

†Grosjean Roger, Chargé de Recherche au CNRS, ERA n° 423 du CNRS.

Gruet Michel, Institut de Recherches Fondamentales et Appliquées d'Angers, 86, rue de Frémur, 49000 Angers.

Guérin Claude, Centre de Paléontologie stratigraphique, Département des Sciences de la Terre, 15-43, boulevard du 11 Novembre, 69621 Villeurbanne, LA n° 11 du CNRS.

Guichard Geneviève, Musée National de Préhistoire des Eyzies, 24620 Les Eyzies-de-Tayac.

Guichard Jean, Conservateur du Musée National de Préhistoire des Eyzies, 24620 Les Eyzies-de-Tayac.

Guilaine Jean, Maître de Recherche au CNRS, Institut pyrénéen d'Etudes anthropologiques, CHU Purpan, 31052 Toulouse Cedex, RCP n° 323 du CNRS.

Guillaume Christine, Assistante à la Circonscription des Antiquités Préhistoriques de Lorraine (Meuse, Meurthe-et-Moselle, Moselle et Vosges), 40, rue de la Côte, 54000 Nancy.

Guillet Bernard, Chargé de Recherche au CNRS, Centre de Pédologie Biologique, 54500 Vandœuvre-lès-Nancy.

Guillier Marie-Thérèse, Centre des Faibles Radioactivités, Laboratoire Mixte CNRS/CEA, 91190 Gif-sur-Yvette.

Heim Jean-Louis, Professeur à l'Institut de Paléontologie Humaine, Maître-Assistant au Muséum National d'Histoire Naturelle (Musée de l'Homme), Palais de Chaillot, place du Trocadéro, 75116 Paris, LA n° 49 du CNRS.

Heintz Emile, Maître de Recherche au CNRS, Institut de Paléontologie, 8, rue Buffon, 75005 Paris, LA n° 12 du CNRS.

Hinout Jacques, 28, Grande-Rue, 02400 Château-Thierry.

Huault Marie-Françoise, Laboratoire de Géologie, Faculté des Sciences, Université de Rouen, 76130 Mont-Saint-Aignan.

Icole Michel, Maître de Conférences, Université de Niamey, B.P. 237, Niamey (Rép. du Niger) et Chargé de Recherche CNRS, Laboratoire de Géologie du Quaternaire, 1, place Aristide-Briand, 92190 Bellevue-Meudon.

Jalut Guy, Maître Assistant, Laboratoire de Botanique et Biogéographie, Université Paul Sabatier, 39, allées Jules Guesde, 31077 Toulouse Cedex, ER n° 25 et RCP n° 323 du CNRS.

JAMMOT Dominique, Institut des Sciences de la Terre, Centre de Paléogéographie et de Paléobiologie évolutives, 6, boulevard Gabriel, 21000 Dijon, LA n° 157 du CNRS.

JAN du CHENE Roger, Laboratoire de Paléontologie de l'Université, 13, rue des Maraîchers, 1211 Genève 4 (Suisse).

JANSSEN Cornelis Roelof, Laboratoire de Paléobotanique et de Palynologie, Université d'Utrecht, Pays-Bas.

JEHASSE Jean, Directeur des Antiquités de la Corse, Musée J. Carcopino, 20270 Aléria.

JOFFROY René, Conservateur en Chef du Musée des Antiquités Nationales, 78100 Saint-Germain-en-Laye, ERA n° 423 du CNRS.

JOLY Joseph, Faculté des Sciences, 6, Boulevard Gabriel, 21000 Dijon, LA n° 157 du CNRS.

JOURDAN Lucien, Laboratoire de Paléontologie Humaine et de Préhistoire, Université de Provence, Centre Saint-Charles, 13331 Marseille Cedex 3, URA n° 13 du CRA.

JOUSSAUME Roger, Attaché de Recherche au CNRS, Laboratoire de Préhistoire du MNHN, Institut de Paléontologie Humaine, 1, rue René-Panhard, 75013 Paris, LA n° 184 du CNRS.

JULLIEN Robert, Conservateur du Musée d'Histoire Naturelle de Marseille, Palais Longchamp, 13004 Marseille, URA n° 13 du CRA du CNRS.

KALIS Arie Jorinus, Laboratoire de Paléobotanique et de Palynologie, Université d'Utrecht, Pays-Bas.

KLINGEBIEL André, Université de Bordeaux I, Département Géologie et Océanographie, avenue des Facultés, 33405 Talence.

LAGRAND Charles, Chargé de Recherche au CNRS, 10, Parc des Chutes-Lavie, 13013 Marseille.

LALOU Claude, Directeur de Recherche au CNRS, Centre des Faibles Radioactivités, 91190 Gif-sur-Yvette, Laboratoire mixte CNRS/CEA.

LANFRANCHI François de, Musée Archéologique de Lévie, Corse.

LATOUCHE Claude, Université de Bordeaux I, Institut de Géologie du Bassin d'Aquitaine, 351, cours de la Libération, 33405 Talence, LA n° 197 du CNRS.

LAUTRIDOU Jean-Pierre, Chargé de Recherche au CNRS, Centre de Géomorphologie du CNRS, rue des Tilleuls, 14000 Caen.

LAVILLE Henri, Chargé de Recherche au CNRS, Laboratoire de Géologie du Quaternaire et Préhistoire, Institut du Quaternaire, Université de Bordeaux I, 33405 Talence, LA n° 133 du CNRS.

LENEUF Noël, Centre de Paléogéographie et de Paléobiologie évolutives, Institut des Sciences de la Terre, 6, boulevard Gabriel, 21000 Dijon, LA n° 157 du CNRS.

LENOIR Michel, Laboratoire de Géologie du Quaternaire et de Préhistoire, Institut du Quaternaire, Université de Bordeaux I, 33405 Talence, LA n° 133 du CNRS.

LEROI-GOURHAN André, Professeur, Collège de France, chaire de Préhistoire, Paris, ERA n° 52 du CNRS.

LE TENSORER Jean-Marie, Institut de Géodynamique, Université de Bordeaux III, Avenue des Facultés, 33405 Talence.

LETOLLE René, Professeur, Laboratoire de Géologie dynamique, Université de Paris VI, 2, place Jussieu, 75005 Paris.

L'HELGOUACH Jean, Maître de Recherche au CNRS, Direction des Antiquités préhistoriques des pays de la Loire, 2, rue Charcot, Nantes, ER n° 27 du CNRS.

LIEGEOIS Jean, Centre de Préhistoire Corse, 20100 Sartène.

LIVACHE Michel, Quartier di Roio, 84220 Cabrières d'Avignon.

LOEBELL Andreas, Institut Dolomieu (Géologie), rue M. Gignoux, 38000 Grenoble, LA n° 69 du CNRS.

LORBLANCHET Michel, Attaché de Recherche CNRS, Thémines 46120 Lacapelle Marival, RCP n° 259 du CNRS.

LUMLEY Henry de, Maître de Recherche au CNRS, Laboratoire de Paléontologie humaine et de Préhistoire, Université de Provence, Centre Saint-Charles, Place Victor-Hugo, 13331 Marseille Cedex 3 et Laboratoire d'Anthropologie et d'Ecologie humaine, Université d'Aix-Marseille II, Centre de la Timone, 27, boulevard Jean-Moulin, 13385 Marseille Cedex 4, URA n° 13 du CRA du CNRS.

LUMLEY Marie-Antoinette de, Chargée de Recherche au CNRS, Laboratoire de Paléontologie humaine et de Préhistoire, Université de Provence, Centre Saint-Charles et Laboratoire d'Anthropologie, Université d'Aix-Marseille II, Faculté de Médecine, 27, boulevard Jean-Moulin, 13385 Marseille Cedex 4, URA n° 13 du CRA du CNRS.

MALACHER Fernand, Direction des Antiquités Préhistoriques d'Auvergne, 2, rue Waldeck-Rousseau, 63100 Montferrand.

MALENFANT Michel, Centre de Recherches d'Ecologie Humaine et de Préhistoire, 07000 Saint-André-de-Cruzières, ER n° 166 du CNRS.

MANDIER Pierre, UER des Sciences de l'Homme et de son environnement, Université de Lyon II, 18, quai Claude-Bernard, 69365 Lyon 2.

MARSHACK Alexander, Peabody Museum of Archaeology and Ethnology, Harvard University, Cambridge, Massachusetts 02138 (USA).

MAZIÈRE Guy, Assistant à la Direction Régionale des Antiquités Préhistoriques Limousin, 2 ter, rue Haute de la Comédie, 87000 Limoges, LA n° 184 du CNRS.

MEIGNEN Liliane, Laboratoire de Paléontologie Humaine et de Préhistoire, Université de Provence, Centre Saint-Charles, place Victor-Hugo, 13331 Marseille Cedex 3, URA n° 13 du CRA du CNRS.

MICHEL Jean-Pierre, Laboratoire de Géologie I, Université de Paris VI (Pierre et Marie Curie), 4, place Jussieu, 75005 Paris.

MILLOTTE Jacques-Pierre, Professeur, Université de Besançon, 25030 Besançon Cedex, URA n° 11 du CRA du CNRS.

MISKOVSKY Jean-Claude, Laboratoire de Géologie 1, Université Pierre et Marie-Curie, Tour 16, 4, place Jussieu, 75230 Paris Cedex 05, URA n° 13 du CRA du CNRS.

MOHEN Jean-Pierre, Conservateur au Musée des Antiquités Nationales, Château de Saint-Germain-en-Laye, 78103 Saint-Germain-en-Laye, ERA n° 423 et RCP n° 323 du CNRS.

MONACO André, Chargé de Recherche au CNRS, Centre de Recherche de Sédimentologie Marine, Avenue de Villeneuve, 66025 Perpignan, ER n° 103 du CNRS.

MONGEREAU Noël, Centre de Paléontologie stratigraphique, Département des Sciences de la Terre, Université Claude-Bernard, Lyon, 69621 Villeurbanne, LA n° 11 du CNRS.

MONJUVENT Guy, Institut Dolomieu, rue Maurice-Gignoux, 38031 Grenoble.

MONNIER Jean-Laurent, Attaché de Recherche au CNRS, Laboratoire d'Anthropologie-Préhistoire-Protohistoire et Quaternaire Armoricains, Université de Rennes I, B.P. 25 A, 35031 Rennes Cedex, ER n° 27 du CNRS.

MORDANT Claude, Musée des Antiquités Nationales, Château de Saint-Germain-en-Laye, 78103 Saint-Germain-en-Laye, ERA n° 423 du CNRS.

MORZADEC-KERFOURN Marie-Thérèse, Institut de Géologie, Université de Rennes I, et Laboratoire d'Anthropologie, Préhistoire, Protohistoire et Quaternaire Armoricains, B.P. 25 A, 35031 Rennes Cedex, ER n° 27 du CNRS.

MOSER François, 15, rue de la Brèche aux Loups, 75012 Paris.

MOURER-CHAUVIRÉ Cécile, Centre de Paléontologie stratigraphique, Département des Sciences de la Terre, Université Claude-Bernard, Lyon, 69621 Villeurbanne, LA n° 11 du CNRS.

NICOLARDOT Jean-Pierre, Attaché de Recherche au CNRS, Musée des Antiquités Nationales, Château de Saint-Germain-en Laye, 78103 Saint-Germain-en-Laye, ERA n° 423 du CNRS.

NICOLAS Alain, Conservateur des Musées, Abbaye Saint-Germain, 89000 Auxerre.

OLIVE Philippe, Centre de Recherches Géodynamiques, Université de Paris VI, avenue de Corzent, 74203 Thonon-les-Bains.

ONORATINI Gérard, Stagiaire de Recherche au CNRS, Laboratoire de Préhistoire Méditerranéenne, 34, rue Auguste-Blanqui, 13006 Marseille, ER n° 46 du CNRS.

PAJOT Bernard, Attaché de Recherche au CNRS, Musée des Antiquités Nationales, 781000 Saint-Germain-en-Laye, ERA n° 423 du CNRS.

PAQUEREAU Marie-Madeleine, Institut du Quaternaire, Université de Bordeaux I, 33405 Talence. LA n° 133 du CNRS.

PAUTREAU Jean-Pierre, Bourg, Mignaloux-Beauvoir, 86800 Saint-Julien-l'Ars.

PERETTI Georges, Centre de Préhistoire Corse, 20100 Sartène.

PERLÈS Catherine, Maître-assistant de Préhistoire, Université de Paris X, Nanterre.

PERPÈRE Marie, Maître-assistant au Museum National d'Histoire Naturelle, Laboratoire de Préhistoire. Musée de l'Homme, place de Trocadéro, 75016 Paris, LA n° 184 du CNRS.

PETREQUIN Pierre, Assistant de la Direction des Antiquités Préhistoriques de Franche-Comté, 9 bis rue Charles-Nodier, 25030 Besançon Cedex, URA n° 11 du CRA du CNRS.

PININGRE Jean-François, Assistant à la Direction des Antiquités préhistoriques de la région Nord - Pas-de-Calais, Ferme Saint-Sauveur, 59650 Villeneuve d'Ascq, URA n° 11 du CRA du CNRS.

PIVETEAU Jean, Professeur Laboratoire de Paléontologie Humaine, Université de Paris VI, tour 25, 5, place Jussieu, 75005 Paris, RCP n° 362 du CNRS.

PLANCHAIS Nadine, Chargée de Recherche au CNRS, Laboratoire de Palynologie du CNRS, Université des Sciences et Techniques du Languedoc, 34060 Montpellier Cedex, ER n° 25 du CNRS.

POIZAT Marguerite, Laboratoire de Paléontologie humaine et de Préhistoire, Université de Provence, Centre Saint-Charles, 13331 Marseille Cedex 3, URA n° 13 du CRA du CNRS.

POULAIN-JOSIEN Thérèse, Chargée de Recherche au CNRS., 7, rue du Collège, 89200 Avallon, ER n° 52 du CNRS.

PRAT François, Laboratoire de Géologie du Quaternaire et Préhistoire, Université de Bordeaux I, 33405 Talence, LA n° 133 du CNRS.

PUECH Pierre François, 2, rue Saint-Antoine, 30000 Nîmes et Laboratoire de Paléontologie Humaine et de Préhistoire, Université de Provence, Centre Saint-Charles, Place Victor-Hugo, 13331 Marseille Cedex 3, URA n° 13 du CRA du CNRS.

PUISSÉGUR Jean-Jacques, Centre de Paléogéographie et de Paléobiologie évolutives, Institut des Sciences de la Terre, 6, boulevard Gabriel, 21000 Dijon, LA n° 157 du CNRS.

QUÉCHON Gérard, Chargé de Recherche à l'Office de la Recherche Scientifique et Technique Outre-Mer, 24, rue Bayard, 75008 Paris.

RAGE Jean-Claude, Laboratoire de Paléontologie des Vertébrés, Université Pierre et Marie Curie, tour 25, 4, place Jussieu, 75230 Paris Cedex, LA n° 12 du CNRS.

RAYNAL Jean-Paul, Institut du Quaternaire, Université de Bordeaux I, 33405 Talence, LA n° 133 du CNRS.

REILLE Maurice, Laboratoire de Botanique historique et Palynologie, Faculté des Sciences et Techniques de Saint-Jérôme, 13397 Marseille Cedex 4, ERA n° 404 du CNRS.

RENAULT Philippe, Chargé de Recherche au CNRS, Département des Sciences de la Terre de l'Université de Lyon I, 43, boulevard du 11 Novembre, 69621 Villeurbanne.

RENAULT-MISKOVSKY Josette, Chargée de Recherche au CNRS, Université Pierre et Marie Curie, Laboratoire de Géologie I, Tour 16, 4, place Jussieu, 75230 Paris Cedex 05, URA n° 13 du CRA du CNRS.

RICHARD Jean-Claude, Attaché de Recherche au CNRS, Centre Pierre Paris, Université de Bordeaux III, 33405 Talence, ERA n° 522 du CNRS.

RIEUCAU Louis, Chargé d'Enseignement, Université de Tours, Département de Géographie, Parc de Grandmont, 37200 Tours.

RIGAUD Jean-Philippe, Université de Bordeaux I, Institut du Quaternaire, Bâtiment de Géologie, 33405 Talence, LA n° 133 du CNRS.

RIQUET Raymond, Maître de Conférences, Laboratoire d'Anthropologie, Université de Bordeaux I.

ROBERT-BAZILE Evelyne, Laboratoire de Paléobotanique et évolution des Végétaux, USTL, place E.-Bataillon, 34060 Montpellier, ER n° 114 du CNRS.

ROUDIL Jean-Louis, Chargé de Recherche au CNRS, Directeur des Antiquités Préhistoriques du Languedoc, 5, rue Salle-l'Evêque, 34000 Montpellier, ER n° 46 du CNRS.

ROUSSET Claude, Maître-assistant, Université de Provence, Département des Sciences de la Terre, Laboratoire de Géologie Appliquée, Equipe : Altération des roches, Sédimentologie continentale, Géomorphologie, Quaternaire, place Victor-Hugo, 13331 Marseille Cedex 3.

ROUSSOT-LARROQUE Julia, Chargée de Recherche au CNRS, Institut du Quaternaire, Université de Bordeaux I, 33405 Talence, LA n° 133 du CNRS.

ROZOY Jean-Georges, 26, rue du Petit-Bois, 08000 Charleville-Mézières.

SACCHI Dominique, Chargé de Recherche au CNRS, 25, allée du Parc, 11000 Carcassonne, ER n° 46 et RCP n° 323 du CNRS.

SCHMIDER Béatrice, Chargée de Recherche au CNRS, Collège de France, 75 Paris, ER n° 52 du CNRS.

SIMONNET Robert, La Condamine D 24, 09000 Foix, RCP n° 323 du CNRS.

SOMMÉ Jean, Chargé d'Enseignement, Institut de Géographie, Université des Sciences et Techniques de Lille, B.P. 36, 59650 Villeneuve-d'Asq.

SUC Jean-Pierre, Laboratoire de Palynologie du CNRS, Université des Sciences et Techniques du Languedoc, place Eugène-Bataillon, 34060 Montpellier Cedex, ER n° 25 du CNRS.

TABORIN Yvette, M.A. Préhistoire, Paris I, ER n° 52 du CNRS.

TARRÊTE Jacques, Assistant à la Direction des Antiquités préhistoriques de la Région parisienne, Palais de Chaillot, 75116 Paris, ERA n° 52 du CNRS.

TAVOSO Andé, Attaché de Recherche au CNRS, Laboratoire de Paléontologie Humaine et de Préhistoire, Université de Provence, Centre Saint-Charles, place Victor-Hugo, 13331 Marseille Cedex 3, URA n° 13 du CRA du CNRS.

TERS Mireille, Professeur à l'Université d'Amiens, Sous-Directeur du Laboratoire de Géographie physique de l'Université de Paris IV, 191, rue Saint-Jacques, 75005 Paris, LA du CNRS.

TEXIER Jean-Pierre, Attaché de Recherche au CNRS, Institut du Quaternaire, Université de Bordeaux I, 33405 Talence, LA n° 133 du CNRS.

THENOT Andrée, Musée des Antiquités Nationales, Château de Saint-Germain, 78103 Saint-Germain-en-Laye, ERA n° 423 du CNRS.

THÉOBALD Nicolas, Professeur honoraire, Laboratoire de Géologie historique et Paléontologie, Université, 25000 Besançon.

THÉVENIN André, Directeur des Antiquités préhistoriques d'Alsace et de Lorraine, Palais du Rhin, 3, place de la République, 67000 Strasbourg.

THEVENOT Jean-Paul, Directeur des Antiquités préhistoriques de Bourgogne, 36, rue Chabot-Charny, 21000 Dijon.

THIBAULT Claude, Chargé de Recherche au CNRS, Institut du Quaternaire, Université de Bordeaux I, 33405 Talence, LA n° 133 du CNRS.

THOMMERET Jean, Laboratoire de Radioactivité Appliquée, Centre Scientifique de Monaco, Monaco, RCP n° 252 du CNRS.

THOMMERET Yolande, Laboratoire de Radioactivité Appliquée, Centre Scientifique de Monaco, Monaco, RCP n° 252 du CNRS.

TILLIER Anne-Marie, Laboratoire de Paléontologie des Vertébrés et Paléontologie humaine, Université Paris VI, 4, place Jussieu, 75230 Paris Cédex 05.

TIXIER Jacques, Maître de Recherche au CNRS, Directeur des Antiquités Préhistoriques du Limousin, Institut de Paléontologie Humaine, 1, rue René Panhard, 75013, Paris, LA n° 184 du CNRS.

TUFFREAU Alain, Musée des Antiquités Nationales, 78100 Saint-Germain-en-Laye, ERA n° 423 du CNRS.

VALADAS Bernard, Assistant de Géographie, Université de Limoges, 87100 Limoges.

VALK de Everadus Jacobus, Laboratoire de Paléobotanique et de Palynologie, Université d'Utrecht, Pays-Bas.

VAN CAMPO Madeleine, Laboratoire de Palynologie, Université des Sciences et Techniques du Languedoc, 34060 Montpellier Cedex, ER n° 25 du CNRS.

VANDERMEERSCH Bernard, Maître-Assistant à l'Université Paris VI, Directeur des Antiquités Préhistoriques pour la région Poitou-Charente. Laboratoire de Paléontologie des Vertébrés et Paléontologie Humaine, Université Paris VI, 4, place Jussieu, 75230 Paris Cedex 05, RCP n° 311 du CNRS.

VERGNAUD-GRAZZINI Colette, Chargée de Recherches, Laboratoire de Géologie Dynamique, Université de Paris VI, 2, place Jussieu, 75005 Paris, RCP n° 311 du CNRS.

Vernet Jean-Louis, Assistant à l'Université des Sciences et Techniques du Languedoc, 2, place Eugène Bataillon, 34060 Montpellier, Cedex, ERA n° 114 du CNRS.

Vernhet Alain, Attaché de Recherche au CNRS, 27, boulevard de l'Ayrolle, Millau et Direction des Antiquités Historiques du Midi-Pyrénées, Toulouse.

Verron Guy, Directeur des Antiquités Préhistoriques de Basse-Normandie, Manoir des Gens-d'Armes, 161, Rue Basse, 14000 Caen, ER n° 27 du CNRS.

Veyret Yvette, Assistante. Institut de Géographie. UER Lettres, 29, boulevard Gergovia, 63037 Clermont-Ferrand.

Vilain Robert, Centre de Paléontologie stratigraphique, Département des Sciences de la Terre, Université de Lyon I, 15-43, boulevard du 11 Novembre 1918, 69621 Villeurbanne, LA n° du CNRS.

Vogt Henri, Chargé d'enseignement de géographie, Institut de Géographie, Université Louis-Pasteur de Strasbourg, 43, rue Gœthe, 6700 Strasbourg.

Vuillemey Marcel, 60, rue du Commerce, 39000 Lons-le-Saunier, URA n° 11 du CRA du CNRS.

Walter Bernard, Département des Sciences de la Terre et Laboratoire associé au CNRS, Université Claude-Bernard, Lyon I, boulevard 11 Novembre, 69621 Villeurbanne, LA n° 11 du CNRS.

Weisse Michel-Claude, Maître-Assistant, Lettres et Sciences humaines de Nice, 98, boulevard Edouard-Herriot, Nice.

Zumstein Hans, Conservateur du Musée de l'Œuvre Notre-Dame, 3, place du Château, Strasbourg.

TABLE DES MATIÈRES

Première partie

A — CADRE CHRONOLOGIQUE ET ENVIRONNEMENT

I. LE CADRE CHRONOLOGIQUE ET PALÉOCLIMATIQUE DU QUATERNAIRE

II. LES DÉPÔTS QUATERNAIRES

1. *Les glaciers quaternaires.*

2. *Les alluvions fluviatiles.*

Deuxième partie

B — L'HOMME ET SES ACTIVITES

I. LA POPULATION

II. L'HABITAT

III. LE MODE DE VIE

III. LES CIVILISATIONS DU PALÉOLITHIQUE MOYEN (MOUSTÉRIEN)

IV. Les civilisations du paléolithique supérieur

V. Les civilisations de l'épipaléolithique et du mésolithique